여러분 [illegible] 하는
해커스공무원의 특별 혜택

FREE 공무원 교육학 **특강**

해커스공무원(gosi.Hackers.com) 접속 후 로그인 ▶ 상단의 [무료강좌] 클릭 ▶ [교재 무료특강] 클릭 후 이용

해커스공무원 온라인 단과강의 **20% 할인쿠폰**

DACFAAF32BF53FLK

해커스공무원(gosi.Hackers.com) 접속 후 로그인 ▶ 상단의 [나의 강의실] 클릭 ▶
좌측의 [쿠폰등록] 클릭 ▶ 위 쿠폰번호 입력 후 이용

* 등록 후 7일간 사용 가능(ID당 1회에 한해 등록 가능)

해커스 회독증강 콘텐츠 **5만원 할인쿠폰**

FC32F6887FARP2GA

해커스공무원(gosi.Hackers.com) 접속 후 로그인 ▶ 상단의 [나의 강의실] 클릭 ▶
좌측의 [쿠폰등록] 클릭 ▶ 위 쿠폰번호 입력 후 이용

* 등록 후 7일간 사용 가능(ID당 1회에 한해 등록 가능)
* 특별 할인상품 적용 불가
* 월간 학습지 회독증강 행정학/행정법총론 개별상품은 할인대상에서 제외

 합격예측 **온라인 모의고사 응시권 + 해설강의 수강권**

B57FDA4F962ECB9D

해커스공무원(gosi.Hackers.com) 접속 후 로그인 ▶ 상단의 [나의 강의실] 클릭 ▶
좌측의 [쿠폰등록] 클릭 ▶ 위 쿠폰번호 입력 후 이용

* ID당 1회에 한해 등록 가능

쿠폰 이용 관련 문의 **1588-4055**

단기 합격을 위한 해커스공무원 커리큘럼

입문

탄탄한 기본기와 핵심 개념 완성!

누구나 이해하기 쉬운 개념 설명과 풍부한 예시로 부담없이 쌩기초 다지기

TIP 베이스가 있다면 **기본 단계**부터!

기본+심화

필수 개념 학습으로 이론 완성!

반드시 알아야 할 기본 개념과 문제풀이 전략을 학습하고
심화 개념 학습으로 고득점을 위한 응용력 다지기

기출+예상 문제풀이

문제풀이로 집중 학습하고 실력 업그레이드!

기출문제의 유형과 출제 의도를 이해하고 최신 출제 경향을 반영한
예상문제를 풀어보며 본인의 취약영역을 파악 및 보완하기

동형문제풀이

동형모의고사로 실전력 강화!

실제 시험과 같은 형태의 실전모의고사를 풀어보며 실전감각 극대화

최종 마무리

시험 직전 실전 시뮬레이션!

각 과목별 시험에 출제되는 내용들을 최종 점검하며 실전 완성

PASS

* 커리큘럼 및 세부 일정은 상이할 수 있으며,
지세한 사항은 해커스공무원 사이트에서 확인하세요.

해커스공무원

이이수 교육학

기본서 | 1권

해커스공무원

이이수

약력

성균관대학교 대학원 교육학 전공(철학박사)
성균관대, 충남대, 경희대, 명지대, 아주대 교육대학원
교육학 특강
현 | 해커스공무원 교육학 강의
현 | 해커스임용 교육학 강의
현 | 서울 및 경기지역 대학 및 교육대학원 교직과목 강의
현 | 에이플러스 교직논술 아카데미 대표

저서

해커스공무원 이이수 교육학 기본서
해커스공무원 이이수 교육학 단원별 기출문제집
이이수 교육학 논술 기초편
이이수 교육학 논술 심화편
Edutopia 교육학, 북타운
Eduvision 교육학, 열린교육
통합 교과 교육론, 희소

공무원 시험 합격을 위한 필수 기본서!

공무원 공부, 어떻게 시작해야 할까?

교육학을 공부하는 수험생이라면 누구나 교육학 과목의 복잡함과 광범위한 분량에 대해 익히 알고 있을 것입니다. 게다가 최근 교육학 시험의 출제경향을 분석해보면, 난이도가 점점 높아지고 있어 수험생 여러분들의 부담 또한 더해지고 있습니다.

이에 **『해커스공무원 이이수 교육학 기본서』**는 수험생 여러분들의 부담을 줄이고, '시험에 나오는' 교육학만을 효율적으로 학습할 수 있도록 다음과 같은 특징을 가지고 있습니다.

첫째, 오랜 교육학 학습 및 강의 경험을 바탕으로 핵심 이론들을 체계적으로 수록하였습니다.

최근 30여 년간 출제된 모든 교육학 시험(교사임용, 교육행정직 등)을 분석하여 중요하고 자주 다루어지는 내용들을 중심으로 이론 구성을 체계화하였습니다. 또한, 교육학을 이해하는 데에 불필요하거나 낡은 이론들은 가능한 한 제외시켰으며, 자주 등장하는 주요 교육사상가들의 사상을 집중적으로 다루었습니다.

둘째, 다양한 학습장치를 통해 수험생 여러분들의 입체적인 학습을 지원합니다.

커리큘럼과 학습 정도에 맞추어 교육학 이론을 공부할 수 있도록 핵심체크 POINT, 秀 POINT, 참고 등 다양한 학습 장치를 교재 곳곳에 배치하였습니다. 또한, 본문에서 학습한 내용을 다시 한번 확인하고 스스로 실력을 점검할 수 있도록 기출문제를 수록하였습니다.

셋째, 효율적인 학습을 위해 교육관련법령 및 찾아보기를 수록하였습니다.

광범위한 교육학 이론 중 확인이 필요한 법령 및 이론, 사상가 등을 즉시 찾을 수 있도록 교재 말미에 교육관련법령 및 찾아보기를 수록하였습니다. 특히 인물편·내용편으로 분리하여 수록한 찾아보기를 통해 빠르고 정확한 학습이 가능합니다.

더불어, 공무원 시험 전문 사이트 **해커스공무원(gosi.Hackers.com)**에서 교재 학습 중 궁금한 점을 나누고 다양한 무료 학습 자료를 함께 이용하여 학습 효과를 극대화할 수 있습니다.

부디 **『해커스공무원 이이수 교육학 기본서』**와 함께 공무원 교육학 시험 고득점을 달성하고 합격을 향해 한걸음 더 나아가시기를 바랍니다.

『해커스공무원 이이수 교육학 기본서』가 공무원 합격을 꿈꾸는 모든 수험생 여러분에게 훌륭한 길잡이가 되기를 바랍니다.

이이수

목차

1권

I 교육학개론

II 서양교육사

III 한국교육사

IV 교육철학

V | 교육심리학

VI | 생활지도 및 상담

VII | 교육사회학

목차

2권

XII 교육행정 및 교육경영

교육관련법령

찾아보기 및 참고문헌

이 책의 **구성**

『해커스공무원 이이수 교육학 기본서』는 수험생 여러분들이 교육학 과목을 효율적으로 정확하게 학습할 수 있도록 상세한 내용과 다양한 학습장치를 수록·구성하였습니다. 아래 내용을 참고하여 본인의 학습 과정에 맞게 체계적으로 학습 전략을 세워 학습하시기 바랍니다.

01 이론의 **세부적인 내용을 정확하게 이해**하기

08 | 신인문주의와 교육

핵심체크 POINT

1. 국가주의와 교육
   ① 특징: 국가적 교육조직(공교육과 의무교육)의 확립과 근대적 교육내용 도입

프랑스	프랑스 혁명 이후 공교육 제도 확립[콩도르세(Condorcet)가 대표적], 1802년 나폴레옹 학제(중앙집권적), 기조법
독일	절대주의와 의무교육(1763년 일반지방학사통칙)제도 성립
영국	산업혁명 이후 정치·경제적 변화, 자선가들에 의한 자선학교 설립(일요학교, 조교제 학교, 공장학교)
미국	독립 이후 유럽의 영향을 받아 국가적 교육체제 확립(의무교육과 공교육)

   ② 국가주의 교육사상가

프랑스	라 샬롯데(La Chalotais), 콩도르세(Condorcet)
독일	피이테(Fichte), 슐라이어마허(Schleiermacher)
영국	아담 스미스(A. Smith), 랭카스터(Lancaster), 오웬(Owen)
미국	호레이스 만(H. Mann)

2. 신인문주의
   ① 인간성의 조화로운 발달, 계발주의(심리학주의)
   ② 신인문주의 교육 사상가

페스탈로치	전인교육론, 직관교수법, 실물교수법, 3위일체설(지·덕·체, 수·형·언어, 직관·언어·사고)
프뢰벨	신·인간·자연의 통일성, 자기활동의 원리, 놀이의 중요성 강조
헤르바르트	교육학을 과학적으로 체계화

1 국가주의와 교육

1. 국가주의(nationalism)의 특징

모든 가치와 결정이 국가의 보존과 번영에 기초를 두어야 한다는 이념을 말한다.

교육학의 핵심 내용을 체계적으로 구성한 이론

1. 효과적인 교육학 학습을 위한 체계적 이론 구성

기본서를 회독하는 과정에서 기본 개념부터 심화 이론까지 자연스럽게 이해할 수 있도록 교육학의 핵심 내용만을 체계적으로 구성하였습니다. 이를 통해 교육학 과목의 방대한 내용 중 시험에 나오는 이론만을 효과적으로 학습할 수 있습니다.

2. 최신 출제 경향 및 개정 법령 반영

최신 공무원 시험의 출제 경향을 철저히 분석하여 자주 출제되거나 출제가 예상되는 내용 등을 엄선하여 수록하였고, 최근 제·개정된 법령을 반영하여 실전에 효율적으로 대비할 수 있습니다.

02 핵심 내용에 맞춰 **학습방향 설정**하기

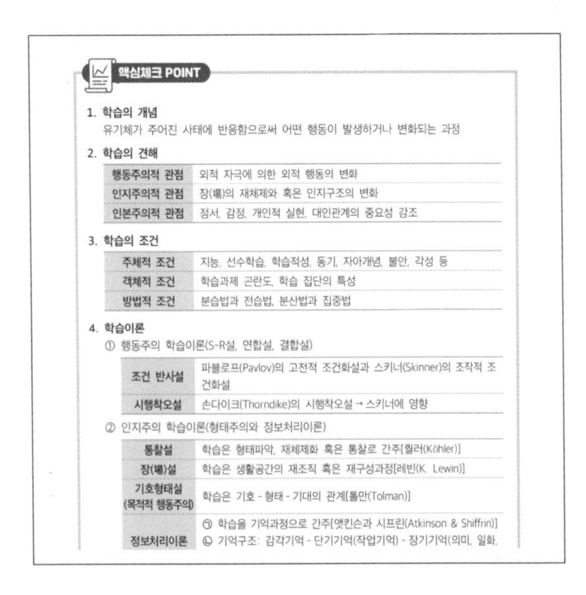

핵심체크 POINT

1. 학습의 개념
   유기체가 주어진 사태에 반응함으로써 어떤 행동이 발생하거나 변화되는 과정
2. 학습의 견해

행동주의적 관점	외적 자극에 의한 외적 행동의 변화
인지주의적 관점	장(場)의 재체제와 혹은 인지구조의 변화
인본주의적 관점	정서, 감정, 개인적 실현, 대인관계의 중요성 강조

3. 학습의 조건

주체적 조건	지능, 선수학습, 학습적성, 동기, 자아개념, 불안, 각성 등
객체적 조건	학습과제 곤란도, 학습 집단의 특성
방법적 조건	분습법과 전습법, 분산법과 집중법

4. 학습이론
   ① 행동주의 학습이론(S-R설, 연합설, 결합설)

조건 반사설	파블로프(Pavlov)의 고전적 조건화설과 스키너(Skinner)의 조작적 조건화설
시행착오설	손다이크(Thorndike)의 시행착오설 → 스키너에 영향

   ② 인지주의 학습이론(형태주의와 정보처리이론)

통찰설	학습은 형태파악, 재체제화 혹은 통찰로 간주[쾰러(Köhler)]
장(場)설	학습은 생활공간의 재조직 혹은 재구성과정[레빈(K. Lewin)]
기호형태설(목적적 행동주의)	학습은 기호 - 형태 - 기대의 관계[톨만(Tolman)]
정보처리이론	㉠ 학습을 기억과정으로 간주[앳킨슨과 시프린(Atkinson & Shiffrin)] ㉡ 기억구조: 감각기억 - 단기기억(작업기억) - 장기기억(의미, 일화,

단원의 핵심내용을 알 수 있는 핵심체크 POINT

각 단원 도입부마다 해당 단원의 전체적인 흐름을 파악할 수 있는 '핵심체크 POINT'를 수록하였습니다. 본격적인 학습 전, 이를 적극적으로 활용한다면 스스로 학습목표를 설정하고 더 중점을 두어 학습할 부분을 미리 파악할 수 있습니다.

03 다양한 **학습 장치**를 활용하여 **이론 학습**하기

秀 POINT 로크의 삼육론

체육론	① 인간의 정신은 경험에 의해 이루어지며 경험은 신체의 건강이 무엇보다 중요한 전제가 된다. ② 체육을 실시함에 있어 철저한 단련주의를 강조한다.
덕육론	① 덕육은 지육에 앞서 필요한 것이다. ② 덕육의 목적은 자신의 욕망을 억제하고 이성에 따라 행동하는 것에 있다. ③ 덕육의 근본방침 역시 단련주의에 입각하고 있고, 엄격주의를 특성으로 한다.
지육론	① 지식은 오로지 덕을 쌓고 깊은 사색을 위해 필요한 수단이다. ② 지육은 그 자체가 목적이 아니라 원만한 인격의 발달을 촉진시키는 데 궁극적 목표를 두어야 한다. ③ 가정교육을 통한 조기교육을 강조한다.

참고

설총의 『화왕계(花王戒)』

교육적 의의	① 『화왕계』의 내용은 왕이란 간사하고 아첨하는 신하를 물리치고 정직하고 강직한 신하를 위할 줄 알아야 한다는 것으로, 이는 유학사상적인 표현으로 임금이 갖춰야 할 태도를 밝혔다. ② 『화왕계』를 통해 설총의 '군주교육사상(君主敎育思想)'을 알 수 있다.
교육방법	비유와 풍자의 방법 사용
교육사적 의미	설총의 『화왕계』는 교육사상사적인 면에서 본다면 조선조 퇴계의 『성학십도(聖學十圖)』, 율곡의 『성학집요(聖學輯要)』, 권근의 『수창궁재상서』, 이익의 『곽우록』과 같이 군주교육에 관한 것과 유사하다.

기출문제

1\. 신인문주의 교육에 대한 설명으로 옳지 않은 것은? 2019년 국가직 7급

① 인간 본성의 미적, 지적 차원의 조화로운 발달을 추구하였다.
② 국민국가의 민족적 관점에서 전통과 유산을 중요한 교육소재로 삼았다.
③ 고전 연구와 교육을 위해 이탈리아의 궁정학교와 독일의 김나지움 같은 학교가 생겨났다.
④ 공리주의적이고 실리적인 계몽주의에 맞서 학교교육 전반에 걸친 개혁을 추구하였다.

해설

신인문주의는 18세기 계몽주의에 대한 반발로 인간 이성에 기초한 합리주의에 반발하여 등장한 사조로 인간의 조화로운 발달, 정의적, 국민적, 역사적 색채를 지녔다. 고전 연구와 교육을 위해 이탈리아의 궁정학교나 독일의 김나지움과 같은 학교 발생은 14~16세기 등장한 전통적 인문주의 시대이다. 답 ③

한 단계 실력 향상을 위한 다양한 학습장치

1. 秀 POINT
시험에 자주 출제되거나 출제 가능성이 높은 개념을 '秀 POINT'로 수록하였습니다. 이를 통해 주요 자료와 관련된 개념까지 학습할 수 있습니다.

2. 참고
본문 내용 중 더 알아두면 좋을 개념이나 이론들을 '참고'에서 추가로 설명하여 학습자가 쉽게 이해할 수 있도록 했습니다. 이를 통해 본문만으로 이해가 어려웠던 부분의 학습을 보충하고, 심화된 내용까지 학습할 수 있습니다.

3. 기출문제
본문 내용과 관련된 최신 기출문제들을 수록하였습니다. 이를 통해 본문 내용과 관련된 기출문제를 풀어보고, 출제 경향 및 중요한 내용을 파악할 수 있습니다.

04 합격을 위한 **법령집과 찾아보기** 수록

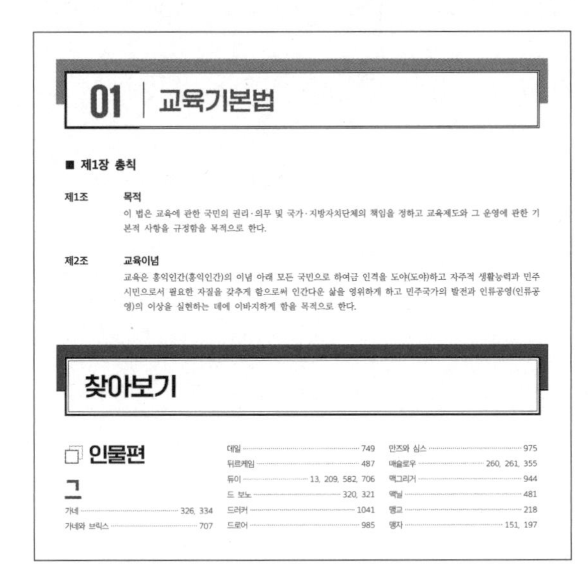

01 | 교육기본법

■ 제1장 총칙

제1조 목적
이 법은 교육에 관한 국민의 권리·의무 및 국가·지방자치단체의 책임을 정하고 교육제도와 그 운영에 관한 기본적 사항을 규정함을 목적으로 한다.

제2조 교육이념
교육은 홍익인간(홍익인간)의 이념 아래 모든 국민으로 하여금 인격을 도야(도야)하고 자주적 생활능력과 민주시민으로서 필요한 자질을 갖추게 함으로써 인간다운 삶을 영위하게 하고 민주국가의 발전과 인류공영(인류공영)의 이상을 실현하는 데에 이바지하게 함을 목적으로 한다.

찾아보기

인물편

ㄱ

학습에 도움이 되는 교육관련법령과 찾아보기

1. 교육관련법령
공무원 시험에 자주 출제되는 교육관련법령을 부록으로 수록하였습니다. 이를 통해 학습에 참고하여 법령관련 문제를 대비할 수 있습니다.

2. 찾아보기
교육학 주요 개념들과 학자들을 내용편·인물편 찾아보기로 나누어 수록하였습니다. 이를 통해 학습하다가 궁금한 것이 생겼을때 필요한 내용을 빠르게 찾아 확인할 수 있습니다.

I

교육학개론

01 교육의 이해

핵심체크 POINT

교육의 의미	어원적 의미, 교육과 훈련, 교화
교육의 기본전제	미성숙성, 가소성, 의도성, 가치지향성
교육관의 유형	• 주형으로서의 교육관 • 도야로서의 교육관 • 발달 및 발현으로서의 교육관 • 성장으로서의 교육관 • 발달적 교육관 • 계명으로서의 교육관 • 자아실현으로서의 교육관
교육의 정의	• 기능적 정의 • 규범적 정의 • 조작적 정의 • 기술적 정의 • 약정적 및 강령적 정의

1 교육의 의미

1. 교육의 어원(語源)적 의미

(1) 영어의 education

① 에듀카레(educare): 양육하다(bring up), 즉 '미성숙자를 성숙한 상태로 끌어올리는 것'을 의미한다.

② 에듀세레(educere): 이끌어 내다(lead out, draw out), 즉 '안에 있는 것을 밖으로 이끌어 주는 것'을 의미한다.

(2) 한자어의 교육(敎育)

① 교(敎): 훈(訓), 도(導), 수(修)의 뜻으로 손에 매를 들고 바람직한 방향을 제시하는 것을 말하며, 외부에서 아동을 교도(敎導)하는 것이다.

② 육(育): 양(養)의 뜻으로 아이를 어머니가 가슴에 따뜻하게 안아주는 모습을 나타내며 아동의 생득적이고 내재적인 특성을 보호·육성하는 일을 의미한다.

③ 동양에서 교육(敎育)이라는 말의 출처는 『맹자(孟子)』의 「진심편(盡心篇)」 가운데 '군자삼락장(君子有三樂章)'에서 처음 찾아볼 수 있다.

교(敎)의 의미

1. 교(敎)는 본받을 효(孝), 아들 자(子), 칠 복(攴)으로 구성되어 있다.
2. 이는 한자어에서 윗사람이 아랫사람에게 지도와 격려를 하고 솔선수범하며 아랫사람은 그것을 본받는다는 것을 뜻한다.

육(育)의 의미

1. 육(育)은 아들 자(子)와 고기 육(肉)으로 구성되어 부모가 자식을 따듯한 젖가슴에 안는다는 의미를 나타낸다.
2. 이는 귀중한 자식을 부모가 따뜻한 가슴으로 안아주듯 사랑과 관심으로 기른다는 뜻이다.

秀 POINT 군자삼락(君子三樂)

"군자에게 세 가지 즐거움이 있으나 천하의 왕 노릇하는 것은 이 즐거움 속에 들어 있지 않다. 즉 부모가 살아 계시고 형제가 무고한 것이 첫 번째 즐거움이요, 위로 하늘에 대해 부끄러움이 없고 아래로 사람에 대하여 부끄러움이 없는 일이 두 번째 즐거움이요, 천하에 영재를 얻어 교육하는 일이 세 번째 즐거움이다(君子有三樂 而王天下不與存焉 父母俱存 兄弟無故 一樂也 仰不愧於天 俯不怍於人 二樂也 得天下英才而敎育之 三樂也)."

(3) 교사와 학생의 상호작용의 중요성을 강조한 말

① 줄탁동시(啐啄同時): 병아리[內(내)]와 어미 닭[外(외)]이 동시에 상호작용할 때 새로운 효과가 일어난다(교육의 적시성).

② 교학상장(敎學相長): 가르치는 일(敎)과 배우는 일(學)은 서로 상호작용하며 더욱 발전한다(『예기』).

(4) 어원상의 종합적 의미

위의 경우를 종합해 볼 때, 교육이란 내부적 가능성을 외부적 조성작용에 의해 변화·발전시키는 '인간 형성의 작용'이라고 규정할 수 있다.

2. 교육의 기본 전제

(1) 미성숙성(immaturity)

① 듀이(J. Dewey)는 미성숙성을 하나의 적극적인 능력, 즉 '성장하는 힘'으로 보았다.

② 미성숙성이란 단순히 결핍되어 있거나 없다는 의미가 아니라 성장의 가능성을 의미한다.

③ 성장은 행위가 그 다음의 결과로 축적되어 나가는 과정을 말한다. 성장의 첫째 조건은 미성숙이고 미성숙성의 두 가지 특징은 '의존성'과 '가소성'이다.

(2) 가소성(可塑性, plasticity)

① 가소성이란 타고난 기질이 환경적 자극에 의해 변화될 수 있는 성질을 말한다.

② 유전과 환경이 인간에 미치는 영향 가운데 환경적 경험에 의해 발달이 촉진될 수 있는 가능성을 말한다.

③ 듀이는 가소성은 본질상 경험을 통하여 학습하는 능력, 하나의 경험에서 배운 것을 나중의 문제 사태를 해결하는 데 활용하는 능력이라고 하였다.

④ 이전 경험의 결과에 비추어 행위를 수정하는 능력 또는 '성향(disposition)을 발달시키는 능력'이며, 이 능력이 없다면 습관의 획득이 불가능하다고 하였다.

(3) 의도성(intentionality)

① 교육은 교육하는 사람(주체)과 교육받는 사람(객체)과의 의도적 노력에 의해 성립한다.

② 교육은 '인간이 변화된 것'이 아니라 '인간을 변화시키는 것'이다. 그러나 모든 인간의 변화(지식, 태도, 가치, 습성 등)가 교육이 아니라 바람직한 변화만이 교육이다.

『중용』에 표현된 '교육'의 의미

"하늘의 명을 따르는 것을 성이라 하고, 본성을 따르는 것을 도라 하고, 도를 닦는 것을 교육이라고 한다(天命之爲性 率性之爲道 修道之爲敎)."

(4) 가치지향성(value orientation)

① 교육은 바람직한 인간의 형성과정이다. 이 말 속에는 이미 가치, 특히 도덕적 가치를 전제하고 있다. 그러므로 교육을 흔히 도덕적 기업(moral enterprise)이라고도 한다.

② 교육이 도덕적 행위라는 의미는 첫째, 도덕적 인간을 기르고자 함이며, 둘째, 교육의 상황에서 도덕적 책임과 긴장을 요구한다는 것이다.

(5) 교육의 전제조건에 비추어 볼 때, 교육이란 미성숙한 아동을 타인의 의도적 노력에 의해 그가 가진 선천적 능력보다 더 좋게, 혹은 더 바람직하게 변화시키고자 하는 일련의 과정을 의미한다.

3. 교육의 개념과 유사한 용어(훈련, 교화 등)

(1) 교육과 훈련의 관계[피터스(R. S. Peters)]

피터스(Peters)는 "훈련이란 제한된 기술이나 사고방식을 길러주는 것이고, 교육은 보다 넓은 신념체계를 다루는 일이다."라고 하였다. 즉 교육은 인간의 신념체계의 변화, 전인적 변화, 지적이고 창의적인 참여를 강조하고, 가치지향적 활동임에 비해, 훈련은 제한된 기술의 연마, 인간 특성 일부의 변화, 기계적 학습의 강조, 가치중립적 활동을 특징으로 한다.

교육	훈련
① 가치지향(규범적 준거를 충족시킴) ② 전인적 변화 ③ 지적이고 창의적인 참여 강조 ④ 신념체계의 변화 (인지적 준거를 충족시킴) ⑤ 교육의 내재적 목적 추구	① 가치중립(규범적 준거에 어긋남) ② 인간 특성 일부의 변화 ③ 기계적 학습의 강조 ④ 제한된 기술의 연마 (인지적 준거를 충족시키지 못함) ⑤ 교육의 외재적 목적 추구

(2) 교육과 교화(敎化)의 관계

① 원래 교화(敎化, indoctrination)란 선각자에 의한 대중의 감화, 목사나 신부 그리고 승려 등이 교도(敎徒)들을 교육하는 일반적인 방법을 말한다. 정치적 권위를 가진 사람들이 대중을 지도하고 선도하는 것도 교화에 해당한다. 봉건사회에서는 정치적 권력과 종교적 권위 혹은 유교와 같은 윤리적 권위를 결합하여 민중을 교도(敎導)하였고, 정치권력의 유지를 위해 교화를 중요한 통치의 기술로 활용하였다.

② 교육적 차원에서 본다면 이론적으로 타당하지 않은 내용을 학습자에게 받아들이게 하거나 이론적으로 타당하더라도 학습자가 그것을 받아들일 태세나 준비가 되어있지 않은데도 불구하고 학생이 기계적으로 받아들이도록 하는 방법을 의미한다.

③ 교화를 주입식 혹은 맹교(盲敎)라고도 하며, 학습의 상황에서 교화는 다음과 같은 경우이다. ㉠ 진(眞)의 지식을 가르치는 것이 아니라 위(僞)인 지식을 가르치는 경우, ㉡ 증거가 없는 것을 마치 증거가 있는 것처럼 가르치는 경우, ㉢ 방법적 과정에 관한 이해 없이 지식을 전달하는 경우, ㉣ 교사의 양심적 판단에 비추어 객관적인 확실성을 보장받을 수 없는 것을 가르치는 경우 등이다.

2 교육의 정의

1. 규범적 정의

(1) 개념

정의 속에 '어떻게 할 것인가, 어떻게 하는 것이 옳은가?'와 같은 규범 내지 강령이 들어있는 정의이다. 교육은 가치 지향적 활동이기 때문에 규범적 정의가 자주 사용된다.

(2) 규범적 정의의 예

① "교육은 민주적 시민이 갖추어야 할 자질을 함양하는 일이다."
② "교육은 영원한 진리나 가치로 접근하는 과정이다."
③ "교육은 인간을 인간답게 하는 일이다.", "교육은 지·덕·체의 조화로운 발달이다."

(3) 칸트(Kant)와 루소(Rousseau)의 정의

① 칸트는 "인간은 교육에 의해서만 인간이 될 수 있다." 혹은 "인간은 교육을 받지 않으면 안 되는 유일한 피조물이다."라고 하였다.
② 루소는 "식물은 재배에 의해서 자라고, 인간은 교육에 의해 인간이 된다."라고 하였다.

(4) 규범적 정의의 활용

교육에서 규범적 정의는 가치의 맥락에서 교육의 의미를 밝힐 필요가 있을 때, 그리고 교육개념에 붙박여 있는 '내재적 가치(intrinsic value)'를 실현하거나 강조할 필요가 있을 때 사용된다.

2. 기능적 정의

(1) 개념

① 기능적 정의는 교육의 도구적 가치(혹은 수단적 가치)를 중요시하는 정의이다.
② 기능적 측면에서 교육을 사회 문화의 계승 및 발전의 수단으로 정의하기도 한다. 이때 교육은 봉사하는 대상을 사회 문화로 하느냐, 개인으로 하느냐, 혹은 국가로 하느냐, 종교로 하느냐에 따라 수많은 기능적 정의가 가능하다.

(2) 기능적 정의의 예

① "교육은 국가 사회발전을 위한 수단이다."
② "교육은 경제발전에 필요한 수단이다."
③ "교육은 사회 문화를 계승, 발전시키는 수단이다."
④ "교육은 높은 사회적 신분상승의 수단이다."

3. 조작적 정의와 일반적 정의

셰플러(I. Scheffler)는 과학에서의 정의(조작적 정의, 공학적 정의)와 과학 이외의 사태에서의 정의(일반적 정의)로 구분하였다. 그리고 일반적 정의를 다시 기술적(記述的) 정의, 강령적(綱領的) 정의, 약정적(約定的) 정의로 구분하였다.

(1) 조작적 정의(공학적 정의)

① 교육의 실제적 현상과 과정에 관한 기술적 혹은 조작적 관점에서 정의한 것이다.

② 실제적으로 의미 있는 '인간행동', '변화', '계획' 등과 같은 개념들의 뜻을 명료하게 규정하는 작업을 통해 교육의 의미를 파악하고자 한다. 그러므로 이 정의는 교육 속에 포함되는 기본적인 요인을 갖추고 있고, 교육인 것과 아닌 것의 구별도 명백하게 지어주고 있다.

③ "교육은 인간 행동의 계획적 변화이다."라고 하는 것이 대표적인 예이다.

(2) 일반적 정의

① 기술적 정의(descriptive definition): 현재의 사용법을 정확히 기술하고자 하는 정의로 '분석적', '사전적(lexical)'이라고도 한다. 즉 일상 언어에서 한 단어가 가지고 있는 의미를 말한다.

예 사전에 있는 표제어의 설명은 기술적 정의를 보여 주고 있다. 사전에 교육은 ⓐ 가르쳐 기름, ⓑ 전체적 인간 형성의 사회적 과정 등으로 풀이되어 있다.

② 규정적 혹은 약정적(約定的) 정의(stipulative definition): 주어진 맥락 속에서 사용자의 의도를 드러내는 데 사용된다. 이 정의는 일상적인 개념적 내용과는 관계가 없다.

예 성적 등급을 '수, 우, 미, 양, 가' 등으로 정의하는 경우, 이 때 우리는 수, 우, 미 등의 뜻을 정의하지는 않는다. 반면 수는 91점에서 100점까지, 우는 81점에서 90점까지 등을 임의적으로 규정한다. 즉 91점에서 100점까지는 수, 81점에서 90점까지는 우 등으로 약속한다. 약정적 정의에 대해서는 그것이 일상적인 어의(語義)와 일치하는가의 여부를 물을 수는 없다.

③ 강령적 정의(progammatic definition)

㉠ 강령적 정의는 정의가 사용되는 측의 심리적 상태에 영향을 주거나 호소하기 위해 만들어진 정의이다. 이 정의는 기존의 말에 'true', 'real'이라는 말을 넣어 사용한다.

㉡ 강령적 정의는 교육이라는 단어가 일상적으로 어떤 뜻으로 사용되어 왔는가를 알고 싶은 것이 아니라(이 경우는 기술적 정의) 그 단어가 정확하게 어떤 뜻으로 사용되어야 하는가를 알고 싶을 때 사용된다.

사상적 배경에 따른 교육의 다양한 정의

1. 도덕, 인격에 중점

칸트(Kant)	① 교육이란 인간을 인간답게 형성하는 작용이며, 현실적 존재(sein)를 이상적 당위(sollen)로 변화시키는 일이다. ② 교육이란 인간을 동물성에서 인간성으로 변화시키는 활동이다.
헤르바르트(Herbart)	① 도덕적 품성을 도야하는 것을 교육목적으로 하였다. ② 다방면의 흥미를 교육방법의 원리로 삼았다.
피터스(Peters)	① 교육이란 바람직한 정신상태를 도덕적으로 온당한 방법으로 의도적으로 실현하는 일이다. ② 교육에 있어서 가치지향성과 방법의 도덕성을 강조하였다.
공자(孔子)	① 교육의 본질을 인격의 소유자를 양성하는 것으로 보았다. ② 인격주의적 교육관의 입장을 취하였다.

2. 문화, 지식면에 중점

슈프랑거(Spranger)	① 교육을 비교적 성숙한 사람이 문화재를 매개로 비교적 미성숙한 사람을 자연의 상태에서 문화적 이상의 상태로 끌어올리는 문화작용이라고 하였다. ② 교육 작용의 본질은 문화의 번식에 있다고 하였다.
케르켄슈타이너(Kerschensteiner)	교육은 문화의 전달과 갱신의 과정이다.
딜타이(Dilthey)	① 문화주의 교육 사상을 견지하였다. ② 인간은 자연의 학생이고, 지구는 인간의 교사라고 하였다. ③ 무의도적 교육의 중요성을 역설하였다.
파울젠(Paulsen)	교육의 본질을 문화의 전달과정으로 보았다.

3. 사회성에 중점

플라톤(Platon)	교육을 국가사회의 보존수단으로 보아 교육의 사회성을 강조한다.
페스탈로치(Pestalozzi)	① 교육을 사회개혁의 수단으로 정의한다. ② 개인의 인간성을 완성하여 인간개선을 도모하고, 그 개선된 인간을 통하여 사회개혁을 하는데 교육의 목적을 둔다.
나토르프(Natorp)	① 사람이란 인간사회를 통해서만이 인간으로 되는 것이며, 사회 없이 인간은 전혀 인간이라고 볼 수 없다. ② 교육의 사회성을 강조한다.
듀이(Dewey)	① 교육은 사회진보를 가져오는 근본적인 수단·방법이다. ② '교육은 생활'이며, '교육은 사회적 과정'이며, '교육은 경험의 계속적인 재구성의 과정'이라고 하였다.
브라멜드(Brameld)	① 교육을 통해서 사회를 개혁함으로써 위기에 처해있는 인류사회를 구원해야 한다. ② 사회적 자아실현을 교육의 목적으로 보았다.

4. 자연성에 중점

루소(Rousseau)	① 교육은 인간의 자연적 발전을 위한 조성활동이다. ② 『에밀(Emile)』: "만물은 조물주의 손에서 태어날 때는 모두 착하나, 인간의 손에서 타락하여 악으로 변한다."라는 성선설에 근거한 자연주의 교육을 주장하였다.
엘렌 케이(Ellen Key)	① 전통적 주지주의 교육을 정신적 살인이라고 통박하였다. ② "교육의 비결은 교육을 하지 아니하는 것이다."라고 역설하였다.
맹자(孟子)	① 교육은 각 개인의 자연적 본성에 따라 베풀어서 점차 다른 방향으로 나가도록 해야 한다. ② 강제와 주입은 교육의 올바른 길이 아니라고 하였다.
노자(老子)	① 무(無)교육상태에서의 교육을 강조하였다. ② 교육에서의 인위성, 강제성은 배제되어야 한다고 주장하였다.

5. 종교성에 중점

코메니우스(Comenius)	교육의 목적은 신과 더불어 영원한 행복을 가지는 데 있다.
프뢰벨(Fröbel)	교육의 목적은 인간에게 내재한 신성을 자각하고 생명력을 발전시키는 데 있다고 보았다.
빌만(Willmann)	카톨릭 교육학의 창시자로 종교적 교육관을 견지하였다.
마리땡(Maritain)	우주는 신에 의하여 주관되고, 모든 인류는 신앙에 의하여 구원받을 수 있는 존재이기 때문에 신의 모방으로서의 인간 영혼의 완성이 필연적으로 요청된다고 하였다.

3 교육관의 유형

1. 주형(鑄型, moulding)으로서의 교육관

(1) 교육이란 사회, 문화적으로 확립된 틀로 인간을 기르고자 하는 것을 말한다.

(2) 개인은 미리 설정된 형태에 동화되도록 '조형'된다고 보며, 전통적 교육관을 반영한다. 행동주의 심리학의 교육관도 여기에 속한다고 볼 수 있다.

참고 행동주의에서는 학습에 대해서 말하며 학습을 '조건화'로 설명한다.

(3) 학습자는 피동적이고 타율적일 뿐만 아니라 마치 장인(匠人)의 손에 의해 조작되는 재료의 의미를 가지게 된다.

2. 도야(陶冶, Bildung)로서의 교육관

(1) 교육이란 마음속에 갖추어진 능력(예 지각, 기억, 재생, 파지, 추리, 의지, 상상 등)을 연습하여 그 능력들이 철저하게 확립된 습관으로 조직되도록 하는 일로 본다. 도야로서의 교육관을 다른 말로 형식도야 혹은 정신도야설이라고도 한다.

(2) 인간의 심리적, 정신적 기능을 하는 능력 요인이 물질적, 신체적 기능을 하는 능력 요인과는 별도로 존재한다고 믿었던 형이상학적 심리학과 관련해서 이론적 지지를 받아왔다.

(3) 근대 이원론적 사고를 기초로 로크(J. Locke)가 주장하였다. 로크는 능력심리학을 토대로 인간의 정신적 기능의 본체인 마음(mind)에는 몇 개의 능력(部所)이 있고 이 능력들은 마치 쇠를 달구어 연마하는 것과 같이 정신의 능력을 단련할 수 있다고 보았다.

3. 발달로서의 교육관 혹은 발현(發顯, unfolding)으로서의 교육관

(1) 발현(계발) 혹은 발달이란 아동 속에 내재해 있는 힘을 밖으로 실현시키는 일을 말한다.

(2) 대표적으로 루소의 교육관이 있다.

4. 계발(啓發)로서의 교육관

(1) 교육을 아동 내부의 성장과 후천적 요소의 개발의 조화적 발달로 본다.

(2) 교육의 과정을 지배하는 심리적 원칙을 강조하는 심리학주의를 말한다. 페스탈로치는 교육이란 인간성 속에 있는 여러 능력을 조화롭게 개발하는 일이라고 보았다.

5. 성장(growth)으로서의 교육관

(1) 듀이(J. Dewey)에 의해 강조된 것으로 교육을 경험의 성장 혹은 경험의 끊임없는 재구성 과정으로 본다.

(2) 성장이란 행위가 그 다음의 결과로 축적되어 나가는 과정이다. 듀이는 성장의 첫째 조건을 미성숙성이라고 하였고, 미성숙성의 특징은 의존성과 가소성으로 보았다.

(3) 듀이의 성장이란 교육의 내재적 목적을 말하며, 교육의 과정은 그 자체 이외의 다른 목적을 가지지 않으며 교육, 그 자체를 목적으로 간주하였다.

(4) 학교교육의 목적은 성장하는 힘을 조직적으로 길러 줌으로써 교육을 계속해 나갈 수 있도록 하는 것이다. 삶은 곧 성장이므로 이는 어린 시절이나 어른 시절이나 할 것 없이 똑같이 적용될 수 있는 개념이다.

6. 발달적 교육관과 선발적 교육관

(1) 발달적 교육관

① 모든 학습자에게 각각 적절한 교수 - 학습 방법이 제시된다면, 누구나 의도하는 바의 주어진 교육목표를 달성할 수 있을 것이라는 신념을 가진 교육관을 말한다.

② 준거지향적 평가를 강조하며, 교육의 1차적 책임은 교사에게 있다고 본다.

(2) 선발적 교육관

① 교육을 통하여 달성하고자 하는 교육목적이나 일정한 교육수준에 도달할 수 있는 사람은 어떤 교육방법을 동원하든지 다수 중 일부이거나 소수에 지나지 않는다는 신념을 가진 교육관을 말한다.

② 규준지향적 평가를 강조하며, 교육에 대한 1차적인 책임은 학습자에게 있다고 본다.

7. 심성계명설(心性啓明說)

(1) 교육을 통해 지식이나 규범이나 원리를 획득하는 일은 자연과 인간사를 보는 눈을 가지게 하는 일이라고 할 수 있다는 교육관이다.

(2) '교육은 인간을 무지의 상태에서 해방시켜주는 일'이라고 보는 플라톤(platon)의 사상에 기초하여, 교육은 '볼 수 없는 상태'에서 '볼 수 있는 상태'로 나아가게 하는 일이라고 본다.

(3) 현대에 와서 피터스(R. S. Peters)가 교육을 지식의 형식에 입문한다고 본 것이나, 브루너(J. S. Bruner)가 지식의 구조를 발견한다고 보는 설이 여기에 해당한다.

8. 자아실현설

(1) 교육을 자아실현의 과정으로 보는 것은 인간의 잠재가능성을 실현하는 일이라고 본다.

(2) 아리스토텔레스는 잠재성과 실제성의 관계를 도토리와 참나무의 관계로 묘사하였다. 도토리는 실제성에 있어서는 알맹이에 불과하지만 커다란 잠재성을 지니고 있다. 즉 인간은 태어날 때는 나약하고 보잘것없지만 이성의 힘을 발휘할 수 있는 잠재적 힘이 실제성으로 나타난다.

참고 아리스토텔레스는 인간의 행복한 상태는 그의 본질인 이성이 제대로 기능하고 있는 상태라고 보았다.

(3) 교육을 자아실현설로 보는 현대의 대표적인 사람이 매슬로우(A. Maslow)이다. 그는 자아실현을 성장 동기의 충족으로 설명한다. 또한 혼(H. H. Horne)도 교육이란 신의 형상을 부여받은 자아가 자연 세계와의 관계와 인간 생활의 과정에서 구현되는 일이라고 보았다.

기출문제

(가), (나)에 들어갈 말을 바르게 연결한 것은? 2022년 국가직 7급

> (가) 의 비유에서 교육은 마치 석회나 진흙을 일정한 모양의 틀에 부어 어떤 것을 만들어 내는 것과 같다. 교사는 장인에 해당하고 학생은 석회나 진흙과 같은 재료에 해당한다. 신체의 근육을 단련하듯이 교육을 통해 마음의 능력인 지각, 기억, 의지 등을 단련하는 데 초점을 둔다.
>
> (나) 의 비유는 권위주의나 전제주의적 교육에 대한 비판적 관점을 반영한다. 식물이 스스로 자라나듯이 교육은 아동이 가진 잠재적 가능성을 자연스럽게 실현해가는 과정으로 본다.

	(가)	(나)
①	만남	성년식
②	만남	성장
③	주형	성년식
④	주형	성장

해설

(가) 주형(鑄型)으로서의 교육관에서 교육은 인간을 사회·문화적으로 확립된 틀에 맞게 만들고자 하는 것이다. 학습자는 피동적이고 타율적일 뿐만 아니라 마치 장인(匠人)의 손에 의해 조작되는 재료의 의미를 지니게 된다.

(나) 성장으로서의 교육관은 듀이(J. Dewey)에 의해 제시된 것으로 교육을 경험의 성장 혹은 경험의 재구성과정으로 본다. 이는 루소(Rousseau)에 의해 제시된 자연적 성장을 강조한 교육관의 영향을 받은 것으로 볼 수 있다. **답 ④**

秀 POINT 피터스(R. S. Peters)와 오크쇼트(Oakeshott)의 교육개념

1. 피터스(Peters)의 교육개념의 준거

규범적 준거	① 어떤 활동이나 과정이 교육적이라고 말할 수 있으려면 그 활동이나 과정이 가치 있는 것이어야 한다. 그런 의미에서 도박, 음주, 흡연 등과 같은 행동은 교육과 무관하다. ② 교육의 규범적 준거는 가치 있는 것을 전달해야할 뿐만 아니라 학습자가 가치 있는 것에 헌신하는 것을 포함한다. 참고 헌신이란 하나의 신념에 따라 행동하는 성향을 말한다.
인지적 준거	① 피터스는 교육에서 추구 되어야 할 가치 가운데 인지적 가치(지식, 이해 등)와 인지적 안목을 중요시하였다. 그는 교육받은 사람에게 필수적인 가치가 인지적 안목이라고 하였다. ② 인지적 안목이란 지식, 분야, 영역의 관계를 바라볼 수 있는 능력을 의미한다.
교육과정(敎育過程)의 준거	① 피터스는 전달되는 내용이 가치 있고 학습이 잘 일어난다고 하더라도 그 방법이 부도덕하면 교육의 과정 혹은 활동이라고 부를 수 없다고 보았다. ② 과정적 준거란 학습자의 자발성과 의도성을 존중하는 방법이다. 의도성과 자발성을 무시한 강제적 행위는 교육의 개념과 공존할 수 없다.

2. 오크쇼트(Oakeshott)의 교육개념

문명의 입문으로서의 교육	① 오크쇼트는 교육을 새로운 세대들을 인류가 성취한 문명에 입문시키는 일로 간주하였다. 입문(入門)이란 노력과 수고를 암시하고 있다. ② 문명에 입문된다는 것은 문명이 지닌 가치들이 교육을 통하여 새로운 세대들에게 내재화되었다는 것을 의미한다.
초월과정으로서의 교육	① 교육은 학생의 요구와 사회의 즉시적이고 실제적인 요구에 부응하는 수단성과 외재적 목적을 추구하는 일이 아니다. ② 교육은 인생의 실제적인 것으로부터 '초연한 것'에서 일어난다. 따라서 오크쇼트에게 있어서 교육은 필연적으로 교양적(liberal)이다. ③ 학교와 대학은 가장 대표적인 초월의 장소이다. 그곳에서는 생계 걱정을 하지 않아도 되고 세속적인 매력을 덜 느끼도록 조직된 환경이다.
대화로서의 교육	① 오크쇼트는 교육을 교사와 학생, 앞선 세대와 후 세대 간의 교류(transaction)와 대화라고 보았다. ② 세대 간의 교류를 통해 문명이 전승되며, 이 교류의 가장 대표적인 방식이 대화이다.

기출문제

피터스(R. S. Peters)가 제시한 교육의 개념적 준거(criterion)에 대한 설명으로 옳지 않은 것은? 2023년 국가직 7급

① 피터스는 자신의 저서 『윤리학과 교육』에서 교육의 개념을 규정하였다.
② 규범적 준거에 따르면, '교육'은 교육의 개념에 붙박여 있는 내재적 가치를 추구하는 활동이어야 한다.
③ 인지적 준거는 학습자가 부분적인 기능에 숙달하여도 이를 용인하는 것을 의미한다.
④ 과정적 준거는 교육의 규범적 준거가 방법 면에서 상세화된 것을 말한다.

해설

피터스는 자신의 저서 『윤리학과 교육』에서 교육의 개념을 규정하였다. 교육의 개념적 준거는 규범적, 인지적, 과정적 준거이다. 규범적 준거는 어떤 활동이나 과정이 교육적이라고 말할 수 있으려면 그 활동이나 과정이 가치 있는 것이어야 한다. 인지적 준거는 지식, 분야, 영역의 관계를 바라볼 수 있는 능력을 의미한다. 과정적 준거는 방법적 준거라고도 하며 학습자의 자발성과 의도성을 존중하는 방법이다. **답 ③**

02 | 교육의 가능성과 한계

교육의 가능성	환경에 의해 인간은 변화 가능함
교육의 한계	유전적 요인에 의해 결정

1. 교육의 한계

(1) 인간의 변화는 그가 지닌 유전적 요인에 의해 결정된다는 입장으로 인간발달의 유전 결정론을 기초로 한다.

(2) 인간 게놈(Genome), 갈톤(Galton)의 가계(家系)연구, 딜(Diehl) 등의 쌍생아 연구 등이 대표적인 유전설을 강조한 것이다.

2. 교육의 가능성

(1) 인간의 변화는 환경에 의해 결정된다는 입장, 즉 인간발달의 환경설을 기초로 한다.

(2) 로크(Locke)의 백지설(Tabula rasa), 야생아(野生兒)의 예 등에서 찾아볼 수 있다.

(3) 교육의 가능성은 인간의 잠재 가능성과 과학적 이해 가능성을 전제로 한다.

아베롱(Aveyron)의 야생아

1799년 9월 파리 교외 아베롱의 산림 속에서 3인의 포수가 11 ~ 12세로 보이는 완전 나체의 야생아를 발견하고 잡았다. 이 야생아는 인간이라기보다는 야수를 닮았고 언어는 전혀 안 되며, 기성(奇聲)을 울려서 자기의 욕망을 표현하고 네발로 돌아다녔다. 감각은 둔화되어 있었고, 문화에 전혀 길들여지지 않았다. 그의 지적 수준은 백치상태였는데 파리농학교의 의사였던 이따르(J. M. G. Itard)는 경험론적 입장에서 교육이 가능할 것이라고 보아 5개의 목적을 설정하고 5년간 교육시켰다. 그 결과, 감각운동 영역의 교육은 어느 정도 성취되었고, 생활에도 적응하며 다소의 감정표현도 이루어졌으나, 농아가 아니면서도 언어적 성취는 이루지 못하였다. 이따르는 자신의 관찰과 실험내용을 몇 차례에 걸쳐 발표했는데, 그의 보고서는 당시의 지식인들 사이에 인간의 본성과 교육의 기능 및 역할에 대한 토론을 야기하였다.

03 | 교육의 형태 분류

핵심체크 POINT

1. 형식적 및 비형식적 교육
2. 일반교육과 전문교육
3. 가정, 학교 및 사회교육
4. 아동 및 청소년, 성인교육, 노인교육
5. 평생교육, 열린교육, 대안교육
6. 전인교육, 특수교육, 영재교육

1 형식성의 정도에 따라 - 형식적·비형식적·무형식적 교육

1. 형식적 교육(formal education)

일정한 목적과 계획 속에서 이루어지는 교육으로 학교교육이 대표적이다.

2. 비형식적 교육(non-formal education)

정규 학교교육 밖에서 이루어지는 조직적 교육활동으로, 교수자의 자격 요건이나 교육방법이 교육프로그램의 상황과 조건에 따라 융통성이 높다. 소지자 교육, 새마을 교육, 방송통신 교육 등이 비형식적 교육의 예이다.

기능적 교육(functional education)
성장하고 있는 인간이 환경에 의해 무의식적으로, 그리고 우연히 형성되는 교육을 말한다(크리크, Krieck).

우발적 학습(incidental learning)
환경과의 접촉이나 인생경험, 사회체험을 통한 학습이다.

3. 무형식적 교육(informal education)

학교 밖에서 이루어지는 비조직적 교육활동, 일상생활에서의 교육활동으로 가정교육이 대표적이다.

2 교육목적에 따라 - 일반교육과 전문교육

1. 일반교육

(1) 개인적으로 행복하고 사회적으로 환영받는 보편적인 인간을 기르는 교육을 말한다.

(2) 수준에 따라 교육이념, 교육목적, 교육목표 등으로 구분된다.

2. 전문교육

(1) 특정한 전문적 지식 및 기술적 능력을 기르는 교육을 말한다.

(2) 고등학교의 기초적 전문교육과 대학 이상의 교육이다.

참고

고등학교의 교육목적(「초·중등교육법」 제45조)

"고등학교는 중학교에서 받은 기초 위에 중등교육 및 기초적인 전문교육을 하는 것을 목적으로 한다."

3 교육이 성립되는 장(場) - 가정교육, 학교교육, 사회교육

1. 가정교육

(1) 가정은 최초의 교육의 장이다.

(2) 가정교육의 내용은 초보적인 사회화의 기능, 습관 형성, 교양의 습득 기능을 한다.

(3) 근대 이후 가정의 교육적 기능은 약화되었다.

2. 학교교육

(1) 산업혁명 이후 보통교육의 발달에 따라 가정의 교육적 기능을 대신하였다.

(2) 학교가 전문적 교육기관으로서의 위치를 차지하게 되었다. 근대 학교의 성격은 공교육과 의무교육으로 상징되는 제도교육이며, 이는 산업혁명과 프랑스 혁명, 독일의 국가주의 사상 등을 기반으로 한다.

3. 사회교육

(1) 학교교육을 제외한 국민의 평생교육을 위한 조직적 교육활동이다.

(2) 해방 이후 우리나라 최초의 사회교육 활동은 문해(文解)교육이었다.

4 교육의 대상 - 유아, 아동, 청소년, 성인, 노인교육

1. 아동교육(pedagogy)

전통적으로 교육학은 페다고지(pedagogy)로 이해되어 왔고, 이 개념을 학문적 용어로 사용한 사람은 헤르바르트(Herbart)이다. 원래 페다고지는 교수학을 의미하였다.

2. 성인교육(adult education), 성인교육학(andragogy)

(1) 특징

① 성인들로 하여금 스스로 자기의 학습방향을 지어갈 수 있는 자율적 학습자로서의 능력을 함양할 수 있도록 도와주는 조직적, 계속적 교육활동을 말한다.

② 놀즈(M. Knowles)가 1960년대 중반에 사용(페다고지와 구분)하였다.

(2) 성인 자기주도적 학습(self-directed learning)

놀즈는 자기주도적 학습을 "어떤 강력한 타인에 의해 외적 감독을 거의 혹은 전혀 받지 않고 학습자가 스스로의 통제와 관리에 의하여 어떤 학습에 임하고, 집중하며, 묻고, 비교하고, 대조하는 소위 메타 인지적(meta-cognitive) 행동에 의존하는 인지적 과정"이라고 정의하였다.

(3) 성인학습과 성인학습자의 특징

성인학습	성인학습자의 특징
학습주의	학습 자발성, 개방성(열린사회), 주체성, 생활중심(과제중심)
자기주도학습	독자적인 협상능력, 긍정적 자아개념, 내적 동기, 독립성, 환경과의 능동적 상호작용
학습방법의 학습	자기반성, 주도성, 자기 확신
경험학습	누적된 경험의 소유, 생활중심, 계속적인 학습
전환학습	자기반성, 계속적 변화, 지식 구성의 주체, 능동성

(4) 페다고지와 안드라고지의 비교

요인	페다고지(pedagogy)	안드라고지(andragogy)
알고자 하는 욕구	시험에 합격하거나 진급하기 위해 교사가 가르치는 내용을 학습해야 한다.	학습하기 전에 왜 그것을 학습하려고 하는지를 알고자 한다.
자아개념	학습자의 자아개념은 의존적 성격의 개념이다.	자신의 삶에 대해 책임을 진다는 자기 주도성 있다고 본다.
경험의 역할	학습자의 경험은 학습자원으로서 가치가 없다.	① 성인들은 양적, 질적으로 풍부한 경험을 가지고 교육활동에 참여하며, 이를 학습자원으로 활용한다. ② 청소년에 비해 개인차가 크다.
학습준비도	학습에 대한 주제중심적 성향을 지닌다.	생활중심적·과업중심적·문제중심적 성향을 지닌다.
학습동기	외재적 동기에 의해 학습에 대한 동기를 부여받는다.	내재적 동기(자존심, 생활의 질적 향상, 직무만족 등)에 의해 반응적이다.

秀 POINT 전환학습론[메지로우(Mezirow)]

1. 자신에 관한 극적인 변화로 학습을 설명

메지로우에 의해 1978년에 처음으로 제시된 전환학습론은 우리가 살고 있는 세계와 우리 자신들에 관한 극적이고, 근본적인 변화와 관련하여 학습을 설명하고자 한다.

2. 학습자의 인지 과정 규명

자기주도적 학습론(성인학습모형론)은 성인학습자의 특성에 주로 관심을 집중시키고 있는 데 비하여 전환학습은 학습의 인지적 과정에 초점을 두고 있다. 즉 학습자의 내부에서 발생하는 인지적 과정을 집중적으로 규명하였다.

3. 자신을 구속하는 자기신념, 태도, 가치로부터의 해방 강조

전환학습은 자신을 구속하는 자기 신념, 태도, 가치로부터 자신을 해방시키고자 하며, 경험, 비판적 성찰, 개인적 발달이 전환학습의 핵심요소이다.

3. 노인교육(older adult education), 노인교육학(geragogy)

(1) 특징

① 노인(후기 성인)이란 생리적·신체적 기능의 감퇴와 더불어 심리적인 변화가 일어나서 개인의 자기유지 기능과 사회적 기능이 약화되어 있는 사람을 말하며, 연령적으로는 65세 혹은 70세로 구분한다.

② 후기 성인의 용어는 신체적 쇠약, 노화 정도, 가족생활 주기 및 손자녀 유무, 연령 등을 기준으로 규정한다.

(2) 노인교육학

제라고지
노인교육학은 Gerontagogy 또는 Geragogy라고 한다.

① 라벨(Label, 1978)은 노인 학습을 위한 교육이론을 언급하면서 '제라고지(geragogy)'라는 용어를 사용하였다.

② 제라고지는 '노인을 위한, 노인에 의한, 노년기의 학습에 관계되는 모든 것'이라는 넓은 의미로 해석할 수 있다.

(3) 필요성

① 노인들로 하여금 신체적·생리적·성격적·지적·생활 습성의 변화에 대한 적응 능력을 발전시킴으로써 현대 사회로부터 소외되지 않고 동참할 수 있도록 한다.

② 노후의 여가를 선용하고 경제적 자립을 할 수 있는 기술 및 직업교육을 통하여 노인에게 생존에 대한 존재가치를 높여 주고 역할 상실을 방지한다.

③ 새로운 지식의 습득과 변동 사회에 대한 이해를 통하여 세대 간 이질감을 해소한다.

④ 계속적인 교육을 통하여 정치, 경제, 사회, 문화, 건강관리 등에 대한 새로운 지식을 습득함으로써 변동 사회에 대한 적응력을 향상시킨다.

(4) 우리나라의 노인교육 현황

① 최초의 노인교육기관은 1972년에 설립한 종로 태화관의 '서울평생교육원'이다.

② 그 후 1973년 가톨릭 여학생 회관에서 덕명의숙이 노인학교를 개설하였고, 대한노인회, 대한삼락회, 대한적십자사, YMCA, YWCA, 한국부인회, 종교단체, 일부 초·중·고·대학부설기관 등에서 노인학교 또는 노인대학을 개설하여 운영하고 있다.

秀 POINT 페다고지, 안드라고지, 제라고지의 비교

구성개념	페다고지 (pedagogy)	안드라고지 (andragogy)	제라고지 (geragogy)
자기개념	교사중심	학습자중심	자기주도성 내지는 노화에 따른 종교적 타자 의존성 증대
경험의 역할	학습의 자원	학습 - 직업(생활) 상호 환류	전문적 경험의 축척, 교육적·문화적 계승 혹은 경험의 퇴화(치매)
학습과제	교과중심	경험중심, 과제중심	생활·교양중심(생활, 삶의 보람, 취미 등 고령화에 대응하는 과제)
교육과정	공교육의 내용, 계획	과제에 기초한 프로그램(과정, 설계)	과제에 기초한 프로그램(과정, 설계)
학습결과	학력형성, 직업에 대한 예기적 사회화	즉각적 응용, 경력 재구성	인생의 평온, 내세적 이해에 응용
학습조직 및 방법	공교육기관, 단위제 혹은 학년제 누적방식	평생학습기관, 재교육 방식	평생학습기관, 평생학습 방식
학습동기	학문적 성과, 장래의 기대	사회적 역할 기대	인생의 적응과 통합

5 평생교육(Life-long education)

1. 개념

개인과 집단 모두의 삶의 질(Quality of life)을 향상시키기 위하여 개인의 전 생애를 통한 개인적, 사회적, 직업적 발전을 성취시키기 위한 교육을 말한다. 이는 삶의 모든 단계와 영역에서 가능한 한 최대한의 발달을 이룩할 수 있도록 형식적, 비형식적 학습을 포함하는 종합적이고 통합적인 이념이다.

2. 기원

(1) 평생교육은 1965년 UNESCO의 성인교육추진국제위원회에서 처음 제시하였다[랭그랑(P. Lengrand)이 구상].

(2) 포오르(E. Faure)등 6인의 보고서와 랭그랑(P. Lengrand) 등이 앞으로의 교육은 평생교육이 되어야 한다는 이념을 주장하였다.

6 전인교육

1. 개념

(1) 인간 개개인이 지닌 모든 잠재능력을 자연스럽게 골고루 발전시킬 것을 목적으로 하는 교육이다.

(2) 일반적으로 지적·신체적·정서적·사회적·심미적 면의 조화로운 발달을 강조하는 교육이다.

2. 전인교육의 다양성

(1) 인간 이해의 측면에서 인간을 어떤 존재로 규정할 것인가에 따라 전인교육의 모습과 형태는 다양하다.

(2) 교육 형태의 측면에서 학습자가 지닌 잠재능력과 기능을 최대한 고르게 계발시킬 것을 전제하며, 학습의 과정에서 학생의 본성과 내면세계에 대한 깊은 이해와 존중이 따라야 한다.

(3) 학교 밖의 사회 구조와의 관계에서 사회 구조의 모순에서 초래되는 인간 소외와 비인간화 현상에 대해 극복하고 교육적 사회와 도덕적 사회의 조성이 요구된다.

3. 전인교육의 역사

(1) 한국과 동양의 전인교육

① 한국의 전인교육의 유래는 일반적으로 '선비상'에서 찾는다. 선비란 지성적 감각, 예술적 감각, 지사적(志士的) 감각을 두루 갖춘 인간상을 말한다. 선비 교육의 실제적 예로 화랑도의 교육을 들 수 있다.

② 동양적 형태의 전인교육으로 육예(六藝)가 대표적이다. 육예란 도덕적 및 사회적 발달인 예(禮), 정서적인 발달인 악(樂), 신체적 발달인 사(射), 어(御), 지적인 발달인 서(書)와 수(數)를 의미한다.

(2) 서양의 전인교육

서양의 경우는 소크라테스(Socrates)의 지덕행의 합일설을 이어받은 플라톤(Platon)의 철인교육론(지육·덕육·체육·미육), 아리스토텔레스(Aristoteles)의 신체, 덕성, 이성의 조화로운 발달론, 르네상스 시대의 고전적 전인교육론, 로크(J. Locke)의 신사상, 루소(Rousseau)의 자연인, 페스탈로치(Pestalozzi)의 조화로운 인간발달, 20세기 초의 슈타이너(Steiner)의 인지학에 기초한 교육론, 실존적 교육론, 니일(A. S. Neil)과 일리치(I. Illich)의 비인간화 극복의 교육론 등은 인간교육의 가치를 강조했다는 점에서 전인교육론의 대표적 예라고 할 수 있다.

7 열린교육(open education)

1. 역사

(1) 유래

1940년대 영국의 초등학교(자발성, 융통성, 비형식성)에서 비롯되었다.

참고 비형식적 교육은 1816년 오웬(R. Owen)이 세운 유아학교에서 유래되었다.

(2) 미국

1875년 프뢰벨 운동의 하나인 파커(Parker)의 퀸시(Quncy)운동과 진보주의의 실험학교 등에서 비롯되었고, 그 후 미국에서는 '열린교실' 혹은 '열린설계학교(open plan school)' 등으로 불려졌다.

(3) 일본

1973년 열린교실을 가진 학교가 설립되면서 비롯되어 1980년대 전국적으로 확산되었다.

(4) 한국

1986년 초등학교(운현초등, 영훈초등)에서 처음으로 열린교육을 실시하였다. 1991년 '한국열린교육학회'의 결성을 계기로 공식적으로 '열린교육'이라는 용어가 사용되기 시작하였다. 그 후 제7차 교육과정의 총론에 열린교육의 실시가 명시되어 정책적으로 추진되고 있다.

2. 특징

(1) 시간과 공간의 유연성

학습자의 필요에 부응하는 융통성 있는 시간계획, 탄력성 있는 교실 공간 구성, 다양하고 풍부한 환경 및 학습 자료를 제공한다.

(2) 열린 인간관계

열린 마음, 학생에 대한 존중, 교사와 학생, 학생과 학생 간의 따뜻한 관계와 상호존중, 팀 티칭과 협동학습을 특징으로 한다.

(3) 학습에 학생의 능동적 참여

학습활동 선택권, 자기주도적 학습, 의사결정에의 참여를 허용한다.

(4) 유연한 교육과정 운영

통합적인 교육과정 운영, 교사의 교육과정 재구성권, 수업내용에 있어서의 학생의 경험을 수용한다.

(5) 탄력적인 학습 집단 조직

대집단, 소집단, 개별화 학습, 동질·이질 집단 등 다양하게 학습 집단을 조직한다.

(6) 개별화 소집단 수업

교사지도 소집단 학습과 개별학습을 강조하여, 학습내용·속도·방법을 개별화한다.

(7) 다양하고 풍부한 학습 자료

학생의 탐구와 활동중심 학습이 가능하면서 자발적 학습을 유도하는 풍부한 학습자료를 제공한다.

(8) 교사의 적극적이면서도 허용적인 교수활동

계획수립자, 자료제공자, 적극적 실험자, 반응자, 동기 유발자, 조정자로서의 교사의 역할을 강조한다.

(9) 진단적 개별평가

학생활동관찰과 일화·작품·누가기록 위주의 절대평가, 수행평가 등 다양한 평가방법을 활용한다.

8 대안교육과 대안학교

1. 개념

대안교육(alternative education)이란 기존의 제도교육에서 규정한 학교의 형태와 내용에서 벗어나 독자적인 교육이념에 따라 새롭고 다른 교육을 실현하고자 하는 것을 말한다. 현재 우리나라의 대표적인 대안적 형태의 학교(alternative school)가 '자율학교'이다(「초·중등교육법 시행령」 제105조).

2. 등장배경

(1) 근대 공교육의 성립 이래 그 한계, 제약 및 폐해가 교육의 본질적 기능을 위협하게 되었다.

(2) 공교육의 공공성 상실 및 사용가치보다 교환가치를 중시하는 경향이 강해졌다.

(3) 기존의 학교체제는 사회 및 시대적 요청에 부응하지 못하는 경직된 체제이다.

(4) 학부모 및 학생의 학교선택권 요구가 강해지고 있다.

(5) 학교안전이 심각한 문제로 대두되고 있다.

3. 특징

(1) 정규학교로 인가된 대안적 형태이다.

(2) 상설학교의 형태이지만 인가 받지 않은 학교이다.

(3) 다양한 형태의 계절제 혹은 방과 후 프로그램을 운영한다.

(4) 재가교육(재택교육, Home-Schooling)으로 실시되기도 한다.

참고

Home-Schooling의 등장 이유

1. 종래의 획일화된 학교교육(공교육)에 대한 불신과 거부감이 확산되었다.
2. 학습권에 대한 요구가 증가하였다.
3. 가정의 전통적 교육적 기능을 회복하려는 경향이 대두되었다.
4. 대안학교를 설립하는 것이 현실적으로 어렵고 또 다른 규제의 가능성 등으로 인해 확산되고 있다(현재 우리나라에서는 법적으로 인정되지 않음).

4. 운영실태

(1) 학생의 모집과 생활

① 입학은 지역, 성별, 종교, 능력에 관계없이 자유롭다. 그러나 수용 규모의 한계상 선착순으로 학생을 모집하는 경우도 있다.

② 대부분의 대안학교들은 무학년제(無學年), 무학급제(無學級制)로 운영하며, 전원 기숙제를 실시하기도 한다.

(2) 교육과정 운영

대안학교의 교육과정은 기존의 일반학교와는 다르다. 대부분의 대안학교들은 자율적으로 다양한 교육과정을 운영한다.

(3) 교원의 구성

대안학교의 교원은 다양한 사회적 경험의 소유자를 교원으로 활용하기도 한다. 특성화고등학교의 경우 산학겸임 교사 규정 등을 통하여 일정 비율의 교사를 자격증이 없더라도 임용할 수 있다.

9 특수교육

1. 개념

특수교육 대상자의 교육적 요구를 충족시키기 위하여 특성에 적합한 교육과정 및 특수교육 관련 서비스 제공을 통하여 이루어지는 교육을 말한다(「장애인 등에 대한 특수교육법」 제2조).

2. 특수교육의 대상자

지적 장애, 지체 장애, 정서·행동 장애, 자폐성 장애, 의사소통 장애, 학습장애, 건강장애, 발달지체 그 밖에 대통령령으로 정하는 장애(「장애인 등에 대한 특수교육법」 제15조)를 가진 학습자이다.

3. 특수교육의 형태

특수교육의 형태에는 특수학급, 순회교육, 통합교육, 개별화 교육이 있다.

특수학급	특수교육 대상자에게 통합교육을 실시하기 위하여 일반학교에 설치된 학급이다.
순회교육	특수교육 교원 및 특수교육 관련 서비스 담당 인력이 각급학교나 의료기관, 가정 또는 복지시설 등에 있는 특수교육 대상자를 직접 방문하여 실시하는 교육이다.
통합교육	특수교육 대상자가 일반학교에서 장애유형·장애 정도에 따라 차별을 받지 아니하고 또래와 함께 개개인의 교육적 요구에 적합한 교육을 받는다.
개별화 교육	각급학교의 장이 특수교육 대상자 개인의 능력개발을 위해 장애유형 및 장애 특성에 적합한 교육목표·교육방법·교육내용·특수교육 관련 서비스 등이 포함된 계획을 수립하여 실시하는 교육이다.

秀 POINT 통합교육(Mainstreaming, 최소제한적 환경)

1. 개념

특수교육 대상자의 정상적인 사회적응 능력의 발달을 위해 일반학교에서 특수교육대상자를 교육하거나 특수교육기관의 재학생을 일반학교의 교육과정에 일시적으로 참여시켜 교육하는 것을 의미한다.

2. 특징

① 장애아들을 매일 최소 반나절 이상을 정규학급에 통합시키는 것이 이상적이다.
② 정규 학급의 일반교사가 일차적으로 그들의 학습에 책임을 져야 한다.
③ 지진아 혹은 정서장애자와 같은 딱지(labeling)를 붙여서는 안 된다.
④ 장애정도가 정규학급 내에서 적절한 교육을 받을 수 없을 정도로 심각하면 적용할 수 없다.

10 영재교육

1. 영재와 영재교육(「영재교육진흥법」 제2조)

(1) 영재

재능이 뛰어난 사람으로서 타고난 잠재력을 계발하기 위하여 특별한 교육이 필요한 사람이다.

(2) 영재교육

영재를 대상으로 각 개인의 능력과 소질에 맞는 내용과 방법으로 실시하는 교육을 의미한다.

2. 성취영역

① 일반 지능, ② 특수 학문 적성, ③ 창의적 혹은 생산적 사고, ④ 예술적 재능, ⑤ 신체적 재능, ⑥ 그 밖에 특별한 재능이 있는 사람을 영재교육기관의 장이 선발한다.

우리나라 과학영재고등학교의 과학영재 선발방법

1. 교사추천
2. 필기시험
3. 과학 캠프 개최

3. 영재아의 판별

(1) 단계적인 절차를 거쳐 판단한다(보수적 입장).

(2) 여러 가지 검사를 동시에 실시한 다음, 이를 종합적으로 판단한다.

4. 검사도구

집단지능검사, 표준화학력검사, 학교학력검사, 개인지능검사, 창의성검사 등이 있다.

5. 영재성의 발달

초기에는 지적, 인지적 능력에 초점을 맞추었으나, 최근에는 비인지적 요인을 중시한다.

6. 영재성 개발의 요인

(1) 개인적 요인

주어진 기회를 활용하거나 기회를 찾거나 만드는 개인의 동기 및 성격 특성(흥미, 끈기, 자율성, 자기 확신, 자신감 등)을 말한다.

(2) 사회적 요인

영재성을 발휘할 수 있도록 도와주는 주변 인물, 성장 지역, 교육기회 등이 있다.

(3) 영재학업부진아

잠재능력과 학업성취도 간의 차이를 보이는 아동을 의미한다. 자신감 결여, 끈기 부족, 목적 의식과 동기 부족, 열등감, 가족 간의 갈등 등이 원인이다.

11 양성평등교육과 페미니즘 운동

1. 양성평등교육

(1) 개념

남녀 모두에게 잠재되어 있는 특성을 충분히 발현하여 자신의 자유의지로 삶을 계획하고 세상을 볼 수 있도록 촉진하는 교육이다.

(2) 목표

① 각자의 개성과 능력을 발휘한다.
② 자립적인 마음과 태도 및 능력을 배양한다.
③ 타인의 특성과 개성을 존중하는 마음을 배양한다.
④ 사회·국가적으로 잠재되어 있는 인력을 개발한다.

(3) 법적 규정

교육기본법 제17조의2 【남녀평등교육의 증진】 ① 국가와 지방자치단체는 양성평등의식을 보다 적극적으로 증진하고 학생의 존엄한 성(性)을 보호하며 학생에게 성에 대한 선량한 정서를 함양시키기 위하여 다음 각 호의 사항을 포함한 시책을 수립·실시하여야 한다.
1. 양성평등의식과 실천 역량을 고취하는 교육적 방안
2. 학생 개인의 존엄과 인격이 존중될 수 있는 교육적 방안
3. 체육·과학기술 등 여성의 활동이 취약한 분야를 중점 육성할 수 있는 교육적 방안
4. 성별 고정관념을 탈피한 진로선택과 이를 중점 지원하는 교육적 방안
5. 성별 특성을 고려한 교육·편의 시설 및 교육환경 조성 방안

② 국가 및 지방자치단체와 제16조에 따른 학교 및 평생교육시설의 설립자·경영자는 교육을 할 때 합리적인 이유 없이 성별에 따라 참여나 혜택을 제한하거나 배제하는 등의 차별을 하여서는 아니 된다.
③ 학교의 장은 양성평등의식의 증진을 위하여 교육부장관이 정하는 지침에 따라 성교육, 성인지교육, 성폭력예방교육 등을 포함한 양성평등교육을 체계적으로 실시하여야 한다.
④ 학교교육에서 양성평등을 증진하기 위한 학교교육과정의 기준과 내용 등 대통령령으로 정하는 사항에 관한 교육부장관의 자문에 응하기 위하여 양성평등교육심의회를 둔다.
⑤ 제4항에 따른 양성평등교육심의회 위원의 자격·구성·운영 등에 필요한 사항은 대통령령으로 정한다.

2. 페미니즘 운동

여성에 대한 성차별문화를 극복하고, 여성의 정치적·경제적·사회적 평등을 달성하는 데 관심을 갖는 여성해방운동을 말한다.

12 다문화 교육

1. 개념

(1) 뱅크스(Banks)

뱅크스(Banks)는 "다문화 교육은 교육 철학이자, 교육 개혁운동으로 교육기관의 구조를 바꾸어 학생들에게 평등한 교육 기회를 제공하는 것이 중요한 목표다."라고 정의하였다.

(2) 베넷(Bennett)

여러 개념을 조합한 베넷(Bennett)은 다문화 교육을 네 가지 구성요소(평등교육, 교육과정 개혁, 다문화적 능력, 사회정의를 향한 교육)로 구분해서 '다문화 교육은 평등교육을 목표로 교육과정 개혁을 통하여 주류집단과 소수집단의 모든 사람이 다문화적 능력을 배양하여 사회정의의 실현에 참여할 수 있도록 하는 교육'이라 정의하였다.

2. 대상

다문화 교육의 대상을 어느 범위까지 포함시켜야 하는지에 관한 논의는 크게 두 가지 대립되는 의견으로 나뉜다. 하나는 주류집단으로부터 소외되거나 차별 받는 사회문화적 소수집단에 한정해야 한다는 견해와 다른 하나는 다문화 교육의 대상을 전체 구성원으로 확대해야 한다고 보는 견해가 있다. 특히 세계화에 따른 다원화가 가속화되고 있는 상황에서 이해관계의 충돌이나 대립 가능성이 높은 집단들이 동일한 사회적 공간에 병존할 가능성이 높기 때문에 사회통합과 평화적 존속을 위해 전체 구성원 대상으로 다문화 교육을 실시해야 한다고 본다.

3. 다문화접근법[뱅크스(Banks)]

기여적 접근법	소수 집단들이 주류 사회에 기여한 점을 부각시켜 그들의 자긍심을 길러준다.
부가적 접근법	교육과정의 기본적인 구조, 목표, 특성을 변화시키지 않으면서 소수 집단의 관련된 내용, 개념, 주제, 관점을 교육과정에 첨가한다.
변혁적 접근법	교육과정의 구조를 변화시켜 다양한 집단의 관점에서 개념, 이수, 사건들을 조망해보도록 한다.
사회적 행동 접근법	변혁적 접근법의 요소에 덧붙여 실천과 행동의 문제를 강조한다.

04 | 교육학의 학문적 성격

1 학적(學的) 성립과정과 특징

1. 교육학의 학(science)으로서의 성립과정

(1) 그리스 이래

교육의 문제는 상식적인 수준에서 다루어져 왔기 때문에 학적(學的)인 체계를 갖추지 못하였다.

(2) 르네상스 이후

인간에 관한 학문이 발달하고 16, 17세기 자연과학적 방법론의 발달과 루소 이후 아동에 관한 연구가 진행됨에 따라 학문으로서의 교육학의 발전기반을 갖추게 되었다.

2. 교육학의 학(學)으로서 인정

(1) 교육학이 학적인 공인(公認)을 받게 된 것은 대학에서 교사양성과목으로 인정된 이후이다. 산업혁명 이후 국민보통교육의 대두와 함께 초등교육이 보급되어 이들 학교의 교사양성과목이 됨에 따라 교육학이 발전되었다.

(2) 최초로 교육학을 강의한 사람은 1799년 독일 할레(Halle)대학의 트랍(Trapp)이었다. 이 강의를 칸트가 이어받고, 이후 헤르바르트가 교육학을 강의하였다.

3. 학으로서의 체계화

(1) 헤르바르트(Herbart)

교육학을 독립된 학문으로 체계화시킨 사람은 독일의 헤르바르트이다. 그는『교육학 강의 개요』서문에서 "학으로서의 교육학은 실천철학과 심리학에 의존한다. 실천철학이 도야(陶冶)의 목적을 제시하고 심리학이 방법과 수단을 제시한다."고 말함으로써 과학으로서의 교육학의 성립근거를 제시하였다.

(2) 헤르바르트의 교육학 구상

단계	내용	성격
제1단계	심리학(연상심리학)으로부터 피교육자에 관한 과학적 지식을 획득	귀납적
제2단계	이 지식을 기초로 교육적 인간상을 윤리학(실천철학)을 통해 확립	연역적
제3단계	인간상의 실현을 위한 교수이론(4단계 교수법)을 체계적으로 전개	

헤르바르트(Herbart, 1776 ~ 1841)

헤르바르트는 독일 올덴부르크에서 출생하였다. 그의 조부는 올덴부르크시의 김나지움 교장이었고, 그의 아버지는 법률가로서 시의 고급관리였다. 어머니 루이스는 의사의 딸로서 어린 헤르바르트의 교육에 열성이 대단하였다. 그런데 헤르바르트는 몸이 허약하고 화상으로 눈을 다쳐 학교에 가지 못하고 계몽주의 철학자 볼프의 신봉자인 울젠이란 가정교사의 지도를 받았다. 이때 그는 종교·도덕·형이상학·심리학 등의 여러 문제에 눈뜨기 시작하였다. 12세 때 처음으로 정규적인 김나지움에 들어가 18세까지 공부하여 수학·철학·고전·음악·문학에 이르기까지 다방면에 재능을 발휘하였다. 그는 칸트의 도덕 형이상학 원론의 영향을 받았고, 피히테의 영향도 컸으며, 부르크도르프의 페스탈로치를 방문하고 그의 교육적인 감화를 받기도 했다. 그는 게팅겐 대학에 논문을 제출, 학위를 받고 사강사(Privatdozent)로서 철학과 교육학의 강의를 담당하였다. 또, 쾨니스베르크대학의 초빙으로 칸트의 철학 강좌를 이어받고, 이곳에서 24년간 강의를 담당하다가 뇌출혈로 65세에 병사하였다.

2 교육학의 유형

1. 규범적 교육학

(1) 개념

현재 이루어지고 있는 교육이 어떤 것이든지 간에 그것의 현실적인 모습과는 상관없이, 교육의 본질적 특성은 무엇이며 그것을 가장 능률적으로 실천하기 위한 이상적 원리는 어떤 것인가를 밝히려는 차원의 연구이다.

(2) 특징

① 교육학의 가장 전통적인 형태로 "교육을 왜 하는가?", "교육은 어떤 조건을 만족시켜야 하는가?", "교육활동의 능률성을 평가하는 기준은 무엇인가?" 등의 본질적, 당위적 질문들과 관련된다.

② 교육목적론과 교육방법론의 두 영역의 연구로 나누어진다. 교육목적론은 "교육을 왜 하는가"의 질문에 답하는 것이고, 교육방법론은 교육의 목적을 실현하는 데 요구되는 모든 수단적, 방법적 조건들에 관한 연구이다.

2. 공학적 교육학

(1) 개념

교육학 연구에서 가치문제를 배제하고 교육적 필요나 욕구를 체계적이고 조직적인 과정을 통해 능률적으로 실현시키는 원리와 이론 개발을 중시하는 분야이다.

(2) 특징

① 교육방법적 측면만을 중시한다. 교육방법론적 측면이란 다음과 같다.

㉠ 인간은 능력, 성향, 습관, 태도, 행동 등에 있어서 변화하는 존재이며 이러한 변화를 지배하고 있는 법칙에 따라 계획적으로 통제될 수 있다.

㉡ 그러한 계획적 통제는 어떤 가치관에도 도구적으로 봉사할 수 있다.

② 교육의 이론은 인간의 변화를 계획적으로 통제하는 방법적 효율성을 높이는 데 그 중요성이 있는 것으로 여긴다. 그 전형적인 것이 행동주의 심리학에 기초한 교육이론이다.

3. 설명적 - 비판적 교육학

(1) 개념

현재 이루어지고 있는 교육의 활동이나 제도가 어떤 역사적 혹은 사회적 배경에 의해 성립된 것이며, 그것이 정치·경제·종교·군사 등의 다른 사회적 활동이나 제도와 어떤 관련을 가지며, 다른 사회의 교육과는 어떤 특징에 있어서 서로 다른가 등을 밝히려는 분야이다.

(2) **특징**

① 기존의 교육활동이나 제도의 특징을 분석하고 설명하고 이해하고 평가하고 비판하는 일을 주된 연구 과제로 한다.

② 최근 현행의 교육활동과 제도에 대한 분석이 활발해지고 특히 신마르크스주의자들의 영향으로 자본주의 사회의 제도적 체제에 대한 분석과 비판이 본격화되면서 연구가 활발해진 분야이다.

3 교육학의 성격에 대한 논쟁

허스트와 오코너의 교육학 성격에 대한 논쟁
허스트는 교육학에 대한 규범적 입장인 반면, 오코너는 교육학에 대한 경험 과학적 입장이다.

1. 오코너(O'Connor, 1957)

(1) 오코너는 교육이론의 전형은 자연과학이며, 자연과학 이론은 어떤 현상을 관찰, 기술, 설명, 일반화, 예언하는 가설 연역 체계를 갖추고 있다고 하였다.

(2) 교육학은 엄밀한 의미에서 '자연과학적 이론체계'를 갖추고 있지 못하며, 이 점에서 교육이론은 기껏해야 '예우상의 칭호(a courtesy title)'에 불과하다.

(3) 한국에서는 정범모(1968)가 교육학은 엄밀한 과학적 성격을 지녀야 한다고 주장하였으며, 행동과학에 토대를 둔 교육학의 체계를 확립해야 한다고 하였다.

2. 허스트(Hirst, 1966, 1973)

(1) 교육이론은 다음과 같은 점에서 '실제적 이론'이다.

㉠ 과학적 지식이나 방법뿐만 아니라 형이상학적 신념, 도덕, 종교 등의 가치판단을 포함하고 있다.

㉡ 실제적 질문에 판단을 내리고 교육 실제를 합리적으로 정당화하는 일을 하는 학문이다.

(2) 실제적 교육이론으로서 교육이론은 교육학이 가진 독특한 이론이며, 과학이론에 종속되거나 열등한 이론이 아니다.

(3) 한국에서는 이규호(1968)가 교육학의 실증주의적, 경험과학적 접근을 비판하면서 교육학이 과학적 성격과 규범적 성격을 포괄하는 '해석학적' 성격을 지닌 학문임을 주장하였다.

3. 학자 간 견해

오코너와 뒤르케임 (O'Connor & Durkheim)	① 가치중립적 입장으로, 경험적 학문으로서의 교육학을 주장하였다. ② 가치판단의 기준을 객관적으로 밝힐 수 없다면 이를 교육의 과학적 이론에 포함시키는 것은 잘못된 것이라고 주장하였다.
피터스와 허스트 (Peters & Hirst)	① 가치지향적 입장으로, 규범적 학문으로서의 교육학을 주장하였다. ② 가치판단의 문제를 교육이론에서 배제해서는 안 된다고 주장하였다.

秀 POINT 중요 개념

- □ 교육
- □ 교육, 훈련, 교화
- □ 규범적 정의와 기능적 정의
- □ 발달적 교육관과 선발적 교육관
- □ 성인교육
- □ 자기주도적 학습
- □ 자율학교
- □ 특수교육
- □ 양성평등교육
- □ 규범적 교육학
- □ 교육의 전제조건
- □ 가소성
- □ 조작적 정의
- □ 피터스의 교육개념 준거
- □ 전환학습
- □ 전인교육
- □ 특성화 학교
- □ 영재교육
- □ 다문화 교육
- □ 공학적 교육학

MEMO

II

서양교육사

01 | 그리스의 교육

핵심체크 POINT

자유교육(liberal education)과 7자유교과	① 자유교육: 시민을 위한 교육으로 정신을 자유롭게 하는 교육을 의미 ② 7자유과: 자유교육을 위한 교과(3학과 4과로 구성)
아테네 교육과 스파르타 교육	① 아테네 교육: 솔론법 중심, 개인존중의 자유 교육, 남성중심, 사립과 국립의 학교, 20세 시민권 부여 ② 스파르타 교육: 리쿠르스법전 중심, 국가주의적 교육, 남녀평등, 국립의 학교, 30세 시민권 부여
교육사상가	① 소피스트(Sophist): 직업적 전문교사, 진리의 주관성과 상대주의, 교육의 실용적 가치, 교수법의 질적 변화 ② 소크라테스(Socrates): 지행합일설과 문답법 ③ 플라톤(Platon): 국가중심, 귀족중심, 비민주교육, 남녀평등, 아카데미아 설립, 4대 덕목, 영혼을 이성 - 기개 - 욕구로 구분, 철인교육론 ④ 아리스토텔레스(Aristoteles): 교육목적으로서의 이성인(행복 - 관조적 삶과 중용의 덕), 교육과 정치, 자유교육, 인간본성을 자연(본성), 습관, 이성으로 파악, 소요학교 설립 ⑤ 이소크라테스(Isocrates): 대표적 소피스트, 웅변가 양성을 위한 수사학교 설립, 수사학과 웅변술 강조

秀 POINT **원시사회 교육(그리스 이전의 교육)**

1. 원시사회 교육의 특징

① 원시사회는 '안전'과 '안정'이 중요한 관심사였다.

② 원시교육의 3단계

제1단계 - 모방과 참여	유희, 모방, 자연학습, 자연 지식의 획득
제2단계 - 훈련	생산훈련, 도덕훈련, 신체 및 군사훈련
제3단계 - 성년식	관례 혹은 할례

2. 성년식(initiation ceremony)

① 원시 종교적 의식과 더불어 신체적 고통을 가하고 이를 잘 견뎌냄으로써 가정과 사회에 대한 책임을 감당할 수 있는 성인으로 인정받게 되는 의식을 말한다.

참고 피터스(R. S. Peters)는 교육을 '성년식'에 비유하였다.

② 교육적 의의

㉠ 최초의 의도적 교육

㉡ 실용교육

㉢ 도덕 및 종교교육

㉣ 교육권의 이동

1 그리스 문화와 교육의 특징

1. 그리스 문화의 특징

(1) 철학, 과학, 예술, 정치, 교육 등 다방면에 걸쳐 서양 문화의 근원이 되었다.

(2) 이성을 가장 강조하였다(우주이성, Welt logos).

(3) 사색과 세련됨을 중시하였다.

(4) 인간성의 조화로운 발달을 지향하였다.

(5) 개인주의를 강조하였으나, 이는 공동체의 일원으로서의 개인(시민)이었다.

(6) 자유인(시민)과 비자유인(노예, 외국인 등)을 엄격히 구분하였다.

2. 자유(교양)교육과 7(七)자유과

(1) 그리스적 자유교육(liberal education)

① 정신을 자유롭게 하는 교육, 혹은 여가를 위한 교육을 말한다.

② 서양 전체의 교육사에 중요한 영향을 끼쳤다.

③ 그리스의 자유교육 정신은 로마의 웅변가, 인문주의 시대의 신사, 신인문주의의 조화로운 발달 등에 영향을 미쳤다.

④ 현대적 의미의 자유교육(교양교육)이란 '마음과 지식의 논리적 관계'[피터스(R. S. Peters)]에 토대를 두고, 교육의 내재적 가치를 강조한다.

秀 POINT 학교(school)의 어원

오늘날 학교를 뜻하는 영어 단어인 school의 어원은 schola 혹은 schole이다. 이 말은 '여가' 혹은 '한가함'을 뜻하기도 하고, 여가의 목적인 '학문적 논의', 그리고 학문적 논의를 하는 장소로서의 '학교'였다.

(2) 7자유과(seven liberal arts)

① 의의

㉠ 그리스적 자유교육의 내용으로 18세기까지 서양의 전 교육과정사에 커다란 영향을 미쳤다.

㉡ 로마시대, 중세 수도원, 중세대학 등에서 7자유과를 가르쳤으며, 20세기 이후의 자유교양교육 내용 체계에 영향을 주었다.

② 종류

㉠ 3학(Trivium)

ⓐ 문법, 수사학, 변증법(논리학)이 3학에 해당하며, 소피스트들에 의해 확립되었다.

ⓑ 문법은 말의 구조와 구성에 관한 지식, 수사학은 영혼의 상태를 정확히 잡아 묘사하는 기술, 변증법은 둘 이상의 영혼들이 말을 주고받으면서 상대방을 이해하고 이해시키며 자신의 견해를 관철하거나 합의를 찾아가는 방법을 말한다.

ⓛ 4과(Quadrivium)

ⓐ 산수, 기하학, 천문학, 음악이 해당한다.

ⓑ 4과는 자연학적 성격의 교과였다.

3. 스파르타와 아테네의 교육 비교

구분	스파르타의 교육	아테네의 교육
교육특징	군국주의, 국가주의	개인 존중의 자유교육
교육법전	리쿠르스 법전	솔론 법전
교육목적	호전적(好戰的) 시민을 훈련	자유 시민 양성
교육내용	체육 훈련, Homer의 시, 리쿠르스 법전 암기, 3R's, 지적인 고등교육은 받지 않음	지적 교육, 음악, 체육, 유희, 3R's, 교양 중시
교육기관	체육장, 훈련장	음악학교, 체조학교, 김나지움, 수사학교
교육실제	국가적 통제에 의한 국가중심교육	사립과 국가중심교육이 공존
영향	국가주의, 전체주의 교육에 영향	인문주의와 자연주의 교육에 영향
공통점	국가를 위하여 유용한 시민 양성	

2 교육사상가

1. 소피스트(Sophist)

(1) 개념

최초의 전문적, 직업적 교사로 아테네 출신이 아닌 그리스 교사를 지칭하였다.

(2) 진리관

진리의 주관성과 상대주의를 주장하였다. 이들은 사회 혹은 국가와 같은 객관적 정신과 권위, 절대적 관습과 윤리를 상대적인 것으로 만들었다.

(3) 교육적 가치

교육의 실용적 가치를 중시하였다. 즉 교육은 생활을 위한 교육이었다. 소피스트에게 있어 교육은 설득력 있고 강력하게 말할 수 있는 능력을 훈련 시키는 일이었다. 이들은 법과 관습보다는 시민 개개인의 권리를 더 중시하였다.

(4) 교과관

웅변술에 필요한 문법, 수사학, 변증법을 처음 확립하였으며, 이는 후에 7자유과가 되었다.

(5) 윤리관

덕(德)은 습관이나 전통에 의해서가 아니라 이성에 기초해야 한다고 보았다.

(6) 대표자

프로타고라스(Protagoras, 최초의 소피스트), 고르기아스(Gorgias), 이소크라테스(Isocrates) 등이 대표자이다.

(7) 교육적 아레테(arete)

소피스트들이 추구하였던 '교육적 아레테'는 설득력 있는 웅변술의 훈련으로 이들은 대중을 이끌어갈 지도자를 의미하였다.

(8) 교육적 공헌점

① 교육을 예술의 형식으로 끌어올려 독자적 문화 활동으로 수용하였다. 즉 교육은 정치적 예술(politische techne)이라고 하였다.

② 가르치는 일을 용이하게 함으로써 교수기능의 합리화를 이룩하였고, 교육을 삶을 준비하는 의식적이고 계획적인 활동으로 변모시키고, 인간의 관심사로 만드는데 공헌하였다.

③ 교육의 성패에 결정적으로 영향을 주는 교육과정의 전제들과 조건들, 그리고 교육에 작용하는 요인들에 주목하게 하였다.

④ 교육을 개인적 자아실현을 위한 활동으로 이해하도록 하여 교육에 대한 생각을 도구적인 방향으로 전개시켰다.

⑤ 소피스트 이후 그리스 교육은 조화적 발전에서 지적 훈련으로 바뀌게 되었다. 초기 소피스트들에 의해 창조되었던 인간형은 '주지적 도야인(主知的 陶冶人)'이었다.

2. 소크라테스(Socrates)

(1) 지행합일설(知行合一說)

① "도덕적 지식은 도덕적 행위를 보장하는가?"라는 문제에 "지식은 덕이다."라는 원리에 도달하였다.

참고 "옳음을 안다는 것은 그것을 행하는 것이며, 지식은 바로 미덕이다."

② 모든 인간은 자기 자신 안에 성실, 정직, 진실, 지혜 등의 진리를 인식하고 평가하는 능력을 가지고 있고 그 능력을 획득할 가능성을 지닌다.

③ 지식은 자유행동의 선행조건이고 모든 기술(arts)에 있어 바른 행위의 기초이다. 지식은 보편타당한 것을 탐구함으로써 획득된다.

참고 소크라테스의 삶 자체가 논리적이라기보다는 윤리적이었다. 논리적 삶을 산 사람은 플라톤이었다.

④ 선(善)은 선의 본질에 관한 지적 이해에 달려있다. 단순히 선이 무엇인가를 알기만 하면 선한 행위를 할 수 없다[의견(臆見)은 행과 무관]. 즉 자신이 하려고 하는 행위에 관한 정확한 지식이 있을 때 선한 행위를 할 수 있다.

(2) 문답법(대화법)

① 반어법과 산파술로 구성된다. 반어법(反語法)이란 학습자의 무의식적 무지에서 의식적 무지까지 이끄는 것이고, 산파술은 의식적인 무지에서 합리적인 진리에로 인도하는 것이다.

② 개념들의 모순과 오류를 밝히고 무지의 지(知)에 이르게 하는 과정 자체에서 인간을 자극하고 각성하도록 하는 것에 목적이 있으며, 이는 개념의 본질적 개방성 및 인간의 미완성을 암시한다.

③ 현대의 발견학습, 질문법, 토의법의 효시가 되었다.

秀 POINT 『대화편』에 나타난 문답법의 예

"우리들의 기술의 가장 위대한 점은 젊은이의 영혼이 환영(幻影)의 오류를 잉태하려 하는지, 아니면 유실하고 참된 것을 잉태하려는 지를 검토할 수 있는데 있다네. … 나는 지혜에 관해 아무것도 잉태한 것이 없네. 그리고 비록 다른 사람들에게 질문은 하나 스스로는 아무런 대답도 하지 않고 있으며, 이는 내가 아무것도 모르기 때문이라고 사람들이 비난하고 있는데 그들의 비난은 정당하네. … 나와 대화를 나누었던 사람들 가운데는 처음에 아무 것도 모르는 것처럼 보였으나 … 오직 스스로 자기 자신으로부터 많은 아름다운 것을 발견해내고 그것을 확고하게 간직하였다는 것은 명확한 사실이라네."

(3) 교육에 대한 공헌점

① 지식은 실제적이거나 도덕적인 기능적인 가치를 지니며, 지식은 보편적이지 개인적인 것은 아니라고 보았다.

② 지식을 습득하는 과정은 객관적으로는 대화이고, 주관적으로는 자기 경험의 반성이다. 그는 학습자를 주체적인 탐구와 자발적인 발견의 능력과 자아 확신의 독자적인 창조의 힘을 지닌 존재로 인정하였다.

③ 교육의 직접적인 목적은 지식의 부여가 아니고 사고력의 발전이다. 즉 교육은 인간 내면의 각성과 주체적 인격을 도야하는 일이다. 이는 서양 역사에서 교육을 인간 내면의 고유한 정신과 능력을 실현하는 과정으로 보게 되는 계기가 되었다.

기출문제

소크라테스의 회상설(回想說)에 대한 설명으로 옳은 것만을 모두 고르면?

2023년 국가직 7급

ㄱ. 진리는 본래 알고 있는 것을 상기하는 것이다.
ㄴ. 학습자의 마음을 백지(白紙) 상태라고 규정한다.
ㄷ. 학습 및 교수 방법으로서 대화법과 산파술이 적합하다.
ㄹ. 교사는 학습자에게 지식을 주입하는 데 주력해야 한다.

① ㄱ, ㄴ ② ㄱ, ㄷ
③ ㄴ, ㄹ ④ ㄷ, ㄹ

해설

소크라테스의 회상설(回想說) 혹은 상기설은 개념들의 모순과 오류를 밝히고 무지의 지(知)에 이르게 하는 과정 자체에서 인간을 자극하고 각성하도록 하는 것에 목적이 있으며, 이는 개념의 본질적 개방성 및 인간의 미완성을 암시한다.

선지분석

ㄴ. 학습자의 마음을 백지(白紙) 상태라고 규정한 것은 로크(J. Locke)이다.
ㄹ. 상기설은 학습자 스스로 자신의 내부에서 지식을 이끌어 내도록 유도하는 일로 본다.

답 ②

3. 플라톤(Platon, B.C 427 ~ 347)

(1) 교육사상의 특징

① 보편적이고 절대적 세계를 중시하였다.

② 지혜, 용기, 절제, 정의의 덕목을 강조하였다.

③ 특별히 적합한 자질을 갖춘 사람에게만 높은 수준의 교육을 허용하였다.

④ 국가 중심의 공동체 교육, 계급에 따른 교육지향(비민주성)을 주장하였다. 그는 교육의 모든 과정이 국가에 의해 철저히 조직되고 통제되어야 한다고 주장하였다.

⑤ 여성교육의 옹호와 여성과 자녀의 공유를 주장하였다. 플라톤은 인간의 잠재적 능력에는 차이가 없으므로 여자도 남자와 같은 교육을 받을 수 있는 기회, 그리고 같은 직업을 향유할 수 있는 동등한 기회를 누려야한다고 하였다.

(2) 선(善)에 대한 견해(소크라테스와 크세노폰의 견해를 종합)

① 소크라테스와 같이 완전한 선을 위해서는 완전한 지식이 필요하며, 선에 관한 관념을 가진 철학자만이 완전히 선한 사람이 될 수 있다고 하였다.

② 플라톤 도덕 교육론의 특징은 스파르타식의 훈련에다가 청소년의 원만한 인격의 발달에 필요불가결하다고 생각한 아테네식의 방식을 결합한 것이다.

(3) 아카데미아(Akademeia) 설립

① 플라톤(Platon)이 세운 고등교육기관으로 철학적 정신을 도야하고 이를 실현하는 자유로운 공동체였다.

② 『메논』은 아카데미아의 교재이고 프로그램이었다.

③ 플라톤은 60세 이후 아카데미아에 칩거하면서 연구하고 제자를 기르는 일에 전념하였다.

(4) 철인 교육단계론(『국가론』)

① **제1단계 - 예비교육단계(출생 ~ 7세)**

㉠ 체육(gymnastike)과 음악(mousike)을 통해서 육체와 정신을 연마하는 데 주력한다. 이 두 과목은 평생을 통해서 배워야 한다.

㉡ 체육은 육체를 단련하고 궁극적으로는 정신과 인격의 형성을 도모한다.

㉢ 음악은 질서 의식을 불어넣어 주며 미(美)를 진정으로 사랑하도록 하는 데 도움을 준다. 음악, 미술, 신화, 이야기, 조형미술 등이 포함된다.

② **제2단계 - 기초적인 훈련의 단계(7 ~ 16세)**

㉠ 실생활에서 유용한 지식을 배우는 단계로 교육받은 후에 생활에서 쓸모있는 직업과 관련된 지식과 기술을 배운다.

㉡ 음악과 체육을 좀 더 집중적으로 가르치고, 시·문학, 기하, 산수, 천문학의 기초를 배운다.

㉢ 이 단계에서 더 이상 교육이 필요하지 않은 학생들을 선발하여 생산직에 종사하도록 한다.

소크라테스의 제자

크세노폰(Xenophon)과 플라톤이 있다. 크세노폰은 플라톤과 달리 소크라테스의 입장과는 다른 길을 추구하여 스파르타 교육을 선호하였다.

그리스 시대 철학 학교

그리스 시대 대표적인 철학 학교로는 '아카데미아'를 비롯해서 아리스토텔레스의 '리케움', 제논의 '스토아 학교', 에피쿠로스의 '에피쿠로스 학교' 등이 있었다.

동굴의 비유[simile of cave, 洞窟-比喩]

플라톤의 유명한 비유로, 《국가(國家, Poliei a)》 제7권에 제시되어 있다. 이데아계를 태양의 세계라고 한다면 가시계(可視界)는 지하의 동굴 세계라고 비유할 수 있다. 인간은 그 속에서 태어날 때부터 손과 발에 쇠사슬을 차고, 이데아의 그림자에 지나지 않는 감각적 경험을 실재(實在)라고 생각하고 있는 수인(囚人)과 같다. 그러므로 그들이 품고 있는 환영(幻影)의 잘못을 지적하고, 이데아계로의 지향을 가르치는 것이 애지자(愛知者)인 철학자의 역할이라고 하였다. 플라톤은 동굴의 비유를 통해 교육의 의미, 교육의 단계, 교사의 역할 등을 말하고자 하였다.

③ 제3단계 - 제1차 실습교육이 이루어지는 단계(16 ~ 20세)

㉠ 교육내용은 주로 군사적 훈련으로 짜여지며, 군사적 덕목과 능력의 집중적 훈련을 받도록 한다.

㉡ 이 단계에서 더 이상 교육이 필요하지 않은 사람들을 선발하여 국가를 방위하는 군인이 되도록 한다.

④ 제4단계 - 전문교육 단계(20 ~ 30세)

㉠ 전문교육은 이론 중심의 교육이다. 교육내용은 문법, 수사학, 산수, 기하, 천문학, 변증법 등으로 구성된다.

㉡ 교과의 본질과 상호관계를 파악하고 종합할 수 있는 능력을 기른다. 즉 종합적이고 변증법적인 훈련에 주력하는 시기이다.

㉢ 교과를 연구하는 것은 개별적인 대상의 배후에 있는 본질을 통찰하기 위한 것이며 철학을 연구하기 위한 기초가 된다.

⑤ 제5단계 - 제2차 실습교육에 투입되는 단계(30 ~ 50세)

㉠ 철학의 문답법만을 끊임없이 연습하면서 국가를 다스리는 여러 직책을 돌아다니면서 통치의 실습을 받는다.

㉡ 이 단계를 성공적으로 이수한 사람은 마지막까지 남아서 교육을 받고 철인이 되어 국가를 다스린다.

⑥ 50세 이후에는 여생을 변증법의 최고 대상인 '선(善)의 이데아(Idea)'를 탐구하다가 순번이 돌아오면 정치 일선에 나와서 수고하며 공동의 선을 위해 통치하는데, 이는 철학자의 의무이다. 그는 철학자란 형상이나 이데아의 신성한 세계를 사랑하고 선의 이데아를 통찰하고 이해하는 자이므로 철학자만이 국가의 이데아인 이상국가의 통치자가 될 수 있다고 하였다.

(5) 교육체제의 기본 구상

① 모든 종류의 문화는 교육의 효과에 의해 검열되어야 한다.

② 성별, 지위와 관계없이 각자 자신이 가장 적합한 역할을 수행할 수 있도록 교육되어야 한다.

③ 통치 능력이나 자격이 없는 일반 시민은 교육받을 필요가 없다.

④ 과학과 철학은 성숙한 연령이 될 때까지 보류되어야 한다.

⑤ 남녀를 불문하고 진정한 지혜를 갖춘 사람, 변증법을 공부한 사람만이 통치자가 되어야 한다.

(6) 영향

① 아테네 철학학교의 설립과 이들 학교교육에 지도적 영향을 주었다.

② 서양 교육사에서 커리큘럼(curriculum) 확립(7자유과)을 기하였다.

③ 그리스적 자유교육사상을 확립하였다(자유교육 사상은 아테네의 영향).

기출문제

다음 내용과 가장 관련이 깊은 것은? 2018년 지방직 9급

- 핵심 주제는 정의, 즉 올바른 삶이다.
- 올바른 삶을 위해 가장 중요한 것은 이성의 덕인 지혜를 갖추는 것이다.
- 초기교육은 음악과 체육을 중심으로 하고, 후기 교육은 철학 또는 변증법을 강조한다.

① 플라톤(Platon)의 『국가론』
② 루소(J. J. Rousseau)의 『에밀』
③ 듀이(J. Dewey)의 『민주주의와 교육』
④ 피터스(R. S. Peters)의 『윤리학과 교육』

해설

플라톤(Platon)은 『국가론』에서 철인교육론을 제시하였다. 그가 구상한 이상국가의 덕목은 지혜, 용기, 절제, 정의이고, 철인교육단계의 첫번째 단계인 예비교육단계에서는 체육과 음악을 통해 육체와 정신을 연마하도록 하였다. **답 ①**

참고

『국가론』에 나타난 3계급론

통치계급	철인(변증법)	지혜: 이성의 덕(금)	정의: 계급 간의 조화를 이루는 최고의 덕
방위계급	군인(체육)	용기: 기개의 덕(은)	
생산계급	농·공·상(음악)	절제: 금욕의 덕(동)	

4. 아리스토텔레스(Aristoteles, B.C 384 ~ 322)

(1) 철학과 학문관

① 실재론적 철학관을 제시하였다. 진리 탐구는 정신에 의해서만이 아니고, 자연 및 사회생활의 객관적 사실 속에서도 구해야 한다. 형상(form)은 질료(matter)와 더불어 존재한다.

② 최초로 논리학을 개념적 사유에 대한 순수한 형식의 이론으로 발전시켰다. 그는 개념과 판단, 연역적 유추(3단 논법) 그리고 그것의 상이한 형식들을 통찰하였고 이는 형식논리학의 기초가 되었다.

③ 아직 분화되지 않고 하나의 필로소피아(Philosophia)라는 명칭으로 불리고 있던 학문을 자연학(Physika)과 형이상학(Meatphysika)으로 분리해서 자연과학과 정신과학으로 세분화하는 길을 열었다.

형상(形相; form)과 질료(質料; matter)

1. 세상의 모든 사물은 형상과 질료로 이루어져 있으며, 형상과 질료는 구분되어야 한다.
2. 하나의 특정한 사물은 형상과 질료를 모두 가지고 있다.
3. 형상은 한 사물의 본질 혹은 본성을 의미하며 사물의 기능과 관련되고, 질료는 그 사물에만 고유한 것이다.
4. 질료 속에서 형상이 아직 완전히 실현되지 못한 상태는 가능태이고, 형상이 완전히 실현된 상태는 현실태이다.
5. **가능태와 현실태에 대한 아리스토텔레스의 예**

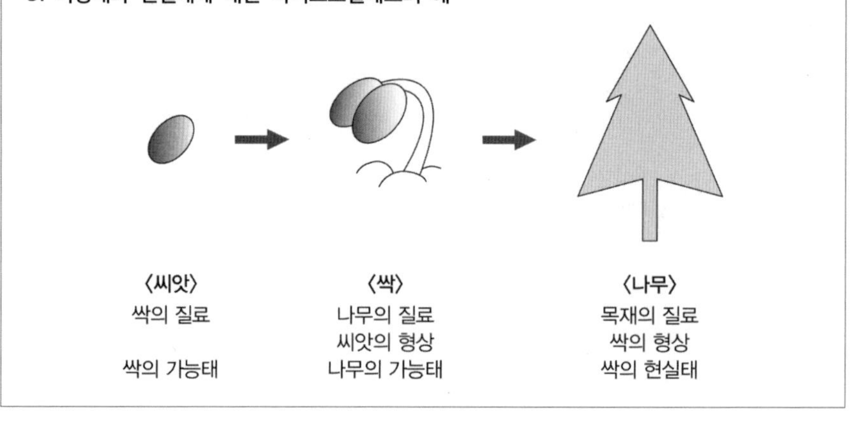

〈씨앗〉	〈싹〉	〈나무〉
싹의 질료	나무의 질료	목재의 질료
	씨앗의 형상	싹의 형상
싹의 가능태	나무의 가능태	싹의 현실태

(2) 인간관

① 인간은 자연(Natur)과 습관(Gewöhung)과 통찰(Einsicht)을 통하여 선하게 그리고 도덕적 인간으로 성장한다. 덕은 습관이나 훈련을 통하여 형성되며 습관은 제2의 자연이다.

② 그는 인간을 자연(physis)과 습관(ethos)과 이성(logos)이라는 3요소를 통해서 파악하였다.

(3) 교육사상

① **교육목적**: 이성인을 강조하였다. 이성인이 누려야 할 최고의 생활은 행복이며, 그리고 지식의 소유가 아니라 행복이나 선에 도달하는 것이 덕이다. 덕은 중용(mean)에 있으며 그것을 구별하게 하는 힘은 이성이지만 좋은 품성으로 그것을 실천하게 하는 것은 '습관 형성'이라고 보았다.

② **교육과 정치**: 교육은 참된 윤리적 생활을 가능하게 하는 것으로 정치적 문제와 관련되어 있다. 즉, 교육은 행복한 삶을 사는 인간을 기르는 일이고, 그러므로 행복한 삶을 살도록 하는 사회를 만드는 정치와 유사하다.

③ **자유교육**: 자유교육(liberal education)과 비자유교육(illiberal education)을 구분하였다. 지식은 진리 자체가 목적인 지식으로 인간의 영혼을 자유롭게 하는 것만이 자유교육에 속한다. 비자유교육은 직업적 교육, 실용적 교육으로 지식 자체가 아니라 지식의 사용이 목적인 교육을 말한다.

④ **국가 책임 강조**: 교육의 국가 책임을 강조하였다. 아리스토텔레스는 전체는 부분보다 먼저 있으므로 국가는 자연에 있어서 가정과 개인보다 먼저라고 보았다. 그러므로 시민은 국가를 위해 살아야 한다.

⑤ 학교: 고등교육기관인 리케움(Lyceum)을 설립하였다(B.C 334). 학교 안에 지붕 덮인 산책길(peripatos)을 두고 산책하면서 가르쳤기 때문에 소요학교(Peripatetics)라고도 한다. 이 산책길은 교실과 같은 장소였다. 리케움에서는 생물학과 역사 등도 가르쳤다.

(4) 저서

『형이상학(Metaphysik)』, 『정치학(Politik)』, 『니코마코스 윤리학(Nikomachische Ethik)』, 『시학(Poetik)』 등이 있다. 이 가운데 교육을 논한 저술로는 『정치학』(교육조직을 구상)과 『니코마코스 윤리학』이 대표적이다.

(5) 아리스토텔레스의 영향

① 『윤리학』과 『정치학』은 인간의 지적 생활에 영향을 주었다.

② 『오르가논』, 즉 논리학은 모든 지적 활동의 과학적 사고를 체계화하도록 하였다.

③ 귀납법적 사고는 실재의 새로운 면에 사색을 기울인 것으로 근대 과학의 창시자로서 위치한다(생물학, 역학, 자연철학 등을 저술).

④ 스콜라 철학의 방법에 영향을 주었다.

기출문제

아리스토텔레스의 교육사상에 대한 설명으로 옳은 것만을 모두 고르면?

2020년 지방직 9급

ㄱ. 모든 인간은 장차 실현될 모습을 스스로 지니고 있다는 목적론적 세계관을 지향한다.
ㄴ. 교육의 최종적인 목적은 행복한 삶을 영위할 수 있는 인간을 기르는 것이다.
ㄷ. 자유교육은 직업을 준비하거나 실용적인 목적을 위해 행해지는 것이 아니라 지식 자체의 목적에 맞추어져 있다.

① ㄱ, ㄴ　　② ㄱ, ㄷ
③ ㄴ, ㄷ　　④ ㄱ, ㄴ, ㄷ

해설

아리스토텔레스는 ㄱ. 모든 사물은 형상과 질료라고 하는 현재의 모습과 미래의 모습을 모두 지니고 있으며, ㄴ. 교육의 목적은 행복에 있으며, ㄷ. 자유교육은 지식 자체의 내재적 가치를 추구하는 교육을 의미한다고 말했다. **답 ④**

5. 이소크라테스(Isocrates, B.C 436 ~ 338)

(1) 교육목적

① 훌륭한 웅변가를 양성하는 것이었다. 훌륭한 웅변가는 혼란한 그리스를 구원해 줄 정치지도자를 의미하였다.

② 웅변가는 관념적이고 추상적 지식의 소유자가 아니라 사회가 관심을 갖는 중요한 문제를 파악하고 그에 대해 정확하게 사고하고 말할 수 있는 능력을 지녔다.

③ 웅변가의 자질은 수사학을 통해 길러지며, 그가 세운 수사학교(B.C 392)는 논쟁의 이론만이 아니라 실제로 논쟁할 수 있는 기회를 제공하였다.

(2) 수사학교의 특징

① 학생이 등록하는 것을 원칙으로 하였으며, 이는 소피스트들에 의해 시작된 교직과 수업의 전문화가 이소크라테스에 의해 비로소 직업으로서의 교육이 발전하였음을 의미한다.

② 집중적이고 집단적인 수업방법을 사용하였다. 수업은 집단을 형성하여 하되 하나의 수업 집단이 9명을 넘지 않도록 하였고 교사와 학생들 간의 깊은 인격적 관계가 형성될 수 있었다.

③ 14 ~ 18세의 청소년을 대상으로 교수활동은 철저히 계획된 도야의 프로그램(3 ~ 4년 동안 수학함)으로 운영하였다.

(3) 저서

『소피스트들에 대항하여』	학교의 설립을 예고하고 그 자신의 교육이념을 변호한 일종의 기획적인 글이다.
『판에기리코스』	수사학적 문학의 원숙성을 보여준다.

02 로마의 교육

핵심체크 POINT

1. 로마 교육의 특징

초기(공화정 시대)	실용적, 현실적 가치 중시
후기(제정 시대)	그리스의 영향으로 웅변술 강조

2. 교육기관

Ludus(초등) - 문법학교(중등) - 수사학교(고등)

3. 교육사상가

키케로(Cicero)	인문적 교양을 지닌 웅변가 양성
퀸틸리안(Quintilian)	로마의 대표적 학자, 수사학교 설립, 웅변교수론

1 문화와 교육의 특징

1. 로마 문화의 특징

(1) 초기 로마 시대

① 실용적이고 현실적 가치를 중시하였다.

② 사회 질서로서의 법률 제정, 조직과 행정 등에 재능을 발휘하였다.

③ 경건, 복종, 정복, 용기, 인내, 충성, 진실, 강인, 엄격 등의 덕목이 중시되었다.

④ 초기 로마 시대는 학교교육보다는 가정교육이 중시되었다. 어머니의 역할로서 '로마의 여주인'은 국가와 사회에 의해 존경받는 여성의 위치를 상징하였고, 아버지의 역할도 가정에서 아동의 덕육과 체육을 책임지는 중요한 위치를 차지하였다.

(2) 후기 로마 시대

① 그리스의 영향으로 웅변술이 중시되었다.

② 공화정 시대는 순수한 로마적 요소를 간직하였으나, 후기의 제정시대는 그리스의 영향으로 그리스 학자와 교육정신이 도입되었다.

③ 로마의 공교육은 황제 유스티니아누스로부터 이교적(異敎的) 온상이라고 하여 아카데미아가 폐지되면서 쇠퇴하였다.

2. 교육목적

웅변가 양성이 목적이었다. 웅변가의 자질에는 ① 도덕적 품성, ② 다방면에 걸친 해박한 지식, ③ 설득력 있는 언어 기술 등이 있다.

3. 12동판법

(1) 초기 로마의 교육내용으로 중시되었다.

(2) 초기 로마 최고의 성문법으로서 귀족에 의한 관습법의 악용으로부터 평민을 보호하기 위한 목적으로 제정되었다.

(3) 내용

① 자식에 대한 아버지의 권리, ② 아내에 대한 남편의 권리, ③ 종에 대한 주인의 권리, ④ 계약을 통한 자유인의 권리, ⑤ 자기 재산에 대한 인간의 권리 등을 규정하였다.

4. 교육기관

(1) 루더스(Ludus, 7 ~ 10세)

① 초등교육, 문자학교라고도 하였다. 초기에는 사립학교였고 일반 민중의 자녀들에게 초보적인 실용 지식을 가르치기 위해 해당 지역의 중심지에 설립하였다.
② 3R's와 12동판법을 가르쳤다.
③ 루더스란 원래 유희, 경기 등을 의미하였다.

(2) 문법학교(10 ~ 16세)

① 그리스어와 라틴어를 배우는 학교로 인문주의 시대의 중등학교 성립에 영향을 주었다.
② 문법학교의 교사를 리테라투스(Literatus) 혹은 그라마티쿠스(Grammaticus)라고 불렀다. 문법학교도 초기에는 사립학교였다.

(3) 수사학교(16세 이상)

최고의 웅변가 양성 기관으로 학교 일과의 대부분은 변론과 토론으로 이루어졌다.

(4) 도서관과 대학

로마 시대 도서관을 아데니엄(Athenaeum)이라고 불리었고, 베시파시아누스 황제가 평화의 신전에 세운 도서관은 로마 대학의 기원이 되었다.

5. 로마교육의 공헌점

(1) 법률을 발전시켜 완비함으로써 근대 사회생활의 기초가 된 제도적 생활 체제를 만들었다.

(2) 기독교의 전파에 의해 배양된 실천적 도덕성의 힘으로 도덕적 인생관의 고양에 공헌하였다.

2 교육사상가

1. 키케로(Cicero, B.C 106 ~ 43)

(1) 사상적 특징

① 로마교육의 그리스적 영향을 대표하는 최초의 학자였다.
② 교육목적으로 인문적 교양을 지닌 웅변가의 양성에 두었다.
③ 그의 사상과 문체는 로마를 대표하며 문예부흥시대 자유주의 사상가들의 표준적인 문체가 되어, 인문주의 시대에 키케로주의가 등장하였다.

(2) 저서

『웅변론(De Oratore)』이 있다.

2. 퀸틸리안(Quintilian, 35 ~ 95년경)

(1) 사상적 특징

① 로마의 가장 대표적인 교육사상가였다.
② 수사학교를 설립하여 문법과 변론술을 가르쳤다.
③ 교육사상
㉠ 학생 체벌을 반대하였다. 체벌은 존경심보다는 증오심, 잔인성, 불경심과 같은 나쁜 감정을 심어주는 것으로 보았다.
㉡ 학습 능력에는 개인차가 있기 때문에 개성에 맞는 교육을 강조하였다.
㉢ 가정에서의 조기교육의 필요성을 옹호하였다.
㉣ 학습에서의 흥미를 중시하였고 체계적인 단계적 학습을 강조하였다.
㉤ 교과 학습에서 올바른 언어 사용과 논리적 사고 훈련을 강조하였다.
㉥ 학교교육의 중요성을 강조하였다. 학교는 나쁜 버릇과 습관을 방지하고 교정할 수 있으며, 가정보다 훨씬 효율적으로 교과를 가르칠 수 있다.

(2) 웅변가의 자질

사물의 지식, 훌륭한 어휘력, 인간의 감정에 관한 지식 및 그것을 환기시키는 능력, 우아한 태도, 역사 및 법률지식, 좋은 말솜씨, 좋은 기억 등을 웅변가의 자질로 보고, 누구나 선인(善人)이 되지 않으면 좋은 웅변가가 될 수 없다고 말하였다.

(3) 저서

『웅변교수론(De Institution Oratore)』이 있다.

03 | 중세의 교육

핵심체크 POINT

1. **교육기관**
   본산학교와 수도원학교(정절, 빈곤, 복종의 금욕주의, 7자유과 교수, Schola 철학)
2. **학문방법 - 스콜라 철학**
   이성적 방법, 아리스토텔레스의 논리학 영향 받음, 중세대학의 학문방법에 영향, 보편논쟁(실재론과 유명론)
3. **기사교육과 도제제도, 시민학교**
   비형식적이고 생활중심의 교육, 시민학교는 상류층과 하류층으로 구분
4. **중세대학**
   ① 볼로냐 → 살레르노 → 파리대학, 교수조합과 학생조합의 형태, 학위 수여권, 연구보다 교육 강조
   ② 근대대학: 독일의 할레(Halle) 대학과 베를린(Berlin) 대학, 교수 - 연구의 자유 강조, 근대적 학문방법 탐구

1 중세 문화와 교육의 특징

1. 중세 문화

(1) 시대 구분

중세는 시기적으로 서로마 제국의 멸망(476)부터 1,000년간을 의미한다.

(2) 특징

① 중세 문화는 기독교적 요소, 게르만적 요소, 그리스·로마 문화를 포함한 고전 문화적 요소가 합쳐서 구성되었다.

② 교회의 교육과 교회 의식의 훈련이 지적 요소를 대신하고, 엄격한 행위의 훈련이 체육이나 수사학적 훈련을 대신하였다.

③ 교육에서는 미래를 준비하기 위한 엄격한 체제가 강조되었다. 따라서 자연적 흥미나 현세 및 현세의 활동과 연결되는 것은 악으로 간주되었다.

④ 인격의 발전과 미적 취미나 지적 활동의 배양을 기하기 위한 모든 배려는 중대한 죄악으로 간주되었다.

2. 중세 기독교의 교육기관

(1) 문답학교

① 이교도를 기독교도화하기 위한 교육을 실시하였다.

② 주로 아동을 대상으로 세례를 받기 위한 예비 교육을 실시하였다.

(2) 문답교사학교(고등문답학교)

① 문답학교의 교사 및 교회의 지도자를 양성하는 학교였다.

② 문답학교보다 교육 수준이 높아 신학은 물론 철학, 수사학, 천문학, 물리 등 과학 및 문학을 가르쳤다. 즉, 문답교사학교는 그리스적 학문과 철학을 신학적 기초의 일부로 가르쳤다.

(3) 본산학교

① 본산(本山)에 있는 학교로 승려 양성과 일반 자제의 교육을 실시하였다.

② 샤를마뉴 대제의 기독교 옹호와 교육에 진력한 공로에 힘입어 세워졌다.

③ 가르치는 내용은 수도원 학교와 유사했고, 승려가 될 사람이나 일반 아동에 관계없이 찬송가, 문자, 산술, 문법 등을 가르쳤다.

(4) 수도원 학교

① 중세의 가장 대표적인 학교로 성인의 교육뿐만 아니라 장래에 승려가 되고자 하는 아동(7 ~ 15세)을 교육하였다.

② 수도원 생활의 핵심은 금욕주의(정절, 빈곤, 복종)였다.

③ 내교(內敎)와 외교(外敎)를 두어 일반인은 외교에, 아동은 내교에 기숙하면서 배웠고 수업료나 숙박료는 지불하지 않았다.

④ 교육내용은 초등과는 읽기, 쓰기, 음악, 산술, 라틴문법, 시편 등이었고, 고등과는 7자유과를 배웠다(수도원의 모든 언어는 라틴어로 이루어짐).

⑤ 수도원 학교는 중세 스콜라(Schola) 철학의 발전과 중세 대학의 발전에 공헌하였다.

2 스콜라 철학과 교육

1. 교육적 의의

중세 수도원에서 시도하였던 학문 방법으로, 주로 기독교의 교리를 이성적 방법으로 체계화하려는 시도를 말한다. 기독교 신앙을 아리스토텔레스의 논리학과 결합시킨 것이다.

2. 목적

(1) 이성으로 신앙을 옹호하고, 지적 능력의 발전을 통해 종교생활과 교회를 강화하고자 하였다. 이는 논의(論議)로서 모든 의문이나 의혹을 침묵시키는 것을 목적으로 하였다.

(2) 신앙을 논리적 체계로 조직하는 능력을 발전시켜, 이에 대항하는 모든 논의에 대해 신앙체계를 제시하고 변호하는 힘을 배양하고자 하였다.

(3) 논리적 분석의 방법으로 지적 도야를 강조하였다(수도원은 도덕적 도야를 강조).

(4) 스콜라 철학의 요소는 지성에 의해 신앙의 권위를 높이고, 이성에 의해 교리를 정당화하며, 논리에 의해 신학을 입증하고자 하는 데 있었다.

참고

보편논쟁

스콜라 철학의 핵심 논쟁은 보편개념[류(類)와 종(種)에 관한]의 타당성 문제와 개념의 실재성 및 객관성 문제였다. 즉, 보편은 개개의 사물에 앞서 존재한다는 실재론(universal realism)과 보편의 실재성을 부정하고 참으로 실재하는 것은 개개의 물(物)뿐이라고 주장하는 유명론(nominalism) 사이의 논쟁이다. 실재론자들은 우주는 개별적 사물에 앞서 존재하며 신은 가장 우주적인 실재이기 때문에 유일한 실재이다. 그러므로 선, 정의, 미와 같은 우주적 개념은 개인의 삶과 개인의 선행, 개인의 정의, 진리 추구와 미적 탐구 등을 가능하게 만들어준다(플라톤의 관념론의 영향). 반면 유명론자들은 가장 실재적인 사물은 개별적인 것이며 보편은 독립적인 힘이 없으며 유사한 개체의 집합을 취급하는 편리한 방편에 불과하다고 본다(아리스토텔레스의 견해에 의존). 따라서 진리에 도달하기 위해서는 인간이 개별적인 사물에서부터 출발하여 그것들이 어떻게 작용하고 어떤 특성을 지니는지를 알아보고, 귀납적 일반화를 통해 새로운 지식으로 분류해야 한다고 주장한다. 스콜라 철학의 보편논쟁에서 이루어진 학문적 논의는 중세대학 형성의 원동력이 되었다.

3. 대표자

스콜라 철학은 안셀무스(Anselmus)에 의해 시도되어, 아벨라드(Abélard)와 토마스 아퀴나스(T. Aquinas)가 완성하였다.

4. 영향

(1) 중세 대학의 성립과 학문방법론에 영향을 끼쳤다.

(2) 토미즘(Thomism) 철학은 현대 항존주의의 철학관에 영향을 주었다.

(3) 스콜라 철학은 그들이 취급한 소재의 타당성을 검토하지 않았고, 논의의 주제가 현실성이 없는 형식적 진리를 추구하였다는 점에서 비판받았다.

3 기사 교육

기사
영주를 비롯한 귀족계급을 총칭한다.

1. 기사 교육의 특징

(1) 기사도는 중세 봉건제도하에 성립되었다.

(2) 기사 교육의 목적은 기독교적 무사를 기르는 것이었다.

(3) 내용은 전쟁의 기술에 필요한 무술과 용기 그리고 노약자와 여성에 대한 보호와 친절 등을 말한다.

(4) 기사의 의무는 신에 대한 의무, 군주에 대한 의무, 그리고 부인에 대한 의무로 상징되었다.

2. 기사 교육 단계

(1) 제1단계

6세까지 가정에서 어머니로부터 육체적, 도덕적 및 종교적 훈련의 기초를 닦는 단계이다.

(2) 제2단계[시동(侍童), Page]

7세부터 13세까지 궁정이나 영주의 집에서 남자 주인으로부터 사냥, 여행, 권투, 씨름, 말 타기 등의 무술의 기초를 배우며, 성주의 귀부인인 여주인을 모시고 상류사회의 예절, 풍습 및 행동양식을 배운다(모국어 중시).

(3) 제3단계[시생(侍生), Squire]

14세부터 21세까지의 단계로 영주의 주변에서 경호를 담당하고 무사로서 실무경험을 쌓는 단계이다. 교육 내용은 7예가 주된 내용이고 21세에 기사 입문식을 거행한다. 의식은 종교적으로 거행되며 여자와 고아를 보호할 것, 교회를 보호할 것, 동료와 조화를 이룰 것 등을 선서한다.

3. 교육적 의의

(1) 귀족 교육의 성격을 지녔다.

(2) 생활중심의 비형식적 교육이었다. 모든 학습은 직접 생활과 실천을 통한 모방의 방법이었다.

(3) 체육을 강조하였다. 중세교육에서 경시되었던 체육이 군사훈련의 일부로 강조되었다.

(4) 교육내용으로 7예[七藝, Seven Free Arts, 승마, 수영, 궁술, 검술, 수렵, 장기, 시작(詩作)]가 강조되었다.

(5) 모국어 문학과 교육내용으로서 모국어 교육을 중시하는 데 선구적 역할을 담당하였다.

4 시민교육과 시민학교(burgher school)의 발달

1. 발생 배경

중세 상공업의 발달로 출현한 시민계층의 교육적 요구를 충족하기 위해 발생하였다. 시민계층의 실제적 필요를 충족하기 위해 읽기, 쓰기, 셈하기, 직업기술의 습득, 법률적 지식 등을 가르치는 것이 목적이었다.

2. 형식적 교육기관

상류층(오늘날 중등 교육의 기초)과 하류층(오늘날의 초등 교육의 기초)의 교육기관으로 나누어 복선제로 운영되었다. 학교의 형태는 각 나라나 도시와 관계없이 동일한 형태를 취했다.

3. 비형식적 교육 기관(도제교육)

(1) 실천중심이다.

(2) 체계적 직업교육을 실시한다.

(3) 도제 - 직공 - 장인의 단계를 거친다.

4. 의의

생활교육의 기초를 마련하였고, 교육 대상이 서민계급까지 확대되어 초등 및 서민교육의 기초가 확립되었다.

중세 도시의 특징

중세 도시는 고대 도시들에 비해 국가 내의 제2의 국가라고 할 만큼 독립적 권력을 가진 생활공동체였으며, 상공업을 영위하는 경제도시이고 시민은 경제인이었다. 이들 도시의 발달에 따라 도시 문화가 발생하였으며, 여기에서 비로소 세속의 지식인이 나타나 대부분은 조합제도(guild system)에 집중하였다. 신흥 시민이 원하는 교육은 종래의 수도승이나 기사들의 교육과는 다른 직업적이고 생산적인 교육이었다.

5 중세 대학의 성립

1. 기원

(1) 사라센 문화의 유입과 스콜라 철학의 영향을 받았다.

(2) 도시의 발달과 시민계급의 형성에 영향 받았다.

(3) 도제제도(Apprenticeship System)의 영향을 받았다. 도제과정은 도제(apprentice)로서 7년간 장인에 봉사하고 그 다음, 직공(journeyman)으로서 수년간 임금을 받으며 봉사하고 마지막으로 완전한 권리를 갖는 장인(manter)이 된다. 교수가 되려는 학생도 이와 같은 단계를 거쳤다.

2. 대학의 교육내용 및 방법

(1) 내용

대학은 7자유과가 중심이었다. 그 밖에 신학, 의학, 법학 등을 가르쳤다.

(2) 방법

① 스콜라적 방법이 강조되었다.

② 강의법을 사용하였다.

③ 교수는 책에 주해(註解)를 달고 견해의 갈등이 생기면 이를 잘 조화시키는 일에만 전념하였다.

참고 근대 대학은 강의법으로부터 탈피해서 새로운 과학적 방법을 사용하였다.

④ 수업은 철저히 학칙에 따라 진행되었으며, 공부하는 과정이 엄격히 정해져 있었다. 수업 운영은 강의와 토론으로 구성되어 있었다.

3. 중세 대학의 특권

(1) 교수와 학생에 대한 병역 및 세금 면제권

(2) 대학 내 구성원의 학 내 재판권

(3) 학위 수여권

중세 대학의 학위(Bachelor, Master, Doctor) 수여권은 중세 대학을 특징짓는 가장 중요한 요소였다.

(4) 학장 및 총장선출에 대한 자치권

(5) 교수, 학생의 여행의 자유와 동맹 휴학의 자유

4. 중세 대학의 특징

(1) 중세 대학은 순수한 민주적 조직으로서의 최초의 실예(實例)였으며, 종교적, 신학적 및 정치적 문제에 관한 언론의 자유가 여기서 비롯되었다.

(2) 고전 문화의 계승자였으며, 자유로운 학문연구기관으로서 문예부흥운동의 선구자적인 역할을 담당하였다.

(3) 대학의 성립 과정은 이탈리아의 볼로냐(Bologna, 1088, 로마법 중심)를 시작으로 살레르노(Salerno, 의학 중심), 파투아 및 파리(Paris, 신학 중심) 대학 순이었다. 그 후 영국의 옥스퍼드(Oxford, 1167)와 케임브리지 대학이 설립되었다. 볼로냐 대학은 로마법, 살레르노 대학은 의학, 파리 대학은 신학과 철학이 중심이었다.

(4) 대학(university)은 '우니베르시타스(universitas)' 즉 교수와 학생의 조합을 나타내는 말이었으며, 교육기관 자체는 당시에 '슈튜디움 게네랄레(studium generale; 보편 학문의 배움터)'로 불리었다. 이유는 대학에서 모든 학문이 다 연구되었고, 학문의 연구가 지역적 제한을 넘어서는 성격을 지녔기 때문이었다.

(5) 연구기능보다는 교육기능이 강조되었고, 여성교육은 철저히 무시되었다.

(6) 기숙사인 '콜레기움(collegium, college)'이 나타났다. 콜레기움은 독지가가 가난한 학생들을 위해 지어놓은 무료 기숙사였다.

(7) 중세 초기 대학의 설립과 운영에는 교회의 발언권이 강하였다. 왜냐하면 대학의 경제적 기반이 교회 재산의 기부와 성직록(聖職祿)의 수여를 통해 주어졌기 때문이었다.

04 | 르네상스와 인문주의 교육

핵심체크 POINT

1. 인문주의의 특징
   인간적 요소 강조, 그리스의 문학, 예술 강조, 인간·자연·세계에 대한 관심 고조
2. 인문주의의 유형

개인적 인문주의	그리스적 자유교육, 고전을 통한 개인적 발달
사회적 인문주의	사회개혁과 도덕적 의무 강조
키케로주의	언어주의로 변질

3. 인문주의는 상류계층 중심으로 발생되어 중등학교 발달에 기여함

1 인문주의

1. 개념

(1) 예술, 문학, 과학, 철학, 정치, 교육 등에 있어서 새로운 정신의 부활을 말한다.

(2) 인문주의의 외침은 "과거로 돌아가자. 고대 세계의 예술과 문학과 종교로 돌아가자."라는 것이었다.

(3) 인간적인 것에 대한 관심이 고조되었으며, 인문주의는 중세와 근세의 전환적 문화를 의미한다.

(4) 르네상스는 독립적인 도시들이 발달하고, 상업과 무역활동이 활발해지고, 대학이 발달하게 된 사회적 상황과 밀접한 관련이 있다.

르네상스의 영향

재생 또는 부활이란 의미를 지닌 르네상스는 문예의 부흥뿐만 아니라 서양 전체 문화의 구조적 변혁을 가져왔다. 즉 중세의 신 중심 사회와 문화를 탈피해 인간 중심 사회와 문화로의 전환을 가져왔다. 르네상스 시대의 인문주의자들은 인간성을 참되고도 완전하고 다면적으로 계발하기 위해 고대 그리스의 작품을 모범으로 삼았고, 언어 교육을 중시하였다.

2. 특징

(1) 예술, 문학, 과학, 철학, 정치, 교육 등에 있어서 새로운 성취를 의미한다.

(2) 낙천적 태도, 현세인정, 쾌락주의, 자연주의, 개인주의 경향을 포함한다.

(3) 인간과 세계 및 자연에 대한 관심의 영역이 넓어지고 복잡해졌다. 르네상스 시대의 학자들은 자연현상을 직접 관찰하고 실험하였다. 그 결과 바다와 육지의 지리적 발견과 탐험, 그리고 근대과학 사상의 기초가 된 천문학적인 여러 발견을 가능하게 만들었다.

(4) 초기에는 개인의 발전수단으로 교양이 중시되었고, 북유럽으로 전파되면서 사회의 악폐와 부정을 개혁하는 수단으로 지식이 중요한 관심사가 되었다.

3. 교육적 의의

(1) 미적 표현의 중요성을 강조하였다.

(2) 신체적 요소와 더불어 행위와 행동을 중시하였다.

(3) 그리스 자유교육사상의 부활이었고 여러 교육 수단을 통해 인격을 발전시키는 것을 목적으로 하였다.

(4) 고전어뿐만 아니라 민족 문자(모국어)의 중요성을 강조하였다(단테). 이 때에는 자국어로 된 진정한 문학이 출현하였다. 단테, 페트라르카, 보카치오, 영국의 초서와 위클리프는 자국어의 문학적 가능성을 입증하였다.

2 인문주의의 유형

1. 개인적 인문주의

(1) 특징

① 개인적 인문주의는 그리스 자유교육의 부활을 의미하는 것으로 다재다능(多才多能)한 능력과 정신적, 물질적으로 풍요로운 삶을 사는 것을 추구하였다.

② 지성·육체·덕성의 조화로운 발달을 추구한 그리스 정신을 자유교육의 이상으로 삼았다.

③ 개성의 자유로운 표현 및 창조적 능력의 실현을 강조하였다. 인간 개성을 자유로이 발휘하여 인간정신을 해방하고자 하였다.

(2) 학교

궁정학교(Court School)인 프랑스의 콜레(Colleges)와 리세(Lycees), 독일의 김나지움(Gymnasium), 영국의 라틴 문법학교(Latin Grammar School)가 성립되었다. 이들 학교는 후에 유럽의 중등인문학교로 발전하였다.

(3) 대표자

대표자는 이탈리아의 페트라르카(Petrarch)와 보카치오(Boccaccio)이다.

2. 사회적 인문주의

(1) 특징

① 북유럽의 인문주의 운동을 대표하는 정신으로 후기 르네상스라고도 한다.

② 네덜란드에서 성립된 공동생활동포교단(Brothern of the Common Life)이 계기가 되었다.

③ 사회적 관심과 신앙, 사회적인 개혁과 인간관계의 개선, 객관적이며 도덕적인 행동에 관심을 가졌다. 종교, 도덕, 그리고 사회개혁에 교육의 목적을 두었다.

(2) 대표자

에라스무스는 교육의 목적으로 학문이나 지적인 것보다는 신앙을 중시하였고, 또한 예절의 세련됨보다는 도덕적 의무를 중시하였다.

인문주의시대 중등교육기관

1. 세인트 폴 학교(영국)
콜레트가 창립한 학교로 에라스무스의 권장에 따라 학교를 인문주의적 목적에 맞게끔 조직하여 당시의 영국의 중등학교인 퍼블릭 스쿨(Public school)의 모델이 되었다.

2. 궁정학교(이탈리아)
인문주의 학자들을 왕실로 초청하여 왕실의 자제를 비롯한 귀족의 자제들에게 고전문학을 고수하였다.
예 만투아, 페라라

3. 김나지움(독일)
스트름에 의해 제안되어 창립된 학교로 9년간의 과정을 가진 순수한 인문주의적 교육기관이었다.

4. 콜레쥬 드 기엔느(프랑스)
비네가 교장으로 재직할 때 인문주의적 학교로 개혁이 단행되면서 프랑스 중등학교의 모범이 되었다.

3. 키케로주의

(1) 특징

① 16세기 중반 이후 형식화된 인문주의로 변질된 인문주의를 말한다.
② 언어의 형식적인 면만을 강조하였다.

참고 키케로주의의 언어주의로부터 탈피한 것이 실학주의이다.

(2) 모순점

키케로주의자들은 학교의 전 과정에서 키케로의 작품을 중점적으로 연구하고 모방하였으며, 키케로의 글이 가장 가치 있는 문체라고 믿었다.

秀 POINT 인문주의 유형의 비교

구분	개인적 인문주의	사회적 인문주의	키케로주의
특징	개인적·심미적·귀족적 성격	사회적·도덕적 사회개혁 추구	① 16세기 후반에 등장 ② 언어주의, 형식주의 ③ 타락한 인문주의
교육목적	① 지·덕·체의 조화로운 발달 ② 개성발견 및 신장	개인의 행복보다 사회개혁과 인간 상호 간의 관계 개선	훌륭한 문체와 정확한 표현방식 발달
교육내용	과학과 인문학 및 고전문학, 고전예술	고전과 성서문학 및 언어교육	로마고전(키케로 문장)
교육방법	① 교과서에 의한 강의 ② 논문 작성 ③ 개성과 흥미 중시	① 심리주의, 자발주의, 흥미주의 강조 ② 흥미, 필요, 능력 중시	암송 위주

3 교육사상가

1. 단테(Dante, 1265 ~ 1321)

(1) 중세에서 르네상스로의 전환을 가져왔다.

(2) 중세적 세계상을 탈피하였으며 페트라르카, 리엔치와 더불어 이탈리아 르네상스의 개척자였다.

(3) 민족문자(모국어)의 표준어 개념을 뚜렷이 했을 뿐만 아니라 그것을 자신의 문학에서 스스로 실현시켰다.

(4) 바이에른의 루드비히(Ludwig) 왕궁에서 독일 공문서의 서체를 도입하는데 영향을 주었다.

2. 비토리노(Vittorino, 1378 ~ 1446)

(1) 최초의 '근대 교사'라는 칭호가 주어졌으며, 아동중심교육과 개성존중의 교육을 강조하였다.

(2) '학교는 즐거운 집'이어야 한다는 것을 강조하였다.

(3) 운동이나 게임을 학습과 결부시켰고 미적 감상력을 배양하고 도덕적, 기독교적 감화를 중시하였다.

3. 에라스무스(Erasmus, 1467 ~ 1536)

(1) 특징

① 교육목적은 지성을 지닌 인간 본성의 함양에 있었다. 또한 교육은 경건한 신앙을 강조하였다.

② 아동에 대한 연구가 권장되고 학습의 개별적 관리와 지도를 강조하였고 체벌의 무의미성을 주장하였다.

③ 어머니의 역할, 놀이나 운동의 중요성, 그리고 교육과 생활과의 밀접한 관계의 필요성을 강조하였다.

④ 빈부·귀천·남녀 차별이 없는 교육을 강조하였다.

(2) 저서

① 『사물과 언어의 세계』에서 언어학습에서 시각적 재료의 도입 필요성을 강조하였다.

② 『키케로주의』, 『아동 인문교육』, 『학습방법론』 등이 있다.

秀 POINT 『아동 인문교육』의 교육방법

1. 체벌은 학습에 대한 동기로서 피해야 한다. 즉 회초리 없는 자유교육이 참된 교육이다.
2. 아동의 성격을 면밀히 조사·연구하여 개별적으로 학습을 지도해야 한다.
3. 아동의 정신발달과 흥미에 따라 가르치고 교재의 분량을 정해야 한다.
4. 서둘지 마라. 때가 오면 깨우쳐진다. 어려운 것을 꼭 다루어야 할 때에는 될 수 있는 대로 점진적으로 가능한 한 흥미 있게, 즉 자연에 따라야 한다.
5. 운동·유희·체조가 중요하다. 그리고 아이들을 일찍 가르쳐야 하고, 아동에게 미치는 교사의 영향이 중요하다.
6. 훌륭한 교사는 순수한 책임감이 넘쳐흐를 뿐만 아니라 아동의 개성과 특기를 살려주어야 한다.

4. 라블레(Rabelais, 1483 ~ 1553)

(1) 특징

① 프랑스 최고의 인문주의자이다.

② 교육은 책만으로 이루어지는 것이 아니라 인생에 필요한 실용적인 것이 되어야 한다고 주장하였다. 이점에서 인문적 실학주의자로 분류되기도 한다.

③ 학습은 놀이, 운동, 신체적 발달에 유용하고 장차 여러 의미를 수행하기 위해서 뿐만 아니라 유쾌한 것으로 하기 위해 사용되어야 한다.

④ 학습은 강제적인 수단보다는 학생의 마음을 이끄는 방법이 권장되어야 한다.

(2) 저서

『가르간투아와 판타그루엘』이 있다.

05 | 종교개혁과 교육

핵심체크 POINT

1. **특징**
   공교육, 의무교육, 교육의 기회균등, 남녀 평등교육[루터(M. Luther)]
2. **영향**
   종교개혁은 서민층을 지지기반으로 후에 초등교육발달에 기여
3. **의무교육령**
   고타 교육령(의무성 강조)과 메사추세츠 교육령(무상제 강조)

1 종교개혁과 교육

1. 종교개혁의 특징

(1) 기원

루터의 『95개조의 항의문』이 서민층의 지지를 받으면서 본격화되었다.

(2) 특징

① 종교개혁은 신의 영광을 나타내는 유효한 수단으로 끊임없이 직업노동을 일삼은 직업인, 전문인을 육성하고자 하였고, 이를 일관하는 것이 금욕주의적 경향이었다.

② 인문주의가 소수의 상류층 학자나 예술가들의 한 운동에 불과한 반면, 종교개혁은 대중적이었으며 중세의 부정과 근대화의 추진에 철저하였다.

(3) 프로테스탄티즘

① 종교개혁은 순수한 기독교의 재발견 운동이었고, 성서를 신앙의 규범으로 삼았다.

② 프로테스탄트들의 대부분은 인간 평등관을 신봉하였다.

③ 종교개혁의 신교의 윤리는 생산적인 직업 활동과 자본주의 정신의 중요한 요인이 되었다.

종교개혁

르네상스 정신을 이어받은 종교개혁은 인간의 독자성과 자율성을 강조하며, 전통과 중세적 질서로부터 인간을 해방시키는 움직임을 강화하였다. 종교개혁은 모든 기독교인들이 주체적 종교인으로서 사제와 마찬가지로 하나님의 계시를 받고, 사제로서의 직분을 감당해야 한다는 이른바 '만인제사장'의 개념을 제시하였다. 따라서 일반 교인들이 이러한 제사장으로서의 직분을 감당하기 위해서는 말씀을 이해하고 해석하며, 이를 전할 수 있는 수준에 도달해야할 것을 요청하였으며, 이를 위해 교육이 필수적으로 요청되었다. 이렇게 종교개혁은 교육의 대상 영역을 소수의 사람들에게서 모든 사람에게 확대했다고 할 수 있다.

2. 교육적 의의 - 신교(新敎)의 교육

(1) 기독교적 이상과 인문주의의 결합, 즉 내적 신앙과 지적이고 이성적인 지성의 중요성을 강조하였다.

(2) 교육의 국가적 의무와 보편적이고 무상의무교육을 강조하였다.

(3) 성서를 읽고 쓰는데 필요한 능력을 훈련시키고자 학교의 임무를 강조하였고, 남녀를 불문하고 모든 계층에게 보편적이고 강제적인 교육을 요구하였다.

(4) 근대 초등교육의 기초를 마련하였다.

신교의 교육내용

다양한 교육과정을 교육내용으로 도입함으로써 종교개혁 정신과 인문주의 정신, 종교적인 것과 현실적인 것의 조화를 이루고자 하였다.

보통교육	일반교육을 위한 모국어 학과, 종교(성서), 읽기, 쓰기, 노래하기, 체육(종교적 목적을 위해 도입), 실과 강조
중등 및 고등교육	인문주의적 내용의 연장

2 교육사상가

1. 루터(M. Luther, 1483 ~ 1546)

(1) 특징

① 가정교육의 보완으로 학교교육을 중시하였고, 아동의 자유로운 성장을 촉구하였다.

② 학교교육을 유지하는 데는 국가의 책임이 중요하다고 보았다.

③ 의무교육제도의 사상적 체계를 마련하였다.

④ 국민교육의 진흥과 보급 및 공교육의 의무화를 강조하였다.

⑤ 신교의 교육목적에 근거하여 노동과 직업 훈련을 강조하였다.

⑥ 교직의 중요성을 강조하였다.

⑦ 남녀, 귀천, 빈부를 불문하고 보다 확대된 교육의 기회균등이 필요하며, 모든 사람은 모국어로 성경을 읽는 능력을 가져야 한다고 보았다.

⑧ 모국어 학습은 가정에서 실시하고, 학교에서는 언어(희랍어와 라틴어), 역사, 음악, 수학 등을 배워야 한다고 보았다.

(2) 저서

『기독교계의 개선에 대하여 독일의 기독교 귀족에게 고함(1520)』, 『교회의 바빌론 죄수(1520)』, 『그리스도인의 자유(1520)』, 『자녀를 학교에 취학시켜야 할 것에 관한 설교(1539)』 등이 있다.

2. 멜란히톤(P. Melanchthon, 1497 ~ 1560)

(1) 특징

① 개신교의 인문학교 제도를 창설하였다. 개신교 전체의 통일된 교육제도의 확립에 영향을 주었다.

② 종교개혁을 아리스토텔레스 전통 및 인문주의적 교육 세계와 연결함으로써 인본주의 교육의 정신적 유산을 강조하였다.

(2) 저서

『신학요론』, 『아우구스부르크 신앙고백』 등이 있다.

3. 캘빈(J. Calvin, 1509 ~ 1564)

(1) 교육을 개인생활이나 사회생활에서 종교를 진흥시키는 도구로 중요함을 강조하였다.

(2) 그의 교육사상은 칼뱅주의로 확대되어 유럽에서 미국까지 큰 영향을 미쳤다.

(3) 직업 소명설(召命說)을 주장하면서 신분적 직업관에서 탈피할 것을 주장하였다.

3 의무교육령

구분	고타 교육령(독일)	메사추세츠 교육령(미국)
배경	루터사상	칼뱅사상
발표	1642년	1642년
내용	① 취학 의무 규정, 학급편성, 학교관리, 교과과정, 교수법 ② 학교의 설치, 유지에 관해서는 언급이 없음	① 취학 의무 규정 ② '교육세'에 의한 무상교육제도 ③ 학교의 설치, 유지가 법령의 주를 이룸 ④ 공립학교의 제도화
특징	① 지도 요령적 성격 ② 구체적이고 시행령적 법령 ③ 중앙집권적이고 제도적 ④ 중세적인 봉건영주의 명령적인 법령	① 취학의무와 학교의 설치의무에 관하여 근본적인 원칙만을 제시 ② 지방분권적이고 민주적 ③ 지방자치단체의 설치·관리·운영의 책임과 의무 ④ 자유적인 신천지에 모인 청교도 이민단의 대의원회의 의결
공통점	근대 최초의 의무교육령	

참고

르네상스와 종교개혁의 특징 비교

구분	르네상스	종교개혁
차이점	① 상업자본가 및 귀족을 중심으로 발흥하였다. ② 개인적인 운동이었다. ③ 미적 가치를 동경하였다. ④ 중등교육의 발달을 촉진하였다.	① 서민계급 중심이었다. ② 대중적인 운동이었다. ③ 보통교육(초등교육)의 필요를 증대시켜 초등보통의무교육사상을 형성하였다. ④ 지적가치 추구
공통점	① 중세의 교권에서 벗어나려는 자유주의적 성격을 띠었다. ② 자아의 자각과 인간의 발견을 목적으로 하였다.	

기출문제

종교개혁기의 서양교육에 대한 설명으로 옳은 것은? 2019년 국가직 7급

① 교회중심의 기독교 교육을 강조하였다.
② 교육에서 현세의 고행과 금욕을 강조하였다.
③ 성서 읽기를 위한 기본 문해교육이 강조되었다.
④ 스콜라 철학을 바탕으로 한 대학교육이 발달하였다.

해설

종교개혁은 서민층에게 성서를 읽고 찬송가를 노래할 수 있는 정도의 문해능력을 기르기 위한 학교교육을 강조하였다. **답 ③**

06 | 실학주의와 교육

핵심체크 POINT

1. 특징
실용적이고 과학적인 지식, 감각적 교수법, 모국어 강조

2. 실학주의의 유형

인문적 실학주의	고전의 정신을 실생활에 적용
사회적 실학주의	신사를 위한 여행과 사교술 강조
과학적 실학주의	감각, 경험중시, 실물교수법 및 직관적 교수법

3. 사상가
밀턴, 몽테뉴, 베이컨, 코메니우스(세계도회, 대교수학), 로크(형식도야설, 빈민을 위한 공교육, 지·덕·체의 조화 강조)

1 실학주의와 교육의 특징

1. 실학주의(realism)

(1) 언어나 문학보다 자연현상이나 사회제도가 학습의 주제가 되어야 한다는 정신이다.

(2) 현실의 객관적 관찰을 통한 실용적 지식과 실제적인 직업기술 및 과학적 학문탐구의 방법을 중시하였고, 자연과 사회제도를 연구 대상으로 하였다.

2. 교육의 특징

(1) 실용적 지식을 추구하였고, 경험과 과학, 모국어가 중시되었다.

(2) 감각적 및 시각적 교수법이 도입되었다.

(3) 실학주의의 표어는 '언어 이전에 사물'이었다.

2 실학주의의 유형

1. 인문적(개인적) 실학주의

(1) 특징

① 편협한 인문주의 교육에 반대하고, 고대의 다방면의 생활에 관한 지식을 통해 그들 자신의 자연적, 사회적 생활환경을 이해하고자 하였다.

② 고전문학의 연구 그 자체가 교육의 전부가 아니라 신체적, 도덕적, 사회적 발달이 교육의 중요한 요소로 간주하였다.

실학주의의 배경

1. 15, 16세기의 르네상스와 종교개혁운동이 편협한 형식주의나 종교교육의 경향으로 기울어지자 이에 대한 반성과 비판으로 현실생활과 밀착된 실학주의 운동이 나타났다.
2. 배경 인식론은 합리론과 경험론이다.
3. 학문방법론이 연역법에서 실험과 관찰에 기초한 귀납법으로 변화하였다.
   → 경험론의 베이컨과 합리론의 데카르트가 기초를 제공하였고, 이는 18세기에 이르러 칸트의 비판적 종합인식론으로 나타났다.
4. 신대륙·신항로의 개척, 지동설의 입증으로 새로운 세계관이 정립되었다.
5. 자연과학이 발달하였다.

③ 인문적 실학주의는 고전어와 고전문학을 학습의 주목적으로 한 점에서는 인문주의와 동일하지만 인문적 실학주의는 고전의 교과를 토의와 설명을 통해 개별적으로 교육하는 것을 강조하였다.

④ 교육목적에 관해서는 인문적 실학주의자들은 고대의 다방면의 생활에 관한 지식을 통해 자신의 자연적, 사회적 생활환경을 이해하고자 하였다는 점에서 고전적 인문주의와 차이가 있다.

(2) 대표자

존 밀턴(J. Milton), 비베스(Vives), 라블레(Rabelais) 등이 있다.

2. 사회적 실학주의

(1) 특징

① 사회적 실학주의자들은 인문주의적 교양을 신사의 생활을 위한 준비로서는 부당하다고 보았다. 교육은 청소년들에게 유망하고 유쾌한 인생을 살도록 하기 위한 판단력과 성격을 형성하는 일이다.

② 교육에서 중요한 것은 경험을 넓히고 사람들과 습관에 친숙해지기 위해 여행의 중요성을 강조하였다.

③ 여행을 통해 사람들은 실제적 지식의 획득과 문학의 연구를 통해 이미 알고 있는 여러 지역이나 국민과 실제적 접촉을 통해 교양을 획득할 수 있다.

(2) 대표자

몽테뉴(Montaigne)가 있다.

3. 감각적 실학주의(과학적 실학주의)

(1) 특징

① 지식은 감각이나 경험을 통해서 오는 것이라는 신념에 근거한다. 그러므로 교육은 기억 활동보다는 감각적 지각의 훈련에 기초해야 한다는 입장이다.

② 자연계에서 이루어진 새로운 발견이나 발명에 영향을 받아 지식과 진리의 원천으로서 자연현상에 흥미와 관심을 가졌다.

③ **객관적 자연주의**: 교육이란 자연적 과정으로서 교육이 기초해야 할 법칙 내지 원리는 자연 속에서 발견될 수 있는 것이라고 믿었다.

④ **모국어 사용의 중요성을 강조**: 원래 모국어 중요성은 종교개혁가들에 의해 강조되었지만 교육의 입장에서 최초로 확립된 것은 감각적 실학주의이다. 이는 르네상스 운동의 필연적 결과인 새로운 과학적 및 철학적 사상에 대한 최초의 일반적인 교육의 반응이기도 하였다.

⑤ 교육의 모든 문제 해결에 귀납법(베이컨)을 채택하였다.

(2) 대표자

멀카스터(R. Mulcaster), 베이컨(F. Bacon), 라트케(W. Ratke), 코메니우스(J. A. Comenius) 등이 있다.

실학주의의 특징 비교

구분	인문적 실학주의	사회적 실학주의	감각적 실학주의
교육 사상	고전의 내용을 통해서 현실생활을 이해하고 적응하는 것	사교생활의 경험을 교육내용으로 삼고, 사회생활을 통한 교육 강조	감각적 직관이 교육의 기초, 말에 앞서 사물을 보여주는 것을 강조
교육 목적	고전연구를 통한 현실생활 적응인 양성	사회적 조화, 신사의 양성	자연법칙과의 조화 → 개인과 사회를 발전시킴
교육 내용	백과전서적의 내용	신사를 양성하는 데 필요한 제 내용	모국어, 자연과학, 사회과학 등의 실제적 내용
대표 학자	밀턴, 라블레	몽테뉴, 로크	베이컨, 라트케, 코메니우스

기출문제

서양의 감각적 실학주의(Sensual Realism)에 관한 설명으로 가장 적절한 것은?

2018년 지방직 9급

① 인문주의 교육을 비판한 몽테뉴(Montaigne)가 대표적인 사상가이다.
② 고전을 중시하지만, 고전을 가르치는 목적이 현실생활을 이해하는 데 있다.
③ 세상은 가장 훌륭한 교과서이며, 세상사에 밝은 인간을 기르는 데 교육의 목적이 있다.
④ 자연과학의 지식과 방법론을 활용하여 교육의 현실적 적합성과 실용성을 추구한다.

해설

감각적 실학주의는 지식은 감각이나 경험을 통해서 오는 것이라는 신념에 근거하며, 교육은 자연적 과정으로서 교육이 기초해야 할 법칙이나 원리는 자연 속에서 발견될 수 있다고 보았다.

답 ④

3 교육사상가

1. 존 밀턴(J. Milton, 1608 ~ 1674)

(1) 특징

① 당시 지배적인 형식적 문법에 의한 과제 접근방법을 반대하였다.
② 학습은 어학의 형식적 방면의 습득이 아니라 문학이나 내용 방면에 주의를 향하도록 해야 한다.
③ 학습내용으로는 산수, 기하, 도덕과 더불어 라틴문법, 농학, 아리스토텔레스의 생리학, 건축학, 자연철학, 지리학, 의학 등을 배워야 한다.
④ 희랍어와 라틴어는 이들 학문을 학습하기 위한 수단이 되어야 한다.

(2) 저서

『교육론(Tractate on Education)』이 있다.

2. 몽테뉴(Montaigne, 1533 ~ 1592)

(1) 특징

① 감각의 훈련과 신체의 교육, 자국어의 교육을 중시하였다.
② 교육목적은 도덕성을, 교육내용은 실용적인 것이 되어야 한다.
③ 교육방법으로 지식은 동화되어야 하고, 행동은 모방되어야 하며, 관념은 행위로 실현되어야 한다.
④ 교육에서 여행의 중요성을 강조하였다.

(2) 저서

『현학에 관하여』, 『아동교육』 등이 있다.

3. 멀카스터(R. Mulcaster, 1530년경 ~ 1611)

(1) 특징

① 교육에서 모국어 사용을 처음 주장하였다.
② 교육은 아동을 강제하거나 억압해서는 안 된다.
③ 교육이나 훈련의 목적은 자연을 완성하도록 조성하는 일이다.
④ 교육은 초등에서 고등에 이르기까지 남녀평등해야 하며 가정교사의 교육보다는 학교교육이 뛰어나다고 보았다.

(2) 저서

『초학서(初學書)』, 『위치 - 아동의 독서력을 배양하고 그 신체를 건강하게 하는데 필요한 제 조건의 고찰』 등이 있다.

4. 베이컨(F. Bacon, 1561 ~ 1626)

(1) 특징

① 베이컨을 비롯한 당시의 '범지적(汎知的)' 이상은 지식은 인간의 가변성 대신 자연의 불변성에 기초해야 하며, 그것은 추측에 의해서가 아니라 일정한 방법에 의해서 연구되고 명확히 될 수 있는 법칙이나 원리를 다룰 수 있다고 주장하였다.
② **"인간의 과학과 인간의 힘은 일치한다."**: 자연계의 지식을 통해서 인간의 힘을 확대할 수 있다는 것을 말한다. 그의 유일한 가치는 자연계를 정복하는 힘이었고, 자연의 지식은 그러한 힘의 근원이었다(『학문의 진보』에서 강조).
③ **귀납법 창시**: 그는 진리의 탐구 방법은 감각과 구체적 사상에서 출발하여 계속 점진적으로 올라감으로써 원리를 구성하고 마지막으로 가장 보편적인 원리에 도달하는 것이 진정한 방법이라고 하였다.
④ **4가지 우상 제시**: 지식을 발견하는 데 방해가 되는 4가지 '우상' 즉, 인식의 오류를 제시하였다.

종족의 우상	인간성에 그 근저를 가지고 인종, 인류에서 유래하는 것으로 이는 인간의 감각기관이 완벽하지 않기 때문에 발생하는 오류이다.
동굴의 우상	개인의 성벽을 말하는 것으로 인간이 자신의 경험(곧 동굴) 범위 안에서 사물과 현상을 파악하는데서 야기되는 인식의 한계이다.

시장의 우상	인간의 사교상의 풍속, 습관, 관례에서 오는 것으로 사람들의 의사소통에 사용되는 언어의 불완전함에서 도래하는 오류이다.
극장의 우상	교리, 독단, 전통에 기초하는 것으로 권위에의 의존에 따른 인식의 오류를 의미한다.

⑤ **교육에 끼친 영향:** 학교교육에서 과학적 지식을 보급해야 하고, 지식은 감각을 통해 얻을 수 있다는 원리를 제시하였다.

⑥ **교육기관:** '솔로몬의 집(Solomon's House)'으로 불리는 연구대학을 구상하였다.

(2) 저서

미완성작인 『뉴아틀란티스(The New Atlantis), 유토피아를 구상』, 『학문의 진보(The Advancement of learning, 1605)』, 『신기관(Novum Organum, 1620)』 등이 있다.

참고

연역법과 귀납법

연역법 (deduction)	일반적·원리적인 것을 전제로 하고, 이것을 특수한 사례에 적용하여 거기에서 결론을 얻으려는 방법으로 아리스토텔레스의 3단 논법이 대표적이다.
귀납법 (induction)	몇 개의 특수적 사례를 관찰하거나 음미하는 일에서 출발하여 일반적인 규칙·법칙·원리 등을 찾아내는 방법이다. 추리라는 점에서는 귀납추리라고 한다. 귀납법은 역사적으로 볼 때 베이컨에 의해 경험과학의 방법으로 체계화되고 밀(J. S. Mill)에 의해 완성되었다. '특수에서 일반으로'라는 점에서 연역법과 대비된다.

5. 볼프강 라트케(Wolfgang Ratke, 1571 ~ 1635)

(1) 특징

① 베이컨에 의해 조직된 새로운 연구내용과 연구방법을 교육면에 최초로 적용한 사람이다.

② 교수의 기초로 자국어를 사용하면 모든 아동에게 완전한 지식을 가르칠 수 있다.

③ 교수기술에 있어서도 자연에서 연구된 방법을 적용해야 한다.

④ 모든 것은 강제적으로 가르치지 말고, 기계적으로 암기시키지 말며, 우선 사물 그 자체를 알게 하고 후에 설명하는 방법이 좋다.

(2) 교육방법

① 먼저 사물의 형체를 알린 후에 사물에 대한 지식을 가르쳐야 한다.

② 교수는 자연법칙에 합치되어야 하기 때문에, 인간의 교육도 자연의 순서에 따라 학습하지 않으면 안 된다.

③ 한 번에 많은 것을 교수하지 말고, 한 가지씩 가르쳐야 한다.

④ 한 번 가르친 것을 반복 연습시켜야 한다.

⑤ 모든 지식은 감각을 통해 습득되어야 한다.

⑥ 학습은 우선 자국어로 해야 한다.

⑦ 교재를 이해하기 전에 암기를 시켜서는 안 된다.

⑧ 교재는 쉬운 것부터 어려운 순서로 다루어야 한다.

⑨ 유사한 학과는 동일한 방법으로 가르쳐야 한다.

⑩ 강제적인 교수는 피해야 한다.
⑪ 정의·법칙은 개개의 예를 들어 설명해야 한다.
⑫ 남학생의 교육은 남자 교사가 좋으며, 여학생의 교육은 여자 교사가 담당해야 한다.
⑬ 학습은 귀납법과 실험을 통해서 하는 것이 좋다.

6. 코메니우스(Comenius, 1592 ~ 1670)

(1) 특징

감각적 실학주의의 대표자이다. 그의 교육사상은 대부분 『대교수학』에 제시되어 있다.

(2) 교육목적

① 교육목적을 신과의 영원한 행복에 두었다. 이 목적을 지상에서 준비하기 위해 바른 지식, 도덕, 경건한 신앙이 요구된다고 하였다.
② 도덕교육과 종교교육이 중시되고 전쟁을 방지할 국제기구의 설립을 주장하였다. 그는 전 인류가 다 같이 기독교 문화의 사랑과 이해를 포용하는 세계동포주의자였다.
③ **대중교육사상**: 인간의 능력에는 각각 차이가 있다고 인정하면서 교육은 만인에 대하여 필요한 일이라고 주장하였다.

(3) 교육내용

① **범지적 교과론(일체지, 一切知)**: 당시의 지식을 백과전서적으로 조직하려는 전통을 이어받은 것이다.
② 만물을 하나도 불명확한 것이 없도록, 그리고 각 부분이 그 고유의 위치에 정연하게 보이도록 그 모든 구성요소를 분해하는 우주의 정확한 해부도를 그리는 것이었다.
③ 교과체계도 범지론적 구상에 따라서 이루어져 있다.

(4) 교수방법

① **합자연의 원리**: 베이컨의 귀납법에 영향 받았다. 베이컨의 방법이 자연현상에만 적용되는 반면, 코메니우스는 우주 전체를 고찰하였다. 교육방법은 합자연의 원리, 객관적 자연주의이다.
② **9가지의 방법적 원리**
㉠ 알아야할 것은 무엇이나 가르치지 않으면 안 된다. 즉 단지 형식이나 기호에 의해서가 아니라 직접 사물이나 관념을 아동에게 제시하는 것으로 가르쳐야 한다.
㉡ 무엇이나 일상생활에 응용되고 일정하게 유용한 것은 가르쳐야 한다.
㉢ 배워야 할 것은 무엇이나 간결하게 가르쳐야 하고 복잡한 방법으로 가르쳐서는 안 된다.
㉣ 무엇이든 그 진정한 성질과 근원에 관해, 즉 그 원인을 통해서 가르쳐야 한다.
㉤ 무엇인가를 가르치려면 우선 그 일반원리를 설명하지 않으면 안 된다.
㉥ 하나의 사물의 모든 부분은 가장 작은 부분이라 하더라도 예외 없이 그들의 순서, 위치 그리고 상호관계에 관해 배우도록 하지 않으면 안 된다.

ⓢ 모든 사물을 정당한 순서를 밟아 가르쳐야 하고, 한 번에 하나의 사물을 가르쳐야 한다.

ⓞ 어떤 주제라도 완전히 이해되기 전에 다음으로 진행해서는 안 된다.

ⓙ 습득한 지식을 명확하게 하기 위해 사물 상호 간의 차이를 역설해야 한다.

(5) 학교조직과 학급조직

① 단선형 학제

㉠ 어머니 무릎학교(0 ~ 6세): 이 시기에 아동을 위한 감각 교재인 '세계도회' 혹은 '유아의 학교'와 같은 어머니에게 무엇을 가르쳐야 하는가를 보여주는 책 등을 사용해야 한다.

㉡ 모국어 학교(7 ~ 12세): 모든 어린이에게 생애 전체를 통하여 유용하게 쓰일 것을 가르치는 학교이다. 이 학교에서는 읽기(모국어), 쓰기, 산수, 측정, 노래, 역사, 기술 그리고 도덕과 종교의 교과목을 배우고, 남녀 혼성학급으로 구성된다.

㉢ 라틴어 학교(김나지움, 13 ~ 18세): 이때는 '일체지(一切知)' 혹은 '우주적 지식'을 공부한다. 모국어 학교의 학생들은 4가지 언어(현대어, 라틴어, 희랍어, 히브리어)에 관한 지식을 습득하고 모든 과학과 문학의 기초를 다진다.

㉣ 대학(19 ~ 24세): 대학은 인간 지식의 모든 분야를 공부할 수 있도록 학과가 구비되어 있어야 하며 공개 시험을 통해 '선발된 지성인'을 대상으로 한다.

② 학급조직: 최초의 학급조직을 제창하였고, 다수의 학생이 하나의 집단을 이루어 학습하는 것을 강조하였다. 코메니우스는 "인간은 학교에서 대량으로 교육받는 것이 자연스러운 일이고 학급집단도 마찬가지이다."라고 말하였다. 그는 대집단을 통해 서로 모범이 되고 자극을 줄 때 더 큰 효과를 발휘한다고 믿었다.

(6) 기회균등과 남녀평등

『대교수학』에서 교육은 모든 사람에게 실시되어야 한다고 주장하고(education for all), 남녀평등의 취학 의무를 강조하였다. 모든 청소년은 남녀를 불문하고 취학되지 않으면 안 된다고 주장하였다.

(7) 저서

『어학입문(1631)』, 『대교수학(1632)』, 『세계도회(1657)』 등이 있다.

기출문제

코메니우스(J. A. Comenius)의 교육사상에 대한 설명으로 옳지 않은 것은?

2019년 국가직 9급

① 고전(古典)의 내용을 체계적으로 전달하고 이해하는 것이 중요하다.
② 감각교육의 중요성을 강조한다.
③ 교육을 이끌어가는 방법상의 원리를 자연에서 찾는다.
④ 수업에서는 사물이 사물에 대한 언어보다 앞서야 한다.

해설

코메니우스는 실학주의자로 실학주의는 자연과학의 발달의 영향을 받아 고전의 내용을 전달하고자 했던 인문주의에 반발하고, 실용적 지식과 과학적 탐구방법을 중시하였다. **답 ①**

7. 로크(J. Locke, 1632 ~ 1704)

(1) 사상적 위치

그는 국가의 분권(입법, 행정, 사법)에 대한 이론과 국가와 교회의 분리에 관한 원칙을 제시함으로써 유럽 자유주의의 아버지로 불린다. 그는 국가론뿐만 아니라 인식론과 교육론으로도 18세기에 많은 영향을 미쳤다.

(2) 인식론

① 인식의 기원은 경험이라는 경험론을 제시하였다.

② 인간의 정신은 원래 빈 방 혹은 흰 판(tabula rasa)이며 감각을 통해 이 어둠의 상자에 개별적인 관념이 들어가며 이 관념은 연상, 명명 그리고 감각의 일반적인 연결을 통해 인식이 가능해진다.

(3) 근대적 능력도야설(형식도야설)

① **훈련으로서의 교육관**: 교육은 지식이나 정보를 머릿속에 축적하는 일이 아니라 '마음의 능력'을 단련하는 일이라고 본다.

② 전통적으로 서양에서 7자유과의 가치는 형식도야설에 의해 지지되어왔다.

③ **지육(知育)**: 연습과 훈련에 의해 사고의 습관을 형성하는 일이다.

(4) 신체와 정신적 건강

"건강한 신체에 건강한 정신은 이 세상에서 행복의 상태를 표현한 것으로 이 둘을 소유한 자는 더 이상 원할 것이 없다."고 하는 체육의 중요성을 강조하였다. 이는 '건강한 신체에 건전한 정신(sound mind a sound body)'이라는 표어로 표현될 수 있다.

(5) 도덕교육의 목적

덕육(德育)의 목적은 자신의 욕망을 억제하고 이성에 따라 행동하는 데 있다.

(6) 교육계획

① 그의 교육론은 당시의 시대적 배경과 마찬가지로 상류사회의 자제를 중심으로 하였고, 신사의 양성은 물론 귀족 자제의 교육이 목적이었다는 점에서 교육의 기회 균등관의 관점에서 한계를 지닌다.

② 한편으로는 빈자(貧者)를 위한 교육 계획을 제안하여 교육을 통한 사회개혁을 주장하기도 하였다.

(7) 영향

그의 흰 판(tabula rasa)설에 기초한 교육환경론은 ① 민주적 아이디어의 밑거름으로서의 역할을 하였고, ② 뒤에 '자선학교'와 '공중학교(common school)'의 설립에 영향을 주었으며, ③ 사회개혁의 수단으로서 교육의 위치를 이론화 하는 데에도 역사적 공헌을 하였다.

(8) 교육적 인간상으로서의 신사(紳士)상

① 신사란 그리스적 이상과 로마의 웅변가가 지닌 자질을 요구한다.

② 신사란 다방면으로 조화롭게 발달한 사람으로 신체적 건강과 도덕적 품성은 물론 풍부한 지혜의 소유자이다(지·덕·체의 조화).

③ 신사가 가져야 할 조건
  ㉠ 덕(virtue): 도덕적 인격
  ㉡ 지혜(wisdom): 사회생활을 영위하는데 필요한 지식과 안목
  ㉢ 품위(good breeding): 언행에서 풍기는 격조
  ㉣ 학식(learning)

(9) 저서

『인간오성론』, 『교육에 관한 소고』 등이 있다.

秀 POINT 로크의 삼육론

체육론	① 인간의 정신은 경험에 의해 이루어지며 경험은 신체의 건강이 무엇보다 중요한 전제가 된다. ② 체육을 실시함에 있어 철저한 단련주의를 강조한다.
덕육론	① 덕육은 지육에 앞서 필요한 것이다. ② 덕육의 목적은 자신의 욕망을 억제하고 이성에 따라 행동하는 것에 있다. ③ 덕육의 근본방침 역시 단련주의에 입각하고 있고, 엄격주의를 특성으로 한다.
지육론	① 지식은 오로지 덕을 쌓고 깊은 사색을 위해 필요한 수단이다. ② 지육은 그 자체가 목적이 아니라 원만한 인격의 발달을 촉진시키는 데 궁극적 목표를 두어야 한다. ③ 가정교육을 통한 조기교육을 강조한다.

4 실학주의 시대 학교

1. 독일의 실과학교

1747년 헥커(Hecker)가 독일의 베를린에 세운 실학주의 교육운동을 실현하였던 학교이다. 독일어, 프랑스어, 라틴어, 쓰기, 역사, 지리, 기하, 산수, 역학, 건축학 등을 가르쳤다.

2. 할레(Hale) 대학

(1) 1694년에 세워진 최초의 근대 대학으로, 1809년 훔볼트(Humboldt)가 피히테(Fichte), 슐라이어마허(Schleiermacher) 등의 사상을 기초로 세운 '베를린 대학'과 더불어 근대 대학의 시초이다.

(2) 새로운 학문방법과 근대어를 통해 교수하였고, 자연과학과 보다 자유스러운 학문을 시도하고, 최초의 '교수와 연구의 자유(freedom of teaching and freedom of study)'를 실현한 학교였다.

(3) 할레 대학에서 1799년 트랍(Trapp)이 최초로 교육학을 강의하였다. 이 강의를 칸트가 이어받았고, 그 후 헤르바르트가 교육학을 강의하였다.

07 | 계몽주의와 교육

핵심체크 POINT

1. 계몽주의
이성을 통한 전통과 권위, 교권으로부터 해방하려는 합리주의 경향, 주지주의에 입각한 기능인 양성 강조

2. 교육사상가
① 루소(Rousseau): 자연, 인간, 사물의 교육, 발달단계론, 아동중심, 생활중심 강조, 소극적 교육론
② 바제도우(Basedow)의 범애학원: 루소의 교육사상을 실천, 학급제 운영, 기숙사 생활을 통한 엄격한 규율 강조
③ 콩도르세(Condocet)의 공교육론: 부모의 자연권, 아동의 권리를 축으로, 공권력으로부터의 독립론, 즉 정치적 중립성

1 계몽주의

1. 특징

(1) 기원과 성격

① 18세기 지적 운동의 하나로 인간 이성(계몽 이성)에 대한 신화를 바탕으로 모든 전통과 권위, 교회의 속박으로부터 탈피하려는 합리주의적 사상 경향이다.
② 사상사적으로 계몽시대는 로크(Locke)가 『신앙의 자유』를 발표한 1689년부터 칸트(I. Kant)가 『순수이성비판』을 발표한 1781년까지를 말한다.

(2) 인간관

① **근대 자유주의의 정신**: 인간은 본래 모두 이성적 존재로서 평등하며 인간 누구나 자유와 평등을 누릴 권리를 중시한다.
② 인간의 이성, 국가의 정의, 종교적 신앙에 있어서의 관용, 정치활동의 자유, 인간 권리에 대한 절대적 신뢰를 강조하였다.

(3) 세계관

① 경험을 존중하고 사실에 입각한 과학적 세계관으로 실증주의적 경향을 지닌다.
② 교육내용은 과학을 중심으로 하며, 교육방법은 인간 이성에 호소하는 방법을 강조한다.

(4) 역사관

계몽주의자들은 진보를 역사의 근본 법칙으로 간주하며, 이는 인간 이성에 대한 신뢰와 교육 만능론(萬能論)의 근거가 되었다.

(5) 철학적 입장

① 이성이 모든 지혜의 지침이다.
② 우주는 고정된 법칙에 의해 움직이는 기계와 같다.
③ 사회의 조직과 형태는 가장 자연스럽고 단순한 것이어야 한다.
④ 인간의 원죄와 성악은 부정되며, 인간과 사회의 발전 가능성을 믿는다.

2. 교육관

(1) 교육은 개인의 판단 능력을 존중해야 하며, 개인의 이성적 능력의 발달을 도모하는 일이다.

(2) 지적 가치를 강조하여 주지주의에 입각한 기능인 양성에 주력하였다.

(3) 교육은 합리적인 자연의 원리에 합당해야 한다는 교육방법의 원리를 제시한다.

(4) 교육의 목표는 사회적 분업에 따른 유용한 인간 양성이다.

3. 교육적 공헌점

(1) 계몽주의는 루소의 사상에 영향을 받아 어린이를 어린이로서 인정하게 되고, 어린이에게 합당한 교육을 추구하고자 하였다.

(2) 아동 문학의 발전과 교육의 기쁨을 고양하고 아동의 자발성을 고려하였다.

(3) 위생과 신체교육 및 성교육의 필요성을 제기하였고, 수작업의 가치를 촉진하였다.

(4) 공교육의 발전에 기여하여 많은 학교들이 종교로부터 독립하게 되었다.

(5) 교사 교육의 중요성을 촉진시켰고, 과학으로서의 교육학의 성립을 시도하였다[트랍(Trapp)과 칸트(Kant) 등].

계몽사상

1. 개념
계몽(啓蒙)이란 '꿈에서 깨어난다는 것'을 의미한다. 즉 몽매함, 구습, 무지, 편견, 권위에서 벗어난다는 뜻이다. 계몽사상은 모든 전통의 구속이나 속박에서 벗어나 자유롭게 사고하고, 연구하고, 나아가 기존의 구습, 학문, 종교, 도덕 등을 비판하고 개선할 수 있는 지적인 수준(이성의 힘)을 고양시키려 했던 사상이다.

2. 지향점
① 합리주의(rationalism): 합리주의란 이치(理致)에 맞도록 생각하는 힘, 즉 이성을 가장 중시하는 사상을 말한다. 18세기 사람들은 이성의 힘에 비추어 모든 제도, 사상, 관습, 몽매한 요소들을 철저하게 비판함으로써 모든 사람들이 바라는 이상적인 사회를 만들어 갈 수 있다고 믿었다.
② 자연주의(naturalism): 계몽주의 사상가들은 자연법사상에 기초하여 자연의 빛에 비추어 보면 인간은 본래 자유롭고 평등한 존재라고 주장하였다.

3. 특징
① 자연주의　② 현세주의와 실리주의
③ 이성주의　④ 합리주의
⑤ 범애주의·세계주의　⑥ 기계적 평등주의
⑦ 초역사주의·반국가주의·반민족주의

2 자연주의 교육

1. 교육관

(1) 자연주의 교육사상은 자연적인 것을 공경하고 존중하며, 인위적인 억압이나 간섭을 최소화해야 한다는 교육관을 말한다.

(2) 자연주의 교육은 자연에 일치하는 교육으로 현대 교육의 특징인 심리학적·과학적 기저가 되는 사상으로, 다른 어떤 교육 운동보다도 인간교육의 실제적 정신과 목적과 성격에 많은 영향을 끼쳤다.

2. 유형

(1) 자연주의 교육사상에는 객관적 자연주의[코메니우스(Comenius)], 주관적 자연주의[루소(Rousseau)], 그리고 사회적 자연주의[페스탈로치(Pestaloazzi)]가 있다.

(2) 객관적 자연주의에서는 외부적 자연 환경에 일치하는 교육을 강조하고, 주관적 자연주의는 내적 자연성에 일치하는 교육을 강조한다. 그리고 사회적 자연주의는 사회적 자연성에 일치하는 교육을 강조한다. 즉 사회적 자연주의는 인간개혁을 통한 사회개혁을 강조하였고, 환경이 사람을 만들고 사람이 환경을 만든다고 본다.

3. 특징

(1) 자연에 일치하는 교육으로 이는 교육과정에 대한 자연 법칙의 발견·형성·응용을 의미한다.

(2) 인간발달이 자연적 법칙에 일치하는 교육을 의미하며, 후에 계발주의자(19세기의 신인문주의자)들에게 영향을 미쳤다.

(3) 모든 인위적인 것에 반대하여 자연으로 돌아가는 것을 주장한다. 자연주의자들은 아동에 대한 인위적인 환경과 훈련을 공격하고 아동의 자연스런 자발성을 억압하는 모든 인위적인 것을 반대하였다(아동중심주의).

3 루소(Rousseau, 1712 ~ 1778)의 교육사상

1. 특징

(1) 주관적 자연주의

아동의 내적 자연성에 일치하는 교육을 강조한다.

(2) 『에밀』 - 자연과 인간과 사물에 의한 교육 강조

"우리는 세 종류의 교사를 통해 교육을 받는다. 세 교사의 가르침이 일치하고 같은 목표를 향하여 나아갈 때에 사람은 올바른 인간이 될 수 있다. 그런데 자연의 교육은 전혀 우리가 어떻게 할 수 있는 것이 아니다. 사물의 교육은 몇 가지 점에서만 우리가 어떻게 할 수 있다. 인간의 교육만이 우리가 마음대로 할 수 있는 교육이기는 하지만 그것도 그렇게 마음대로 할 수 있는 것은 아니다."

2. 『에밀』의 구성과 내용

(1) 제1편(출생 ~ 5세)

① **유아기의 교육:** 신체단련에 중점을 두었다. 핵심 개념은 운동성이다.

② **내용:** "어린이는 신체가 허약하면 허약할수록 더 많은 것을 요구하나 신체가 건강하면 할수록 더 잘 복종한다. 모든 악행(惡行)은 허약에서 기인한다. 그를 건강하게 하라. 그러면 그는 좋게 될 것이다."

③ 이 시기에는 유아의 운동을 구속해서는 안되고 방임함으로써 신체적으로 발달하도록 해야 한다.

④ 주위의 나쁜 영향으로부터 유아를 보호하는 것은 어머니의 책임이다.

⑤ 유아에게 가능한 한 의사를 부르거나 약을 먹여서는 안된다.

(2) 제2편(5 ~ 12세)

① **아동기의 교육:** 감각기관을 훈련하고, 자연의 벌을 강조하였다. 핵심 개념은 감수성이다.

② **내용:** "자연은 어린이가 어른이 되기 전까지는 어린이이기를 원한다. 어린이에게는 스스로 독서할 것이나 읽는 것을 가르칠 필요가 없다. 신체, 기관, 감각, 능력을 훈련시켜라. 그러나 정신은 될 수 있는 한 쉬도록 하여라."

③ 이 시기는 언어의 습득과 오관(五官)의 연습이 주 목적이어야 한다.

④ 사물은 경험을 통해 배우게 해야 한다.

⑤ 명령·복종·의무 등의 외부적인 권위는 일체 없애야 한다.

⑥ 서적은 피하는 것이 좋다.

(3) 제3편(12 ~ 15세)

① **소년기의 교육:** 지적 도야기로서 이성(순수이성)에 눈을 뜨는 시기이며 지적 교육이 가능하다. 핵심 개념은 지성이다.

② **내용:** "이 시기는 일생 가운데 개인의 체력이 욕구보다 강하게 되는 시기이다. 이 기간에는 지식의 습득에 중점을 두어야 하는 시기이다. 그러나 서적 지식은 적게 하고, 로빈손 크루소와 같은 합자연적 생활에 대한 공부가 되는 책을 주로 권장해야 한다."

③ 이 시기는 천문학·물리·지리 등의 자연과학 그리고 수공을 가르쳐야 한다.

④ 과학은 교사가 가르치는 것이 아니고 아동 자신이 발견하도록 해야 한다.

⑤ 학행일치(學行一致)의 교육이 되도록 해야 한다.

(4) 제4편(15 ~ 20세)

① **청년기의 교육:** 감성과 성, 그리고 사회에 대한 관심이 고조되며, 종교와 도덕교육, 성교육 그리고 생활에 필요한 교육을 준비하는 시기로 핵심개념은 도덕성이다.

② **내용:** "이 시기는 타인과의 생활을 위해서 교육되고 사회적 관계에서 교육되지 않으면 안 된다. 타인에 대한 사랑이 지배적 동기가 되고 정서적 발달과 도덕적 완성이 목적이 된다. 이 시기로 보통교육은 끝이 난다. 그러나 엄밀히 말하면 그 사람 자신의 교육은 여기에서 시작하지 않으면 안 된다."

③ 이 시기에는 복잡한 사회관계를 올바르게 이해하기 위해 사회학·심리학·윤리학·정치학 등을 연구해야 한다.

④ 이 시기는 도덕교육과 종교교육의 시기이다. 그러므로 내적 정신생활에 충실하기 위해 도덕·미술·종교·철학 등의 세계를 알도록 해야 한다.

(5) 제5편(여성교육론)

① **남녀 불평등 교육**: 여성교육은 철저히 남성을 위한 교육이어야 한다. 가장 이상적인 여성은 현모양처이며, 이상적 여성은 정숙한 여성이고, 이상적인 여성을 기르기 위해서는 남성의 교육과는 달리 여성의 본질에 적합해야 한다고 보았다.

② **내용**: "에밀이 남자인 것 같이 소피는 진정으로 여자답지 않으면 안 된다. … 남자는 강하고 능동적이며, 여자는 약하며 수동적이어야 한다. … 나는 이것이 사랑의 법칙이 아니라, 사랑 그 자체보다 오래인 자연의 법칙이라고 생각한다."

단계	교육의 핵심	교육방법
유아기(0 ~ 5세)	운동성	방임을 통한 신체적 발달 교육
아동기(5 ~ 12세)	감수성	감각의 훈련과 신체의 훈련, 언어습득과 오관의 연습
소년기(12 ~ 15세)	지성	실험을 통한 과학교육
청년기(15 ~ 20세)	도덕성	도덕교육과 종교교육, 실생활에 접근하기 위한 적극적 교육

루소의 교육단계

3. 루소의 자연주의 교육사상

(1) 자연의 개념

① 신성(神性)으로서의 자연이다.

② 인위적으로 꾸미거나 강요에 의한 것이 아니라 자발적이고 진솔한 마음에서 우러나온 것으로서의 자연이다.

③ **본래적 속성으로서의 자연**: 타고난 능력과 성향으로서의 자연이다. 이것은 습관이나 다른 사람으로부터의 영향을 받기 이전부터 존재하는 속성이다.

④ **감각적 내적 발달로서의 자연**: 인간의 감각기능과 기관을 내적으로 계발하는 것으로, 다시 말하면 인간 안에 있는 자연을 말한다.

(2) 자연적 교육

① **자연성의 계발과 발달을 목적으로 하는 교육**: 교육은 곧 아동의 내부에 존재하는 신성의 계발이다. 신성의 가장 중요한 본성 가운데 하나가 선성(善性)이다.

② **사회에 의해 가해지는 인위적인 조작이나 강요를 거부하는 교육**: 사회는 원래 악하기 때문에 사회의 인위적인 영향으로부터 탈출할 때만이 아동의 자발성이 길러질 수 있다. 그는 평등하고 자유로운 인간사회를 열망한다. 이런 사회에서만 인간의 자발성이 왜곡되지 않고 충분히 발현될 수 있다고 본다.

③ **내적 발달을 추구하는 교육**: 이는 감각교육의 중요성을 강조하게 되는 이유이다. 아동에게 있어서 받아야 할 최초의 교육은 감각교육이며 신체교육이다.

(3) 교육적 이상으로서의 자연인

① 루소에게 있어서 교육을 통해 길러야할 이상적인 인간이 자연인이다.
② 연민이나 고독과 같은 자연의 특성을 습득한 사람이다.
③ 자기 자신에 대해서만 생각하며 죽음에 대해 배우고 사고할 줄 안다.
④ 동물적인 미개인이 아니라 유덕(有德)하고 행복한 이상적 인간이다.
⑤ 순수하고 참된 자연성이 내면화되어 있는 인간으로서 정결한 자기애와 타인에 대한 풍부한 동정심을 가진 존재이다.
⑥ 타락하지 않은 순수한 인간 본질을 그대로 간직하고 있는 존재이다.
⑦ 사회로부터 고립된 야만인이나 미개인이 아니라 사회 속에서 타인과 조화를 이루며 살아가는 인간이며 사회에 기여하고 사회를 진보시킬 수 있는 능력을 가진 인간이다.

고상한 야만인(noble savage)
루소가 지향하는 이상적 인간상은 자연인(natural man) 즉, '고상한 야만인(noble savage)'이다. 고상한 야만인은 자연성을 보존하면서 도덕적 자유를 실천할 수 있는 사람을 말한다.

4. 루소 교육사상의 특징

(1) 자연적 흥미의 존중

교육은 자연적 과정이지 인위적인 과정은 아니며, 안으로부터의 개발이지 밖에서부터의 첨가물이 아니다. 그것은 생득적 본능이나 흥미의 작용에 의해 이루어져야 한다.

(2) 생활과정으로서의 교육관

교육은 하나의 과정이기 때문에 일생을 통해서 탄생에서부터 어른의 생활에 이르기까지 계속되고, 미래의 생활을 위해서가 아니라 현재의 과정 그 자체에서 각각 독자의 단계마다 의미를 갖는 일이다.

(3) 교육과정의 단순화

어른에 의해 구성된 정교하고 인위적인 교육내용을 거부하고, 감각을 통한 교수, 세계를 유일한 서적으로, 사실을 유일한 교수로 하는 교육을 강조하였다.

(4) 교육에서 적극적 요인으로서 아동 강조

루소는 교육에서 처음으로 아동의 생활과 경험 속에서 목적과 수단과 방법을 발견하였다. 아동에 대한 지적, 도덕적 및 인격적 동정은 루소에 의해 이론화되고 페스탈로치에 의해 실천되었다.

(5) 19세기 교육발전의 기초

교육은 자연적 본능과 경향에서 출발하여 아동의 심리발전의 연구와 심적 기능의 연구는 그 후 페스탈로치(Pestalozzi), 프뢰벨(Fröbel), 헤르바르트(Herbart) 교육 이론의 기초가 되었다.

5. 소극적 교육론(negative education)

(1) 특징

① **소극적 교육**: 일체의 교육을 거부하는 것이 아니라 종래의 교육관행과는 전혀 다른 별도의 교육을 주장한 것이다.

② 본성의 여러 능력과 자연적 경향을 자유롭게 발전시키는 것을 말한다.

③ 초기 교육은 이성이 잠자는 시기이므로 아동을 감각기관을 통해 이성(순수이성)의 입구까지 이끄는 일이며, 교육은 필연성의 법칙으로부터 유용성의 법칙으로 나아가야 한다.

(2) 『에밀』에 표현된 소극적 교육론

① 최초의 교육이란 전적으로 소극적이어야 한다. 그것은 도덕이나 진리의 원리를 가르치는데 있는 것이 아니라 심정이 악에, 정신이 과오에 빠지지 않도록 보호하는데 있다.

② **소극적 교육**: 직접 지식을 가르치기 전에 지식의 도구인 모든 기관을 완전하게 하고 적당한 감각의 훈련으로 이성에의 길을 준비하려는 교육이다. 또한 소극적 교육이란 아동이 진리를 이해하는 것을 기다려 스스로 진리에 이르는 길을 취하게 하고, 선을 인식하고 선을 사랑하는 능력을 획득하는 것을 기다려 선의 길을 택하게 하는 것이다.

6. 루소 교육의 장단점 및 영향

(1) 장점

① 인간 내면의 건전한 자발성을 교육의 중핵으로 보았고, 자유로운 교육을 강조하였다.

② 감정적 도야를 중시하였다[주정주의(主情主義)적 입장].

③ 발달과정에 따른 심리적 개성을 존중하였다.

④ 주체적 자기 활동을 장려하였다.

⑤ 자기 능력을 기르기 위한 '수(手) 작업'을 중시하였다.

⑥ 교육의 시기를 적당하게 정하였다. 즉 발달단계에 따른 교육을 강조하였다.

발달비약설

루소는 "아동의 발달이 어떤 단계에 도달하면 특정한 기능이 비약적으로 발전한다."는 발달의 비약설(飛躍說)을 주장하였다.

(2) 단점

① 자연적 속성을 선미(善美)로 보았다.

② 감각적 자아와 정신적 자아, 개성과 인격을 혼동함으로써 자연주의에 환상을 갖게 하였다.

③ 국가와 사회·문화를 악한 것으로 간주하고 원시적 자연에의 복귀를 주장하였다.

④ 자유방임주의에 편중하여 지도의 가치를 경시하였다.

⑤ 개인 교육에 주력하여 사회교육의 가치를 무시하였다.

⑥ 소극적 교육론은 정보사회에서 어울리기 어렵다.

⑦ 여성교육의 가치를 무시하였다.

(3) 영향

① 페스탈로치의 사상에 영향을 주었다.

② 프뢰벨의 유치원, 톨스토이의 자유학교, 바제도우(Basedow)의 범애학교 설립에 영향을 끼쳤다.

③ 범애파 교육, 현대의 아동중심주의, 생활교육 사상에 영향을 주었다.

④ 활동주의, 노작주의 교육사상, 신교육운동 및 진보주의, 자유주의에 영향을 끼쳤다.

⑤ 루소의 교육사상으로 인해, 프랑스에서는 교육의 국가 계획에 대한 요구가 일어났고, 교육은 보편적이고 무료이어야 한다는 주장을 하게 되었으며, 영국에서는 루소의 문학적 영향으로 교육문제를 다룬 문학이 나타나 19세기 초에는 아동문학이 발전하게 되었다. 루소 교육사상이 가장 큰 영향을 준 나라는 독일로 바제도우의 범애학원 설립을 통해 나타났다.

4 범애주의(박애주의)의 교육

1. 설립

1774년 바제도우(Basedow)가 데소우(Dessau)에 범애학원(Philantropinum)을 설립하였다.

2. 특징

(1) 루소의 교육사상을 실천하고자 하였으며, 6 ~ 18세까지를 수용하는 김나지움의 형태로 4개 학급으로 편성하였다.

(2) 종교, 국가, 계급, 인종에 관계없이 인간에 대한 넓은 사랑으로 보편적이고 행복한 인간의 교육을 강조하였다. 이 학교 설립 이후 수많은 박애학교들이 독일과 스위스에 세워졌다.

(3) 범애학교는 기숙학교였으며, 엄격한 자치 제도를 취하였다.

3. 교육방법

(1) 아동의 직관과 흥미를 존중하는 자유로운 방법을 강조하였다. 그러므로 실물과 그림을 통한 교수가 학교교육에서 널리 행해지게 되었다.

(2) 자연주의적 교육과 체육을 중시하였으며, 정규교과 속에 선반, 판 깎기, 목공 등을 도입해서 직업에 관한 능력을 향상시키고자 하였다.

(3) 아동은 본래 동작이나 소리를 좋아하므로 유아기의 교육은 놀이와 결부되어야 한다(아동 문학의 새로운 장르를 탄생시킴).

(4) 교수는 말보다는 사실과 연결되어야 하고 고전어 학습보다는 모국어가 교육의 주된 내용이 되어야 한다.

4. 교사교육

교사교육의 중요성을 강조하였다. 그래서 학생의 일부를 교원양성에 목적을 두고 무료로 교육시켰다. 범애주의자 가운데 특히 교사교육의 중요성을 강조한 사람이 짤즈만(Salzmann)이었다. 그는 아동을 교화하여 숭고하고 선량한 인간을 만들려면 교육자 그 자신이 숭고하고 선량한 인간이 되어야 한다고 하였다.

5. 교재 - 바제도우(Basedow)의 『초등교수론(Elementar Werke)』

(1) 범애학원에서 사용한 교재로, 이 책은 코메니우스(Comenius)의 『세계도회』, 루소(Rousseau)의 『에밀』, 베이컨(Bacon) 등의 영향을 받아 만든 아동용 그림이 삽입된 교과서였다.

(2) 초등교수론은 원래 '사물과 언어에 관한 인간 지식의 A B C'라는 의미였다.

(3) 이 책에서는 사물의 지식과 언어의 지식을 가르치는 것을 목적으로 하였다.

(4) 이 지식은 ① 자연현상과 자연력에 관한 지식, ② 도덕적 지식과 정신현상에 관한 지식, ③ 사회적 제 의무나 상업 및 경제문제에 관한 지식이었다.

6. 대표자

대표적인 범애주의자로는 바제도우(Basedow), 짤즈만(Salzmann), 캄페(Campe), 칸트(Kant) 등이 있다.

5 교육사상가

1. 콩도르세(Condorcet, 1734 ~ 1794)의 교육사상

(1) 특징

① 프랑스 혁명기에 공교육론을 주장한 대표적인 사람이다.

② 콩도르세의 공교육론은 가정교육의 연장이고 그 기능을 유효하게 하기 위한 대체물이며, 편견을 바로잡기 위한 집단화로 구상된 것이다. 즉 아동을 보호하고 교육할 권리는 '부모의 자연권'에 속하고 이는 동시에 '자연으로부터 주어진 의무이고 따라서 방치할 수 없는 권리'이지만 이를 부모에게 맞길 경우 교육적 편견을 일으킬 수 있다. 그러므로 이 권리를 보호하고 보장하는 것은 사회와 정부의 의무라고 보았다. 학교는 가정의 연장이고 그 기능을 대체한다고 하였다.

(2) 공교육 사상

① 특징

㉠ 남녀의 구분이 없는 평등주의, 보편주의를 기초적인 것으로 한다.

㉡ 공교육은 부모의 자연권(교육의무) 사상과 아동의 권리(학습권)를 축으로 하며 공권력으로부터의 독립론이다(정치적 중립성).

㉢ 공교육의 내용 범위는 지육(知育)에 한정되고, 종교 및 그와 관련된 도덕교육은 제외된다.

② 원칙

㉠ 공교육은 권리의 평등을 실천하기 위한 수단이다.

㉡ 공교육은 도덕적 감정의 차이에서 생기는 불평등을 경감시키기 위한 것이다.

㉢ 공교육은 사회에 필요한 모든 지식을 증대시키기 위한 것이다.

(3) 학제론

그가 구상한 교육체제는 모든 단계의 교육을 무상으로 하고, 필요한 능력을 갖춘 모든 사람에게 기회가 주어지며, 남녀가 동일한 교육을 받도록 하며, 각급 학교의 교사들이 하급 학교의 교사직을 임명하고 그 업무를 지도하도록 함으로써 교직을 자율적 직업으로 만들고자 한 것이다.

2. 칸트(Kant, 1724 ~ 1804)의 교육사상

(1) 특징

① 칸트는 교육을 유기체로서의 인간을 자연적인 면을 발달시키는 양육(養育, Wartung), 인간 속에 자리잡고 있는 동물성을 인간성으로 변화시키게 하는 훈육(訓育, Disziplinieren), 개인의 기능을 도야하는 육성(育成, Kultuvieren), 개인이 사회에 적응하는 기능으로서의 영리함을 도야하는 개화(開化, Zivilisierung), 인간을 도덕성으로까지 도야하는 덕화(德化, Moralisierung)의 5가지 면에서의 실천을 의미하였다.

② 루소와 바제도우의 사상을 계승하였다. 교육은 아동으로 하여금 자신의 삶을 규율하는 법칙을 자신의 내부에서 찾을 수 있도록 해주는 데 있다고 보았다.

도덕성 함양을 위한 원리
1. 복종의 원리
2. 진실성의 원리
3. 사교성의 원리

(2) 이상사회

계몽주의를 대표하는 칸트는 목적적 존재로서의 인간관에 기초하여 교육의 목적은 특정한 역사적 혹은 사회적 상황을 넘어 초사회적이고 초국가적인 휴머니즘의 실현, 즉 '목적의 왕국 실현'에 있다고 주장하였다. 그는 모든 인간이 존중받는 최선의 세계, 즉 휴머니즘이 실현된 세계는 교육을 바탕으로 한 인간의 완성을 통해 가능하다고 보았다. 이런 점에서 인류애를 바탕으로 하는 인간성의 함양을 목적으로 추구하는 교육을 강조하였던 바, 이는 계몽주의 교육론의 기본적 특징이 되었다.

(3) 교육기술

① 교육을 하나의 예술이라고 보고, 이 예술은 "여러 세대의 실천을 통해서만 완성될 수 있는 예술"이라고 하였다.

② 인간이 발명한 것 가운데 가장 어려운 것 가운데 하나가 교육기술이라고 보았다.

(4) 공교육론

공교육은 친구들과의 교제로 인해 도덕적 효과를 가져오기 때문에 사교육보다 좋지만 국가의 통제 아래 있는 국가적 교육체제에 대해서는 반대하였다. 그는 "학교제도의 운영은 가장 현명한 전문가의 판단에 전적으로 일임되어야 한다."라고 주장하였다.

08 | 신인문주의와 교육

핵심체크 POINT

1. 국가주의와 교육
   ① 특징: 국가적 교육조직(공교육과 의무교육)의 확립과 근대적 교육내용 도입

프랑스	프랑스 혁명 이후 공교육 제도 확립[콩도르세(Condorcet)가 대표적], 1802년 나폴레옹 학제(중앙집권적), 기조법
독일	절대주의와 의무교육(1763년 일반지방학사통칙)제도 성립
영국	산업혁명 이후 정치·경제적 변화, 자선가들에 의한 자선학교 성립(일요학교, 조교제 학교, 공장학교)
미국	독립 이후 유럽의 영향을 받아 국가적 교육체제 확립(의무교육과 공교육)

   ② 국가주의 교육사상가

프랑스	라 살롯데(La Chalotais), 콩도르세(Condorcet)
독일	피이테(Fichte), 슐라이어마허(Schleiermacher)
영국	아담 스미스(A. Smith), 랑카스터(Lancaster), 오웬(Owen)
미국	호레이스 만(H. Mann)

2. 신인문주의
   ① 인간성의 조화로운 발달, 계발주의(심리학주의)
   ② 신인문주의 교육 사상가

페스탈로치	전인교육론, 직관교수법, 실물교수법, 3위일체설(지·덕·체, 수·형·언어, 직관·언어·사고)
프뢰벨	신·인간·자연의 통일성, 자기활동의 원리, 놀이의 중요성 강조
헤르바르트	교육학을 과학적으로 체계화

1 국가주의와 교육

1. 국가주의(nationalism)의 특징

모든 가치와 결정이 국가의 보존과 번영에 기초를 두어야 한다는 이념을 말한다.

2. 국가주의 교육의 영향

(1) 국가적 교육목표, 국가적 교육제도의 성립, 교육내용의 변화 등에 영향을 미쳤다. 특히 교육의 외부적 조직(공교육과 의무교육)에 영향을 주었다.

(2) 교육목적으로서 개인의 발달보다는 국가의 발전과 번영, 국가적 교육제도로서 공교육과 의무교육, 교육내용으로서 근대적 인문교과인 국어(모국어)와 국사(자국사), 그 밖에 지리, 체육 등을 강조하는 계기가 되었다.

3. 19세기 국가주의 시대 각국의 교육상황

(1) 프랑스

혁명의 결과로 새롭게 획득된 자유와 권리를 보호하고 신장시키기 위해 공교육제도가 성립되었다.

(2) 독일(프로이센)

교육을 국가적 목적 달성을 위한 가장 효율적인 수단으로 간주해서 의무교육제도가 성립되었다.

(3) 미국

만(H. Mann), 버나드(H. Bernard) 등이 공교육과 의무교육제도의 설립계기를 마련하였다. 이들이 설립하고자 한 학교제도(Common School)는 유럽의 영향을 받아 빈부를 가리지 않고 모든 주민에게 개방되는 무료의 공립학교였다.

(4) 영국

산업혁명기에 산업의 발달과 산업 노동자들의 교육적 요구가 높아져서 자선가들에 의해 대중교육제도가 확립되었다. 레이크스(Raikes)의 '일요학교', 벨(Bell)과 랑카스터(Lancaster)의 '조교제 학교(monitorial school)', 오웬(R. Owen)의 '공장학교' 등이 설립되었다.

(5) 교육사상가

라 샬롯데(La Chalotais, 『국가교육론』), 콩도르세(Condorcet), 피이테(Fichte), 슐라이어마허(Schleiermacher), 아담 스미스(A. Smith, 『국부론』), 랑카스터(Lancaster), 오웬(Owen), 호레이스 만(H. Mann) 등이 있다.

참고

19세기 시대적 배경

정치적 측면	19세기는 프랑스 대혁명과 미국 독립을 계기로 자유주의와 민주주의 사회로의 길을 연 시대인 동시에, 국가의 수호를 위해 국가의 존속 발전을 기하는 국가주의가 출현한 시대이다.
경제적 측면	산업혁명의 결과 공장제도가 발달하고 기계공장이 전 생산을 지배함에 따라 자본주의 경제체제가 확립되었다.
사회적 측면	자본주의가 확립되어 유산계급과 무산계급의 대립이 중요한 사회문제로 등장하였고, 자본주의를 비판하는 사회주의 사상이 대두되었다.
교육적 측면	신인문주의, 국가주의, 심미주의, 과학적 실리주의 등이 발달하였으며, 국가의 이익과 국민의 복지를 위해 의무교육이 확대되었다. 또한 교육학이 학문으로서의 체계를 갖추었고, 인간에 관한 과학적 발견들이 교육에 적극 활용되었다. 이에 따라 근대적인 교육제도와 교육방법, 그리고 특수교육이 발달하였다.

4. 교육사상가

(1) 피이테(1762 ~ 1814)의 국민교육론

① '독일 국민에게 고함'이라는 강연을 통해 교육은 독일의 이상을 실현하는데 필요한 도덕적 갱신의 수단이라고 보았다.

② 교육은 실생활에 적합한 인간을 기르는 일로써 지적인 면은 교육의 2차적인 중요성을 지닌다.

③ 모든 아동은 계층과 사회적 지위와 관계없이 공동체에 속해야 하며 교육은 모든 계층의 사람에게 실시되어야 한다.

④ 남녀 아동은 함께 양육되어야 하며 각각의 성(性)에 특이한 부분을 제외하고는 동일한 교육을 받아야 한다.

⑤ 국민교육에 의해 양성될 교육적 인간상

㉠ 정의와 덕에 대한 취미에 의해서만 움직이고 다른 어떤 것에 의해서도 움직이지 않는 사람을 양성한다.

㉡ 항상 확실히 선을 인식하는 힘을 갖춘 사람을 양성한다.

㉢ 자기가 결심한 일은 언제나 관철할 만한 모든 정신력과 체력을 갖춘 사람을 양성한다.

(2) 오웬(R. Owen, 1771 ~ 1858)

① 사상 경향

㉠ 1816년 이후 아동 근로 조건의 개선을 위해 기존의 구빈법을 반대하고 새로운 「공장법」 제정 운동에 착수하여 1819년 「공장법」이 제정되었다.

㉡ 1825년 미국의 인디아나주에 협동촌 마을인 '뉴 하모니(New Harmony)'를 개설하였는데 이는 개인주의 제도에서 사회주의 제도로의 중계자로서 건설되었다.

「공장법」

영국 정부는 1802년 「공장법」을 규정하고 하루 12시간으로 노동시간을 축소시켰으며 이와 함께 어린이들이 읽기, 쓰기, 셈하기 수업을 받도록 하되 이를 위한 장소마련과 소요되는 비용을 해당 고용주가 지불하도록 하였다. 그러나 이는 소수의 어린이들에게만 혜택이 주어진데다가 그나마 이에 대한 감독이 소홀하여 제대로 지켜지지도 않았다. 그 후 「선거법」 개정안이 통과한 직후인 1833년 새로운 공장법안이 제정되면서 9세에서 13세 사이의 모든 어린이들이 하루 2시간씩 학교에 다닐 것을 의무로 하고 학교 설립을 위한 기부금 보조를 결의하였다.

② 교육사상의 특징

㉠ 아동노동의 성격과 아동의 도덕적 악화 방지책을 교육적 측면에서 실현하기 위해 성격형성학원과 유아학교를 설립하였다.

㉡ 교육을 '결합과 상호 협동의 원리'를 근본으로 생각하였기 때문에 경쟁과 상벌 제도를 반대하였다.

㉢ 빈부귀천의 차별 없이 모든 사람들에게 공정한 교육적 기회를 줄 수 있는 무상의 국민교육제도를 조직할 것을 주장하였다.

③ 국민교육론

㉠ 국민교육은 남녀노소의 차별 없이 모든 국민에게 실시되어야 한다.

㉡ 종교적 및 파당적 차별 없이 전국적으로 실시되어야 한다.

㉢ 국민교육은 생활과 직결된 교육이어야 한다.

㉣ 지·덕·체를 포함한 종합적 혹은 전인격적인 성격형성에 힘써야 한다.

㉤ 국민교육은 국민적 이기주의 교육이나 증오를 유발하는 교육이어서는 안 된다.

㉥ 국민교육은 빈곤계급의 자녀에 대해서는 무상교육이 되어야 한다.

④ 유아학교의 교육원리

㉠ 직관교수

㉡ 상과 벌의 폐지(무징벌교육)

㉢ 사랑과 행복의 교육

㉣ 생산노동과 결합된 교육

㉤ 어린이 자신에 의한 교육

㉥ 성격 형성론에 의한 환경개선 교육

秀 POINT 공교육(public education)제도

공교육제도란 일반적으로 국가 혹은 준 국가적 자치조직의 통제와 관리와 지원에 의해서 국민 전체를 대상으로 하여 운영되는 교육제도를 말한다. 최초의 공교육제도는 프랑스 혁명 이후 성립되었다.

참고

산업혁명이 공교육 형성에 미친 영향

산업혁명은 자본가들에게 교화와 지혜교육으로 순치된 노동자 양성과 빈곤, 불량화, 범죄 예방 등 치안유지를 위한 대중교육의 필요성을 인식하게 해주었다. 한편으로 노동자 입장에서는 노동자의 계급적 각성을 위한 자기교육, 즉 모든 인간이 보편적인 권리 혹은 행복한 생활의 보장을 위해 교육받을 기회의 확대를 주장하게 되었다. 그러나 공교육의 발달이 전적으로 산업혁명에 의한 경제적인 발달의 결과라고 주장하기는 어렵다. 교육의 선진국이었던 스코틀랜드와 프러시아에서는 자본가들의 교육에 대한 영향력이 있기 이전에 이미 대중교육이 상당히 이루어지고 있었기 때문이다. 그렇지만 산업혁명으로 인한 자본주의 체제의 발달은 그것이 자본가 계급의 지혜교육을 위한 목적이든, 노동자들의 자기교육을 위한 목적이든 어느정도 대중교육의 발전에 영향을 주었다.

2 신인문주의(Neo-Humanism)와 교육

1. 신인문주의의 특징

(1) 19세기 초 독일을 중심으로 지배적이었던 지적 움직임을 말한다.

(2) 철학적 혹은 문학적으로 낭만주의의 색채를 지녔다.

(3) 18세기 계몽주의의 지나친 합리주의에 반기, 인간의 정의적인 측면을 강조한다.

(4) 인간성의 조화로운 발달을 추구한다.

(5) 정의적, 국민적, 역사적 색채를 지녔다.

(6) 신인문주의자들은 계몽사상이 인간을 기계적이고 형식적으로 해석(주지주의에 근거한 기능인 양성)한 것에 대한 반발로 인간의 정의적이고 전인적인 조화적인 인간을 양성하고자 하였다.

2. 계발주의(啓發主義, Developmentalism)와 교육

(1) 교육은 아동 내부의 성장과 후천적 요소의 개발의 조화를 뜻한다.

(2) 계발주의는 교육의 과정을 지배하는 심리적 원칙을 강조하는 심리학주의이다.

(3) 교육에서 심리학적 경향은 자연주의적 운동을 과학적 원리로 환원하고 실제의 교실수업에 응용하게 되는 계기가 되었다.

(4) 계발주의는 교육의 내적 작용의 연구에 영향을 주었다.

서구 근대 공교육제도

형성 배경	• 종교개혁가들이 교육개혁을 추진하였다. • 산업혁명 결과 훈련받은 노동력이 필요하게 되었다. • 평등주의 사상이 대두되어 보편 교육의 요구가 강해졌다.
기본적 성격	대중적, 국민적, 보편적 교육의 성격을 띤다.

3 신인문주의 교육사상가

1. 페스탈로치(Pestalozzi, 1746 ~ 1827)

(1) 교육목적

교육은 아동 각자의 정신, 도덕, 신체의 유기적 발달이며, 아동의 인간성 속에 숨겨진 여러 능력의 자연적, 점진적, 조화적 발달이다.

(2) 교수법

① 직관 교수법: 아동들이 사물의 직관으로부터 명료한 개념에 도달할 기초적 수단으로서 수(셈하기), 도형(재는 것), 언어(말하는 것)를 들고 직관의 개념을 교육방법적으로 명확히 하였다.

② 실물 교수법: 코메니우스와 루소의 실물 교수법을 발전시켜 교수방법으로 정식화시켰다. 그의 실물 교수는 단지 사물의 지식을 획득하거나 관찰능력을 배양하는 것이 아니라 아동의 전(全) 정신적 발달의 기초 원리였다.

(3) 교육과 사회개혁

페스탈로치는 교육을 사회개혁의 주요 수단으로 간주하였다. 프랑스 혁명 이후 그는 교육을 사회개혁의 수단으로 하는 길은 실천적인 방법으로 그 효과를 입증하는 것임을 자각하게 되었다. 특히 빈부, 귀천, 능력 여부를 불문하고 모든 아동을 대상으로 하였다.

(4) 학교관

페스탈로치에게 있어 학교는 형태를 바꾼 가정이다. 따라서 그는 가정과 동일한 정신을 반영하고, 가정과 동일한 목적(아동의 도덕적, 지적 발달과 물질적 개선)을 지향한 학교를 주장하였다.

(5) 3위 일체설

교육이념	지·덕·체의 조화
교육내용	수·형·언어
교육방법	직관, 언어, 사고

(6) 저서

『은자(隱者)의 황혼(1780)』, 『린하르트와 게르트루트(1781)』, 『입법과 영아 살해(1783)』, 『게르트루트는 어떻게 자녀를 가르치고 있는가(1801)』, 『직관의 ABC(1803)』, 『백조의 노래(1825)』 등이 있다.

직관의 ABC

페스탈로치는 어떠한 지식을 가르치든지 그 법은 어린이의 일반적인 성장과정의 특성에 따라야 한다는 것을 강조했다. 그는 사물에 대한 인식의 도구가 바로 수·형·어라고 하였다. 이를 직관의 ABC라고도 하며 기초교육이라고도 한다. 하나의 사물에 대해 분명하게 인식하려면 먼저 사물이 몇 개인가의 수를 파악하고 그 사물의 형태, 즉 생김새를 파악하며, 그 사물이 어떻게 명명되는가의 이름을 알아야 한다. 따라서 수에 관한 수업으로 산수를, 형태에 관한 수업으로 그림 그리기를, 언어에 관한 수업으로 말하기를 가르쳐야 한다고 보았다.

秀 POINT 페스탈로치 교육사상의 8대 원리

1. 자기창조의 원리(자발성)

교육이란 선천적인 소질을 자기 스스로 발전시킬 수 있게 하는 일로 자율성, 자발성, 흥미, 자기발전이 중시되어야 한다. 교사는 이런 활동을 조성하는 조성자이며, 정원사에 비유된다.

2. 교도(敎導)의 원리(안방 교육의 원리)

교육이란 아이들이 동경해야 할 이상적 인물로서의 표적, 이것에 이끄는 과정 그리고 그 곳을 향하여 걸어가는 학습자 자신의 의지적 노력이 표구되며 이 셋이 가장 자연스럽게 존재하는 곳이 "안방"이다. 거기에는 의(義, 표적)를 대표하는 아버지 그리고 아이를 아버지에게 이끌게 하는 과정으로서의 어머니의 사랑(방법), 그리고 아이의 자발적인 활동(의지)이 가장 자연스럽고 조화롭게 존재하는 곳이다.

3. 도태의 원리

좋은 점은 서로 배우고 나쁜 점은 서로 고쳐 서로가 힘을 모아 하나의 문제를 풀어 가는 협동정신을 길러 이상 사회를 실현하고자 하는 원리이다. 여기에서는 사회연대감과 상호의 존성의 육성을 통한 운명공동체 의식의 각성이 요구된다.

4. 기초 도야의 원리

기초가 되는 과목, 즉 논리적인 사고력을 훈련시키는 산수, 공간적 감각을 도야시키는 기하학, 그리고 한 민족의 전통과 사상이 함축되어 있고 의사소통의 매개인 언어이다.

5. 내적 직관의 원리

아이들에게 사물을 인식시키고자 할 때 처음 단계에서는 감각적 인상을 풍부하게 제공하되(외적 직관의 단계), 다음에는 그 인상이 자기 자신의 내적 활동(사색)을 통하여 사물의 본질적인 특성을 자기 자신이 재구성하도록 하는 일이다.

6. 여러 힘의 조화 및 균형의 원리

인간의 세 가지 선천적 인간성의 힘, 즉 도덕적(= 윤리적 힘), 지적(= 정신적 힘) 그리고 신체적(= 기능적 힘)인 힘의 싹을 조화롭게 키우는 것으로 이 가운데 기본적인 것은 도덕교육이다(도덕성 중시).

7. 개성과 사회성의 조화의 원리

개인 하나 하나가 도덕적으로 완성될 때 사회가 올바르게 되며, 사회는 이런 개인의 창의적인 활동을 통해서만 전진할 수 있다.

8. 친근성의 원리

교육은 아이들이 가장 가까운 생활권에서 비롯하여 점차 확대되어야 한다. 첫째 층은 가정이며, 둘째 층은 자신의 능력과 조건에 맞게 직업훈련과 사회참여의 길을 훈련받는 학교, 셋째 층은 동포감과 상호협동의 정신 및 시민적 의무감을 도야받는 사회이다.

2. 프뢰벨(Fröbel, 1782 ~ 1852)

(1) 의의

① 1837년 세계 최초의 유치원(Kindergarten)을 창설하였으며, 유아교육의 가치와 중요성을 형이상학적 차원에서 이론화시켰다.

② 철학과 과학의 공통 사상을 교육에 적용한 최초의 인물이다.

③ 유치원을 창설하기 이전인 1813년에 그의 국가주의 사상을 나타내는 학교인 '보편적 독일교육기관'을 설립하기도 하였다.

(2) 교육목적

① 교육목적으로서 신, 인간, 자연의 통일성을 제시하였다.

② 통일성의 의미

㉠ 모든 개체는 보다 높은 존재와의 관계 속에서 통일을 이루며 존재한다.

㉡ 진, 선, 미의 합일로 지적, 도덕적, 미적 교육의 합일성을 의미하며, 이는 '3자 합일' 혹은 '3위 일체'라고 할 수 있다.

(3) 통일성의 원리(The principle of unity)

① 신과 인간과 자연의 불가분의 관계를 말하는 것이다. 루소는 자연성에서, 페스탈로치는 인간성에서 통일성을 찾았지만 프뢰벨은 신성(神性)에 기초하고 있다.

② '만유재신론(pantheism)'에 기초하고 있는 것으로 이는 만물의 근저에는 모든 것을 통일하는 존재가 있으며 이것이 곧 신(神)이라는 것이다.

③ 교육목적은 전일적 구조로서의 인격을 발전시켜 신성을 발현시키는 일이며, 인간에게 내재된 신성을 충분히 전개시키는 일이 교육의 본질이다.

(4) 자기 활동의 원리(The principle of self activity)

① 신성을 계발하고 이를 실현시키기 위해서는 일체의 외부적 속박을 배제하고 생명의 내부로부터 자유로운 교육이 이루어져야 하며 이것이 자기 활동이다.

② 아동은 자기 자신의 동기에 의하여 자신의 힘에 의하여 스스로 활동할 수 있다. 모든 교수 활동은 자기 활동으로부터 시작되어야 한다.

③ 창조적 자기 활동의 가장 자연적인 형태는 놀이(play)와 작업(work)이다. 이 중 유아교육의 2대 원리로 중시되었다.

참고 자기 활동의 원리는 당시 라마르크의 용불용설에 기초한다.

㉠ 놀이는 어린이가 자연적인 계발과정에서 드러나는 가장 전형적인 활동이며 어린이의 자발적이고 창조적인 활동이 놀이 속에서 자연스럽게 나타난다.

㉡ 놀이는 운동적 놀이(밖에서 하는 술래놀이, 달리기, 무용 등)와 작업적 놀이(은물을 가지고 여러 가지 형태를 구성하는 탁상의 놀이)로 구성된다. 이 중 교육적으로 필요한 것이 작업적 놀이이다.

(5) 연속적 발달의 원리

이 원리는 인간발달의 원리를 인류 역사의 발전 단계와 같다는 것을 의미한다. 즉 인간은 연속적 과정으로 진화하는 것으로 소년기, 청년기, 성인기를 거친다. 또한 발달은 한 단계가 충족된 후 다음 단계가 가능하다는 것을 뜻하며 발달의 기초과정으로서 아동기 발달의 중요성을 강조하였다.

(6) 상징적 실물교재

① 은물(恩物, Gifts of God)이라고 하는 상징적 교재를 만들었다.

② 은물이 신성의 통일성을 나타내기 때문에 프뢰벨의 수업을 상징적 실물 수업이라고 한다.

(7) 신교육운동에 영향

프뢰벨의 아동중심주의는 존 듀이(J. Dewey)에 의해 신교육이론으로 발전되었다.

(8) 저서

『인간교육』, 『어머니와 사랑의 노래』 등이 있다.

(9) 프뢰벨의 영향

① **놀이의 중요성 강조:** 놀이는 아동기 교육내용의 기초로서 아동의 생득적인 흥미에서 발생되며, 아동은 놀이를 통해서 자신의 내적 세계를 나타낸다.

② **수(手)작업의 교육적 가치 중시:** 수작업은 놀이와 마찬가지로 모든 형태의 구성적 작업의 기초이다. 이는 놀이와 같은 자발성을 나타내는 동기의 하나이며, 교육과정의 시초인 동시에 귀착점이 된다.

③ **학교에서의 자연 연구:** 프뢰벨은 아동이 자연과의 접촉을 통해 얻는 도덕적 개선, 종교적 향상, 정신적 직관과 같은 것을 중시하였다. 자연 연구는 읽기·쓰기·언어·구성적 활동·산수 학습의 소재를 제시하는 것으로 학교에서 중요한 역할을 한다. 학교에서의 수업의 내용은 ㉠ 종교, ㉡ 자연과학, ㉢ 언어이다.

(10) 프뢰벨 운동

① 아동을 중시하고, 흥미, 경험, 활동을 교육의 출발점과 교수의 수단으로 하고 교실 내의 정신, 목적, 분위기 및 기풍을 개선하고자 한다.

② 교사의 역할을 강조하고 아동의 중요성을 강조한다. 헤르바르트(Herbart)가 도덕적 품성을 형성하는 수단으로 교수를 중시하는 데 비해 프뢰벨은 아동의 활동을 자극하고 지도하는 데 중점을 둔다.

③ 교육은 아동의 자발적 활동으로 시작하여 거기서 여러 관념과 영구적으로 형성된 의지적 흥미를 이끄는 것으로, 이는 지적 훈련이라기보다는 대부분 감정적이고 의지적 훈련이다.

3. 헤르바르트(Herbart, 1776 ~ 1841)

(1) 의의

칸트의 철학과 페스탈로치의 교육원리를 결합하고, 인간성의 전면적 발달과정을 이론적으로 추구하여 교육학을 과학적으로 체계화시켰다.

(2) 교육목적으로서 도덕성의 개발

① 마음의 상태로서 내적인 자유에 대한 생각(Idee)을 말한다.

② 헤르바르트의 의지란 관념이나 사고 과정에서 독립된 행위를 일으킬 수 있는 독립적인 심적(心的) 능력이 아니고 심의(心意)가 가지는 관념이나 표상에서 생기고 그것에 의존하는 심적 기능이다.

③ **의지를 결정하는 5가지 생각의 체계 - 오도념(五道念, Fünf Ideen)**

내적 자유의 이념	선을 실천에 옮기고 생각한 것에 충실하려는 생각이다.
완전성의 이념	의지의 완전성, 즉 강력, 충실, 조화를 이루려는 생각이다.
호의의 이념	타인의 행복을 원하는 생각이다.
정의의 이념	다른 의지와 상충하지 않고 조화롭게 해결되어야 한다는 생각이다.
공정성의 이념	의지에 따른 행동에는 언제나 행, 불행 등의 보상이 따라야 한다는 생각이다.

(3) 교수방법으로서 흥미 강조

① 흥미를 통하여 의지를 도야하고 그것을 통하여 도덕적 품성에까지 도달하는 교육을 '교육적 교수(educative instruction)'라고 하였다.

② **교육적 교수의 직접적 수단**: 아동의 마음 속에 '다방면의 흥미'를 일으키는 것이다. 그러므로 흥미란 교수에 의해 유발시켜야 할 일종의 정신활동을 의미한다.

③ 헤르바르트는 흥미를 "우리가 특정한 사실에 주의를 기울일 때 그것에 수반되는 특별한 정신상태"라고 하였다.

④ **교수활동**: 많은 흥미와 활동을 발전시킴으로써 학생의 개성을 다방면으로 혼합하는 것이며 이것이 교사의 임무이다.

(4) 흥미가 발동할 때의 심적 상태

① **전심(專心)**: 일정한 대상에 주의를 집중하여 다른 대상을 의식에서 배제하는 상태를 말하며, 피아제의 '동화' 작용과 유사하다.

② **치사(致思)**: 의식 속에 있는 많은 표상을 결합하고 통일하는 작용이다. 즉 치사란 전심을 통해 파악된 대상이 마음속에 들어 있는 다른 관념들과 관계를 맺으면서 비교, 조정되는 과정이며, 피아제의 '조절' 작용과 유사하다.

(5) 연상주의(associationism)에 기초한 교수 4단계

단계	내용
명료 clearness (정적인 전심)	① 개념을 명확하게 파악하는 단계이다(전심에 해당). ② 대상이 여러 세부적인 요소들로 나누어지고 학습자는 이것을 다른 것과는 구별지어 대상에 대해 집중적으로 관심을 가진다. ③ 교사는 가르치려는 주제를 명료하게 제시해야 한다.
연합 association (동적인 전심)	① 다른 사물이나 사실과 비교하여 기존의 아이디어와 새로운 아이디어를 연합시키는 단계이다(치사가 시작되고, 통각이 일어나는 단계). ② 새로 알게 된 대상을 기존에 이미 파악된 대상과 연합한다. ③ 하나의 대상에 전념하는 것이 아니라 그 대상과 다른 대상을 관련시킨다. ④ 교사는 학습자가 배운 내용을 다양한 형태로 결합시키거나 자신의 방식에 따라 동화할 수 있게 해주어야 한다.
계통 system (정적인 치사)	① 기존의 아이디어와 새로운 아이디어를 연합하여 계통적으로 지식을 파악하는 단계이다(통각이 완성되는 단계). ② 세부적인 사실들이 일반적인 수준에서 벗어나 의미 있는 관련하에서 파악한다. ③ 연합의 과정과 달리 중요한 관련과 중요하지 않은 관련을 구별하고 사실들이 하나의 통일된 전체로 배열한다. ④ 반성적 사고과정이 일어난 상태로 새로 배운 내용을 관계있는 기존의 지식체계에 적절하게 자리 잡도록 하는 것이다.
방법 method (동적인 치사)	① 여러 지식이나 사태에 계통적 지식을 응용하는 단계이다. ② 계통 단계에서 포함된 사실들을 하나씩 그와 유사한 다른 사례에 비추어 점검하고 적용한다. ③ 새로 배운 주제를 올바로 배웠는지 확인하기 위해 연습하는 과정이다.

(6) 교수 5단계

① 헤르바르트의 교수 4단계는 그 후 라인(Rein)과 질러(Ziller)등에 의해 예비·제시·비교·개괄·응용 등의 5단계로 수정되어 각국에 전파되었다.

② 교수 5단계는 20세기에 들어 여러 나라의 초·중등학교에 다양한 교과목에 걸쳐서 기본적인 교수방법(강의법)으로 받아들여졌다.

③ 헤르바르트는 교수활동은 다음과 같아야 한다고 보았다.

㉠ 구체적, 설명적이어야 한다.

㉡ 일관적, 향상적이어야 한다.

㉢ 현실의 세계에서 일하는 것 혹은 발견된 진리를 실제로 응용하는 것이 되어야 한다.

(7) 통합교과

헤르바르트와 그의 제자들은 모든 학교 교수를 문학이나 역사와 결부된 하나의 교과중심 통합(상관적 통합)으로 통일하고자 계획하였다.

(8) 저서

『일반교육학』, 『교육학강의 개요』 등이 있다.

秀 POINT 연상주의(association)

1. 종래의 능력 심리학이 인간의 의지, 감정, 지력이 각기 분할된 능력으로 작용한다고 보는 것에 대한 비판으로 생겨난 것이다.
2. 마음은 아이디어의 상호작용으로 생겨나는 것이며 분할된 능력이 따로 존재하는 것이 아니라고 본다.
3. 감정, 의지 등의 정신 작용은 각기 다른 능력으로 존재하는 것이 아니라 관념의 결합과 상호작용의 결과로 이루어진다.
4. 학습의 전이와 형식도야설을 인정하지 않는다.

기출문제

1. 신인문주의 교육에 대한 설명으로 옳지 않은 것은? 2019년 국가직 7급

① 인간 본성의 미적, 지적 차원의 조화로운 발달을 추구하였다.

② 국민국가의 민족적 관점에서 전통과 유산을 중요한 교육소재로 삼았다.

③ 고전 연구와 교육을 위해 이탈리아의 궁정학교와 독일의 김나지움 같은 학교가 생겨났다.

④ 공리주의적이고 실리적인 계몽주의에 맞서 학교교육 전반에 걸친 개혁을 추구하였다.

해설

신인문주의는 18세기 계몽주의에 대한 반발로 인간 이성에 기초한 합리주의에 반발하여 등장한 사조로 인간의 조화로운 발달, 정의적, 국민적, 역사적 색채를 지녔다. 고전 연구와 교육을 위해 이탈리아의 궁정학교나 독일의 김나지움과 같은 학교 발생은 14~16세기 등장한 전통적 인문주의 시대이다. **답 ③**

2. 페스탈로치(Pestalozzi)의 교육사상에 대한 설명으로 옳지 않은 것은?
2023년 국가직 9급

① 『일반교육학』을 저술하여 심리학적 원리에 기초한 교육방법을 정립하였다.
② 아동의 자발적 활동과 실물을 활용한 직관교육을 중시하였다.
③ 루소의 자연주의 교육사상을 교육 실제에 적용하여 빈민학교를 설립하였다.
④ 전체적인 구조 속에서 신체적 능력, 도덕적 능력, 지적 능력의 조화로운 발달을 주장하였다.

해설

페스탈로치(Pestalozzi) 신인문주의 교육사상가로 신체적 능력, 도덕적 능력, 지적 능력의 조화로운 발달이라는 전인교육의 원리를 주장하였고, 『직관의 ABC』에서 아동의 자발적 활동과 실물을 활용한 직관교육을 중시하였다. 페스탈로치는 루소의 자연주의 교육사상을 교육 실제에 적용하여 빈민학교를 설립하였다. 교육사상의 8대 원리는 자기창조의 원리, 안방교육의 원리, 도태의 원리, 기초 도야의 원리, 내적 직관의 원리, 여러 힘의 조화와 균형의 원리, 개성과 사회성의 조화의 원리, 친근성의 원리 등이다.

선지분석

① 『일반교육학』을 저술하여 심리학적 원리에 기초한 교육방법을 정립한 사람은 헤르바르트이다.

답 ①

3. 다음과 같이 주장한 교육학자는?
2023년 지방직 9급

> 교육의 목적은 궁극적으로 학생의 도덕적 품성을 강화하는 것이다. 도덕적 품성은 다섯 가지 기본 이념으로 이루어져 있으며, 내적 자유의 이념, 완전성의 이념, 호의(선의지)의 이념, 정의(권리)의 이념, 공정성(보상)의 이념이다.

① 페스탈로치(Pestalozzi)
② 피히테(Fichte)
③ 프뢰벨(Fröbel)
④ 헤르바르트(Herbart)

해설

헤르바르트(Herbart)는 칸트의 철학과 페스탈로치의 교육원리를 결합하고, 인간성의 전면적 발달과정을 이론적으로 추구하여 교육학을 과학적으로 체계화시켰다. 교육목적으로서 도덕성의 개발을 강조하였다. 이는 마음의 상태로서 내적인 자유에 대한 생각(Idee)을 말한다. 헤르바르트의 의지란 관념이나 사고 과정에서 독립된 행위를 일으킬 수 있는 독립적인 심적(心的) 능력이 아니고 심의(心意)가 가지는 관념이나 표상에서 생기고 그것에 의존하는 심적 기능이다. 의지를 결정하는 5가지 생각의 체계가 오도념(五道念, Fünf Ideen)이다.

답 ④

09 | 20세기 이후의 교육

핵심체크 POINT

1. **특징**
   생활중심, 아동중심, 사회중심교육운동
2. **신학교(New School)**
   애버츠홈, 전원학교, 노작학교, 실험학교, 교수법으로 개별화 교수법(구안법, 문제해결법)
3. **사상가**

호레이스 만(H. Mann)	미국 공교육 체제 확립, 미국 공교육의 아버지로 일컬어짐
스펜서(Spencer)	공리주의와 진화론에 기초한 교육론, 교육목적으로 완전한 삶, 교육내용으로 삶에 유용한 교과 강조
엘렌 케이(E. Key)	루소의 소극적 교육 영향 받음, 20세기 아동의 권리보장 운동에 기여
몬테소리(Montessori)	어린이의 집 설립, 정신지체아 연구방법을 정상적인 유아교육에 적용

1 신교육운동

1. 개념

전통적 주입식 권위적 방법을 배격하고 아동 자신의 성장과 학습을 중시하며 과학적 사고를 강조하는 교육개혁 운동을 말한다.

2. 특징

(1) 생활중심교육

아동의 경험과 생활을 중시한다. 신교육운동을 실시하였던 학교에서는 라틴어 중심의 고전어 대신 근대어와 국어, 자연 과학과 기술 교과를 중심 내용으로 하였다. 이 같은 실생활 교육운동은 노작교육 사상으로 구체화되었다.

(2) 아동중심교육

아동을 억압하는 모든 요소를 제거하고 아동의 개성과 개인차를 존중하는 지도법으로 나타났으며, 아동의 흥미와 욕구를 중요하게 고려하였다.

(3) 사회중심교육운동

지나친 아동중심교육은 1930년대 경제공황으로 인해 그 치명적인 약점이 드러나게 되었고, 이에 대응하여 사회적 요구에 부응하는 이론으로 지역사회학교운동을 전개하였다.

3. 신(新)학교(New School)

신교육운동은 전통적 중등학교 교육을 개혁하고자 하는 의도에서 시작한 운동으로 전원학사(田園學舍)의 설립이 그 대표적인 예이다.

(1) 애버츠홈(Abbotsholme) 학교

① 영국의 세실 레디(C. Reddi)가 1889년 설립한 기숙학교로, 11 ~ 18세까지를 대상으로 하는 중등교육기관이다.

② 전통적 중등교육이 라틴어나 그리스어 등의 고전어 중심 교육에 반대하고 근대 산업 사회에서 필요한 실생활 중심의 근대 외국어나 자연 과학을 중심으로 가르쳤다.

③ 생활주의, 작업주의, 활동주의를 중시하였다.

(2) 전원(田園)학교

① 1898년 독일의 리츠(H. Lietz)가 세운 신학교이다.

② 처음에는 초등교육으로 출발하여 나중에는 중등교육까지 확대되었다.

③ 이 학교의 표어는 '빛(Licht)', '사랑(Liebe)', '생활(Leben)' 이었다.

④ 전원학사에서는 오전에는 일반 수업을 하고 오후에는 농장, 정원, 공장에서 노작활동을 하였다.

⑤ 이 학교는 학생의 연령에 따라 세 집단(초급반: 7 ~ 12세, 중급반: 12 ~ 15세, 고급반: 15 ~ 18세)으로 나누고 각기 다른 기숙사 생활을 하도록 하였다.

(3) 자유학교 공동체(Freie Schulgemeinde)

① 1906년 비네켄(G. Wyneken)이 독일에 세운 학교이다.

② 모든 생활양식, 기숙사 규정 등이 모두 학생들이 스스로 결정하도록 하였고, 학생들에게도 어른과 동등한 권리의 부여와 결정권, 발언권을 보장하였다.

(4) 오덴발트 학교(Odenwaldschule)

① 비네켄과 함께 일하던 게헤프(P. Geheeb)가 세운 학교이다.

② 남녀공학을 실시하였고 공동생활을 허용하고 학교운영도 과거의 학교들보다 더 진보적이었다.

(5) 노작(勞作)학교

① 케르첸슈타이너(G. Kerschensteiner)가 페스탈로치의 노작교육 사상을 계승하여 세운학교이다.

② 특징

㉠ 아동이 대상에 관한 훈련에 자발적으로 참여할 때만이 정신의 성장에 기여할 수 있다. 노작은 대상과 마주하면서 대상의 법칙성에 의지를 종속시키는 과정이다.

㉡ 대상은 그것 자체의 내재적 법칙과 객관적 가치를 지니면서 존재한다. 노작은 대상과 함께 목적을 실현하는 활동이다.

㉢ 노작은 객관적 순수성을 철저히 함으로써 도덕성과 연결된다.

③ 노작의 의미: 케르첸슈타이너가 말하는 노작은 일의 완성을 지향하는 목적적 활동으로써 단순한 자기활동의 원리도 아니고 체험의 원리와도 다르다.

(6) 가우디히의 노작학교

① 가우디히(H. Gaudig)는 수공의 활동보다는 자유로운 사고에 의한 정신적 노작을 기초로 한 노작학교를 설립하였다.

② 케르첸슈타이너가 수공적 노작의 중요성을 강조한 데 비해, 가우디히는 정신적 노작을 중시하였다.

(7) 자유 발도르프(freie Waldorfschule) 학교

① 슈타이너(R. Steiner)의 인간학적 이해에 기초하여 몰트(E. Molt)가 1919년 슈투트가르트에 처음 설립하였으며 그 후 전국적으로 확대되었다.

② 유치원에서 13학년까지 있으며 전 세계적으로 전파되어 30개 국가에 800여개 학교가 설립되었다.

③ 발도르프학교는 사립학교로 학교운영은 자유로우며 원장이나 교장이 없고 학교 행정은 동료 교사들에 의해 운영된다.

④ **교육과정의 특징**: 컴퓨터나 시청각 기자재가 없고, 교과서도 없다.

⑤ 수업 활동은 예술적이고 실천적인 교육방법에 따라 이루어지며(노작과 수공예 수업 강조) 외국어 수업은 초등학교 1학년부터 시작한다.

⑥ 입학에서 졸업까지 동일 교사가 담임을 맡으며, 수업방법은 에포크(Epochen) 수업, 오이리트미(Euythmie) 수업, 포르맨(Formen) 수업방법 등을 적용하였다. 이 중 에포크 수업은 주요 과목을 과목별로 한 과목씩 매일 2시간 정도 3 ~ 5주간 수업을 하고, 그 후 다른 과목을 같은 방법으로 배우는 수업이다.

(8) 섬머힐 학교

① 특징

㉠ 1921년 영국의 니일(A. S. Neill)이 프로이드(Freud)의 정신분석학에 기반을 둔 실험학교이다.

㉡ 이 학교의 기본 정신은 아이들을 학교에 맞추는 대신 아이들에게 맞추는 학교였다.

㉢ 섬머힐 학교는 자유와 창조적 활동을 중시하는 학교로 '자유'가 기본원리이다.

㉣ 다른 사람의 자유를 방해하지 않기 위한 최소한의 제약만 있고 자기가 하고 싶은 일을 마음대로 할 자유가 보장되었다.

② 니일의 아동관

㉠ 어린이는 본래 현명하고 현실적이다.

㉡ 아이들은 본래 성실성을 가지고 태어난다.

㉢ 어린이들은 사랑과 이해를 필요로 한다.

㉣ 아이들은 일하기를 싫어한다.

㉤ 아이들은 본래 자기중심적이고 이기적이다.

㉥ 어린이의 흥미는 직접적이다.

㉦ 본래 태어나면서 게으른 어린이는 없다.

③ 섬머힐 학교의 원리

㉠ 어린이는 본질적으로 선한 존재이다.

㉡ 교육의 목적과 삶의 목적은 즐겁게 일하며, 행복해지는 데 있다.

ⓒ 교육은 지적인 면과 정서적인 면을 모두 발달시켜야 한다.
ⓓ 교육은 어린이의 심리적 요구와 능력에 맞는 것이어야 한다.
ⓔ 어린이에 대한 훈육과 벌은 공포심을 유발하고 공포심은 적개심을 불러일으킨다.
ⓕ 자유는 방종이 아니라 서로가 상대방을 존중하는 것이다.
ⓖ 어린이가 건전하게 발달하려면 세상과 조화하는 방법을 터득해야 한다.
ⓗ 학교에서 종교교육을 강요해서는 안된다.

2 새로운 교수법

1. 위네트카 플랜(Winnetka Plan)

(1) 워시번(Washburne)에 의해 실시된 개별화 지도방법이다(1919).

(2) 기본적으로 학생들의 개별적인 진보를 허용하는 것을 특색으로 하며, 무학년제를 시도하였다.

2. 달톤 플랜(Dalton Plan)

(1) 파커스트(Parkhurst)가 창안하였다(1920).

(2) 자유와 협동을 원리로 한 자율적, 개별화 학습 방법이다(진보주의의 영향).

(3) 학생 개개인과 학습과제에 대해 개별적으로 할당된 '계약과제(contract plan)'라 불리우는 과업을 자기 스스로 실험적으로 수행하도록 학습계획을 수립한다.

(4) 학생 스스로 공부하면서 원리를 학습하게 하는 발견적 방법을 중시한다.

3. 데크롤리법(Decroly Method)

벨기에의 데크롤리가 개발한 방법으로 민주적 교육정책에 입각한 사회적 이해력을 개발하는 데 중점을 두었다.

4. 구안법(Project Method, 프로젝트법)

(1) 특징

① 킬패트릭(H. Kilpatrick)에 의해 체계화된 방법으로 아동중심, 활동중심, 경험중심의 원리를 기초로 한다.
② 학생들이 마음 속에 생각하고 있는 것을 외부에 구체적으로 실현하고 형상화하기 위해 자기 스스로 계획을 세워 수행하는 학습활동으로 통합의 원리(scope)를 강조한다.
③ 문제를 실제적이고 구체적으로 해결하며, 학습자는 문제를 해결하기 위해 자신이 목적을 가지고 계획하고 선택하며 수행한다.

(2) 종류

구성·창조적 구안	보트 만들기, 편지 쓰기, 연극 등
감상적 구안	옛 이야기 듣기, 교향곡 감상, 그림 감상 등
문제 구안	왜 이슬이 가을에 내리는가, 뉴욕은 왜 엄청나게 커져서 필라델피아를 뛰쳐나오게 되었는가 등의 문제 원인 탐구 등
연습·특수훈련 구안	글씨를 고르게 쓰기, 덧셈을 어느 수준까지 정확하고 능숙하게 하는 일, 자전거 타기 등

(3) 장점

① 학습에 대한 동기가 유발된다.

② 자주성과 책임감이 훈련된다.

③ 사회성이 함양된다.

(4) 단점

① 교재의 논리적 체계가 무시된다.

② 학습의 관리가 어렵다.

③ 시간 및 경비가 낭비된다.

(5) 의의

① 교실에서의 형식적이고 추상적인 수업을 벗어나 학생들에게 사회적으로 승인된 실제적 행동을 제공함으로써 지적, 신체적 활동의 자유를 증진시키는 데 있다.

② 구안 주제와 실시방법을 학생들이 선택할 수 있으며, 단순히 지적수행이 아닌 전인적 인간의 발달을 강조한다. 또한 학습을 다른 사람과 협력하는 삶의 과정으로 간주한다.

5. 놀이 학습(play way)

(1) 쿡(C. Cook)에 의한 진보주의 원리의 학습법이다.

(2) 놀이(play)와 작업(work)의 결합으로 놀이도 어떤 목적을 지니게 하고, 작업도 즐겁게 할 수 있는 방법으로 교과서 안에만 갇혀 있는 내용들을 아이들의 활동을 유발하는 놀이의 장으로 해방하여 그것에 아동의 정감과 지성을 담고자 하는 방법이다.

6. 문제해결법(Problem-solving Method)

(1) 특징

① 듀이(J. Dewey)가 체계화한 것으로 문제 상황을 가장 지성적으로 해결하는 학습 방법이다.

② 자발적 학습과 학습자의 구체적인 활동과 경험을 통한 교육이 가능하다. 생활의 종합적인 능력을 길러주며, 민주적인 생활 태도를 기를 수 있는 장점이 있다.

(2) 문제해결의 5단계 - 반성적 사고의 5가지 국면[듀이(J. Dewey)]

암시(suggestion)	심의(心意)가 가능한 해결 체계를 향하여 비약한다.
지성적 정리 (intellectualization)	곤란과 혼란한 문제에 대해 해결해야 할 하나의 문제가 감지되어 직접적으로 경험하는 일이다.
가설(hypothesis)	관찰을 시작하여 이를 지도하고 또한 사실적 소재의 수집 활동을 시작하여 지도하는 일이다.
추리(reasoning)	하나의 관념으로서 혹은 가정으로서 관념 혹은 가정을 연마하는 정신적 훈련이다.
행동에 의한 검증 (testing through the action)	가설을 구체적인 혹은 상징적인 행동으로 수행하는 것을 의미한다.

3 교육사상가

1. 호레이스 만(H. Mann, 1796 ~ 1859)

(1) 의의

① 미국의 근대 교육발전에 가장 큰 공헌을 한 교육사상가이자 교육행정가로, 미국 근대 교육의 아버지라 불린다.

② 1837년 메사추세츠주 초대 교육감으로 선출되어 12년간 매년 매사추세츠 교육위원회에 보고서를 제출하였고 이를 『12년보(Annual Report)』라고 한다.

③ 그는 교육은 인간이 만들어낸 창조물 이상으로 인간 조건의 '위대한 평등 장치'라고 말하였다.

(2) 공교육론

① 영국의 국민교육론과 페스탈로치 사상의 영향을 받았다.

② 특징은 ㉠ 무상(free), ㉡ 보편적(universal), ㉢ 국민 공통적(common), ㉣ 의무적(compulsory), ㉤ 국가 통제적(state-controlled), ㉥ 교육경영의 조세유지(tax-supported)의 원리 등이다.

③ 세속적(secular), 비종파적(non-sectarian), 비정당의 원리 등을 강조한다.

(3) 교직의 성직관(聖職觀)

교육에서 취급하는 대상은 신(神)의 피조물 가운데 가장 고귀한 존재인 인간이므로 고귀하다. 또한 교직은 성장하는 고귀한 생명을 올바로 성장시키는 일이다.

(4) 여(女)교사관

여교사는 10 ~ 12세 이하의 아동을 지도하는 데 유리하다. 또한 여성은 도덕적 순수성을 지니므로 남자 교사보다 장점을 지닌다.

2. 스펜서(H. Spencer, 1820 ~ 1903)

(1) 의의

근대 과학의 영향을 교육의 분야에 도입하였다. 그는 국가교육 체제 도입에 가장 반대한 인물 중 한 사람이었다(개인주의적 입장).

(2) 교육목적

① 교육목적으로서 완전한 생활(complete living)의 준비를 강조하였다.

② 완전한 생활의 준비를 위한 교육은 ㉠ 개인생활 및 사회생활의 발전에 가장 적합한 지식을 획득하는 일과, ㉡ 이러한 지식을 사용하는 능력을 발전시키는 일이다.

(3) 교육과정

① 스펜서는 교육과정 속에 포함된 여러 교과들의 상대적 가치를 공리주의적 관점에서 명백히 하였다.

② 『어떤 지식이 가장 가치있는가?(What Knowledge is Most Worth?)』라는 논문에서 사회 속에서의 생존을 위한 유용성이라는 척도에서 교과목의 서열을 나열하였다. 이는 다윈(Darwin)의 진화론적 관점이 반영된 것으로, 전통적 인문교과는 목록의 가장 하위에 위치시켰다.

㉠ 자기보존으로 이끄는 지식 - 생리학, 위생학, 물리학, 화학

㉡ 의·식·주의 획득에 관련되는 과학 및 기술에 의해 간접적으로 자기보존으로 이끄는 지식

㉢ 자녀를 양육시키는데 필요한 지식

㉣ 사회생활 및 정치생활에 관한 지식

㉤ 외국어 및 외국문학을 포함한 문학, 예술, 미학 등과 같이 여가생활을 위해 필요한 지식

3. 엘렌 케이(E. Key, 1849 ~ 1926)

(1) 교육사상의 특징

① 아동의 개성과 자발성, 인격을 존중하는 아동중심교육을 강조하였다.

② 교육방법적 측면에서 교사의 간섭이나 주입을 피하고 소극적 역할을 강조하였다(루소의 영향).

③ 아동에 대한 올바른 존중이 부모의 의무이며 인류의 행복도 이것으로 보증된다. 이런 사상은 20세기에 전개된 아동권리 보장 운동의 계기가 되었다.

④ 가정학교로서의 미래학교를 구상하였다. 그가 구성한 미래의 학교는 유치원과 초등학교를 가정교육 속에 흡수해서 학적부, 상벌, 시험이 없고, 성별과 계급에 따른 차별이 없고 상호 신뢰와 이해가 존중되는 곳이었다.

(2) 저서

『아동의 세기(1900)』, 『미래의 학교』 등이 있다.

4. 케르첸슈타이너(Kerschensteiner, 1854 ~ 1932)

(1) 수공적 활동을 중심으로 한 노작학교를 설립하였다.

(2) 노작교육

① 심신의 전체적 발달 추구, 정신 활동을 중핵으로 근육 작업에 중점, 자발적 활동 중시, 수작업을 통한 정신적 인격 함양을 강조하였다.

② 그의 노작교육은 진정한 의미의 직업교육이며, 시민교육이고 인간 형성의 원리이다.

(3) 그는 책을 통한 지식과 경험을 통한 지식을 구별하여 학교에서는 교과서의 지식보다 경험을 통한 지식이나 생산적 작업을 육성하는 일이라고 보았다.

(4) 통일학교 사상의 대표자로서 초등학교의 기본적 성격은 교육목적을 부여하기 위한 문화국가 내지 법치국가의 기관이기 때문에 모든 아동에게 평등하게 이루어져야 한다고 보았다.

5. 슈타이너(R. Steiner, 1861 ~ 1925)

(1) 자신의 연구 결과를 바탕으로 정신과학적 연구방법을 사용하여 그것을 인간의 참된 본질을 의식하도록 이끌어준다는 의미로 '인지학(Anthroposophie)'이라고 불렀다. 이는 인간중심적 사고에 기초한 인간학이다.

(2) 인지학

인간의 본질 속에 내재해 있는 정신적인 것으로부터 우주에 내재해 있는 정신 현상을 인식하도록 하는 것이다.

(3) 인지학적 인간학

형태(Form), 삶(Leben), 의식(Bewuβtsein)의 삼체성(三體性)에 기초한다. 이는 신체, 영혼, 정신의 인간의 3지적 구조(三枝的 構造)를 통해 경험되며 공간, 시간, 영원성이라는 '세계 삼체성(Weltdeigeit)' 속에 상응한다.

(4) 슈타이너는 육체처럼 정신과 영혼의 파악도 가능하며, 인간의 발달을 연속적 과정이 아니라 단계적인 과정으로 보았다. 즉 인간발달의 비약적이고 질적인 변화의 특징을 성숙이나 발전이 아니라 '탄생'의 개념으로 보았다.

(5) 발달론은 7년의 리듬 속에서 이루어진다고 보고, 유아에서 청소년에 이르기까지 구별 가능한 학습과 성향이 있다고 보았다. 또한 4가지의 기질(다혈질, 담즙질, 우울질, 점액질)에 따라 같은 기질의 아이들을 한 집단으로 구성하는 것이 효과적이라고 보았다.

(6) 슈타이너의 인지학적 인간학에 기초해서 설립한 학교가 '자유 발도르프 학교'이다.

(7) 발도르프 학교의 수업방식으로는 에포크(Epochen)수업, 오리리트미(Euythmie) 수업, 포르맨(Formenzeichen) 수업 등이 있다. 에포크 수업은 3 ~ 4주간을 단위로 매일 한 과목이 집중적으로 기본수업으로 진행된다. 이 과목을 17주 후에 다시 복습한다.

6. 몬테소리(Montessori, 1870 ~ 1952)

(1) 아동관

아동을 스스로의 자발적인 활동을 통하여 중요한 개념을 학습할 수 있는 존재로 보고, 아동의 발달 수준에 적절한 교재 및 교구를 사용하여 아동이 스스로 독립적인 성장을 해나갈 수 있도록 한다.

(2) 몬테소리법의 원리

① 몬테소리법

㉠ 몬테소리법의 원리는 자유, 정돈된 환경, 감각교육이다.

ⓛ 자발적인 학습기회를 제공하여 아동의 인지능력을 향상시킬 수 있고, 아동에게는 특정 기술을 보다 용이하게 배울 수 있는 민감기가 있으며, 준비된 환경에서 학습이 가장 잘 일어날 수 있다는 철학을 바탕으로 한 교육방법이다.

② 작업 이론(work theory)

㉠ 모든 움직임과 활동은 아동의 성장과 발달을 이끈다.

㉡ 인간은 작업을 통하여 인성을 형성하고 자신을 완성시킨다.

㉢ 기본적인 인성을 형성하기 위해 유아에게 바람직한 작업을 제시해야 한다.

㉣ 유아는 자연스럽게 작업할 수 있는 내적 충동이 이루어졌을 때 스스로 작업에 매력을 느끼고 자신을 전환시킨다.

③ 정상화(normalization) 이론

어린이가 작업에 진정한 흥미를 가지고 만족감을 느낌으로써 자신의 내적 훈련과 자신감을 발달시키고 목적지향적인 작업을 선택하게 되는 과정을 말한다.

(3) 몬테소리 학교

① 몬테소리법을 기초로 1907년 로마의 노동자 계층 주거 지역에 '어린이의 집'을 설립하였다.

② 3세부터 7세까지의 아동을 수용한 유아학교이다.

③ 교사의 역할

㉠ 교사가 없고 여자 지도원이 유아의 자기교육 계획이 순조롭게 추진되고 있는지를 지켜보는 역할만을 하였다.

㉡ 어린이의 자발적 활동에 방해가 되지 않도록 뒤로 물러나 있어야 한다.

㉢ 몬테소리 교사는 보다 적게 가르치고 보다 많이 관찰해야 한다. 즉 교사 불개입(不介入)의 원칙이다.

④ 프뢰벨의 교육사상을 실천에 옮기고자 하였다.

(4) 몬테소리의 과학적 교육학의 원리

① 교육학은 인간 형성의 과학이며 인간형성을 위한 교육방법의 종합이다.

② 교사는 진리 탐구에 몰두하고 사실을 파악하는 과학자가 되어 어린이의 본성적 특징을 파악하고 적절한 조력자가 되어야 한다.

③ 과학적 교육학의 기초

㉠ 어린이의 자발적 활동이 억압되거나 간섭되지 않도록 해야 한다.

㉡ 생동하는 어린이의 모습을 교사가 관찰해야 한다.

(5) 몬테소리법의 문제점

① 교육활동이 고정적, 통제적이며 아동의 창의력이 결핍되어 있다.

② 유아의 역할 놀이, 극 놀이의 중요성이 강조되지 못한다.

③ 사회적 상호작용, 언어적 상호작용 및 활동의 기회가 결핍되어 있다.

7. 듀이(Dewey, 1859 ~ 1952)

(1) 교육사상의 배경 - 프래그마티즘(Pragmatism)

① 도구주의, 경험주의, 상대적 진리관, 변화적 세계관(유일한 실재는 변화와 경험임)

② 아동중심교육, 생활중심교육, 경험중심교육, 흥미중심교육

(2) 교육관

① 경험

㉠ 생활 속에서 만나는 여러 문제들을 해결하는 과정이 곧 경험이며, 동시에 생활이다.

㉡ 인간의 활동력과 환경과의 상호작용에서 나오는 것이다.

㉢ 환경과 부딪히며 살아가는 동안 경험이 쌓이고, 쌓인 경험은 새로운 경험을 유발한다.

② 경험의 재구성

㉠ 경험의 의미를 증가시키는 것이며, 다음에 오는 경험의 진로를 이끌어 가는 능력을 증대시키는 일이다.

㉡ 경험의 질적 변화는 반성적 사고를 통해 이루어지므로 상호 관련성을 파악하는 반성적 사고가 경험의 재구성 과정에 반드시 필요하다.

③ 교육적 경험의 준거

㉠ 지속성이 있어야 한다.

㉡ 여러 경험들이 의미 있게 통합되는 결과를 낳아야 한다.

㉢ 경험 속에서 무엇인가 가치와 의미를 발견할 수 있어야 한다.

㉣ 후속되는 경험에 새로운 방향을 제시하면서 통제력을 가져야 한다.

(3) 교육목적

① 교육은 성장 그 자체를 위한 것으로, 성인 생활의 준비나 장래를 위한 준비로 보는 관점과 대비된다.

② 성장은 개인의 생활을 풍부히 하고 보다 나은 사회로 만드는 인간적 발전을 의미하며 경험의 재구성으로 이루어진다.

③ 학교교육의 목적: 성장을 보장하는 능력을 조직하여 교육이 계속될 수 있도록 하는 것, 아동 스스로 성장할 수 있는 힘을 길러주는 것이다.

(4) 학습활동 - 행동을 통한 학습(learning by doing)

① 학습을 경험하는 일이라고 한다면, 학습은 경험 없이 형성될 수 없다고 본다. 즉 행동을 통해 학습이 이루어진다.

② 교육은 어린이가 자기 활동을 통해 스스로 만드는 것이다.

③ 듀이가 말하는 활동은 신체적 활동, 지적 활동, 정서적 활동을 모두 포함한다.

(5) 교육의 동기 - 흥미

① 생활이 있는 곳에는 활동이 있고, 활동이 있는 곳에는 언제나 그 방향이 있는데 그 방향이 흥미(동적, 추진적)이다.

② 언제나 객관적 대상에 관여하고, 어떤 목적물을 가지고 무엇인가 지향하고 있으며, 어떤 것에 끌리는 것이 아니라 안으로부터 지향하는 것이다.

③ 학습에 있어서 흥미와 노력은 대립되어 있는 것이 아니라 함께 공존하는 것이다.

④ 어린이의 활동이 타인의 강요로 부과된 것이 아니라 어린이 스스로가 세우고 그 의의를 이해하는 것일 때, 흥미는 저절로 생기는 것이며 노력은 스스로 따르는 것이고 훈련은 자율적으로 이루어지는 것이다. 따라서 교사는 어린이로 하여금 자기 학습활동에 대해 열중할 수 있는 뚜렷한 목적의식을 가질 수 있도록 도와주어야 한다.

⑤ 교육의 기초가 되는 네 가지 흥미
   ㉠ 대화와 의사소통에 대한 흥미
   ㉡ 사물을 탐구하고 발견하려는 흥미
   ㉢ 사물을 제작하고 구성하려는 흥미
   ㉣ 예술적 경험에 대한 흥미

(6) 사회화 과정으로서의 교육

① "교육은 사회생활의 유지·존속의 수단이며 사회 개량의 과정이다."
② **학교는 사회의 축소판**: 교육은 사회적 환경 속에서 영위되어야 한다. 이때 사회적 환경은 정비된 사회 환경이어야 한다.
③ 학교교육 속에서 아동이 경험해야 할 것은 사회 현실과 밀접한 관련이 있는 것이어야 하며, 생활을 중심으로 구성되어야 한다.

(7) 교육방법

① **능동적 학습지도**: 암기식 교육을 버리고 능동적 탐구학습을 강조한다.
② 실험적·과학적 태도를 다른 무엇보다 중시한다.
③ 아동의 흥미가 중심이 된다.
④ 반성적 사고를 기초로 하는 문제해결법을 중시한다.
⑤ 지력의 습관형성 훈련을 강조한다.

(8) 저서

『학교와 사회』	듀이의 교육이념을 담은 책이다.
『민주주의와 교육』	듀이의 교육사상을 집대성한 20세기 교육학의 성서이다.
『경험과 교육』	듀이 자신의 사상과 진보주의를 구별하려 하였다.
『나의 교육신조』	듀이의 처녀작으로 실험학교운영 결과 보고서이다.

秀 POINT 중요 개념

☐ 자유교육과 7자유과
☐ 지행합일설
☐ 철인교육단계
☐ 스콜라 철학
☐ 인문주의의 유형
☐ 실학주의의 유형
☐ 로크의 신사상
☐ 소극적 교육론
☐ 공교육론
☐ 신인문주의와 교육
☐ 전심과 치사, 통각
☐ 달톤 플랜
☐ 몬테소리법
☐ 소피스트의 교육관
☐ 문답법
☐ 형상과 질료
☐ 중세대학의 학위수여권
☐ 의무교육론
☐ 감각적 교수법
☐ 자연주의 교육
☐ 범애주의
☐ 국가주의와 교육
☐ 자기활동의 원리
☐ 신교육운동
☐ 구안법
☐ 존 듀이의 경험, 흥미, 성장

각 시대별 전통 교육기관

구분 / 시대	관학			사학		
	고등	중등	초등	고등	중등	초등
고구려	태학(372)					경당
백제						
신라 및 통일신라	국학					
고려	국자감	• 학당(동서→5부) • 향교		12공도		서당
조선	• 성균관 • 종학	• 학당(4부 학당) • 향교		서원		서당

각 시대별 및 사상별 주요 교육사상가

구분 / 시대	불교의 교육사상가	유교의 교육사상가	실학의 교육사상가
고구려			
백제		왕인	
신라 및 통일신라	• 원광 • 원효	• 강수 • 설총 • 김대문 • 최치원	
고려	지눌	• 최충 • 안향 • 이색 • 정몽주	
조선		• 권근 • 이황 • 이이 • 조식 • 서경덕	• 유형원 • 이익 • 정약용 • 홍대용 • 박지원 • 이덕무 • 이식 • 이상수 • 장혼 • 최한기
근대	• 유길준 • 박은식 • 남궁억 • 안창호 • 이승훈 • 서재필		

III

한국교육사

01 | 삼국시대의 교육

1. 유교와 불교 전래의 교육적 의미

유교	고구려 초 유교의 전래는 문자교육과 최초의 형식적 교육을 성립하는 데 영향
불교	삼국시대 초 불교의 전래는 비형식적 교육, 대중교화를 통한 국민계몽에 영향

2. 삼국의 교육

고구려	① 중앙: 귀족자제를 위한 고등교육기관인 태학(373) 설립 ② 지방: 서민 자제를 위한 초등정도의 경당 설치(문무일치교육)
백제	① 박사제도 존재 ② 일본에 『논어』와 『천자문』 등 전함
신라	① 통일 이전: 화랑도 제도를 통한 관리양성과 군인 양성, 화랑도는 문무일치, 직관교육, 정의적이고 도덕적 활동 중시(원광의 '세속5계') ② 통일 이후: 국학(중국의 제도를 모방한 중앙의 고등교육제도, 경1인과 박사 및 조교, 논어와 효경을 필수로 9년간 수학하였고, 기술교육도 실시됨), 독서삼품과(국학의 졸업시험) 실시 ③ 교육사상가: 원효[일심(一心), 화쟁(和諍), 무애(無碍)사상, 교육방법으로 훈습(薰習) 강조], 설총(유교 경전 번역, '화왕계', 국학의 교수)과 최치원(당나라 유학생으로 문장력 뛰어남) 등

1 유교 및 불교

1. 유교의 전래와 의의

(1) 전래

고구려 초기에 전래되었다.

(2) 교육적 의의

① 문자 교육과 최초의 형식적 교육에 영향을 끼쳤다.

② 고조선에서 한군현(漢郡縣) 시대 사이에 한문화(漢文化)가 전래되었고 문자인 한자가 사용되기 시작하였다.

③ 삼국시대에 오면서 한자 사용에 따른 한학(漢學)이 일어나고 유학(儒學)이 발달하게 되었다.

④ 태학의 설립은 유학 발달의 상징이었고, 후기에는 지방에 경당이 설립되어 평민 자제에게도 유교 경전과 궁술을 가르치게 되었다.

2. 불교의 전래와 의의

(1) 전래

불교는 삼국시대 초에 전래되었다.

(2) 교육적 의의

① 국민정신(즉 호국정신)의 형성에 기여하였다.
② 건축, 조각 등 예술 분야의 발전에 영향을 주었다.
③ 사원(寺院)을 통한 사회 교육적 영향을 끼쳤다.
④ 대중교화를 통한 국민계몽에 중요한 계기를 마련하였다.

2 삼국시대의 교육

1. 고구려의 교육

(1) 태학(太學, 372)

① 특징
㉠ 최초의 관학(官學) 교육기관으로서의 역사적 의의를 지닌다(중국의 영향).
㉡ 태학은 유교적 관리 양성을 목적으로 중앙에 설치된 교육기관이었다.
㉢ 교과로는 오경(五經)과 삼사(三史)가 중심이었을 것으로 추측된다.

② 고구려 교육의 의의
㉠ 고구려 소수림왕은 재위 2년(372)에 불교를 받아들이고 태학을 설립하였고, 373년에는 율령(律令)을 반포하였다.
㉡ 불교의 수용은 고대 국가의 사상적 통일에 기여하였고, 태학의 설립은 유교의 보급과 문화 향상에 영향을 끼쳤다.
㉢ 율령의 반포는 국가체제의 정비를 가져왔다. 이로써 고구려는 중앙집권적 고대국가로서 발전할 수 있는 기반이 이루어졌다.

(2) 경당(扃堂)

① **개념**: 지방에 설치된 최초의 사학(私學)기관이었다.
② **설립목적**: 독서(誦經, 송경)와 습사(習射)를 통한 문무일치 교육을 실시하였다. 중앙에 설치된 태학이 유교적 인문교육에 중점을 두었던 것에 비해 경당은 문무일치의 교육이 이루어졌다.
③ **대상**: 미혼 자제를 대상으로 기숙제로 운영되었다. 미혼 자제의 신분은 명확하지 않으나 주로 서민 자제였을 것으로 추측된다.
④ **교육내용**: 교육내용은 경학(5경), 사학(사기, 한서, 후한서, 삼국지, 진춘추), 문자학(옥편, 자통, 자림) 그리고 문장학(문선)을 배웠다. 이렇게 볼 때, 경당은 초보적 수준 이상이었을 것으로 추정된다.
⑤ **의의**: 고려 및 조선조 서당의 기원이 되었다.

삼국시대의 교육제도

1. 고구려
태학은 고구려 소수림왕 2년에 설립된 우리나라 최초의 관학(官學)이자, 최초의 고등교육기관이고, 경당은 우리나라 사학(私學)의 시초이다.

2. 백제
학교를 세웠다는 문헌상의 기록은 발견되지 않고 있으나 여러 가지 사료에 의해 학교교육이 성립되었을 것으로 추정된다.

3. 신라
① 삼국통일 이전에는 형식적 교육제도가 없었으나 고유한 화랑도 교육이 고구려 태학과 같은 형식교육에 못지않은 교육적 역할을 담당하였다. 삼국통일 이후에는 중국 당나라의 국자감 제도를 모방한 국학이 설립되었다.
② 관리선발제도인 독서삼품과(독서출신과)가 있다.

⑥ **경당에 대한 기록:** 경당은 『구당서(舊唐書)』와 『신당서(新唐書)』에 기록되어 있다.

㉠ **『구당서』 동이전(東夷傳) 고려조(高麗條):** "풍속이 책읽기를 좋아하여 허름한 서민의 집에 이르기까지 거리에 큰 집을 지어 이를 경당이라고 하고, 미혼의 자제들이 여기서 밤낮으로 독서하고 활쏘기를 익힌다. 그들이 읽은 책은 5경과 사기, 한서, 후한서, 삼국지, 진춘추, 옥편, 자통, 자림 그리고 문선이 있는데 그것을 더욱 아끼고 소중히 여겼다."

㉡ **『신당서』 동이전(東夷傳) 고려조(高麗條):** "사람들이 배우기를 좋아하여 외딴 마을의 허름한 집에 이르기까지 역시 서로 사랑하고 부지런하여 큰 길가에 모두 큰 집을 짓고 경당이라고 불렀다. 미혼의 자제들이 거기 모여서 경서를 암송하고 활쏘기를 익혔다."

기출문제

고구려의 경당에 대한 설명으로 옳지 않은 것은? 2022년 국가직 9급

① 문과 무를 아울러 교육하였다.
② 미혼 자제들을 위한 교육기관이다.
③ 『문선(文選)』을 교재로 사용하였다.
④ 유교 경전으로는 사서(四書)를 중시하였다.

해설

고구려의 경당(扃堂)은 지방에 설치된 사학(私學) 교육기관으로 미혼 자제를 대상으로 독서(讀書)와 습사(習射)를 통한 문무일치 교육을 실시하였고, 교육내용은 5경, 삼사(三史) 문선 등을 배웠다. 사서(四書)는 성리학의 성립 이후 유교 경전이 된 대학, 논어, 맹자, 중용 등이다.

답 ④

2. 백제의 교육

(1) 특징

① 백제는 학교가 있었다는 직접적인 기록은 없으나, 높은 학문적 수준을 유지했을 것으로 짐작되고 있다.

② 박사제도를 두어 교육을 담당하였다. 예를 들면 의(醫) 박사, 와(瓦) 박사, 오경(五經) 박사, 역(易) 박사 등이 그것이었다. 박사는 교육을 담당하는 관직의 일종이었다. 박사는 일본에 초빙되어 일본의 교육과 문화발전에 기여하였다.

③ 와(瓦) 박사와 노(爐) 박사의 직제로 보아 고도의 직업 및 기술교육이 이루어졌을 것으로 본다.

④ 왕인(王仁)은 일본에 『논어』와 『천자문』을 전하여 일본에 문자혁명과 학교교육의 기원이 되었고, 후에 태자의 스승이 되었다. 이는 또한 일본 아스카(飛鳥) 문화의 뿌리가 되었다.

(2) 교육기관 - 백제의 중앙관제

내법좌평	교육부 장관이다.
사도부	교육부이다.

3. 신라의 교육

(1) 개관

① 신라는 4세기 중반 고대 국가 체제를 갖추었다. 법흥왕 때 율령을 반포하고, 백관의 공복(公服)을 제정하였고, 건원이라는 연호를 세웠다.
② 진흥왕 때 영토를 확대하였고, 통일 후 국학의 체제를 형성하였다.

(2) 화랑도 교육

① 목적
㉠ 진흥왕 시대 시작된 국가적 관리 양성을 목적으로 한 청년운동이다. 평시에는 국가적 관리 양성, 전시에는 용감한 군인 양성을 주목적으로 하였다.
㉡ 화랑도는 국가의 지도를 받았으나 국가의 직할기관이 아닌 민간 조직이었다.
㉢ 화랑의 목적은 현좌충신(賢佐忠臣)하고 양장용사(良將勇士)와 같은 치인과 국방의 인재양성이었다.
㉣ 종교적 및 도덕교육을 목적으로 하였다. 즉, 화랑 집회를 통해 도의를 서로 연마하고 친구 간에 서로 사회생활의 규범을 배우게 하였다. 화랑도의 정신은 유교, 불교, 도교의 정신이 포함되어 있다.

② **화랑도의 기원**: 상고 시대 소도(蘇塗)제단의 무사(武士, 早衣仙人) 곧 '선비'라고 한 것(신채호)과 상고 시대의 태양숭배 신앙인 '부루 교단'에서 비롯된 것(최남선) 등으로 보고 있다.

③ **기본정신**: 화랑도의 기본정신은 원광법사가 제정한 세속오계[世俗五戒 - 사군이충(事君以忠), 사친이효(事親以孝), 교우이신(交友以信), 임전무퇴(臨戰無退), 살생유택(殺生有擇)]에 잘 나타나 있다. 여기에는 유불선(儒佛仙) 3교의 정신이 반영되어 있다.

④ **교육방법**: 집단생활을 통한 심신연마(相磨以道義 相悅以歌樂), 심신단련 및 직관교육(遊娛山水 無遠不至)을 중시하였다. 이는 신체의 단련, 무예의 연마, 관용과 희생의 기개 등을 함양하기 위해서였다.

⑤ **교육내용**: 무술(창 쓰기, 활쏘기, 말 타기 등), 도덕[육예(六藝)와 오상(五常)], 정서도야, 심신단련, 유교 교육 등으로, 지적인 것보다 정의적이고 도덕적인 활동에 치중되었다.

⑥ **화랑의 조직**: 국선화랑(총 단장) → 화랑(각급 단장) → 문호(門戶, 단부) → 낭도(郎徒, 단원)

⑦ **서양 중세의 기사 교육과 비교**: 두 사상은 생활중심의 비형식적이고 문무일치의 교육, 남녀평등의 휴머니즘(Humanism) 정신을 강조하고, 직관교육, 지적인 것보다는 활동을 중시(여행, 예절, 무용, 노래, 시 등) 하였다는 점에서 유사하다.

⑧ **화랑도의 명칭**: 국선(國仙), 풍월도(風月道), 선랑(仙郎), 원화(源花), 부루교 등으로 부르기도 하였다.

⑨ **영향**: 화랑정신은 고려 태조가 국호(國號)에 담겨진 자주적 정신을 강조하기 위해 수용하였고, 최충의 문헌공도(文憲公徒)도 화랑도를 모방한 것이었다.

⑩ 화랑도는 오늘날 청소년 수양단, 보이 스카웃, 독일의 청년 운동인 반더포겔(Wandervogel, 候鳥運動)에 비유된다.

화랑
화랑(花郞)은 일종의 모범이자 사범으로 귀족 출신이어야 하며 보통 3~4명에서 7~8명이 되었고, 자격은 남녀를 가리지 않았다. 반면 낭도는 계급을 불문하였다.

세속오계
원광법사는 불교정신에 바탕을 둔 세속오계를 마련하여 온 나라 사람들이 누구나 다 지킬 수 있는 생활목표를 제시하였다. 이 생활목표는 충·효·신 등을 가르치는 유교정신과 모순되는 것이 아니었다.

⑪ **화랑도의 의의**: 화랑도는 우리의 고유한 사상인 동시에 신라 사회의 청년교육이며 국민적 정신이었다. 따라서 신라 화랑은 그 시대의 이상적인 인간상이며 화랑도 교육은 무력강화·인재양성·도덕훈련 등에 목적을 두어 각 개인으로 하여금 자신의 육체미와 정신미를 조화시키고자 하였다. 즉 화랑의 정신은 심신일여(心身一如)·언행일치의 도의를 기본으로 하는 우리 고유사상의 발로였으며, 삼국통일 이전까지 화랑도 교육이 우리 민족 고유의 방식을 보여주었다.

참고

화랑도(花郞徒)에 관한 기록

1. "미모의 남자를 뽑아서 곱게 단장하고 이름을 화랑이라 하여 이를 받들게 하니 무리들이 구름처럼 모여들어, 서로 도의(道義)를 닦고, 혹은 서로 가락(歌樂)으로 즐거이 노닐며 명산(名山)과 대천(大川)에 돌아다니며 멀다고 가보지 않은 곳이 없다. 이로 인하여 이들 중에서 나쁘고 나쁘지 아니한 것을 알게되어 그 중 착한 자를 가리어 조정에 추천하였다." [『삼국사기』 신라본기(新羅本紀), 진흥왕(眞興王)]
2. "왕(진흥왕)은 천성이 멋스러워 신선(神仙)을 크게 숭상하여 민가의 아름다운 처녀를 뽑아 원화(源花)로 삼았다. 그것은 무리를 모아 인물을 선발하고 또 그들에게 효제(孝悌) 충신(忠信)을 가르치려 함이었으니, 또한 나라를 다스리는 대요였다. 그 후 여러 해 만에 왕은 또 나라를 흥하게 하려면 반드시 풍월의 도를 일으켜야 한다고 생각하고 처음으로 설원랑 받들어 국선(國仙)으로 삼으니, 이것이 화랑국선의 시초이다."(『삼국유사』 미륵선화)

(3) 국학(國學)

① **설립**: 신라 31대 신문왕 2년(682)에 국학의 체제를 정비하여 예부(禮部)에 소속시켰다. 국학은 당나라의 국자감 제도를 모방한 것이다.

② **명칭**: 국학(초기), 대학감(경덕왕 때), 국학(공혜왕 때)

③ **직원**: 경(卿) 1인과 박사 및 조교 약간 명을 두었다.

④ **입학연령**: 15세부터 30세까지 입학이 가능하였다.

⑤ **입학신분**: 국학의 입학자 신분은 대사(大舍)로부터 무위자(無位者)까지고, 국학을 졸업하면 대내마(大奈麻)·내마(內麻)를 주었다(이는 신라 17등급 가운데 10, 11의 등급에 해당).

⑥ **수업 연한**: 수업 연한은 9년이었다.

⑦ **과목**: 논어와 효경을 공통과목으로 하여 3가지로 분류하였다.

㉠ 논어·효경·예기·주역

㉡ 논어·효경·좌전·모시·춘추

㉢ 논어·효경·상서·문선

⑧ **관할**: 예부이고 성덕왕 16년(717)에는 국학에 문묘를 설치하였다.

⑨ **출척(퇴교조치)**: 둔하고 미련하여 성공하지 못할 자는 내보내고 재능이 있는 자는 9년이 넘어도 공부하게 하였다.

⑩ **기술교육**: 경덕왕 6년(747)에 국학에 제업박사(諸業博士)를 두어 실업교육(의학, 천문학, 율학, 서학 등)이 이루어졌다.

(4) 독서삼품과(讀書三品科)

① 기원: 38대 원성왕 4년(788)에 실시된 국학의 졸업 시험으로 고려 과거제도의 전신이라고 할 수 있다.

② 내용: 춘추좌씨전·예기·문선을 읽고 그 뜻에 능통하며 논어·효경에 밝은 자를 상(上), 곡예·논어·효경을 읽은 자를 중(中), 곡예·효경을 읽은 자를 하(下), 오경과 3사(三史), 제자백가서에 겸하여 능통한 자는 초탁(순서를 뛰어 넘어)하여 등용한 것으로 4등급으로 구분하였다.

상품과(上品科)	『춘추좌씨전』, 『예기』, 『문선』, 『논어』, 『효경』에 밝은 자
중품과(中品科)	『곡예』, 『논어』, 『효경』을 읽고 통달한 자
하품과(下品科)	『곡예』, 『효경』에 능통한 자
특품과(特品科)	5경·3사·제자백가서에 통달한 자는 3품과에 구애 없이 등용

③ 의의: 독서삼품과의 실시는 삼국통일 전까지 화랑도 교육과 궁전법(弓箭法: 騎馬와 射弓으로 시험하였던 법)으로 인재를 택하였던 것에서 시험을 통해 문관을 등용하게 되었음을 의미한다. 이는 신라가 학식(學識)을 기준으로 인재를 선발하는 문선(文選)의 시대로 이행하였음을 의미한다. 즉 신라가 학식을 기준으로 인재를 선발하는 계기가 됨을 의미한다.

秀 POINT 독서삼품과에 대한 기록

"독서하는 학생은 삼품(三品)출신으로서 춘추좌씨전이나 또는 예기나 문선을 읽고 그 뜻에 능통하고 겸하여 논어·효경에 밝은 사람을 상(上)으로 하고, 곡예·논어·효경을 읽은 사람을 중(中)으로 하고, 곡예·효경을 읽은 사람을 하(下)로 하였다. 만약 5경과 3사, 제자백가서에 겸하여 능통한 사람을 이를 초탁(超擢, 순서를 뛰어 넘어)하여 등용하였다(『삼국사기, 신라본기 원성왕 4년조』).

(5) 인재교육과 당(唐)의 유학

① 신라의 인재선발 방법

㉠ 화랑도를 통해 선발한다.

㉡ 궁전법(弓箭法)을 통해서 선발한다.

㉢ 원성왕 4년에 독서삼품과를 실시해서 등급제로 선발한다[문선(文選)의 시대로 전환됨].

② 선덕왕 9년(640)에 당나라에 유학생을 파견하기 시작하여 왕자 이외에 학생 다수를 파견하였다. 기간은 10년이고 유학생의 서적비는 신라에서 지급하였고, 옷과 음식은 당나라의 홍로사에서 제공하였다.

발해(渤海)의 교육

1. 교육기관

① 주자감
- ㉠ 교육을 관장하는 최고 기구로 당의 국자감에 해당한다.
- ㉡ 주자감의 장관은 감장(監長)으로, 당의 제주(祭酒)에 상응한다.

② 문적원
- ㉠ 도서 및 문서 보존 기관으로 당의 비서성에 해당한다.
- ㉡ 경적도서(經籍圖書)와 비문을 짓고 축문, 제문 등의 사무를 관장한다.

③ 학관과 정규학교의 설치
- ㉠ 수도를 제외한 경(京), 부(府), 주(州) 현(縣)에 교육관장기구와 학관을 설치하였다.
- ㉡ 대조영은 수도에 주자감 관할하의 형식적 교육기관인 정규학교를 설립하였다.

④ 학당(學堂, 학교)의 종류(『책부원구(冊府元龜)』에 기록)

관학	㉠ 관에서 경영하는 것, 왕정과 지방정부가 경영하는 것의 2종으로 구분되었다. ㉡ 수도의 관학: 중경, 동경의 왕도시기에 국학(= 동관)에서 생도 혹은 유생이 학습하였다.
사학	㉠ 중경, 동경의 문화가 발전한 지역에서 성행하였다. ㉡ 고구려 통치지역의 중심지(환도성)를 포함하였기 때문에 경당이 발달했을 것으로 추측된다.

2. 교육내용

① 유가 경전과 사서: 오경, 삼사, 『삼국지』, 『옥편』, 『자통』, 『자림』, 『문선』 등

② 유학 사상 중시: 정당성 6부의 명칭, 수도 유지(遺址)의 기와 명문(銘文), 국서에서 한자가 사용되었다.

③ 과학기술 분야
- ㉠ 천문학·역학·산학·의학 등이 발달한 것으로 추측된다.
- ㉡ 기술 분야 중 금속제련술·피혁가공술 등이 발달하였다.

3. 교육의 특징

① 통치 인력의 육성
- ㉠ 대조영(발해 발전의 초석기, 698 ~ 719)
  - ⓐ 수도에 주자감 관할하의 형식적 교육기관인 정규학교를 설립하였다.
  - ⓑ 학문으로 유명한 생도(生徒) 6명을 당의 태학에서 학습하게 하였다.
- ㉡ 문왕(교육의 대대적 발전기, 737 ~ 793)
  - ⓐ 친당정책과 문화중시 정책으로 교육의 발흥과 발달을 촉진하였다.
  - ⓑ 당에 사절파견과 견당유학생의 급증으로 한문 유학경전의 전래가 증가하였다.

② 여사(女師)의 출현: 상층사회의 여성교육, 발해의 왕실귀족과 관료자녀들의 교육을 여성교사가 담당하였다.

3 교육사상가

1. 원효(元曉, 617 ~ 686)

(1) 특징

① 불교의 여러 사상과 주장들을 '일심(一心)'의 발현(一切唯心造)으로 보고, 이 발현의 여러 양상을 통합하려고 하였다. 교육사상의 핵심은 이 일심의 회복에 두었다.

② 일심: 천차만별의 대상을 분별하고 거기에 집착하는 분별심을 떠나 절대 무차별, 절대평등의 마음, 곧 인간의 본래적 마음을 의미한다.

③ **화쟁(和諍)**: 이쟁(異諍, 서로 다른 주장)을 화해시키는 원리로서 조화와 화해를 모색하는 인식 전환의 방법이며 대립과 갈등을 넘어서서 다양한 주장을 한 길로 통합시키는 방법론이다.

④ **무애사상(無碍思想)**: 어디에도 구속이 없는 자유주의 정신을 의미한다.

⑤ 인간 평등관의 기본원칙 위에서 화쟁을 주장하였고 이는 불교의 민중화를 의미한다. 그의 정토(淨土)신앙은 현세의 고해에서 벗어나 내세에 극락왕생을 비는 내세신앙으로 민중들에게 크게 환영을 받았다.

(2) 교육방법

① 훈습(薰習)을 강조하였다. 원래 훈습이란 향기를 스며들게 하는 것 혹은 냄새가 스며들게 하는 것으로 영향력, 감화력 등을 의미한다.

② 교육적 측면에서 훈습이란 인간으로 하여금 깨끗하고 맑은 마음과 행동을 하게 하는 것을 말한다.

③ **정법훈습(淨法薰習)**: 진여(眞如)의 영향력이 강하여 무명을 깨뜨리고 지혜로운 인간과 밝은 사회를 만드는 교육작용이다.

④ **염법훈습(染法薰習)**: 무명의 영향력이 강하여 진여의 작용을 위축시킴으로서 인간과 사회를 타락시키는 작용이다.

(3) 저서

『금강삼매경론』, 『대승기신론소』 등이 있다.

원효의 교육사상

화쟁사상 (和諍思想)	당시의 종파주의적 경향들을 하나의 이론적 체제로 통합한 사상이다.
일심사상 (一心思想)	인간의 마음과 그 인식의 과정을 깊이 통찰하여 하나의 마음으로 돌아가는 것을 의미하는 사상이다.
무애사상 (無碍思想)	아무런 거리낌 없는 자유를 누리고자 하는 사상이다.
중도사상 (中道思想)	물질과 허무주의에 빠지지 않고, 언제나 바른 길로 걸어가는 주체적인 의식인을 추구하는 사상이다.

2. 최치원(崔致遠, 857 ~ ?)

(1) 당나라 유학생으로 문장력이 가장 뛰어난 인물이었다.

(2) 유·불·도를 상호 대립적으로 보지 않고 이를 종합·수용하는 가운데 화랑도의 민족사상을 계승, 발전시키고자 하였다.

(3) 한국 최초로 문묘에 배향된 인물로서 우리나라 유교의 시조(始祖)로 볼 수 있는 인물이다.

(4) 저서

『계원필경』, 『격황소서』 등이 있다.

『낭랑비 서문』

최치원의 『낭랑비 서문』은 화랑도를 연구하는데 중요한 자료이다.

3. 설총(薛聰, ? ~ ?)

(1) 신라 경덕왕 때의 학자로 6두품 출신이며, 신라 10현(十賢) 가운데 한 사람이었다.

(2) 그는 삼국시대부터 수용되었던 중국의 경학(經學), 특히 훈고학을 익히고 유학의 경전(9경, 九經)을 연구하여 우리말로 해석하고 주석을 한 유학자였다.

(3) 강수(强首), 최치원과 함께 신라 3대 문장가로 꼽혔으며, 특히 향찰(鄕札)을 집대성하여 정리하였다. 국학의 설립에 주도적 역할을 하였고 박사로서 학생을 지도하였다.

(4) 『화왕계(花王戒)』를 지어 왕이 된 자가 그릇된 아첨을 가까이 하고 정직을 멀리 해서는 아니 된다는 것을 풍자적으로 묘사하여 신문왕의 어질지 못함을 훈계하였다.

참고

설총의 『화왕계(花王戒)』

교육적 의의	① 『화왕계』의 내용은 왕이란 간사하고 아첨하는 신하를 물리치고 정직하고 강직한 신하를 위할 줄 알아야 한다는 것으로, 이는 유학사상적인 표현으로 임금이 갖춰야 할 태도를 밝혔다. ② 『화왕계』를 통해 설총의 '군주교육사상(君主敎育思想)'을 알 수 있다.
교육방법	비유와 풍자의 방법을 사용하였다.
교육사적 의미	설총의 『화왕계』는 교육사상사적인 면에서 본다면 조선조 퇴계의 『성학십도(聖學十道)』, 율곡의 『성학집요(聖學輯要)』, 권근의 『수창궁재상서』, 이익의 『곽우록』과 같이 군주교육에 관한 것과 유사하다.

기출문제

통일신라의 국학과 고려의 국자감에서 공통으로 필수과목이었던 두 책은?

2021년 지방직 9급

① 논어와 맹자
② 논어와 효경
③ 소학과 가례
④ 소학과 대학

해설

신라시대 국학의 과목 가운데 공통과목은 논어와 효경이고, 고려시대 국자감의 필수과목도 논어와 효경이며 수업연한은 합 1년으로 하였다. 신라의 국학은 논어와 효경을 공통과목으로 첫째, 논어·효경·예기·주역을 한 가지로, 둘째, 논어·효경·좌전·모시·춘추를 다른 하나로, 셋째, 논어·효경·상서·문선 등 3가지로 구분하였다. 고려의 국자감의 인문학부적 성격인 국자학, 태학, 사문학은 논어와 효경을 필수과목으로 하고, 상서·공양전·곡량전·주역·모시·주례·의례·예기·좌전 등을 선택과목으로 하였다. **답 ②**

02 고려시대의 교육

핵심체크 POINT

1. 관학

국자감	① 중앙의 최고 고등교육기관 ② 유학교육(국자학·태학·사문학), 기술교육(율·서·산학), 무학교육(강예재) 실시 ③ 박사와 조교를 둠 ④ 직제는 제거·동제거·대사성 등, 장학제도로 양현고와 섬학전 설치(설립 초기에는 유학교육만 담당, 후에 기술교육 포함)
학당	① 중앙에 설치된 중등 정도 교육기관 ② 중앙귀족자제 입학 ③ 문묘가 설치되지 않은 교육기관 → 5부학당 → 4부학당(4학)이 됨
향교	성종 이후 설립

2. 사학

서당	서긍의 『고려도경』에 묘사
12공도	최충의 9재에서 비롯, 과거준비, 각촉부시 등 실시

3. 성리학의 도입

종래의 사장학(詞章學) 중심에서 경학(經學) 중심으로 전환, 조선조의 통치 이념이 됨

4. 교육사상가

최충	문헌공도 설립
지눌	정혜쌍수, 돈오점수
안향	주자학 도입
이색	불심유성동일설(佛心儒性同一說)

1 교육기관

1. 관학(官學)

(1) 국자감(國子監)

① 설립과 성격

㉠ 성종 11년(992)에 설립된 중앙의 국립교육기관이었다.

㉡ 신라의 국학과 마찬가지로 문묘를 두었다.

㉢ 중앙에 설치된 국립교육기관으로 유교적 관리 양성을 목적으로 하였으면서도 기술교육(雜學)과 무학(武學) 교육도 이루어졌다.

② 직제: 문종 때 제거(提擧)와 동제거(同提擧) 각 1인과 판사(判事), 좨주 등을 두었고, 예종 때 판사를 대사성(종3품)으로 바꾸었다.

국자감의 명칭 변화

국자감은 충렬왕 때 국학, 충선왕 때 성균관, 공민왕 때에는 다시 국자감으로 변화하였다.

③ 구조: 문묘와 학사로 구성되었다.

문묘	선성전(宣聖殿, 후의 대성전)과 동무(東廡)·서무(西廡)를 갖추어 공자를 비롯하여 61제자와 21현의 제사를 지냈다.
학사	강학소인 돈화당(敦化堂, 후의 명륜당)이 있고, 학생들의 기숙사인 재(齋)가 있었으며, 그 밖에 재생들의 공궤(供饋)를 맡는 양현고가 있었다. 양현고는 국자감에 설치한 학생후생재단으로 이는 예종 14년(1119)에 설치하였다.

④ 입학자격 - 인종 때 설치된 6학

㉠ 국자학이 최고급이고 태학, 사문학의 순서로 중시되었다.

㉡ 국자학·태학·사문학은 유학교육을, 율·서·산학은 기술교육을 실시하였다.

국자학(國子學)	문무관 3품 이상의 자손과 훈관(勳官) 2품 대손공 이상 또는 경관(京官) 4품 대3품 아성 봉훈자(封勳者)의 아들
태학(太學)	문무관 5품 이상의 자손과 정종(正從) 3품의 증손 또는 훈관 3품 이상의 유봉자(有封者)
사문학(四門學)	훈관 3품 이상 무봉(無封) 4품, 유봉 및 문무관 7품 이상의 아들
율학·서학·산학	8품 이상의 아들 또는 서인(庶人)의 아들로서 특히 원하는 자

⑤ 교과목 및 수업연한

6학	교과목		수업연한	
국자학 태학 사문학	필수	논어, 효경	합 1년	합 9년
	선택	상서·공양전·곡량전 주역·모시·주례·의례 예기·좌전	각 2·5년 각 2년 각 3년	
	공통	산술·시무책	선택·병행	
율학	-	율·령	-	6년
서학	-	팔서(八書)	-	6년
산학	-	산술	-	6년

⑥ 교수: 국자감에는 박사와 조교를 두어 학생을 가르쳤다. 율학·서학·산학에는 박사만 두었다.

⑦ 7재(七齋)

㉠ 예종 4년(1109): 국자감에 설치하였으며, 교과별 전문 강좌를 의미한다.

㉡ 강예재라는 무과(武科)를 두었다. 강예재는 인종 11년(1133)에 폐지되어, 이후 '6재'로 운영하였다.

㉢ 과거 합격자를 12공도에 많이 빼앗기자 7재를 두어 우수한 학생을 유입시킬 목적이었다.

㉣ 7재의 명칭과 교육내용

구분	재명	강의분야	인원	계
유학(儒學)	여택재(麗澤齋) 대빙재(待聘齋) 경덕재(經德齋) 구인재(求仁齋) 복응재(服膺齋) 양정재(養正齋)	주역(周易) 상서(尙書) 모시(毛詩) 주례(周禮) 대례(戴禮) 춘추(春秋)	70명	78명 (문무학생)
무학(武學)	강예재(講藝齋)	무학(武學)	8명	

⑧ 6학(六學)의 설치

㉠ 인종 때 국자학, 태학, 사문학, 율·서·산학을 설치하였다(1130년대).

㉡ 대체로 상류 계층의 자제들을 교육대상으로 삼았다.

⑨ 장학제도

㉠ 예종 9년(1114): 양현고(養賢庫)를 두고 유학생(儒學生) 60명과 무학생(武學生) 17명을 길렀다. 국자감의 양현고는 일종의 교육재단의 성격을 가졌으며 조선시대 성균관까지 지속되었다.

㉡ 충렬왕 30년(1304): 안향의 건의로 양현고에 일종의 장학기금인 섬학전(贍學錢)을 설치하였다. 6품 이상은 은 1근, 7품 이하는 포를 내도록 하여 그 이식(이자)으로 양사(養士)의 비용을 충당하고자 하였다.

⑩ **교수 확보책**: 국자감에 유능한 교수를 확보하기 위해 안향의 건의로 '경사교수도감(經史敎授都監)'을 설치하였다.

(2) 학당(學堂)

① 원종 2년(1261년): 중앙에 설치된 중등 정도 수준의 유학 교육기관이다.

② 학당은 문묘가 설치되지 않은 순수한 교육기능을 담당하였고 중앙에만 설치되었다.

③ 공민왕 2년(1390): 정몽주가 5부학당(동·서·남·북·중부 학당)을 설치할 것을 주장하여 조선조 초까지 이어지다가, 조선조 초에 북부학당이 폐지되어 고려조 5부학당은 조선조의 4부학당(四學)의 기원이 되었다.

④ 고려 말: 5부학당은 원래 12공도 사학(私學)의 교육적 역할을 대신할 관학으로 설치되었다.

(3) 향교

① 성종 6년(987): 12목(牧)에 경학박사와 의학박사 각 1명을 파견하여 지방 관리와 백성 자제를 가르치게 한 '권학관 제도'가 있었다.

② 인종 5년(1127): 지방에 학교를 세우도록 명하였는데, 이로 보아 성종 이후 향교가 지방의 관학으로 운영되었을 것으로 추정해 볼 수 있다.

2. 사학(私學)

(1) 서당

① 고려조의 서당에 대한 기록은 자세하지 않으나 초등 정도의 교육기관으로 서당이 설립되었을 것으로 추측된다.

② 중국인 서긍(徐兢)의 『고려도경(高麗圖經)』

"마을의 거리에도 경관(經館)과 서사(書社)가 두 셋씩 서로 바라보이며, 민간 자제의 미혼자가 무리로 모여 스승에게 경(經)을 배우고, 좀 장성하면 각각 저희들끼리 벗을 택하여 절간으로 가서 공부하고, 아래의 서인(庶人)이나 아주 어린아이들까지도 역시 마을의 선생에게 나아가 배운다."

(2) 12공도(十二公徒)

① 설립

㉠ 문종 이후 개경에 있었던 12개의 사설교육기관을 총칭한다. 12공도의 효시는 최충이 세운 9재(九齋) 학당(문헌공도)에서 비롯되었다.

학당의 설립 및 변화

동서학당(東西學堂)
고려 24대 원종(元宗) 2년(1261)에 유학의 진흥을 위하여 개성의 동쪽과 서쪽에 세워졌다.
⇩
5부학당(五部學堂)
고려 말 공양왕 3년 동서학당 이외에 3개의 학당(개성의 중앙, 남쪽, 북쪽)을 증설하여 5부학당으로 되었다.
⇩
4부학당(四部學堂, 4학)
조선 세종 27년(1445)경에 북부학당이 폐지되어 4부학당으로 존속되었다.

9재

1. 9개의 학사 혹은 반(班)으로 구분된다.
2. 재(齋)의 명칭은 주역(周易)과 중용(中庸)에서 따온 것이다.

㉡ 최충의 9재 학당에서는 9경(九經)과 삼사(三史, 『사기』, 『한서』, 『후한서』) 등 고등 정도의 교육수준을 유지하였다.

9재(九齋)와 9경(九經)

9재	낙성재, 대중재, 성명재, 경업재, 조도재, 솔성재, 진덕재, 대화재, 대빙재
9경	『주역』, 『시경』, 『서경』, 『예기』, 『춘추』, 『효경』, 『논어』, 『맹자』, 『주례』

② 특징

㉠ 과거준비를 위한 교육을 실시하였다. 즉, 과거에 응시하려는 양반의 자제들은 먼저 12공도에 속하여 공부하였고 수업 연한은 대개 2년 정도였다.

㉡ 국자감의 기능이 약화되면서 활성화되었다.

참고 12공도의 교육수준은 학당이나 향교보다는 높았다.

㉢ 12공도는 사설 기관이기는 하였지만 어느 정도 국가로부터 통제되었고, 예종과 인종 때 관학에 의해 그 발전이 견제되었다.

(3) 교육방법

① 각촉부시(刻燭賦詩), 모의과거 등을 실시하였다. 각촉부시는 뒤에 문신중시법(文臣重試法)이 되었다.

② 과거 합격생으로 하여금 학생들을 지도하게 하였다(일종의 조교제도).

③ 하천도회(夏天都會)라고 하는 일종의 하기강습회를 열어, 여름이 되면 공도의 학생 전체가 귀법사나 용흥사 등의 사원승방을 빌어 공부하였다.

秀 POINT 고려 시대의 교육

1. 하과(夏課), 각촉부시(刻燭賦詩), 조교제법

하과	① 여름철에 사찰(寺刹)에 가서 학습하는 습속(習俗)으로 고려시대에 일반화되었다. ② 매년 여름이면 하과를 열었는데 보통 승방(僧房)이 사용되었다. 이 때 강사는 도(徒) 중의 급제자로 학문은 깊으나 아직 임관되지 아니한 자로 한다.
각촉부시	① 12도 중에서도 문헌공도의 학생들의 교육방법의 하나로 일종의 속작시 시험방법이다. 즉, 문헌공도를 거쳐 간 선배로서 간혹 9재에 들르는 자가 있으면 초(燭, 촛불)에 금을 그어 불을 켠 다음 생도들로 하여금 시간을 다투어 시를 짓게 하는 방법이다. 그 결과 성적의 순차에 따라 작은 술자리를 베풀어 표창하기도 하였는데, 그 과정이 진퇴유의(進退有儀)하고 장유유서(長幼有序)하여 보는 이로 하여금 감탄케 하였다고 한다. ② 고려시대 이후 각종 학교에서 사용하던 교육방법이면서 학교풍속의 하나이다.
조교제법	① 과거에 합격한 사람을 관리로 등용하기 전에 학교의 교사로 채용하는 것으로 일종의 신급제자의 교관 등용법이라고 할 수 있다. ② 학도들에게 용기를 돋우고 과거 시험의 생생한 체험을 가지도록 하는 데 도움을 주기 위한 방책이다.

2. 12공도

학교명	설립자
문헌공도	시중 최충
홍문공도	시중 정배걸
광헌공도	상점 노단
남산도	제주 감상빈
서원도	복사 김무제
문충공도	시랑 은정
양신공도	평장 김의진
정경공도	평장 황영
충평공도	류감
정헌공도	충중 문정
서시랑도	시중 서석
귀산도	미상

3. 고려시대의 과거제도

(1) 목적

유능한 인재를 선발하여 왕권을 강화시키기 위해 실시되었다.

(2) 응시자격

① 양민에게도 자격이 부여되었다. 다만 오역(五逆)·오천(五賤)·불충(不忠)·불효(不孝)·향(鄕)·소(所)·부곡(部曲)·악공(樂工) 및 잡류(雜類)의 자손은 제외되었다.

② 승려는 승계[僧階, 법계(法階)]를 주기 위해 실시되었는데, 승과(僧科)에만 응시가 가능하였다.

(3) 특징

① 초기에는 무과(武科)가 설치되지 않았다(고려 말 공양왕 때 실시).

② 과거제의 실시는 유교가 정치이념으로 채택되었다는 것을 의미한다.

(4) 과거의 종류

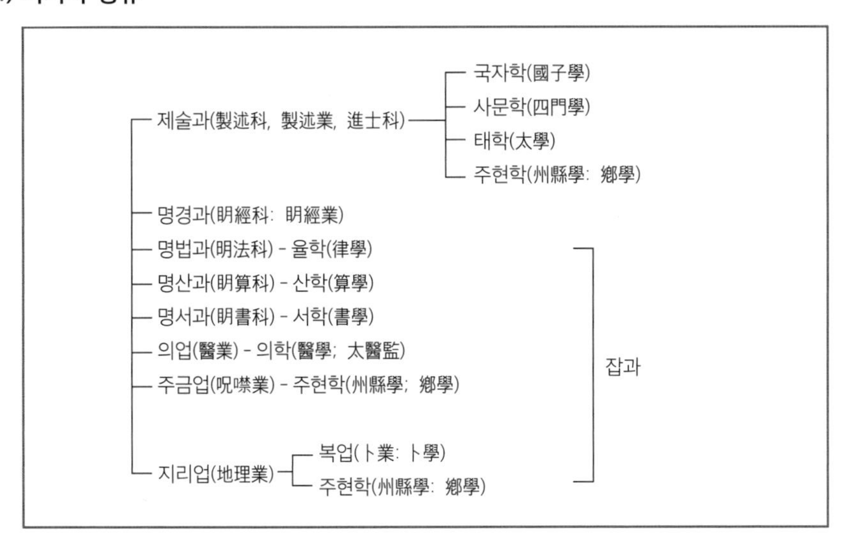

① **제술과(製述科)**

㉠ 진사과라고도 하며, 문관 등용시험이다. 주로 시(詩)·부(賦)·송(頌)·책(策)·론(論) 등의 문학으로 시험하였다.

㉡ 고려조에는 명경업보다 중시되었다.

㉢ 제술과는 갑(甲)·을(乙)의 2과가 있었고 갑과 1등 합격자를 장원(壯元), 2등을 아원(亞元), 3등을 탐화(探花)라고 하였다.

㉣ 고급 관리의 등용문인 제술과는 양반의 자제들만 응시 가능하였다.

② **명경과(明經科)**

㉠ 시·서·역·춘추 등 유교 경전을 시험 보는 문신(文臣) 선발시험으로, 과거시험 중 가장 어려운 분과였다(조선시대에는 생원시라고 함).

㉡ 초시(初試)·회시(會試)·복시(覆試)의 3차에 걸쳐 시험 보았다.

㉢ 명경과 합격자에게는 홍패(紅牌)를 주었다.

㉣ 제술업과 명경업 모두 3단계 시험으로 초시(1차) - 국자감시(2차) - 동당감시(3차)로 구분되었다.

③ **잡과(雜科)**

㉠ 기술 및 기능에 대한 시험으로 초시(初試)와 복시(覆試)의 2단계 시험을 보아 합격자를 선발하였다.

㉡ 과목은 명법업, 명산업, 명서업, 주금업(呪噤業, 침경, 경난, 자경, 맥경, 창저형, 본초경 등 시험), 의업, 지리업 등 실시하였다. 초기에는 의업과 지리업만 실시했으나, 후에 명법업 등이 추가되었다.

㉢ 합격자에게는 백패(白牌)를 주었다.

④ **승과(僧科)**: 승려 양성 시험으로 고려조에서 처음 실시되었다.

(5) 좌주문생제도

① **특징**

㉠ 과거 고시관[考試官, 즉 지공거(知貢擧)라 함]과 급제자 간의 사적(私的)인 인연을 맺는 것으로 합격자들 간의 결속을 다지는 중요한 역할을 하였다.

㉡ 좌주와 문생 간에는 자주 연회를 베풀기도 하고 동년 합격자들 간에도 빈번한 교류를 통하여 밀접한 관계를 형성하였다.

② **문제점**: 때로는 문생은 좌주에게 벼슬을 부탁하는 등의 정치적 폐해를 낳기도 하였다.

③ **규제**: 고려 시대에는 활성화되었으나, 조선조에는 규제되었다.

4. 음서제도(蔭敍制度)

(1) 고관(高官)의 자제가 자동적으로 관리가 될 수 있는 제도이다.

(2) 5품 이상의 벼슬을 하면 아들 한 명을 관리로 들여보낼 수 있는 특권으로 귀족사회의 밑받침이 되었다.

(3) 음서 출신자는 관품(官品)이나 관직 승진에 제한이 없었을 뿐만 아니라 대부분 5품 이상의 관직에 오르는 경우가 많았다.

(4) 음서제도와 공음전시과(功蔭田柴科)가 모두 5품 이상의 관리에게만 적용됨으로써 고려사회를 귀족사회로 규정하는 중요한 근거가 되었다.

공음전시과

국가에 공이 있는 관리들에게 그들의 지위에 따라 토지를 차등 있게 분배하는 제도이다.

5. 성리학의 수용과 성격

(1) 고려 후기에 신흥 사대부들에 의해 새로운 유학인 성리학이 수용되었다.

(2) 성리학은 송나라의 주자가 완성한 것으로 종래 훈고학적 유학에 대하여 우주의 근본 원리와 인간의 심성문제를 철학적으로 해명하려는 신유학을 말한다.

(3) 성리학은 그 문제의식에 따라 이학(理學), 의리학(義理學), 혹은 정주학, 주자학으로 부르기도 한다. 성리학은 우주 자연의 원리와 인간 사회의 질서를 설명하고 그 관계를 형이상학적으로 탐구하는 유교철학이며, 궁극적으로는 유학의 근본정신인 수기치인의 이상을 실현하기 위해 철학적으로 그 근거를 밝히는 학문이다.

(4) 고려에 수용된 초기의 성리학은 형이상학적 측면보다는 실천적인 측면이 강조되었으나 점차 철학적인 이기론에 대한 심도가 더해감으로써 형이상학적 철학으로 변화되었다.

(5) 성리학이 도입되면서 기존의 시나 문장을 짓는 사장학(詞章學) 중심의 유학으로부터 유교 경전을 중심으로 하는 경학(經學)이 중시되었다.

사장학과 훈고학

사장학(詞章學)은 시(詩)나 문장(文章) 위주의 공부 방법을 말하며, 훈고학(訓詁學)이란 한(漢)과 당(唐)의 학문풍토로 고어(古語)에 대한 해석 위주의 학문방법이다. 사장학이나 훈고학은 송대(宋代)의 성리학자들에 의해 인간 내면의 완성을 추구하는 것이 아니라 외적 성공이나 지엽 말단만을 좇아 근본을 추구하지 않는 학문이라고 비판을 받았다. 훈고학에 영향을 받은 청대(淸代)의 학풍을 고증학(考證學)이라고 한다.

2 교육사상가

1. 최충(崔沖, ? ~ 1068)

(1) 문헌공도(文憲公徒)라는 사학을 설립하여 12도(徒)의 효시를 이루었다.

(2) 덕망이 높아 '해동공자'라는 이름으로 불렸다.

(3) 귀법사(歸法寺)에서의 하기(夏期)강습과 조교제도 및 각촉부시 등의 독창적 교육방법을 제시하였다. 여름에 재(齋)의 학생들 전체가 한 곳에 모여 공부한 것을 하천도회(夏天都會)라고 하였다.

2. 지눌(知訥, 1158 ~ 1210)

(1) 신라 원효와 고려의 의천(義天)으로 연결되는 통불교(統佛敎)를 완성하였다.

(2) 정혜쌍수(定慧雙修)

① 선정(禪定)과 지혜를 함께 닦는 수행 방법이다.

② 선(禪)을 닦는 사람은 선정에만 치우치고 교(敎)를 공부하는 사람은 혜학(慧學)에만 치우치는 폐단을 낳은 데 대한 해결 방법으로 지식과 실천을 병행하는 것을 강조하는 것이다.

(3) 돈오점수(頓悟漸修)

① '돈오'란 자각(깨달음)이 점진적이 아니라 순간적인 비약이며(見自本性: 자신의 본성을 보는 것), '점수'란 자각이 완전히 인격화하여 삶 속에서 구현되기 위한 끊임없는 노력을 말한다. 이는 공자가 말한 '학이시습지불역열호(學而時習之不亦說乎)'의 학이시습(學而時習)과 유사하다.

② 현대 교육철학에서 쟁점인 연속적 교육관과 비연속적 교육관의 통합적 관점을 제시하였다. 돈오점수 문제는 최근 성철 스님의 '돈오돈수'설과 더불어 한국 불교에서 '돈점논쟁'의 기초가 되었다.

3. 안향(安珦, 1243 ~ 1306)

(1) 충렬왕 11년(1285)에 원나라에 가서 『주자대전』과 공자와 주자의 상(像)을 그려 가지고 와서 주자학을 우리나라에 전하였다.

(2) 국학의 재건을 위해 섬학전을 설치하였다. 6품 이상은 각각 은 1근씩을, 7품 이하는 포(布)를 내도록 하고 그 기부금을 양현고에 귀속시켜 자본으로 삼아 이자로 양사(養士)의 비용에 충당하였다.

(3) 경사교수도감(經史教授都監)을 설치해서 국학을 혁신·부활시켰다.

(4) 철저하게 주자학을 근본으로 하고 "공자의 도(道)를 배우려면 먼저 회암(晦庵, 주자의 호)을 배워야 한다."고 하였다.

(5) **육정(六正)과 육사(六邪)**

① 육정은 신하가 가져야 할 6가지 올바른 태도로 성신(聖臣), 양신(良臣), 충신(忠臣), 지신(智臣), 정신(貞臣), 직신(直臣)을 말하고, 육사란 신하가 취할 수 있는 6가지 잘못된 태도로 구신(具臣), 유신(諛臣), 간신(姦臣), 참신(讒臣), 적신(賊臣), 망국지신(亡國之臣) 등을 말한다.

② 육정신상과 육사신상은 모두 신하와 임금의 관계를 설명하는 내용이지만 '인간의 마음'과 관련이 있다는 점에서 교사와 학생의 관계를 설명하는 말로 전환할 수 있다.

4. 이색(李穡, 1328 ~ 1396)

(1) 성리학에 기초해서 우주의 법칙은 이(理)이고 만상의 분화를 성(性)이라 하여 인간은 동물성에 벗어나 인성으로서의 도리를 실천해야 한다고 보았다.

(2) 형이상학적 관점으로 천(天) - 인(人) - 물(物)의 일체, 즉 물아일체(物我一體)를 주장하였다.

(3) 과거(科擧) 제1주의자로서 관직과 과거는 반드시 국학을 나와야만 응할 수 있도록 하였다. 성균관 대사성으로 성균관 학생의 정원을 늘리고, 학칙을 개정하였다.

(4) 불교의 견성(見性)과 유교의 양성(養性)은 동일한 것으로 보는 '불심유성동일설'(佛心儒性同一說)을 주장하였다.

5. 정몽주(1337 ~ 1392)

(1) 사장지학(詞章之學)보다 심성지학(心性之學)인 4서(四書)를 중시하였다.

(2) 최초로 『주자가례』에 기초하여 가묘(家廟)를 세워 조상을 받들도록 하였고 후에 국책(國策)으로 채택되어 사회 전반에 보편화되었다.

(3) 5부학당과 향교를 세워 유학을 진흥시켰고 현재 『포은집』이 전해져 오고 있다.

03 | 조선시대의 교육

핵심체크 POINT

1. 관학

성균관	① 중앙의 국립대학, 생원과 진사입학, 국비생(國費生)으로 구성 ② 학칙은 경국대전(성균관 정원, 입학자격, 성적고시 등), 학령(학생 생활, 평가방법, 벌칙 등), 구제학규(유교 학습 순서), 원점절목(평가방법) 등에 규정 ③ 직제는 지관사·동지관사·대사성 등, 자치 조직인 '재회'운영
4학	중앙의 귀족자제 중심으로 기숙제, 성균관 입학 준비, 교수와 훈도, 사학합제 실시
향교	① 지방의 중등 정도 교육기관 ② 양반(정규생)과 서민(비정규생)입학 ③ 교원은 교수·훈도·학장으로 구성되고 모두 중앙에서 임명 ④ 재정은 국가의 학전과 지방재정으로 운영 ⑤ 사회교육 활동 강조(향사례, 향음례, 양노례 등), 공도회 실시

2. 사학

서당	① 개별학습, 능력별 학습, 완전학습, 접장제 실시, 계절별 교과운영 ② 훈장자영에서 촌 조합의 형태로 발전 ③ 18세기 서당(설립주체 변화, 서민 생활과 아동 흥미 고려)
서원	① 중등 정도, 구조(사우, 강당, 재, 정자 등) ② 사액서원은 국가의 재정 지원받음, 서원은 원규(院規)에 따라 자율적으로 관리됨

3. 과거제도

① 정규시험인 식년시(3년마다 실시, 문과 생원·진사시는 예비 시험, 대과는 초시·복시·전시의 3차 시험, 무과와 잡과)

② 비정규시험은 별시(국가의 경사가 있을 때 수시로 실시)

4. 기술교육(잡학)

중앙과 지방의 각 관청별 실시, 의학은 전의감, 산학은 호조, 율학은 형조, 무학은 병조

5. 교육사상가

권근	입학도설, 권학사목, 향학사목, 오경천견록 등 저술
퇴계 이황	이기이원론, 교육목적으로 성인, '위기지학(爲己之學)' 학문 강조, 방법으로 '거경궁리(居敬窮理)'
남명 조식	'지경거의(持敬居義)'의 생활신조 강조
율곡 이이	기발이승론, 교육목적으로 성인, '입지(立志)'와 '성(誠)' 강조, 학교사목, 학교모범, 격몽요결 등 저술

1 교육기관

1. 관학(官學)

(1) 성균관(成均館)

① 설립: 태조 7년(1398)에 중앙(한양)에 설치한 국립대학으로, 중앙의 예조에서 관할하였다.

② 직제

㉠ 성균관의 총 책임자는 지관사(知館事, 혹은 예문관의 대제학이 겸임)를 두고 그 밑에 동지관사 1인을 두었다.

㉡ 전임 관원으로는 대사성(정3품), 좨주(정3품), 사성(종3품), 사예(정4품), 직강(정5품), 전적(정6품), 박사(정7품), 학정 등을 두었다.

③ 입학자격(『경국대전』에서 규정)

㉠ 성균관 입학자격은 생원(生員)과 진사(進士)를 원칙으로 한다. 과거 예비시험인 생진시(生進試)는 성균관 입학시험의 성격을 지녔다.

㉡ 이들만으로 부족할 경우는 4부학당의 학생으로 소학과 사서(四書)와 일경(一經)에 능통한 자, 문과나 생원·진사 및 향시와 한성시에 합격한 자, 현직 관리로서 학문에 뜻을 둔 자, 공신의 적자로서 소학에 능통한 자 등에서 선발한다.

④ 교육내용: 강독(講讀)·제술(製述)·서법(書法)으로 나누어진다.

㉠ 강독(『학령』에 규정): 4서, 5경, 제사(諸史) 등을 읽게 하였으며, 노장·불서(佛書)·제가(諸家)·잡류(雜類) 등은 읽지 못하였다.

㉡ 제술: 의(疑)·논(論)·부(賦)·표(表)·송(頌)·명(銘) 등

㉢ 서법: 해서(楷書), 행서(行書), 초서(草書)만 인정하였다.

강독(講讀)	ⓐ 4서(『대학』, 『논어』, 『맹자』, 『중용』)와 5경(『예기』, 『춘추』, 『시경』, 『서경』, 『주역』)을 가장 중시하였다. ⓑ 4서 5경을 각 과목에 따라 나누어 9재를 만들어 교육하였다(대학재 → 논어재 → 맹자재 → 중용재 → 예기재 → 춘추재 → 시재 → 서재 → 역재 등). ⓒ 성균관 학생들은 노·장·불경(老·莊·佛經)·잡류(雜流) 등은 읽지 못하게 하였고, 위반 시 엄한 벌(罰)을 받았다.
제술(製述)	4서의(四書疑), 5경의(五經儀), 시(詩), 부(賻), 송(頌), 책(策) 등이다. ⓐ 4서의, 5경의: 경서의 본문을 보고 논설을 전개한다. ⓑ 시·부·송: 문장을 짓는다. ⓒ 책: 시무를 논한다.
서법(書法)	해서(楷書)·행서(行書)·초서(抄書)를 단계적으로 교육하였으며, 해서를 장려하였다.

⑤ 성적평가(『학령』에서 규정): 대통(大通)·통(通)·약통(略通)·조통(粗通)·조통 이하는 엄하게 벌(罰)한다.

秀 POINT 강경(講經)과 제술(製述)의 논쟁[강제(講製)논쟁]

1. 성균관 유생들을 대상으로 하는 문과 시험에서 사서오경을 시험할 때 강경으로 하느냐 혹은 제술로 하느냐의 문제로 조선조 초기부터 논쟁의 대상이 되었다.
2. 후기로 갈수록 성균관 교육이 침체되어 교학 기능을 강조하는 학자층일수록 강경을 주장하였고, 양관기능(養官機能)을 강조하는 관료층일수록 제술을 중시하게 되었다.

⑥ 성균관의 구조

㉠ **문묘(文廟)**: 공자의 위패를 모셔 놓고 제사를 지내는 곳으로 문묘는 다시 대성전과 동서양무(東西兩廡)로 나누어져 있다.

㉡ **명륜당(明倫堂)**: 유학을 강의하는 곳으로 명륜당은 경학당(經學堂, 강의실)과 동서양재(東西兩齋, 기숙사)로 나누어진다.

㉢ **존경각(尊經閣)**: 서고, 즉 성균관의 도서관이다.

㉣ **계성사(啓聖祠)**: 공자와 그 제자의 부친을 제사하는 곳이다.

㉤ **비천당(丕闡堂)**: 대과 및 소과 시험때 제2 과장(科場)으로 사용되던 곳으로 불교금지의 상징이기도 하였다.

㉥ **정록청(正祿廳)**: 성균관 관인들의 사무실, 설립 초기에는 과거 응시자들의 예비심사를 하기도하였다.

㉦ **성균관의 부속기관**: 사학(四學)과 양현고가 있다.

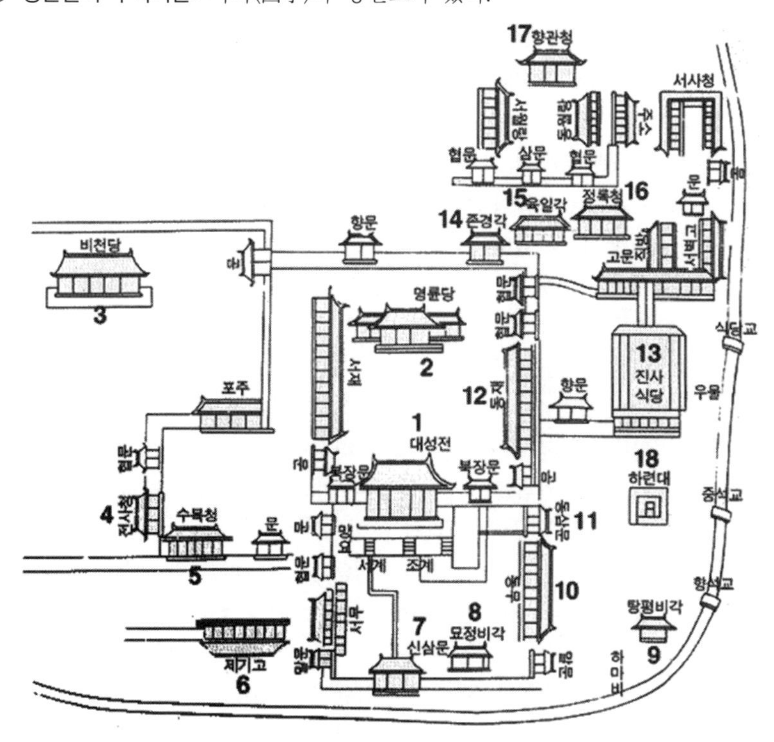

⬆ 성균관의 구조도

참고

유교의 의식

가묘(家廟)	살아 있는 자식과 선친을 정신적으로 만나게 해주는 장소로 안채의 동쪽에 세우며 가묘의 둘레에는 담장을 둘러 생활공간과 구별되는 신성한 공간을 나타낸다. 신주(神主)와 유서, 제기 등을 보관한다. 가묘는 부모와 자식의 관계를 중심으로 형성된 것이다.
종묘(宗廟)	국가의 종교의식으로 사직(社稷)보다 중시되었다. 종묘는 선왕들의 신주와 국가를 보위하는데 공이 큰 신하들의 신주를 모셔놓고 의례를 행하던 장소이다. 종묘는 왕조의 정신적 구심적이었다. 종묘제도는 군신관계를 중심으로 한 제도이다.
문묘(文廟)	유학에 공이 큰 성현, 즉 도통(道統)의 근원에 해당되는 유학자를 배향하고 제사를 지내는 곳으로 문묘제도는 본래 유학의 학문적 전수에서의 사제관계를 중심으로 형성된 제도이다.

⑦ 학생의 구분

승보기재(升補寄齋)	학당의 생도로서 성균관에 진학한 자로 학당 우수자
문음기재(門蔭寄齋)	조상의 공덕으로 성균관에 진학한 자로서 적자만 가능하며 음서제도에 의해 3품 이상의 적자
사량기재(社粮寄齋)	㉠ 자신의 양식을 가지고 들어와서 성균관에 기숙하는 학생 ㉡ 성균관 원칙은 국비지만 이들은 사비(私費) 학생

⑧ **학칙**: 성균관의 학칙은 경국대전, 학령을 비롯해서 권학사목·구제학규·진학절목·학교사목·원점절목·경외학교절목 등에 규정되어 있다.

⑨ **자치조직**

㉠ 성균관 유생의 자치 조직을 '재회(齋會)'라고 하였다.

㉡ 재회는 유생들이 스스로 운영하며, 재회를 통하여 자신들의 의사를 조직적으로 표시하였다.

㉢ 유생들은 재학생 가운데 '장의(掌議, 유생 대표)'를 뽑아 장의 주재 하에 재회를 열어 동료 유생들을 제재하기도 하고 '출재(黜齋, 퇴교)'하기도 하였다.

㉣ 또한 유생들은 실정(失政)이나 명륜과 풍교(風敎)에 해가 된다고 판단될 때는 연명(連名)하여 상소인 '유소(儒疏)'를 올렸고, 상소를 주장하는 인물을 소두(疏頭)라고 하였다. 그 주장이 관철되지 않으면 권당(捲堂, 단식투쟁의 일종으로 원점을 거부하는 의미도 있음), 공재(空齋, 기숙사에서 나오는 것), 공관(空館, 문묘에 배례하고 성균관을 퇴거하는 동맹휴학) 등의 방법을 사용하기도 하였다. 성균관 유생의 상소는 이를 반드시 접수하여 왕의 답변(批答)을 내리는 것이 관행이었다.

⑩ **재원**: 성균관은 그 기능상 문묘비(제사비용)와 양현비(養士의 비용, 교육비)가 필요하고 그 수입은 ㉠ 학전에 의한 전세(田稅), ㉡ 사예(賜豫, 교부금, 보조금)에 의한 곡물의 이전 취득, ㉢ 노비신역(奴婢身役) 등이었다.

⑪ **부속 기관**

㉠ **양현고**: 성균관 유생의 일용품 공급을 담당하는 기관이다.

㉡ **사학(四學)**: 관 내 유생교육 관장. 동·서·남·중에 설치하고 성균관 전적 이하 관리가 겸직하였다.

⑫ **명칭**: 성균관은 태학(太學), 국자감(國子監), 반궁(泮宮, 성균관 터는 반드시 물이 둘러 흐르는 곳을 택하는 것이 전례이기 때문에 붙여진 이름), 현관(賢關, 선비의 길로 들어가는 관문이란 漢書에서 유래), 성균관(成均館, 周禮에 '음악의 가락을 맞춘다.' 혹은 '균등하게 한다.'에서 유래) 등으로 불렸다.

성균관의 설립과 변천

1. 고려의 국자감(國子監)은 충렬왕(忠烈王) 24년(1298)에 성균감(成均監)으로 되었다가 충선왕(忠宣王) 즉위년(1308)에 성균관이라 하였다. 공민왕(恭愍王) 5년(1356)에 다시 국자감으로 환원하였다가 1362년 다시 성균관으로 고쳐서 조선시대에 계속 대학의 명칭으로 사용하였다.
2. 고종 32년(1895) 「성균관 관제(管制)」를 칙령 제136호로 반포하여 성균관은 문묘를 받드는 기관으로 하고 교육은 경학과(經學科)에서 전담하게 하였다.
3. 1910년 한·일병합은 성균관과 향교의 재산을 분리하고 교육을 일체 중지하여 국립대학과 민족 교육의 맥을 끊었고, 명칭도 경학원(經學院)으로 완전히 바꾸어 버렸다.
4. 일제에 의해 말살되었던 유일한 국립대학으로서 민족 교육을 이룩해내었던 전통을 되살리는 운동이 8·15광복과 더불어 일어났다. 1945년 명륜전문학교로 문을 열었다가 미군정시대에 명칭을 성균관으로 변경하였고 1946년 9월 25일 성균관대학이 정식으로 설립되었다. 1953년에는 성균관대학교로 종합대학이 되었다.
5. 현재 성균관은 성균관대학교와 분리되어 운영되고 있으며, 전국 234개의 향교와 더불어 유교사상과 전통문화 계승·발전의 산실로서 그 맥을 잇고 있다.

(2) 4학(四學)

① **설립**: 4학은 고려시대 동서학당에서 비롯되어 조선조에 중앙에 설치된 성균관 부속의 기숙제 중등교육기관으로 동·서·남·중에 설치되었다. 북부학당은 세종 27년에 폐지되었다.

② **특징**: 문묘가 설치되지 않은 순수한 교육기관이었다. 대부분의 교육기관이 중국 제도를 모방한 것이나 4학은 송나라의 외학제(外學制)를 토대로 하기는 하였지만 독자적인 제도라고 할 수 있다.

③ **직제**: 교수 2명과 훈도 2명을 두었고, 학당의 규칙은 성균관식에 따른다.

④ **입학자격**: 양반 자제로 8세 이상을 원칙으로 하였다. 15세가 되어 학문이 우수하면 성균관에 입학자격이 주어졌다.

⑤ **사학의 교육목적**: 소학지도(小學之道)의 공(功)을 성취하는 일이었으며, 이는 성균관이 대학지도(大學之道)를 목표로 하는 것과 대비된다.

⑥ **교과**: 사학은 소학(小學)을 필수과목으로 하였고, 그 밖에 효경, 사서, 오경, 제사(諸史), 문집 및 가례집, 문선 등이었다.

⑦ **비용**: 건국 초기에 사학의 비용은 성균관의 양현고에서 지급하였고, 중기 이후 전답(田畓)과 어장(漁場)을 내려 독립된 재정이 마련되었다.

⑧ **관리 감독**: 사학은 성균관 직원과 예조 및 사헌부에서 수업 상황을 항상 감독·감시하였다.

⑨ **진흥책**: 4학의 진흥을 위해 교원을 30개월간 근속시키기 위한 제도인 '교관구임법(教官久任法)'을 시행하였다.

⑩ **사학합제(四學合製)**: 사학 유생들의 학업 권장을 위해 생원 진사시의 초시 대신 실시하던 시험으로 사학 및 동재(東齋)의 원점법(圓點法)과 제술지규(製述之規)를 폐지하고 학관 및 겸교수(兼敎授)가 계절마다 고강(考講, 소학과 사서에 능통한 사람을 5명씩 선발)과 제술(승보시의 예에 따라 시·부 혹은 다른 문장으로 출제하여 5명씩 선발)로 학생을 뽑아 생원과 진사의 복시에 시험 보도록 한 제도이다.

⑪ **폐지**: 4학은 고종 31년(1894)에 폐지되었다.

참고

4학에서 실시된 생원·진사 복시의 응시 자격 부여 시험

6월 도회(都會)	4학 유생들의 권학을 위하여, 매년 6월에 관원이 4학에 나아가서 유생들에게 제술과 경서를 시험하여, 우수한 유생을 뽑아 곧바로 생원·진사 회시(會試, 복시)에 응시하게 하는 것이다.
알성시(謁聖試)	왕이 문묘에 참배한 뒤에 성균관에서 행하는 시험인데, 이 때는 성균관 유생과 4학 유생이 모두 참여할 수 있었다. 이 때, 원점수(圓點數, 재학일수)가 차고, 시험 성적이 우수한 4학 유생은 생원·진사 회시(會試, 복시)에 응시할 수 있었다.
사학합제(四學合製)	서울 4학(四學, 東學·西學·南學·中學)의 학생들에게 학업권장을 위해 소과(小科)의 초시(初試) 대신 시행한 것으로, 성균관의 대사성(大司成)이 주관하였다. 여기에 선발되면 소과의 복시(覆試)에 응시할 자격을 주었다.

(3) 종학(宗學)

① **설립목적**: 왕족의 자제, 즉 종친의 자제를 교육하기 위해 설립된 것으로 종부시(宗簿寺)가 관장하였다.

② **설립**: 세종 10년(1428)에 처음 설립되어 대군(大君) 이하로 취학하게 하였고, 세종 11년에 학사를 지어 종친교육기관으로서의 체제를 확립하였다.

③ **직제**: 종학박사 4명을 두고 학관은 성균관의 사성(司成) 이하 전적(典籍) 이상의 관원이 겸직하였다.

④ **입학자격**: 15세 이상의 종친자제로 한정하였고, 교육내용은 경전과 문예를 주로 하였다.

(4) 향교

① **특징**

㉠ 지방의 중등 정도의 교육기관으로, 형식과 내용 면에서 성균관과 흡사하여 지방의 성균관이라고도 불렀다.

㉡ 지방의 부·목·군·현 등에 각각 1교씩 설립하는 것을 원칙으로 하였다.

② **설립 목적**: 통치체제에 필요한 인재의 확보와 유교 이념에 따라 백성을 교화하는 것이었다. 이 가운데 백성의 교화에 더 중점을 두었다. 정부는 향교교육의 성패를 지방 행정관의 진퇴를 가름하는 중요한 정책과업으로 규정하였다. 즉 태종 때 '수령칠사(守令七事)'에 「수명학교(修明學校)」를 넣어 각 도의 관찰사에 명하여 학교의 흥폐로서 지방수령의 고과(考課)로 삼았다.

③ 교육내용

㉠ 유학을 가르치고, 문묘에 제사하는 종교적 기능 이외에 지방민을 위한 사회교육적 기능도 담당하였다.

㉡ 소학·4서·5경을 중심으로 하였고, 근사록·제사(諸史)의 강독·제술 및 습자로 이루어졌고, 간혹 농업과 잠업(蠶業) 등 실업교육도 이루어졌다.

④ 입학자격

㉠ 16세 이상의 양반 또는 향리(鄕吏)의 자제를 원칙으로 하였다.

㉡ 양반은 액내(額內) 교생이 되었고, 평민이나 서얼은 정원 외의 액외(額外) 교생이 되어 구별하였다.

⑤ 교원

㉠ 종6품관의 교수와 종9품관의 훈도(訓導) 및 학장으로 구성되었다. 이들 모두는 중앙정부가 선발하여 파견하였다.

㉡ 각 지방의 수령은 학생들의 성적을 평가하여 월말에 관찰사에게 보고하고, 우수한 학생을 선발하여 상을 주었다.

참고

향교의 교원

1. 교수관(敎授官)과 훈도관(訓導官)
향교에 파견된 유자격 교관이다.

2. 교도(敎導, 혹은 훈도)
유자격 교관을 확보하지 못할 시 향교의 교관으로 파견된 생원이나 진사이다.

3. 학장(學長)과 향교 제독관(鄕校 提督官)
각종 병란 후 법정 자격 교관을 확보할 수가 없어, 관찰사가 선임한 학장으로 향교 교육을 지도하게 하고, 이들을 감독하고 장려하는 장학행정관이었던 향교 제독관이 등장하였다.

⑥ **학생에 대한 특권**: 각 도의 관찰사가 매년 6월에 도회(都會)를 열어 고강(考講)과 제술(製述)로 시험을 보아 우수한 자에게는 생원과 진사의 복시에 응시할 자격을 주는 공도회(公都會)를 실시하였다.

⑦ **재정**: 국가에서 지급하는 학전(學田)과 지방의 재정으로 충당하였고, 조선 중기까지는 융성하였으나, 서원이 발달한 조선 중기 이후는 교육기관으로서의 기능은 약화되고 문묘에 제사 지내는 기능만 남게 되었다.

⑧ 향교의 사회교육활동

㉠ **향음례(鄕飮禮)**: 매년 10월에 지역의 나이 많고 덕행이 높은 이들을 주빈으로 모시고 예의를 갖추어 음악과 주연을 베풀고 향약을 읽는 의식이다.

㉡ **향사례(鄕射禮)**: 매년 봄과 가을에 행하는 것으로 성균관의 대사례와 마찬가지로 예양(禮讓)훈련을 목적으로 하는 의식이다. 효(孝)·제(悌)·충(忠)·신(信)하고 예를 숭상하는 사람을 주빈으로 초청하여 예의와 술과 음악과 활쏘기를 즐긴다.

㉢ **양노례(養老禮)**: 민풍(民風)의 순화를 위해 지방관이 향교와 협력하여 노인들을 초빙하여 예의를 갖추어 노래와 주연을 베푸는 행사였다.

㉣ **특별강습**: 『삼강행실록』을 국문으로 번역하여 아이들과 부녀자들에게 가르쳤다.

⑨ **공도회(公都會)**: 조선조 향교에서 행하던 행사로 각 도의 관찰사가 매년 6월에 모임을 열어 문관 3인으로 하여금 고강(考講) 혹은 제술(製述)로 시험을 보게 하여 우등자에게는 생원(生員)과 진사(進士)의 복시(覆試)에 응시할 자격을 주었다.

참고

도회(都會)

도회는 원래 고려시대 사장학(詞章學)의 아성인 12도의 여름철 시·부 수련회인 하과(夏課), 그것의 연합 행사로 출발했다. 그러다가 숙종 이래 교육 진흥책을 추진하던 조정이 인종 조에 이르러 사장학을 진흥시키기 위한 의도로 국자감으로 하여금 도회를 주관하도록 만들었다 이 시도는 성공적이었던 것 같으며, 그 결과 도회는 인종 20년부터 전국적으로 확대되어 이후 학교제도와 제술업의 연결고리 역할을 하게 되었다. 즉 도회는 그때부터 경향(京鄕)을 막론하고, 제술업에 응시하는 사학(私學) 유생과 관학(官學) 유생이 모두 거쳐야 하는 제술업 해시(解試)의 기능을 수행하는 행사가 되었던 것이다.

(5) 향교와 성균관, 4학의 비교

구분	향교와 성균관의 비교	향교와 4학의 비교
차이점	① **향교**: 중등교육기관 ② **성균관**: 고등교육기관	① **향교**: 문묘제 있음, 지방중등교육기관 ② **4학**: 문묘제 없음, 중앙의 중등교육기관, 성균관 부속기관
공통점	문묘제 있음	관학의 중등교육기관

(6) 특수교육기관

① **경연(經筵)**: 경서를 강독 연구하는 일을 관장하였다.

② **장악원(掌樂院)**: 음악의 교육과 교열에 관한 사무를 관장하였다.

③ **종학(宗學)**: 종실의 교육임무를 관장하였다.

④ **훈련원(訓練院)**: 군사의 무재(武才)를 시험, 무예를 연습, 병서 강습 등을 관장하였다.

사가독서제(賜暇讀書制)

1. 세종 때 행해지던 것으로 인재를 기르고 문풍(文風)을 일으킬 목적으로 양반관료 지식인 가운데 총명하고 젊은 문신들을 뽑아 여가를 주고, 국비를 주어 독서에 전념하게 하는 제도이다.
2. 처음에는 자유롭게 집에서 독서하는 시간을 갖거나 조용한 산사에 올라가 공부하게 하였으나 여러 가지 폐단이 생겨 성종 때에 이르러 성 밖의 한가한 곳에 상설 국가기구를 세워 유신·문관들이 독서에만 전념할 수 있도록 하였는데 이것이 「독서당(讀書堂)」이다.

2. 사학(私學)

(1) 서당(書堂)

① 특징

㉠ 고려시대에 설립되어 조선시대에 발전한 초등 정도의 사설 교육기관으로 한국 교육사에서 생명력이 가장 긴 교육기관이었다. 일명 글방이라고도 하였다.

㉡ 서민·대중들에게 문자교육과 마을의 도덕적 및 예양적(禮讓的) 향풍을 수립하고 순화하는 데 기여하였다.

② 교육내용

㉠ **강독(講讀)**: 천자문·동몽선습·소학·사서삼경·근사록 등을 읽었다.

ⓐ **『천자문(千字文)』**: 천자문은 중국 양(梁)나라의 주홍사가 무제(武帝)의 명에 따라 지은 초보자를 위한 필수 교과서로 우리나라에는 삼국시대 초에 전해진 것으로 보인다.

문자학습서

조선시대 『천자문』의 문제점을 지적하면서 만들어진 한자 학습용 교재로는 최세진의 『훈몽자회(訓蒙字會)』, 서거정의 『유합(類合)』, 유희춘의 『신증유합(新增類合)』, 실학자인 정약용의 『아학편(兒學編)』 등이 있다.

저서	저자	특징
『천자문』	중국 양나라 주홍사	삼국시대 초에 전래되었다.
『유합』	작자미상, 혹은 서거정	기본 한자를 수량, 방위 등 종류에 따라 구별하여 새김과 독음을 붙여 만든 조선시대의 한자(漢字) 입문서이다.
『신증유합』	유희춘	선조 때 유희춘이 당시 쓰이던 작자 미상의 『유합』을 증보·편찬하여 1576년(선조 9)에 편찬했다. 책의 내용으로는 권상(卷上)에 수목(數目)·천문·중색(衆色) 등 24항목 1,000자, 권하(卷下)에 심술(心術)·동지(動止)·사물의 3항목 2,000자가 실려 있다. 구성은 기본적인 한자에서부터 배열해 4자씩 운율을 맞추어 구절을 만들고 다시 2구절씩 짝을 지었다.
『훈몽자회』	최세진	당시 한자 학습에 사용된 『천자문』과 『유합』 등의 책이 실제 사물과 직결된 실자(實字)들을 충분하게 다루지 않고 있다고 비판하여 '조수초목지명(鳥獸草木之名)'과 같은 실자를 위주로 이 책을 편찬했다. 『천자문』과 『유합』에 비해 한자의 수가 많았기 때문에 전통 사회에서의 한자교육에 중요한 역할을 하였다.
『아학편』	정약용	기존의 『천자문』을 비판하고 저술한 새로운 아동용 2천자문(상·하권 각 1천자)으로 아동에게 '어떤 단어'를 '어떤 순서'로 '어떤 방법'으로 가르칠 것인가를 제시하였다.

ⓑ **『동몽선습(童蒙先習)』**: 『천자문』 다음에 가르쳤던 어린이들의 한문교재로 조선 중종 때에 박세무가 저술했다. 대부의 자제들과 문자 학습을 끝낸 아동들에게 기본적인 유교적 도덕과 역사를 가르치기 위한 목적으로 저술한 책이다. 내용은 경부(經部)와 사부(史部)로 나누어서 경부에서는 오륜(五倫)의 뜻을 간결하게 서술하고, 사부에서는 우리나라 역사와 중국의 역사로 나누어 사실(史實)과 사론(史論)을 전개했다. 중국의 3황5제(三皇五帝)부터 명나라까지의 역대 사실과 우리나라의 단군에서부터 조선조까지의 역사를 약술하고 국가의 흥망도 역시 인륜에 좌우된다고 보았다. 아이들에게 동양 및 우리나라의 전통적 사상을 고취시키고 덕행의 함양에 도움이 되도록 했으며, 익히기 쉽도록 되어 있어 당시 『천자문』과 함께 가장 널리 보급되고 통용되었다.

ⓒ **『근사록(近思錄)』**: 송나라 시대 주자와 여조겸이 태극도설, 서명(西銘), 정몽(正夢) 등 일상생활에 필요한 것만을 뽑아 쉽게 읽도록 편찬한 일종의 성리학 해설서이다. 고려 공민왕 때 이의민이 주자의 원본을 번각해서 사용하였다.

ⓛ **제술(製述)**: 글짓기로 오언절구(五言絶句)·칠언절구·사율(四律)·작문(表·策·記·銘) 등이었다. 때로는 흥취를 돋구는 시·율 등을 짓게 하기도 하였다.

ⓒ **습자(習字)**: 서체로는 해서·행서·초서 등이 인정되었다.

㉣ **강(講)**: 학습한 문장을 소리 내어 읽고 의리를 문답하는 전통적인 교수방법인 매일 실시하는 석강(席講), 열흘마다 행하는 순강(旬講), 보름마다 실시하는 망강(望講), 매월 실시하는 월강(月講) 등이 있었다.

③ **입학자격**: 신분의 제한이 없었으며, 연령은 보통 7·8세부터 15·16세의 아동이었다.

④ **학습방법**

㉠ 아동의 개별적 능력이나 진도에 따라 학습량과 속도를 조절해서 완전히 뜻을 이해하면 다음 단계로 진행하는 능력별, 개인별, 완전학습이 이루어졌다.

㉡ 계절에 따라 교과목을 다양하게 운영하기도 하였다. 여름에는 시, 봄과 가을에는 사기(史記)와 고문(古文), 겨울에는 경서를 공부하였다. 때로는 여가시간에 놀이(유희)를 학습에 이용하였다.

예 고인(古人)의 시를 암송시키는 '초(初)·중(中)·종(終) 놀이', 8도의 군 이름을 기억시키는 '고을모둠놀이', '조조잡기', '글 대구 맞추기' 등을 행하기도 하였다.

㉢ **접장제**: 큰 서당의 경우 우수한 학생을 뽑아 훈장 대신 가르치는 일종의 조교제도였다[접(接)은 단체라는 의미].

㉣ 서민의 자녀들에게 교육기회를 부여하였고, 무학년제 등으로 운영하였다.

㉤ **'책걸이'(괘책례, 掛冊禮)**: 책 한 권이 끝날 때마다 실시되기도 하였다.

⑤ **형태**: 처음에는 '훈장자영 서당'에서 '촌 조합 서당'의 형태로 발전하였다.

훈장자영(訓長自營) 서당	훈장 자신이 생계를 목적으로 설립한 서당이다.
유지독영(有志獨營) 서당	마을의 유지가 단독으로 운영비를 대고 훈장을 초빙하여 자기의 자제나 문중의 자제를 가르치는 서당이다.
유지조합(有志組合) 서당	마을의 뜻 있는 사람들이 공동으로 운영비를 대고 훈장을 초빙하는 서당이다.
촌 조합(村組合) 서당	마을 전체가 조합을 만들어 공동의 경비로 훈장을 두고 운영하는 서당이다.

⑥ **조선 후기 서당의 변모**: 서당은 18세기 후반 커다란 변화를 겪게 된다. 즉 자본주의 맹아의 담당자들인 경영형 부농과 상인, 수공업자들이 서당의 설립 주체가 된다. 이는 교육 = 신분이라는 상응관계가 붕괴되는 것이며, 교재도 일반서민의 일상생활에 필요한 것[장혼(張混)의 『아희원람(兒戱原覽)』이나 『몽유편(蒙喩篇)』 등]을 가르쳤다.

『아희원람(兒戱原覽)』과 『몽유편(蒙喩篇)』
이 책들은 기존의 교재와는 달리 아동의 흥미를 고려하여 민속이나 민담과 같은 내용으로 구성되어 있다.

(2) 서원(書院)

① **기원**: 중등정도의 교육기관으로 주세붕이 안향(安珦)을 배향하고 유생을 가르치기 위해 세운 '백운동서원'에서 유래하였다[주자(朱子)의 '백록동서원'을 모방].

② **설립목적**: 선현존숭(先賢尊崇)과 후진장학(교육)에 있었다.

③ **발생 배경**

㉠ 연산군의 교육탄압 정책으로 인한 관학의 쇠퇴

㉡ 중종, 명종의 흥학(興學) 정책과 그 후 역대 왕들의 흥학 정책

㉢ 문중 문하의 자의적 요구

㉣ 지방관이나 사림의 교육열

④ **구조**: 국가에 공이 있는 인물이나 선현의 위패를 모시는 사우(祠宇), 강의(講儀)를 담당하는 강당(講堂), 기숙과 독서궁리(讀書窮理)를 하는 동재(東齋)와 서재(西齋) 그리고 정자(亭子) 등으로 구성되어 있다.

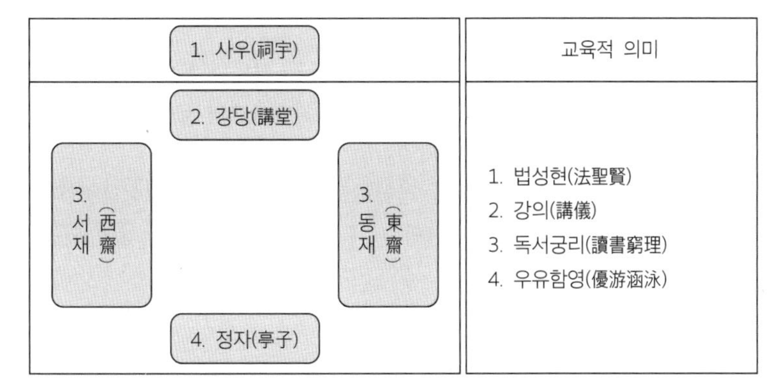

⑤ 특징

㉠ 학칙, 학령 등 규칙의 제약을 받지 않고 자유롭게 학문과 수양이 가능하였다. 서원은 조선조 사림파(士林派)가 내세운 도학정치를 담당할 인재양성과 사문(斯文)의 진흥을 도모하기 위해 '위기지학(爲己之學)' 위주의 새로운 교학체제의 설립필요성이 대두되면서 등장하였다.

㉡ 조선 당대의 한 사람의 명유(名儒)나 공신을 제향(祭享)하는 것이 특징이다.

㉢ 국가의 공인을 받은 사액서원(賜額書院, 백운동서원이 최초로 소수서원이 됨)은 면세(免稅)와 면역(免役)의 특권을 누리기도 하였다.

⑥ 교육내용과 방법

㉠ 교육내용은 성리학적이고 도학적인 것이 중심을 이루었다. 대표적인 것이 퇴계 이황의 '이산서원 원규'이다. 여기에서 서원은 사서오경을 본원으로 삼고 『소학』과 『가례』를 문호(門戶)로 삼는다고 하였다.

㉡ **원생에 대한 교육**: 원규에 의한 규제와 원생 자신의 자율적 실천과 학습의 조화를 중시하였다. 원규에는 수학규칙, 거제규칙, 교수실천요강, 독서법 등 유생으로서 지켜야할 준칙이 수록되어 있다.

⑦ 운영

㉠ **서원 행정**: 국가의 일정한 영향하에 있었으나 그 세부적 운영과 교육에 관한 예조의 지위·감독은 없었다. 서원의 교육은 자체적으로 제정한 원규(院規)에 의해 이루어졌다. 서원의 원규에는 입학 자격, 임원의 선출 절차, 교육목표 및 벌칙 조항 등이 수록되어 있다.

㉡ 서원은 원장(院長)·강장(講長)·훈장(訓長) 등의 임원에 의해 수행되었다. 원장은 산장(山長)·동주(洞主)라고 부르기도 하였는데, 서원의 정신적 지주이면서 유림의 사표로서의 역할을 담당하였다.

秀 POINT 서원에 관한 기록

하늘이 사람을 낳으매 사람이 되게 하는 바는 가르침이 있기 때문이다. 사람이 되어 가르침이 없다면 … 무릇 가르침은 반드시 선현을 존숭하는 데서부터 비롯되므로, 이에 묘(廟)를 세워 덕을 높이고 원(院)을 두어 배움을 도탑게 하는 것이니 진실로 가르침이란 어지러움을 수습하고 굶주림을 구제하는 것보다 급하다(주세붕의 『무릉잡고』).

백운동서원(白雲洞書院)

1. 설립
중종 38년(1543)에 최초의 서원으로 설립되었다.

2. 사액서원(賜額書院)의 시초
명종 5년(1550)에 후임군수로 부임한 이황의 건의로 명종이 백운동서원에 소수서원(紹修書院)이라는 액(額)을 하사하고, 4서 5경·성리대전(性理大全) 등의 서적과 노비 그리고 전토를 주어 장려하였다.

⑧ 서원의 폐해

㉠ 지나치게 많은 서원들이 난립하여 향교의 쇠퇴의 원인이 되었다.

㉡ 학문 장려를 위해 국가가 베푸는 특권을 악용하여 군역(軍役)과 부역(賦役)을 피하기 위한 도피처가 되었다.

㉢ 민중 위에 군림하여 그들을 착취하고 횡포를 부리는 일이 많았다.

㉣ 중앙에 정쟁(政爭)이 발생하면 이에 가담하여 당쟁의 온상이 되곤 하였다.

(3) 정사(精舍)

① 선비가 산수 좋은 곳에 은거하여 공부하는 곳을 의미한다. 명망 높은 선비가 정사를 마련하면 그를 흠모하는 청소년들이 따라 모여 교육과 학문의 집이 형성되었으며, 사설 아카데미와 같은 역할을 하였다.

예 율곡은 41세에 세운 청계당(淸溪堂) 몽쪽에 은병정사(隱屛精舍)를 지었고, 퇴계도 도산서당에 용운정사(隴雲精舍)를 세웠다.

② 정사가 살아 있는 현재의 학자를 흠모해서 형성되는 데 비해 서원은 과거의 현철(賢哲)을 흠모함으로써 형성되었다.

(4) 향약(鄕約)

① 향촌사회에서의 사회관계를 정비하고 향촌의 안정을 기하려는 사림파의 노력의 결실로 나타났다.

② 덕업상권(德業相勸)·과실상규(過失相規)·예속상교(禮俗相交)·환란상휼(患亂相恤)의 유교 윤리를 향촌사회의 자치조직 속에서 실천하고자 하는 것이었다.

③ 중종 때 조광조가 처음 보급하였고, 사림정치가 구현된 선조 때 전국적인 시행을 보았다.

기출문제

다음 설명에 해당하는 조선시대 교육기관은? 2022년 국가직 7급

- 조선 중기 이후 각 지방에 세워진 사학(私學)이다.
- 선현 존숭(尊崇)과 후진 양성을 목적으로 하였다.
- 지역 양반사회의 결속과 유대 강화의 기능을 하였다.

① 서원　② 향교
③ 성균관　④ 사부학당

해설

조선 시대 교육기관 가운데 선현 존숭(尊崇)과 후진 양성을 목적으로 설립한 사학(私學)은 서원(書院)이다. 서원의 최초는 주세붕이 안향을 배향하고 유생을 가르치기 위해 세운 백운동 서원이다. 서원은 사림파가 내세운 도학정치(道學政治)를 담당할 인재 양성과 사문(斯文)의 진흥을 도모하기 위해 위기지학(爲己之學) 위주의 새로운 교학(敎學)체제의 설립 필요성이 대두 되면서 등장하였다.

답 ①

2 과거제도와 교육

1. 종류

(1) 문과

① 소과(小科)

㉠ 문과(대과)의 예비시험으로 경전을 시험보는 생원시(生員試)와 논술을 시험보는 진사시(進士試)가 있다. 이 둘을 합쳐 생진시 혹은 사마시라고 불렀다.

㉡ 생진시(사마시)는 초급 문관 시험의 성격을 지닌다.

㉢ 생진시(사마시)는 초시와 복시의 2차례 시험, 초시는 서울과 각 도별 실시, 복시는 서울에서만 시험을 실시하였다.

② 대과(大科)

㉠ 흔히 과거시험의 문과라고 하면 대과를 의미하며, 중급 문관을 선발하는 시험으로 관료가 되는 정규 코스이다.

㉡ 생원과 진사, 성균관생 그리고 하급 관리가 응시할 수 있다.

㉢ 초시(1차 시험), 복시(2차 시험), 전시(3차 시험)의 3차례 시험을 보았다.

秀 POINT 조선시대의 과거 시험 방법

1. 학례강(學禮講), 전례강(典禮講), 통독(通讀)

학례강	조선시대 과거시험의 복시(覆試)를 볼 생원과 진사에게 실시하던 예비시험으로 성균관 정록소에서 성균관·예문관·승문원·교서관 등 사관(四館)의 관원이 『소학』, 『가례(家禮)』 등을 고강(考講)하여 합격한 사람에 한하여 복시에 응시할 자격을 주었다.
전례강	문과에서 『경국대전』과 『가례』를 시험보게 하던 예비시험이다.
통독	대과 초시 대신 실시하여 전국의 유생에게 성균관 대사성이 시행하며, 제술과 강독을 11차에 걸쳐 시험하며 이를 종합하여 합격한 자(10명 정도)에게 대과 초시를 면제하고, 곧바로 복시에 응시자격을 주는 시험이다.

2. 문과 식년시의 초시·복시·전시

초시(初試)	문과 초시는 향시(鄕試, 8도에서 실시, 각 지역별로 인원이 배정)·한성시(漢城試, 서울에서 실시)·관시(館試, 성균관에서 실시)로 구분하였다.
복시(覆試, 혹은 會試)	초시의 향시에서 240인, 한성시에서 40인, 관시에서 50인 등 총 330명 가운데 33인 선발하였다.
전시(殿試)	전시란 문과의 복시에서 선발된 33명, 무과의 복시에서 선발된 28명을 궁정 궐 내에 불러들여 왕의 입회하에 보는 최종시험이다. 문과는 갑과 3명, 을과 7명, 병과 23명을 선발하고, 무과는 갑과 3명, 을과 5명, 병과 20명의 등급을 판정하였다.

(2) 무과

강서(講書)와 무예의 두 가지를 시험보며 초시, 복시, 전시 3차례 시험을 실시하였다. 초시는 중앙은 훈련원에서, 지방은 각 도의 병사(兵使) 주재하에 전국적으로 실시하고, 복시는 서울의 병조와 훈련원의 주재하에 28명 선발, 전시는 28명을 대상으로 등급을 결정하였다.

(3) 잡과(雜科)

① 특징: 잡과는 기술 관리를 채용하기 위한 시험으로 시험은 각 관청별로 실시되었다. 잡과에는 역과(譯科)·의과(醫科)·음양과(陰陽科)·율과(律科) 등이 있었다. 잡과는 초시와 복시로 2차례 시험을 치른다.

역과(譯科)	㉠ 중국, 몽고, 왜, 여진의 통역을 담당할 관리를 선발하는 시험이다. ㉡ 사역원(司譯院)에서 담당하였다.
의과(醫科)	㉠ 정부에 종사할 의원을 선발하는 시험이다. ㉡ 전의감(典醫監)에서 담당하였다.
음양과(陰陽科)	㉠ 천문, 지리, 명과학(命課學)을 담당할 관리를 선발하는 시험이다. ㉡ 관상감(觀象監)에서 담당하였다.
율과(律科	㉠ 법을 담당할 관리를 선발하는 시험이다. ㉡ 형조(刑曹)에서 담당하였다.

② 시험과목: 강서(講書)·사자(寫字)·역어(譯語)·산(算) 등을 시험 보았다.

③ 응시자격: 중앙 및 지방의 각 교육기관에서 교육받은 자를 대상으로 하였고 양인(良人) 이상이 응시할 수 있었으나, 실제로는 중인들이 독점하였다.

2. 시험과목

(1) 문과, 생원·진사시는 제1차 시험인 초장(初場)의 경우 경서, 2차 시험인 중장(中場)은 시(詩)·부(賦)·표(表), 제3차 시험인 종장(終場)은 시무책(時務策)이었다(과거시험은 3년에 한 번씩 시험).

(2) 초장의 경서시험 방법은 경서를 외우거나 읽고 해석하는 강경(講經, 구술시험)과 경서의 뜻을 필답하는 제술(製述, 필기시험)이 있었다.

강제시비(講製是非)

1. 특징

① 개념: 조선시대 과거제도에서 문과(대과) 초시 초장의 시험방법을 경전에 대한 강독으로 할 것인가 아니면 작문으로 할 것인가에 대한 논쟁을 말한다.

② 조선시대의 과거 시험에는 문과의 초시와 복시의 초장 시험에서 강경과 제술의 두 가지 고사 방법이 사용되었다. 과거시험에는 삼장연권법(三場連卷法)을 적용하여 초장에 떨어지면 중·종장은 보지도 못하고 탈락하였다. 따라서 초장에서 보는 경서의 고시과목을 강경으로 하느냐 제술로 하느냐 하는 것은 과거에 응시하는 사람들에게 매우 중요한 관심의 대상이 되었다.

2. 성균관 유생에게 미친 영향

① 강경과 제술은 경전에 대한 이해를 평가한다는 점에서 차이가 없으나, 시험방식이 어떻게 되느냐는 성균관 유생의 공부에 큰 영향을 미쳤다.

② 구술시험인 강경에서 좋은 점수를 얻기 위해서는 무엇보다 구두와 해석을 정확하게 할 수 있어야 했고, 따라서 경전을 숙독하여 암기하는 것이 가장 효과적인 방법이 되었다.

③ 제술시험은 주어진 질문에 대하여 잘 다듬어진 문장으로 답해야 좋은 점수를 받을 수 있으므로 경전에 대한 정확한 이해에 앞서 문장력을 길러야 했다. 그리고 문장력을 키우기 위해서는 원칙적으로 폭넓은 독서가 요구되었으나 유생들은 예상문제를 중심으로 모범답안을 작성하여 암송하고, 나아가서는 기존 합격자들의 답안을 채집하여 암송하는 공부가 널리 행해지게 되었다.

3. 응시 예외자

과거시험에는 죄를 범해서 영구히 임용하지 않게 된 자, 처벌된 관리의 자식, 재가하였거나 실행한 부녀의 자와 손과 첩의 자손은 문과 생원과·진사과, 무과 응시를 불허하였다.

4. 시험주관 및 시험장소

(1) 문과와 생원·진사시는 예조에서 주관하고, 무과는 병조, 잡과는 예조와 해당 관청에서 주관하였다.

(2) 과거의 시험 장소는 예조가 첫째 장소이고 성균관 비천당이 두 번째 장소였다.

5. 합격절차

(1) 처음으로 문과·무과·생원 진사에 합격한 자는 방방(放榜, 합격자 발표)한다.

(2) 문무과 합격자에게는 홍패(紅牌)와 어사화(御賜花)를, 생원 및 진사에게는 백패(白牌)를 준다.

6. 별시(別試)

(1) 개념

나라에 경사가 있을 때 문·무 양과를 시험 보는 것을 말한다.

(2) 종류

① **정시(庭試)**: 임시로 문·무 응시자를 시험 보게 하는 것으로, 시험성적은 당일에 발표하였다.

② **알성시(謁聖試)**: 왕이 성균관 문묘제에 친히 나갈 때 보았으며, 시험성적은 당일에 발표하였다.

③ **춘추대시(春秋臺試)**: 왕이 창덕궁 춘당에 거동해서 무예 및 문사를 시험본 것으로 시험성적은 당일에 발표하였다.

④ **문관정시(文官庭試)**: 왕의 친림하에 무인을 선발하는 기회에 문관에게도 응시기회를 허용하였고, 정 3품 이하인 자가 응시 가능하였다.

⑤ **절일제(節日製)**: 3월 3일, 7월 7석, 9월 9일에 성균관 생도들에게 시험 보게 하는 것이다.

⑥ **지방별과(地方別科)**: 지방에 왕의 특지로 시험보이고 합격자는 전시 응시자격을 부여하였다.

⑦ **승보시(陞補試)**: 대사성이 사학학생의 총 10회 합산성적을 참작 초시를 면제, 복시 응시자격을 부여하였다.

⑧ 그 밖에 사학합제, 공도회 등이 있었다.

황감제

성균관과 4학 유생들의 사기를 높이고 학문을 권장하기 위해 제주도에서 진상된 귤을 유생들에게 나누어 주고 그들을 대상으로 실시한 과거의 특별 시험이다.

도기과

일정한 도기(到記) 점수를 딴 성균관 유생에게 실시하던 과거의 특별시험이다.

7. 과거제의 영향

(1) 긍정적 측면

① 교육의 목적이 관리 양성과 유교적 윤리의 보급에 두었기 때문에 학교의 교육 내용이 과거의 시험과목과 일치되어 과거제가 학교교육을 촉진시키는 역할을 담당하였다.

② 실력 위주의 인재등용이라는 일종의 능력주의에 입각한 관료체제를 확립하는 데 기여하였다.

(2) 부정적 측면

① 과거 시험 과목과 학교교육의 내용이 일치함으로써 학교교육이 과거시험에 예속되고 학교는 과거준비기관이 되었다.

② 유교 경전을 중심으로 이루어져 폭넓은 사상과 지식의 발전을 저해하였다.

③ 과도한 경쟁으로 인해 부정과 부패를 낳았다.

④ 응시자격의 제한으로 인해 학교 입학자격에도 영향을 줌으로써 교육의 귀족화와 특권화를 조장하였다.

참고

과거제의 문제점

과거시험의 문제점에 대해 비변사(備邊司)에서 올린 「과장구폐절목(科場捄弊節目)」에 다음과 같이 8가지의 폐해를 제시하고 있다.

1. 남의 글을 빌어쓴다(借述借作).
2. 시험장에 책을 가지고 들어간다(隨從挾冊).
3. 시험장에 아무나 들어간다(入門蹂躝).
4. 시험지를 바꿔치기 한다(呈券分遻).
5. 밖에서 시험지를 써 온다(外場書入).
6. 시험 문제를 사전에 누설한다(赫蹄公行).
7. 이졸들이 바꾸어 다닌다(吏卒換面出入).
8. 시험지를 농간한다(字軸恣意幻弄).

3 교육관련 법령규정 및 저서

1. 『경국대전(經國大典)』

(1) 성격

① 조선조 통치의 기본법으로 성균관의 직제, 입학자격, 정원, 평가제도 및 4학의 설치와 직제 및 학생정원 등을 규정하였다.

② 『경국대전』은 성종 16년(1485)에 편찬된 법으로 법전 가운데 가장 오래된 것이다. 이 가운데 있는 학교규제는 조선이 선조(先祖)의 법을 잘 변화시키지 않는 방침이 있어서 그대로 조선 말까지 사용하였다.

③ 『학령(學令)』이 주로 학생 수업에 관한 규제임에 비해 『경국대전』은 태학, 사학, 향교에 관한 제도를 규정한 것이다.

(2) 성균관(대학)에 대한 규정

① 정원은 200명으로 하고 입학자격은 생원 및 진사를 원칙으로 한다.

② 부족할 경우의 입학 자격

㉠ 사학 학생 가운데 나이 13세 이상으로 소학이나 사서 가운데 한 권을 통달한 자

㉡ 공훈이 있는 집 적자손으로 소학을 마친 자

㉢ 문과나 생원, 진사의 향시나 한성시에 급제한 자

㉣ 조종의 신하로 스스로 원하는 자

(3) 성적 고시(告示)

① 연고(年考)

㉠ 시기: 3월 3일, 9월 9일로 하고 사고가 있으면 다음 날로 미뤘다.

㉡ 시험관: 의정부 6조와 제관(諸館)의 당상관

㉢ 과목: 제술

㉣ 성적처리: 성적을 기록하여 두고 특히 우등자 3명은 곧 문과 복시에 응할 자격을 주었다.

② 월고(月考): 예보 당상이 매월 한 차례 강론을 받아 기록하였다.

③ 순고(旬考): 매 순마다 제술과목을 시험하여 기록하였다.

④ 일고(日考): 매일 추첨하여 뭇 유생이 읽은 바를 강론 받아 기록하였다.

(4) 서용(敍用)

아래와 같은 이력이 있는 자는 임금에게 아뢰어 등용한다.

① 여러 해 동안 재(齋)에 있으면서 학문에 꼼꼼하고 자세하며 품행이 탁월하고 나이 50이 된 자

② 본관의 일강과 순강과 예조의 월강을 통제하여 등급이 우등한 자

③ 여러 해 동안 과거를 치루어 문과 관시, 한성시에 7번 합격하고 나이 50이 된 자

2. 『학령(學令)』

(1) 특징

조선 初(태조 7년, 1398)에 제정된 성균관에 관한 규정으로 주로 성균관 유생의 행실을 규정하고 있다.

(2) 주요 내용

행사	① 매월 행사: 매월 초하루에 관대(冠帶)를 갖추고 공자묘를 참배함 ② 매일 행사
독서 방법	① 먼저 글 뜻을 명백히 하고 응용에 통달할 것 ② 한 가지 장구에 얽매여 문장의 뜻을 견제(牽制)하지 말 것 ③ 늘 4서, 5경과 제사(諸史) 등의 책을 읽을 것 ④ 장자, 노자, 불경, 잡류, 백가, 자집(子集)을 읽지 말 것 ⑤ 위반하는 자는 벌함

제술(製述)	① 달마다 제술함 ② 초순에는 의(疑), 의(義)나 논(論)을, 중순에는 부(賦), 표(表)나 송(訟), 명(銘)을, 하순에는 대책(對策)이나 기(記)를 제술 과제로 함 ③ 제술체제는 간단명료하고 정교하게 뜻을 통하기에만 힘쓰고, 어렵고 치우치고 기괴한 것을 일삼지 말 것
강경(講經)·성적	① **대통(大通)**: 구두에 매우 밝고 설명이 막힘이 없으며, 책 한 권의 강령과 취지를 다 깨달아 여러 책까지 종횡 출입하여도 아주 밝게 알고 철저히 통하여 더 할 수 없는 데까지 이른 자 ② **통(通)**: 더 할 수 없는 데까지는 이르지 못하였어도 구두에 아주 밝고 설명에 막힘이 없으며 책 한 권의 강령과 취지를 죄다 깨달아 아주 밝게 알고 철저하게 통하는 자 ③ **약통(略通)**: 아주 밝게 알고 철저하게 통하지는 못하나 구두가 아주 밝고 해석에 막힘이 없으며 연상접하(連上接下)하여 한 장의 큰 뜻을 잘 아는 자 ④ **조통(粗通)**: 구두에 아주 밝고 글의 뜻을 깨닫고 한 장의 큰 뜻을 알기는 하나 설명에 미진한 곳이 있는 자 ⑤ **조통 이하(粗通 以下)**: 이는 벌(罰)함
아침절차	① 매일 밝기 전 첫 번째 북소리에 침상에서 일어남 ② 북소리에 옷, 갓을 갖추고 단정히 앉아 독서함 ③ 북소리에 차례로 식당으로 가서 동서로 서로 마주하여 앉음 ④ 식사가 끝나면 차례로 나와야 함 ⑤ 차례를 지키지 않거나 떠드는 자는 벌함
자치적 행사	뭇 유생 가운데 품행이 탁월하고 재주가 뛰어나고 시무에 통달한 자들 중 한 두 명을 해마다 유생들이 같이 의논하여 추천하고 학관에게 알리고 예조에 보고하여 등용하게 함

(3) 처벌 규정

① 비열한 언행
- ㉠ 성현을 논하기를 싫어하는 자
- ㉡ 고담(高談) 이론(異論)을 좋아하는 자
- ㉢ 앞 시대의 현인을 비방하는 자
- ㉣ 조정의 정치를 헐뜯는 자
- ㉤ 재물과 뇌물을 서로 의논하는 자
- ㉥ 주색(酒色)을 이야기하는 자
- ㉦ 시체 풍속에 빠지고 세력에 추수하여 벼슬을 꾀하는 자

② 명예를 더럽히는 행위

③ 소인배의 심성을 가진 행위
- ㉠ 재주를 믿고 스스로 교만하며 세력을 믿고 스스로 귀한 체 하거나 부(富)를 믿고 스스로 자랑하며 젊은이로서 어른을 능멸하고 아랫사람으로서 윗사람을 능멸하는 자
- ㉡ 호사스런 사치를 서로 숭상하여 복장이 뭇 사람과 다른 자
- ㉢ 교묘한 말씨와 낯빛, 아첨으로 남에게 잘 보이려고 힘쓰는 자
- ㉣ 이상의 행위를 하는 자는 내쫓되 힘써 배워 고치면 벌하지 않음

④ 나태와 산만한 행위를 하는 자

⑤ 유희행위: 매월 8일, 23일은 뭇 유생의 옷 빠는 날로 휴가를 주니 뭇 유생은 그 날을 이용하여 자습할 것이요, 활, 장기, 바둑, 사냥, 낚시질 등의 모든 놀이를 일삼지 말지니 위반하는 자는 벌함

⑥ 예의를 잃은 자

기출문제

조선시대 성균관의 학령에 대한 설명으로 옳은 것을 <보기>에서 고른 것은?

2018년 지방직 9급

<보기>

ㄱ. 사서오경과 역사서뿐만 아니라 노자와 장자, 불교, 제자백가 관련 서적도 함께 공부하도록 하였다.

ㄴ. 매월 옷을 세탁하도록 주어지는 휴가일에는 활쏘기와 장기, 바둑, 사냥, 낚시 등의 여가활동을 허용하였다.

ㄷ. 유생으로서 재물과 뇌물을 상의하는 자, 주색을 즐겨 말하는 자, 권세에 아부하여 벼슬을 꾀하는 자는 벌하도록 하였다.

ㄹ. 매년 여러 유생이 함께 의논하여 유생들 중 품행이 탁월하고 재주가 출중하며 시무에 통달한 자 한 두 명을 천거하도록 하였다.

① ㄱ, ㄴ　　② ㄱ, ㄹ

③ ㄴ, ㄷ　　④ ㄷ, ㄹ

해설

『학령(學令)』은 성균관에 관한 규정으로 성균관 유생의 생활과 평가 방법 등을 기록하고 있다. 이 규정에서 독서방법으로는 항상 4서와 5경, 역사서를 읽되 장자, 노장, 불경, 잡류 등을 읽어서는 안되며, 매월 8일과 23일은 유생의 옷을 세탁하는 휴가일로 이 날을 이용하여 자습하되 활, 장기, 바둑, 사냥 등의 놀이를 하면 벌하도록 하고 있다.

답 ④

3. 『권학사목(勸學事目)』과 『향학사목(鄕學事目)』

(1) 권근이 태종에게 올린 것으로 『소학』이 인륜에 필요한 것이므로 학생들에게 이 책을 먼저 읽히고 다른 책을 읽혀야 하며, 생원시와 성균관 입학에 소학을 시험 보도록 하였다.

(2) 교육법규로서는 『조선왕조실록』에 처음 나오는 기록으로 권근이 상소하여 1407년 제정된 전문 8조의 내용으로 구성되어 있다.

(3) 『향학사목(鄕學事目)』도 권근이 지은 것으로 사학(私學) 교원을 관학의 훈도나 교수로 전출시키거나 사학의 학생을 강제로 향교에 옮기는 일이 없도록 감사와 수령이 유념할 일을 강조하였다.

4. 『원점절목(圓點節目)』

세조 때 제정되어 정조 때 완성된 것으로 재(齋)에 거처하는 유생들의 성적평가에 관한 규정으로 300점이 되면 문과 초시에 응시할 자격이 주어졌다. 정조 때에는 『생진원점절목』으로 완비되었다.

기출문제

조선시대 성균관 유생의 출석 확인을 위한 방식은? 2019년 국가직 9급

① 학교모범(學校模範) ② 원점법(圓點法)
③ 탕평책(蕩平策) ④ 학교사목(學校事目)

해설

『원점절목』은 세조 때 제정되어 정조 때 완성된 것으로 성균관 재(齋)에 거처하는 유생들의 성적 평가에 관한 규정으로 300점이 되면 문과 초시에 응시자격을 주었다. **답 ②**

5. 『구재학규(九齋學規)』

(1) 세조 4년(1458)에 예조에서 만든 것으로 성균관 교육을 교과목(4서와 5경)에 따라 9재로 편성하고 그 세목을 명시한 학규이다.

(2) 성균관 유생들은 매년 춘추 2회의 고강(考講)으로 진급(陞齋)하게 되며, 여러 학과를 한꺼번에 통과하면 초재(超齋)할 수도 있다.

(3) 시험의 목표는 구두정열(句讀精熱)과 의리융관(義理融貫)에 둔다. 시험 후 성적이 우수한 자는 한 단계씩 월반도 가능하게 한다.

6. 『진학절목(進學節目)』

(1) 성종 원년(1470)에 예조에서 제정·발표한 것으로 교수의 임용과 전출, 유생의 근면과 출결에 대한 학규이다.

(2) 성균관과 4학의 교수는 학식과 덕행이 사표가 될 만 한 자를 골라 예조에서 임용하되 교수에만 전념하도록 하고, 문신으로 외읍(外邑) 교수가 되어 오랫동안 한 곳에만 근속한 자는 옮겨주도록 하였다.

7. 『경외학교절목(京外學校節目)』

(1) 명종 원년(1546)에 제정된 것으로 성균관 및 향교의 교수채용, 학과목, 성적고시, 상벌 등을 규정하였고, 아동교육에 관한 내용도 다루고 있다.

(2) 성적평가 방법은 '통', '약통', '조통', '불통' 등 4단계로 하고 교과목의 독서일수를 규정하였다.

(3) 향교의 교원임용에 있어서는 생원 및 진사 가운데 연령과 덕망이 있는 자를 각 도의 감사로 하여금 연 초에 천거하고 이조에서 전형하여 채용하도록 한다.

(4) 아동교육은 사족(士族) 및 평민의 자제로서 8, 9세에서 15, 16세 된 자를 입학시키며, 먼저 소학을 가르쳐서 구두법에 밝고, 문리(文理)를 어느 정도 안 다음에 대학, 논어, 맹자, 중용을 가르쳐서 사학이나 성균관에 진학시킨다. 또한 예조에서 매년 아동의 성적을 조사하여 훈도의 근태를 알도록 한다.

8. 『학교사목(學校事目)』

율곡이 왕명(선조)에 의해 제정한 것(1582)으로 교사의 선택·임용·승급·대우에 관한 규정과, 학생의 입학·정원·선발·장학 등을 규정하였다.

9. 『학교모범(學校模範)』

(1) 율곡이 『학교사목』과 함께 지은 것(1582)으로 16개 조항으로 구성되어 있다.

(2) 『학교모범』 '독서조(讀書條)'에는 학습순서로 먼저 소학으로 근본을 세우고 다음 대학, 근사록으로 규모를 정하고, 다음에 논어, 맹자, 중용, 오경을 읽고 사기(史記)와 선현의 성리책을 읽는다고 제시하였다.

참고 학습의 순서를 처음 정한 것은 주자(朱子)였다.

10. 『학교절목(學校節目)』

(1) 인조 때(1629) 조익이 지은 것으로 신입생·결석생·장학·성적·서류·학과·격 등에 관한 규정이다.

(2) 서울의 4학과 지방의 선비들 명단을 작성하여 책자로 만들고 선비들의 제반사항을 파악하여 이를 기준으로 유생들의 면학사항을 규정하였다.

11. 『서당학규(書堂學規)』

송준길이 지은 서당 진흥책을 제시한 내용이다(1659).

12. 『제강절목(制講節目)』

영조 18년(1742)에 제정한 것으로 성균관 유생들의 정원수에 관한 규정이다.

13. 『사소절(士小節)』

이덕무(1775)가 지은 것으로 아동교육에 관한 규제(規制)이다. 내용은 아동의 재질에 맞도록 진도와 정도를 택할 것, 알기 쉽게 설명하고 인내를 가지고 가르칠 것, 훈육은 관용과 엄격함을 적당히 조절하고 아동의 마음을 잘 알아 지도할 것, 아동의 성행(性行)을 보아 장래에 될 인물과 품질을 평정할 것 등을 규정하였다.

秀 POINT 교육적 인간상

경전에 밝고 행실을 닦아 도와 덕을 겸비하여 사표가 될 만한 자(經明行修 道德兼備 可爲師範者)	가장 바람직한 인간상
시무에 대한 식견에 통하고 재능도 경제에 합당하여 공을 세울 만한 자(識通時務 才合經濟 可建事功者)	오늘날 중앙정부의 행정 전문가
문장을 익히고 서찰에 공을 들여 문한의 임무를 맡을 만한 자(習於文章 工於書札 可當文翰之任者)	전문 외교관
법률과 회계에 정밀하고 행정력에 통달해 백성을 다스리는 직을 맡을 만한 자(精於法律 達於吏治 可當臨民之職者)	지방 행정 책임자
병법을 탐구하고 용맹이 뛰어나 장수가 될 만한 자(謨探 略 勇冠三軍 可爲將師者)	군사 전문가
말타기와 활쏘기를 익히고 봉술과 투석에 능해 군무를 맡을 만한 자(習於射術 能於捧石 可當軍務者)	군사 전문가
천문·지리·점술·의약 중 한 가지 기예를 전공한 자(天文地理 卜巫醫藥 或攻一藝者)	기상 예보관과 의사 혹은 약사

4 유교의 경전

1. 『소학(小學)』

(1) 특징

① 송나라 시대 주자의 감수 아래 그의 제자인 유청지 등이 편찬한 것을 일부 수정해서 주자가 완성하였다.

② 『소학』이란 『대학(大學)』에 대응시킨 말이며, 아동에게 일상적인 예의범절과 어른을 섬기고 벗과 사귀는 도리 등을 가르치는 것을 목적으로 하였다.

(2) 구성

내편[입교(立敎)·명륜(明倫)·경신(敬身)·계고(稽古)]과 외편[가언(嘉言)·선행(善行)]으로 나누어 내편은 경서를 인용한 개론에 해당하고, 외편은 그 실제를 사람들의 언행으로 보여주고 있다.

(3) 의의

① 조선조에 아동의 수신서로서 장려되어 사학, 향교, 서원, 서당 등의 모든 유학 교육기관에서는 이를 필수교재로 삼았다. 그 후 김안국은 소학을 한글로 번역한 『소학언해』를 발간하여 보급시켰고, 고종 때에는 박재형이 『해동소학』을 편찬하기도 하였다.

② 『소학』의 선수서(先修書)로 박세무의 『동몽선습(童蒙先習)』, 최세진의 『소학편몽(小學便蒙)』 등이 있었다.

2. 『대학(大學)』

(1) 특징

① 본래 『예기』 가운데 일편(一篇)이었는데, 송나라 때 와서 유교의 기본 자료의 하나로 주목받게 되었다.

② 저자는 증자(曾子)라는 설이 있으나 확실하지는 않다.

③ 인식론, 도덕론, 정치론의 체계화를 지향하는 것이 목적이다.

(2) 내용

① 3강령과 8조목으로 되어 있다. 3강령에는 명명덕(明明德), 친민(親民, 혹은 新民), 지어지선(至於至善)으로 이는 밝은 덕을 밝히고, 백성을 교화하고, 지극한 선에 머무르게 한다는 것이다.

② 8조목은 3강령의 실천 덕목으로 사물을 탐구하고(格物致知), 뜻을 진실되게 하고(誠意), 마음을 올바르게 하고(正心), 몸을 닦고(修身), 집안을 가지런히 하고(齊家), 나라를 다스리고(治國), 천하를 태평하게 한다(平天下)는 내용이다.

3. 『논어(論語)』

(1) 특징

① 공자의 제자들이 공자의 언행을 기록한 어록집이다.

② 대부분은 공자의 말이고, 그 다음으로 공자와 제자들의 문답이다.

(2) 내용

① 전체는 20편으로 되어 있고, 각 편마다 주제가 뚜렷하거나 체계적으로 구성되어 있지는 않다.

② 제1편인 학이편(學而篇) 첫 장에 학문의 즐거움에 대해 다음과 같이 말하고 있다.

> "배우고 때때로 익히는 것이 즐겁지 아니한가? 벗이 멀리서 스스로 찾아와 주는 것이 또한 즐거운 일이 아니겠는가? 남이 알아주지 아니 하여도 마음에 못마땅하지 않음은 이 또한 군자의 도리가 아니겠는가?"

4. 『맹자(孟子)』

(1) 특징

① 맹자의 언론(言論)을 문답 형식으로 기록한 것이다.

② 인의(仁義)의 도와 성선설 등이 주된 골자로 되어 있다.

(2) 내용

총 8편으로 되어 있고 마지막 장인 『진심편』에 '군자삼락(君子三樂)'이 기록되어 있다.

5. 『중용(中庸)』

(1) 특징

① 원래 『예기』 가운데 한 편이었으나 남북조 시대 이후에 불교가 성행해지자 유학자들도 철학적 학문의 체계를 세울 필요를 느껴 중시하게 되었다.

② 공자의 손자인 자사가 저술하였다는 설이 있으며, 송나라 시대 주자(朱子)가 4서에 포함시켜 유학의 기본 자료로 삼았다.

③ 성(性)과 도(道)와 교(敎)의 관계를 천(天)과 밀접하게 관련짓고 있다.

(2) 내용

천(天)의 관념에 기본하여 성(誠)이라고 규정하고 그것이 만물의 근본적인 도리인 인(仁)과 일치하고 있다고 본다.

6. 『시경(詩經)』

(1) 특징

『모시(毛詩)』라고도 하며 공자가 천하의 제자들에게 정치와 민중의 수용태도를 가르치고 문학과 교육에 힘쓰기 위해 편집하였다.

(2) 내용

『시경』 300여 편은 고대의 민요를 '풍(風)', '아(雅)', '송(頌)'의 3부로 나누어서 편집한 것이다. '풍'은 각국의 민요를 모은 것이고, '아'는 연석(宴席)의 노래, '송'은 왕조, 조상의 제사를 지낼 때의 노래이다.

7. 『서경(書經)』

(1) 중국 주왕조의 정치 철학을 구체적으로 상세히 저술한 것이다.

(2) 『상서(尙書)』라고도 하며, 주 왕조의 정치 형태를 구체적으로 가르치는 교과서로 『시경』과 함께 자주 인용된다.

8. 『역경(易經)』

(1) 특징

『주역(周易)』이라고도 하며 주나라 시대에는 대나무를 이용하여 길흉을 점친 방법을 해석한 것이다.

(2) 내용

팔괘(八卦)와 8괘를 조합한 64괘를 설명한 내용으로 되어 있다.

9. 『예기(禮記)』

(1) 특징

예(禮)에 관한 경전을 보완, 주석한 내용이다.

(2) 내용

『예기』에 포함된 여러 편 가운데 『대학』, 『중용』은 송나라 때 주자가 『4서』에 포함시켜 성리학의 기본 경전이 되었고, 『왕제(王制)』, 『예운(禮運)』은 청나라 말 금석문 학자들에게 중시되었다.

10. 『춘추 · 좌전(春秋 · 左傳)』

(1) 특징

공자가 노(魯) 나라 시대를 기록한 연대기이다.

(2) 내용

역사적 사실뿐만 아니라 사실의 구체적인 배경과 전개 과정 및 결과를 상세히 기술하고 있으며, 특히 생생하고도 흥미 있는 대화 및 일화 등을 풍부하게 동원함으로써 당시 사람들의 가치관과 논리 그리고 그것에 입각한 구체적인 행동양식, 생활풍습, 감정까지도 전해주고 있다.

5 기술교육(雜學)

1. 성격

(1) 조선시대의 기술교육은 잡학(雜學)이라고 불렸다.

(2) 잡학에는 역학(譯學), 율학(律學), 의학(醫學), 천문학(天文學), 지리학(地理學), 명과학(命課學), 산학(算學), 화학(畵學), 악생(樂生), 도류(道流) 등이 있었다.

(3) 잡학은 소속된 각 관청(중앙과 지방)에서 교육을 시키고 과거시험(科擧試驗, 즉 雜科)을 통해 기술 관리로 등용하였다.

2. 응시자격

잡학의 응시자격은 양반의 서자 및 중인 계급의 자제(상민 및 천민은 제외)로 한정하였다.

3. 각 분야별 담당부서

(1) 유학(儒學)

잡학으로서의 유학은 예조에서 담당하였고, 일반 하급관리의 양성을 목적으로 하였다.

(2) 의학

중앙에서는 전의감(典醫監)과 혜민서(惠民署)에서 담당하였고, 각 지방에서도 의학교육이 이루어졌다.

(3) 음양풍수학

관상감에서 담당하였다. 후에 음양학은 명과학(命課學)으로, 풍수학은 지리학으로 변경되고 천문학이 추가되었다.

(4) 산학

호조(戶曹)에서 담당하였고 전곡(錢穀)의 회계를 담당할 관리의 양성을 목적으로 하였다.

(5) 율학

형조(刑曹)에서 담당하였고, 법률의 집행과 일반 행정 소송을 담당할 관리의 양성에 목적이 있었다.

(6) 무학(武學)

병조에서 담당하였고, 무인 관료의 양성을 목적으로 하였다.

(7) 역학(譯學)

통역관 양성을 목적으로 중앙에서는 사역원(司譯院)에서 담당하였고, 지방에 설치되었다. 과목은 한학(漢學), 몽고학, 여진학, 왜학(倭學) 등이 있었다.

(8) 화학(畵學)

도화서(圖畵署)에서 담당하였고, 화공(畵工)을 양성할 목적으로 하였다.

(9) 도학(道學)

소격서(昭格署)에서 담당하였고, 도경(道經) 습득을 목적으로 하였다.

(10) 각 부서별 기능

형태	담당 기관	기능
유학(儒學)	예조	실무를 담당할 하급 관리 양성
자학(字學)	교서관	문서 정리, 교정 등을 맡아보는 하급 관리 양성
무학(武學)	병조	무인 관료의 양성
이학(吏學)	예조	공문서를 작성하는 하급 관리 양성
역학(譯學)	사역원, 각 지방의 관아	국가 간의 대외 정책에 필요한 통역관 양성

음양풍수학(陰陽風水學)	관상감	국가에서는 농업 산업 체제를 발전시키고 유지하기 위하여 점성과 천문에 깊은 관심을 가지고 있었음
산학(算學)	호조	전곡(錢穀)의 회계를 담당할 관리 양성
율학(律學)	형조, 지방의 각 행정기관	법률의 집행과 일반 행정소송을 담당할 관리 양성
의학(醫學)	전의감, 혜민서, 각 지방의 관아	의원 양성
악학(樂學)	장악원	악곡의 제작, 악보의 편찬, 악기의 제조, 악공의 양성
화학(畵學)	도화서	국가에서 필요한 도서의 삽화, 도면의 제작, 초상화, 중국화의 모사(模寫) 등 작업

4. 공장교육(工匠敎育)

(1) 공장(工匠)이란 제조업에 종사하는 자로서 경공장(京工匠, 서울 거주자)과 외공장(外工匠, 지방 거주자)으로 구분된다.

(2) 명부는 소속기관에 소속되어 세습되었다.

(3) 사회적 신분은 천민 출신에서 점차 양인(良人, 양인은 주로 농민이고 상인과 공장 등으로 구성)들로 교체되어 지위가 다소 향상되었다.

6 교육사상가

1. 정도전(1342년경 ~ 1398)

조선 초기 국가이념을 확립하는데 기여한 인물이다.

(1) 사상

① **우주론**: 이(理)를 중시하면서도 기(氣)의 존재를 인정하는 현실적 입장을 취하고 있다. 이것의 대표적인 표현이 '이유심기(理諭心氣)'이다.

② **심성론**: 본체론와 우주론에 바탕을 두고 객관적인 현상 세계의 모든 변화는 그 속에 담겨있는 이(理)로 말미암은 것이며 인간은 이(理)를 찾아낼 수 있다고 본다.

③ **벽물론(闢佛論)**: 인간의 길흉화복은 음양오행의 기(氣)의 차이에 의해 좌우된다는 입장에서 불교의 인과응보설을 부인한다.

④ **학교론**: 학교가 교화의 근본이라고 보고 이것으로 인륜을 밝히고 인재를 양성하는 일이 중요하다고 하였다. 학교의 궁극적인 목적은 인(仁)의 함양이며 인을 함양하는 또는 체득하는 방법으로 삼강오륜의 확충과 '존심(存心)'과 '궁리(窮理)'를 강조하였다.

(2) 저서

『불씨잡변(佛氏雜辨)』, 『심리기편(心理氣篇)』 등이 있다.

2. 권근(1352 ~ 1409)

조선 초기 성리학을 학술적으로 정착시키는 데 기여하였다. 이는 정도전이 실질적인 경세론으로 주도적 역할을 한 것과 비교된다.

(1) 사상

① **우주론과 인성론**: '천인심성합일론'으로 우주론과 인성론을 전체적으로 일관되게 통합하는 체계이다. 이는 선악의 근원과 다양한 가치체계의 근거를 인식하는 과제로 출발하여 도덕적 근원을 초월적으로 하늘의 명령과 내재적으로 인간의 성품에서 통찰하려는 시도이다.

② **교육적 이상**: 유학의 이상을 수기치인으로 파악하고, 수기치인의 이상은 수기의 결과(교육)가 치인(정치)으로 표현되는데 있다고 하였다. 즉 교육을 통해 실현하고자 하는 인간은 교육과 정치를 동시에 실현하는 성인이다.

(2) 학습방법

① 심성의 공부 방법을 경(敬)에서 찾는다. '주경(主敬)'이란 인욕을 끊고 이치를 탐구하는 자세를 말한다.

② 『입학도설』에서 경전의 근본정신이 천일합일에 있다는 점을 분명히 하고 그것을 실현하는 방법을 『권학사목』과 『향학사목』에서 제시하고 있다.

③ **『권학사목』과 『향학사목』**: 문과에서 오경(五經)을 강조하고 그것을 가르침에 있어 구두, 훈고, 기송만을 힘쓸 것이 아니라 의리의 오묘한 뜻과 문장의 법에 힘쓸 것을 강조하고, 과거에서도 공부는 어렵고 실용에도 도움이 없으니 익히지 말고 대신 논, 표, 판을 익히도록 권하고 있다.

④ 『소학』은 인륜과 세도에 매우 절실하기 때문에 『대학』 교육을 받고자 하는 사람과 과거에 응시하고자 하는 모든 사람들이 통달하도록 강제하고 있다.

(3) 저서

① 『입학도설』, 『오경천견록』, 『권학사목』, 『향학사목』 등이 있다.

② 『입학도설』은 성리학의 입문서로, 『오경천견록』은 경학을 연구하는 데 중요한 자료로서 조선 초 성리학을 정착시키는 데 기여하였다.

秀 POINT 『입학도설(入學圖說)』

1. 전·후집을 합해서 40개의 도설(圖說)이 있고, 학자와의 문답형식으로 된 해설이 삽입되어 있다.
2. 『천인심성지도(天人心性之圖)』에서 경(敬)의 중요성을 강조하고 있다. 즉 머리 부분을 둥글게 하여 하늘 天자를 넣고, 가슴의 위치에는 마음 心자를 커다랗게 넣어 이기(理氣)와 심정, 심의의 관계를 그 안에서 밝히려고 하였다.
3. 학습은 ① 요점을 제시하고, ② 내용을 분석하고, ③ 종류에 따르는 구별을 뚜렷이 하고, ④ 체계를 정연히 하고, ⑤ 복잡한 것을 간결 명료히 하고, ⑥ 상상을 실제화하고, ⑦ 형상을 실물화하고, ⑧ 수량을 직감화한다.
4. 권근의 『입학도설』은 후에 퇴계 이황이 선조에게 올린 『성학십도(聖學十圖)』, 정지운의 『천명도설(天命圖說)』 등의 내용에 영향을 미쳤다.

3. 퇴계 이황(1501 ~ 1570)

(1) 사상

① **우주관**: 퇴계의 사상은 주자의 이기이원론(理氣二元論)의 사상을 계승하고 있다. 즉 우주를 이와 기로 보고 이 가운데 이를 기의 우위에 두는 입장을 취하였다.

② **인성론**: 인간의 본래 성품인 5상[五常: 인(仁)·의(義)·예(禮)·지(智)·신(信)]을 이(理)로 보고, 7정[七情: 희(喜)·노(怒)·애(哀)·락(樂)·애(愛)·오(惡)·욕(慾)]을 기(氣)로 보았다.

(2) 교육목적

① 성인을 배워서 덕성을 함양하는 데 있다. 즉 '구인성성(求仁成聖)'이 궁극적 목적이다.

② 학문목적으로 '위기지학(爲己之學)'을 강조하였다. 위기지학이란 자기 자신의 수양을 위한 학문태도로 이는 내재적 목적을 강조한 것이다.

참고 반면 '위인지학(爲人之學)'이란 몸소 행하기를 힘쓰지 않고 거짓을 꾸미고 이름을 구하고 칭찬을 얻기 위한 목적, 즉 수단적 목적을 말한다.

(3) 교육내용

『주자대전』, 『심경(心經)』, 『태극도설』을 중요시하였고, 그 밖에 『소학』, 『근사록』, 『효경』, 4서(四書) 등을 읽어야 한다고 하였다.

(4) 교육방법

① **경(敬)**: "경을 지킨다는 것은 생각과 배움을 겸하고, 움직임과 고요함을 일관하고, 내(內)·외(外)를 합일하고, 드러냄과 감춤을 한결같이 하는 도(道)이다. 경을 지킴을 이룩하는 방법은 반드시 마음을 맑고 엄숙하고 조용하고 한결같이 간직하고 또한 학문과 사변 속에서 이치를 탐색해야 한다."

② **거경(居敬)**: 기질의 성에 생(生)하는 인욕을 끊고 외부의 유혹을 물리쳐 마음을 항상 조용히 하는 것을 말한다. 즉 객관적 규범이나 가치를 받아들이고 한 개인의 마음의 미묘한 움직임에 구현시키는 내적 수양방법이다.

③ **격물치지(格物致知)**: 개인이 소유해야 할 대상으로서의 규범, 즉 개인의 행위와 마음의 미묘한 움직임을 성찰하는 표준으로서의 객관적 이(理) 또는 궁극적 가치규범 자체를 탐구하는 공부 방법이다.

④ **지행병진(知行竝進)**: 먼저 알고 행하고 행하면서 더욱 깊게 알고 철저하게 행하는 것으로, 지(知)와 행(行)의 경중을 가리지 않는 자세를 말한다.

(5) 서원

1555년에 사액서원(賜額書院)인 '도산서원'을 세워 학문과 사색을 하였다.

(6) 여성교육의 중요성 강조

퇴계는 『규중요람(閨中要覽)』에서 여성에 대한 지식 교육의 중요성을 강조하였다. 즉 여성도 소학, 사기(史記), 내훈(內訓) 등을 배워야 한다. 남자를 가르치지 않으면 내 집을 망하게 하는 것이고 여성을 가르치지 않으면 남의 집을 망하게 하는 일이라고 하였다.

(7) 저서

『수정천명도설(修正天命圖說)』, 『성학십도(聖學十圖)』, 『자성록(自省錄)』, 『주자서절요(朱子書節要)』, 『도산십이곡(陶山十二曲)』 등이 있다.

4. 남명 조식(1501 ~ 1572)

(1) 심성론

심(心)의 중요성을 강조하였다. 남명은 심을 태극으로 보고 음양·사상(四象)·팔괘(八卦)도 심으로부터 비롯된다고 보았다.

(2) 학문적 특징

① **내경외의(內敬外義)**: 경(敬)은 일신의 주체, 의는 만행의 준칙으로 삼았다. 이는 곧 '지경거의(持敬居義)'가 그의 생활신조임을 의미한다.

② 하학이상달(下學而上達)의 학문자세를 강조하였다.

③ 학문방법으로 자해자득(自解自得), 성(誠), 경(敬), 박문약례(博文約禮) 등을 중시하였다.

④ 1568년에는 올바른 정치의 도리를 논한 상소문인 '무진봉사(戊辰奉仕)'에서는 당시 서리들의 폐단을 극렬히 지적한 '서리망국론(胥吏亡國論)'을 주장하였다.

⑤ 평생 출사(出仕)를 포기하고 산림처사로 자처하며 학문과 제자들의 교육에만 힘써 경상우도의 특징적 학풍을 형성하였다. 그의 제자들은 지리산을 중심으로 진주, 합천 등지에 모여 살면서 유학을 진흥시키고, 임진왜란 때는 의병활동에 적극 참여하는 등 투철한 선비정신을 보여주었다.

참고 퇴계는 경상좌도의 학풍을 형성하였다.

5. 율곡 이이(1536 ~ 1584)

(1) 우주관

퇴계의 '이(理)도 발(發)하고 기(氣)도 발한다.'는 이원론을 반대하고 '이는 발하는 것이 아니고 기만 발한다.'는 입장을 취하였다. 즉, '이는 통하고 기는 국(局)한다.'는 이통기국설(혹은 기발이승론)을 주장하였다.

(2) 학문태도

선인의 학설을 비판 없이 묵수 준봉하지 않았다. 즉, 주자의 이원론을 비판하고 기발이승론을 주장한데 대해 '성인이 다시 나더라도 나의 이 주장은 변할 수 없다.'는 학문적 주체성을 보이고 있다.

(3) 교육의 전제

① 교육사상은 교육 가능성을 전제조건으로 하는 '입지'를 근본으로 한다.

② 입지

㉠ 성인이 되고자 하는 마음가짐이며, 이는 각자의 주체적 결단을 의미한다.

㉡ 개인이 이미 소유하고 있는 마음이 선한 요소를 출발점으로 하여 그것이 완전한 상태를 소유한 존재로서의 성인의 존재 방식을 자신의 궁극적인 삶의 이상으로 삼아 이를 추구할 것을 기약함으로써 개인의 질적 변화를 도모하는 방법이다.

입지(立志)

"처음에 배우는 이는 먼저 모름지기 뜻(志)을 세워 반드시 성인이 될 것을 스스로 기약할 것이요, 조금이라도 자기를 낮추어 퇴축하는 생각이 있어서는 아니 된다. … 진실로 뜻이 서지(立志) 못하고 밝게 알지(明知) 못하며, 행함이 독실치 못한 까닭이다."(『격몽요결』)

(4) 교육방법과 학문태도

① 성(誠): 입지의 방법으로 진실한 것이고 스스로를 속이지 않는 것이다. 뜻을 정성스럽게 하는 것으로 마음이 사욕(私慾)으로 치우치는 것을 바로잡는 방법적 원리이다.

② 그의 학문 태도는 무실본위(務實本位)의 실학정신이었다. 그는 "무릇 진유(眞儒)라 함은 세상에 나아간 즉 도를 행하며, 들어와서는 가르침을 만세에 드리운다.", 또는 "때를 아는 것을 귀히 여기며, 실지(實地)를 힘쓰는 것을 긴요한 것이다."라고 하였다.

③ 일반 민중의 계몽을 위해서 『서원향약』, 『해주향약』, 『학교모범』, 『격몽요결』 등을 만들었다.

④ 민본주의 사상에 입각하여, 입지(立志), 명지(明知), 역행(力行)의 세 가지를 강조하였다.

(5) 학습순서

『소학』을 배워 근본을 배양하고, 다음에 『대학』·『논어』·『맹자』·『중용』의 4서와 『시경』·『예경』·『서경』·『역경』·『춘추』의 5경을 순서대로 학습한 다음 『근사록』·『심경』·『이정전서』·『주자대전』·어류(語類) 및 기타 성리학서를 읽고 그 다음에 사서(史書)를 읽는다.

(6) 저서

『동호문답(東湖問答)』, 『성학집요(聖學輯要)』, 『인심도심설(人心道心說)』, 『시무육조소(時務六條疎)』 등이 있다.

秀 POINT 율곡(栗谷)의 저서

1. 『학교사목(學校事目)』

① 선조 15년에 율곡이 지은 것으로 10개항으로 구성되어 있다.

② 앞의 5개항은 교원의 선택, 임용, 승급, 대우에 관한 규정이고, 뒤의 5개항은 학생의 입학, 정원, 선발, 거재(居齋), 대우, 시학(視學: 임금이 성균관에 거동하여 유생들이 공부하는 것을 돌아보는 일 혹은 관리들이 학사를 시찰하는 일)과 자격에 관한 규정이다.

③ 이 규정의 내용과 유사한 것이 후에 김우현이 지은 『학제조건(學制條件)』이다. 학제조건은 교원과 학생에 관한 인사 문제를 주로 다루고 있다.

2. 『학교모범(學校模範)』

율곡이 선조 15년에 지은 것으로 내용은 16개 조항으로 된 학생 수양에 관한 훈규이다. 초기의 '학령'의 미비점을 보충하여 청소년 교육의 쇄신을 위한 것으로 학교·가정·사회생활에서의 준칙을 제시하고 있다.

3. 『격몽요결(擊蒙要訣)』

① **특징**

일반학생들을 위해 편찬한 것으로 격몽(擊蒙)이란 몽매한 자들을 교육한다는 의미로 '아동을 계몽하기에 요긴한 것'이라는 의미이다.

② **내용**

입지(立志), 혁구습(革舊習), 지신(持身), 독서(讀書), 사친(事親), 상제(喪制), 제례(祭禮), 거가(居家), 접인(接人), 처세(處世) 등 총 10장으로 구성된 것으로 학교모범과 유사하다.

㉠ 입지(立志): 공부하는 자가 어떻게 뜻을 세워야 하는가?

㉡ 혁구습(革舊習): 그 뜻을 이루기 위해 버려야 할 좋지 못한 자세나, 태도, 행동 등에는 무엇이 있는가?

㉢ 독서(讀書): 책을 읽는다는 것은 어떤 의미를 지니며, 그것을 어떤 순서로 어떻게 읽어야 하는가?

㉣ 접인(接人): 함께 공부할 만한 친구를 어떻게 분별하여 사귈 것이며, 선생을 어떻게 대해야 하는가?

4. 『소아수지(小兒須知)』

① 율곡 이이가 제정한 아동용 학규(學規)이다.

② **내용**

부모가 시킨 바를 곧 시행하지 않거나, 윗사람에게 불경하며 말을 함부로 하거나, 형제가 화목하지 않고 서로 다투거나, 음식을 다투며 서로 사양하지 않거나, 다른 아이를 건드려서 서로 다투거나, 걸음걸이가 경솔하여 뛰거나, 허물을 감추고 언어가 부실하거나 등과 같은 17개 항목으로 되어 있다. 이 가운데 17개항의 법칙이 중하면 한번 일지라도 벌주고 가벼우면 세 번 범칙했을 때 벌주도록 하였다.

5. 『성학집요(聖學輯要)』

① 제왕(帝王)의 학문을 위해 편찬 된 것으로 성학(聖學)이란 성왕(聖王)의 학문이면서 가장 신성한 학문이고 진리인 학문이란 뜻이다. 즉, 이는 제왕학(帝王學)을 다룬 책이다.

② **내용**

㉠ 『대학』의 가르침을 여러 성현의 말을 인용하여 고증하고, 성리학의 입장에서 해설하였다.

㉡ 제1편 통설은 수기와 치인을, 제2편 수기편은 명명덕을, 제3편 정가편은 제가(齊家)의 의미를, 제4편 위정편은 치국평천하를, 제5편 성현도통장은 대학의 이념이 실현된 흔적을 다루고 있다.

6. 『동호문답(東湖問答)』

① 경국치민의 의견을 문답체로 서술하였다.

② **동호문답에서 제시하고 있는 향학제(鄕學制)**

㉠ 훈도의 선발은 각 읍에서 3년마다 한 번씩 그 고을 사람 중 경서에 밝고 남의 사표가 될 만한 자를 골라서 감사에게 알리고, 감사는 이를 모아 이조에 보내고, 이조는 더 자세히 그 내용을 조사한 뒤에 공론을 널리 듣고, 다시 정선하여 훈도로 임명한다.

㉡ 임지는 반드시 제 고을로 하며, 승진은 기한을 정하지 말고 성적만을 고려하여 해마다 감사가 추천한다.

퇴계 이황(李滉)과 율곡 이이(李珥)의 교육사상 비교

비고	퇴계 이황	율곡 이이
철학사상	① 이기이원론(주리론) ② 이기호발설	① 이기일원론적 이원론(주기론) ② 기발이승일도설
교육사상	경(敬)사상	입지(立志)와 성(誠)사상
교육적 인간상	성인(聖人)	성인(聖人)
교육내용	효경, 소학, 심경 등	대학, 논어, 중용, 오경, 근사록, 사기 및 성현의 성리서
교육방법	입지, 궁리, 경, 숙독, 심득, 궁행, 광문견, 잠심자득(자기성찰) 강조	교육의 3대 방법으로 거경, 궁리, 역행 강조(역행이란 모든 이치를 몸으로 옮기는 것을 말함)
향약	**예안향약**: 향리 교화와 협동정신 함양	**서원향약, 해주향약**: 민중교화와 사회계몽에 반영
저서	『성학십도』, 『주자서절요』, 『역학계몽전의』, 『심경석의』, 『자성론』 등	『학교모범』, 『학교사목』, 『격몽요결』, 『소아수지』, 『성학집요』, 『자경문』, 『만언봉사』, 『동호문답』, 『향약』, 『학규』, 『시무 6조』 등

04 | 실학사상과 교육

핵심체크 POINT

1. 성립배경
   성리학에 대한 반발, 봉건사회에 반발, 계급사회의 변화, 청(靑)의 고증학 유입
2. 교육 사상가

유형원	4단계 학제론, 기회균등, 공교육론, 능력별 진급, 과거제 폐지와 공거제
이익	교육방법으로 '일신전공공(日新全功工)' 강조, 인성의 가변성, 과거제의 개선안으로 향거리선제
정약용	교육목적으로 수기위천하인(修己爲天下人), 효(孝)·제(悌)·자(慈) 강조, 문자교육원리인 '아학편' 저술, 5가지 학문을 비판한 '오학론'(성리학 - 훈고학 - 문장학 - 과거학 - 술수학)
최한기	경험론인 염습(染習), 수학 강조, '운화기(運化氣)'와 공부의 원리로 '추측지리(推測之理)' 강조

1 실학의 발생과 특징

1. 발생 배경

(1) 조선 왕조의 지배적 원리였던 성리학의 반역사성에 대한 반성

(2) 조선 왕조가 축적해 온 학문적·과학적 전통

(3) 임진왜란 이후 봉건 질서의 해체 과정에서 봉건사회의 경화(硬化)에 대한 반성

(4) 조선 후기 사회 계급의 변화

(5) 서학(西學) 및 청(靑)으로부터 고증학(考證學, 실증주의)의 유입

실학과 고증학

1. **실학(實學)**
   실학은 실사구시(實事求是), 즉 실시구시지학(實事求是之學)의 줄인 말로 사실에서 옳음을 구하는 것. 즉 "사실에서 진리를 찾아라. 진리가 다른 곳에 있는 것이 아니라 우리의 생활 속에 있다."라는 것이다. 실사구시라는 말은 서한(西漢) 헌왕(獻王)의 "修學好古 實事求是" 하였다는 말에서 유래한다.

2. **고증학(考證學)**
   청나라에서 발생한 학풍으로 명나라 말 양명학에서 탈피하여 실증적으로 유학의 참뜻을 찾으려는 고증학적 방법과 실사구시(實事求是)의 학문태도를 고증학이라고 한다. 고증학은 한나라 시대의 훈고학(訓詁學)에서 영향 받았다. 조선은 병자호란 이후 사대(事大)의 대상이 명으로부터 청으로 바뀌게 되자 자연히 청과의 접촉이 잦아져 고증학적 학문태도를 받아들이고자 하는 움직임이 일어났다.

2. 실학사상의 형성 과정

(1) 제1기(18세기 전반까지)

① 임진왜란을 전후하여 현실적인 문제가 긴박할 때 문제해결을 위해 유학의 전통을 넘어서 광범하게 학문적 지식의 범위를 확대하려고 시도하였던 노력이 나타났다.

② 제자(諸子)와 잡가(雜家)나 노불(老佛)과 양명 및 서학에 관한 지식의 문호를 개방하면서 주자학의 전통을 지지하였고, 전제(田制)·관제(官制)·병제(兵制) 등 사회제도의 개혁을 요구함으로써 주자학파의 주류와 학문적 경향이 구별되기 시작하였다.

例 이수광, 유형원, 이익, 안정복 등

주자학과 실학의 관계
주자학과 실학의 관계는 유학이라는 공통의 기반 위에서 서로 다른 관심의 영역을 가졌고, 따라서 다른 방법론을 보여주었다.

(2) 제2기(18세기 후반까지)

① 청조(淸朝)의 학풍과 서학(西學)의 광범한 수입으로 인한 외부적 압력은 주자학파의 학풍은 더 이상 현실 상황과 부합될 수 없었다.

② 현실 문제에 대해 해결의 학문적 탐구는 주자학의 이념이나 청조의 고증학 내지 한학풍이나 서학의 문물 등 다양한 사상적 배경에서 추구되었다.

③ 이러한 실학파의 입장에서는 정통 주자학과 그 학풍의 현상에 대해 조화·비판·배척 등 다양한 태도를 보였다.

④ 여기에서 실학파는 주자학파와 뚜렷하게 구별을 짓게 되었고, 오히려 그 반(反)주자학적 태도가 실학파의 특징처럼 부각되기도 하였다.

例 홍대용, 박제가, 박지원 등

⑤ 이들은 주자학의 이념에 대해서라기보다는 주자학파의 학풍에 대해 날카로운 비판과 거부의 태도를 보였다.

(3) 제3기(19세기 전반)

정약용, 김정희, 최한기 등에 이르러서는 주자학의 이론체계를 벗어나 독자적인 철학적 체계를 제시하게 되었다.

3. 공리(公利)사상에 대한 의의

(1) 실학파는 고정화된 형식적 도덕규범을 거부하면서 신체를 가진 구체적 인간에 대한 관심과 사랑을 고양시켰다. 즉, 지식계층이나 지배 계급만에 대한 존중이 아니라 무지하고 빈곤한 하층의 노동대중에 대한 인간애를 각성시킨 것이 바로 실학파의 공리사상이 지닌 사회 윤리적 성격의 중요한 일면이었다.

(2) 현실과 이념의 조화를 추구하면서 관념적 의리론자의 위선적 기만성을 부정하고 실질적 효과를 통한 진실성과 정당성의 근거를 제시하였다.

(3) 실학파의 공리사상은 실제의 공효를 추구하면서 사상을 사고의 세계에 머물지 않고 행동의 세계로 나오게 하였다. 언(言)과 행(行), 지(知)와 행(行)의 연관성은 유학의 근본 문제 가운데 하나이다. 실학파의 입장은 진리에서 행동이 나오는 것을 강조하기 보다는 행동에서 진리가 실현될 수 있다는 것을 강조하였다.

4. 실학의 학파

경세치용파 (經世致用派)	이익을 대표로 하는 토지제도 및 행정 기구, 기타 제도상의 개혁에 치중하는 학파이다.
이용후생파 (利用厚生派)	박지원을 중심으로 상공업의 유통 및 생산기구 등 일반 기술면의 혁신을 지표로 하는 학파이다.
실사구시파 (實事求是派)	김정희에 이르러 일가(一家)를 이룬 경서(經書) 및 금석(金石)·전고(典故)의 고증(考證)을 위주로 하는 학파이다.

참고

실학의 4가지 학풍

1. 이용후생의 도를 강구하여 경국제민의 술(術)에 힘쓰는 일
2. 낙토조선(樂土朝鮮)을 만들기 위해 조선의 역사·지리·물산·풍토 등을 연구제목으로 하는 일
3. 청나라를 통해 들어오는 외국의 문물제도와 학술 가운데 우수한 것은 수입, 활용하는 일
4. 고증학의 연구

5. 실학운동의 교육사적 의의

(1) 신분을 초월한 교육의 기회균등 사상과 민본주의적 개인차의 중시 등은 근대적 교육이념의 기초를 제시하였다.

(2) 과거제도가 지닌 불합리성과 불공정성, 시험 위주의 교육이 갖는 교육적 역기능의 심각성과 폐해 등을 해결하기 위한 개혁안을 제시하였다.

(3) 한글의 보급과 발전에 기여하였다. 예를 들어 한글을 통해 천주교의 포교활동이 진행되었고, 천주교 교리서를 한글로 번역하여 읽도록 하였다.

(4) 교육내용으로 조선의 역사, 제도 등을 강조함으로써 민족주체성 교육을 지향하였다.

(5) 발달 단계에 따른 체계화된 학제를 제시했다는 점에서 교육 근대화의 중요한 상징적 가치를 지닌다.

2 실학의 교육사상가

1. 반계 유형원(1622 ~ 1673)

(1) 사상

① **인간평등관**: '예(禮)에 천하에 나면서부터 귀한 자는 없다.'는 인간평등관을 주장하였다. 노비제도의 불합리성과 적서(嫡庶)·문벌 등의 차이를 철폐하고 인재 등용은 도덕성과 능력만을 기준으로 삼아야 한다고 주장하였다. 즉, 반상(班常)의 구별이 없는 인재 등용을 강조하였다.

② **교육의 기회균등**: 모든 인간은 능력에 따라 교육의 기회가 주어져야 한다. 그는 기존의 학제가 문제점이 있다고 보고 각 교육기관들을 계열화시키려고 하였다.

③ **공교육론**: 각 학교의 재정은 국가에서 지급해야 한다는 공교육을 주장하였다.

④ **사회교육론**: 사회교육활동으로서의 향약은 미풍양속의 진작과 학교에서의 자제 교육 권장에 중점을 둔다. 향약의 조직은 '오가작통'(五家作統)의 원칙에서 출발하여 방(坊)과 향(鄕)까지 이르는 기구를 두도록 하였다.

유형원의 개혁론
율곡 이이에게 영향을 받았다.

⑤ 공거제론(貢擧制論)

㉠ 과거제의 폐지와 그 대안으로 공거제(貢擧制)를 제시하였다.

㉡ 과거제는 시문(詩文) 위주로 행(行)과 실(實)을 알 수 없을 뿐만 아니라, 개인에게 요행과 특전을 줄 수 있기 때문에 폐지되어야 한다고 하였다.

㉢ 그가 구상한 공거제는 진사원과 태학을 연계하는 것이다. 태학에서 1년 이상 수학한 학생 중 우수한 학생을 추천받고, 진사원의 시험을 통해 선발한다. 진사원에서는 선발된 진사들에게 1년간 관리 수습을 시키고 능력과 인격의 차등에 따라 관직에 임명한다.

㉣ 유형원은 공거제의 특징이 공의(共議)에 있다고 주장하였다. 이 점에 대해 유형원은 『반계수록』에서 "향당(鄕堂)의 공공(公共)한 논의를 거쳐 평일에 선하고 악함을 선별하고, 또 학교에서는 여러 사람이 모여서 예(禮)를 하고 임용을 보증함으로 우수한 인재를 얻을 수 있다."고 하였다.

(2) 학문방법

아래의 학문방법을 강조하였다.

① 널리 배우는 것[박학(博學)]

② 자세히 묻는 것[심문(審問)]

③ 신중히 생각하는 것[신사(愼思)]

④ 바르게 판단하는 것[명변(明辯)] 등

(3) 단계적 학제론(4단계 학제론)

- 중앙: 방상(坊庠) → 사학(四學) → 중학(中學)
- 지방: 향상(鄕庠) → 읍학(邑學) → 영학(營學)

→ 태학(太學) → 진사원

① **태학**: 중앙에 설립되는 최고 학부로 중학과 영학에서 추천 선발된 유생들로 구성된다. 태학은 도덕과 학술을 밝히고 많은 선비들을 가르치고 현능(賢能)을 살펴서 조정에 천거하는 일을 담당한다.

② **중학**: 중앙에 설립되는 태학의 하위학교로 지방의 영학과 동등한 교육기관이다. 4학에서 선발되어 온 유생들을 가르치는 일을 맡는다.

③ **영학**: 지방의 감영에 설치되는 학교로 중앙에 있는 태학의 하위 학교로, 중학과 같은 수준이다. 영학은 주와 현의 읍학에서 선발되어 올라온 유생들로 구성되며 이들을 가르치는 일을 맡는다.

④ **읍학**: 각 지방의 주·현에 설립되는 영학의 하위 학교이다. 중앙의 4학과 같은 수준의 학교이며, 4학과 마찬가지로 내사와 외사로 구분된다.

⑤ **방상·향상**: 각각 중앙(방상)과 지방(향상)에 설립되는 초학(初學)의 교육기관으로 방상과 향상에서는 시험으로 학생을 뽑는 것이 아니라 누구에게나 입학이 개방된다(단 상인·시정잡배·무당·잡류 및 공·사노비는 제외).

(4) 저서

교육사상은 『반계수록』 26권 가운데 『교선지제(敎選之制)』上(9권, 향약, 향약사목, 학규, 학교사목 등)·下(10권, 공거사목, 향음주례, 절목, 향사례, 제학선제 등)와 『교선교설(敎選巧說)』上(11권)·下(12권)에 수록되어 있다.

2. 성호 이익(1681 ~ 1773)

(1) 교육사상

① 민족주체의식을 강조하여 교육내용에 『퇴계집』, 『동국사』 등을 포함해야 한다고 하였다.

② 인간이 다른 동물과 다른 점은 예의를 숭상하는데 있다고 보고, 교육에서 숭례(崇禮)와 근검(勤儉)을 강조하였다.

③ 『성호사설』에서 수학교육을 통해 정밀한 데 이르게 할 것과 음악을 통해 사악한 마음을 바로잡고 선한 마음을 유지할 것을 강조하였다.

④ 교육방법은 탐구심의 계발이 자기 개발의 요소이며, 자기 수양에 있어서도 매일 새롭게(日新) 스승을 구하고(得師), 왕성한 호기심을 가지고 즐겨 질문하는 것(好問)이 참다운 살아 있는 교육이라고 하였다. 특히 '일신전공(日新全功)'을 강조해서 끊임없는 자기 수양을 중시하였다.

⑤ 아동기의 습관 형성과 가정교육의 중요성을 강조하였으며, 인성(人性)의 가변성을 주장하였다.

참고 성리학의 인성론인 '본연지성'도 인성이 노력이나 경험 등에 의해 달라질 수 있다고 하였다.

⑥ 향학(鄕學)에서 교수를 추천할 때에는 반드시 여러 학생이 회의하여 추천하도록 하였다.

⑦ 교육내용으로 효경·논어·맹자·주역·시경·서경·예기·주례·춘추좌씨전·제사(諸史)·퇴계집·본국사 등을 읽어야 한다고 주장하였다. 경서를 읽는 것은 치용(致用)하기 위함이다.

(2) 사회개혁안

① 이익의 개혁안은 사회적 좀(노비제도, 과거제도, 문벌제도, 기교, 승려, 타성 등)을 제거하는 데 있다.

② 내용

㉠ 과거시험은 재능을 본위로 널리 민간에 있는 인재를 선발하며, 백성들은 그로 인하여 혜택과 복을 입게 할 것

㉡ 인재등용에 있어서 고질적인 문벌숭상과 신분적 제한을 철폐할 것

㉢ 시험방법은 엄격히 하여 실력 본위로 엄선할 것

㉣ 관직에 대한 명문 귀족들의 세습제를 철폐할 것

(3) 과거제도 개혁안 - 과천합일(科薦合一)

① 종전 3년마다 실시하던 것을 5년 간격으로 연장해서 요행을 없애고 성실히 준비한 사람이 합격할 수 있도록 해야 한다.

② 과거시험 절차의 개혁으로 3단계에 걸친 개혁안을 제시하였다. 1단계에서 사장(글짓기)을 통해 서울과 지방에서 1,000명을 선발하고, 2단계에서 서울의 성균관과 사학에서 이들을 대상으로 해마다 경서와 사서시험을 통해 수 백 명을 선발하고, 3단계에서 이들 합격생을 대상으로 책문(정치적 안목시험)을 통해 선발한다. 그러나 이익의 이상적 인재선발방식은 천거제라 할 수 있는 '향거리선제(鄕擧里選制)'였다.

(4) 학제개혁안

① 이익은 학교교육은 풍속과 기강과 윤리를 올바르게 세울 수 있어야 한다고 보고, 이를 위한 학교개혁을 강조하였다.

② 서원의 개혁

㉠ 조정에서 사림(士林)의 소원에 따라 조교를 차임하고 그의 성적을 살펴 관직으로 승차시킨다.

㉡ 재정적 안정을 위한 전토(田土)를 주고 노비도 내려 시중들게 하여 부역을 피해 오는 사람들이 서원에 들어오지 못하게 한다.

③ **성균관의 개혁:** 진사들의 이름을 차례대로 기록하고 순서대로 입학시키되 성균관에 머무르는 날짜를 정한다.

(5) 저서

『성호사설』과 『곽우록』 등이 있다. 그의 교육사상은 주로 『곽우록』에 수록되어 있다. 여기에는 경연(經筵)·육재(育材)·학교·숭례(崇禮)·식년시(式年試)·입사(入仕)·공거사의(貢擧事議)·선거사의(選擧事議)·과거제폐(科擧之弊) 등에 관하여 논의하고 있다.

참고

『곽우록』의 '학교조'에 제시하고 있는 교육제도에 관한 개혁안

이익은 형식적인 교육기관에서 교육을 하되 하급교육기관부터 단계적으로 진학하여 최종적으로 교육을 마치고 관직에 종사하게 하는 교육제도를 구상하였다.

- 서민(庶民): 향학(鄕學) → 태학(太學) → 전강(殿講) → 사제(賜第)
- 사대부(士大夫): 4학(四學) → 태학(太學) → 전강(殿講) → 사제(賜第)

단계	내용
1단계 - 향학·4학	향학에서는 사서(四書) 중의 일서(一書)와 『소학(小學)』, 『가례서(家禮書)』를 가르친다. 향학·4학에서는 우수한 자는 선발하여 태학에 천거하고 성적 불량자는 퇴학시킨다.
2단계 - 태학	군경(群經)과 작문(作文)을 가르친다.
3단계 - 전강	그 시험은 작문(作文)으로 한다.
4단계 - 사제	이를 받으면 벼슬길에 나아가게 된다.

3. 홍대용(1731 ~ 1783)

(1) 고정적이고 절대적인 중화(中華)중심의 세계관을 부정하였다.

(2) 교육의 기회균등과 의무교육론을 주장

『임하경륜(林下經綸)』에서 전국을 9도로 나누고, 1도는 9군으로, 1군을 9현으로, 1현을 9사로, 1사를 9면으로 나누고, 서울은 9부로 구분하였다. 도부터 면에 이르기까지 각급 학교를 설립할 것, 특히 면에는 '재(齋)'라는 학교를 두고 8세 이상의 모든 아동을 교육시킬 것을 주장하였다.

(3) 관리등용

문벌 위주의 악습에서 벗어나, 실력 본위로 신분적 제한이 없는 평등의 원칙을 강조하였다.

(4) 천문학을 연구하고 지동설(地動說)을 주장하여 동양의 코페르니쿠스로 일컫는다.

(5) 주요 저서

① 『의산문답』: 지동설 외에도 우주의 기원이나 은하수의 정체에서부터 천문기상의 여러 현상에 이르기까지 여러 가지 생각이 나열되어 있다. 또 그는 자기 나름대로 우주 무한론을 펴보이기도 하였다. 그러나 대부분의 기록은 단편적이어서 아직 근대 과학의 모습과는 거리가 있다.

② 『주해수용』: 서양 과학의 근본이 정밀한 수학과 정교한 관측에 근거하고 있음을 간파하고 집필한 수학서이다. 대수·기하·삼각 등의 원리적인 문제들과 여러 부문의 응용수학적 문제들을 취급한 근대적인 실용수학적 수준을 갖춘 수학서이다.

4. 연암 박지원(1737 ~ 1805)

(1) 인성론

연암 박지원은 홍대용의 영향을 받았으며, 기호학파의 낙론(洛論)에 속하며 인물성구동(人物性俱同)을 주장하여 인(人)과 물(物)의 성(性)은 한 가지라고 말하였다.

(2) 사회관

그가 주장하고자 한 것은 좁고 융통성 없는 계층 의식의 타파와 신분 평등이다. 또한 공리공론에서 벗어나 현실적이고 실리적인 정책을 추구하면서 주로 경제면에서는 농업과 상업 그리고 무역의 중요성을 강조하였다.

(3) 법고창신(法古倉新)

과거를 올바르게 이해하는 터전 위에 새로운 것을 만드는 것을 말한다. 법고는 전통을 계승하는 이상주의이고, 창신은 새로운 혁신을 조성하는 진보적, 개혁적 정신이다. 그는 옛 것만 추구하면 흉내내는 폐단이 있고, 새 것만 만들면 계통이 서지 않는다고 하였다.

(4) 흥학론(興學論)

조선왕조 수령들이 힘쓸 7가지[농상성(農桑盛), 호구증(戶口增), 학교흥(學校興), 군정수(軍政修), 부역균(賦役均), 사송간(詞訟簡), 간활식(奸猾息)] 중 가장 먼저 할 일이 학(學)이라고 하였다.

(5) 교육내용

그는 '천자문불가독설(千字文不可讀說)', '사략불가독설(史略不可讀說)', '통감절요불가독설(通鑑節要不可讀說)' 등의 세 가지 글을 써서 당시 초학자들을 위한 교과서로 널리 가르쳐지고 있던 세 책에 대해 통렬하게 비판하였다. 그는 『천자문』의 구성이 의미의 개념 구성 원리에 맞지 않아 교육적인 효과를 기대할 수 없으며, 『사략』과 『통감절요』는 내용이 비합리적이며 이는 중국에서도 배우지 않는 글이라고 하였다.

(6) 문학작품을 통한 사회비판과 민중의 각성 촉구

『허생전』에서 경제사상을 고취하는 한편, 『양반전』과 『호질』 등에서 양반사회의 허식과 모순을 풍자하였다. 그 외에 『열하일기』에서는 이용후생에 도움이 되는 청나라의 문물을 배워야 한다고 주장하였다.

5. 이덕무(1741 ~ 1793)

(1) 『사소절(士小節)』의 서문에서 유학의 근본이념인 '하학이상달(下學而上達)'을 실천하고자 하였다. 이는 학생들이 밭을 갈고, 나무를 하며, 목공, 질그릇 굽는 일 등의 필수품 생산에 참가하여 배우도록 하는 일이다.

(2) 서당교육을 포함한 아동교육 일반에 대해 구체적으로 서술한 『사소절』은 동지(動止)·교습(教習)·경장(敬長)·사물(事物)의 4부분으로 구성되어 있다.

(3) 선비의 4가지 본분으로 집에 들어와서는 효도하고, 밖에 나가서는 어른에게 공손하고, 낮에는 농사짓고, 밤에는 글 읽는 것 등이 있다.

(4) 문자 학습을 위해서는 『훈몽자회』, 여성들도 『소학』·『논어』 및 여4서(女四書)인 『내훈(內訓)』·『여성(女誡)』·『여논어(女論語)』·『여범(女範)』 등을 읽어야 하고, 집안의 성씨, 조상의 족보, 성현의 이름, 역대 나라의 이름 등을 알아두어야 한다고 주장하였다.

6. 다산 정약용(1762 ~ 1836)

(1) 사상적 특징

① 조선조 실학의 집대성자로서 실학의 학파로는 경세치용 학파에 속한다.

② 종래의 유학을 변질된 유학(五學)으로 규정하고 변질된 유학을 복원하기 위해 주사학(洙泗學)을 내세웠다. 이는 고전적·본래적인 공맹학(孔孟學)을 의미한다.

(2) 이상적 인간상

① 핵심 사상은 수기치인(修己治人)이다.

② 수기치인이야말로 요·순·공자의 도(道)일뿐만 아니라 스스로 주장하는 목민지도(牧民之道)도 수기치인의 인간학이라고 하였다.

③ 수기의 입장에서 교학일여(教學一如)를, 치인의 실천 방안으로 교정일치(教政一致)를 주장하였다. 교육적 인간상은 수기위천하인(修己爲天下人)으로, 자기수양에 의하여 능력을 닦고 이것을 천하와 국가를 위해 실천궁행(實踐躬行) 하는 사람을 말한다. 이는 현대적 의미에서 사회적 자아실현인이라고 할 수 있다(서양의 재건주의 사상과 유사).

④ 정약용이 강조하였던 수기치인은 경전을 통해 사실을 입증하는 도가 아니라 몸소 행하는 도이다. 또한 수기치인은 극기복례(克己復禮)의 전인적 인격이며, 수기를 위해서는 효(孝)·제(悌)·자(慈)를 제시했고, 치인을 위해서는 정치·경제론을 주장하였다.

효·제	아랫사람이 윗사람에게 취해야 할 예의로써 전통적으로 강조되어온 덕목이다.
자	윗사람이 아랫사람에게 베풀어야 할 덕으로써, 효·제에 비해 별로 강조되지 않았던 덕목이다.

⑤ 정약용이 수기치인의 교육내용으로 강조한 것이 일표이서(一表二書, 『경세유표』, 『목민심서』, 『흠흠신서』)이다. 특히 『경세유표』에서는 지관(地官)으로 하여금 인재교육을 전담하게 하는 예에 따라 호조(戶曹)에 교육담당 기능을 부여하고 있다.

(3) 교육내용

① 예(禮)·악(樂)·사(射)·어(御)·서(書)·수(數) 등 6예(六藝)에 기초하고 효제(孝悌)와 예악(禮樂)을 중심으로 하였다.

② 학문의 내용

㉠ 자기 몸을 갈고 닦기 위한 4서(四書)와 6경(六經)

㉡ 세상을 바로 잡는데 필요한 책, 즉 우리 민족이 딛고 있는 현실을 이해하기 위한 역사책

㉢ 나라의 옛 문헌과 문집과 같이 경세치용에 도움이 되는 삼국사기·고려사·동국여지승람·국조보감·징비록·연려실기술 등

③ 한국사를 학교의 교육내용에 포함시켰고, 특히 음악의 중요성을 강조하였다.

참고

『악론(樂論)』에서 강조한 음악의 중요성

"음악이 없어지고 형벌이 갈수록 무거워졌고, 음악이 없어지자 무기를 든 전쟁이 자주 일어난다. 음악이 없어지면서 원수로 여기는 원망스러움이 일어나고 음악이 없어지고는 속이고 사기치는 일이 번성하여졌다. 왜 그런가? 칠정(七情) 가운데 가장 쉽게 일어나면서 제어하기 어려운 것이 분노의 마음이다."

(4) 인간평등관

"위에는 하늘이 있고 아래로는 백성이 있을 뿐이다.", "하늘은 사람이 사대부인가 아닌가를 묻지 않는다."라고 주장하였다.

(5) 『아학편(兒學編)』

① 특징

㉠ 기존의 천자문을 비판하고 저술한 새로운 아동용 2천자문(상·하권 각 1천자)이다.

㉡ 아동에게 '어떤 단어'를 '어떤 순서'로 '어떤 방법'으로 가르칠 것인가를 제시하였다.

② 『아학편』에 나타난 정약용의 문자교육의 원리

㉠ 아동으로 하여금 감각기관으로 경험할 수 있고 관찰할 수 있는 유형자(有形者)에 관한 개념을 먼저 학습하게 하고 다음으로 학습자의 주관적 판단과 이해가 요구되는 무형자(無形者)의 개념을 학습시킨다. 그래서 상권(上卷)에는 천·지·부·모·군·신·부·부 등 유형자를, 하권(下卷)에는 인·의·예·지·효·제·충·신 등 무형자를 수록하였다.

㉡ 아동의 사물에 대한 일관성 있는 이해를 증진시키고자 사물의 성격과 유형에 따라 범주화하여 유형별 분류체계에 따라 문자를 학습시키고자 하였다.

ⓒ 우주 내의 사물은 음양 대치적 이원 형식에 의해 구성되어 있으며, 아동의 인지 체계도 대치적 구도를 가진 것으로 파악해서 사물이 가진 대립적 형식을 제시함으로써 학습의 효과를 극대화하고자 하였다.

ⓔ 1909년 지석영이 한글, 한자, 영어, 일어로 주석하고 각 한자에 음과 훈을 제시함으로써 어린이 교육에 업적을 남겼다.

(6) 『오학론(五學論)』

① 정약용이 당시의 다섯 가지 학술, 즉 성리지학(性理之學), 훈고지학(訓詁之學), 문장지학(文章之學), 과거지학(科擧之學), 술수지학(術數之學)을 비판한 책이다.

② 성리학은 공연한 시비를 차리고 헛된 명분만 숭상하기 때문에, 훈고학은 지엽적인 것만을 풀이하는데 몰두하기 때문에 배격하고, 문장학은 세상을 밝게 하는 도리를 버리고 문(文)만을 섬기게 되어 배격하고, 과거학은 세상을 어지럽히는 기술이기 때문에, 술수학은 사람을 미혹하는 속임수이기 때문에 배격해야 한다고 주장하였다.

③ 정약용이 배격해야 한다고 본 학문의 순서는 성리학, 훈고학, 문장학, 과거학, 술수학 순서이다. 출발은 훌륭했다고 생각되는 것일수록 앞에 열거하였고, 출발부터 잘못된 것일수록 뒤에 열거하였다.

秀 POINT 『오학론』과 『불가독설』을 통한 교육현실 비판

정약용은 『오학론』과 『불가독설』을 통해 교육현실을 비판하였다. 『오학론』은 성리학, 훈고학, 문장학, 과거학, 술수학에 대한 논의로서 각각의 학문이 그 본래의 기능을 다하지 못하고 오히려 사회의 병폐를 만들어 내고 있음을 비판한 글이다. 또 『불가독설』은 전통적인 유학교육에서 사용하던 『천자문(千字文)』, 『사략(史略)』, 『통감절요(通鑑節要)』를 읽혀서는 안 된다는 주장이다. 이 저서들은 학문을 체계적으로 공부하기에 비효과적이며 오직 과문을 위해서만 유용하기 때문이다.

(7) 저술

국가 경영에 관한 일체의 제도 및 법규에 대하여 적절하고도 준칙이 될 만한 것을 논정(論定)한 『경세유표(經世遺表)』와 지방의 목민관으로서 치민(治民)에 관한 요령과 감계(鑑戒)가 될 만한 것을 밝힌 『목민심서(牧民心書)』, 그리고 치옥(治獄)에 대한 주의와 규범을 말한 『흠흠신서(欽欽新書)』 등이 있다.

『경세유표』	국가제도의 간소화를 토대로 토지, 조세의 관계로부터 기술·무역정책 등의 내용을 언급한 저서이다.
『목민심서』	지방 수령들의 치민(治民)에 관한 도리를 논한 저서이다.
『흠흠신서』	법과 치옥(治獄)에 관한 규범을 정리한 저서로서 당시의 속류 관원들의 부정, 협작, 수탈 혹은 문란한 상태 등이 상세하게 기록되어 있다.

7. 혜강 최한기(1803 ~ 1879)

(1) 사상적 특징

성리학의 공리공론을 배격하고 과학적인 세계에서 현실적 정세를 올바르게 파악하여 자립실천을 꾀하고자 하였다.

(2) 인식론

① 인간의 모든 인식은 경험을 통해 성립된다고 보았다. 즉, 경험이 쌓임으로써 염습(染習)이 형성된다. 인간의 심체(心體)는 본래 순담(純澹)·허명(虛明)한 존재로서 그 속에 아무 것도 없었으나 사물을 경험함에 따라 생겨나는 관성적 경향성을 '염습'이라고 하였다.

② 경험이 쌓임으로써 '염습'이 되고 그 염습에 의하여 이치의 '추측'이 가능해지며, 특히 어린 시절의 견문과 염습이 가장 중요하다고 보았다.

③ 실증적인 경험론적 관점에서 강조한 것이 '염습(染習)'이다. 그는 경험의 주체로 신기(神氣)를 주장한다.

④ 신기의 신(神)은 인격적인 신을 말함이 아니라 기(氣)의 정화(精華)를 말하고, 기는 정화로서의 신의 기본바탕을 말한다.

⑤ 수학은 신기를 단련하는 중요한 내용으로 보았다.

⑥ **인식방법으로서 통(通), 추측(推測), 증험(證驗) 강조**

㉠ **통(通)**: 인간의 모든 인식 작용을 포괄하는 개념으로서 인간이 자신의 감각적 경험과 추측 그리고 실천적 증험의 과정을 통해 지식을 획득하는 것으로 통에는 형질(形質)의 통과 추측의 통이 있다고 보았다. 형질의 통이란 감각기관을 통한 지식의 습득을 의미하고, 추측의 통이란 인간이 추측 능력을 사용하여 대상 세계의 이치를 터득하는 것이다.

㉡ **추측(推測)**: 앞선 경험을 통해 이미 알고 있는 자료들을 토대로 사물의 이치를 추론하고 판단하는 일종의 반성적 작용이다. 인간의 인식은 추측이라는 추론과 판단의 사유형식을 통해 이미 알고 있는 것으로부터 알지 못하는 것에 대한 새로운 지식을 확충해 나갈 수 있다.

㉢ **증험(證驗)**: 인간의 추측의 과정을 통해 얻게 되는 이치가 그 자체로 모든 참된 지식으로 받아들여질 수 있는 것이 아니기 때문에 지식의 획득은 반드시 타인이나 구체적인 사물에의 시험, 검증, 또는 반복적 경험 과정을 거쳐야만 가능해지며 이를 증험이라고 하였다.

(3) 교육목적

교육은 성도(性道)에 따르고 의식을 장만하는 데 있으며, 인도(人道)를 구현하는 일이고, 실용성과 실용인을 양성하는 일이다.

(4) 교육방법

① 학습자의 개성과 능력에 따라 실시되어야 한다.

② 학습은 쉬운 것에서부터 어려운 것, 구체적인 것으로부터 추상적인 것으로 단계적으로 전개되어야 한다.

③ 학습의 효과를 증대하기 위해 학습에 대한 동기유발과 자주 질문하고 대화하도록 하여 학습효과를 확인하고 지도하는 문답식 방법을 중시하였다.

(5) 운화기(運化氣)와 추측지기(推測之機)

운화학이란 운화기를 연구대상으로 하는 학문으로 기학(氣學)의 다른 이름이다. 학문방법으로 강조한 추측법(推測法)에는 ① 기(氣)를 바탕으로 이(理)를 추측하는 것(推氣測理), ② 정(情)의 나타남을 미루어 성(性)을 알아내는 것(推情測性), ③ 움직임을 보고 그 정지 상태를 알아내는 것(推動測靜), ④ 자기 자신을 미루어 남을 알아보는 것(推己測人), ⑤ 물(物)을 바탕으로 일을 짐작하여 아는 것(推物測事) 등이 있다.

(6) 단계적 학습

인사교	물 뿌리기, 청소하기, 손님 응대, 산수, 사람 사귀기 등부터 사농공상의 직업에 이르기까지의 활동내용으로 출생에서 20세까지의 교육이다.
인도교	5륜에서부터 정교(政敎), 예율(禮律), 전장(典章)에 이르기까지의 내용으로 20세에서 40세까지의 교육이다.
인천교	천지의 회전과 운화의 조화에서 인물의 생성 등의 이치탐구로 40세 이후에 이루어지는 교육이다.

참고

장혼의 『아희원람』

활자본, 1권 1책, 규장각 도서로, 1803년(순조 3)에 간행된 책으로, 처음 공부하는 어린이들이 참고하기 쉽도록 엮었으며, 내용은 한국문화사적인 것을 중점적으로 천지형기(天地形氣)에서부터 국속(國俗)·인사(人事)에 이르기까지의 항목을 고금의 사문(事文)에서 필요한 내용을 가려뽑아 엮었다. 조선시대 가정교육의 기본교재 중 하나이며, 당시의 초등교육을 연구하는 데 좋은 자료이다.

기출문제

조선 후기 실학자들의 교육에 대한 주장으로 볼 수 없는 것은? 2019년 국가직 7급

① 실용을 위한 공부와 교육을 해야 한다.
② 우리나라의 역사와 문화를 가르쳐야 한다.
③ 신분의 구별 없이 교육의 기회를 제공해야 한다.
④ 『천자문』, 『사략』, 『통감』 등의 교재로 아동교육을 내실화해야 한다.

해설

실학자들은 『천자문』은 구성이 글자 개념의 원리와 맞지 않아 교육적 효과를 기대할 수 없고, 『사략』이나 『통감』은 내용이 비합리적이며 중국에서도 배우지 않는 글이기 때문에 이들 서적은 아동교육에서 철저히 배제해야 한다고 주장하였다. **답 ④**

05 근대의 교육

핵심체크 POINT

1. 근대의 사상 동향
   개화사상(실학 계승, 서양 및 일본의 영향), 동학사상(반봉건, 반제국, 천도교에서 어린이 운동전개), 위정척사, 동도서기 등
2. 근대 학제

관학	육영공원, 갑오경장시기(교육입국조서 공표 이후 한성사범, 소학교 등 설립)
사학	민족주의자들 설립(민족지도자 양성, 민족의식 고취, 항일정신 배양), 점진학교(남녀공학)
선교계 학교	장로파 설립(광혜원, 언어우드학당, 정동 여학교), 감리파 설립(배재학당, 이화학당) 등

1 근대의 시대적 배경과 사상적 동향

1. 새로운 사상적 경향 대두

(1) 개화사상

실학사상을 기반으로 하면서도 새로운 서양사상과 서양문물의 지식을 포섭함으로써 근대적 개혁을 담당하고자 하였던 사상체계(김옥균, 박영효, 홍영식 등)이다.

참고

개화사상

개화사상은 수신사의 일행으로 일본을 다녀온 젊은 관료층에 의해 주도되었는데, 김옥균·박영효·홍영식·서광범 등이 대표적인 인물이다. 이들은 사상적으로 박규수나 유대치의 영향을 받았다. 이 밖에 유생들 가운데도 개화사상에 접근한 사람들이 있었다. 이들은 서양의 근대적 과학기술과 군사기술, 그리고 산업조직에 큰 관심을 가지고 부국강병을 이룩하기 위해서 이를 도입하자고 주장하였으며, 더불어 정치·사회제도의 개혁까지 거론하였다. 그러나 이들은 서양 근대문물의 도입을 주장하면서도 천주교에 대해서는 대체로 부정적이었는데 이는 전통적인 유교윤리는 지켜야 한다는 동도서기적인 자세에서 비롯되었다.

(2) 동학사상

① 반봉건(反封建), 반제국(反帝國)을 사상적 기초로 하였던 동학농민운동에 뿌리를 둔 사상체계를 말한다. 동학사상은 반봉건이라는 점에서 위정척사론과 대립했고, 반제국적 사상체계로 인해 개화사상과 차이를 지닌다.

② 동학(후에 천도교)의 교육사상

㉠ **인성관:** 동학의 인성관은 선악의 기준이 절대적인 것이 아니라 스스로의 노력에 의해 개선해 나갈 수 있는 가변적이며 가능성을 뜻한다.

㉡ **만민 평등관:** 인내천(人乃天) 사상과 사인여천(事人如天) 사상에 기초해서 인간의 존엄성과 인간평등관을 강조하였고, 민족주의적이고 민중적 성격을 지닌다.

㉢ **교육론:** 여성 해방론에 기초한 근대적 여성교육을 주장하였고, 아동교육의 중요성을 강조하였다. 우리나라 최초로 '어린이'라는 용어를 사용하였다(1920년 창간된 『개벽』 제3호).

秀 POINT 방정환의 교육사상

1. 소파 방정환은 1923년 『어린이』라는 잡지를 창간하였고, 제1회 어린이날이 제정(1923년 5월 1일)되었다.
2. 방정환은 천도교의 사상인 사인여천(事人如天)에 입각하여 아동을 바라보았다. 그에게 아동이란 곧 '인내천의 천사'요, '자연의 시인'이었다. 깨끗한 가슴에 가장 신성한 것을 주고자 하였고, 이로 하여금 더 맑고 신성한 시인을 만들고자 하였다.
3. 방정환은 어린이를 재래의 윤리적 압박으로부터 해방시키고 어린이에 대한 완전한 인격적 예우를 부르짖으면서 어린이를 내려다볼 것이 아니라 쳐다볼 것과 어린이에게 경어(敬語)를 쓰되 항상 부드럽게 대하라고 주장하였다.
4. 방정환은 천도교 유소년부의 활동요강 가운데 '유소년의 생리적 발육과 심리적 발육을 구속하는 모든 폐해의 교정에 힘쓸 것'과 '재래의 봉건적 윤리의 압박과 군자식 교양의 전형을 버리고 유소년으로의 순결한 정서와 쾌활한 기상의 함양에 힘쓸 것'을 제시하였다('어린이'라는 호칭은 1920년 8월 25일자 『개벽』을 통해 발표된 방정환의 '어린이의 노래'에서 처음 사용됨).

(3) 위정척사파(衛正斥邪派)

주자학적 명분주의를 철저하게 이어받아 서양문물의 배격을 추구하고자 하였던 보수적 사상경향으로, 이항로, 최익현, 이만손 등이 있다.

(4) 동도서기파(東道西器派)

주자학적 교조주의의 틀 속에서 새로운 시대조류에 대응하고자 했던 봉건적 지식인의 사상체계이다(윤선학이 대표자). 이들은 서양의 기계문명과 부국강병의 기술은 이어받되, 동양의 인륜 도덕은 하늘로부터 부여받은 것으로 이를 지켜나가야 한다는 입장이었다(개화사상의 과도기적 사상).

2. 개화기 교육사상의 특징

(1) 근대적 신교육론

갑오개혁안과 교육입국조서 등을 통해 근대적 신교육을 도입할 것을 주장하였다.

(2) 의무교육론

개화의 목적을 달성하기 위해 전 국민에게 기본적인 교육을 실시할 필요성을 역설하였다.

(3) 여성교육론

남녀평등 교육을 통해 국가발전의 원동력을 찾고자 하여 여성교육의 중요성을 강조하였다.

(4) 실업기술교육

국가의 부강과 자강을 위해 새로운 기술의 수용과 보급 필요성을 주장하였다.

秀 POINT 근대 교육의 기점에 대한 견해

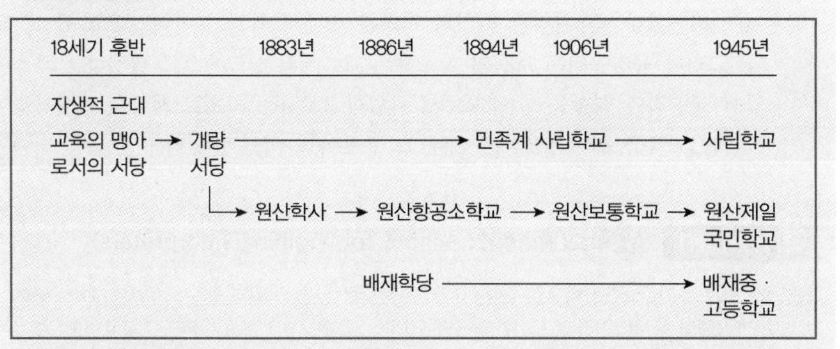

1. 18세기 서당설
18세기에 이르러 신분관계의 혼란으로 교육과 신분의 상응관계가 무너지고 비사족(非士族) 중에서 상거래와 광장경영, 상품경제적 농업경영 등을 통해 부를 축적한 집단인 소위 자본주의 맹아의 담당자들이 기존의 양반중심의 학교체제에 대신한 서당을 설립·운영하게 되었다.

2. 원산학사설
1833년 원산의 상인들이 중심이 되어 개량서당을 근대 교육기관으로 발전시켜 원산학사를 설립하였다. 이 학교는 그 후 원산항공소학교 - 원산보통학교 - 원산제일초등학교 등으로 명칭이 바뀌었다.

3. 배재학당설
1886년 기독교 선교사인 아펜젤러(Appenzeller) 목사가 근대학교를 설립하였다.

4. 식민지 교육설
일본의 영향으로 근대교육이 실시되었다.

2 근대적 학제의 성립과정

1. 정부에 의한 신학제 설립과정

(1) 육영공원(Royal English School, 1886)

① 특징

㉠ 정부가 설립한 최초의 근대 학교로 외국어를 해득할 수 있는 관리양성 기관이었다.

㉡ 설립배경: 외국과 조약을 맺었거나 또는 맺는 중에 있었기 때문에 외국어가 필요해지자 내무부의 건의로 세워졌다.

㉢ 설립 초기에는 외교 교섭에 필요한 영어 어학연수가 주 목적이었다.

연무공원(鍊武公院)
1888년(고종 25)에 설치된 사관양성학교이다.

② **입학생**: 연소한 현직 관리와 일류문벌 출신 자제에게 한정되었다.
③ **조직**: 좌원(左院; 연소한 문무관리)과 우원(右院; 일반선비 가운데 재주 있는 자)으로 편성하였다. 미국인 길모어(G. Gilmore), 벙커(D. Bunker), 헐버트(H. Hulbert), 중국인 당소의(唐紹儀)를 교사로 초빙하였다.
④ **교육내용**: 영어교육을 위주로 독서, 습자의 기초지식부터 수학, 자연과학, 역사, 정치학, 경제학 등을 교육하였다.
⑤ **교육사적 의의**: 학생들의 신분이 양반 고관들의 자제들로 제한되어 있어 수구성이 강하여 구교육의 전통을 완전히 탈피하지 못하였으며, 일반평민은 그 대상에 제외되었다. 즉 완전한 의미의 개화된 현대식 학교는 아니었다고 볼 수 있다. 그러나 육영공원은 조선의 학교가 구교육에서 신교육으로 발전하는 과정에 있어 교량적인 역할을 한 것으로서 관립학교로서는 최초로 서양의 교육과정에 준하는 교육을 실시하였다는 데에 그 교육사적 의의가 있다.

秀 POINT 통변학교(通辯學校; School for Training Interpreters)

육영공원의 시초가 되었던 학교로 정부의 외교고문으로 있던 독일인 묄렌도르프가 1883년에 설립하였다(일명 동문학이라고도 함). 영국인 할리팩스(T. E. Halifax)를 주무 교사로 하여 주로 영어를 가르쳤다. 통변학교는 정부가 세운 일종의 영어교육기관으로서 정규학교로서의 기능은 갖추지 못하고 있었다. 즉 당시 국가·사회적으로 영어가 필요하여 설치되었던 부속기관의 성격을 갖고 있었지만, 독립적인 교육기관으로서의 성격은 갖지 못했다. 그러나 통변학교는 비록 영어교육기관이긴 했어도 정부에서 설립한 근대적 교육기관이었고, 근대적 관학의 시발형태가 되고 있다는 점에서 그 역사적 의의를 가지고 있다.

(2) 갑오경장과 교육개혁안

① 갑오개혁에 의해 6조(六曹)를 폐지하고 8아문 설치, 과거제 폐지와 새로운 관리등용법이 실시되었다. 그리고 교육을 담당하는 부서를 학무아문으로 고치고 학무아문에서는 순 한문으로 된 고시를 공포하였다(1894.7.).
② 갑오개혁의 주요 내용(1894.6, 군국기무처)
㉠ **중앙 관제를 2부 8아문으로 개편**: 의정부와 궁내부를 두고, 의정부 밑에 내무·외무·탁지·군무·법무·학무·공무·농상무 등 8아문을 설치한다.
㉡ 과거제를 폐지하고 새로운 관리 임용 시험제도를 채택한다.
㉢ 공사(公私) 노비의 문서를 없애고 인신매매를 금지한다.
㉣ 종래의 신분계급을 타파하여 귀천과 문벌 구분 없이 인재를 등용한다.
㉤ 종래의 문존무비(文尊武卑)의 차별을 폐지한다.
㉥ 조혼을 금지하고 남자는 20세, 여자는 16세 이상부터 결혼을 허용한다.
㉦ 아내와 첩이 다같이 아들이 없을 때 양자를 허락한다.
㉧ 과부의 재가를 허락한다.
㉨ 범죄자 가족의 연좌제를 폐지한다.
㉩ 품행이 방정하고 학력이 우수한 청년을 해외로 유학시킨다.

참고

고시의 내용

"돌아보건대 시국은 크게 바뀌었다. 제반 제도가 다 함께 새로워야 하지만 그 가운데 영재교육이 가장 시급한 일이다. 이에 소학교를 세워 먼저 서울에서 행하려 하니 장차 7세 이상의 남자를 모두 뽑아 학교에 보내 오륜을 배우며 진문(眞文)을 행하고 문자로 수신함과 아울러 우리나라 및 만국의 지리, 역사 등의 초보의 학을 3년 동안 가르치려 한다. … 본 아문은 소학교와 사범학교를 세워 먼저 서울에서 행하려 하니 위로 공경대부의 아들로부터 아래로 평민 가운데 우수한 자까지 다 이 학교에 들어와 경서, 자전, 육예, 백가의 글을 배우며 아침에 외우고 저녁에 익혀라. 중요한 것은 장차 업무를 배워 난세를 구하고 내무와 외교에 각각 적용시키려 한다. 대학교, 전문학교도 또한 장차 차례 차례로 세우려 한다."

(3) 홍범 14조(1894.12.)

정부는 홍범 14조를 발표하고 그 가운데 교육에 관한 사항(제11조)으로는 "나라 안의 총명하고 우수한 자제를 널리 파견하여 외국의 학술과 기예를 학습시킨다. 그리고 장교를 교육하고 징병법을 써서 군제의 기반을 확립한다." 등이 있었다.

참고

홍범 14조

1. 자주 독립의 기초를 확립한다.
2. 왕실 규범을 제정한다.
3. 종실·외척의 내정간섭을 불허한다.
4. 왕실사무와 국정을 분화한다.
5. 의정부 및 각 아문의 직무권한을 규정한다.
6. 납세법을 제정한다.
7. 조세의 징수와 경비지출은 탁지아문에서 관장한다.
8. 왕실과 관부의 1년간의 비용을 예정한다(예산제도 도입).
9. 왕실의 경비는 솔선하여 절약하고 모범이 되게 한다.
10. 지방관제를 제정한다.
11. 국중(國中)의 총중(聰中)자제를 파견하여 외국의 학술과 기예를 전습한다.
12. 장교를 교육하고 징병제를 실시하여 군제의 기초를 확립한다.
13. 민법과 형법을 제정하여 인민의 생명과 재산을 보호한다.
14. 문벌을 가리지 않고 널리 인재를 등용한다.

(4) 교육입국조서(1895.2.)의 공표

① 실용교육, 유학자의 비판, 근대교육의 이념과 필요성, 삼육론(三育論), 신학제의 설립 필요성 등을 제시하고 있다.

② 교육입국조서의 공표 이후 한성사범학교 관제를 비롯한 외국어 학교 관제, 성균관 관제(성균관을 근대적 교육기관으로 개편), 소학교령, 의학교 관제, 중학교 관제, 상공학교 관제 등을 공포하여 각종 학교가 설립되었다.

秀 POINT 교육입국조서

"짐이 생각건대 조종께서 업을 시작하시고 통을 이으사 이제 504년이 지냈도다. 이는 실로 우리 열조(列朝)의 교화와 덕택이 인심에 젖고 우리 신민이 능히 그 충애를 다한 데 있도다. …… 아아! 짐이 교육에 힘쓰지 아니하면 나라가 공고(鞏固) 하기를 바라기 심히 어렵도다. 세계의 형세를 살펴보건데 부강하고 독립하여 웅시(雄視)하는 모든 나라는 다 그 인민의 지식이 개명하였도다. 이 지식의 개명은 곧 교육의 선미(善美)로 이룩된 것이니 교육은 실로 국가를 보존하는 근본이라 하리로다. 그러므로 짐은 군사(君師)의 자리에 있어 교육의 책임을 몸소 지노라, 또 교육은 그 길이 있는 것이니 헛된 이름과 실제 소용을 먼저 분별하여야 하리로다. 독서나 습자로 옛 사람의 찌꺼기를 줍기에 몰두하여 시세의 대국에 눈 어둔 자는 비록 그 문장이 고금을 능가할지라도 쓸데없는 서생(書生)에 지나지 못하리로다.
이제 짐이 교육의 강령(綱領)을 보이노니 헛이름을 물리치고 실용을 취할지어다. 곧 덕을 기를지니 오륜의 행실을 닦아 속강(俗綱)을 문란하게 하지 말고 풍교를 세워 인세의 질서를 유지하며 사회의 형복을 증진시킬지어다. 다음은 몸을 기를지니 동작을 떳떳이하고 근로와 역행을 주로 하며, 게으름과 평안함을 탐하지 말고 괴롭고 어려운 일을 피하지 말며 너희의 근육을 굳게 하고 뼈를 튼튼히 하며 건장하고 병 없는 낙을 누려 받을지어다.
다음은 지(智)를 기를지니 사물의 이치를 끝까지 추궁함으로써 지(知)를 닦고 성(性)을 이룩하고 아름답고 미운 것과 옳고 그른 것과 길고 짧은 데서, 나와 남의 구역을 세우지 말고 정밀히 연구하고 널리 통하기를 힘쓸지어다. 그리고 한 몸의 사(私)를 꾀하지 말고 공중의 이익을 도모할지어다. 이 세 가지는 교육의 강기(剛紀)이니라. 짐은 정부에 명하여 학교를 널리 세우고 인재를 양성하여 너희들 신민의 학식으로써 국가 중흥의 대공을 세우게 하려 하노니 너희들 신민은 충군하고 위국(爲國)하는 마음으로 너희의 덕과 몸과 지(智)를 기를 지어다. 왕실의 안전이 신민의 교육에 있고 국가의 부강도 또한 너희들 신민의 교육에 있도다. 너희들 신민이 선미한 경지에 다다르지 못하면 어찌 짐의 다스림을 이루었다 할 수 있으며 정부가 어찌 감히 그 책임을 다하였다 할 수 있고 또한 너의들 신민이 어찌 교육의 길에 마음을 다하고 힘을 다하였다 하리오. ……

(5) 교육조서 이후 정부 설립의 학교

① 한성사범학교

㉠ 소학교 교원양성 기관으로 본과(2년)와 속성과(6개월)를 두었다. 1899년 본과 수업 연한을 4년으로 연장하였다.

㉡ 한성사범학교는 부속 소학교를 두었고 학생 정원은 본과 100명, 속성과 60명이었다.

㉢ 신입생은 시험에 의해 선발하였다.

㉣ 교장은 학무국장이나 편집국장이 겸임하였으며, 교관과 부교관은 한성사범학교 학생을 지도하였고, 교원은 부속소학교의 아동교육을 전담하였다.

한성사범학교 관제(1895.4.16, 칙령 7, 전문 13조로 구성)

1. 관제 요강

① 한성사범학교는 교관을 양성하였다.
② 본과와 속성과를 두되 본과는 2년, 속성과는 6개월에 졸업한다(본과 2년은 1899년에 4년으로 함).
③ 한성사범학교 아래 보통과 및 고등과로 된 부속소학교를 두되 그 수업 연한은 어느 것이나 3년으로 한다.
④ 한성사범학교에는 학교장 1명(주임), 교관 2명 이하(주임 또는 판임), 부교관 1명(판임), 교원 3명 이하(판임), 서기 1명(판임)을 둔다. 교관은 생도의 교육을 담당하고 부교관은 이를 보조한다.
⑤ 본과 속성과와 부속소학교의 학과 및 학습내용은 학부대신이 따로 정한다.
⑥ 개국 504년(1895) 5월 1일부터 시행한다.

2. 규칙 요강

① 학과 및 학습내용: 본과의 학과목은 수신, 교육, 국문, 한문, 역사, 지리, 수학, 물리, 화학, 박물, 습자, 체조로 하고 시의에 따라 위의 과목 가운데서 한 과목 또는 몇 과목을 감할 수 있다. 속성 과목은 수신, 교육, 국문, 한문, 역사, 지리, 수학, 이과, 습자, 작문, 체조로 하고 시의에 따라 과목을 감할 수 있다.
② 입학 정원: 본과에 입학할 수 있는 자의 연령은 20세 이상 25세 이하로 하고, 속성과는 22세 이상 35세로 한다. 정원은 본과 100명, 속성과는 60명으로 한다.

② 소학교

㉠ 소학교령에 의해 관·공립 및 사립의 소학교가 설치되었다.
㉡ 관공립의 소학교는 한성과 지방의 주요 도시에 설립되었는데, 1개 학년에 1학급을 두고, 학급당 학생 수는 50명 이내로 하였다.
㉢ 재정은 부족하여 특히 공립소학교는 군수의 노력과 지방민의 찬조로 유지되는 곳이 대부분이었고 정부의 지원을 받기도 하였다.

소학교령(1895.7.19. 칙령 145, 전문 13조)

1. 관제의 요강

① 소학교는 아동의 신체발달에 비추어 국민교육의 기초와 그 생활상에 필요한 보통지식 기능을 가르침을 본지로 한다.
② 소학교는 관립, 공립 및 사립의 3종으로 하고 그 경비는 관립은 국고, 공립은 부(시) 혹은 군, 사립은 개인의 부담으로 한다.
③ 소학교를 나누어 보통, 고등 2과로 하고 수업 연한은 보통과 3년, 고등과 2년 또는 3년으로 한다.
④ 보통과의 교과목은 수신, 독서, 작문, 습자, 산술, 체조로 하고 시의에 의하며 학부대신의 허가를 받아 체조를 없애고 한국지리, 역사, 도화, 외국어 가운데 한 과목 혹은 몇 과목을 첨가할 수 있다. 여아를 위하여 재봉을 첨가할 수 있다. 고등과 교과목은 수신, 독서, 작문, 습자, 산술, 한국지리, 한국역사, 외국지리, 이과, 도화, 체조로 하고 여아를 위하여 재봉을 첨가한다. 적절한 시기에 학부대신의 허가를 얻어 외국어 1과를 첨가하고 외국지리, 외국역사, 도화 가운데 한 과목 혹은 몇 과목을 없앨 수 있다.
⑤ 교과용 도서는 학부에서 편집한 것 혹은 학부대신이 검정한 것을 써야 한다.
⑥ 만 8세에서 만 15세까지 8년을 취학 연령으로 하고 각 부군은 그 관 내에 취학 연령 아동을 취학시킬 만한 공립소학교를 설치해야 한다.

2. **교원의 자격과 임면**
소학교 교원은 교원 면허장을 가지지 않으면 안됨. 면허는 검정에 합격을 요함. 관립소학교 교원은 학부대신, 공립소학교 교원은 각 해당 관찰사가 임용하고 어디든지 판임관이다.

3. **경비**
관립소학교는 그 경비를 국고가 지급하나 공립소학교 경비도 당분간 국고에서 지급한다.

③ **관립외국어 학교**: 영어학교, 일어학교, 법어(法語)학교, 아어(俄語)학교, 덕어(德語)학교 등을 설치하였고, 수업 연한은 3~5년이었다.

④ **성균관**: 종전의 성균관을 근대적 교육기관으로 개편(經學院의 개명)하여 3년 과정의 경학과(經學科)를 두고 4서 3경과 역사, 지리, 상술 등을 가르쳤다. 경학과가 개설되어 성균관의 제향(祭享) 기능은 분리되었다.

⑤ **관립중학교**: 4년제의 심상과와 3년의 고등과를 두도록 되어 있었으나 심상과만 개설하고, 소학교 졸업자를 입학시켰다.

학교관제	제정공포일	학교관제	제정공포일
① 한성사범학교관제	1895.4.16.	⑧ 보조공립소학교규칙	1896.2.20.
② 외국어학교관제	1895.5.10.	⑨ 의학교관제	1899.3.24.
③ 성균관관제	1895.7.2.	⑩ 중학교관제	1899.4.4.
④ 소학교령	1895.7.19.	⑪ 상공학교관제	1899.6.24.
⑤ 한성사범학교규칙	1895.7.23.	⑫ 외국어학교규칙	1900.6.27.
⑥ 성균관 경학과 규칙	1895.8.9.	⑬ 농상공학교관제	1904.6.8.
⑦ 소학교 규칙대강	1895.8.12.	-	-

참고

『건백서(建白書)』

갑오경장의 교육개혁안에 영향을 준 것은 개화파인 박영효와 유길준 등이었다. 특히 박영효는 『건백서』에서 다음과 같은 교육개혁안을 제시하였다.

1. 소학교, 중학교를 설치하여 6세 이상의 모든 남녀를 취학시킬 것
2. 장년학교를 설치하여 한문 또는 언문으로 정치·재정·법률·역사·지리·산술 등의 외국 서적을 번역하고, 소장관료 및 장년의 선비를 교육하여 과거시험을 통해 문관에 채용할 것
3. 인민에게 국사·국어·국문을 가르칠 것
4. 외국인 교사를 고용하여 인민에게 법률·재정·정치·의술·궁리 및 여러 가지 재예를 가르칠 것
5. 서적을 널리 인쇄, 출판할 것
6. 박물관을 설치할 것
7. 집회·연설을 허락하여 고루함을 벗어날 것
8. 외국어를 배워 교재를 편리하게 할 것
9. 민간신문의 발행을 허락할 것
10. 종교의 자유를 인정할 것

(6) 대한제국의 성립과 광무개혁(1897)

① 아관파천 이후 고종은 국호를 '대한제국', 년호를 '광무'로 하는 독립제국의 새 체제를 추진하였다. 이는 자주독립의 근대국가를 수립하려는 염원이었다.

② 광무개혁의 방향은 '구본신참(舊本新參)', 즉 구법(舊法)을 근본으로 삼고 신법을 참고한다는데 두었다. 특히 황제의 통치권 강화, 군제의 해결 등과 함께 경제에서는 토지소유권 제도의 일종인 지계(地契)를 발급하였다.

③ 교육 분야에서는 실업교육이 강조되었고, 외국에 유학생을 파견하여 근대 산업기술을 습득하게 하였다. 상인과 기술자 양성에 힘을 기울여 기예학교·상공학교·광무학교 등의 실업학교와 의학교·외국어학교 그리고 모범양성소·공업전습소 등을 설립하였다.

2. 민족주의와 교육구국운동

(1) 원산학사(1883)

① 민간인이 설립한 최초의 근대학교이다.

원산학사의 설립 상황

원산은 1880년 5월 개항되었다. 당시 원산의 민간인들에게는 일본의 경제 진출에 대응하는 한편 새로운 시대를 담당할 인재를 육성하는 일이 긴급한 과제로 제기되었다. 이러한 상황에서 새로운 학교의 설립은 외세의 도전에 대응하는 가장 중요한 사업으로 간주되었다. 원래 원산이 개항되자 민간인들은 경서강독을 중심으로 한 재래서당을 개량하여 일반 과목을 가미했던 개량서당을 만들어 자제교육을 실시하고 있었는데, 1883년에 이르러 개화파 관리의 협력을 얻어 새롭게 근대학교를 설립하게 되었다. 원산학사는 정부의 공식 승인을 받았던 근대학교였는데, 그 편성에 있어서 무예반과 문예반을 병설하였다. 원산학사의 교과는 특수과목으로서 문예반은 경의(經義), 무예반은 병서(兵書)를 채용하고, 공통과목으로 산수, 물리, 기계, 농업, 양잠, 광채(廣採) 등의 실용과목을 가르쳤다. 그 외에 일본어, 법률, 지리 등의 근대학문도 동시에 가르쳤다. 원래 정원은 문예반은 50명, 무예반은 200명으로 수료연한은 1년이었다. 설립기금은 총액 6,575냥 가운데 조선인이 88.8%인 6,005냥을 출자하고, 나머지는 중국인, 영국인, 미국인 등 외국인이 출자하였다. 조선인 가운데 관리의 출자는 5%에 불과하고 그 외는 모두 양반, 평민 등 민간인이 출자하였다. 즉 원산학사는 개화파 관리가 지원하는 가운데 보수적이라고 비판받았던 양반이 근대학교 설립에 커다란 관심을 보인 동시에 수많은 평민들도 적극적으로 참가하였다. 이는 민간인들이 외국 문명과의 접촉을 통해 자각했을 경우 교육의 근대화, 즉 근대학교의 건설에 커다란 에너지를 발휘할 수 있음을 보인 것이다.

② 교육사적 의의

㉠ 한국인 최초의 근대적 학교가 한국인에 의하여 설립되었다.

㉡ 정부의 개화정책에 앞서 개항장의 민중들이 설립 자금을 각출하여 자발적으로 설립하였다.

㉢ 외국 세력과 직접 부딪히는 지방의 개항장에서 시무(時務)에 대처하기 위하여 설립되었다. 즉 외세의 도전으로부터 나라를 지키고 발전시키기 위하여 새로운 인재를 양성하고, 신지식을 교육하려는 애국적 동기에서 세워졌다.

㉣ 외국의 근대학교를 모방한 것이 아니라 기존의 서당을 개량서당으로 발전시키고 이것을 다시 근대학교로 발전시킴으로써 전통을 계승하면서 근대학교를 설립하였다.

㉤ 관민(官民)이 협력하여 설립하였다. 즉 개항장 백성들의 요청에 개화파 관리들이 적극 호응하여 민중과 초기 개화파 인사들이 협력함으로써 우리나라 최초의 근대적 학교를 설립하였다.

개량서당

1. 출현

① 서당이 초등교육기관으로서 의미가 뚜렷해진 것은 19세기 후반에 들어와서 근대교육이 전개된 이후였다.

② 1876년 개항과 더불어 시작된 근대사회로의 지향은 외세에 대처하기 위한 전 국민의 교육구국운동으로 부각되었다.

③ 1895년 이후에는 비록 정부에 의하여 근대적인 초등교육제도가 마련되기는 했지만 관립학교들이 친일교육의 경향을 나타내자 전통적 서당이 오히려 국민의 지지를 받게 되었다.

④ 일제하에서는 항일 독립사상의 모태로서 민족적 긍지와 독립에의 의지를 심어 주었으며 여성교육에도 크게 이바지하였다. 특히 민간에서 자율적으로 서당교육을 근대식 학교체제로 개량하여 당면한 시대적 과제를 주체적으로 해결하고자 했던 것은 민족적 저력의 한 표현이다. 이와 같이 서당교육은 그 형태를 조금씩 바꾸어 음성적으로 구국운동에 몰두하였는데 그것이 개량서당의 출현이다.

2. 교육

① 근대식 교육의 교과를 도입하고 설립목적을 민중교화에 둠으로써 교육구국운동을 전개하였다. 재래의 한문서당도 그 전통을 고수함으로써 민족적 항거를 한 것으로 볼 때 서당교육이 간접적으로 구국운동의 역할을 하였다고 볼 수 있다.

② 한국어, 일어, 산술 등과 교과 외 활동으로서 학예회, 운동회 등의 근대교과를 가르쳤다.

③ 교육목적을 민족교화에 두었으며 교원도 신교육을 받은 지도자로 구성하여 근대적 초등교육을 실시하였다. 즉 국민교육과 문맹퇴치 그리고 민족의식 앙양에 큰 영향을 주었다.

④ 여교사와 여학생의 증가는 한국 여성교육의 근대화를 의미하는 것으로 민족을 위한 운동을 하겠다는 여성의 의욕과 여성도 서당교육 정도는 가르쳐야 한다는 서민층의 교육열 또한 서당교육이 현대교육에 물려준 의의라 할 수 있다.

(2) 학회 활동

① 각종 학회(學會)활동(서우학회, 기호학회, 태극학회, 관동학회, 신간회, 근우회, 흥사단 등)과 독립협회의 활동이 두드러졌다.

② 독립협회는 독립신문을 발행하여 자주독립의 정신을 계몽하였다.

③ **독립신문**: 서재필이 1896년 4월 7일 순 한글로 창간한 것에서 비롯되었다(신문의 날). 신문 사설의 주안점은 ㉠ 자주독립 및 자립정신의 앙양, ㉡ 외세 침투의 배격 등이었다.

독립신문 사설의 내용

4년간 사설은 총 776회에 걸쳐 게재되었다. 논설의 주요 내용은 신분차별의 철폐, 남녀평등의 주장, 국민교육의 필요성, 준법정신의 고취, 자주애국의 강조, 유의유식(遊衣遊食)에 대한 반대, 축접 반대, 미신타파, 단발과 양복의 착용, 국민적 의무의 강조, 매관매직의 반대, 탐관오리의 고발, 지방장관 민선의 주장, 산업교육의 필요성, 개화의 역설 등 자유·민권·독립을 중심으로 한 일편의 부르주아 개혁의 과제를 논하였다. 이러한 주장은 특권지배층에 머물러 있던 개화사상을 일반 민중 속으로 침투시키는데 큰 공헌을 하였다.

(3) 민간인 사학의 설립

① 민족사학의 기본 성격은 국권 회복을 위한 민족 지도자의 양성, 민족의식의 고취, 과외활동을 통한 애국사상의 함양, 항일운동, 건전한 인격과 강건한 신체의 함양 및 신교육과 신학문의 수용 등이었다.

② 당시 민족주의자들에 의해 수많은 사립학교가 설립(중등 정도)되고, 전통적 서당을 개량하여 학교로 개편하고, 각종 강습소와 야학(夜學)등을 통해 교육구국 운동을 전개하였다.

③ 당시에 설립된 민족사학으로는 흥화학교(1895), 점진학교(1899, 최초로 남녀공학을 실시한 소학교), 보성전문(1905), 양정의숙(1905), 휘문의숙(1906), 현산학교(1906), 오산학교(1907), 대성학교(1907) 등이 대표적이다. 뿐만 아니라 정신여학교(1897)를 비롯해서 많은 사립 여학교가 설립되었다.

④ 민립학교의 설립은 국내에 국한되지 않고 국경과 접한 소련이나 중국의 연해주 각처에도 설립되었다. 민립학교의 설립은 1905년 이후 증가하기 시작하여 1908년 전성기를 이루었고, 1909년 이후 감소되었다(일제의 사립학교령 제정 이후 감소).

⑤ 민립학교의 교육구국활동은 민족적 각성을 통한 자주독립을 달성하기 위해 ㉠ 교과교육활동(수신 및 윤리교육, 국어교육, 역사교육, 지리교육, 창가 및 체육교육 등), ㉡ 교과 외 교육활동(운동회의 실시, 학생친목회 및 클럽활동 등), ㉢ 의무교육실천 활동(1906년 이후 민간차원에서 의무교육실시를 위한 활동전개), ㉣ 항일구국활동으로서의 국채보상운동 등으로 나타났다.

⑥ 사립학교 교원양성은 사립사범학교, 사립중등학교에 부설된 사범과와 사범속성과, 특별과, 사범강습소 등에서 이루어졌다.

참고

신간회와 근우회

1. 신간회

① 1920년대 후반에 좌·우익 세력이 합작하여 결성된 대표적인 항일단체이다.

② 정강정책(政綱政策)

㉠ 조선민족의 정치적·경제적 해방의 실현

㉡ 전 민족의 현실적 공동이익을 위하여 투쟁함

㉢ 모든 기회주의 부인 등

2. 근우회

신간회의 자매단체로 여성의 공고한 단결, 지위향상, 봉건적 굴레와 일제침략으로부터의 해방 등을 표방하였다.

3. 종교계의 교육활동

(1) 특징

인간의 평등과 성별 및 계급을 초월한 사상적 기반으로 활발한 교육활동을 전개하였다.

(2) 선교계 학교

① 학교 유형

장로교 학교	제중원 부설 의학교[광혜원, 알렌(Allen), 1885], 경신학교[언더우드(Underwood) 학당, 1886], 정동 여학교 등
감리교 학교	이화학당[스크랜턴(Scranton), 1886], 배재학당[아펜젤러(Appenzeller), 1886] 등

② 기독교 학교의 성격

㉠ 자주정신에 입각한 한국인을 육성한다.

㉡ 교육기회의 평등화와 자주적인 교육 활동을 실시한다.

㉢ 기독교적 민주주의 교육과 기독교적 인재를 양성한다.

㉣ 근대적인 교과목의 편성과 특별활동을 활성화한다.

㉤ 근대 학제의 수립과 서양 문화를 전달한다.

근대적인 교과목 편성과 특별활동
선교계 학교에서 체육시간에 야구, 축구, 정구, 농구 등을 시도하였다. 대표적으로 배재학당은 한국 최초의 신식 스포츠의 발원지이기도 하였다. 또한 과외활동으로서 연설, 토론회와 같은 사상발표의 훈련이 이루어졌다.

秀 POINT 배론 성당(성요셉 배론 신학교)

최초의 기독교계 학교는 1855년 천주교 신부양성을 위한 제천의 배론 성당으로 천주교 신부인 메스트르(Maistre)가 설립하였다. 이 학교는 천주교 교리를 중심으로 라틴어 및 서양의 신학문(철학 등)과 한문 등을 가르쳤다.

(3) 불교계

1902년 대한사찰령을 계기로 서울과 지방에 각 수사찰(首寺刹)을 두고 근대학교를 설립하였다. 대한사찰령에 의거하여 불교계 최초의 근대학교인 명진학교가 원흥사에서 개교(1906)하였다.

3 개화기 교육사상가

1. 유길준(1856 ~ 1914)

(1) 최초의 국한문 혼용체로 된 『서유견문』과 개화가 노동의 힘에 의존함을 역설한 『노동야학독본』을 저술하였다(우리나라 최초의 일본과 미국 유학생).

(2) 그의 개화사상은 실학의 통상개국론, 중국의 양무(洋務) 및 변법론(變法論), 일본의 문명개화론, 서구의 천부인권론 및 사회계약론의 영향을 받았다.

(3) 그는 개화를 행실의 개화, 학술의 개화, 정치의 개화, 법률의 개화, 무기의 개화, 물품의 개화로 나누었고, 그 수용태도에 따라 개화하는 자, 반(半)개화하는 자, 미(未)개화하는 자로 등급을 나누었다.

(4) 이용후생과 실상 개화를 목표로 하여 융희학교를 설립하고 교육계(教育契)를 만들어 계산학교와 노동야학회의 설립을 도왔다.

2. 이용익(1854 ~ 1907)

(1) 1902년 내원장경으로 있을 때 사기(砂器) 제조소를 설립하고, 각 도(道)에 공업 전습소를 설립하여 근대 기술자 양성을 시도하였다.

(2) 1905년에 보성전문학교, 1906년에 보성중학교를 설립하였다.

3. 남궁억(1863 ~ 1939)

(1) 1906년 양양 군수 시절 현산학교를 설립하였고, 1918년에는 홍천 모곡리에 모곡학교를 설립하여 교육활동을 하며 무궁화 보급을 통한 애국운동을 하였다.

(2) 최초의 통신강의록의 일종인 교육월보를 창간하였다.

(3) 교육목적을 애국 애족하는 사회인, 성실한 도덕인, 생산 실천하는 산업인에 두고 교육내용으로는 역사교육, 예능교육, 실업교육, 언어교육을 중시하였다.

(4) 모곡학교에서 독서회를 만들어 정기적으로 토론회를 열고, 웅변대회를 열어 변론술을 연마시켰다.

4. 박은식(1859 ~ 1925)

(1) 교육자이자 독립운동가로서 『학규신론(學規新論)』, 『한국통사(韓國通史)』를 저술하였다.

(2) 서북형성학교의 설립을 주도하였고 상해 망명 중에 박달학원(博達學院)을 설립하였다.

(3) 국민교육을 진흥시키는 일은 국운의 융성을 위해 필요한 것으로 하나는 각종 학교를 통해 교육하는 경제지술(經濟之術)이고 다른 하나는 종교를 통해서 교육하는 도덕지학(道德之學)이라고 하였다.

(4) 그는 또한 자강을 가져올 수 있는 신지식은 유교식 서당교육이 아니라 신학문을 통해서 얻는 것이라고 보고 황성신문에 '무망흥학(務望興學)'이라는 글을 게재하여 학교 설립을 강조하였다.

5. 안창호(1878 ~ 1938)

(1) 1907년부터 1910년까지 국내에서 신민회 조직, 대성학교 설립, 청년학우회 조직, 평양 자기회사 및 태극서관 설립 등을 시도하였다.

(2) '힘'에 역점을 두고 힘을 기를 것을 강조하였다. 그가 강조한 힘에는 지력(지식의 힘), 재력(금전의 힘), 조직력(단결의 힘), 체력, 군사력 그리고 인격력(도덕의 힘)이 있다. 그 가운데 3대 자본으로 신용의 자본, 지식의 자본, 금전의 자본을 꼽았다.

(3) 교육정신

자아혁신, 무실역행(務實力行), 점진공부(漸進工夫)의 세 가지를 강조하였다.

① 자아혁신: 거짓과 공론(空論)을 배격하는 것이다. 자기 마음 속에 있는 거짓을 박멸함으로써 독립운동을 삼고, 빈말로만 떠들고 실천·실행이 없는 공론을 배격하고자 하였다.

② **무실역행**: '참'을 힘쓰고, '행'을 힘쓰자는 것이다. 이는 자아혁신의 대책으로 안창호는 자신이 직접 이것을 실천하고자 하였다. 무실역행이란 공리공론(空理空論)을 하지 말고 우선 나 한 사람부터 성실과 실력의 사람이 됨으로써 민족중흥에 새로운 힘이 될 수 있다는 의미이다.

③ **점진공부**: 그의 수학(修學)태도이며, 그가 세운 학교명칭도 점진학교였다. "점진 점진 점진 기쁜 마음과, 점진 점진 점진 기쁜 노래로, 학과를 전무하되 낙심 말고 하겠다 하세 우리 직무를 다"라는 것이 그가 지은 점진학교의 노래였고 그 자신의 점진공부의 노래였다.

(4) 자아 혁신과 자기 개조를 통해 민족혁신과 민족 개조를 이룩하기 위한 교육 사업으로 점진학교와 대성학교를 설립하였다. 점진학교는 점진적인 공부와 수양을 계속하여 민족의 힘을 기르고자 한 학교였고, 대성학교는 '점진적으로 대성(大成)하는 인물'을 건학정신으로 삼았다.

秀 POINT 안창호의 교육 사상

3대 자본	지식(정신자본), 신용(도덕적 자본), 금전(경제적 자본)
3육(育)	덕육(德育), 체육(體育), 지육(智育)
3대 수련	건전한 인격훈련, 공고한 단결훈련, 민주적인 공민훈련
5대 공약	① 무실, 역행, 충의, 용감의 정신으로 부단히 자아를 혁신하자(自己). ② 동지를 사랑하며 신의를 중시하여 환난상구하자(同志). ③ 단결을 위하여 일심하여 복종하며 희생하자(團).

6. 이승훈(1864 ~ 1930)

(1) 오산에서 서당을 개편하여 신식교육을 실시하는 강명의숙(講明義塾)을 세웠고, 후에 오산학교를 설립하여 민족 운동의 중심인물을 양성하였다.

(2) 신민회에 가입하여 활동하였고, 서적 출판 및 판매 회사인 태극서관의 관장도 역임하였고, 민족운동과 독립 운동을 위한 비밀결사 운동을 하였다.

(3) 59세에는 이상재, 유진태 등과 함께 조선교육협회를 창립하여 전국의 사학교육을 지도하기도 하였다.

7. 조소앙(1887 ~ 1958)

(1) 독립 운동가이며 정치가이다.

(2) 1929년 김구(金九) 등과 한국 독립당을 창당하고, 삼균주의(三均主義)에 기초하여 '태극기 민족 혁명론'을 제창하였다.

(3) 삼균주의

① 균권(均權)·균부(均富)·균지(均知)를 말한다. 이는 정치·경제·교육의 균등화로 이상사회의 구현이며, 개인·민족·국가 간의 대등화로 세계 일가(一家)를 달성하는 데 있다.

② 성리학의 이기설, 대종교의 민족주의 및 평등사상, 손문의 삼민주의 그리고 사회주의 사상 등에서 영향을 받은 것으로, 1941년 11월 28일 상해임시정부에서 공포한 대한민국 건국 강령에서도 채택되었다.

秀 POINT 상해임시정부 건국강령의 면비수학권(免費受學權)

1. 6세부터 12세까지의 초등 기본교육과 12세 이상의 고등기본 교육에 관한 일체 비용은 국가가 부담하고 의무로 시행하게 한다.
2. 학령이 초과되어 초등 혹은 고등의 기본 교육을 받지 못한 국민에게 일률적으로 면비(免費) 보습교육(補習敎育)을 시행하고, 빈한한 자제로 의·식을 자비(自費)하지 못하는 자는 국가에서 대공(代供) 한다.
3. 지방의 인구·교통·문화·경제 등의 정형(情形)에 따라 일정한 균형적 비례로 교육기관을 설치하되 최저한도로 매 1읍 1면에 5개 소학과 2개 중학, 매 1군 1도에 2개 전문학교, 매 1도에 1개 대학을 설치한다.
4. 교과서의 편집과 인쇄, 발행을 국영으로 하고, 학생에게 무상 분급(分給)한다.
5. 공·사립학교는 일률적으로 국가의 감독을 받고 국가가 규정한 교육정책을 준수하게 하며 한국의 교육에 대하여 국가로서 교육정책을 추행(推行)한다.

기출문제

1. 개화기에 설립된 우리나라 관립 신식학교에 해당하는 것만을 모두 고르면?

2021년 지방직 9급

ㄱ. 동문학
ㄴ. 육영공원
ㄷ. 연무공원

① ㄱ, ㄴ　② ㄱ, ㄷ
③ ㄴ, ㄷ　④ ㄱ, ㄴ, ㄷ

해설

ㄱ, ㄴ, ㄷ 모두 우리나라 관립 신식학교에 해당한다.
ㄱ. 동문학은 통변학교라고도 하며, 1883년 독일인 묄렌도르프가 정부의 자원으로 설립한, 즉 정부가 세운 일종의 영어교육기관이다.
ㄴ. 육영공원은 동문학이 근거가 되어 1886년 정부가 설립한 최초의 근대학교로 외국어를 해득할 수 있는 관리양성기관이다.
ㄷ. 연무공원(鍊武公園)은 1888년에 정부가 설립한 사관양성학교이다.

답 ④

2. 우리나라 개화기 교육에 대한 설명으로 옳지 않은 것은?

2020년 지방직 9급

① 동문학은 통역관 양성을 위한 목적으로 출발하였다.
② 배재학당은 우리나라 최초로 설립된 민간 신식교육기관이다.
③ 육영공원은 엘리트 양성을 위한 목적으로 설립된 관립 신식교육기관이다.
④ 안창호는 대성학교를 설립하여 무실역행을 강조하였다.

해설

우리나라 최초로 설립된 민간 신식교육기관은 원산학사이다.

답 ②

06 | 일제 강점기의 교육

핵심체크 POINT

1. **통감부 시대 교육정책**
   ① 우민화 정책: 보통학교 설립, 중등학교 이상 설립 불허
   ② 동화주의: 관·공립 설립, 친일교육, 사립학교령(1908)과 교과용도서검정규정(1908)
2. **한일합방 시대**
   ① 조선교육령에 의해 규제, 서당 확대(1910년대), 보통학교 확장(1920년대)
   ② 황국신민화정책 추진: 1930년대 후반, 국민학교 설립, 육군특별지원령, 중일전쟁 등
3. **한국인의 교육저항 운동**
   민립대학설립운동, 서당(1910년대 활성화), 야학(1920년대 활성화), 문자보급운동
4. **일제 식민통치의 유산**
   도구주의적 교육관, 관료주의적 행정조직(官 주도의 행정체제), 전체주의적 훈육 혹은 집단적이고 획일적인 교육방법

1 식민지 교육의 일반적 특징

1. 동화주의(同化主義)와 황국 신민화
2. 관학의 육성과 사학의 탄압
3. 일본어 교육의 강화와 조선어 말살, 초등교육의 강화와 고등교육의 배제
4. 법학 및 의학의 인정과 정치·경제·이공계 교육의 배제

2 통감부 시대(1906 ~ 1911)의 교육정책

1. 교육정책의 특징 - 우민화와 동화정책

(1) 우민화(愚民化) 정책

소학교를 보통학교로 개칭하고 수업연한을 4년으로 단축하였다. 중등학교 이상의 학교는 설립을 불허하였다.

(2) 동화정책(同化政策)

관·공립 보통학교를 확장하였고, 일본어 보급에 중점을 두었다.

(3) 친일교육

교과를 통한 친일교육을 강화하였고, 일본인 교원의 배치에 중점을 두었다(사립학교령 이후 사립학교에 일본인 교원 배치).

2. 법령 제정

사립학교령(1908.8.)과 교과용도서 검정규정(1908.9.)을 제정하여 사립학교의 통제와 친일 교육을 강화하였다(일본어를 초등학교에서부터 필수화).

(1) 사립학교령

① 사립학교의 설립에 학부대신의 인가를 받도록 하고 학교 유지의 기초적 재원 확보를 인가기준으로 함으로써 기존의 사립학교를 정비하고 학교의 신설을 억제하고자 하였다.

② 사립학교에서 사용하는 배일적(排日的) 혹은 애국적 교과서를 일소(一掃)하기 위해서였다.

③ 법령과 명령에 위반하여 유해하다고 판단될 때에는 학부대신이 학교를 폐쇄할 수 있도록 함으로써 사학의 탄압과 통제를 목적으로 한 것이다.

(2) 교과용도서 검정규정

① 학부에서 편찬해야 한다.

② 학부대신의 검정을 받아야 한다.

③ 이상에 해당한 도서가 없는 경우 학교장이 학부대신의 인가를 받은 도서만을 사용해야 한다. 이는 사립학교에서 사용하던 애국적 교과서[유년필독(幼年必讀), 동국사략(東國史略), 대한역사(大韓歷史) 등]의 사용을 금지하고자 한 것이다.

(3) 학회령(學會令)

다수의 학회에서 일본의 국권 침탈에 대항하고 민족의 자주 독립과 국권 회복을 도모하기 위한 구국적 활동에 전념하자, 이를 막기 위해 통감부는 1908년 6월에 학회령을 공포하고 학회의 민족적 교육 활동을 탄압하였다.

3 한일합방 이후의 교육정책('조선교육령'에 의한 교육통제)

1. 제1차 조선교육령(1911.8.23.) 시대

(1) 교육목적을 충량(忠良)한 국민양성에 두고, 시세와 민도(民度)에 맞는 교육을 실시하였다.

(2) 교육연한을 일본인보다 1 ~ 2년씩 짧게 함으로써 차별 교육을 실시하였다(보통학교 4년, 고등보통학교 4년, 여자고등보통학교 3년, 실업학교 2 ~ 3년, 전문학교 3 ~ 4년).

(3) 식민지 교육을 강화하기 위해 한성사범학교를 폐지하고, 일본인 교원으로 대치하였다(보통학교 교원 양성을 위해 관립 고등보통학교에 1년 과정의 사범과와 1년 이내의 교원 속성과 설치).

(4) 일본어를 '국어'로 하고, 조선어 시간을 단축하였다.

(5) 외국어 학교와 성균관을 폐지하고 경학원으로 대치하며 서당 규칙을 제정하여 서당을 통제(1918)하였다.

(6) 사립학교의 설립·폐쇄 및 학교장과 교원의 채용에 총독부의 인가를 받도록 하였다. 사립학교 교원자격으로 일본어 통달, 상당한 학력의 소지, 교원자격조건의 구비 등을 요구하였다.

(7) 교과서는 학부 편찬 혹은 검정을 거친 것만 사용하도록 하였다.

2. 제2차 조선교육령(1922.2.) 시대

(1) 외형상 일본의 본토 교육제도와 동일한 학제를 적용(수업 연한을 보통학교 6년으로 함)하였다(단, 지역 상황에 따라 5년 또는 4년으로 할 수 있다).

(2) 조선인과 일본인의 공학(共學)을 원칙으로 하였다(고등보통학교 5년).

(3) 사범교육을 독립된 사범학교에서 실시하였다(대학령 등 제정).

(4) 조선 민립대학 설립운동을 봉쇄하고, 경성제국대학을 설립하였다.

(5) 조선어를 정규교과로 하고, 한문은 수의과목(선택과목)으로 하였다.

3. 제3차 조선교육령(1938.3.) 시대

(1) 학교 명칭을 소학교, 중학교(5년), 고등여학교로 일본인과 동일하게 하였다. 종래에는 한국인을 위한 학교 명칭과 일본인을 위한 학교 명칭이 달랐다(한국인은 보통학교, 일본인은 심상 소학교).

(2) 조선어 과목은 정규 교과에서 수의과목(선택과목)으로 밀려났다.

(3) 국어(일본어)를 조선인을 황국신민화하는 데 가장 중요한 과목으로 강조하였다.

(4) 1941년 '소학교령'을 '국민학교령'으로 개정하고 이때 조선어 과목을 완전 폐지하였다.

4. 제4차 조선교육령(1943.3.) 시대

(1) '교육에 관한 전시 비상조치령'을 발표해서 교육을 전쟁 수행을 위한 수단으로 전락시켰다.

(2) 창씨 개명, 애국채권의 강매, 여자 정신대 동원, 신사참배 등을 강요하였다.

(3) 한일합방 이후의 교육 정책

무단통치기 (식민지 교육의 추진기)	제1차 조선교육령 시행기 (1915 ~ 1922)	① 충량(忠良)한 국민의 육성 강조 ② 제국신민의 교육 ③ 사립학교통제(민족의식, 애국사상 농후) ④ 일본어 보급 교육 강조 ⑤ 복선형 교육제도 실시(조선인에게 시행할 교육을 대별하여 보통교육, 실업교육, 전문교육으로 한정함)
문화통치기 (식민지 교육의 본격화기)	제2차 조선교육령 시행기 (1922 ~ 1938)	① 일시동인(一視同仁), 내선공학(內鮮共學) ② 문화정책 추진, 보통교육 수업연한을 6년으로 연장 ③ 조선어 등 교과수업의 제한적 허용 ④ 한국인 사범학교 및 대학진학 기회 제한적 허용 ⑤ 조선교육회(이상재 등) 중심의 민립대학 설치운동에 자극되어 1924년 경성제국대학을 설립
황국신민화 정책기	제3차 조선교육령 시행기 (1938 ~ 1943)	① 내선일체(內鮮一體), 황국신민화 ② 학교명을 일본과 동일하게 변경 ③ 조선어를 수의과(선택과목)로 변경하여 사실상 폐지 ④ **3대 교육방침**: 일어 강제사용, 신사참배, 창씨 개명
	제4차 조선교육령 시행기 (1943 ~ 1945)	① 황국신민의 연성(鍊成) ② 군사목적에 합치된 교육 실시(징병과 근로 동원) → 중일전쟁(1937)이 시작되면서 1938년에 육군특별지원병제도를 시행함 ③ 궁성요배와 정오묵도 실시

4 식민시대 교육저항 운동

1. 조선 민립(民立)대학 설립운동

(1) 배경

1920년 한규설, 이상재 등 100여명이 조선 교육회를 조직하고 민립 종합대학을 설립하기로 결의한 것으로 본격화되었으나 일제의 방해로 실패하였다. 일제는 그 무마책으로 1925년 경성제국대학을 설립하였다. 민립대학 설립운동은 1907년도부터 시작된 국채보상운동에서 비롯되어 1922년 '조선민립대학기성회'가 조직됨으로써 본격 추진되었다.

(2) 민립대학 설립운동의 이유

① 우리의 교육수준이 국내에 대학을 가질 정도에 이르렀다고 자각하였다.
② 우리의 민력(民力)이 이를 지탱할 수 있다고 생각하였다.
③ 대학교육을 통해 우리의 손으로 지도적 인재를 길러내고자 하였다.
④ 민립대학설립운동을 일으킴으로써 민족정신을 높이고 민족의 단결을 공고히 하고 새로운 희망과 긍지를 주고자 하였다.

2. 서당 및 야학 중심의 교육구국운동 전개

(1) 서당

① 전통적인 형태를 그대로 유지한 재래서당과 새로운 시대에 맞도록 바꾸어진 개량서당으로 구분된다.
② 민족주의자들과 개화기 의병투쟁에 참가하였던 양반·유생들에 의해 개량서당은 서민들의 문맹퇴치와 독립을 지향하는 민중의식을 함양하였다. 그러므로 1910년대에는 상대적으로 일제가 설립한 보통학교보다 서당이 활성화되었다.
③ 일제는 1918년 서당규칙을 제정하여 서당을 탄압하였다. 서당규칙 제정 이후 1920년대에는 일제가 설립한 보통학교가 팽창되었다.

(2) 야학(夜學)

① 1908년부터 설립되기 시작하여 3·1 운동 이후 양적·질적으로 팽창하였다.
② 노동자·농민들에게 근대 의식을 함양하였고, 근대적 시민 의식의 고취와 독립정신, 민족의식을 함양하였다(성인 교육의 역할도 담당).
③ 특히 일제하에서 반제(反帝)·반봉건(反封建), 노동자·농민 투쟁의 기초가 되었다.
④ 일본은 1931년 '사설강습회 인가제'를 실시하여 야학개설에 당국의 인가를 받도록 함으로써 야학을 탄압하였다.

3. 학생 항일운동

(1) 동경에서의 2·8 독립선언과 국내의 3·1 운동을 주도하였던 학생들이 계속해서 동맹휴학, 계몽운동, 비밀결사, 가두시위 등을 통해 활발한 민족운동을 전개하였다.
(2) 대표적으로 1926년 6·10 만세운동과 광주학생운동이 있다.

브나로드 운동

원래 브나로드(vnarod)란 러시아 지식계급들이 노동자 농민 속에 뛰어들어 민중들과 같이 생활하며, 민중을 지도하는 민중운동을 의미하였다. 이 말을 동아일보사가 그대로 사용해서 1931년부터 1943년까지 실시한 농촌계몽과 문맹타파운동으로 전개하였다. 동아일보사는 1931년부터 '브나로드'라는 슬로건을 걸고 여름방학에 귀향하는 학생들을 동원하여 각 지방에서 한글과 산술을 가르치고, 연극·음악·오락 등을 가르쳤으나 1935년 일제의 중지 명령으로 중단되었다.

일제 식민통치의 유산

일제의 잔재로 현재까지 우리의 의식과 교육체제 속에 남아있는 것으로는 다음이 있다.

1. 관(官)주도의 행정체제(관료주의적 행정)
2. 수단적 혹은 도구적 교육관
3. 집단적이고 획일적 교육방법(전체주의적 훈육 방법)

4. 문자보급운동과 브나로드(vnarod) 운동

(1) 문자보급운동

1920년대 후반부터 동아·조선일보사가 중심이 되어 전개하였고, 조선어학회의 후원으로 전국순회 강습회 및 귀향 학생들이 일반 민중들에게 한글 강좌를 실시해서 민족의식과 애국 계몽운동을 전개하였다.

(2) 브나로드 운동

① 동아일보사가 1931년부터 실시한 농촌 계몽운동과 문맹퇴치운동이다.

② 총독부의 탄압으로 문자보급운동과 브나로드 운동은 큰 효과를 거두지 못하였다.

5 일제 식민지 교육의 성격

일선동조론(日鮮同祖論)에 따라 동화정책 추진	일제는 내선일체(內鮮一體)를 위해 우리 민족을 일본에 동화시키는 정책을 조선통치의 근본으로 삼았다.
신도(神道, Shintoism) 사상을 내세워 국가주의·제국주의적 성격	일제는 식민지 교육의 일환으로 우리나라 전역에 신사를 건립하여 그들의 천조대신을 소개하였을 뿐만 아니라 우리에게 소위 국민정신을 통일한다는 이름 아래 신사참배를 강요하였다.
문맹(文盲) 정책 사용	한국인을 우민화시켜 그들의 통치에 필요한 관리, 사무원, 근로자를 양성하는 데 문맹정책을 적용하였다. 이런 교육정책에 따라 일제는 우리에게 고등한 과학·기술교육과 대학교육을 제공하지 않았다.
우리의 글과 역사를 잊게 하는 정책 추진	일제는 일본어와 역사를 우리의 글과 역사로, 일본의 조상을 우리의 조상으로 만들려는 정책을 실시하였다
일본인과 한국인을 분리시키는 복선형의 교육제도 적용	일제는 한국인과 일본인의 학교를 각각 다른 학교제도로 병립시켰다. 일본인은 소학교(6년), 중학교(5년), 고등여학교(5년)를, 우리에게는 보통학교(3 ~ 4년), 고등보통학교(4년), 여자고등보통학교(3년)를 적용함으로써 일본인과 한국인의 학교계통을 달리 적용하였다.
엄격한 중앙집권적 제도 운영	조선 총독은 교육에 관한 법령의 제정권을 비롯하여 교과도서의 편찬에 이르기까지 광범한 교육행정을 전담하였다. 일본의 식민지 교육정책은 정치성이 교육에 미치는 철저한 관료주의 혹은 통제주의적인 교육행정이었다.
사립학교보다는 관·공립학교를 우위에 두는 정책 추진	일본적인 학벌주의는 우리에게 유가적(儒家的) 입신양명주의 혹은 관존민비 사상과 연결되는 데서 유가의 '과거를 위한 교육'은 다시 일본적인 '일류관립학교주의'로 옮겨가게 되었다.
유교의 봉건주의 사상 강화	일제는 유교가 내포하고 있는 지배·복종의 상하관 및 차별관을 교묘하게 자기 세력 확장의 도구로 활용하였다. 특히 1930년대와 태평양 전쟁 당시에는 반서구적 이념으로 유교를 신도주의와 더불어 장려함으로써 일제 말기에는 유교가 장려되는 경향도 있었다.

07 | 해방 이후의 교육

핵심체크 POINT

1. **미군정 시대**
   ① 교육의 민주화, 민주적 독립국가 수립
   ② 조선교육심의회에서 교육이념 제정, 단선형 학제 도입, 2학기제, 남녀 공학, 초등무상의무교육 제안, 사범학교 신설, 사회교육활동 전개(성인을 위한 문해운동 전개), 민간인에 의한 새교육운동 전개
2. **정부 수립 이후**
   초등무상의무교육의 법적 규정, 교육법 제정(1949. 12. 31), 중학교 무상의무교육실시(1985)

1 미군정 시대의 교육

1. 정책목표

교육정책의 목표를 교육의 민주화를 통한 민주적 독립국가의 수립에 두었다.

2. 미군정기의 교육정책 내용

(1) 학제의 재개

초·중등 및 고등교육기관이 재개되고, 각 도(道)의 교육행정 책임자를 임명하였다(1945년 9월 16일 조직된 한국교육위원회).

한국교육위원회

미군정청의 민주교육의 이념과 제도를 정비하기 위해 초등교육(김성달), 중등교육(현상윤), 전문교육(유억겸), 교육전반(백락준), 여자교육(김활란), 고등교육(김성수), 일반교육(최규동), 의학교육(윤일선), 농업교육(조백현), 학계대표(정인보) 등으로 구성되었다.

(2) 교육이념의 제정

조선교육심의회 제1분과 위원회에서 홍익인간의 교육이념이 제정되었다.

교육이념의 제정

1. **조선교육심의회**
   교육계와 학계의 권위자 100여명으로 구성되어 민주주의에 입각한 우리의 교육이념과 제도 및 방향을 협의·결정하기 위해 10개의 분과위원회로 구성되었다. 10개의 분과위원회는 교육이념, 교육제도, 교육행정, 초등교육, 중등교육, 직업교육, 사범교육, 고등교육, 교과서, 의학교육 등으로 구성되었다.

2. 홍익인간의 교육이념

조선교육심의회의 제1분과 위원회인 교육이념분과 위원회에서 백락준의 제안으로 결정되었다. 이때의 교육이념은 "홍익인간의 건국이념에 기하여 인격의 완전하고 애국정신에 투철한 민주국가의 공민을 양성함을 교육의 근본이념으로 한다."라고 하였다.

(3) 학제의 개혁

단선형 학제 도입(6 - 3 - 3 - 4제), 2학기제의 실시, 남녀공학의 원칙, 1946년 9월부터 초등의무교육 실시 등의 개혁이 이루어졌다. 실제로 6 - 3 - 3 - 4제의 단선형 학제가 시행된 것은 1950년 '교육법'이 개정된 이후이다.

(4) 교육과정 및 교과서 정책

새로운 커리큘럼을 편성하고 교과서를 편찬하였다. 조선어학회가 중심이 되어 초등 및 성인용 국어교과서 편찬을 시작하여, 『한글첫걸음』·『국어독본』·『공민』·『음악』·『지리』·『국사』 등을 편찬하였다.

(5) 사범학교의 신설

교사 양성을 위해 사범학교가 증설 및 승격되었다.

① 초등교원 양성을 위한 교육대학

㉠ 사범학교는 1962년 2년제 교육대학으로 격상되었고, 이후 1980년대 초에 4년제로 개편되었다.

㉡ 교육대학 외에 이화여자대학교 초등교육과, 한국교원대학교 초등교육과 등에서도 초등교원을 양성하였다.

② 중등교원 양성을 위한 사범대학: 2·4년제가 병행되다가 1960년대에 이르러 4년제로 통일되었다.

(6) 사회교육

성인 교육국에서 문해 교육을 위한 각종 정책을 시행하였다. 국문 강습회, 공민학교를 설치해서 성인을 위한 기초교육을 실시하였다.

秀 POINT 문해교육과 학제의 도입

1. 문해교육(文解敎育, Literacy Education)

기초 문해교육	문자의 해득 능력, 즉 문자를 읽고, 쓰며, 간단한 셈을 할 수 있는 기초적인 능력을 기르는 교육이다.
기능적 문해교육	기초 문해 능력을 기초로 개인의 사회·문화적 인식과 활동 능력과 연결시키는 교육, 나아가 개인의 사회적 또는 직업 활동에 필수적인 정보에 대한 접근성 혹은 소유 등과 같은 질적 표현 방식을 가능하게 하는 교육으로 문해교육을 개인의 자아실현과 평생을 통한 계속 학습을 강조하였다.
비판적 문해교육 [프레이리(Freire)]	글을 읽고 쓰지 못함으로써 비인간화되어 버린 피억압자에게 읽고 쓸 수 있는 능력을 부여하여 존재론적 그리고 역사적인 소명의 인간화를 통해 좀 더 완전한 인간이 되게 하는 것이다. 즉 단어를 읽을 수 있는 능력뿐만 아니라 세상을 읽을 수 있는 능력을 기르는 교육이다.

2. 6 - 3 - 3 - 4제의 도입 원칙
① 국민 각자의 능력을 최고로 발휘할 수 있어야 한다.
② 교육기회가 균등하게 제공되어야 한다.
③ 교육보급과 향상을 신속하게 달성할 수 있도록 발전적 내용을 담아야 한다.
④ 우리의 국가 사정에 적절해야 한다.
⑤ 국제교육수준에 대응할 수 있어야 한다.

3. 새교육 운동의 전개

(1) 의의

미군정 시대 오천석을 중심으로 민주주의 교육이념과 미국식 진보주의 교육방법인 새교육 운동을 전개하였다.

(2) 새교육 운동의 정신(오천석)

① 전통적 교육의 계급주의·차별주의를 배격한다.
② 인간을 도구화하는 교육을 배격하고, 사람 자체를 목적으로 한다.
③ 억압과 복종의 교육이 아니라 자유인의 교육이다.
④ 획일주의 교육을 거부하고, 개인차를 인정하고 개성을 존중한다.
⑤ 과거의 문화유산을 전달하는 지식 중심·서적 중심의 교육을 배격하고, 생활 중심의 교육, 즉 삶을 풍요롭게 한다.

秀 POINT 미군정시대의 현황

1. 미 군정청 학무국의 '교육에 관한 조치'(1945. 9. 29.)
① 공립 국민학교는 1945년 9월 24일에 개학하고, 6 ~ 12세의 모든 아동은 학교에 등록해야 한다.
② 사립학교는 개학 전에 학무국의 허가를 받아야 한다.
③ 학생은 인종·종교적 차별 대우를 받지 않아야 한다.
④ 교수 용어는 한국어로 한다.
⑤ 한국의 이익에 반대하는 과목을 교수하거나 실습해서는 안 된다.

2. 국대안(國大安) 파동
국대안이란 국립 서울대학교 창설과 관련된 계획으로, 미군정 학무국에서는 1946년 4월에 경성대학 의학부와 경성의학전문학교와의 통합 및 8월 서울 종합대학 설치계획을 발표하였고, 이에 관련된 학교들이 강력한 반발이 일어나게 되었다. 반발의 이유는 거대한 최고 교육기관인 국립대학을 운영하는 이사회를 행정관리로 충당하려는 것은 관료 독재화의 우려가 있고, 그것은 결국 학원에 대한 정부의 지나친 간섭을 가져오게 되리라는 것이었다. 여기에 좌익단체들이 가세하면서 격렬한 반대 운동이 일어나게 되었다.

3. 일민주의(一民主義)
미군정시대 초대 문교부장관인 안호상이 주장한 국민사상을 통일시켜 반공정신을 확립하고자 한 사상이며, 일민주의는 인간주의와 민주주의로 된 민족주의였다. 이 일민주의는 곧 학도호국단의 설치를 촉진시키는 계기가 되었다.

2 정부수립 이후의 교육

1. 초등의무교육

(1) 1948년 7월 17일 제정된 헌법 제 16조에 초등 의무교육이 제정되었다(최초의 명문화된 무상의무교육 조항).

(2) 1949년 12월 31일 공포된 교육법 제8조에 초등교육의 의무 조항이 규정되고, 1952년부터 의무교육을 실시하였다.

2. 중등의무교육

1984년 교육법 개정으로 중학교 의무교육을 규정하고, 1985년부터 점진적으로 실시하였다.

유교의 교육사상

1. 원시유교

① 특징

<table>
<tr><td>성립과 발전</td><td colspan="2">춘추 전국 시대 말 공자에 의해 집대성(6경)되어 맹자에 의해 발전, 원시 유교에서는 인도(人道)를 중시한다(고구려 초에 전래).</td></tr>
<tr><td>성격</td><td colspan="2">㉠ 공자가 인(仁)을 모든 도덕을 일관하는 최고의 이념으로 삼고 수기치인(修己治人)의 실현을 목표로 하는 일종의 윤리학이자 정치학으로 동양사상을 지배하게 되었다.
㉡ 수기치인을 달성하기 위해 존양(存養=存心養性)과 궁리(窮理)를 강조(→ 법성현)한다.
㉢ 맹자는 인의 실천을 위한 의(義)의 덕을 내세워 인의(仁義)를 강조한다.</td></tr>
<tr><td rowspan="3">인간상</td><td>선비</td><td>선비는 학덕인(學德人), 즉 학과 덕을 갖춘 사람, 벼슬하지 않은 사람, 어질고 순수한 사람을 말한다(조선 시대 강조된 인간상으로 대의적 인간, 범애적 인간, 합리적 인간, 금욕적 인간을 일컬음).</td></tr>
<tr><td>군자</td><td>개인적으로 수기하고 사회적으로 치인하는 존재로 기질지성으로부터 본연지성으로 되돌아간 사람으로 (공자의 이상적 인간상) 공자는 군자를 '학이지지(學而知之)' 즉, 배워서 도리를 아는 사람이라고 하였다.</td></tr>
<tr><td>성인</td><td>성인은 이상적 인간상을 말하는 것으로 공자는 성인을 '생이지지(生而知之)', 즉 천부적인 자질과 능력을 지진 사람으로 배움을 통해서는 도달할 수 없는 추상적, 보편적 인간상을 말한다(성리학적 인간상).</td></tr>
<tr><td rowspan="2">학풍</td><td>훈고학</td><td>한(漢)과 당(唐) 나라 시대의 학문풍토로 고어(古語)에 대한 해석 위주의 학문 → 청나라 시대 고증학(考證學)에 영향을 주었다.</td></tr>
<tr><td>사장학</td><td>시(詩)나 문장 위주의 공부 방법이다.</td></tr>
</table>

② 공자

출생	B.C 551년 산동성 퀴푸(曲阜)의 하급 귀족 무사 집안에서 출생, 이름은 구(丘)이고 자(子)는 중니(仲尼), 54세부터 14년간 전국을 주유하다가 68세에 노나라에 돌아와 73세까지 제자를 가르치고 악(樂)을 정비하고 문헌을 정리하는 데 전념하였다.

인간관과 사상적 특징	㉠ 도덕적 존재로서의 인간: 생득적으로 순선(純善)한 덕을 갖추고 있는 것이 인간이며 가르치기만 하면 누구나 착하게 될 수 있다. ㉡ 인격적 존재: 인(仁)의 실현을 통해 스스로 자신의 인격을 완성해 가는 자율적 인간관을 제시한다. ㉢ 예(禮) 강조: 예란 주나라의 전통적인 제도, 문화, 문물, 사상, 예법의 총칭, 예는 곧 문(文)을 의미한다. ㉣ 극기복례(克己復禮)와 정명(正名) → 보수적 사상 ⓐ 극기복례(克己復禮): '나를 극복하고 예로 돌아간다', 즉 당시 사회의 하극상을 극복하고 주나라의 정치·사회·문화 질서 회복을 강조하였다. ⓑ 정명: 이름의 뜻과 실제가 같도록 바로잡는 것으로 이미 정해진 각자의 신분과 지위를 넘어서지 말아야 한다. 예 "임금이 임금답고 신하는 신하답고 아버지는 아버지답고 자식은 자식다워야 한다." ㉤ 유교무류(有敎無類): '가르침에는 차별이 없다'는 것으로 배우고자 하는 이에게는 누구에게나 배움의 문을 열어주어야 한다는 교육의 기회균등 사상이다. ㉥ 현세적 합리주의 및 인문주의: 공자는 영혼의 세계, 내세의 세계, 합리적으로 설명이 불가능한 세계에 대해서는 말하지 않고 현재의 삶과 인간적인 것에 관심을 가졌다.
교육내용	㉠ 소육례(小六禮) ⓐ 인덕(仁德): 예(禮)·악(樂) ⓑ 용덕(勇德): 사(射)·어(御) ⓒ 지덕(知德): 서(書)·수(數) ㉡ 대육례(大六禮): 시(詩)·서(書)·예(禮)·악(樂)·역(易)·춘추(春秋)
교육방법	㉠ 학습자의 자발성 강조: "아는 자(知之者)는 좋아하는 자(好之者)만 못하고 좋아하는 자는 즐기는 자(樂之者)만 못하다." ㉡ 실질 위주의 교육: 공자가 이상적 인간상으로 강조한 군자란 학문에만 몰두하는 학자가 아니라 나라를 이끌어갈 정치지도자를 의미한다. ㉢ 학습과 사색의 병행 강조: "배우기만 하고 생각하지 않으면 어둡고, 생각만 하고 배우지 않으면 위태하다."(學而不思則罔, 思而不學則殆) ㉣ 개성 중시: 학습자의 성격이나 자질에 따라 방법을 달리해서 개성을 발휘하도록 한다. ㉤ 술이부작(述而不作)의 학문자세: 성현의 가르침을 해설할 뿐 자신의 독자적인 견해를 내세우지 않는 태도이다.

③ 맹자

출생	춘추 전국시대 산둥성 쪼우셰현(鄒縣)에서 출생(B.C 372?년) 이름은 맹가(孟軻), 자는 자여(子輿), 공자의 유교사상을 공자의 손자인 자사의 문하생에게 배웠으며, 어려서 현모(賢母)의 손에 자라 맹모삼천지교(孟母三遷之敎)의 고사가 유명하다.
사상적 특징	㉠ 공자 유교 사상의 계승하여, 발전[인의(仁義) 사상]시켰다. ㉡ 공자의 인(仁)에 덧붙여 인(仁)의 실천을 위한 의(義)의 덕을 포함시켰다.
성선설	㉠ 내재적 도덕성: 선천본선(先天本善) ㉡ 사단설(四端說): 측은지심, 수오지심, 사양지심, 시비지심은 선(善)의 단서이다. ㉢ 사덕(四德): 인·의·예·지는 사단(四端)이 발휘된 것이다. ㉣ 왕도정치(王道政治): 인의(仁義)의 도덕으로 인정(仁政)을 실현하는 것이다.
교육방법	㉠ 과욕과 존양: 물질적 욕망을 줄이고 인의지심을 확충하는 것이다[호연지기(浩然之氣), 인간의 선성이 만개한 경지, 대장부]. ㉡ 인재시교지법(因材施敎之法): 학생의 개인차를 인정하는 것이다. ㉢ 순서점진(順序漸進): 순서에 따라 점진적으로 나아가는 법이다.

2. 신유교(성리학과 양명학)

① 특징

성립	㉠ 송나라 때 주돈이, 정이, 정호 등이 훈고학적 유교를 형이상학적으로 다루고 이를 주자가 학적으로 집대성(주자는 5경 대신 4서를 중시)하였다. ㉡ 고려 후기 신흥 사대부들에 의해 수용(충렬왕 때 안향이 소개)되었다.
성격	㉠ 종래 훈고학적 유학에 대하여 우주의 근본 원리와 인간의 심성문제를 철학적으로 해명하려는 신유학이다. ㉡ 우주 자연의 원리와 인간 사회의 질서를 설명하고 그 관계를 형이상학적으로 탐구하는 유교철학이며, 궁극적으로는 유교의 근본정신인 수기치인(修己治人)의 이상을 실현하기 위해 철학적으로 그 근거를 밝히는 학문이다.

② 구조

이기론과 심성론	㉠ 이기론: 우주론으로서의 이기론은 이기(理氣)의 개념을 통해 우주와 자연, 인간의 생성과 구조를 밝히려는 것이다. 이(理)는 태극(太極)이나 도(道)로 표현되면서 법칙·원리·도덕률 등으로 현상인 기(氣)의 질서를 통제하는 자이고, 기(氣)는 현상으로서 이(理)의 주재를 받아야 할 존재이며 끊임없이 생멸(生滅)하는 것이다. ㉡ 심성론: 이기론에 바탕을 둔 인간 이해로 본연지성(本然之性)과 기질지성(氣質之性)의 개념을 중심으로 체계화하였다. ⓐ 본연지성: 모든 인간의 마음속에 본래 존재하고 있는 이로서, 도덕적 본성을 의미(善性)한다. ⓑ 기질지성: 육체와 감각의 작용으로 나타나는 인간본능을 의미(人慾)한다.
주리론과 주기론	㉠ 주리론: 주자의 견해를 충실히 수용하여 이기이원론(理氣二元論)의 입장에서 이(본질)와 기(현상)는 서로 다른 것이면서 서로 의지하는 관계에 있지만, 어디까지나 이가 기를 움직이는 본원이라고 본다. 이황(李滉)을 비롯한 영남학파가 대표적이다. ㉡ 주기론: 주자의 학설을 비판하고 우주만물의 근원을 기에 두는 입장에서 모든 현상들을 기의 변화·운동으로 보고, 이는 기를 움직이는 법칙에 불과하다고 생각한다. 서경덕(徐敬德), 이이(李珥), 성혼(成渾)을 비롯한 기호학파가 대표적이다.

③ 조선조 성리학 논쟁

4단 7정론	㉠ 심성론은 사단칠정설로 대표되며 사단과 칠정의 상호관련성을 이기론에 입각하여 해석하는 입장의 차이가 사단칠정논쟁으로 나타났다. ㉡ 최초의 사단 논쟁은 이황(李滉)과 기대승(奇大升) 간에 전개된 사단칠정논변(四端七情論辯)으로 두 사람의 논쟁은 이이(李珥)에 의해 기대승의 입장에서 보완·재구성되어, 이기일원론(理氣一元論)이 제창되었다(사단칠정론은 오늘날 인성교육에 시사점을 줌).
인심 도심설	㉠ 조선조 성리학에 있어 인성론의 주요 논쟁이었다. ㉡ 이황은 인심(人心)과 도심(道心)을 4단7정과 이기설의 관점에서 설명하였으며, 율곡 이이는 인심과 도심은 비록 그 이름은 다르나 그 근원은 한마음(一心)이라고 하였다.
인물성동이론	㉠ 한국의 성리학에서 보편논쟁으로 학맥의 지역적 특성에 따라 호락논쟁(湖落論爭)으로 불린다. ㉡ 인성(人性)과 물성(物性)이 동일하다는 인물성동론을 락논(落論), 다르다고 보는 입장을 호론(湖論)이라고 한다. ㉢ 인성과 물성이 같은가 다른가에 대한 문제와 마음이 아직 발현되지 않은 상태에서도 선악이 있는가에 대한 문제를 다룬다.

④ 교육사상

학문목적	㉠ 위기지학(爲己之學): 자신의 내적 수양을 위한 학문이다.(내재적 목적). ㉡ 위인지학(爲人之學): 수단적 목적을 위한 학문이다.
내용	4서와 5경 중심이다.
학문방법	㉠ 격물치지(格物致知): 객관적 이치 혹은 궁극적 가치규범을 탐구한다(객관적). ㉡ 거경궁리(居敬窮理): 객관적 규범이나 가치를 받아들이고 한 개인의 마음의 미묘한 움직임을 구현시키는 내적 수양방법이다(주관적).
학풍	사장학(詞章學), 훈고학(訓詁學) → 경학(經學) 강조하였다.

⑤ 사상가

㉠ 주자

우주관	이기이원론(理氣二元論)에 기초한 성리학을 체계화하였다.
심성론	본연지성(本然之性)과 기질지성(氣質之性)으로 구분해서 본연지성인 절대선을 중시하였다.
교육목적	성인(聖人): 인(仁)을 체득하여 인의예지의 본성을 실현한 사람이다.
교육내용	『소학』과 『대학』의 연계 및 4서 5경 중심의 경학체계를 완성하였다.
교육방법	널리 배우고(박학·博學), 자세히 묻고(심문·審問), 깊이 생각하고(신사·愼思), 사리를 잘 분별하고(명변·明辯), 배운 것을 잘 실천(독행·篤行)한다(『중용(中庸)』).

㉡ 퇴계 이황

우주관	주자의 이기이원론 계승 발전, 주리론(主理論)적 입장이다.
인성관	오상(五常: 인·의·예·지·신)을 이(理), 7정을 기(氣)로 보고 理를 중시하였다.
학문목적	위기지학(爲氣之學): 자기 자신의 도덕적 수향을 위한 학문이다.(내재적 목적).
학문방법	ⓐ 거경궁리(居敬窮理): 마음을 맑고 엄숙하고 간직하면서 이치를 탐구 ⓑ 잠심자득(潛心自得): 어떤 일에 마음을 가라앉히고 깊이 생각하면 그 뜻을 스스로 얻게 된다(진리상기설과 관련됨). ⓒ 지행병진(知行竝進): 먼저 알고 행하고 행하면서 더욱 깊게 알아보다 철저하게 행하는 것이다.
저서	『수정천명도설(修正天命圖說)』, 『성학십도(聖學十圖)』, 『자성록(自省錄)』, 『주자서절요(朱子書節要)』, 『도산십이곡(陶山十二曲)』 등이 있다.

㉢ 율곡 이이

우주론	이통기국설(혹은 기발이승설), 주기론(主氣論)적 입장이다.
학문태도	ⓐ 입지(立志): 성인이 되고자 하는 마음가짐이다(주체적 결단). ⓑ 성의(誠意): 마음이 사욕(私慾)으로 치우치는 것을 바로잡는 방법이다.
학문방법	거경궁리(居敬窮理), 역행(力行) 강조하고, 특히 실천윤리 강조하였다.
저서	『학교사목』, 『학교모범』, 『격몽요결』, 『성학집요』, 『소아지수』 등

성리학의 학문목적과 방법 및 태도

1. 위기지학(爲己之學)

① 성리학의 학문목적으로 자기가 알아야 할 바를 도리로 삼고, 자기가 행해야 할 바를 덕행으로 삼으라는 뜻이다. 공자, 주자, 퇴계 이황 등은 수단적 목적으로서의 위인지학(爲人之學)을 반대하고 내재적 목적관인 위기지학을 강조하였다.

② 자신을 위한 학문이란 자기 자신, 특히 자신의 마음을 공부의 대상으로 삼는 것을 말한다. 조선조에 위기지학을 실현하기 위해 마련된 대표적 교육기관이 서원이었다. 서원은 조선조 사림파(士林派)가 내세운 도학정치를 담당할 인재양성과 사문(斯文)의 진흥을 도모하기 위해 '위기지학'(爲己之學) 위주의 새로운 교학체제 설립의 필요성이 대두되면서 등장하였다.

2. 거경궁리(居敬窮理)

'거경'(居敬)이란 기질의 성(性)에서 생기는 인욕을 끊고 외부의 유혹을 물리쳐 마음을 항상 조용히 하는 것을 말한다. 즉 거경이란 객관적 규범이나 가치를 받아들이고 한 개인의 마음의 미묘한 움직임에 구현시키는 내적 수양방법이다. 퇴계는 '경'을 다음과 같이 말하고 있다. "경을 지킨다는 것은 생각과 배움을 겸하고, 움직임과 고요함을 일관하고, 내(內)·외(外)를 합일하고, 드러냄과 감춤을 한결같이 하는 길(道)이다. 경을 지킴을 이룩하는 방법은 반드시 마음을 맑고 엄숙하고 조용하고 한결같이 간직하고 또한 학문과 사변 속에서 이치를 탐색해야 한다."

3. 입지(立志)

개인이 이미 소유하고 있는 마음이 선한 요소를 출발점으로 하여 그것이 완전한 상태를 소유한 존재로서의 성인의 존재방식을 자신의 궁극적인 삶의 이상으로 삼아 이를 추구할 것을 기약함으로써 개인의 질적 변화를 도모하는 방법이다. 율곡 이이의 교육사상은 교육가능성을 전제조건으로 하는 입지를 근본으로 한다. 입지란 성인이 되고자 하는 마음가짐이며, 이는 각자의 주체적 결단을 의미한다. 율곡은 『격몽요결』에서 '입지'를 다음과 같이 말하고 있다.

"처음에 배우는 이는 먼저 모름지기 뜻(志)을 세워 반드시 성인이 될 것을 스스로 기약할 것이요, 조금이라도 자기를 낮추어 퇴축하는 생각이 있어서는 아니 된다. … 진실로 뜻이 서지(立志) 못하고 밝게 알지(明知) 못하며, 행함이 독실치 못한 까닭이다."

秀 POINT 중요 개념

- □ 태학과 경당
- □ 화랑도 교육
- □ 국자감과 6학
- □ 좌주문생제도
- □ 성균관의 입학자격
- □ 식년시
- □ 경국대전
- □ 유교의 경전
- □ 격물치지
- □ 위기지학(爲己之學)
- □ 공거제론
- □ 염습(染習)
- □ 육영공원
- □ 면비수학권(免費受學權)
- □ 조선교육령
- □ 문자보급 운동
- □ 신라 국학
- □ 독서삼품과
- □ 제술과와 명경과
- □ 학령(學令)
- □ 생원시와 진사시
- □ 별시
- □ 학교모범
- □ 거경궁리
- □ 입지(立志)와 성의(誠意)
- □ 위인지학(爲人之學)
- □ 아학편(兒學編)
- □ 동학사상
- □ 교육입국조서
- □ 우민화정책
- □ 황국신민화 정책
- □ 교육이념

MEMO

IV

교육철학

01 | 교육철학의 의미

핵심체크 POINT

1. 일반철학의 응용
   ① 교육철학은 교육문제를 철학적 수준에서 철학적 방법으로 논의하는 분야
   ② 존재, 인식, 가치 등의 철학의 논의방식을 교육 분야에 적용
   ③ 교육목적, 내용, 방법 등의 근거와 기준과 방향 제시하는 분야[듀이(J. Dewey)]
2. 교육철학의 기능

사변적 기능	교육문제에 관련된 새로운 가설이나 제언을 하는 정신적 기능
규범적 기능	교육에 관련된 이론, 실천, 원리 및 주장 등을 어떤 기준이나 준거에 의해서 판단하는 일
분석적 기능	교육에서 자주 사용하는 개념이나 용어의 의미를 명료화하고 논리적 모순점을 가려내는 기능
비판적 기능	교육의 이론과 실천 속에 숨어 있는 이데올로기 비판

1 철학(Philosophy)의 의미와 탐구영역

1. 철학의 어원

(1) 그리스어의 'philosophia'

① 'philosophia'는 'philos(사랑)'와 'sophia(지혜)'의 합성어로 애지(愛智), 즉 지혜를 사랑하는 것을 의미하였다.

② 처음에는 'philosophein(철학한다)'이라는 동사형이 먼저 사용되었고 이는 인생에 관한 지혜를 탐구하는 일이라는 의미였다. 이 말은 헤로도투스(Herodotos)의 『역사』에서 처음 사용되었다.

(2) 'philosophia'에 대한 소크라테스의 견해

소크라테스는 'sophist'와 'philosophos'를 구별하였다. 'sophist'는 다른 사람에게 가르치거나 자랑하기 위해서 많은 지식을 가진 단순한 지자(知智)를 의미하였고, 'philosophos'는 철학자, 즉 세계 및 인생에 관한 지혜를 체득하려는 현자(賢者)를 의미하였다.

(3) 'philosophia'에 대한 플라톤과 아리스토텔레스의 견해

'philosophia'에 대해 소크라테스와 플라톤은 '사랑으로서의 철학'을 강조했고, 아리스토텔레스는 지혜를 보다 강조한 '지혜의 철학'을 주장하였다. 아리스토텔레스는 철학이 일반적으로 과학을 뜻하며, 다른 모든 과학의 근본 원리를 탐구하는 참된 철학을 '제1철학'이라고 불렀다.

2. 철학의 탐구 영역(교육의 분야와 관련된 영역)

(1) 형이상학(metaphysics)

① '무엇이 실재하는가(what is real)?'를 탐구하는 영역으로 이는 우주와 인생의 궁극적이고 본질적인 특징을 포괄적으로 파악하려는 노력이다.

② 교육의 목적을 논의하는 경우 세계관이나 인생을 구성하고 있는 실재의 문제를 탐구해야 할 경우가 많다.

(2) 인식론(epistemology)

① 지식의 근거와 본질, 지식의 구조와 방법 및 가치를 탐구하는 분야이다.

② 인식론은 교육을 통하여 취급될 지식의 성격을 밝혀주며 지식의 탐구 분야에서 유의해야 할 중요한 조건을 제시한다.

(3) 가치론(axiology)

① 윤리학(ethics): 도덕철학이라고도 하며 선과 악, 의(義)와 사(邪), 정(正)과 부정에 관한 판단의 논리와 근거의 문제를 다룬다.

② 미학(aesthetics): 어떤 대상이 아름다운가 추한가의 문제 그리고 우리가 내리는 미와 추를 판단하는 근거의 문제에 관한 질문을 탐구한다.

③ 교육: 그 개념과 본질상 가치의 문제를 전제로 한 활동인 이상, 가치의 본질과 기준에 의해 통제될 수밖에 없고, 이 점에서 가치론적 논의는 밀접하게 관련된다.

3. 철학적 태도의 일반적 특징[듀이(J. Dewey)]

전체성 (Totality)	우리에게 일어나는 수많은 사건들에 대해 일관성 있게 반응하는 태도이다.
보편성 (Generality)	어떤 일이든 분리시켜 생각하지 않는다는 것으로, 하나의 행동을 그 맥락 속에서 파악하려고 하며 거기서 의미를 규정하려는 태도이다.
궁극성 (Ultimateness)	사물의 보다 깊은 의미를 파고 들어가고자 하는 성향으로, 표면의 밑을 파고들어 가서 사건이나 사물의 관련을 찾는 태도이다.

2 교육철학의 의미

1. 의의

(1) 일반철학의 응용으로서의 교육철학

① 교육철학이란 교육 현상을 일관하고 있는 몇 가지 대전제(보편적 원리)로 교육 현상을 고찰하거나[라인(Rein)] 혹은 교육의 보편적인 원리를 제시하고자 하는 분야이다.

② 교육 작용의 본질(本質), 근본, 혹은 전체를 파악하는 분야이다(교육 본실학, 교육 전체학).

③ 교육문제를 철학적 수준에서 철학적인 방법으로 논의하는 것이며, 그 임무는 실재·지식·미와 선과 같은 철학적 기초를 이루는 심층에까지 교육적 논점을 탐색하는 일이다.

④ 교육의 분야에서 사용하는 언어나 개념을 분석하는 일이다.

(2) 듀이(J. Dewey)의 견해

교육철학은 교육목적, 내용, 방법 등의 근거와 기준과 방향을 제시한다. 듀이는 이것을 "철학은 교육의 일반 이론이다."라고 하였다.

2. 교육철학의 임무

(1) 교육문제의 전제나 내포된 의의를 분석한다.

(2) 교육문제에 관한 논의 속에 모순점을 발견, 검토한다.

(3) 교육문제 속에 포함된 개념의 정의와 의의를 논의한다.

(4) 여러 학문의 출처에서 주장되는 이론이나 논의를 통합하여 하나의 종합적인 이론으로 체계화한다.

(5) 교육의 목적론적 및 방법론적 이론에 관련되는 일체의 가치 판단의 논거를 구한다.

3 교육철학과 교육과학

1. 과학적 태도

(1) 과학적 물음의 특징

① 현실을 보다 정확하게 효율적으로 지배하고 처리하는데 관심을 갖는다.

② 현실의 여러 현상 사이에 나타나는 기능적 관계(인과 관계)를 발견하고 법칙화한다. 즉 과학은 전문화, 특수화, 법칙화를 추구한다.

③ 과학은 정확하고 양적인 것을 기술하고 해석할 목적으로 객관적으로 탐구한다. 과학은 관찰, 실험, 기술 등의 방법을 통해 진리를 추구한다.

(2) 실증지

교육에 대한 과학적 태도는 교육의 현실 사이에 나타나는 여러 현상 사이의 기능적 관계를 발견하고 법칙화를 추구한다[막스 셸러(M.Scheler)의 실증지].

2. 철학적 태도

(1) 우리의 앎에 대한 관심은 눈앞에 전개된 현실 문제를 직접적으로 해결하려는 동기만이 아니라 단순히 아는 것에 대한 즐거움만으로 알고 싶어 한다.

(2) 이것은 사물의 참모습, 진상(眞相), 참상을 알고자 하는 것으로 막스 셸러(M.Scheler)는 이를 본질지라고 말하였다.

(3) 과학이 인간적인 요소를 배제하고 객관성을 추구하면서 가치의 문제를 배제하는 반면 철학은 인간성과 예술, 종교, 도덕 등의 가치에 관심을 갖는다.

4 철학의 기능과 교육의 관계[넬러(J. Kneller)]

1. 사변적(思辨的, speculative) 기능

(1) 새로운 가설이나 제언(提言)을 하는 정신적 기능으로 교육이론이나 실천에서 교육 문제해결의 새로운 방향을 모색하고 새로운 아이디어를 창출하는 것이다.

(2) **사변적 활동**

이성을 도구로 하여 인간, 사회 등에 대한 보편성, 전체성 그리고 통일성을 추구하려는 것을 말한다.

(3) 사변적 기능을 통해 개별적 사항이나 각 학문의 지식의 내용들을 조직하여 하나의 통합적인 체제로 종합하게 된다.

2. 규범적(normative) 기능

(1) 교육에 관한 이론이나 실천, 원리, 주장 등을 어떤 기준이나 준거에 의해 판단하는 일이다.

(2) **규범적 활동**

가치, 가치 판단, 그리고 이것들에 대한 정당화에 관심을 갖는다.

(3) 가치 평가, 행동 판단, 예술 감상 등에 대한 기준을 세우고자 하며, 우리가 선과 악, 정의와 불의, 미와 추로서 나타낸 것을 검토한다.

3. 분석적 기능

(1) 교육에서 사용하는 개념이나 용어의 의미를 명료화하고 논리적 모순점을 가려내는 일(예 교육의 기회균등, 평등교육)이다.

(2) '마음', '학문적 자유'와 같은 개념들의 의미가 문맥의 전후 관계에 따라 달라지는 것을 고찰한다. 즉 우리가 일상적으로 사용하고 있는 낱말이나 그 의미에 초점을 둔다.

(3) 분석철학자들에 의하면 철학은 사실 표현의 진위(眞僞)에 관한 것이 아니라, 언어 혹은 기호가 가지는 의미상의 타당성에 관한 것이다.

(4) 분석철학자들은 종합적 판단과 구별되는 분석적 판단을 강조한다.

판단의 구분

종합적 판단	관찰에 의해 두 문장이 사실과 일치하느냐를 판단하는 과정이다.
분석적 판단	판단 문장을 구성하는 요소들이 가지는 의미상의 논리적 관계에 의하여 그 문장의 진위를 밝히는 과정이다.

4. 비판적 기능

(1) 이론과 실천 속에 숨겨진 이데올로기를 드러내는 일이다.

(2) 철학에서 비판은 18세기에 이성비판에서 비롯되었다.

(3) 마르크스(Marx)는 이론상, 실천상의 오류나 결함의 주목을 강조하였다.

02 | 교육의 목적

핵심체크 POINT

1. **교육목적의 의미**
   교육 활동이 주의·집중해야 할 것 혹은 추진해야 할 것을 말하며, 교육목적의 수준은 일반적으로 교육이념, 교육목적, 교육목표 등으로 구분됨
2. **내재적 목적과 외재적 목적**

내재적 목적	교육이 이루어지는 활동 안에서 교육목적을 찾는 관점이다. 예 논리적 마음의 계발(피터스, 허스트), 성장 혹은 경험의 성장(듀이), 지적 탁월성(오크쇼트), 위기지학(퇴계 이황) 등
외재적 목적	교육목적을 교육활동의 외부에서 찾는 관점으로 수단적 목적이라고도 한다. 예 직업준비, 인적 자원의 육성 등

3. 교육이념(「교육기본법」 제2조), 각급 학교의 교육목적(「초·중등교육법」과 「고등교육법」에 규정)

1 교육목적의 의미

1. 목적(aim, purpose, goal, objective)

(1) 개념

과녁(target), 즉 주의·집중해야 할 것 혹은 추진(trying)해야 할 것이다.

(2) 목적과 관련해서 논의해야 할 것[피터스(R. S. Peters)]

① 우리는 사람들이 성취하고자 하는 것을 더욱 정확하게 구체화하도록 하는 것이 중요하다는 맥락에서 목적에 대해 질문하는 경향이 있다.

② 목적들은 명백하지 않거나 가까이 있지 않은 목표를 향해 주의집중과 노력의 방향을 암시해준다.

③ 목적들은 실패하거나 미흡하게 될 가능성이 있다는 것을 시사한다.

2. 교육의 내재적 목적과 외재적 목적

(1) 내재적(intrinsic) 목적

① 개념: 교육목적을 교육이 이루어지는 활동 안에서 찾고자 하는 관점을 말한다.

② 교육의 내재적 가치를 드러냄으로써 교육목적을 묻는 방식은 '교육의 의미'가 무엇인가를 드러내는 것이며, 교육의 개념을 명백히 함으로써 그 해답을 찾고자 하는 것으로 피터스가 제시한 교육의 3가지 개념적 준거를 통해 교육인 것과 교육이 아닌 것을 구분하고자 한 것이다.

③ 교육 안에서 이루어지는 특정 활동의 목적이 무엇인가를 통해 내재적 목적을 찾고자 하는 입장이다. 이는 교육에서의 목적을 묻는 질문으로 특히 학교 상황에서 일어나는 특정 교과 혹은 수업활동이나 행위의 적절성을 구체적으로 드러내고자 하는 입장이다.

④ 교육의 정당화 논의로 이는 전통적으로 가르쳐온 교과들은 인간만이 가지고 있는 고유한 특징인 이성의 구사 또는 이성의 계발에 관련된 가치를 포함하고 있다고 간주한다.

⑤ 학교교육의 목적을 물음으로써 내재적 가치를 찾고자 한다. 즉, 학교교육의 내재적 목적관을 논리적으로 마음을 계발하는 일에서 찾고자 한다. 이들의 관점은 교육이란 인간만이 하는 독특한 활동이며 합리적 마음의 계발은 인간 이외의 어떤 존재에게서는 찾아질 수 없는 인간 고유의 특성이다. 따라서 교육한다는 것은 인간의 합리적 마음의 계발을 꾀하는 일이며 역사적으로 학교교육의 중요한 목적 가운데 하나가 마음의 계발로 간주되어 왔다.

(2) 외재적(extrinsic) 목적

① **개념**: 문제되는 활동의 외부에서 주어지는 목적을 말한다. 즉, 어떤 활동의 목적을 묻는 방식을 그 활동 밖에서 찾는 경우이다. 교육의 외재적 목적이란 교육활동을 수단으로 하여 다른 것을 추구하는 것을 의미한다.

예 직업을 위한 준비, 산업화를 위한 인적 자원의 육성 등은 대표적인 외재적 목적이다.

② **활동의 수단적 가치를 강조**: 수단적 가치는 끝없는 연쇄질문(endless chain)을 수반한다. 또한 교육의 목적을 물을 때 교육의 외재적 가치를 묻는 경우 우리는 교육의 가치를 모두 외적인 것에서 찾는다. 이 점이 교육이 내재적 가치에 대한 위협이며 교육행위의 수단화를 초래한다.

2 듀이와 피터스의 교육목적관

1. 좋은 목적의 특징[듀이(Dewey)]

(1) 설정된 목적은 현존하는 조건들에서 나와야 한다. 즉, 목적은 이미 진행 중인 것에 기초를 두어야 하며 현재 사태의 자연적인 산물로부터 나와야 한다.

(2) 목적은 융통성이 있어야 한다. 좋은 목적은 현재의 경험을 조사하여 그것을 다룰 잠정적인 계획을 세운 뒤에 그 계획을 염두에 두되, 새로운 조건이 발생함에 따라 수정되어나갈 수 있어야 한다. 그것은 '실험적'인 것이며 따라서 그것은 행위에 의하여 검증되면서 끊임없이 성장하는 목적이다.

(3) 목적은 언제나 활동을 구속하지 않고 자유롭게 하는 것이어야 한다.

2. 듀이와 피터스의 교육목적

(1) 듀이(Dewey)의 좋은 교육목적에서 발견되는 특징

① 교육목적은 교육받을 특정한 개인의 내재적 활동과 필요(생득적인 본능과 후천적인 습관 포함)에 기초를 두어야 한다.

② 교육목적은 수업을 받는 학생들의 활동과 협동하는 방법을 직접 시사할 수 있는 것이어야 한다. 즉 교육목적은 학생들의 능력을 이끌어내고 조직하는데 필요한 환경이 무엇인가를 시사하는 것이어야 한다.

③ 일반적이고 궁극적인 목적을 경계하여야 한다. 일반적이란 추상적이란 뜻일 수도 있고 특정한 맥락으로부터 동떨어져 있다는 뜻일 수도 있다.

(2) 피터스(Peters)의 교육목적에 관련된 특징

① 교육목적은 바람직하다고 생각되는 발달의 특징을 지시해야 한다.

② 교육목적은 표적과 같이 특수한 목표들(goals)을 지시해야 한다.

③ 교육의 이상과는 달리 교육목적은 달성할 수 있는 목표들을 제시해야 한다.

(3) 공통점

듀이와 피터스의 교육목적관은 내재적 목적을 강조한 것이다.

秀 POINT 교육이념 · 교육목적 · 교육목표

교육이념 (ideals of education)	교육목적 및 교육목표의 원천이 되는 교육적 성과에 대한 이상적 관념을 말한다. 오천석은 이념이 갖추어야 할 조건으로 포괄성, 보편성, 기본성, 일관성, 지속성, 긍정성 등을 제시하였다.
교육목적 (goals of education)	교육이념의 하위개념으로 교육의 여러 가지 조건을 고려하면서 교육을 통해 성취하려는 표적을 말한다. 교육에 관한 모든 활동, 조직, 운영 등은 모두 목적을 향해 유도된다. 교육내용, 방법은 물론 학교제도, 교육행정, 교육재정 등도 모두 교육목적을 능률적, 효율적으로 달성하기 위해서 계획, 실시된다.
교육목표 (objectives of education)	교육목적을 보다 구체화시킨 항목으로, 의도적 교육실제에 있어서 달성하고자 하는 최종적 교육성과이다. 블룸(Bloom) 등은 교육목표를 인간 행동의 분류에 따른 행동적 특징을 교육의 내용과의 관련 속에서 진술하였다.

3 한국의 교육이념과 각급 학교의 교육목적

1. 교육이념(「교육기본법」 제2조)

"교육은 홍익인간의 이념 아래 모든 국민으로 하여금 인격을 도야하고 자주적 생활능력과 민주 시민으로서 필요한 자질을 갖추게 하여 인간다운 삶을 영위하게 하고 민주국가의 발전과 인류 공영의 이상을 실현하는데 이바지하게 함을 목적으로 한다."

2. 각급 학교 교육목적

(1) 유치원(누리과정)

"누리과정의 목적은 유아가 놀이를 통해 심신의 건강과 조화로운 발달을 이루고 바른 인성과 민주 시민의 기초를 형성하는 데에 있다."

(2) 초등학교(「초 · 중등교육법」 제38조)

"초등학교는 국민생활에 필요한 기초적인 초등교육을 하는 것을 목적으로 한다."

(3) 중학교(「초·중등교육법」 제41조)

"중학교는 초등학교에서 받은 교육의 기초 위에 중등교육을 하는 것을 목적으로 한다."

(4) 고등학교(「초·중등교육법」 제45조)

"고등학교는 중학교에서 받은 교육의 기초 위에 중등 교육 및 기초적인 전문교육을 하는 것을 목적으로 한다."

(5) 대학(「고등교육법」 제28조)

"대학은 인격을 도야하고, 국가와 인류사회의 발전에 필요한 학술의 심오한 이론과 그 응용방법을 교수·연구하며, 국가와 인류사회에 공헌함을 목적으로 한다."

秀 POINT 헌법의 교육관련 조항(헌법 제31조)

1. **제1항(기회균등)**
   모든 국민은 능력에 따라 균등하게 교육을 받을 권리를 가진다.
2. **제2항(의무교육)**
   모든 국민은 그 보호하는 자녀에게 초등교육과 법률이 정하는 교육을 받게 할 의무를 진다.
3. **제3항(무상의무교육)**
   의무교육은 무상으로 한다.
4. **제4항(교육의 자율성)**
   교육의 자주성, 전문성, 정치적 중립성 및 대학의 자율성은 법률이 정하는 바에 의하여 보장된다.
5. **제5항(평생교육)**
   국가는 평생교육을 진흥하여야 한다.
6. **제6항(교육에 대한 법률 제정)**
   학교교육 및 평생교육을 포함한 교육제도와 그 운영, 교육재정 및 교원의 지위에 관한 사항은 법률로 정한다.

기출문제

헌법 제31조에서 규정하고 있는 교육에 관한 내용으로 옳지 않은 것은?

2019년 지방직 9급

① 균등하게 교육 받을 권리
② 고등학교까지의 의무교육 무상화
③ 교육의 정치적 중립성
④ 교육제도와 법정주의

해설

무상 의무교육기간은 6년의 초등교육과 3년의 중등교육으로 한다(「교육기본법」 제8조 제1항).

답 ②

03 | 교육철학의 탐구분야

핵심체크 POINT

1. 존재론과 교육
존재론이란 존재하는 것 그 자체로서 일반적으로 그 근본규정을 연구하는 분야로 형이상학이 대표적

2. 인식론과 교육
인식론이란 지식의 본질, 근원, 구조, 방법 및 가치 등을 탐구하는 분야

지식의 종류	① 명제적 지식(사실적 지식, 논리적 지식, 규범적 지식)과 방법적 지식(지식기반사회에서 중시) ② 기법적 지식(규칙이나 명제로 표현되는 지식)과 실제적 지식(구체적인 실천과 관련된 지식) ③ 형식적 지식(혹은 공식적 지식)과 암묵적 지식[묵락적 지식, 폴라니(Polyni)가 구분]
지식의 형식	① 피터스(Peters): 공적 언어 속에 담겨져 있는 지식 ② 피닉스(Phenix): 의미의 영역
지식의 진리조건	정합설(논리적 지식), 대응설(사실적 지식), 실용주의설(지식의 유용성 강조)

3. 가치론과 교육
가치론이란 가치 인식의 문제 혹은 가치와 사실과의 관계 등 탐구하는 분야

도덕교육의 공동체주의	공동체적 규범 강조[아리스토텔레스(Aristoteles), 뒤르케임(Durkheim) 등]
도덕교육의 자유주의	개인의 자율적 판단능력 강조[콜버그의 도덕추론, 레스(Raths)의 가치 명료화]

1 존재론과 교육

1. 존재론(ontology)

(1) 특징

① 존재하는 것을 존재하는 것 그 자체로서 일반적으로 그 근본적 규정을 연구하는 분야이다.

② 고대 그리스: 아리스토텔레스의 제1철학(형이상학), 아리스토텔레스의 형이상학 위에 기독교적 존재론을 대표하는 중세의 토마스 아퀴나스 등이 존재론 철학을 대표한다.

③ 근대: 존재하는 것의 초감각적·비물질적인 구조를 사고하는 것을 형이상학의 일부분으로서 존재론이라고 한다.

(2) 20세기 존재론 철학

신스콜라주의	중세 토마스 아퀴나스의 존재론을 새로운 형태로 부흥시키고자 하였다.
존재론	후설의 현상학의 입장으로 이는 순수의식의 본질학의 전 단계라고 할 수 있다.
기초 존재론과 사르트르의 존재론	후설의 입장을 계승한 하이데거의 변증법적 인간존재를 단서로 하여 존재하는 것을 해명하려 하였다.
비판적 존재론	신칸트주의에서 출발한 하르트만이 인식의 근저에서는 존재론을 필요로 한다고 주장하였다.
화이트헤드	형이상학은 인간 경험의 모든 요소를 해석할 수 있게 해주는 일반개념들의 체계를 구성한다고 보았다.

2. 형이상학(metaphysics)

(1) 특징

사변철학이라고도 하며 세계의 본성과 세계 속에서의 인간의 위치에 관한 근본적인 물음을 연구하는 철학의 분야이다.

(2) 기원

metaphysics라는 명칭은 아리스토텔레스가 '제1철학'은 존재를 탐구한다는 말에서 유래되었다. 특수과학(동물학이나 정치학 등)은 존재의 특정 부분을 취급하는 데 비해, 제1철학은 존재로서의 존재, 즉 존재의 특수한 다양성에 대해서도 근본적인 관련을 맺지 않고 존재일반을 다룬다고 보았다.

2 인식론과 교육

1. 특징

(1) 지식의 본질, 근원, 방법, 구조, 가치 등을 탐구하는 분야이다.

(2) 인식론에서는 지식과 감각(sensation), 지각(perception), 기억, 상상, 신념, 판단과의 관계를 다루며 앎의 형태를 구별 짓는다.

(3) 근대적 인식론은 17세기 베이컨 이래 진행되어 온 영국의 경험론이고 이는 로크의 『인간오성론(1690)』에서 최초로 체계적인 논의가 시작되었다.

(4) 인식의 기원을 어디에서 찾는가에 따라 합리론과 경험론으로 구분된다.

합리론	수학의 지식을 전형적인 것으로 하고, 확실하고 참된 인식은 사고에 의해 얻어진다고 하면서 관념론의 경향을 강하게 내세운다.
경험론	① 감각을 통하여 얻어진 경험이 인식의 원천이 된다고 본다. ② 경험론은 경험이 외적 세계에서 생기고 그 경험은 그것에 기초하여 외적 세계를 아는 단서가 된다고 보는 유물론적 견해와 경험이라는 것은 의식상의 사실일 뿐 외부 세계와는 아무런 관계가 없다고 하는 관념론적 견해를 띠는 주관적 관념론 등이 있다.

2. 인식론의 유형

오늘날 일반적인 인식론의 유형은 합리주의, 직관주의, 경험주의 그리고 프래그마티즘으로 구별된다.

3. 지식의 근원

(1) 합리론의 관점에서는 지식의 근원을 이성으로 간주한다.

(2) 경험론에서 지식의 근원은 경험 혹은 감각으로 본다.

(3) 언어철학적 입장에서는 지식의 근원은 언어로 본다.

지식의 다른 유형

지식을 경험적 지식, 권위적 지식, 계시적 지식, 이성적 지식, 직관적 지식 등으로 구분하기도 한다.

4. 지식의 종류

(1) 명제적 지식(propositional knowledge)

① 특징

㉠ 명제적 지식이란 'know that~'으로 표현되는 지식을 말한다. 어떤 사실이나 이론 원리에 대하여 우리가 아는 것으로, 대체로 진(眞)·위(僞)를 구별할 수 있는 문장으로 표현되는 지식이다.

㉡ 감탄문이나 명령문은 진위를 가릴 수 없기 때문에 명제가 아니다.

㉢ 명제적 지식은 진·위를 판단하는 방법에 따라 사실적 지식, 논리적 지식, 규범적 지식으로 나누어진다.

② 명제적 지식의 종류

사실적 지식 (factual knowledge)	대부분의 자연과학, 사회과학의 지식은 사실적 지식이다. 예 • 지구는 둥글다. • 물은 100℃에서 끓는다.
논리적 지식 (형식적 지식)	㉠ 분석적 문장으로 표현되는 지식으로 이는 새로운 지식을 알려주기보다는 문장을 구성하는 요소들의 의미상의 관계를 나타내준다. ㉡ 모든 종류의 개념(concept)에 관한 지식은 분석적 문장의 성격을 지닌다. ㉢ 대부분의 수학적 지식도 논리적 지식에 포함된다. 예 • 할아버지는 아버지의 아버지이다. • 삼각형의 내각의 합은 180°이다.
규범적 지식	가치나 규범을 나타내는 지식으로 평가적 문장으로 구성되며, 모든 가치판단·도덕판단에 관한 지식을 포함한다(분석철학자들은 규범적 지식을 지식의 논의에서 제외시킴). 예 • 민주주의는 바람직한 사회제도이다. • 남녀는 평등하게 취급되어야 한다.

③ 명제적 지식의 조건[플라톤(Platon)의 『메논(Menon)』]

신념조건	지식의 내용을 믿어야 한다.
진리조건	믿는 내용이 진실이어야 한다.
증거조건 및 방법적 조건	그러한 사실을 믿는 납득할 만한 근거가 있어야 하며, 그 증거는 타당한 방법에 의하여 획득된 것이어야 한다.

명제적 지식의 성립조건

나는 '지구가 둥글다'는 것을 안다.
(X: 나는, P: 지구가 둥글다)

1. 신념조건
X는 P임을 믿는다.

2. 진리조건
P는 진(眞)이다.

3. 증거조건
X는 P가 진임에 대한 증거 E를 갖는다.

4. 방법조건
X는 E를 얻은 타당한 방법을 제시할 수 있다.

참고 1, 2, 3은 플라톤(Platon)이 『Menon』의 대화편에서 제시하고, 4는 라일(Ryle)이 제시하였다.

(2) 방법적 지식(procedural knowledge)

① 특징

㉠ 과정적 지식 혹은 절차적 지식: 'know how~'로 표현되는 지식으로 인간 행위의 상태와 과정을 말하는 것이다.

㉡ 성립조건: 과제를 수행하는 데 지켜야 할 규칙이나 원리에 익숙해지는 것이 요구된다. 즉 알게 된 것은 기술이나 기능과 같이 인간의 성향이나 능력에 관한 것이다.

㉢ 반드시 언어화할 것을 요구하지도 않으며, 앎의 가장 중요한 조건은 행위의 정확성이다.

㉣ 다양한 지식과 정보를 효과적으로 활용할 수 있는 능력이 요구되는 지식기반사회에서 중요시된다.

예 • 나는 수영을 할 줄 안다.
• 나는 자전거를 탈 줄 안다.

② 실제적 지식[practical knowledge, 오크쇼트(Oakeshott)]

㉠ 오크쇼트는 방법적 지식을 실제적 지식이라고 하였다. 그는 규칙이나 원리 등 명제로 표현될 수 있는 지식은 기법적 지식, 구체적인 실천을 불러일으키는 지식은 실제적 지식이라고 하였다.

㉡ 실제적 지식은 책에 적혀있는 것이 아니라 어떤 사람의 실행에 표현되어 있을 뿐이며, 말과 글을 통해 배우는 것이 아니라 교사의 실행을 모방함으로써 배운다.

秀 POINT 묵락지[tacit knowing, 폴라니(Polanyi)]

1. 명시적으로 표현하지는 못하지만, 무엇인가 아는 것으로 우리의 지적 과정 가운데서 해석적인 활동을 하는 것을 말한다(『자득지(Personal Knowledge)』).
2. 그 해석적 역할이란 마치 안경의 역할과 같아서, 우리가 그것을 통하여 직접 사물을 보는 것은 사실이지만 그 자체는 직접 볼 수 없는 것과 같다.
3. 폴라니(Polanyi)는 지식을 형식적 지식(공식적 지식)과 암묵적 지식으로 구분하였고, 암묵적 지식과 유사한 지식으로는 리드(Reid)의 실존적 지식, 아이즈너(Eisner)의 비평적 언어 등이 있다.

5. 지식의 형식

(1) 허스트(P. H. Hirst)

① 지식의 형식의 특징

㉠ 허스트는 지식의 형식이 다양한 것은 지식의 형식 특유의 개념적, 논리적, 방법론적인 특징이 다양하기 때문이라고 하였다. 그는 발달된 지식의 형식은 독특한 중심 개념, 분명한 논리적 구조, 특유의 표현이나 진술, 검증의 기법 등을 지니게 된다고 하였다.

㉡ 허스트는 전통적 형식도야이론이 주장하고 마음 또는 마음의 부소(部所) 능력은 각 교과로서의 지식의 형식과 무관하게 존재하는 일반적인 능력이 될 수 없을 뿐만 아니라 각 교과로서의 지식 또는 지식의 형식을 충실히 가르치는 일과 무관하게 길러지거나 도야될 수 없다고 비판하였다.

㉢ 허스트는 지식의 종류를 ⓐ 직접적 대상에 대한 지식(knowledge with the direct object), ⓑ 명제적 지식(knowledge that), ⓒ 방법적 지식(knowledge how)으로 구분하고 이 가운데 명제적 지식을 지식의 성격으로 강조하고 있다.

② 지식의 기본적인 성격

㉠ 인간의 모든 경험이 인식 가능한 것이 되기 위해서는 우선 개념적 도구 혹은 개념적 틀(conceptual scheme)을 빌어 표현되어야 한다.

㉡ 개념을 통해 획득된 지식은 공적으로 인정되고 동의되는 검증 방법을 갖는다고 보았다.

③ 지식의 형식의 문제점

㉠ 모든 지식의 표현을 경험에 비추어 검증할 수 있다고 본 것은 예술·종교·도덕의 경우에 적용하는 데 한계가 있다.

㉡ 지식의 형태는 모두가 명제일 것을 요구하고 있는데 이 점도 예술을 하나의 명제의 진술로 축소시키는 데는 한계가 따른다.

秀 POINT '사회적 실제(social practices)로 입문'으로서의 교육

허스트는 피터스와 더불어 자유교육의 정신을 반영한 '지식의 형식에의 입문'을 강조하였으나 후기에 이르러 이에 대한 대안으로 '사회적 실제에 기반을 둔 교육(social practices-based education)'을 강조하였다.

1. 사회적 실제에 기반을 둔 교육의 의미

허스트가 말하는 '사회적 실제'에 기반을 둔 교육은 보편적인 합리성을 추구하는 자유교육과 개인의 자율성을 강조하는 자유교육에 대한 대안으로 제시되었다. 사회적 실제에 기반을 둔 교육은 자유교육과 공리주의 교육에 대한 변증법적 발전이다.

① 좋은 삶이란 사회적 실제에 종사함으로써 실천적 이성에 입각한 인간욕구를 장기적인 안목에서 최대한 만족시키는 일이다.

② 사회적으로 발달된 합리적인 실제에 학생을 입문시킴으로써 이성에 따른 실질적인 좋은 삶을 영위하게 한다.

③ 좋은 삶을 향상시키기 위해서는 교육과정이 자신이 속해 있는 사회의 주요하고 지배적인 사회적 실재에 비추어 조직되어야 한다.

④ 사회적 실재에 기반을 둔 교육은 이론적 활동을 포함한 우리가 살아가고 종사하고 있는 모든 활동의 기반인 사회적 실제 그 자체에 의존하는 실제적인 정당화 방식을 사용한다.

참고 반면 자유교육은 '선험적 논의'의 정당화 방식에 의존한다.

2. 학생들이 입문되어야 할 사회적 실재

① '다양한 기본적인 실제'로서 주어진 매일의 물리적, 개인적, 사회적 맥락에서 어느 누구나 막론하고 합리적으로 살아가는 데 반드시 필요한 실재

② '광범위한 선택적 실재'로서 각 개인의 합리적인 삶을 구성하는 데 필요한 실재

③ '발전된 혹은 이차적인 실재'로서 앞의 두 사회적 실재에 대한 비판적 반성과 관련된 실재

3. 기본적 실재의 영역

① 필수적인 운동기능을 포함하는 음식, 건강, 안전, 가정과 환경상태 등의 '물리적 세계'를 대처하는 것과 관련된 실재

② 읽기, 쓰기, 담화하기, 산수, 정보 기술을 포함하는 '의사소통'과 관련된 실재

③ '개인과 가정생활'의 관련성과 관련된 실재

④ 지역적, 국가적, 세계적인 관계와 제도, 일, 여가, 경제문제, 법과 관련된 '광범위한 사회적 실재'

⑤ 문학, 음악, 춤, 미술, 조각, 건축 등의 '예술과 디자인'에 관련된 실재

⑥ '종교적인 신념과 근본적인 가치'에 관련된 실재

4. **자유교육과 사회적 실제에 기반을 둔 교육의 비교**

① 자유교육: 이론적 교과나 지식을 가르침으로써 이론적 합리성을 기른다.

② 사회적 실제에 기반을 둔 교육: 학생을 사회적으로 발달된 합리적인 실제에 입문시킴으로서 실천적 이성에 의한 전반적인 욕구만족을 장기적 관점에서 극대화시킨다.

교육의 구분 / 비교항목	자유교육	사회적 실제에 기반을 둔 교육
좋은 삶	이론적 이성 혹은 합리성을 추구하는 삶	인간의 전반적인 욕구를 장기적인 안목에서 최대한 만족시키는 삶
교육목적	합리적 마음의 발달	실천적 이성에 따른 실제적 좋은 삶
교육내용	지식의 형식	지배적이고 성공적인 합리적 실제
정당화	선험적 정당화	실제적 정당화

(2) 피터스(R. S. Peters)

① 전통적으로 학교에서 가르쳐온 교과를 '지식의 형식'이라는 용어로 규정하고 이를 선험적 논의라는 방식에 의해 정당화하였다

② 지식의 형식

㉠ 형식논리학과 수학, 자연과학, 인간과학, 역사, 종교, 문학과 예술, 철학, 도덕적 지식 등이 있다.

㉡ 인간이 오랜 세월 동안 발전시켜온 분화된 개념구조이며, 이 개념구조는 오늘날 우리가 사용하고 있는 공적 언어(公的 言語)에 담겨 있다.

㉢ 전통적인 형식도야이론이나 생활적응교육의 설명 방식과는 뚜렷이 구분되는 설명방식을 정립하려는 데 그 목적이 있다.

㉣ 각각의 현상을 이해하는 독특한 개념과 탐구방법에 의해 특징 지어진다.

선험적 정당화(transcendental justification)

'선험적(先驗的)'이라는 용어는 그 말 자체로 '경험을 초월한다.'는 뜻이다. 피터스의 선험적 정당화 논의를 한마디로 표현하자면 '교과는 자유, 평등 등의 윤리학적 원리와 마찬가지로 교과에 대한 정당화 요구 그 자체의 논리적 가정에 의하여 정당화된다.'는 식으로 요약될 수 있다. 이 점에서 선험적 정당화는 때로 '논리적 가정에 의한 정당화'라고 불리기도 한다. 즉 어떤 사람이 '지식의 형식이 왜 가치가 있는가?'라고 질문을 한다면(지식의 형식에 대한 정당화 요구) 그 질문은 지식의 형식이 가치 있다는 논리적 가정에 입각해서만 의미 있게 성립되며, 따라서 그는 만약 자신의 질문을 의미 있는 것으로 생각한다면, 그가 의식적으로 받아들이든지 않든지 간에 그 논리적 가정을 받아들이지 않으면 안된다. 피터스는 교육은 지식의 형식이라는 공적(公的) 전통 또는 공적 유산에 사람들을 입문시킴으로써 그 전통과 유산이 다음 세대로 계속 이어져 나가도록 하는 행위라고 하였다.

논리적 가정

어떤 말이나 행위가 의미를 가지려면 개인이 원하든 원하지 않든 간에 그 전제로서 반드시 받아들여야 하는 명제나 입장을 말한다.

6. 지식의 진리조건

(1) 정합설(coherence theory of truth)

① 어떤 지식이나 신념이 다른 지식이나 신념과 모순되지 않게 일관성을 유지하면서 논리 정연하게 포함될 때 진리라고 본다.

② 정합설에 의한 신념 혹은 판단의 진리는 감각적 경험에 의해 입증되거나 검증된다기 보다는 논리적 사유에 의해 증명될 수 있기 때문에 합리론의 진리설에 의해 지지된다.

(2) 대응설(correspondence theory of truth)

① 어떤 지식이나 신념이 경험적으로 입증될 때만이 진리라고 본다.

② 대응설에 의하면 진리의 진위 여부는 신념이나 판단이 실세계에 있는 사실과의 관계에 있다고 본다.

(3) 실용주의설(pragmatic theory of truth)

① 어떤 지식이나 신념이 실생활에 유용할 때 진리라고 본다.

② 이들에 의하면 인간 생활의 대부분의 업적은 이론적인 진리에 의해 발전된 결과라기보다는 오히려 실천적인 성공의 결과라는 점을 강조한다.

7. 현대 지식관의 특징

(1) 지식은 인식주체(knower)와 분리될 수 없을 뿐만 아니라 인식주체가 놓인 구체적 상황을 중시한다.

(2) 지식사회학의 관점에서 지식의 사회적 결정을 고려한다.

(3) 지식 연구가 다양화되었다(예 심리학, 사회학, 철학 등 → 인지과학으로 통합).

(4) 지식이 폭발적으로 증가하고 수명이 단축되고 있다(지식의 상대성).

秀 POINT 맹교(盲敎, indoctrination)

1. 의미

① 선각자에 의한 대중의 감화, 목사나 신부 그리고 승려 등이 교도(教徒)들을 교육하는 일반적인 방법을 말한다.

② 봉건사회에서는 정치적 권력과 종교적 권위 혹은 유교와 같은 윤리적 권위를 결합하여 민중을 교도(教導)하였고 정치권력의 유지를 위한 중요 통치 기술로 활용하였다.

③ 학습 상황에서는 학습자가 그것을 받아들일 태세나 준비가 되어있지 않은데도 불구하고 학생이 기계적으로 받아들이도록 하는 방법을 의미한다.

2. 종류

① 진(眞)의 지식을 가르치는 것이 아니라, 위(僞)인 지식을 가르치는 경우

② 증거가 없는 것을 증거가 있는 것처럼 가르치는 경우

③ 방법적 과정에 관한 이해 없이 지식을 전달하는 경우

④ 진리도 아니며 확실성도 없는 것이라고 믿으면서도 마치 그것이 진리이며 확실성이 있는 것처럼 가르치는 경우

⑤ 교사의 양심적 판단에 비추어 객관적인 확실성을 보장받을 수 없는 것을 가르치는 경우

3 가치론과 교육

1. 가치론(axiology)

(1) 개념

가치론이란 가치 인식의 문제, 가치와 사실의 관계 등에 대한 연구 분야이다.

(2) 가치의 뜻

① 좋다, 나쁘다, 싫다 따위와 같은 욕구나 관심의 대상이 되는 성질을 말한다.

② 좋다거나 싫다는 것과는 관계없이 우리들이 옳다고 인정하고 실현해야 하는 것이다[진·선·미·성(眞·善·美·聖) 등].

③ 어떤 목적 실현에 도움이 되는 성질을 말한다.

(3) 분류

① 자연주의적 가치론

㉠ 가치란 욕구나 관심과 그것에 대한 대상의 성질의 관계에서 성립한다는 경험론적 입장에서 나온 주장으로 대표자는 페리(R. B. Perry)이다.

㉡ 그러나 이 입장은 사실로부터 가치를 유도하는 오류인 '자연주의적 오류'를 범하고 있다고 비판받는다.

㉢ '자연주의적 오류[naturalistic fallacy, 무어(G. E. Moor)]'란 사실로부터 당위를 이끌어 내는 경우에 발생하는 것으로 오늘날은 윤리적인 용어를 사실적 내지 기술적 용어로 대치한다든가 사실로부터 규범을 이끌어 내는 경우를 일컫는 말로 사용된다.

예 • 인간은 본성적으로 이기적인 존재이기 때문에 이기적으로 행동해도 된다.
• 교통이 막히니 신호위반을 해도 된다.

② 직관주의적 가치론

㉠ 가치를 사실관계에 설명하는 것에 반대하고 가치는 통상적인 경험을 통해서는 포착할 수 없고 정감적 직관 내지는 지적 직관에 의해서만 포착할 수 있는 비자연적·비경험적인 독자적 성질이라고 주장하는 견해이다.

㉡ 대표자로는 무어(G. E. Moor)와 현상학자인 셸러(M. Scheler), 하르트만(N. Hartmann) 등이 있다.

③ **논리실증주의와 분석철학의 가치론:** 가치적인 단어는 자연적이든 비자연적이든 간에 그 어떤 성질을 나타내는 것이 아니라고 본다. 대표자는 에이어(A. J. Ayer)이다.

2. 도덕교육

(1) 접근방식

도덕적 가치의 근거가 '개인'이어야 하는가, 아니면 '공동체'가 되어야 하는가에 따라 공동체주의와 자유주의로 구분된다.

① 공동체주의

㉠ 사회적 결합을 강화할 것을 목적으로 한다.

㉡ 기본가정은 모든 사람은 공동체의 산물이며 선(善)의 관념은 본질적으로 정의의 논의에 앞선다는 입장이다.

가치론
일반적으로 교육철학에서 가치론은 미적 가치와 도덕적 가치를 다룬다. 특히 도덕적 가치문제를 다루는 도덕 교육의 논의가 중심적이라고 할 수 있다.

ⓒ 학교에서의 도덕교육은 공동체적 규범을 강조한다.

ⓓ 아리스토텔레스, 뒤르케임의 도덕적 사회화 이론, 최근의 인격교육운동 등이 있다.

참고 뒤르케임의 도덕적 사회화를 위한 3요소는 권위 및 규율의 존중, 집단에 대한 개인의 애착, 자율성과 자기결정 등이다.

② 자유주의

ⓐ 개인의 자유를 강화하는 방향이다.

ⓑ 학교에서의 도덕교육은 개인의 자율성을 신장하는 데 둔다.

ⓒ 콜버그(Kohlberg)의 도덕적 인지 발달론을 탄생시켰다.

참고

콜버그의 이론이 도덕교육에 끼친 영향

1. 콜버그 이론은 도덕교육에서 추론(推論)을 존중하여 그 발달 단계를 기술한다.
2. 그는 인지 발달적 접근을 통해 학교가 교화(敎化)의 수단을 사용하지 않고 도덕교육을 실시하는 방법을 제시하였다.
3. 학교의 도덕적 분위기(moral atmosphere)는 학생들의 도덕적 성장에 중요함을 강조하였다.
4. 콜버그는 종래의 도덕교육에서 정직, 성실, 용기와 같은 '덕목의 보따리(bag of virtues)'를 가르치려고 노력해온 것은 잘못이며, 도덕교육에서는 도덕적 문제 사태를 분석하고, 평가하고, 선택할 수 있는 합리적인 능력을 길러야한다고 주장하였다.
5. 콜버그는 도덕성 발달에서 중요한 것은 어떤 도덕성의 내용(신념)을 내면화시키느냐가 아니라, 어떤 형식으로 도덕적 신념을 지지하게 하느냐가 중요하다는 점을 강조하였다.
6. 인지적 자극을 통하여 학생들이 도덕적 판단의 보다 높은 수준에 도달할 수 있도록 지도해야 한다.

(2) 내용과 형식

① **내용**: 특정사회에서 요구되는 도덕적 규범들과 가치들 또는 인간이 갖추어야 할 품성적 특성인 덕목(德目)들을 학생들에게 가르치고 내면화해야한다는 입장이다.

② **형식**: 도덕성을 이루고 있는 형식적 특성, 특히 도덕적 판단과 관련된 합리적 능력을 길러주어야 한다는 입장이다.

③ 도덕교육에서 내용과 형식주의의 결합을 주장한 사람은 피터스(R. S. Peters)이다. 그는 도덕교육에서 형식을 중시하는 자율적 도덕성 형성만큼 내용을 중시하는 관습적 도덕적 형성도 중요하다고 주장하였다. 즉 어린 시절의 관습적 도덕성의 학습은 이후에 일어나게 될 도덕성의 합리적 형식의 발달을 도와주는 방식으로 이루어져야 한다.

④ 피터스는 도덕적 규칙의 기능으로 ⓐ 입법적 기능, ⓑ 사법적 기능, ⓒ 실행적 기능 등을 강조하였다.

(3) 목적

① 이성을 통한 합리적 인간을 양성한다.

② 습관을 통한 도덕적 실천인을 양성한다.

(4) 현재 학교에서 실시되고 있는 도덕교육

① 학교생활 대부분을 차지하고 있는 교과교육 시간에 도덕과 관련된 내용을 다룸으로써 그리고 교사와 학생 및 학생과 학생 간의 상호작용을 통해서 이루어진다.

② 교과교육 외의 특별활동, 학교행사, 학급활동 등을 통해서 이루어진다.

③ 학교의 물리적 조건, 지도 및 행정 조직, 사회 및 심리적 상황을 통해 학교생활을 하는 가운데 은연 중에 이루어진다.

④ 도덕과목을 통해 가장 체계적이고 계획적으로 이루어진다.

(5) 최근 학교 도덕교육의 방향

① **형식주의 지향:** 행위의 정답을 가르치는 전통적 도덕교육의 방식에서 탈피해서(내용주의) 가치명료화와 문제해결능력을 기르는 데 중점을 둔다.

② 최근 도덕교육은 전(全)생활과 전(全)교육을 통해서 이루어진다.

③ 도덕교육에서 교화를 부정하고 인지적 측면에 강조를 두어 가치추론과정이나 가치명료화 과정에 관심을 둔다.

④ **실천중심의 도덕교육 중시:** 지식 중심의 도덕교육에서 벗어나 대화, 토론, 상담, 사회봉사 등의 실천적 활동을 통해 민주 시민윤리를 내면화하고, 전 교과에 걸쳐 도덕교육이 구현되도록 함으로써 학교를 도덕적인 분위기로 전환시킬 필요성이 제기되고 있다(『신교육체제 수립을 위한 교육개혁방안』 중 실천 위주 인성교육의 내용).

(6) 가치명료화(value clarification)

① **특징**

㉠ 아동 개인이 자신의 가치와 접촉하여 그것을 밖으로 드러낸 다음, 그것에 대해 다시 생각해보도록 하는 방법이다[레스(Raths), 허먼과 사이먼(Harmin & Simon) 등].

㉡ 가치형성의 '과정'에 중점을 둠으로써 가치의 혼란이 감소되고 삶에 대한 보다 분명한 방향이 제공되도록 하는 데 중점을 둔다.

② **가치의 형성과정(㉠ ~ ㉦의 7단계, 레스)**

선택하기	㉠ 자유롭게 ㉡ 대안들로부터 ㉢ 각 대안의 결과들을 사려 깊게 고려한 후에
소중히 여기기	㉣ 선택한 것을 아끼고 좋아하기 ㉤ 선택한 것을 다른 사람에게 기꺼이 공표하기
행동하기	㉥ 선택한 것을 행동하기 ㉦ 반복함으로써 삶의 유형을 이루기

③ **가치명료화의 성격**

㉠ 가치형성은 위와 같은 7단계를 거쳐 형성된다. 즉 7가지의 가치형성의 과정으로부터 얻어진 것이 가치이다.

㉡ 가치명료화는 이성과 정서 그리고 행동을 통합할 수 있는 지혜를 제공해 줄 수 있다.

가치명료화 형성을 위한 질문의 예

당신의 지갑에서 당신이 가치 있게 여기는 물건 세 가지를 꺼내시오. 세 가지는 어느 것이라도 좋다. 당신이 그것들을 지갑에 넣고 다닌다는 사실만으로도 그것들은 당신에게 중요한 것이다. 그것들을 책상 위에 놓고, 그 중에 어느 것 또는 모두가 당신 또는 당신의 가치체계에 무엇을 의미하는가에 대해, 우리에게 어떻게 또는 무엇이라고 말할 것인가에 대해 생각해 보시오.

(7) 도덕적 추론(moral reasoning)

① 콜버그(Kohlberg)가 제시하였다.

② 도덕적 판단을 요구하는 상황에서 개인이 인지적으로 상황을 파악하고, 사고하고, 추론함으로써 판단을 내리는 능력을 말한다.

③ 다양한 가설적 도덕적 딜레마에 대한 반응을 분석함으로써 추론의 여러 단계를 밝힌다.

④ 도덕성 발달단계에 따라 도덕적 사태에 대한 추론은 점차 보다 복잡해지고 세련되어진다. 즉 도덕적 판단 혹은 도덕적 추론 능력은 인지능력이 발달해 감에 따라 일련의 단계를 거쳐 질적으로 변해간다.

⑤ 콜버그는 사람들이 그들 자신의 수준보다 한 단계 더 높은 수준의 추론에 노출되어 그 같은 딜레마 토의에 참여할 때 도덕성 발달을 촉진시킬 수 있다고 보았다.

반(反)도덕교육론의 입장

1. 실증주의적 인식론

학교에서는 검증 가능하고 객관적인 지식을 가르쳐야 하는데 도덕적 지식 혹은 도덕성은 그런 지식이 아니므로 학교에서는 가르쳐서는 안 된다는 입장이다.

2. 낭만주의적 입장

① 개인의 자유 혹은 자율성을 가장 중요한 교육적 가치로 보고 학교에서의 도덕수업은 학생들의 도덕적 성장을 방해하거나 정지시킨다고 주장한다.

② 이들은 아이들은 그들의 자유를 행사함으로써 도덕적으로 계발될 수 있을 뿐이라고 주장한다.

③ 낭만주의적 관점에서 니일(A. S. Neil)은 "자유는 아이들을 위해 필요하다. 왜냐하면 이들은 자유 아래에 있을 때에만 자연스런 길로, 즉 선(善)한 길로 성장할 수 있다.", "성인의 개념과 가치를 아이들에게 외적으로 부과하는 것은 그들에 대한 큰 죄악이다."라고 주장하였다.

3. 급진론적 입장

① 현재와 같은 자본주의 사회의 학교 도덕교육은 프로레타리아를 현체제에 복종시키기 위한 자본가의 주요한 도구일 뿐이라고 주장한다.

② 이들은 급진적 정치, 경제, 사회적 변혁을 요구함과 동시에 도덕교육의 내용을 좀 더 해방적인 새로운 윤리로 대체시켜야 한다고 본다.

4. 경험적 입장

① 학교 도덕교육은 경험적으로 평가해 볼 때 학생들의 도덕적 형성에 큰 영향을 미치지 못한다는 사실을 지적한다.

② 하츠혼(H. Hartshorne)과 메이(M.A.May)가 대표적이다.

04 | 고전적 교육철학

핵심체크 POINT

관념론 (idealism)	특징	개인의 의식을 넘어선 비물질적인, 영원 불멸의 것을 가리키며(고대), 외부의 세계에 대립하는 의식 내의 표상을 가리키기도 함(근세)
	교육관	교육방법이나 기술보다는 교육목적을 중시하며, 인격성이나 자아실현의 고양을 목적으로 함
실재론 (realism)	특징	보편은 개물(個物)에 앞서 실재하며, 인식 주관으로부터 독립해 있는 객관적 실체를 인정함
	교육관	우주의 이치를 깨우칠 수 있는 핵심적 지식과 경건한 마음가짐을 갖추게 하는 일, 고도의 지성을 발로할 수 있는 자질을 충분히 지니고 있는 존재로 존중함
프래그마티즘 (pragmatism)	특징	세상에 영원·불변한 것은 없고 변화만이 실재하며, 가치는 상대적
	교육관	진보주의의 교육관으로 상징

1 관념론(Idealism)과 교육

1. 특징

(1) 관념론

① 궁극적 가치, 절대적 목적에의 접근 내지 실현 가능성, 인류와 인격의 완전 가능성에 대한 신념 위에 서서 모든 현실적 존재 및 실천을 이 이념적 목적에 비추어 규제하고 방향 잡으려는 인생관과 세계관을 총칭한다.

② 관념론이란 말을 처음 사용한 사람은 라이프니츠(Leibniz)이고, 그는 플라톤을 관념론자로 칭하였다.

(2) 플라톤(Platon)

진정한 실재는 생멸(生滅)·변전(變轉)의 현상계에는 존재하지 않는 영겁(永劫)·불변(不變)의 정신적인 것이며, 이런 정신적인 실체가 현상계를 만들어 내는 것으로 보았다.

(3) 관념론자

플라톤(Platon), 칸트(I. Kant), 피히테(J. Fichte), 쉘링(F. Schelling), 헤겔(F. Hegel), 프뢰벨(F. Fröbel), 해리스(W. Harris), 혼(H. Horne) 등이 있다.

2. 교육원리

(1) 교육은 정신적 필요에 의해 존재하는 인간 사회의 기능이다.

(2) 교육은 아동을 정신적 존재로 북돋아 주어야 하며, 스스로 지니는 힘에 의해 윤리적 존재, 이상적 인격적 존재로 성장해야 한다.

(3) 교육목표는 개성을 완성함과 동시에 사회를 혁신하는 데 두어야 한다.

(4) 교육과정은 기본적으로 개념화하고 관념화한 지식 위주의 교과목이나 학습내용이다. 지식 체계는 절대적 진리에 기초하며, 추상적인 논리로 구성된 수학, 역사, 문학 등의 과목을 중시한다.

3. 의의 및 한계

(1) 의의

① 궁극적 실재를 찾고자 함으로써 회의주의와 상대주의를 극복하였고, ② 현실적으로는 존재하지 않지만 절대적으로 가치가 있는 것을 탐구함으로써 유물론과 공리주의를 극복하였다.

(2) 한계

① 현실의 세계를 긍정적으로 수용하려는 자세가 부족하며, ② 개성의 발로를 사회와의 단절 상태에서 기하고자 한 한계를 지닌다.

2 실재론(Realism)과 교육

1. 특징

(1) 실재(reality)

우리 각자의 의식이나 입장을 떠나 객관적으로 존재하는 사물(thing)을 말한다. 실재론이란 우리의 의식과 주관으로부터 독립된 실재를 인정하는 철학을 말한다.

(2) 실재론 철학

'독립성의 원리(principle of independence)'를 핵심적 원리로 한다. 이는 사물이 인간에게 지각되지 않고도 존재할 수 있다는 것을 긍정하는 원리를 말한다.

(3) 실재론

고대의 합리적 실재론과 현대의 자연적·과학적 실재론으로 구분되며, 후자는 다시 신실재론(neo-realism)과 비판적 실재론으로 나누어진다. 신실재론은 러셀로 대표되며, 형이상학이나 종교적 관점을 배제하고 과학의 엄밀성을 유지하면서도 사물을 직접적으로 지각할 수 있다고 주장한다.

(4) 대표자로는 아리스토텔레스(Aristoteles), 토마스 아퀴나스(T. Aquinas), 코메니우스(J. A. Comenius), 레셀(B. Russell), 허친스(R. Hutchins), 브라우디(H. Broudy) 등이 있다.

2. 교육원리

(1) 교육은 우주의 이치를 깨우칠 수 있는 핵심적 지식과 경건한 마음가짐을 갖추게 하는 일이다.

(2) 학생은 고도의 지성을 발로할 수 있는 자질을 충분히 지니고 있는 존재로 존중되어야 한다.

(3) 교육은 자기결정, 자기실현, 자기통합과 같은 이상적 생활을 즐기게 하는데 목적을 둔다[브라우디(H. S. Broudy)].

(4) 교육의 과정은 진리를 알고, 사용하고, 즐기는 습관과 경향성을 갖추게 해주는 일이다.

3. 의의 및 한계

(1) 의의

① 실재론은 인간 밖의, 인간 삶을 지배하는 질서와 법칙에 관한 핵심적 지식을 선정해서 학교를 통해 조직적으로 계승시키는 일, ② 아름다운 질서와 법칙의 창조자인 창조주의 섭리를 음미하고 따르게 하는 일, ③ 확고한 인생관과 세계관 위에 선 조화된 지성의 계발 등에 영향을 주었다.

(2) 한계

① '독립성의 원리'의 한계, 즉 여러 종류 및 수준의 가치를 주체적으로 취사·선택하고 ② 개성적으로 이것을 즐기면서 실존적으로 사는 인간의 육성에 실패하였다는 한계를 지닌다.

3 프래그마티즘(Pragmatism)과 교육

1. 특징

(1) 프래그마티즘의 어원인 'pragma'란 행위·사실·활동·상호작용 등을 의미한다. 이는 그리스 시대 '만물은 유전(流轉)한다.'는 헤라클레이토스나 '인간이 만물의 척도'(尺度)라는 프로타고라스 등의 발상을 기초로 한다.

(2) 중심 인물은 퍼어스(C. Peirce), 제임스(W. James), 듀이(J. Dewey) 등으로 이들의 기본원리는 다음과 같다.
① 세상에 영원·불변한 것은 없고 변화만이 실재한다.
② 가치는 상대적이다.
③ 인간은 사회적이고 생물학적인 존재이다.
④ 모든 인간의 행동에 있어 비판적 지성의 가치가 발동되어야 한다.

(3) 프래그마티즘은 도구주의, 기능주의, 실험주의, 행동주의 등으로 불리기도 한다.

2. 교육원리

(1) 교육은 넓은 의미에서 생명을 사회적으로 지속시키는 일이다.

(2) 아동은 미숙하지만 수용력과 잠재적 능력을 지닌 성장가능성이 있는 존재이다.

(3) 고정된 교육목적은 존재하지 않으며, 아동 밖으로부터 주어져서도 안 된다.

(4) 교육의 과정은 끊임없는 경험의 재구성 과정이다.

3. 의의 및 한계

(1) 의의

① 근대과학의 방법을 실험실로부터 인간의 사회생활·개인생활의 전 영역에 확대시켰다.

② 진화적 사고방식을 택하여 인간·사회의 낙천적 발전관을 낳았고, 개인과 사회의 조화적 공존의 가능성의 길을 열었다. 이는 민주주의의 이념을 미국에 토착시킨 계기가 되었다.

(2) 한계

① 그러나 기본적 가치나 지식을 가르치는 데 소홀히 하였고, ② 영원·불변의 진리나 가치를 인정하지 않았으며, ③ 사회는 점진적 진보만이 가능하다고 보아 사회 자체의 퇴보·전락도 있을 수 있는 점을 인정하지 않은 모순을 낳았다.

秀 POINT 프래그마티즘(pragmatism)

1. 퍼어스(C. S. Peirce)의 논문 『How to make our ideas clear?』에서 처음 사용되었고, 1907년 제임스(W. James)의 저서 『pragmatism』에 의하여 이 사상의 전모가 드러나게 되었다.
2. 그리스어의 프래그마(prágma)는 praxieis에서 비롯되었고, 프랙시스(praxies)는 행위 또는 행동을 뜻하는 말이었다.
3. 프래그마티즘(pragmatism)은 듀이(J. Dewey)에 이르러 교육학, 철학, 윤리학, 심리학, 미학, 논리학 등에 확산되고 응용되어 도구주의(instrumentalism), 또는 실험주의(experimentalism)로 발전되었다.

기출문제

다음 설명에 해당하는 교육사조는? 2020년 국가직 7급

- 킬패트릭(Kilpatrick)의 교육사상을 지지한다.
- 아동중심 교육관에 기반하여 아동의 흥미를 중시한다.
- 교육원리는 프래그마티즘(pragmatism)에 철학적 기반을 둔다.
- 교육은 현재 생활 그 자체이지 미래 생활을 준비하는 과정이 아니다.

① 구성주의
② 인본주의
③ 진보주의
④ 사회재건주의

해설

프래그머티즘(pragmatism)에 철학적 기반을 둔 교육사조는 진보주의이다. 진보주의는 아동중심 교육관에 기초하여 아동의 흥미를 중시하며 교육은 현재의 아동 생활 그 자체를 중시한다. 진보주의를 대표하는 학자는 킬패트릭이다.

답 ③

05 | 현대의 교육철학

핵심체크 POINT

진보주의	신교육운동과 프라그마티즘의 진리관이 영향, 아동중심, 생활중심, 흥미중심, 문제해결력, 협동능력 강조[듀이(J. Dewey), 킬패트릭(Kilpatrick) 등]
본질주의	진보주의에 대한 반기, 기본교육(3R's), 기본교과 학습, 교사중심의 전통적 훈련 강조[배글리(Bagley)]
항존주의	진보주의에 대한 반기, 이성능력 개발, 고전을 통한 지성함양, 교양교육 강조[허친스(Hutchins), 아들러(Adler)]
재건주의	진보주의를 비롯한 본질주의, 항존주의의 절충, 새로운 미래사회의 건설, 행동과학, 교사교육 강조[브라멜드(Brameld)]
실증주의	지식의 객관성 강조(modernism의 진리관으로 대표), 로크(Locke)의 경험론과 계몽주의에서 비롯
분석철학	논리실증주의와 일상 언어 학파에서 유래, 지나친 언어의 투명성, 가치문제를 배제하고 언어의 사회적 측면에 소홀
실존주의	인간의 존재 상황문제, '존재가 본질에 우선, 주체성이 진리', 인간의 주관성, 자유, 책임, 선택, 만남 강조
현상학과 해석학	주관적 의미구성, 교육적 맥락의 이해, 교육적 체험세계 등 강조
포스트모더니즘	① 특징: 계몽적 합리성 부정, 진리의 상대성과 다원성(구성주의 인식론 반영, 사회적 협동과 연대, 탈(脫)정형화 및 탈정전화 추구, 반정초주의 입장 ② 대표자: 푸코[Foucault, 판옵티콘(panopticon), 근대 공교육에서 시험-권력이 낳은 모순점 비판]
홀리스틱	조화, 통일 및 공존의 관점에서 생태교육, 환경교육, 생명체 교육 강조
신자유주의	① 특징: 시장 매커니즘을 공교육체제에 도입해서 비용 및 편익의 효율성 극대화, 현대 국가의 교육개혁 근거 ② 교육분야에 영향: 우리나라의 경우, 자립형사립고, 교육시장의 대외개방, 교원성과급제 등에 영향

1 진보주의(Progressivism)

1. 역사

(1) 코메니우스, 루소, 페스탈로치, 프뢰벨로 이어지는 신교육운동과 다른 한편으로는 듀이에 의해 체계화된 프래그마티즘(Pragmatism)에서 비롯된다. 특히 1919년에 결성된 진보주의교육협회(P.E.A)를 통해 구체적인 행동을 시작하였다.

秀 POINT PEA의 강령

1. 자연스러운 아동의 발달(Freedom to develop naturally)
2. 흥미에 의한 학습(Interest, the motive of all work)
3. 안내자로서의 교사(The teacher, a guide not a task master)
4. 아동에 대한 과학적 이해(Scientific study of pupil development)
5. 아동의 신체적 건강(Greater intention to all that affects the child's physical development)
6. 가정과 학교의 협력(Cooperation between school and home to meet the needs of child life)
7. 선구자로서의 학교(The progressive school, a leader in educational movements)

(2) 이론과 실제에서 다양한 견해를 보이지만 전통주의의 교육에 반대한다는 점에서 공통적이다.

(3) 진보주의자들이 비판하는 전통적 교육의 특징

① 교재중심의 교육
② 권위적 교사
③ 암기 위주의 수동적 학습
④ 사회와 교육을 분리시키는 비개방적 교육
⑤ 훈련을 위한 체벌이나 공포의 사용

2. 교육원리

(1) 교육은 미래생활의 준비가 아니라, 현재의 생활 그 자체이다.

(2) 학습은 아동의 흥미와 직접적으로 관련되어야 한다.

(3) 문제해결을 통한 학습이 교재를 통한 학습보다 우위에 두어야 한다.

(4) 교사는 지시자(instructer)가 아니라 안내자(guide)이어야 한다.

(5) 학교는 경쟁보다 협동을 장려하여야 한다.

(6) 민주주의만이 진정한 성장에 필요한 사상의 교류와 인간성의 자유로운 상호작용을 격려하고 강조한다.

3. 대표자

존 듀이(J. Dewey), 킬패트릭(Kilpatrick), 파커(Parker), 보데(Bode) 등이 있다.

4. 비판

(1) 카운츠(G. Counts)

진보주의는 사회복지 이론을 제시하는 데 실패했다고 주장하였다. 뉴딜 정책을 시행할 때 교육에 있어서 새로운 사회질서를 세우는 일이 중요하였으나 진보주의는 새로운 교육이상을 제시하는 데 불충분하였다고 주장하였다.

(2) 혼(H. Horne) 등

진보주의의 교육목적으로서 '성장'을 비판하였다. 성장이란 그것이 진행하는 한 좋을 수도 나쁠 수도 있다는 것이다.

(3) 아동중심의 학교 원리는 현실적으로 적용되기 어렵다. 지적 성숙은 오랜 시일을 거쳐 습득되는 정신적 훈련의 결과이기 때문이다.

(4) 아동의 흥미를 중시하다 보면 아동들은 학교에서 기본교과의 습득에 소홀하게 되며, 이로 인해 수학이나 자연과학 분야의 발전에 저해가 된다.

2 본질주의(Essentialism)

1. 역사

1930년대까지 극성을 떨쳤던 진보주의 교육관에 반기를 들고 나타난 사상이다. 1936년 배글리(Bagley)를 중심으로 '미국교육 향상을 위한 본질파위원회'가 창설되었고, 1938년 '본질파 선언'을 시작으로 본다.

2. 교육원리

(1) 학습은 본질상 강한 훈련의 과정이다. 그러므로 교육의 주도권은 학생에게 맡길 것이 아니라 교사가 가져야 한다.

(2) 교육과정의 본질은 기본 교과를 철저히 이수시키는 것이다.

(3) 교육은 과거부터 발전되어 온 기본적 능력(3R's), 예술, 과학과 같은 학문적 교과가 중심이 되어야 한다.

(4) 교육방법은 전통적인 훈련방식으로 회복되어야 한다. 즉 수업방법은 정규적인 과제, 숙제, 시험, 평가가 중심이 되어야 한다.

3. 대표자

배글리(Bagley), 모리슨(Morrisons), 브릭스(T. Briggs), 비스토(A. Bestor) 등이 있다.

4. 비판

(1) 본질주의의 보수성은 지적인 진보성과 창의성을 저해할 위험이 있다.

(2) 현대와 같은 급격한 변화의 문화에 비추어 지나치게 정적이며, 문화유산의 본질적인 것을 보존한다고 할 때, 습관과 전통, 전통과 본질적인 것을 구분하는 기준을 설정하기가 어렵다.

진보주의와 본질주의의 비교

진보주의	본질주의
개인의 경험 우선: 개인의 변화를 통한 사회의 개조를 주장한다.	**사회의 요구 우선**: 사회의 공적 요구를 중심으로 교육을 실시할 것을 주장한다.
흥미: 학습에서 흥미를 강조하여 문제를 해결하고 목적을 달성할 수 있도록 노력하게 한다.	**노력**: 아동의 감각적 흥미보다는 어려운 교과를 학습할 때 오는 성취감을 일종의 흥미로 보고 노력을 강조한다.
아동의 자율성: 학습의 과정이 아동에 의해 결정되고 아동의 현실적 요구가 교육에 반영된다.	**교사의 주도성**: 미성숙한 아동을 지도하고 보호해주는 것이 교사의 책임이며, 이는 올바른 인간성에서 우러나오는 것으로 본다.
심리학에 기초한 교육과정 조직: 심리학에 기초하여 교육과정을 조직하고, 교재가 아닌 경험 자체를 중요한 교육내용으로 삼는다.	**논리적 체계에 기초한 교육과정 조직**: 교육과정을 논리적 체계에 기초하여 조직하고 국가의 경험, 즉 조직화된 경험, 문화유산을 교육내용으로 삼는다.

3 항존주의(Perennialism)

1. 역사

(1) 플라톤(Platon), 아리스토텔레스(Aristoteles), 스콜라 철학파들의 영원철학에 기원을 둔 교육철학으로서 진리와 원리는 불변(不變)한다고 믿으며, 모든 가변적(可變的)인 것을 이 진리와 원리에 입각해서 해석하려는 입장이다.

(2) 직접적인 항존주의의 성립 계기는 진보주의에 대한 반기로서 1930년대 싹텄다. 특히 허친스(Hutchins)는 오늘의 문명이 과학지상주의, 과학만능주의에 빠져 인간을 파멸의 길로 몰아가고 있다고 외치면서 이런 시련을 극복하기 위해서는 교육의 마당에서 과학숭배주의, 활동숭배주의, 사회밀착주의를 추방해야 한다고 주장한다.

2. 교육원리

(1) 인간의 본성은 동일하게 때문에 교육은 모든 사람에게 동일해야 한다. 이 점에 대해 아들러(Adler)는 "교육의 목적은 만인에게 동일한 것이 되어야 한다. 이 명제는 교육의 목적이 절대적·보편적이어야 한다는 주장과 그 의미에서는 같은 것이다."라고 주장한다.

(2) 이성은 인간의 가장 고귀한 속성이기 때문에 교육목적은 이 본성을 발휘하도록 하는 것이다.

(3) 교육의 임무는 영원한 진리를 밝히는 것이다.

(4) 아동은 문학, 철학, 역사, 과학과 같은 오랜 세월을 통하여 인간의 포부와 업적이 담긴 『대저서(The Great books)』를 읽어야 한다.

(5) 교육은 생활의 모방이 아니라 생활에의 준비이다.

3. 대표자

허친스(Hutchins), 아들러(Adler), 마리땡(Maritange) 등이 있다.

秀 POINT 아들러(M. Adler)의 파이데이아 제안서(Paideia proposal)

아들러는 파이데이아 제안서(Paideia proposal)에서 학생들이 동일한 교육목표를 가지는 교육과정을 주장하였다. 파이데이아 제안서는 1982년 지나치게 방만하게 운영되어 학생들의 학습에 초점이 없고 기초학력의 저하를 초래한 미국 학교교육에 대한 대안으로 제안된 교육목표, 교육과정, 수업, 교육평가, 행정관리에 이르는 종합적인 학교개혁안이다. 여기서는 개인의 계속적인 성장 발달, 민주시민 의식의 함양, 직업적 기초 소양을 양성하기 위하여 언어와 문학 및 예술, 수학과 자연과학, 역사와 지리 및 사회생활과의 세 가지 통합 교과영역을 핵심적인 공통필수로, 이를 보완하는 실제적 보조과목으로는 체육과 건강, 수공예, 노동과 직업 세계의 이해를 제안하고 있다. 극도로 축소한 교과영역을 중심으로 공통필수 교육과정을 구성하되 깊이 있게 철저히 가르침으로써 학생들이 폭넓게 이해하고 더욱 잘 배울 수 있다는 입장을 취하고 있다.

4. 비판

(1) 지나치게 금욕적이고 지적 귀족적이란 비판을 받는다.

(2) 재능 있는 대학생에게 부과하는 것과 똑같은 종류의 엄격한 학문적 훈련을 어린이들에게 부과하는 것은 인간의 능력차를 무시하는 일이며, 각 개인의 성장을 가로막는 일이다.

(3) 지성은 인간의 인격성의 한 측면일 뿐 정서적이거나 개성적인 면도 중요하며, 교육을 통해 훌륭한 시민이나 생산자가 되는 일도 중요하다.

참고

항존주의와 진보주의의 비교

구분	항존주의	진보주의
가치론	가치의 영구적·불변적 성격, 초자연적 신의 세계의 가치 존중	상대적 가치관, 현실적인 인간의 경험세계 존중
진리관	진리의 절대성, 항존성	상대적 진화론적 진리관
본질론	실제의 본질은 영원적, 불변적임	변화가능성 인정
교육목적	미래의 준비	현재생활
교육과정	고전중심 교육과정	생활중심 교육과정
인식론	주지주의(지식중심)	반주지주의(경험주의)
교과	정신주의·이성주의적 교과	물질주의·과학주의적 교과
교육방법	형식과 내용을 중시하는 적극주의	자유를 중시하는 소극주의

4 재건주의(Reconstructionalism)

1. 역사

인류 문화의 위기의식으로부터 출발한다. 오늘의 문화를 재검토함으로써 이상적인 문화를 건설하려는 것으로 대표자는 브라멜드(Brameld)이다. 그는 오늘날 세계의 문화가 인류 역사상 가장 큰 전환기의 하나를 통과하고 있음을 상기시키면서 교육을 통한 인류 문화의 재건을 주장한다. 재건주의란 문화적 혹은 사회적 재건주의를 의미한다.

2. 교육원리

(1) 교육의 주된 목적은 명확하게 짜여진 사회개혁 프로그램을 추진함으로써 새로운 사회질서를 창조하는 것이다.

참고 민주적 세계문명사회(world democrtic society)는 실학자인 정약용의 '수기위천하인(修己爲天下人)'과 유사하다.

(2) 교육의 목적과 수단은 행동과학의 연구에 의해, 현대 문화의 위기를 극복하기 위해 완전히 재검토되어야 한다.

(3) 교사는 재건주의 사상의 타당성과 긴박성을 민주적 방식으로 학생들 및 시민들에게 설득시켜야 한다. 브라멜드는 교사교육의 중요성을 강조해서 교사양성과정을 7년으로 함으로써 교직을 전문직으로 만들 것을 강조하였다.

(4) 아동, 학교, 교육은 사회적, 문화적 조건에 크게 영향을 받기 때문에 교육에 영향을 미치는 사회의 비도덕적 측면에 특히 관심을 가져야 한다.

참고

재건주의 교육계획

1. 문화적 유산에 대해 비판적으로 검토한다.
2. 모든 사회적 문제의 논쟁에 대해 과감하게 검토한다.
3. 사회적 및 건설적 변화를 계획적으로 추진한다.
4. 계획적 태도를 배양한다.
5. 문화적 개혁을 위해 사회·교육·정치·경제적 계획에 학생과 교사를 참여시킨다.

3. 대표자

브라멜드(Brameld), 카운츠(Counts) 등이 있다.

4. 비판

(1) 행동과학 업적을 지나치게 신봉하여 인간이 믿어야 할 최상의 가치가 무엇이며, 이를 실현하기 위한 최상의 사회제도는 무엇인가와 같은 가치판단은 무시될 수 있다.

(2) 새로운 사회질서 수립을 위한 교육의 설계를 누가 어떻게 해야 하며, 교육이 과연 새로운 사회복지 확립과 같은 일을 할 수 있는 힘이 있는가에 대한 의문이 제기된다.

(3) 행동과학의 연구결과는 다양한 해석을 허용하기 때문에 사회 정책에 기본이 되는 인간의 행동이 무엇인가에 대한 의견이 행동과학자들 간에 일치되지 않는다.

秀 POINT 20세기 전기의 교육철학

1. 문화연속체상으로 본 교육철학

	항존주의	본질주의	진보주의	재건주의	
과거 지향	⇩	⇩	⇩ (현재)	⇩	미래 지향

2. 20세기 전기 교육철학의 특징 비교

구분	진보주의	본질주의	항존주의	재건주의
개념	실용주의 철학과 실험주의 등을 배경으로 한 아동중심, 생활중심, 사회중심의 교육철학	지나친 아동중심으로 본질적인 문화유산의 전달을 등한시한 진보주의의 문제점을 보완한 교육철학	급격한 현대문명의 변화 속에서 영원하고 절대적인 것을 추구하면서 이성의 훈련을 중시하는 교육철학	현대문명의 위기를 교육을 통해 극복하고 이상사회를 건설하고자 하는 교육철학
철학적 배경	① 루소의 성선설적 아동관 ② 듀이의 실용주의적 경험론	① 관념론(이상주의) ② 실재론(현실주의)	① 진리의 절대성과 영원성 ② 네오토미즘 (Neo-Thomism)	① 교육을 통한 문화적 위기의 극복 ② 수단과 목적의 중시
이론적 배경	① 루소 ② 페스탈로치 ③ 프뢰벨	① 플라톤 ② 코메니우스 ③ 로크	① 플라톤 ② 아리스토텔레스 ③ 토마스 아퀴나스	
발전 과정	① 실험학교 ② PEA조직 ③ 1920 ~ 1930년대 전성기	진보주의 비판(1930년대)	① 실용주의 전면 부정 ② 1930년대 발전하기 시작 ③ 고대, 중세의 영원한 진리	진보주의, 본질주의, 항존주의를 비판하고 절충(1950년대)
교육 목적	① 전인적 인간 교육 ② 민주시민 양성	① 문화의 본질적인 요소 전달 ② 유용하고 유능한 인간양성	① 정신과 이성의 훈련 ② 이성적 인간의 도야	① 사회적 자아 실현 ② 사회의 재건
교육 내용	① 활동과 구안 ② 아동의 필요, 흥미, 사회문제	① 기본교육인 3R's ② 역사, 국어, 과학, 외국어	이성의 계발을 위해 체계적으로 준비된 교과인 위대한 고전 등	재건의 도구로 사용할 수 있는 사회과학
교육 방법	① 아동의 흥미 중심교육 ② 자발성에 의한 교육 ③ 협동, 개별학습 중시	① 계통학습 ② 지적 능력개발 ③ 교재의 논리적 조직 ④ 교사의 권위 활용	① 교사중심 ② 정신훈련 ③ 훈련과 강압	① 참여학습 ② 경험학습 ③ 직접적·간접적 집단활동
공헌점	① 교육의 민주화 ② 민주적 교육 방법 도입 ③ 단선형 학제 도입	① 본질적 문화 유산의 전달 ② 학문중심 교육과정에 영향	진보주의 비판하고 항구성, 절대성, 학문의 방향 제시	① 급변하는 현대사회에 적응하는 교육 ② 교육의 기능에 대한 새로운 시각
비판점	① 지나친 아동 중심교육 ② 사회적 통제, 문화적 전통을 무시 ③ 절대적 진리의 경시	① 보수적, 변화에 정적이고 비판력 부족 ② 사회과학의 경시, 참여의식의 결여 ③ 지적 진보성, 창의성 저해 우려	① 비민주적 ② 현실의 경시 ③ 귀족성 ④ 문화의 역행 ⑤ 전인교육 위배	① 미래사회에 대한 논증의 결여 ② 교육의 능력에 대한 과신 ③ 주입식 교육
사상가	① 듀이 ② 킬패트릭 ③ 파커	① 배글리 ② 혼 ③ 데미아쉬 케비치 ④ 브리드	① 허친스 ② 아들러 ③ 마리땡 ④ 커닝햄	① 브라멜드 ② 카운츠

5 인간주의 교육(Humanistic Education)

1. 역사

그리스에서 시작하여 근대의 페스탈로치로 이어지는 인간중심주의를 기원으로 삼을 수 있다. 그러나 직접적으로 1970년대 현대 사회의 비인간화 현상으로 야기된 교육의 비인간화 현상을 극복하고자 하는 인간성 지향의 교육으로 출발하였다.

2. 교육원리

(1) 인간주의는 인간의 생명·가치·교양·창조력·자유 그리고 공동운명체적 존재상 등을 중시한다.

(2) 인간을 하나의 인격으로, 동시에 정신적 공동체의 일원으로 보람된 삶을 누리게 하자는 사상체계이다.

(3) 심리학적으로는 인간을 존엄한 존재로 보고, 인간의 자유와 책임, 환경을 재구성해 나갈 수 있는 결정자, 자아실현의 존재로 보는 인간주의 심리학도 여기에 속한다.

(4) 20세기의 인간주의 교육론으로는 노작교육론, 고전독서론[허친스(Hutchins)], 자유방임교육론[니일(Neil)], 전원학사론[리쯔(Lietz)], 의식화 교육론[일리치(Illich)] 등을 예로 들 수 있고, 그 밖에 패터슨(Patterson)의 자아실현론, 리치의 인문교육 재평가론, 니이버그와 이건의 교육복권론 등이 있다.

6 실증주의(Positivitism)

1. 역사

(1) 좁은 의미에서 과학주의를 대표하며 지식의 대상을 경험적 사실에 한정하려는 철학의 한 사조를 의미한다는 점에서 로크(J. Locke)와 흄(D. Hume)의 경험론과 계몽주의에서 비롯되었다.

참고 사회과학에서는 콩트(A. Comte)에서 비롯되었다.

(2) 현대의 모든 학문에 가장 깊은 영향을 주었으며 인식론적으로 볼 때 모더니즘(modernism)으로 대표되며, 독일의 실증주의, 신칸트학파, 현대의 논리실증주의(logical ositivism) 등이 있다. 사회과학과 교육 분야에서 행동주의도 실증주의의 한 유형을 대표한다.

2. 기본입장

(1) 지식의 객관주의를 강조하여 지식은 누구에게나 개인의 차이가 없이 경험되거나 관찰되어야 객관성을 인정받을 수 있다고 본다.

(2) 지식의 객관주의는 인간의 감각기관에 의한 경험에 전적으로 의존하며, 인간의 감각 능력을 확장하는 기구(현미경, 망원경 등)에 의해 감각기관에 의한 접근이 가능한 것으로 바꾼다.

(3) 지식의 객관성은 측정과 수량화 그리고 과학적 검증절차를 중시한다. 그러므로 실험과 관찰의 결과는 주관에 의해 왜곡됨이 없어야 하고 논리적, 수량적 조직을 필요로 한다.

(4) 수량화, 관찰, 검증의 중요성은 자연과학의 분야뿐만 아니라 사회과학을 포함하는 모든 학문의 학문태도와 방법에 영향을 미쳤다.

(5) 실증주의의 경향은 초기에는 과학에 기초를 두고 인간과 사회현상을 연구하려는 데 중점을 두었고, 논리실증주의는 과학적 개념의 논리와 언어에 관심을 두며, 정확한 언어의 토대 위에서 외형적 행동만을 측정하고 연구하려는 행동주의 등이 있다.

3. 의의

(1) 실증주의는 교육적 지식의 과학화, 객관화를 추구함으로써 교육 분야에서 양적 연구에 중점을 두는 결과를 가져왔다.

(2) 인간행동의 연구에서 관찰할 수 있는 외형적 행동만을 강조한 행동주의는 20세기 초의 교육문제를 탐구하는 패러다임, 교육목표와 교육내용의 탐구방식, 그리고 교육방법론에 지배적 영향을 미쳤다.

7 분석철학(Analytic Philosophy)

1. 역사

1923년 슐릭크(Schlick)가 중심이 되어 창설한 '비엔나 서클'이 발표한 논리실증주의에 기초해서 출발한 철학의 한 입장이면서 방법론이다.

2. 기본입장

(1) 철학은 과학의 대상과 방법을 통해서 얻을 수 있는 것만을 대상으로 해야 한다.

(2) 철학은 분석적이며 비판일 뿐 사변적인 것이 될 수 없다.

(3) 경험적으로 입증이 불가능한 부분들은 무의미하다.

(4) 철학은 새로운 지식을 생산해 내는 것이 아니라 일상생활에서 사용하는 언어나 논리를 밝히고 분석함으로써 사고를 정확히 하는 데 있다.

(5) 일상언어학파의 슬로건은 "현재 사용되고 있는 문장을 떠나서는 의미를 파악할 수 없다."와 "모든 문장은 각각 경우에 따라서 그 논리를 갖는다."이다.

3. 의의

(1) 교육의 현실과 교육문제에 보다 가까이 접근하게 하는데 영향을 주었다.

(2) 교육에서 사용하는 용어나 논의를 명백히 함으로써 사고나 행위의 명확성, 일관성을 기하도록 하였다.

(3) 교육학의 연구 대상을 명확히 하고 교육학의 성격을 규명하는 데 기여하였다. 즉 교육학을 '사실과학'으로 규정해서 '가치'의 문제를 배제하였다.

4. 대표자

슐릭크(Schlick), 러셀(B. Russell), 비트겐슈타인(Wittgenstein), 피터스(R. S. Peters), 하디스(Hardies), 솔티스(Solitis), 오코너(O'connor), 라일(Ryle) 등이 있다.

5. 비판

(1) 언어의 투명성에 대해 지나치게 신뢰한다.

(2) 가치와 사실을 구분하여 사실만을 중시하는 것은 교육이 지닌 가치 지향성을 충분히 고려하지 못한다.

(3) 교육적 언어가 지닌 역사적 및 사회적 측면의 분석을 소홀히 한다.

8 실존주의(Existentialism)

1. 역사

(1) 19세기 키에르케고르(Kierkegaard)와 니체(Nietzsche)에서 비롯되었다.

① 키에르케고르: 기독교를 기독교 내부로부터 부흥시키려고 노력하였다.

② 니체: 기독교의 내세관을 비난하고 초인(超人)의 현세 긍정적 도덕을 주장하였다.

(2) 대표자

본격적인 발전은 1920년대 후반에서 1930년대까지의 하이데거(Heidegger), 야스퍼스(Jaspers), 사르트르(Sartre) 등에 의해 발전되었다. 그 밖에 실존주의자들로 메를로 퐁티(M. Ponty), 마르셀(Marcel), 폴 틸리히(P. Tillich), 부버(M. Buber) 등이 있다.

하이데거
그는 철학의 알파와 오메가는 이성이나 논리가 아니라 '놀라움'이라고 하였다.

(3) 합리주의의 허구성, 실증주의의 비인간화, 독재체제의 비윤리성에 반기를 들고 등장하였다. 특히 제2차 세계대전의 비리(非理)의 체험에서 나온 절망적 허무주의와 이를 극복하려는 행동적 참여주의와 맥을 같이하고 있다.

2. 기본입장

(1) 인간 존재의 성격을 실존(현실존재, 현존재)이라고 규정하고 그 실존의 문제를 사상의 중심에 둔다. 실존주의자들은 인간 존재의 상황은 무의미, 무기력, 무규범, 허무, 불안, 초조 등과 같은 한계상황이다.

(2) 존재가 본질에 우선한다[사르트르(J. P. Sartre)].

이는 전통 철학의 입장과는 대립되는 것으로 인간 각자의 삶은 미리 짜여진 우주의 질서, 규범, 도덕적 판단기준에 매일 수 없는 존재이며, 스스로를 자신의 책임하에 형성해 갈 수밖에 없는 존재임을 말한다.

(3) 주체성이 진리이다.

인간은 자신의 진리를 선택함에 있어서도 실존적 자유가 있다는 뜻이다. 즉 모든 인식에 있어서 무엇이 자기에게 진리인가를 궁극적으로 결정하는 것은 개별적 자아이다. 이는 보편타당한 진리관을 거부하는 논리이다.

(4) 객관적 실체보다 중요한 것은 그것이 나에게 관련을 맺을 때의 의미이며 기존의 규범보다는 자기 스스로가 규범을 선택하거나 만들어가는 인격적 결단이다.

(5) 주요 관심사는 개체성, 지식뿐만 아니라 감정이나 의지까지 포함하는 체험의 세계, 존재의 불합리성, 선택의 자유와 결단, 인간이 회피할 수 없는 불안, 죽음, 우울, 공감적 참여의 문제 등이다.

3. 실존주의의 인간이해

(1) 인간은 결정되어진 존재가 아니라 자신의 선택과 행위에 책임을 지는 자유롭게 운명지어진 존재이다.

(2) 인간을 주관적 존재만이 아니라 주관과 객관을 초월한 초월적 존재, 즉 '세계 - 내 - 존재'로 이해한다. 이는 인간과 그의 세계관의 떨어질 수 없는 얽힘의 관계를 표현한 것이다.

(3) 실존은 다른 실존과의 근본적인 마주침 이외에는 실현될 수 없는 존재로 본다. 군중 속에서 인간은 개성이 압도되어 버리지만, 실존적 공동체 속에서 이루어지는 교제는 정당한 것이 된다. 따라서 실존적 공동체는 자유로 받아들인 그리고 언제나 다시 변경될 조건에 충실하는 데서 가능해지는 열린 공동체이다[부버(Buber)].

실존주의의 기본특징

1. 인간을 절대적이거나 무한한 실체의 나타나는 존재로 보는 견해와 대립한다.
2. 실증주의와 대립한다. 따라서 실존주의는 외적 사실의 실재성을 강조하는 객관주의나 과학주의의 모든 형태에 반대한다.
3. 유아론(나만 존재한다)이나 인식론적 관념론(인식대상은 정신적인 것이다)과 대립한다. 실존은 다른 존재와의 관계 안에서 항상 자기 자신을 넘어서는 초월적 존재이기 때문이다.
4. 모든 형태의 결정주의, 운명론, 필연주의와 대립한다.

4. 의의

(1) 교육적 관심의 심화와 교육목적의 성격을 근본적으로 반성하도록 하였다.

(2) 현대 지식관의 변화에 영향을 줌으로써 교육내용 및 교수이론에 새로운 시각을 제공해 주었다.

(3) 아동 개개인의 자유와 책임, 주체성을 중시하도록 하였고 자아결정, 자아실현 등에 영향을 주었다.

(4) 인간 존재의 심층적 상황을 극복하고 전인적 인격교육을 지향하도록 하였다.

5. 만남의 교육적 가치

(1) 실존철학은 교육의 상황에서 교사, 학생, 교재의 실존적 만남 위에서 교육을 논의하는 기초를 제공하였다. 만남은 특정한 계기와 돌발적 상황을 통해 비약적으로 성장, 발전할 수 있는 계기를 가져다준다(비연속적 형식의 교육관).

(2) 만남의 교육적 가치는 부버(M. Buber)에 의해 제시되었다. 그는 현대인의 인간 관계를 '나 - 그것'의 관계로부터 '나 - 너'의 관계인 인격적 만남의 관계로 달라져야 함을 강조하였다.

(3) 볼노우(O. F. Bollnow)는 "만남이 교육에 선행한다."라고 주장함으로써 참다운 만남, 즉 인간의 내면적 핵심에서 접근하는 만남(해후, 邂逅)은 나의 삶 전체가 뒤집히고, 전혀 새로운 출발을 하게 될 수도 있다고 주장한다.

(4) 그 밖에 위기, 각성, 충고, 상담 등을 강조한다.

6. 비판

(1) 인간의 사회적 존재 양상의 측면을 분석하는 데 소홀하였다.

(2) 지나치게 개인주의적 입장을 강조하고 개인을 구속하는 사회제도나 사회 발전적 교육에 대해 저항적이다.

(3) 학생의 완전한 자유를 강조하지만 현실적으로는 가능하지 않다.

(4) 비연속적·단속적 교육은 지식교육 차원에서는 큰 설득력을 지니지 못한다(상담 분야는 가능).

기출문제

1. 분석적 교육철학에 대한 설명으로 옳지 않은 것은? 2022년 국가직 9급

① 위대한 사상가의 교육사상이나 교육적 주장에서 교육의 목적과 방향을 찾으려 하였다.

② 전통적 교육철학에서 애매하거나 모호하게 사용되고 있는 개념의 의미를 명료화하는 데 치중하였다.

③ 교육을 과학적·논리적 방법으로 탐구함으로써 교육철학을 객관적인 체계를 갖춘 독립 학문으로 발전시키려 하였다.

④ 이차적 또는 반성적이라는 철학적 방법의 성격상 교육의 가치나 실천의 문제에 소홀한 한계를 지닌다.

해설

위대한 사상가의 교육사상이나 교육적 주장에서 교육의 목적과 방향을 찾으려 한 것은 전통적 교육철학의 접근방법이었다. **답 ①**

2. 실존주의 교육철학에 대한 설명으로 옳지 않은 것은? 2022년 지방직 9급

① '나 - 너'의 진정한 만남을 통해 인간의 본래 모습을 회복한다.

② 불안, 초조, 위기, 각성, 모험 등의 개념에 주목한다.

③ 부버(Buber), 볼르노(Bollnow) 등이 대표적인 학자이다.

④ 의도적인 사전 계획과 지속적인 훈련을 강조한다.

해설

실존주의 교육철학은 인간 존재의 성격을 실존이라고 규정하고 이 실존의 문제를 사상의 중심에 둔다. 실존철학의 기본 입장은 '존재가 본질에 우선한다.' '주체성이 진리이다.' 등이다. 실존철학의 교육에서 부버(Buber), 볼르노(Bollnow) 등은 교사 - 학생의 실존적 만남을 강조한다. 특히 볼르노(Bollnow)는 "만남이 교육에 선행한다."라고 주장함으로써 참다운 만남은 나의 삶 전체가 뒤집히게 하고, 전혀 새로운 출발을 하게 될 수도 있다고 본다. 의도적인 사전 계획과 지속적인 훈련을 강조하는 것은 실존철학과는 다른 전통적 교육철학의 관점을 반영한다. **답 ④**

9 현상학(Phenomenology)

1. 역사

(1) 훗설(Husserl)에 의해 철학이나 제학(諸學)을 무전제(無前提)의 기초 위에 확립하려는 의도 아래, 모든 선입관을 추방하고 '사상(事象) 그 자체(Zu den Sachen selbst!)'로 환원해 가려는 의도로 출발하였다(의식 현상학의 입장).

(2) 현상학은 '삶의 철학', '실존주의', '해석학'과도 밀접한 관련을 지닌다.

2. 기본입장

(1) 의식에 직접 명증적으로 스스로를 나타내고 있는 현상을 기술한다. 이는 실증주의와는 달리 사실의 본질을 직관에 의해 파악하고자 하는 것이다.

(2) 본질 직관을 위해 판단중지(epoche)와 현상학적 환원이 요구되며, 환원 후에 남는 순수한 의식의 본질적 구조를 분석하고 기술한다.

(3) 모든 대상을 객체적으로 보려는 실증주의적 태도를 지양하고 모든 대상적 인식을 개인의 체험적 세계 내에서 기초 지우려는 지식의 주체화 운동이라고도 할 수 있다.

(4) **메르로 퐁티(M. Ponty)**

경험주의(실재론)와 주지주의(관념론)를 비판하고 전객관적(前客觀的)이고 전반성적(前反省的)인 새로운 영역에서 지각경험을 재발견함으로써 신체와 마음, 신체-주체와 세계 사이의 본질적이고 내부적인 연결을 극복하는 길을 제시하였다(지각 현상학의 입장).

3. 의의

(1) 교육현상 자체가 지닌 본질적인 의미를 구체적으로 밝히는 일의 필요성을 일깨우는 계기가 되었다. 즉 우리에게 뿌리 박혀 있는 전통 관념적, 비본질적 교육관을 타파하고 교육받는 당사자들의 '체험'세계로 돌아가 교육현상 자체를 성찰하는 계기를 제공해준다.

(2) 교육연구에서 지금까지 지배적이었던 실증주의적 전제를 문제 삼고 주관적 의미 구성 작용, 교육적 맥락의 이해, 교육 참여자들의 상호주관적 관계 등을 파악하도록 해주었다.

(3) 교육과정 사회학, 상징적 상호작용론, 문화기술적 방법, 교육적 체험세계 등에 영향을 주었다.

10 해석학(Hermeneutics)

1. 역사

원래 희랍인들이 신화를 해석하기 위한 기술로 개발되었다. 기독교에서 성서 해석에, 법률가들이 법조문 해석에 이를 사용하였다.

2. 기본 입장

(1) 딜타이(W. Dilthey)

① 기본 명제: 모든 정신세계는 삶의 이해로부터 출발하며 '삶을 삶으로부터 이해한다.'를 기본 명제로 한다. 체험(삶), 표현, 이해를 기본개념으로 해석적 활동의 궁극적 목표인 이해는 삶의 표현들과 직접적으로 관련된다.

체험	㉠ 의식뿐만 아니라 무의식, 충동적 의식까지 포함 ㉡ 삶이 역사적, 사회적이기 때문에 체험도 역사적, 사회적
표현	㉠ 역사적, 사회적으로 규정된 인간 체험의 외적 표출 ㉡ 삶의 표출, 삶의 객관태
이해	㉠ 삶의 전체적 연관 속에서의 이해 ㉡ 인본주의 상담에서 '공감적 이해' ㉢ 교육에서 어린이의 눈으로 어린이의 세계를 이해

② 체험은 표현으로 객관화되고, 객관화된 체험(표현)은 우리들에 의해서 이해되고, 이해됨으로써 표현의 내용은 우리의 체험 내용이 된다. 따라서 체험 - 표현 - 이해는 순환적이다.

秀 POINT 체험 - 표현 - 이해의 예

화가가 어떤 풍경에 감명을 받는다. 이것은 화가 자신의 체험 내용이다. 그는 이 감명 내용을 그림으로 그린다(표현). 다른 사람이 이 그림을 보고 공감(이해) 했을 때 화가가 갖는 체험 내용은 그의 작품이라는 표현을 통해서 우리의 이해의 내용이 되고 우리들은 화가의 체험을 우리들 자신의 체험으로 갖게 된다. 따라서 이해는 체험을 전제로 하고 체험은 이해를 통해서 체험의 주관성으로부터 해방되고 전체적, 보편적인 것으로 확대된다. 즉 타인을 이해함으로써 자기 체험의 애매성이 분명해지고 주관적 협소성이 개선되고 체험 자체가 확대된다. 표현에는 개체적인 표현뿐만 아니라 공동체적 표현(객관정신)도 포함된다. 그러한 모든 표현의 포괄체가 역사이다. 정신과학의 대상은 역사적으로 구성된 '삶'의 표현 형태이다. 따라서 표현적 세계와 역사적 세계는 서로 겹치게 된다.

(2) 하이데거(M. Heidegger)

존재의 해석학으로 인간 삶의 기저에는 이해가 근원적으로 자리하고 있다고 보았다.

(3) 가다머(H. G. Gadamer)

① 이해의 역사성과 언어성을 강조해서 보편철학으로서의 해석학을 정립하고자 하였다.

② 텍스트에 대한 이해는 일상적인 이해가 아니라 의미의 통찰을 수반하는 앎으로서의 '근원적 앎'이라고 하였다.

3. 의의

(1) 해석학적 교육이론은 인간적 삶의 현실을 교육적인 시각에서 바라보고 그 의미를 해명하려는 학적인 노력과 시도이다.

(2) 해석학적 교육이론에서는 인간의 삶의 현실로서의 교육현실을 과정인 동시에 생성으로 보고 아르키메데스적인 기점은 존재할 수 없다고 본다.

(3) 사변적 관념의 세계 혹은 실증 과학적 객관화의 세계로부터 구체적으로 교육이 이루어지고 있는 교육현실로 시야를 돌려야 함을 말해주고 있다.

11 비판철학(Critical Philosophy)

1. 역사

(1) 1923년 프랑크푸르트 대학 사회연구소를 중심으로 형성된 프랑크푸르트 학파에서 비롯된 것으로 현대사회와 인간의 문제를 분석하고 그 모순을 지적했던 이론이다.

(2) 미국에서는 보울스와 진티스(Bowles & Gintis), 영국과 미국의 신교육사회학, 프레이리(P. Freire) 등이 비판적 교육철학의 대표자들이다.

2. 특징

(1) 마르크스(Marx)의 이데올로기 비판의 논리와 프로이드(Freud)의 심리학 방법론을 발전적으로 수용하였다. 프랑크푸르트 학파, 네오 마르크시즘, 뉴 레프드 등으로 불리기도 한다.

프로이드의 심리학 방법론

인간 존재의 피제약성을 분석하기 위해 심리학적 방법을 사용하였다.

(2) 인간의 의식이나 지식은 사회적, 경제적, 정치적 제약 하에서 형성된다고 보고 인간의 자유로운 의식의 형성을 억압하고 왜곡시키는 사회적, 경제적, 정치적 제약요인들을 분석하고 비판하는 일을 통해 인간 의식을 억압의 영향에서 해방시키는 것을 교육의 목적으로 본다.

3. 기본입장

(1) 철학은 형이상학적 문제를 문제 삼지 말고 실천을 문제 삼는 실천철학이어야 한다.

(2) 자본주의 사회의 문화와 그 이데올로기를 연구대상으로 하여 인간 존재의 피제약성을 파헤치며, 새로운 사회의 가능성을 모색하고 처방하는 데 관심을 가진다.

(3) 종래의 사회과학이 단순한 서술에 그치고 올바른 방향을 제시하지 못한 것에 대해 비판하고, 더불어 사회과학은 사실의 기술이 아니라 가치판단의 문제도 포함해야 한다고 주장하였다.

(4) 서구의 전통적 이성중심의 합리성 논리는 과학적 방법의 절대화, 사회적 보수주의, 현실긍정을 가져온 현실을 비판하고 새로운 비판적 이성의 회복을 호소한다.

(5) 산업사회의 여러 병폐로부터의 인간해방론이며 인간성 회복운동이다.

4. 의의

(1) 교육이론으로 중시되어왔던 실증주의적 입장에 대해 실증주의는 과학정신을 추구하기는 하지만 현실 문제를 도외시하는 문제를 지녔다고 비판하였다.

(2) 비판철학이 추구하는 중요한 과제가 인간성을 회복하는 일이라고 볼 때 비판철학은 인간의 사회화 과정을 인간화하고자 한다.

(3) 교육이론과 교육실천 속에 숨어 있는 이데올로기적 전제가 드러나게 함으로써 교육의 자율성과 책임의 회복에 관심을 갖도록 하였다.

5. 대표자

아도르노(T. W. Adorno, 『부정의 변증법』), 호르크 하이머(M. Horkheimer, 『계몽의 변증법』, 아도르노와의 공저), 마르쿠제(H. Marcuse, 『일차원적 인간』), 하버마스(J. Habermas, 『인식과 관심』) 등이 있다.

하버마스(Habermas)의 교육사상

1. 마르크스주의를 언어행위이론 또는 해석학, 피아제(Piaget)와 콜버그(Kohlberg)의 발달이론, 촘스키(Chomsky)의 언어학, 정신분석학 등의 접근 방식과 결합시켰다.

2. **지식 형태**
   인간의 관심과 관련하여 3가지로 구분하였다.
   ① 예측과 통제에 대한 '기술적 관심': 자연과학적 지식(실증적 지식)
   ② 상호 이해와 합의에 대한 '실제적 관심': 사회과학적 지식(의사소통적 지식, 해석학적 지식)
   ③ 인간과 사회의 독립에 대한 '해방적 관심': 비판이론적 지식

3. **비판이론**
   ① 실증주의와 해석학에 대한 비판을 바탕으로 제3의 사고방식인 '비판이론'을 도출하였다.
   ② 목적(관심사)을 합리적 행위, 자기반성 및 자기결정에 나타나는 이성에 두었다.
   ③ 비판이론에 대한 정당화는 정신분석학과 담화 그 자체를 기초로 하고 있다.

4. **교육적 의의**
   ① 너무나도 흔한 불평등한 의사소통 관계에 주의를 기울이게 하였다.
   ② 언어는 자유를 약속하고 담화는 해방의 가능성을 입증하였다.
   ③ 마르크스(Marx)가 무시했거나 예상하지 못했던 요인들(과학과 기술의 발전, 국가 개입의 증대)을 고려하게 되었다.
   ④ 사회 변화 고려 시 정치·경제보다는 언어·의사소통·의식 등에 보다 중점을 두었다.

기출문제

비판적 교육철학 또는 비판교육학(critical pedagogy)에 대한 설명으로 옳지 않은 것은?
2020년 국가직 9급

① 인간의 자유로운 의식의 형성을 억압하고 왜곡하는 사회적, 경제적, 정치적 제약요인을 분석하고 비판한다.
② 하버마스(J. Habermas), 지루(H. Giroux), 프레이리(P. Freire) 등이 대표적인 학자이다.
③ 지식 획득을 포함한 인간의 모든 인식행위는 가치중립적인 것으로 간주한다.
④ 교육문제에 대해 좀 더 실제적이고 정치사회적인 관점을 취한다.

해설
비판이란 자본주의 사회의 모순에 대해 가치 판단을 지향한다. **답 ③**

12 포스트모더니즘(Postmodernism)

1. 등장 배경

(1) 20세기 후반 이성중심의 합리성에 한계를 느끼고 새로운 패러다임의 필요성이 정치, 경제, 사회는 물론 문학, 예술, 학문 등 광범위한 영역에서 대두되었다.

(2) 오늘의 세계는 어느 때 보다도 가치의 절대성과 판단근거의 보편성이 군림하던 시대로부터 가치가 다원화 되어가는 현상이 심화되고 있다.

(3) 20세기 산업사회의 지배적인 문화논리를 이루었던 모더니즘을 극복하고자 하는 문화논리로서 인간생활과 직접적으로 관계가 있고 직접 확인할 수 있는 건축의 분야에서 시작되어 무용, 미술, 문학 등의 예술 영역을 거쳐 철학 및 사회학의 영역으로 그 영향력이 확대되었다.

2. 모더니즘의 시대정신

(1) 근대성의 의미

근대성(modernity)의 정신인 합리성과 근대화, 과학과 기술에 대한 믿음은 지속적인 변화와 역사의 진보적 개혁에 대한 '근대성'의 믿음을 지지해왔다.

(2) 근대성이 끼친 영향[피핀(R. B. Pippin)]

① 이성의 권위를 인정하였다.
② 삶과 자연을 탈(脫)신비화 시켰다.
③ 인간 및 역사의 발전가능성을 인정하였다.
④ 공통의 언어와 전통에 기초한 단일민족국가의 탄생에 기여하였다.
⑤ 자연과 인간의 본질을 규명하는 데 자연과학적 권위에 의존하였다.
⑥ 개인의 천부적 권리, 특히 자유와 자기결정의 표현에 대한 권리를 인정하였다.
⑦ 자유시장 경제를 도입하고 임금노동과 도시화, 그리고 생산수단의 개인소유를 장려하였다.

(3) 근대성에 대한 비판

료따르(Lyotard), 데리다(Derrida), 푸코(Foucault) 등이 대표적이다.

3. 포스트모더니즘 철학의 특징

(1) 계몽적 합리성의 부정

세계에 대한 모든 지식은 우리에게 주어진 이성이나 감각 작용을 통해 세계를 있는 그대로 파악하고 발견함으로써 이루어지는 것이 아니라고 본다. 우리가 지닌 욕구, 동기, 관심과 신념, 편견과 가치관, 경험 등에 기초하여 세계를 해석하고 이해하고 탐구한 결과로 이루어진다는 것이다.

(2) 진리의 상대성 및 다원성

진리의 다원성과 국지성 상대성을 주장한다. 영원한 진리는 없으며 항상 그것은 부분적이며 불완전하다. 따라서 세계를 다양한 각도에서 해석하고 이해하려는 노력이 필요하다. 포스트모더니즘의 인식론은 구성주의의 인식론으로 대표된다.

(3) 실천적 주체성의 강조

진리나 합리성의 역사성과 상대성에 대한 올바른 인식은 곧 세계를 이해하고 파악하는 데 있어서 인간이 갖는 주체적이며 능동적인 역할과 능력이라는 새로운 인식을 우리에게 요구한다.

(4) 사회적 협동과 대화, 연대의식의 강조

진리가 상대적이라는 말이 개인의 임의적인 진리성을 주장하는 것을 의미하는 것이 아니라 공통적인 관심과 가치관을 공유하는 대화와 논의, 비판적인 검토와 합의를 통해 만들어지는 것이다. 즉 진리는 협동적 논의의 산물이다.

4. 포스트모더니즘 문화의 특징

(1) 주체적 자아의 해체

① 주체적 자아: 데카르트 이래 확립되어온 이성적 자아개념, 칸트의 도덕적 자아, 뉴튼의 과학적 자아가 통합된 것으로 근세 이래 서구문화의 전통을 이루는 핵심 개념이다.

② 근대 이후 대부분의 학자, 예술가 등은 이런 인간의 주체적 자아를 부각시키고 고양하는 휴머니즘의 맥락에서 이루어졌다. 그런데 포스트모더니즘의 논리 속에서는 이런 주체적 자아는 해체된다. 그 이유는 현대 소비사회와 관련된다.

(2) 대중이 유희적 행복감을 향유하는 문화

① 포스트모더니즘 문화 속에서 대중은 주체적 자아를 지키고 실현하려는 데서 오는 정신적 긴장감, 갈등 그리고 소외 등을 TV를 비롯한 상업적 대중매체가 창출하고 기업의 상품이 충족시켜 주는 욕구를 즐김으로써 부담 없는 행복감을 별다른 생각 없이 누리게 된다.

② 대중은 사회현실의 총체적 인식이나 총체적 개혁에 그 어떤 관심도 없다. 그들은 삶의 다양성, 무작위성, 우연성을 단지 그대로 받아들일 뿐 절대적 질서란 원래 없는 것이란 전제 아래 끊임없는 실험과 변용, 반역과 해체의 유희를 즐길 뿐이다.

(3) 탈정형화(脫定型化), 탈정전화(脫正典化)를 추구하는 문화

① 근대(modern) 사회에서는 각 사회는 보편적이고 본질적인 가치를 구현하고 있으며 절대적으로 옳고 그 자체 가치 있는 전제 아래 정당화된 학문적 이론체계, 종교, 도덕 체계를 가지고 있었다.

② 지금까지 지배적인 고급 관제 문화였던 제1세계 백인 서구문화, 수도 지향적 중앙문화, 성차별적 남성문화 대신에 청소년문화, 여성문화, 지방문화, 민중 문화 등이 부각된다.

③ 포스트모더니즘의 문화논리 속에서는 모든 다양한 생활양식, 다양한 가치, 다양한 도덕규범이 인정된다. 그러므로 포스트모더니즘의 문화는 다원주의의 문화 논리이다.

(4) 역사관

① 한 시대의 역사는 전 시대의 역사와 밀접한 관계를 가지며 또한 다음 시대의 역사에도 큰 영향을 미친다는 역사관을 거부한다.

② 역사를 비약, 단절, 변이(變異)라는 개념으로 본다. 즉 한 시대의 역사란 전 시대의 역사와 다음 시대의 역사와는 별개의 역사로 전개되며 각 시대마다 엄격한 독립성을 유지한다는 것이다.

기출문제

포스트모더니즘의 특징으로 옳지 않은 것은? 2021년 지방직 9급

① 다원주의를 표방한다.
② 반권위주의를 표방한다.
③ 반연대의식을 표방한다.
④ 반정초주의를 표방한다.

해설

포스트모더니즘은 다원주의, 반권위주의, 연대의식, 반정초주의를 특징으로 한다. 포스트모더니즘은 진리는 상대적이므로 진리결정을 위해서는 공통적인 관심과 가치관을 공유하는 대화와 논의, 비판적 검토와 합의를 강조한다. 즉 진리는 협동적 논의의 산물이라고 본다. **답 ③**

秀 POINT 모더니즘과 포스트모더니즘의 비교

구분	모더니즘	포스트모더니즘
진리관	① 절대적·보편적인 진리, 이성, 지식이 존재한다. ② 절대적, 객관적, 보편적 지식관	① 절대적인 진리는 없으며, 지식은 상대적이다. ② 상대적, 다원적, 다문화적 지식관
인간관	인간의 본질은 주어지는 것이므로 인간은 수동적으로 이를 받아들여야 한다.	인간의 특성은 주어지는 것이 아니라 형성되는 것이다.
교육의 주체	지식을 전달하는 교사와 지식교육이 이루어지는 학교가 교육의 중심이다.	학습자는 능동적인 존재이므로 학습자 중심의 평생교육이 중요하다.
교육내용	이성을 계발할 수 있는 보편적이고 객관적인 지식이 교과로 편성되어야 한다.	학습자의 전인적 특성을 계발해 줄 수 있는 다양한 형태의 교육이 필요하다.
교육과정 구성	지식의 논리적 특성을 기초로 하여 구성된다.	지식이 형성되는 사회적·문화적 맥락성에 기초하여 구성한다.
교육문화	전체 문화	다양한 문화집단을 인정하고, 문화 속의 작은 이야기들에 관심을 가진다.
사회관	개인의 이성을 계발하면 사회의 조화는 저절로 이루어지므로 개인이 더 중요하다.	개인의 특성이 사회·문화·역사적 맥락 속에서 형성되어 감으로 전통은 개인 못지않게 중요하다.

5. 포스트모더니즘과 교육

(1) 특징

① 지식의 상대성 강조: 각각의 다른 관심과 문화적 맥락에서 생성된 지식은 맥락에서 정당성을 갖는다는 논리를 형성하였다.

② 교육 과정에 다양한 관심과 가치의 반영: 교육과정은 지식의 논리적 특성에 근거할 것이 아니라 지식의 사회문화적 특성에 근거해야 한다고 보았다.

③ 주체적 존재로서의 학습자 인정: 학습자를 단순한 배움의 대상이나 수동적 존재가 아닌 학습내용을 재해석하고 재창조하는 능동적이고 주체적인 존재로 보았다.

④ **학생중심의 열린교육 지향:** 학습자 개개인의 특수성과 독립성, 고유한 청소년 문화 등을 인정하고 다양한 감성교육을 요구하였다.

⑤ **학교문화 해석의 다양성:** 학교는 사회문화의 다양성과 다원성에 보다 민감해야 하며 교사나 학생이나 지역사회의 다양한 가치관과 신념을 존중해야 한다고 보았다.

⑥ **공교육 체제에 대한 반성:** 동일한 교육목적을 위해 동일한 교육내용을 동일한 교육방법으로 가르치는 공교육 체제를 비판하고 새로운 사회조건에 적합한 보다 유연하고 다양한 교육체제가 필요하다고 주장하였다.

(2) 교육의 실제

① **교육적 인간상 - 열린 자아인:** 다양한 관계맺음 속에서 자신의 자아를 끊임없이 새롭게 창조해가는 인간[유학의 관계아(關係我), 도학의 대통아(大通我), 불교의 연기아(緣起我)]이다.

② **교육내용**

㉠ **열린 지식관:** 현대주의에서 강조하는 명제적 지식뿐만 아니라 인간자아의 창조적 형성에 결부되는 모든 경험이 지식이 되어야 한다.

㉡ **열린 교과서관:** 교과서의 내용을 반드시 오류가 없는 지식과 경험을 담는 것으로만 한정하지 않으며, 교과서는 학생들의 사고의 판단을 자극하고 스스로 문제를 해결하도록 안내하는 자료가 되어야 한다.

③ **교육방법**

㉠ **열린 교육방법:** 학습자의 학습 선택의 자유를 가능한 많이 허용하고, 교육적으로 풍부한 학습 환경을 제공하며, 학습자의 적성과 흥미능력에 맞는 개별화 학습을 추구하는 방법이다.

㉡ **해체적 글쓰기:** 학습자로 하여금 교과서를 먼저 해석적으로 읽게 한 후, 해석적으로 읽어서 인지한 내용을 근거로 하여 해체적 글짓기를 시도하게 하는 방법이다.

㉢ **대화적 협력학습법**

ⓐ **대화:** 차이를 인정하고 확인하기 위한 방법이다.

ⓑ **협력학습:** 아동 자신으로 하여금 소집단에서 한 가지씩 역할을 책임 맡게 하여 아동 스스로 주제에 대한 결론을 내릴 수 있도록 학습하게 하는 방법이다.

(3) 교육적 의의

① 소서사적 지식을 중시하였다.

② 교육현장에서의 작은 목소리를 존중하였다.

③ 과학적, 합리적 이성의 극복과 그에 따른 감성적 기능의 회복을 강조하였다.

④ 교육의 구조적 변화를 촉발하였다.

⑤ 공교육 체계에 대한 비판적 시각을 제공하고 대안교육 및 실험교육 활성화의 토대를 마련하였다.

⑥ 교육 및 인간 이해에 대한 지평을 확대하였다.

⑦ 보편성·획일성·전체성을 극복하고 그에 따른 다양성과 다원성을 존중하였다.

⑧ 권위주의의 극복을 강조하였다.

⑨ 지엽적이고 특수한 삶의 문제들에 대해 의미를 부여하였다.
⑩ 페미니스트 교육학의 발전적 토대를 제공하였다.

6. 대표자

푸코(M. Foucault), 료따르(J. Lyotard), 로티(R. Roty) 등이 있다.

秀 POINT 푸코의 교육적 관점

1. 지식과 권력의 관계
① 권력의 힘과 지식의 힘은 동일하며, 지식과 권력은 뗄 수 없는 복합체이다.
② 권력은 어떤 대상을 지식을 통해 배제하고 억압하는 데 그치지 않고 적극적으로 개인을 구성하고 대상들을 생산하며 주체에 관한 지식을 산출한다.
③ 권력이 개인의 행동과 몸의 능력을 통제하기 위해 사용하는 특수한 기술이 훈육(규율)이다.

2. 규율적 권력이 목표를 달성하기 위해 동원하는 도구
① 병영, 학교, 감옥 등은 일종의 관측소로 간주될 수 있는데 이런 건물들은 건물 안에 있는 사람들을 눈에 잘 띄게끔 하는 구조로 건축되어 내부적으로 제어를 용이하게 한다.
② 위계적 감시역할을 하는 중앙일망감시탑인 '판옵티콘(panopticon)'이라는 학교구조의 훈육기능이 감옥 구조와 유사하다.
③ 규율적 권력은 지속적인 관찰과 감시하는 도구를 통해 집단이나 사회의 통합화와 원활한 운용을 도모한다.

3. 검사(시험)
① 시험은 규율적 권력이 은밀하게 보이지 않는 방식으로 행사되고 있는 측면이다.
② 시험은 특정 지식을 전달한 후 평가하는 것으로 특정 권력을 반영(권력의 정당화)하며 객체화와 계량화라는 기제를 통해 학생을 억압한다.
③ 학교는 시험이라는 기술적 통제로 학생을 순응화시킨다.

"사회 전체가 거대한 하나의 감옥이다."
푸코는 이성의 이름으로 자행된 거대한 폭력의 역사를 문제 삼는다. 이성의 이름 아래 정상과 비정상을 가르는 광기와 이 속에서 작용하고 있는 권력의 실제를 드러낸다. 권력은 담론(discourse)을 통해 특정 사회의 고유한 에피스테메(episteme)를 형성하고 구성원을 통제하게 되며, 이점에서 지식과 권력은 하나의 복합체가 된다. 후기 근대로 오면서 권력은 규율과 훈련을 통해 은밀하게 사람들을 관리하고 통제하며, 권력의 효과를 파급시키는 역할을 한 것이 근대 국가의 제도인 군대, 학교, 정신병원, 감옥이다.

13 홀리스틱(Holistic)

1. 기본 정신

(1) 홀리스틱(holistic)은 그리스어의 '홀로스(holos)'에서 비롯된 것으로 이는 '전체'를 의미한다.

(2) 홀리즘(holism)

우주 안에 있는 모든 것이 눈에 보이지 않는 통일성 내지는 전체성에 의해 결합되어 있다고 보는 '영원철학(perennial philosophy)'에 사상적 기반을 두고 있다.

(3) 홀리스틱 교육의 세계관

이 세상에 존재하는 모든 것은 그 어떤 형태로 인간과 관련성을 갖고 서로 상호작용하고 있다는 것이다. 이는 현대 사회가 직면하고 있는 위기 속에서 교육, 과학, 산업계 등 여러 방면에서 공통적으로 주목하고 있는 세계관이기도 하다. 나아가 환경문제나 생태문제 등에서 주목되고 있는 관점이다.

2. 교육정신

(1) 인간과 인간의 관계, 인간과 생태계와의 관계 등 '관계성(connection)'을 중시하고 그 속에서 조화(balance)와 통합성(inclusiveness)을 추구한다.

(2) 종래의 원자론적(atomistic)인 전달(transmission)의 교육이나, 실용적인 교류(transaction) 중심의 교육을 통합하여 그 치우침이나 단편성을 보완하는 '균형'을 이루고자 한다.

(3) 전체론(holism)에 기초한 교육으로 전체의 관련을 근저로 하여 그것을 통해 개인과 세계에 변용이 일어나도록 작용한다.

(4) 홀리스틱 교육의 관점에서는 전지구적 생태학적 소양교육, 환경을 살리는 교육, 전체론적인 관점에서의 통합을 위해 자연의 숲, 생명의 숲의 조성 필요성과 나아가 생태맹을 극복할 수 있는 프로그램의 운영 필요성이 제기된다.

생태맹(ecological illiteracy)
생태학적 지식의 결여나 자연해독능력의 결여를 의미한다. 이를 극복할 수 있는 프로그램으로 우리나라에서는 녹색학교운동이 실천되고 있다.

3. 홀리스틱 교육비전 - 10원칙

(1) 홀리스틱 교육이 추구하는 비전에 대해 1991년 GATE(Global Alliance Transforming Education) 총회의 검토를 거쳐 발표된 「EDUCATION 2000/홀리스틱 교육비전 선언」이 발표되었다.

(2) 정신성(영성), 인간성 교육, 글로벌적 교육, 참여 민주주의 교육, 지구 생명권에 대한 기초적인 이해를 촉진하는 교육을 추구한다. 특히 생명체의 자연스러운 성장의 모습에서 교육이 추구해야 할 근원적인 방향을 찾고자 하며, 생명체의 성장의 리듬을 잘 알 수 있도록 자연과 생태계의 흐름을 알고 공존의 의미를 감지할 수 있는 교육을 필요로 한다.

참고

「EDUCATION 2000/홀리스틱 교육비전 선언」의 제10원칙

제1원칙	인간성의 최우선(인간의 성장 가능성 중시)
제2원칙	인간 개개인의 존중
제3원칙	체험적 학습의 중시
제4원칙	홀리스틱 교육에의 패러다임 전환(교육과정의 전체성 중시)
제5원칙	새로운 교사의 역할(성장을 촉진하는 안내자, 지원자, 보조자)
제6원칙	선택의 자유(질문의 자유, 표현의 자유, 인간적 성장의 자유)
제7원칙	참여형 민주주의 교육
제8원칙	지구시민교육(민족과 국가 및 문화의 차이를 포용하는 글로벌 교육)
제9원칙	공생을 위한 에콜로지 교육(생명에 대한 외경, 인간과 자연의 재인식)
제10원칙	정신성(靈性)과 교육(성스런 인간의 존재, 천부적 재능, 능력의 중시)

秀 POINT 존 듀이(J. Dewey)의 교육이론

배경	① 철학적 배경은 프라그마티즘으로, 진리의 상대성과 변화를 핵심으로 한다. ② 교육은 아동중심, 생활중심, 경험중심, 흥미중심을 특징으로 한다.
교육이론	① 교육목적: 성장 혹은 경험의 재구성 ② 학습활동: 행동을 통한 학습(learning by doing) ③ 학습동기: 흥미중심 ④ 교육학 구성: 심리학적 국면과 사회학적 국면(『나의 교육학적 신조』) ⑤ 교육의 의의: 생활의 필요, 사회적 기능, 지도, 성장, 개조로서의 교육 ⑥ 일원론적 관점: 교육목적과 수단이 일치하고, 내용과 방법도 일치한다.
주요 개념	① 성장(growth): 성장이란 "행위가 그 다음의 결과로 축적되어 나가는 과정"이며, 성장의 첫째 조건은 미성숙이고 미성숙의 중요한 특징은 의존성과 가소성이다. 의존성이란 상호의존성을 말하며, 가소성(可塑性)이란 생명체가 성장에 대하여 나타내는 특수한 적응능력을 말하는 것으로 인간이 경험을 통해 학습하는 능력, 성향(性向)을 발달시키는 능력을 말한다. 학교교육의 목적은 성장하는 힘을 조직적으로 길러줌으로써 교육을 계속해나갈 수 있도록 하는 데 있다. ② 흥미(interest): 흥미란 어원상 '중간에 있는 것(interest = inter + esse 즉, what is between)', 즉 서로 떨어져 있는 두 물체를 결부시킨다는 의미로, 흥미는 아동이나 내용에 있는 것이 아니라 아동과 가르쳐야 할 내용이 결합되어 있다는 것을 의미한다. 흥미는 아동의 경험이나 활동과 교육내용이 연결될 때 일어난다. ③ 경험(experience)과 사고(thinking): 경험은 유기체와 환경의 끊임없는 상호작용 혹은 감각작용의 결과가 기억과 상상 속에 보존되었다가 습관에 의한 기술로 적용되는 것을 말하며, 능동적인 측면에서 '해보는 것', 수동적인 측면에서 '당하는 것'으로 구분된다. 경험이 의미 있는 것이 되려면 반드시 사고(思考)가 개입되어야 한다. 이를 사고적 경험, 즉 반성적 경험(reflective experience)이라고 불렀다. 사고는 우리가 하고자 하는 것과 그 결과로서 일어나는 것 사이의 관련을 파악함으로써 경험을 의미있는 것으로 만들어 준다. ④ 인간성의 3요소: 습관, 충동, 지성 ㉠ 습관(habit): 유기체와 환경과의 상호작용을 통해 형성된 제2의 천성이며, 후천적으로 습득된 인간의 기능이다. ㉡ 충동(impulse): 생득적이고 본래적인 성질로서 듀이는 본능이란 말 대신 충동이라는 말을 사용한다. ㉢ 지성(intelligence): 지각(知覺)을 바탕으로 하여 인식을 형성하는 정신적인 여러 기능으로 가치판단, 추상 작용, 추리작용, 분석 및 개념의 구성작용을 총칭한다. 듀이는 서양의 전통적인 이성 개념 대신에 지성의 개념을 사용하였고 지성은 경험의 산물이다. 이성이 이론적인 데 비해 지성은 실천적이며, 관찰, 실험, 반성적 사고이다. 지성은 충동과 습관이 충돌하고 마찰을 일으킬 때 조정자로서 문제 상황에 방향을 주는 역할을 담당한다. ⑤ 실험학교: 1896년부터 1904년까지 시카고 대학에 세운 학교로 과거의 암기식, 교사중심식, 그리고 엄격한 훈련주의에 입각한 전통주의 교육을 개혁하고 자신의 교육이론과 실제를 실험하고 실증하고 비판하기 위해 설립하였다.
저서	『학교와 사회』, 『나의 교육학적 신조』, 『민주주의와 교육』, 『경험과 교육』 등

자유(교양)교육(liberal education)

1. 그리스적 자유교육

① 교양: 세련됨, 원숙함을 의미한다. 즉 조잡하고 덜 된 것과 반대되는 개념이다. 그런 의미에서 자연이나 생활을 준비한다는 것과는 대립되는 개념이다.

② 교양은 구체적인 사회적 행위와는 무관한 개념이다. 이는 사회 계층이 엄격히 구분되었던 사회의 유물이기도 하다. 이런 사회의 상류 계층은 자신을 인간으로 발달시킬 기회가 많은 반면 하류층은 외적 노동에 종사하기 때문에 자신을 돌볼 여유가 없었다.

③ 교양교육에 대한 체계적인 사상을 주장한 사람은 아리스토텔레스(Aristoteles)이다. 그는 실천적 학문보다는 이론적 학문이 우위에 있다고 보았다. 따라서 교육은 무엇을 하기 위한 지식을 가르치는 것(실용학) 보다 순수한 진리를 위한 지식(교양학)이 중요하고 이것이 자유로운 시민의 교육이 되어야 한다고 보았다.

④ 시민 교육은 시민이 아닌, 즉 생산자의 교육과는 달라야 한다. 시민은 자유교육을, 생산자는 직업교육을 받아야 한다. 즉 시민은 여가를 즐기기 위한 교육이 필요하다.

⑤ 아리스토텔레스(Aristoteles): 자유인은 관조적(theoria) 삶을 영위하는 존재이며 관조적 삶은 여가 속에서만 이루어지는 삶이다. 또 자유인은 자유교육을 받은 사람을 뜻한다. 그는 마음이 합리적으로 발달되고 지적으로 자유로우며 그 결과 행복을 영위하는 사람이다.

2. 20세기 이후의 교양교육

① 교양교육에 대한 관심은 20세기 이후 다시 부활하고 있다. 특히 20세기 초반 과학주의에 영향을 받아 실용성을 강조하는 분위기에 대한 저항으로 강조되었고, 그 대표적인 사람이 허친스이다.

② 허친스는 144권의 고전을 선정해서 『The Great Books of the Western World』로 발간하여 고등학교에서 대학에 이르기까지 9년 동안 읽도록 하였다.

예 소크라테스의 『변명』, 플루타크의 『영웅전』, 마키아벨리의 『군주론』, 밀턴의 『출판의 자유』, 아담 스미스의 『국부론』, 막스·엥겔스의 『공산당 선언』, 헤로도투스의 『역사』, 보들레르의 『악의 꽃』 등

③ 대학에서 교양교육이 실시된 것은 1945년 하버드 대학의 『Liberal Education in a Free Society』라는 보고서 이후이다. 교양교육의 영역을 ㉠ 문학과 예술, ㉡ 역사 연구, ㉢ 사회분석과 도덕, ㉣ 과학, ㉤ 외국문화 등의 5대 영역으로 구분하였다.

秀 POINT 중요 개념

- □ 인식론
- □ 가치론
- □ 사변적 기능
- □ 규범적 기능
- □ 내재적 목적
- □ 명제적 지식
- □ 논리적 지식
- □ 묵락적 지식
- □ 지식의 형식
- □ 사회적 실재
- □ 정합설과 대응설
- □ 가치명료화
- □ 도덕추론
- □ 프라그마티즘
- □ 진보주의
- □ 본질주의
- □ 항존주의
- □ 재건주의
- □ 실증주의
- □ 실존주의
- □ 만남과 교육
- □ 포스트모더니즘과 교육
- □ 자유교육(교양교육)

MEMO

V

교육심리학

01 | 교육심리학의 이해

핵심체크 POINT

1. **개념**
   교육에 관련된 사실과 법칙을 심리학적으로 연구해서 교육의 방향을 제시하는 과학으로 일반심리학의 응용분야
2. **역사**
   페스탈로치(Pestalozzi)나 프뢰벨(Fröbel)로부터 비롯된 아동에 대한 과학적 연구경향과 일반심리학의 실험적 방법을 적용해서 모이만(Meuman)과 손다이크(Thorndike) 등에 의해 교육심리학이 학문으로 성립
3. **연구방법**
   관찰법, 통제군법, 정신검사법, 사회성 측정법, 질문지법, 면접법, 일화기록법, 투사법 등

1 심리학(psychology)

1. 개념

(1) 인간이 환경에 대한 반응으로 나타나는 행동을 이해하고 기술하고 예언하고 통제하는 과학이다. 여기에서 말하는 행동이란 외현적 행동(overt behavior)뿐만 아니라 지식, 사고, 가치, 자아개념 등 내현적 행동(covert behavior)도 포함한다.

(2) 어원상 심리학은 마음(心) 또는 마음의 현상을 연구하는 학문이었다. 이런 경향은 근대까지 계속되었고, 18 ~ 19세기 자연과학 특히 생리학, 물리학 등의 발달에 영향을 받아 과학으로 발전하였다. 즉 마음의 연구로부터 객관적인 행동연구로 전환되었다.

(3) 심리학은 원래 그리스 시대부터 시작하였다(능력 심리학). 근대 초기 심리학은 인간의 내적인 문제(감정, 사고, 감각 등)에 관심을 두었고, 철학적 연구의 대상이었다. 이후에는 외적 행동에 초점을 맞추었으며, 인간의 행동보다는 동물의 행동을 주로 연구하였다. 최근에는 이 둘을 모두 연구하며 인지 심리학이 등장하였다.

2. 학자별 정의

(1) 분트(W. Wundt)

심리학은 자연과학의 주제를 이루는 외적 경험의 대상과 구별되는 내적 경험(감각, 감정, 사고, 의욕 등)을 연구하는 분야이다.

(2) 왓슨(J. Watson)

심리학은 인간 행동을 주제로 삼는 자연과학이다.

(3) 마이어(R. Mayer)

심리학은 인간 행동을 이해하기 위해 인간의 정신과정과 기억구조를 과학적으로 분석하는 분야이다.

3. 현대 심리학의 경향

행동주의 심리학, 형태심리학, 정신분석학, 인간주의 심리학, 인지심리학 등이 있으며 이들 심리학은 교육심리학과도 밀접한 관련을 지닌다.

4. 일반심리학의 분류

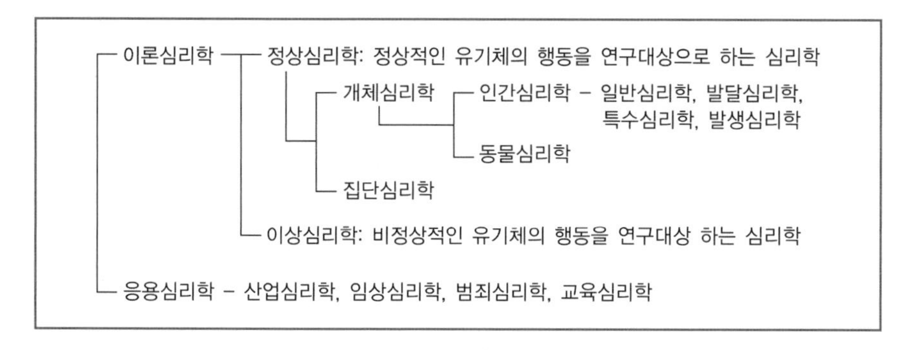

2 교육심리학

1. 개념

(1) 교육에 관련된 사실과 법칙을 심리학적으로 연구해서 교육의 방향을 제시하는 과학이다.

(2) 처음부터 일반심리학의 응용분야로 출발하였다.

2. 최근 연구경향

(1) 교육에서 일어나는 일상적인 문제를 심리학적으로 연구하여 그로부터 원리와 모델, 이론, 교수 절차들, 그리고 지도와 평가의 실질적인 방법을 추론해내는 데 초점을 둔다[위트록(M. Wittrock)].

(2) 최근에는 학습자의 사고와 감성적 과정을 연구하고 학교 속의 사회적·문화적으로 복잡한 과정을 연구하는데, 타당한 연구 방법과 통계적 분석, 측정 및 평가 절차를 유추해내기도 한다.

3. 역사

(1) 성립과정

① 페스탈로치(Pestalozzi), 프뢰벨(Fröbel), 헤르바르트(Herbart), 손다이크(Thorndike) 등이 아동에 대해 과학적으로 연구하였다.

② 모이만(Meumann)의 『실험교육학(1911 ~ 1914)』, 손다이크(Thorndike)의 『교육심리학(1914)』을 저술함에 따라 독립된 학문으로 성립되었다.

(2) 손다이크의 공헌

자극과 반응의 연결에 있어 환경이 어떤 영향을 미치는가를 밝혀 주요한 학습이론을 전개하였고 이것이 학교 실제에 유용하게 적용되어 교사들이 유용한 것으로 받아들였다.

4. 목적

교육의 시기와 방법을 결정한다. 즉 교육심리학의 목적은 교육목적을 언제, 어떠한 방법으로 실현할 것인가에 대한 답을 구하는 것이다.

5. 영역

발달심리학	① **발달심리**: 인간의 전 생애에 걸친 각 영역의 발달과 변화의 과정을 포함 ② 과거에는 발달심리학이 주로 아동기와 청년기를 대상으로 하였으나, 최근에는 성인기와 노년기를 포함하여 전 생애를 연구대상으로 한다. ③ **발달**: 단순한 양적·질적 변화를 의미하는 것이 아니라, 유기체의 구조적 변화를 의미한다.
학습심리학	① **교육목적**: 학습자를 수업목표에 도달시키는 데 있다. ② 학습의 원리와 법칙의 발견에 관심을 두는 학문으로, 학습행동과 관련된 문제, 학습현상, 학습조건, 학습동기, 학습의 전이, 기억과 망각의 문제, 나아가 학습과 관련된 심리학적 이해에 대한 정보와 지식을 제공해 줄 수 있다.
적응심리학	① 개인이 지닌 기본적 욕구가 무엇이며, 부적응 행동의 원인과 이에 따르는 여러 가지 심리적 또는 적응적 기제의 유형, 문제행동을 어떻게 지도해야 하는가를 다루고 있는 학문이다. ② 인간의 바람직한 성장을 위해서 중요한 부분이다.
지능과 개인차	① 학교에서 고려해야 할 학생들의 개인차는 매우 다양한 영역에서 나타나는데, 그 중에서도 가장 중요한 변인은 지능과 창의성임 ② 지능과 창의성에 대한 이론적 고찰을 통해 학생들의 개인적 능력 발달과 개인차에 대한 문제들을 생각해보는 것이 필요하다.

6. 중요 용어

심리치료	가족치료, 개인치료, 집단심리치료 등
결과타당도	검사 결과가 학생의 행동변화, 교수 학습방법, 학생들의 동기유발에 얼마나 효과가 있었나 하는 정도를 나타내는 것
군집분석	관찰대상인 개체들을 유사성에 근거하여 더 유사한 동류 집단으로 분류하는 다변량분석기법
귀인이론	학생 자신의 지각을 강조함으로써 학습 동기 유발과 학생의 능동적인 책임을 중시하는 이론
뇌기능에 관한 고찰	① 뇌간의 기능 ② 신피질의 작용 ③ 변연계의 작용 ④ 뉴런의 작용
바이오피드백	생리적 기능에 대한 자율적인 반응에 대한 정보

상상 속의 청중	청소년들이 자신의 행동을 다른 사람이 주시하고 있다고 생각하는 경향
생태학적 타당도	다른 환경적 조건으로 일반화 할 수 있는 정도를 나타내는 것
인지적 부조화	아이디어나 신념, 믿음 등이 서로 조화를 이루지 못하는 것에 불편함을 느끼고 이를 해소하고자 하는 경향
제임스 - 랑게이론	자극에 직면하여 발생한 내장 기관의 변화를 규명한 이론
조망수용능력	역할 취득이 가능한 능력
최소능력검사	준거참조검사방식의 능력 검사
캐논 - 바드이론	정서에 대한 자율신경계의 역할을 규명한 이론
통계적 회귀	평균을 향한 회귀
순서효과	정보가 가진 효과가 입·출력의 순서에 따라 달라진다는 것
위약효과	약효가 전혀 없는 거짓약을 진짜 약으로 가장하여 환자에게 복용하게 했을 때 환자의 병세가 호전되는 효과
이월효과	이전에 실시한 실험이 피험자가 받는 느낌에 미치는 영향
잡음효과	실험결과의 내적 타당성을 저해하는 요인
정화효과	억압된 외상체험을 의식화시켜 정화하는 것
최신효과	자유회상과제에서 마지막에 암기한 항목들이 잘 회상되는 현상
크레스피효과	보상의 크기에 따라 수행수준이 급격히 변화하는 효과
후광효과	학생의 이미지나 선입견이 평정에 주는 영향
부모효율성훈련(PET)	부모교육프로그램
빈 둥지 현상	자녀들이 독립해서 떠나 부부만 남는 현상
언어결정론	언어가 인지와 사고를 결정한다는 이론적 관점
피터팬증후군	성년이 되어도 사회에 적응하지 못하는 아이 같은 남성
핵심단어법	교수 학습에 적용되어 온 기억술의 한 가지
자이가닉 효과	완결된 행동보다 미완결된 행동이 더 잘 기억되는 현상

02 | 현대 교육심리학의 이론

핵심체크 POINT

행동주의 심리학	① 파블로프(Pavlov)와 왓슨(Watson) 등에 의한 조건화 실험에서 비롯됨 ② 인간의 모든 행동(외적 행동)은 조건화된 것으로 인간의 행동이나 동물의 행동이나 근본적으로 차이가 없다고 봄 ③ 인간 행동에 대한 환경 결정론적 관점
정신분석 심리학	① 프로이드(Freud)가 신경증 환자의 원인을 진단하기 위해 연구 ② 인간의 행동은 본능적 경향성(libido)에 의해 결정된다는 생물학적 결정론적 입장으로 아동기의 성격형성의 중요성을 강조
인간주의 심리학	① 행동주의와 정신분석학에 대한 반발로 정상적인 인간행동을 설명하기 위한 심리학으로 성립(제3의 심리학) ② 인간은 근본적으로 선한 존재이며, 목적 실현을 위해 행동함. 궁극적으로는 자아실현을 최고의 가치로 중시
인지주의 심리학	인간은 기존의 지식을 재조직하는 능동적 학습자로 보고 형태심리학에서 비롯되어 최근에는 인간의 기억 과정을 연구하는 정보처리이론 등이 대표적

1 행동주의 심리학

1. 역사

왓슨(Watson), 파블로프(Pavlov) 등에 의해 창시되었고, 손다이크(Thorndike), 스키너(Skinner) 등에 의해 발전되었다. 현대 학습이론과 교수이론에 큰 영향을 주었다.

2. 기본입장

(1) 관찰 가능한 인간의 외적 행동에 관심을 둔다. 즉, 행동주의는 객관적으로 측정과 검증이 불가능한 내적 경험, 정신, 의지, 느낌, 원망, 의식 등은 연구대상에서 제외한다.

(2) 인간의 모든 행동은 조건화된 것으로 간주한다. 즉, 인간의 모든 행동은 그가 통제할 수 없는 외적 힘에 의해 결정된다고 간주한다.

(3) **조건화(conditioning)**

원래는 반응을 일으킬 수 없던 자극이 반응을 일으킬 수 있는 자극과 계속적으로 짝 지어지면, 그 자극이 반응을 일으키는 힘을 얻게 되는 과정이다.

3. 행동에 관한 관점

(1) 인간행동에 관한 기계론적, 결정론적 입장이다.

(2) 인간의 행동이나 동물의 행동이나 근본적으로 차이가 없다고 본다.

(3) 생산 현장에서의 기술자, 군대의 특수부대 훈련 등에 적용되었다.

2 정신분석 심리학

1. 역사

프로이드(Freud)에 의해 성립되었다(1896년 전후에 이론 정립). 정신분석학의 영향을 받은 학자로는 아들러(Adler), 융(C. Jung), 에릭슨(Erikson), 설리반(Sullivan) 등이 있다. 현대 정신분석학을 계승한 경향으로는 정신역동 정신치료[프로이드(A. Freud)], 심리 역동적 발달치료[피터 포나기(Peter Fonagy)] 등이 있다.

2. 기본입장

(1) 인간의 행동은 억압된 무의식적 충동, 성적 만족, 폭력이나 파괴의 본능적 경향성에 의해 결정된다고 본다.

(2) 그동안 서구 역사에서 인간의 행동이 합리적이고 의도적이며 자신의 행동은 스스로 결정한다고 보는 인간관에 반대한다.

(3) 개인 혹은 집단의 언어, 행동, 상상, 꿈, 환상, 비언어적 표현, 문화적 성과물, 예술적 상상물에서 '무의식적 의미'를 밝히는 연구방법이다.

3. 행동에 관한 관점

(1) 인간행동의 결정론적이고 기계론적 설명방식이다.

(2) 인간행동의 많은 부분은 어렸을 때 혹은 자신도 알 수 없는 무의식적 원인에 의한 것이라고 본다.

4. 교육에의 영향

성격발달이론과 상담이론에 영향을 끼쳤다. 임상심리학에 영향을 주어 우울증 환자치료에 적용되었다.

3 인간주의(인본주의) 심리학

1. 역사

1940년대 후반 행동주의 심리학과 정신분석학에 대한 반기로 등장하였고, 정상적인 인간의 행동을 설명하고자 하였다. 로저스(Rogers), 앨포트(Allport), 매슬로우(Maslow), 프롬(E. Fromm), 실존주의자, 현상학자 등이 여기에 속한다.

2. 기본입장

(1) 인간은 목적 실현을 위해 행동한다는 입장이다.

(2) 궁극적으로는 자아실현을 최고의 가치로 여긴다.

(3) 자아실현인이란 순수하고 진지한 사람, 내부지향적인 사람, 도덕적으로 혹은 지적으로 자유스러운 사람, 자신에게 가장 풍부하고 가장 행복하며 가장 생산적이고 가장 만족스러운 방식으로 삶을 사는 사람을 말한다.

3. 행동에 관한 관점

인간의 자연적 선성(善性), 자유, 책임, 성장 가능성, 자아실현 등을 강조한다.

4. 교육에의 영향

제3의 심리학, 비지시적 상담, 현대의 다양한 인간해방 운동에 영향을 주었다.

秀 POINT 자아실현[매슬로우(A. Maslow)]

1. 매슬로우는 면담, 자유연상, 투사적 기법, 전기와 자서전 등 여러 기법을 이용하여 인간이란 누구나 본능적인 욕구를 가지고 태어난다고 보았다. 이러한 우주적 욕구는 인간을 성장하게 하고 발달하게 하며 인간 자신을 실현시키고 인간 모두가 성숙하게 하는 원동력이 된다. 그러므로 심리적인 건강과 성숙을 향한 잠재능력은 인간이 세상에 태어날 때부터 갖추어져 있는 것이다.

2. 잠재능력이 충족되거나 실현되는 것은 인간의 자아실현의 욕구를 촉진시키거나 또는 좌절시키게 하는 개인적이고 사회적인 힘에 달려 있다. 매슬로우가 말하는 자아실현인이란 순수하고 진지한 사람, 내부지향적인 사람, 도덕적으로 혹은 지적으로 자유스러운 사람, 자신에게 가장 풍부하고 가장 행복하며 가장 생산적이고 가장 만족스러운 삶을 사는 사람을 말한다.

3. **욕구위계**

① 성장과 존재 욕구

자아실현	한 인간으로서의 역할을 충분히 발휘하는 인간이 되고자 하는 욕구
심미적 욕구	인생의 질서와 균형, 미적 감각, 모든 것에 대한 사랑을 평가하기
이해와 지적 욕구	광범위한 이론 속에 표현된 관계, 체계, 과정 등에 관한 지식을 통합하기(이해)와 정보와 학문에 접근하기, 일하는 방법을 알기, 사상이나 상징의 의미를 알기(지식)

② 결핍과 보존 욕구

자존 욕구	독특한 능력과 가치 있는 특성을 지닌 인간으로 인정받기
소속 욕구	타인이 나를 알아주고 그들과 함께 집단 속에서 사귀기
안전 욕구	내일의 의식주를 고려하기
생리적 욕구	지금 당장의 의식주와 신체적 필요를 고려하기

4. **자아실현인의 특징**

① 효율적인 현실 지각
② 본성, 타인 그리고 자신에 대한 일반적인 수용
③ 자발성, 솔직성, 자연스러움
④ 자기 밖의 문제에 중점적인 태도
⑤ 사적인 생활과 독립에의 욕구
⑥ 자율적 기능

⑦ 계속적인 신선한 감상력
⑧ 신비로운 혹은 '절정(peak experience)' 경험
⑨ 사회적 관심
⑩ 대인 관계
⑪ 민주적 성격 구조
⑫ 수단과 목적, 선과 악의 구별
⑬ 적대감 없는 유머 감각
⑭ 창의성
⑮ 문화적 동화에 대한 저항

참고

에이브러햄 매슬로우(Abraham H. Maslow, 1908 ~ 1970)

1908년 미국 뉴욕 빈민가에서 출생한 매슬로우는 부친의 사업 성공으로 뉴욕 시립대학에서 법률 공부를 시작하였다. 그러나 1928년 위스콘신 대학으로 옮겨 심리학으로 전공을 바꾸었다. 1934년 심리학 박사 학위를 취득한 후 콜롬비아 대학에서 심리학자 손다이크(Thorndike)와 연구활동을 진행하였으며 이후 브루클린 대학에서 14년간 강의하였다. 매슬로우가 등장하기 전, 심리학 진영은 과학적 행동주의자와 정신분석학자들이 주도하고 있었으며 이에 완전히 다른 제3세력의 심리학인 인본주의 심리학이 매슬로우에 의해 주도, 창설되었다. 매슬로우는 기본적인 생리적 욕구에서부터 사랑, 존중 그리고 궁극적으로 자기실현에 이르기까지 충족되어야 할 욕구에 위계가 있다는 '욕구 5단계설'을 주장하였다. 1962년에는 캘리포니아 첨단기업 초청 연구원으로 재직 중 자아실현 개념을 기업환경에 적용하는 시도를 하였으며 1968년 심리학협회 회장직을 맡기도 하였다. 1970년 심장마비로 사망하였다. 그의 저서에는 『이상심리학의 원리(Principles of Abnormal Psychology, 1941)』, 『인간의 동기와 성격(Motivation and Personality, 1954)』, 『존재의 심리학(Towards a Psychology of Being, 1968)』, 사후 출간된 『최상의 인간 본성(The Further Reaches of Human Nature, 1971)』 등이 있다.

4 인지주의 심리학

1. 역사

1950년대 행동주의 심리학에 대한 저항으로 시작되었다. 인지주의적 견해의 최초는 독일의 형태심리학, 미국의 언어심리학자인 촘스키(Chomsky), 그리고 브루너(Bruner), 오스틴(Austin) 등이 인지적 접근을 시도하였다. 인지이론의 이정표 역할을 한 저서로는 울릭 나이서(Ulric Neisser)의 『인지주의 심리학(Cognitive Psychology, 1967)』이 있다.

2. 기본입장

(1) 개인이 환경으로 받은 자극이 어떻게 진행되는지에 관심을 갖는다. 즉 개인이 환경으로부터 받은 정보를 어떻게 지각하고 해석해서 저장하는지에 관심을 갖는다.

(2) 인지주의자들은 인간을 환경적 자극에 영향을 받는 수동적인 존재가 아니라 능동적이고 적극적인 존재로 본다. 문제해결을 위한 정보를 적극적으로 탐색하며 이미 알고 있는 것을 재배열하고 재구성함으로써 새로운 학습을 성취한다는 것이다.

(3) 정보처리이론을 거쳐 최근에는 인지과학으로 발전하였다.

3. 교육에의 영향

(1) 인지주의는 상담이론과 학습이론 등에 큰 영향을 미쳤다.

(2) 특히 학습이론에서 형태심리학의 영향을 받은 통찰설(Köhler), 장(場)의 이론(Lewin), 기대형성이론(Tolman) 등이 대표적이다.

행동주의와 인지주의의 비교

요소	행동주의	인지주의
인간	환경의 영향에 수동적으로 반응	기존의 지식을 재조직하는 능동적 학습자
학습의 전제	새로운 행동 그 자체가 학습됨	지식이 학습되고 지식의 변화가 행동의 변화를 가능하게 함
연구대상	동물	인간
연구장면	통제된 실험실	다양한 학습상황
연구목적	일반적인 학습법칙의 발견	인지의 개인차와 발달적 차이 발견
강화	강화가 반응의 강도를 강하게 함	행동 후에 일어날 일을 알려주는 신호 역할을 함
동기	외적 강화에 의해 형성	내적 동기의 중시
기본학파	연합주의	형태주의 심리학

형태 심리학의 원리

1. 전경과 배경: 전경에 있는 이미지가 우선적으로 지각되는 데 반해, 다른 이미지들은 배경으로 점점 사라지는 경향
2. 폐쇄의 법칙: 인간의 지각들 사이에 존재하는 틈을 채우려는 경향
3. 근접의 법칙: 서로 가까이 있는 이미지들을 함께 지각하려는 경향
4. 좋은 형태 법칙: 인간의 지각이 과거의 경험에 영향을 받는다는 이론
5. 유사성의 법칙: 유사한 이미지들을 함께 묶어 지각하려는 경향

秀 POINT 형태(Gestalt) 심리학

1. '형태'란 1890년 에렌펠스(Ehrenfels)가 처음 도입한 개념으로 1912년 베를린 학파의 베르트하이머(Wertheimer)에 의해 심리학으로 발전되었다. 원리는 '부분의 성질은 전체에 대한 부분들의 관계에 의존하고, 부분의 질은 전체 속에 있는 부분의 위치, 역할 및 기능에 의존한다.'는 것이다. 형태주의의 원리는 근접, 유사성, 좋은 연속의 원리, 폐쇄의 원리가 있다.
2. 형태주의 심리학에 의하면 사람들은 감각정보를 패턴이나 관계로 조직하려는 경향성을 지니며, 인간의 대뇌는 주어진 정보를 관련이 없는 별개의 조각들로 지각하지 않고 객관적 실체를 정신적 사상으로 변환시켜 의미 있는 전체로 조직한다.
3. 이론적 기본 개념은 주로 지각 영역에서 발달되었고, 후에 기억, 사고, 학습, 발달, 행동 등의 전 심리학 영역으로 확대되었다. 교육에 적용한 이론으로는 통찰 학습과 생산적 사고가 있다.

기출문제

형태주의 심리학(Gestalt psychology)의 관점에 대한 설명으로 옳지 않은 것은?

2022년 국가직 7급

① 인간은 완전하지 않은 대상을 보완하여 완전한 형태로 지각하는 경향이 있다.
② 전체는 단순히 부분의 합이 아닌 그 이상을 의미한다.
③ 복잡한 현상을 단순한 구성 원자로 환원할 때 더 정확하게 이해할 수 있다.
④ 파이 현상(phi phenomenon)의 사례처럼 지각은 종종 실재와 다르다.

해설

형태주의 심리학(Gestalt psychology)은 에렌펠스(Ehrenfels)가 도입한 개념을 베르트하이머(Wertheimer)가 심리학으로 발전시킨 것이다. 형태주의 심리학의 원리는 부분의 성질은 전체에 대한 부분들의 관계에 의존하고 부분의 성질을 전체 속에 있는 부분의 위치, 역할 및 기능에 의존한다는 것이다. 형태주의 심리학의 원리로는 근접의 원리, 유사성의 원리, 좋은 연속의 원리, 폐쇄의 원리 등이 있다. 형태주의 심리학의 원리 가운데 단순성의 법칙이란 복잡한 사물을 단순화시켜 지각하는 것으로 이는 지각의 불완전성을 말하는 것이다. **답 ③**

파이(Phi) 현상

두 개의 불빛이 일정한 간격을 두고 번갈아 가며 반짝이면, 마치 한 개의 불빛이 이동하는 것처럼 보이는 현상(예 영화, 식당의 네온사인)

秀 POINT 발달이론 한눈에 보기

인지발달이론	① 피아제(Piaget)의 인지발달이론 ② 신 피아제이론: 파스칼 레온(Pascal Leone)의 이론, 케이즈(Case)의 이론 ③ 비고츠키(Vygotsky)의 인지발달이론
성격발달이론	① 프로이드(S. Freud)의 심리·성적 성격발달이론 ② 에릭슨(Erikson)의 심리·사회적 성격발달이론 ③ 마샤(Marcia)의 청소년 정체성 분류 ④ 아들러(Adler)의 개인심리학 ⑤ 융(Jung)의 분석심리학
도덕성 발달이론	① 피아제(Piaget)의 도덕성 발달이론 ② 콜버그(Kohlberg)의 도덕성 발달이론 ③ 길리건(Gilligan)의 도덕성 발달이론 ④ 셀만(Selman)의 대인관계 이해 이론 ⑤ 레스(Rath)의 가치 명료화접근 ⑥ 뱅크스(J. A. Banks)의 도덕성교육으로서의 가치분석접근모형 ⑦ 투리엘(Turiel)의 영역구분모형
언어발달이론	① 스키너(Skinner)의 행동주의적 접근 ② 촘스키(Chomsky)의 생득적 접근: LAD이론 ③ 피아제(Piget)의 인지적 접근 ④ 비고츠키(Vygotsky)의 상호작용적 접근 ⑤ 브루너(Bruner)의 상호작용적 접근: 언어습득지원체제(LASS)

03 | 인간발달의 이해

핵심체크 POINT

1. 발달

① 임신에서 시작되어 생애주기를 통하여 계속되는 전체적인 변화의 한 패턴

② 신체적 성장과 유전적이며 생리적 요인에 의존하는 성숙, 그리고 경험이나 학습과 같은 외적 자극과 상황을 포함함

2. 최근의 발달이론

비고츠키(Vygotsky)의 역사·사회적 인지발달론	인간의 인지발달은 역사·사회적 영향력의 내면화에 의해 이루어짐
브론펜브렌너(Bronfenbrenner)의 생태학적 발달이론	발달의 주요 원천이 환경, 미시체계 - 중간체계 - 외체계 - 거시체계로 구분
발테스(Baltes)의 전생애 발달이론	발달은 평생과정, 다방향성, 일생을 통한 성장과 쇠퇴의 역동적 과정, 가소성, 역사적 개입, 맥락성 강조, 다학문적 발달 연구 필요성

3. 발달과업[해비거스트(Havighurst)]

개인의 일생에서 특정한 시기에 일어나는 과업

4. 발달의 영역

신체발달, 인지발달, 성격발달, 도덕성발달, 언어발달, 정서발달, 사회성 발달 등

1 발달(Development)

1. 개념

(1) 수정란이 태아로 형성되어 출생, 성장, 노쇠의 과정을 거쳐 죽음에 이르기까지의 변화과정을 말한다.

(2) 발달은 신체적 성장(growth)과 유전적이며 생리적인 요인에 의존하는 성숙, 경험이나 학습 또는 훈련과 같은 외적 작용에 의한 변화를 포함한다.

(3) 이렇게 볼 때, 발달은 개체적 요소와 외적 요소로 구분되며, 개체적 요소로는 종(種) 특유의 요인이 작용하는 성장(양적 변화)과 성숙(질적, 구조적 변화) 그리고 외적 요인인 환경적 요인으로 구분된다. 이 가운데 동물에 비해 인간은 환경적 요인이 더 크게 작용한다.

성숙(maturation)

1. 유기체의 내적 구조가 성장하여 생긴 변화이다.
2. 자연적 그리고 자발적으로 일어나며 대부분은 유전적으로 프로그램화되어 있다.

학습

유기체의 외적 환경에서 오는 자극을 받고 이에 반응해서 일어나는 지속적 행동변화이다.

2. 특징

(1) 크기의 변화

신장, 체중, 흉위 등의 증대, 심장, 폐, 위, 내장 등의 구조가 변화한다.

(2) 비율의 변화

머리, 몸통, 팔, 다리, 심장 등이 성장에 따라 다른 비율로 변화된다.

(3) 새로운 특징 획득

보행의 시작, 언어발달, 운동 기능 등을 획득한다.

(4) 낡은 특징의 소실

신생아의 유치(乳齒), 어린이다운 행동, 반사작용 등이 소실된다.

참고

유아의 반사작용

흡인 반사	입에 닿는 것은 무엇이든 빠는 반사운동이다.
모로(Moro) 반사	조용히 누워있는 아기가 갑작스런 큰 소리에 놀랐을 때, 자신의 평형을 잃음으로써 나타나는 반사로 팔다리를 폈다가 다시 움츠리며, 자신을 껴안은 듯한 자세를 취하는 데 이런 행동은 3개월이 지나면 없어진다.
파악 반사	작은 막대기를 손에 가져다주면 이를 잡고 놓지 않으며 어떤 아이들은 매달릴 정도까지 붙잡고 놓지 않는다. 4개월 정도 지나면 없어진다.
바빈스키(Babinski) 반사	발바닥을 부드럽게 자극하면 엄지발가락을 쭉 펴고 다른 발가락을 폈다 오므렸다 하는 운동을 말하며 6개월이 지나면 없어진다. 바빈스키 반사는 생존과 관계없는 비생존반사로 뇌간(腦幹)에서 통제되며 6개월 이후에도 없어지지 않으면 중추신경계의 이상을 의심할 수 있다.

3. 일반적 성격

(1) 발달은 개체와 환경과의 상호작용이다.

(2) 발달은 일정한 발생학적 순서에 따른다.

(3) 발달은 계속적이며 점진적인 과정이다.

(4) 발달은 전체에서 특수로 분화, 발달한다.

(5) 발달은 분화와 통합의 과정이다.

(6) 발달에는 개인차가 존재한다.

(7) 신체기능의 발달은 인생의 초기에 가장 급속히 진행한다.

(8) 연령의 증가에 따라 발달 경향의 예측은 어려워진다.

(9) 장기적 발달은 규칙적이지만 단기적인 발달은 불규칙적이다.

4. 발달에 있어서 결정시기의 중요성

로렌쯔(Lorzen)의 각인현상, 허브(Hebb)의 동물연구, 더취(Deutsch)의 문화실조연구, 브루너(Bruner)의 발달단계에 따른 표현양식 등은 초기 경험의 중요성을 강조하는 것으로 교육적으로 볼 때 조기 교육의 가능성을 말해 주는 요소이다.

참고

각인(imprinting)

동물학을 연구하던 로렌쯔에 의해 심리학에 소개된 개념으로 거위 새끼가 출생 후 처음 대하는 대상에 애착을 형성하는 것에서부터 비롯되었으며, 비가역적이고 단단히 고정되어 있는 애착의 한 형태를 일컫는다. 이러한 각인의 개념은 동물과 마찬가지로 인간에게도 적용되느냐의 여부로 논란의 대상이 되고 있다.

2 발달의 이론

1. 게젤(Gesell)의 성숙이론

(1) 의미

발달은 유전자가 규정하는 방향과 순서로 진행된다는 입장이다.

(2) 발달지수(Developmental Quotient, DQ)

① 발달연령과 생활연령의 비율을 산출함으로써 개인의 발달수준을 평가하는 지수로 게젤(Gesell)이 처음 사용하였다.

② 개인의 성숙도를 모집단과 비교하여 상대적으로 평가한 발달지수는 발달장애 진단을 위한 중요한 자료의 하나로 활용된다. 신경학적인 장애 및 다른 정신지체의 증후들을 진단하는 데 유용하다.

$$DQ = \frac{\text{발달연령}}{\text{생활연령}} \times 100$$

2. 피아제(Piaget)의 구성론적 인지발달론

(1) 발생학적 인식론의 관점에서 인지발달의 계열적 순서를 기술하였다.

(2) 단계(stage, period)

인접한 두 단계 간에 나타나는 질적인 공통점들과 차이점들을 가려내어 개념적으로 두 단계 간의 구획선으로 그을 수 있게 한 것으로 인지발달을 인지활동들의 단순한 양적 증가가 아닌 질적 진보로서 설명한다. 이 과정은 유기체가 환경과의 상호작용에서 반복되는 행동과 경험을 통해 스스로 구성해 나가는 것이다.

3. 정보처리이론

(1) 통신공학, 컴퓨터 과학, 언어학 등의 주요 개념들에 기초하여 인간의 인지과정을 기억구조를 통해 밝히고자 하는 분야이다.

(2) 통신공학의 경로(channel)의 개념과 한정된 용량의 개념, 컴퓨터 과학의 실행 프로그램, 그리고 언어학의 생성규칙 등의 개념이 도입되었다.

4. 비고츠키(Vygotsky)의 역사·사회적 인지발달이론

(1) 인간의 인지발달은 역사·사회적 영향력의 내면화에 의해 이루어진다고 본다. 이는 마르크스(Marx)와 엥겔스의 영향을 받은 것으로 의식을 규정하는 역사·사회적 환경과 더불어 인간의 의식을 매개하는 수단인 심리적 도구 개념이 논의된다.

(2) 역사·사회적 환경이 제약·허용하는 개체 외적인 수준과 심리적 도구를 사용하는 실제적 심리적 활동 수준 간의 차이가 반영되는 근접발달영역(ZPD)은 교육이나 사회적 상호작용과 같은 장면에서 실용적으로 적용되고 있는 개념이며, 이는 발달이 역사·사회적으로 제약되어 있음을 이미 암시하고 있다.

5. 브론펜브레너(Bronfenbrenner)의 생태학적 관점

(1) 인간발달의 생태학적 모형

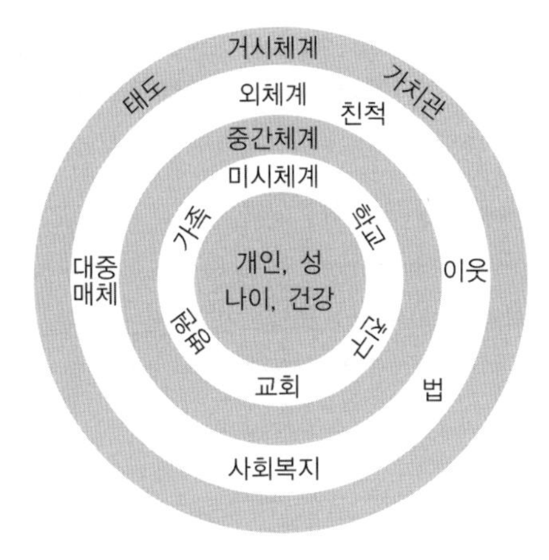

(2) 특징

① 아동 발달의 중요 원천이 자연적 환경이라는 가정에서 출발한다.

② 발달 중인 아동은 여러 개의 환경체계 내에 포함되어 있는데, 이 환경체계의 범위는 가족과 같은 즉각적인 세팅(setting)으로부터 보다 먼 맥락인 큰 문화로 뻗어 나간다.

③ 이러한 환경체계의 각각은 다른 환경체계 간의 상호작용과 환경체계와 개인 간의 상호작용을 통하여 복잡한 방식으로 발달에 영향을 미친다.

(3) 환경의 구분

① 미시체계(microsystem)

㉠ 개인이 독특한 물리적·물질적인 특성을 가진 환경 내에서 경험하는 활동, 역할 및 대인관계의 유형을 말한다.

㉡ 가족, 보육시설, 놀이터 등과 같이 사람들이 쉽게 얼굴을 마주 대하는 상호작용에 참여할 수 있는 장소이다.

㉢ 핵심적 용어는 '경험'이다.

② 중간체계(mesosystem)

㉠ 발달하는 개인이 적극적으로 참여하는 둘 이상의 환경들 간의 상호관계를 구성하는 것으로 미시체계들로 구성된 하나의 체계이다.

㉡ 아동의 경우 가정, 학교와 이웃, 또래집단들 사이의 관계, 성인의 경우는 가족, 직장, 사회생활 사이의 관계 등이 있다.

③ 외체계(exosystem)

㉠ 발달하는 개인이 적극적인 참여자로 관여하지는 않으나 발달하는 개인이 속한 환경에서 일어나는 일에 영향을 주거나 영향을 받는 사건이 발생되는 하나 혹은 그 이상의 환경이다.

㉡ 아동의 경우, 부모의 직장, 형제가 다니는 학교학습, 부모의 친구관계, 지역 교육청의 활동 등을 포함한다.

④ 거시체계(macrosystem)

㉠ 기본적인 신념체계가 이념과 함께 하위체계들(미시, 중간, 외체계)의 형태와 내용에서 나타나는 신념체계로서 하위문화 수준이나 문화 전반의 수준에 존재하거나 존재할 수 있는 것이다.

㉡ 한 사회의 보육시설, 학교교실, 공원 놀이터 등은 외관 및 기능이 서로 비슷하게 보이지만 다른 사회에 있는 같은 시설과 비교하면 전혀 다르다.

(4) 학습과의 관계

① 관찰적 관계쌍(observation dyad)

한 구성원이 다른 사람의 활동에 대해 가까이서 지속적으로 주의를 기울이고 있고 적어도 그 상대방이 자신이 관심을 받고 있다는 사실을 인식할 때 형성된다.

예 한 아동이 부모가 식사를 준비하면서 가끔 자기에게 말을 거는 것을 가까이에서 주시하는 경우이다.

② 공동 활동 관계쌍(joint activity dyad)

㉠ 두 명의 참여자들이 어떤 일을 함께 하고 있다고 지각하는 경우이다.

㉡ 이 경우 두 사람이 똑같은 일을 하고 있다는 의미라기보다는 각자가 참여하고 있는 활동은 다소 다르면서 일종의 통합된 형태에서 부분적으로 참여하는 경향이 있다.

③ 친화적 관계쌍(primary dyad)

㉠ 함께 있지 않을 때조차도 양쪽 참여자에게 현상학적으로 계속하여 존재하는 체계이다.

㉡ 두 구성원은 서로의 사고 속에 나타나고 강한 정서적 감정의 대상이 되며 떨어져 있을 때조차도 서로의 행동에 계속적으로 영향을 미친다.

(5) 의의

① 생태학적 접근은 포스트모던 사회의 분석에 다양하게 적용되고 있다.

② 학습현상의 이해에 생태학적 관점을 도입한다는 것은 1차적으로 학습을 기존의 제도의 교육적 제한으로부터 해방시키며, 기존의 지배적 담론으로서의 전통적 교육과도 구분된다.

③ 성인학습의 관점에서 생태학적 접근은 생태학적 타당도를 제시하고 유기체와 환경 사이의 맥락적 관계에서 도출된 기본적 인간의 존재 방식이라고 할 수 있다.

3 발달과 학습과의 관계

1. 피아제(Piaget)의 입장

(1) 발달은 학습과 독립적이며, 학습에 우선한다는 입장이다.

(2) 학습은 발달 뒤에 오며 학습은 발달에 영향을 주지 못한다.

2. 행동주의자의 입장

학습이 곧 발달이라는 입장으로, 발달은 조건반사의 과정이며 학습과정은 발달과정과 분리되지 않을 정도로 혼합되어 있다.

예 제임스(James)

3. 비고츠키(Vygotsky)의 입장

(1) 발달과정은 어떤 구체적인 학습과정을 준비하고 가능하게 한다는 점과 다른 한편으로 학습과정이 발달과정을 자극하고 촉진한다는 입장이다[코프카(Koffka)].

(2) 발달과 학습 사이의 상호의존적 작용이라는 점을 강조하며, 이를 더욱 발전시켰다.

(3) 학습과 발달이 서로 상이하게 진행되는 것으로 보이면서도 동시에 학습에 의해 발달이 촉진될 수도 있다고 주장한다.

(4) 발달의 범위 내에서만 학습이 가능하다는 점을 비판하고 학습에 의해 발달이 촉진될 수 있다고 보았다.

(5) 교수 - 학습 과정에서 교사와 아동, 아동 사이의 사회적 상호작용의 필요성을 제기하였다.

4 발달의 학설

1. 생득설(유전설, nativism)

(1) 개체의 발달은 유전적 요인에 의해 결정된다는 입장이다.

(2) 발달은 염색체 속의 유전형질, 유전자에 의해 결정된다고 보는 이론으로 주로 인간의 신체적 특질이나 지능, 성격 등은 선천적 요인에 의해 결정된다.

예 골턴(F. Galton)과 고더드(H. Goddard)의 가계 연구, 홀징거(K. S Holzinger), 디엘(Diehl) 등의 쌍생아 연구, 프로이드(Freud)의 성격발달론 등

2. 환경설(경험설, empiricism)

(1) 개체의 발달은 외부로부터 주어지는 학습이나 환경에 의해 결정된다.

(2) 유전적 요인은 단지 발달의 가능성만을 말해준다고 본다.

예 로크(J. Locke)의 백지설, 야생아 등

3. 복주설(輻輳說, convergence theory)

스테른(W. Stern)이 주장한 초기의 유전·환경설로 유전설과 환경설의 절충설이다. 즉 정신 발달은 내적 성질(유전)과 외적 사정(환경)의 복주에 의해 결정된다고 보는 이론이다.

예 똑같은 볍씨를 파종하더라도 못자리가 다르거나 거름을 달리 주거나 습기 혹은 태양의 조건을 달리하면 발육이 다르다. 그러나 아무리 외적 환경 조건을 다르게 하더라도 볍씨에서 보리가 나오게는 할 수 없다.

4. 유전·환경 체제설[장(場)의 이론]

(1) 코프카(K. Koffka)와 레빈(K. Lewin) 등이 주장한 이론이다.

(2) 발달은 개체가 지니고 있는 내부의 힘과 생활환경의 힘이 상호작용하여 하나의 새로운 체제[장(場)]를 이루는 과정이다.

(3) 유전적 요인은 크기를, 환경적 요인은 내용을 결정한다고 본다.

(4) **행동공식**

B = f(P·E)[혹은 B = f(P·L)], 즉 인간의 행동(behavior)은 인간(person)과 환경(environment, life-space)의 상호작용이다.

5 발달과업(developmental tasks)

1. 특징

(1) 개인의 일생에서 특정한 시기에 일어나는 과업을 말한다.

(2) 과업의 성공적 성취는 개인을 행복하게 하고 후기의 과업을 성공적으로 달성하게 하고, 그 과업의 실패는 개인을 불행하게 하고, 사회에서 인정받지 못하고, 후기의 과업달성에 장애를 가져온다[해비거스트(Havighurst)].

(3) 발달과업은 교육의 목적과 교육의 적정 시기에 대한 주의를 환기시킨다.

(4) 발달과업은 절대적, 보편적인 것은 아니며 사회 문화에 따라 그 내용은 다르다.

(5) 발달과업의 일반적 내용은 다음의 세 부분으로 나누어진다.

① 신체적 성숙이나 건강에 관한 일
② 사회적 요청에 역점을 두는 일
③ 개인의 퍼스널리티, 자아, 요구 등에 관해서 일어나는 일

2. 각 단계의 발달과업[해비거스트(Havighurst)]

단계	발달과업
신생아에서 유아기 (0 ~ 5세)	① 말을 배운다. ② 보행을 습득한다. ③ 고체 음식을 먹는다. ④ 대소변의 통제를 배운다. ⑤ 생리적 안정을 유지할 줄 안다. ⑥ 성별(남, 여)을 알고 성 예절을 배운다. ⑦ 선, 악의 구별을 학습하고 양심이 발달한다. ⑧ 사회적 환경에 대한 단순한 개념을 형성한다. ⑨ 부모, 형제, 자매, 타인과의 정서적 관계를 맺는다. ⑩ 지능이 발달하며, 사고력, 평가력, 상상력이 풍부해진다.
아동기 (6 ~ 12세)	① 운동에 필요한 신체적 기능이 습득된다. ② 같은 나이 또래의 친구와 사귀기를 배운다. ③ 인격적 독립의 성취를 학습한다. ④ 양심 및 도덕적 가치척도가 발달한다. ⑤ 일상생활에 필요한 개념을 발달시킨다. ⑥ 성(性)의 적절한 사회적 역할을 학습한다. ⑦ 읽기, 쓰기, 셈하기의 기본적 기술을 학습한다. ⑧ 사회적 집단과 사회제도에 대한 태도가 발달한다. ⑨ 성장하는 유기체로서 자신에 대한 건전한 태도를 형성한다.
청년기 (13 ~ 22세)	① 결혼과 가정생활의 준비를 한다. ② 직업의 선택과 그 준비에 몰두한다. ③ 경제적 독립의 필요성을 절실히 느낀다. ④ 부모나 다른 성인과의 정서적 독립을 이룩한다. ⑤ 시민적 자질로서 필요한 지적 기능과 개념이 발달한다. ⑥ 남녀 간의 새롭고 보다 성숙한 관계를 이룩하는 것을 배운다. ⑦ 남성으로서의 역할과 여성으로서의 역할이 무엇인가를 배운다. ⑧ 적절한 과학적 지식에 맞추어 가치관과 윤리 체계를 습득한다. ⑨ 사회적으로 책임 있는 행동을 요망하고 이를 실천하는 습관을 기른다. ⑩ 자기의 체격을 인정하고 자기의 신체를 효과적으로 구사하는 것을 인식한다.
성인 전기 (23 ~ 40세)	① 배우자를 선정한다. ② 한 가정을 이룩한다. ③ 자녀를 양육한다. ④ 직업생활을 시작한다. ⑤ 시민의 임무를 완수한다. ⑥ 동호집단을 찾아낸다. ⑦ 배우자와 같이 생활하는 방법을 익힌다.
성인 중기 (41 ~ 60세)	① 경제적인 생활을 꾸리고 유지한다. ② 배우자와의 인간적인 관계를 유지한다. ③ 성인으로서 시민적 및 사회적 의무를 성취한다. ④ 중년기의 생리적 변화를 인정하고 이에 적응해 간다. ⑤ 성인으로서의 여가 이용 활동을 발전시킨다. ⑥ 청소년을 도와서 행복하고 책임 있는 어른이 되도록 선도한다.
성인 후기 (61세 이상)	① 배우자의 사망에 적응한다. ② 은퇴와 수입 감소에 적응한다. ③ 사회적 및 시민적 임무에 호응한다. ④ 동년배와의 교우관계를 다시 성립시킨다. ⑤ 만족할 만한 신체의 생활조건을 수립한다. ⑥ 신체적으로 힘과 건강이 쇠퇴되는 것에 적응한다.

3. 청소년기 발달의 특징

(1) 모라토리움(moratorium, 지불연기)

① 에릭슨(Erikson)이 개념화한 말로, 현대의 청소년들이 의무교육기간의 확대, 취학 기간의 연장, 입시의 실패, 병역의 의무, 취업난 등으로 인해 과거에 비해 상당히 긴 청소년기를 보내게 되어 자아정체감 형성이 지연되는 현상이다.

② 청소년기가 길면 길수록 그들은 주변인(marginal)으로서 불안과 좌절, 그리고 갈등을 많이 겪게 되고 일탈의 가능성이 커지게 된다.

(2) 심리적 이유(psychological weaning)

아동이 성장하여 청년기에 접어들면 사회적 용인 혹은 인정을 받고자 하는 욕구가 강화된다. 그러나 사회인임을 자처하고 그로서의 권리를 주장하면 그에 비례해서 사회인으로서의 의무와 책임이 수반된다는 것을 깨닫게 된다. 즉 자립, 자율, 그리고 자기 일에 대한 책임을 질 줄 아는 인식이 생겨나는 현상을 말한다.

(3) 주변인(marginal man)

청소년기는 아이도 아니고 어른도 아닌 경계인으로 자아 개념이 아직 확립되지 못한 상태로 이때는 자신도 모르는 사이에 일탈에 빠지기도 한다.

(4) 상상적 청중(imaginary audience)과 개인적 우화(personal fabel)

엘킨드(D. Elkind)가 청소년기 '자아중심성'의 유형으로 제시한 개념이다.

① **상상적 청중:** 자신은 항상 무대 위에 있어서 모든 사람이 자신의 행동과 외모에 관심을 기울이고 있다고 생각하는 것이다.

② **개인적 우화:** 자신과 자신의 경험은 남과 달리 독특하다는 믿음을 말하는 개념으로, 청소년들이 왜 모험을 즐기는가를 설명해준다.

04 | 인지발달

핵심체크 POINT

1. 피아제(Piaget)의 인지발달이론
   ① 생물학적 적응과정을 적용, 사회나 문화와 관계없이 동일한 단계를 거침
   ② 발달 단계: 감각운동기(대상항구성, 지연모방) → 전조작기(자기중심성, 언어발달, 물활론적 사고, 비가역성 등) → 구체적 조작기(논리적 사고가능) → 형식적 조작기(과학적 추리, 조합적 사고 등 성인과 유사)
2. 비고츠키(Vygotsky)의 역사·사회적 인지발달이론
   ① 근접발달영역(ZPD): 실재적 발달영역(현재 수준)과 잠재적 발달영역(미래의 수준)의 차
   ② 발달의 의의: 발달과 학습의 관계에서 학습이 발달을 촉진, 미래의 발달 중시, 개인차 존재, 타인의 협력적 도움 중시, 비계설정의 필요성

제1절 | 피아제(Piaget)의 인지발달이론

1 개관

1. 피아제는 인간의 인지를 복잡한 유기체가 환경에 대해 생물학적으로 적응해나가는 과정의 특수한 형태로 보고 인간의 지각, 학습, 경험 등 인식의 문제를 연구하였다.
2. 그는 출생부터 청년기까지에 일어나는 '인지 기능의 개체 발생적 변화'를 밝히고자 하였다. 피아제는 아동의 개인차에 관심이 있는 것이 아니라 모든 인종과 역사 속에서 어린이에게 일어나는 개념화 형태에 관심을 가졌다.
3. 처음에는 어린이들과 대화함으로써 그 반응을 기록하였고, 태어난 자신의 자녀를 대상으로 연구하였다.
4. 그의 연구는 처음에는 미국에서 호응을 얻지 못하였으나 1960년대 이후 관심을 가지기 시작하였다.

2 인지발달의 기제와 개념[스키마(Schema, 동화와 조절)]

1. 기능과 구조의 측면

인지발달의 기능적인 면과 구조적인 면을 구분해서 기능적인 면이란 인지체계가 어떻게 작동하는가와 구조적인 면에서 인지체계가 창출해내는 지식을 말한다.

(1) 기능적인 면

조직화(organization)와 적응(adaptation)이라는 생물학의 개념을 적용하였다. 조직화는 행동이나 사고가 각각 분리된 채로 있는 것이 아니라 관련된 행동이나 사고체계로 묶여지는 것을 말하고, 적응은 동화와 조절로 구성된다.

(2) 구조적인 면

유아가 환경에 접함으로써 구성하는 지식체계를 말하는 것으로, 도식과 조작의 두 가지 형태를 취한다.

2. 인지발달의 개념

(1) 스키마(Schema, 복수형은 schemata)

① 유기체가 어떤 사실을 공통된 특성에 따라 군(群, group)으로 조직하는 지적 구조, 즉 개념, 범주, 색인철을 의미한다. 한 개인이 환경을 지적으로 조직하여 그 환경에 성공적으로 적응할 수 있도록 해주는 인지구조이다.

② 인간은 신체와 더불어 정신도 구조를 가지고 있다고 보았다. 기억, 사고 등을 위한 반응양식으로서 필요한 인지구조를 스키마(Schema)라고 불렀다.

③ 아동이 성장하면서 조금씩 확대되고 일반화되고 분화되며 끊임없이 변화하고 더욱 정교해지며, 이 과정을 인지발달이라고 한다. 태어날 때는 거의 없으며 태어나서 겪게 되는 경험으로부터 시작된다.

(2) 동화(Assimilation)

① 새로운 지각물이나 자극 사건을 이미 가지고 있던 스키마 혹은 행동 양식에 통합되게 하는 인지과정을 의미한다.

② 인지구조의 양적(量的)변화를 의미하며, 스키마의 성장을 가져온다.

(3) 조절(Accomodation)

① 새로운 스키마를 만들거나 낡은 스키마를 알맞게 고치는 인지과정이다.

② 조절은 인지구조의 질적 변화를 가져온다.

③ 동화와 조절은 서로 반복되어 일어나며 인지구조의 발달을 가져온다.

(4) 평형(Equilibrium)과 비평형

① 동화와 조절의 균형 작용이다.

② 동화 작용만 일어나면 사물 간의 차이를 알지 못하며, 반면 조절 작용만 일어나면 사물의 일반성(유사성)을 획득하기 어렵다.

③ 평형화 작용은 오늘날 구성주의 이론의 토대가 된 것으로 본다.

④ **인지적 비평형화**(cognitive disequilibrium): 예상을 깨고 일어나는 어떤 상황을 통해 인지적 갈등상태를 만드는 일이다. 피아제는 아동을 동기화시키는 가장 효과적인 방법을 인지적 비평형화라고 하였다.

평형화

모든 유기체는 새로운 환경사태에 직면하게 되면 자신의 내적 상태나 환경의 외적 상태로 인해 혼란과 갈등을 겪게 되는데, 이러한 불균형 상태를 인지적 갈등(인지적 부조화, cognitive dissonance)이라고 한다. 유기체는 이러한 상황을 적절한 동화와 조절의 과정을 통하여 인지적 균형상태로 바꾸어 나가게 되는데, 이러한 균형상태를 '평형화(equilibration)'라고 한다.

3 인지발달 단계와 특징

1. 감각 - 운동기(The period of sensori-motor intelligence, 0 ~ 2세)

(1) 일반적 특징

① 초기의 인지발달은 감각적 지각과 운동 속에서 일어나므로 감각 - 운동기이다.
② 모든 지적 발달의 바탕이 되는 단계이다.
③ 갓 태어난 유아는 단순한 반사적 행동만을 한다.
④ 언어를 가지고 있지 않기 때문에 표상능력이 없다.
⑤ 1년 정도 지나면 말하기(상징적 표현), 즉 지적 조작이 시작된다.

(2) 발달의 특징

① **대상 항구성(대상 영속성) 형성 시작:** 대상 항구성(object permanence)이란 사물이 시야에서 사라져도 계속 존재한다는 개념이다. 유아 초기에는 사물 개념이 형성되지 않다가 8 ~ 12개월경에는 사라진 물건을 없어진 곳에서 찾기 시작하며, 완전한 대상 항구성의 개념이 형성되는 시기는 18 ~ 24개월 정도이다.
② **지연모방 행동이 나타남(감각 운동기 후반, 18 ~ 24개월 사이)**
㉠ 지연모방이란 모방의 대상이 되는 모델 반응의 제시에서 일정한 시간이 경과한 후 모델 반응이 눈앞에 존재하지 않는 곳에서 생기는 모방행동이다.
㉡ 눈앞의 사실적인 행동에 의존하지 않고 이미지나 활동의 암시라는 형태로 모델을 내적으로 모방하는 것이 가능하게 되었기 때문이다. 이는 개념이나 정신적 스키마에 근거하여 사고하는 표상적 지능의 발달단계에 도달하고 있음을 의미한다.
예 어린이는 어머니의 목소리, 부드러운 몸, 냄새, 느낌들이 다른 것들과 같지 않다는 것을 알게 된다. 아이들은 어머니의 모습이 달라져도(머리를 자른 후, 정장을 입은 후 등) 어머니를 알아본다.
③ 목표 지향적 행동(goal-directed actions)을 시작한다.

2. 전조작기(The period of preoperational thought, 2 ~ 7세)

(1) 일반적 특징

① 신체적으로보다는 정신적으로 조작(operations)하는 것을 시작하는 단계로, 즉 행동을 물리적이라기보다는 정신적으로 수행한다.
② 피아제는 전조작기를 2 ~ 4세까지를 전개념적 사고기로 4 ~ 7세까지를 직관적 사고기로 구분하였다. 전개념적 시기는 상징적 기능(symbolic function)의 출현(언어의 발달)과 가장(假裝)놀이의 등장이 특징이다.
③ **직관적 사고:** 한 가지 두드러진 특성에 의해 어떤 대상이나 사태의 특징을 판단하는 사고 형태를 말한다.
④ 사건을 표상할 수 있는 단계로서 가장 중요한 특징은 언어발달과 행동의 사회화이다(2세 이후 급격히 언어 발달).

(2) 발달의 특징

자기중심성 (ego-centrism)	다른 사람도 자신과 같이 생각한다고 여기고, 다른 사람의 역할과 견해를 고려하지 못한다. 자신의 사고(思考)를 반성하고 다른 사람의 관점에서 해석하지 못한다.
집단 독백 (collective monologue)	서로 상대방과 대화를 하면서 상대방이 자신의 말뜻을 이해하고 있는지를 고려하지 않고 자신의 뜻만을 전달하고자 하는, 의미전달이 어려운 이 시기의 대화 형태를 말한다.
물활론적 사고 (animism)	모든 사물이 살아있고 각자의 의지에 따라 움직인다고 생각한다.
중심화 (centuration)	사물을 하나의 관점에서만 생각한다. 가장 분명하게 지각되는 한 면에만 초점을 두고 다른 면들은 무시해버린다.
비가역성 (irreversibility)	사물의 형태가 모양이 바뀌면 원래의 모습을 이해하지 못하고, 사물의 처음과 끝(결과)만을 인식한다. 이는 사물의 보존 능력이 없기 때문이다.
꿈의 실재론	자신의 꿈이 다른 사람에게도 보이며 밤에 하늘로부터 혹은 바깥의 빛으로부터 창문을 통하여 들어오는 것으로 생각한다. 이 시기 아이들의 꿈을 현실과 뒤섞여 있다. 즉 꿈과 현실이 명확하게 구분되지 않으며 상상한 것과 현실의 것이 구분되지 않는다.

3. 구체적 조작기(The period of concrete operation, 7 ~ 11세)

(1) 일반적 특징

① 실재하는 구체적 사물을 통해 논리적 사고, 가역적 사고가 가능하다.

② 자기중심성에서 해방되어 또래 집단과의 사회적 상호작용이 가능하다.

③ 의사소통언어가 발달되어 다른 사람의 입장에서 생각해보고 자신의 추리에 대해 의문을 품기도 한다.

④ 시간과 속도의 개념이 형성(8세 이후)되기 시작한다.

(2) 발달의 특징

① 구체적 조작: 7세 이후 외부의 세계를 조사하고 외부 세계와 상호작용하는 데 매우 강력하고 추상적인 그리고 일반적인 규칙이나 전략을 찾아내거나 발달시킨다.

② 보존 개념을 습득한다.

③ 서열화: 큰 것에서 작은 것으로, 작은 것에서부터 큰 것으로 차례에 맞게 배열하는 것처럼 사물의 크기, 무게, 길이, 밝기 등과 같은 여러 특성의 양적 차원에 따라 정신적으로 계열화하는 능력을 획득한다.

④ 탈 중심화: 사물의 모든 특성을 고려한다.

⑤ 유목화: 대상과 대상 간의 공통점과 차이점 및 관련성을 이해할 수 있게 된다.

보존개념 습득의 3가지 원리

동일성의 원리	같은 양의 주스가 담긴 두 컵에서 어느 한 컵에 주스를 더 붓거나 어느 한 컵의 주스를 따라내 버리지 않으면 두 컵의 주스 양은 같다고 본다.
상보성의 원리	이 컵은 이렇게 길지만 저 컵은 더 넓으므로 물의 양은 같다는 것을 안다. 즉 하나의 변화가 다른 하나의 변화로 인해 서로 상쇄된다는 것을 안다.
역조작(가역성)의 원리	높이가 변화된 컵의 주스를 원래의 컵에 다시 따르면 주스의 양이 같아진다는 것을 안다.

4. 형식적 조작기(The period formal operation, 11 ~ 15세)

(1) 일반적 특징

① 성인의 사고와 비슷한 수준으로 발달한다.

② 기능적으로 볼 때는 구체적 조작기의 사고와 비슷하나 다만 논리적 조작의 폭이 이 단계에서 나타나기 시작한다.

③ 복잡한 언어문제, 가설적 문제, 미래에 대한 문제, 과학적 추리, 가설의 설정 및 검증 등 조합적 사고가 가능하다.

(2) 발달의 특징

① 가설의 생성: 구체적 조작기의 사고가 경험적 - 귀납적(문제 상황에서 문제해결을 위해 과거의 문제해결 경험을 토대로 해결하려고 함)인데 비해 형식적 조작기는 가설 - 연역적이다. 즉 형식적 조작기는 제시된 문제에 내포된 정보로부터 하나의 가설을 도출하여 논리적으로 연역해 낼 수 있다.

② 조합적 사고: 하나의 문제에 직면했을 때 여러 가능한 해결책을 논리적으로 궁리해 봄으로써 바람직한 문제해결에 이르게 되는 사고를 말한다.

③ 피아제는 청소년은 자신과 자기의 생각에 중심화될 수 있어 실제로 초등학교 시절보다 더 자아중심적으로 되는 경향이 있다고 보았다.

참고 엘킨드(D. Elkind)는 청소년기의 자아중심성의 특징을 '상상적 청중'과 '개인적 우화'로 설명하였다.

(3) 인지발달 단계와 그 특징

감각운동기	① 목표지향적 행동 예 뚜껑을 열면 인형이 튀어나오는 상자의 뚜껑을 연다. ② 대상영속성 예 부모의 등 뒤에 숨어 있는 물체를 찾는다.
전조작기	① 언어능력의 급격한 성장과 언어사용의 과잉일반화 예 "엄마, 할아버지가 식사하시고 (동생인)철수도 식사를 하셔" ② 상징적 사고 예 차창을 가리키며 "트럭!"이라고 말한다. ③ 지각에 의해 지배됨 예 세면대의 모든 물은 수도꼭지에서 나온다고 생각한다.

구체적 조작기	① 구체적인 물체를 논리적으로 조작 예 저울에서 평형을 이룬 두 물체는 하나가 다른 것보다 부피가 크더라도 질량을 같다고 결론을 짓는다. ② 분류와 서열화 가능 예 그릇을 부피가 큰 순서로 배열한다.
형식적 조작기	① 추상적이고 가상적인 문제를 해결 예 제2차 세계대전에서 영국이 패했다면 어떤 결과가 나타났을지 생각한다. ② 조합적인 사고 예 3가지 종류의 고기, 치즈, 빵을 가지고 몇 가지 샌드위치가 만들어질 수 있는지 생각할 수 있다.

4 시사점

1. 인지발달은 유전적 요인과 환경과의 상호작용에 의해 일어난다.

2. 각 단계는 서로 독립적이지만 상호의존적이다.

3. 동화와 조절은 개인의 전 생애를 통해 일어나며[불변인(不變人)], 인지적 결과는 경험으로서의 환경적 요소와 동화·조절 등 기능적 불변인과, 개인의 인지구조의 산물이다.

4. 발달단계에 따른 교육의 중요성을 강조한다.

5 인지발달이론에 의한 구성주의 교육원리

1. 아동들은 인지발달 단계에 따라 실재(reality)에 관한 해석을 달리한다.

2. 학습자가 참여할 수 있고 동화와 조절의 적응 과정이 일어나는 활동과 상황에 의해 인지발달이 촉진된다.

3. 학습 자료와 학습활동들은 아동의 신체 또는 정신 활동에 적절한 것이어야 한다.

4. 학습자들이 적극적으로 참여할 수 있고 도전적인 학습방법을 사용해야 한다.

6 각 단계별 지도방법

1. 전조작기 아동의 지도방법

(1) 구체적 준비물과 시각적 보조물을 최대한 사용한다.

(2) 지시 사항들을 짧게 말하고, 말뿐만 아니라 행동으로 보여준다.

(3) 학생들의 세계를 보는 능력이 타인의 관점과 일관적이라고 기대하지 않는다.

(4) 학생들에게 같은 단어가 다른 의미를 가질 수도 있고 다른 단어가 같은 의미를 가질 수 있다는 가능성에 대해 민감해야 한다.

(5) 독해력과 같은 좀 더 복잡한 기술을 위한 기초가 될 수 있는 다양하고 실질적인 것들을 가지고 연습할 수 있는 기회를 제공한다.

2. 구체적 조작기의 지도방법

(1) 계속해서 구체적 준비물과 시각적 보조물을 사용하되, 특히 수준 높은 자료들을 다룰 때 그렇게 한다.

(2) 학생들에게 물체를 조작하고 검증하는 기회를 계속해서 제공한다.

(3) 발표와 읽기가 간단하게 잘 조직화되었는지 확인한다.

(4) 복잡한 개념들을 설명하기 위해 친숙한 예들을 사용한다.

(5) 점차 복잡해지는 수준에서 물체와 개념을 분류하고 군집화할 기회를 준다.

(6) 논리적, 분석적 사고를 요하는 문제를 제시한다.

3. 형식적 조작기의 지도방법

(1) 구체적 - 조작적 교수전략과 자료들을 계속해서 사용한다.

(2) 학생에게 많은 가설적 질문을 탐구할 수 있는 기회를 제공한다.

(3) 학생이 문제를 해결하고 과학적으로 추론할 기회를 제공한다.

(4) 가능한 한 지식뿐만 아니라 학생들의 삶과 관련 있는 자료와 아이디어를 사용하면서 광범위한 개념을 가르친다.

7 평가

1. 의의

(1) 아동의 사고에 대한 관심을 통해 이 분야가 단지 성인의 사고에서 나온 개념과 방법을 아동에게 적용하는 것이 아닌 '발달적' 접근이 될 수 있음을 강조하였다.

(2) 아동은 자신의 발달에 중요한 역할을 하는 호기심 많은 능동적인 탐색가로서, 능동적으로 지식을 구성하는 존재임을 확신시켰다.

(3) 지적 발달의 광범위한 단계에 대한 그의 서술은 아동이 어떻게 사고하는가에 대한 정확한 견해를 제공해주었다.

(4) 피아제는 중요한 질문을 제기함으로써 후에 많은 연구자들이 인지발달에 관한 연구를 시도하도록 이끌었다.

2. 한계

(1) 사고의 분리된 4단계에 대한 문제점에는 아동의 사고에는 일관성이 부족하다는 것이 있다.

(2) 어린 아동의 인지 능력에 대해 과소평가로 최근 연구에 의하면 유아들은 피아제가 제시한 것보다는 더 많은 인지 도구를 갖고 태어나며 대상 영속성 또는 수 개념과 같은 기본적 이해는 인지발달을 하는 데 사용되도록 준비된 진화적 장비의 일부분이라고 밝히고 있다.

(3) 아동의 문화적, 사회적 집단의 중요한 영향을 간과했다.

제2절 | 비고츠키(Vygotsky)의 역사·사회적 인지발달이론

1 특징

인간의 인지발달은 역사·사회적 영향력의 내면화에 의해 이루어진다. 즉, 마음·인지·기억 등의 개념은 개체의 배타적인 속성으로 이해되기보다는 역사·사회적인 맥락에 의해 영향을 받아 정신 간·정신 내적으로 실행되는 기능으로 이해되어야 한다.

2 근접발달영역(zone of proximal development, ZPD)

1. 의의

비고츠키가 아동의 현재의 정신연령을 측정하여 추후 학습과 발달을 예언하기 위해 사용한 개념이다.

2. 실제적 발달수준

아동이 독자적인 문제해결을 측정하는 곳에 의해 얻어지는, 즉 아동이 남의 도움 없이 혼자서 문제를 해결할 수 있는 영역을 말한다.

3. 잠재적 발달수준

성인의 지도 혹은 능력 있는 또래와의 협력하에 이루어지는 문제해결을 통해 얻어지는 영역이다.

4. 근접발달영역

실제적 발달수준과 잠재적 발달수준 간의 차이를 말하며, 역사·사회적 관점을 바탕으로 한다. 인간과 영장류의 인지적 차이는 이 근접발달영역 때문이라고 보았다.

5. 교육적 의의

(1) 학교에서 교사와 학생들의 능동적 협력과정을 강조한다.

(2) 아동이 독자적으로 해결할 수 없는 과제라고 해도 협력적으로 혹은 타인의 도움을 받으면 그 문제를 해결할 수 있다고 주장하여 잠재적인 성취수준을 고려할 수 있다.

(3) 근접발달이론은 교육자에게 아동의 잠재력에 대한 더 좋은 지표를 제공하여, 아동발달 가능성에 대한 개방성을 시사한다.

비계설정(scaffolding)

1. 사전적 의미는 건축장에서 쓰이는 발판을 말한다.
2. 교육학적 의미로는 아동의 잠재적 수준의 인지발달을 유도하기 위해 교사를 비롯한 성인 혹은 더 유능한 동료들에 의해서 주어지는 도움을 의미한다.

비계설정의 방법

1. 상호주관성
2. 공동적 문제해결
3. 따뜻한 반응
4. 새로운 근접발달영역에 머물기

秀 POINT 피아제 이론과 비고츠키 이론의 차이점

구분	피아제	비고츠키
배경철학	관념론	유물론
아동관	아동은 혼자서 주변세계에 대해 폭넓은 이해를 구성해 나가는 꼬마 과학자	아동은 타인과의 관계에서 영향을 받으며 성장하는 사회적 존재
환경	아동의 탐구활동에 필요한 물리적 환경에 주된 관심을 가진다.	인간에 대한 이해에 있어 사회·문화·역사적인 환경에 주된 관심을 가진다.
상호작용	① 또래와의 상호작용을 강조한다. ② 아동 스스로 이치를 깨닫는다. (개인 스스로의 인지적 갈등 극복)	① 지적으로 유능한 사람(성인, 교사, 선배, 또래 등)과의 상호작용을 강조한다. ② 타인의 유도를 통해 깨닫는다. (전달받은 사회적 경험의 내면화)
인지발달의 형성	인지갈등을 해소하려는 평형화과정에서 이루어진다.	사회적 상호작용을 통한 내면화에 의해 이루어진다.
발달적 진화	보편적인 불변적 계열에 따라 발달이 이루어진다고 보는 결정론적 발달관을 지지한다.	발달단계는 사회문화적 조건과 유기체의 특성 간의 역동적 산물에 의해 결정되기 때문에 변화가 가능하다고 본다.
발달의 양태	발달이 동심원의 확대와 같이 나타나는 포섭적 팽창의 형태로 이루어진다고 본다.	발달이 나선적 팽창의 형태로 이루어진다고 본다.
자기중심적 언어	① 인지발달의 미성숙(자아중심적 사고)으로 인해 자기중심적인 언어가 나타난다고 주장한다. ② 논리적 사고의 발달을 통해 자아중심적 언어는 점차 사라진다.	① 주어진 문제의 해결책을 찾고 계획을 세우기 위한 의미있는 도구로서 자기중심적 언어를 사용한다고 주장한다. ② 자기중심적 언어는 자기지식 및 자기조절 사고의 수단이 된다. ③ 자아중심적 언어(외적 언어)가 내적 언어로 진행되면서 논리적 사고가 발달한다.
언어	언어는 사고의 징표에 불과하다.	언어가 사고발달에 핵심적인 역할을 수행한다.
인지발달과 학습	인지발달이 학습을 주도한다.	학습이 인지발달을 주도한다.
공통점	① 학습자를 능동적인 존재로 파악한다. ② 발달은 개체와 환경의 상호작용을 통해 일어난다. ③ 발달을 급격한 변화로 구성된 역동적인 과정으로 간주한다.	

05 | 성격 · 도덕성 · 언어발달

핵심체크 POINT

1. 성격발달
   ① 프로이드(Freud)의 심리성적 발달론
      ㉠ 리비도(libido)의 향배에 따라 정상과 이상 성격 형성
      ㉡ 성격발달 단계: 구순기 → 항문기 → 남근기 → 잠복기 → 생식기
   ② 에릭슨(Erikson)의 심리사회적 발달
      ㉠ 위기의 극복(정상 성격), 성격발달에 사회 문화적 요인 중시, 평생발달론
      ㉡ 성격 발달단계: 신뢰감 대 불신감 → 자율성 대 수치심 → 주도성 대 죄책감 → 근면성 대 열등감 → 자아정체감 대 정체감 혼미 → 친밀감 대 고립감 → 생산성 대 침체감 → 자기 통합성 대 절망감
2. 도덕성 발달

피아제(Piaget)	전 도덕단계 - 현실적 도덕 단계 - 자율적 단계
콜버그(Kohlberg)	인습 이전 수준(벌과 복종, 욕구충족단계), 인습 수준(대인관계조화, 법과 질서준수단계) - 인습 이후 수준(사회계약정신, 보편적 도덕원리의 단계)

3. 언어발달
   ① 언어능력의 유전설: LAD(언어습득 장치, 촘스키)와 LMC(언어생성능력, 슬로빈)
   ② 피아제(Piaget)의 언어 발달설: 사고가 언어에 우선, 특히 자기중심적 언어는 자기중심적 사고의 표현(역은 불가능)
   ③ 비고츠키(Vygotsky)의 언어 발달설: 언어가 사고발달 촉진, 내적 언어 중시, 언어발달은 '원시적 단계 → 소박한 심리단계 → 자기중심적 언어단계 → 내적 언어단계'를 거침

제1절 | 성격발달

1 성격(Personality)의 정의

1. 개인의 특정한 행동을 결정하는 생물학적 심리구조[올포트(Allport)]이다. 개체가 그의 환경에 대하여 자신의 독자적인 적응을 결정하는 정신, 신체적 조직으로서의 개체 내의 역동적 체제이다.

2. 어느 한 인간이 갖는 사회적 자극가치[메이(May)]이다. 즉, 타인이 어느 개인에게 보여주는 반응에 의해 그 개인의 성격이 결정된다.

2 성격결정의 요인

1. 유전적 요인

(1) 히포크라테스(Hippocrates)

인간의 타고난 체액을 통해 성격의 유형을 분류한 최초의 사람은 히포크라테스(Hippocrates)이다. 그는 사람의 체내에는 선천적으로 혈액(血液), 흑담즙(黑膽汁), 황담즙(黃膽汁). 점액(粘液) 4종류의 체액이 있는데 이 요인들의 배합 정도에 따라 4종류의 기질이 생긴다고 보았다.

기질형	특성	체액
다혈질	현실적이고 정서적 흥분이 빠르며 명랑하다.	혈액
우울질	사소한 데 신경을 쓰고 근심, 걱정이 많으며 정서적 반응이 느리고 우울하다.	흑담즙
담즙질	정서적 흥분이 빠르고 강하며 쉽게 노하고 우울하다.	황담즙
점액질	냉담하고 정서가 느리고 약하며 조용하다.	점액

(2) 크레츠머(Kretschmer)

크레츠머(Kretschmer)는 정신병 환자에게는 체형(體型)과 성격이 상당한 연관이 있다고 보고 성격유형을 정신분열증과 우울증으로 나누었다.

체형	특징	비율
분열증자	비사교적이고 소심하며 내성적이고 매사에 예민하며 신경질적이다.	비만 13.7%, 세장형 50.3%
조울증자	사교적이고 활발하며 매우 실제적이고 명랑하다. 유머가 있다.	비만 64.6%, 세장형 19.2%

(3) 카텔(Cattell)

카텔(Cattell)은 10 ~ 15세의 쌍둥이 600명을 연구해서 겁내는 버릇이나 협조성 등은 유전된다고 보고하였다. 또 최근의 쌍생아 연구를 통해서도 내향성이 유전된다고 보고 있다.

2. 환경적 요인

(1) 가정적 요인

① 부모와 자식 간의 관계
② **형제관계와 성격 형성:** 형제자매의 유무, 출생 순위, 형제의 수 등
③ **습관의 영향:** 식사습관, 수면습관, 배설습관, 청결습관 등

(2) 지리적·문화적 영향

(3) 부모의 양육방식에 따른 자녀의 성격유형

상호작용방식	부모의 성격	자녀의 성격
권위있는 방법	① 자녀에게 확고하나 세심하게 배려한다. ② 규칙에 대해 이유를 설명하고 일관성 있게 이를 적용한다. ③ 기대가가 높다.	① 자아존중감이 높다. ② 확신이 있고 안정적이다. ③ 도전적이고 학교생활이 성공적이다.
권위주의적인 방법	① 자녀가 압력에 순응하도록 요구한다. ② 초연하고 규칙에 대해 설명하지 않으며 대화를 주고받으려 하지 않는다.	① 움츠러들어 있다. ② 문제해결보다 부모를 만족시키는 일에 대해 더 많이 걱정한다. ③ 반항적이고 사회적 기술이 부족하다.
허용적인 방법	① 자녀에게 무제한의 자유를 허용한다. ② 제한적으로 기대하고 자녀에게 요구하는 바가 거의 없다.	① 미성숙하고 자기 통제가 부족하다. ② 충동적이고 동기가 없다.
무관심한 방법	자녀의 삶에 거의 기대가 없다.	① 자기통제와 장기 목표가 부족하다. ② 쉽게 좌절하고 비순정적이다.

3 프로이드(Freud, 1856 ~ 1939)의 성격발달론

1. 특징 - 심리성적 발달이론

프로이드(Freud)는 성격 형성에서 초기 경험의 중요성을 강조하였다. 각 단계에서 만족을 얻으면 다음 단계로 자연스럽게 이행되고, 욕구충족이 되지 않거나 과잉되면 고착현상이 일어나 발달을 저해한다.

2. 저서

『꿈의 해석(1900)』, 『일상생활에서의 정신병리학(1901)』, 『쾌락의 원리를 초월하여(1920)』, 『문명과 문명에 대한 불만(1930)』 등이 있다.

3. 성격형성 단계

(1) 구순기(0 ~ 1.5세)

① 유아는 영양을 공급받고 살아남기 위해 빨아야 하고, 빠는 행위 자체가 유아에게는 쾌감을 준다[자애적(autoerotic)].

② 유아는 자신의 손을 빨며 자신의 충동을 다른 사람에게로 향하는 것이 아니라 바로 자신의 몸을 통해서 만족을 얻는다.

③ 생후 6개월 동안의 아이들은 세계가 '대상 부재(objectless)'의 상태이다. 즉, 젖을 먹을 때 유아는 엄마의 따뜻한 품을 경험하나 엄마의 존재를 자신과 분리된 타인으로 인식하지 못한다(6개월 이후 가능).

④ 구순기에 고착되면 입술이나 손가락 빨기, 과식이나 과음, 과도한 흡연과 같은 구순기적 특성이 나타난다.

(2) 항문기(1 ~ 3세)

① 배설물을 배출하거나 보유함으로써 쾌감을 얻는다.

② 괄약근을 조절할 수 있을 만큼 성숙하게 되면, 때로는 최후의 순간까지 배설을 참아 내장의 압력을 증가시키면서 방출의 쾌감을 높이려고 한다. 이 때 유아의 본능적 충동은 외부로부터 통제받는 경험을 겪게 된다.

③ 부모의 배변 훈련 방법에 따라 성인이 된 후 고착현상이 나타나기도 한다.

예 부모가 엄격하고 너무 깨끗하게 통제하면 결벽성을 형성한다.

④ 항문 수축에서 오는 쾌감에 치우치면 수전노가 되고 긴장 이완에서 오는 쾌감에 치우치면 물건을 낭비하거나 지저분한 성격이 형성된다.

(3) 남근기(4 ~ 6세)

① 성감대가 항문에서 성기로 옮아간다.

② 남근기에는 이성의 부모에게 성적인 애정과 접근하려는 욕망이 나타나는 오이디푸스 콤플렉스(Oedipus complex)와 엘렉트라 콤플렉스(Electra complex)를 경험한다.

③ 남자 아이들은 아버지에 대한 적대감과 자신의 성기를 없애버릴 것이라는 거세불안(castration anxiety)에 시달린다. 여자 아이들은 남근 선망(penis envy)을 갖게 된다.

④ 아이들은 아버지에 대한 적대감을 억압하고 동일시(identification)를 통해 적절한 남성의 역할을 습득하게 되어 아버지의 도덕률과 가치체계를 내면화하게 되고 이로 인해 양심과 자아 이상을 발달시킨다.

(4) 잠복기(6 ~ 12세)

① 성적이고 공격적인 환상들이 잠복 상태에 있는 시기이다.

② 이 시기의 아동들은 스포츠나 게임 등 구체적이고 사회적으로 용납되는 일에 에너지를 전환시킨다.

(5) 성기기(12세 이후, 사춘기)

① 이성으로부터 성적 만족을 얻으려고 한다.

② 프로이드는 이 시기의 주요 과제를 '부모로부터 자유로워지는 것'이라고 하였다.

4. 성격 구조

(1) 원초아(이드, id)

① 성격의 가장 원초적인 부분으로 신생아가 지니고 있는 최초의 상태이다.

② 쾌락의 원리에 따라 만족을 추구한다.

③ 인간의 본능이 존재하는 곳으로, 본능에는 삶의 본능(eros)과 죽음의 본능(thanatos)이 있다.

④ 삶의 본능은 개인과 종족의 생존을 유지하고 추구한다. 삶의 본능이 가진 에너지를 리비도(libido)라고 한다.

⑤ 죽음의 본능이 가지는 에너지는 파괴적 에너지이다.

⑥ 본능적 에너지가 사회적으로 수용될 수 없을 때 내부의 충동을 억제하는 방어기제가 나타난다.

(2) 자아(에고, ego)

① 출생 후 주위 환경과 상호작용하기 시작하면서 발달하기 시작한다.

② 현실적 원리에 따른다.

③ 자아의 기능은 부모나 다른 영향력 있는 사람들이 개인에게 부과하는 요구사항에 의해 영향 받는다.

④ 본능적 에너지의 방출이 제한되면 긴장과 불안이 생기고 자아는 비효율적인 기능을 한다.

⑤ 자아는 이드로부터 나온다. 즉 이드의 본능적 욕구가 현실과 접촉하면서 자아가 형성된다.

⑥ 프로이드는 강한 자아가 성격의 기초임을 지적한다. 즉 성격이 제대로 기능하기 위해서는 초자아가 아니라 강한 자아가 중요하다고 생각하였다.

⑦ 자아가 강하거나 지나치게 약할 때 불안, 즉 현실적 불안(주위 환경에 있는 위협적 상황), 신경증적 불안(억압되어 있는 충동을 이드가 분출시키려는 위협), 도덕적 불안(초자아에 의해 나타나는 죄의식)이 나타난다.

(3) 초자아(superego)

① 인간의 도덕적 측면을 나타낸다.

② 부모나 다른 성인들이 아동에게 그 사회의 가치관과 규범을 전수하는 과정에서 발달한다.

③ 오이디푸스 콤플렉스의 결과로 발달한다.

④ 완벽을 추구하며 좀처럼 만족하지 않는다.

⑤ 초자아가 너무 강하면 행동은 위축되고 활기가 없어지며, 강한 죄의식을 생성하게 된다.

(4) 성격의 구조적 모형과 위상학적 모형의 통합

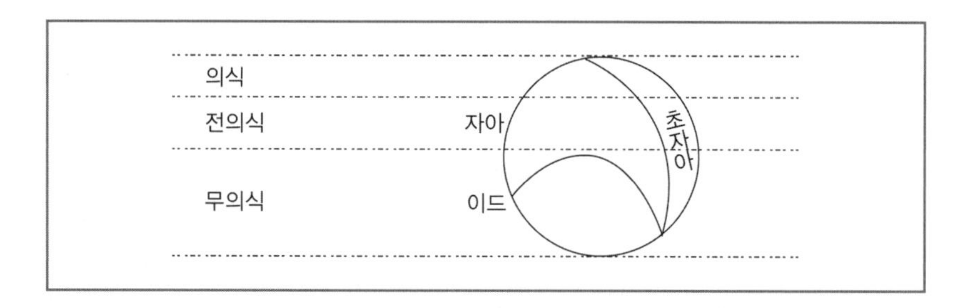

秀 POINT 융(Jung)의 성격구조

1. 자아
   지각 활동, 기억, 사고, 감정 등과 같은 내용으로 항상 외계의 모든 자극물과의 상호반응을 말하며 그는 이것을 외향성(libido가 객관적 세계로 지향할 때)이라고 하였다. 그는 성격을 외향형과 내향형으로 구분하였다.
2. 개별적 무의식
   무의식과 의식의 중간 단계로 프로이드(Freud)의 성격구조 모형에서 전의식과 동일하다. 이때는 무의식의 에너지가 자아 세계로 상승하는 중간과정인데 여기에는 기억과 사고가 주로 활동을 하면서 상승력를 일시에 집중시키는 역할을 한다.
3. 집합적 무의식
   단편적인 무의식들이 결합된 형태로 개인의 행동 결정에 직접적인 계기가 된다. 자아 세계의 행위 자체가 모두 집단적 무의식에 의존된다. 프로이드의 이론에서는 자아(ego)의 세계이다. 융은 집합적 무의식을 개인적인 수준을 떠나 인류 전체의 문화집적(가치, 제도, 문화내용 전체)에 적용해서 이를 원형(元型, archetype)이라고 명명하였다.
4. 외향형과 내향형
   리비도가 객관적인 세계로 지향할 때는 외향형으로 성격적 특성은 쾌활하고, 적극적이며 능동적이다. 반면 리비도가 내면적·주관적으로 지향된 사람은 내향형으로 소극적이며 피동적·도피적 경향을 지닌다.

4 에릭슨(Erikson)의 성격발달론

1. 특징(심리·사회적 발달이론)

(1) 에릭슨은 프로이드의 이론에 사회·문화적 요인을 고려해서 성격발달을 8단계로 구분하였다(발달의 순서는 불변함).

(2) 인간은 각 단계에서 심리적인 위기(crisis)를 맞게 되는데 정상적인 발달을 위해서는 긍정적인 방향으로 해결해야 한다.

(3) 청소년기에는 발달단계에서의 발달의 위기가 반복하여 나타나기도 한다.

2. 저서

『Childhood and Society(1963)』, 『Identity, Youth and Crisis(1968)』, 『Identity, Youth and Life Cycle(1980)』 등이 있다.

3. 발달 단계

단계	시기	발달요소	주요 내용	대리자	덕목	프로이드와 비교
1	출생 ~ 1세	신뢰감 대 불신감	유아의 신체적 및 심리적 욕구를 적절히 충족시켜 주는지의 여부에 따라 세상에 대한 기본적 신뢰감 혹은 불신감을 형성한다.	양육자 (특히 어머니)	희망	구순기
2	2 ~ 3세	자율성 대 수치심	자기표현의 자유와 자기애를 증진시키는 단계로 자기 통제감은 자신에 대한 긍정적 감정을 갖지만 자기 통제감의 상실은 자신의 능력에 대한 수치심을 갖게 한다.	부모 (특히 아버지)	의지	항문기
3	4 ~ 5세	주도성 대 죄책감	자기통제와 책임감이 확장되는 시기로 주도적으로 어떤 목적이나 일을 계획하고 결정하려는 주도성을 발달시키나 지나치게 몸을 탐하게 되면 흔히 죄책감이 형성될 수 있다.	가족	목적	남근기
4	초등학교 학령기	근면성 대 열등감	인지적 및 사회적 기술을 습득하고 부과된 과제를 성실히 수행, 자신의 성취행동에 대해 인정받음으로써 근면성이 형성되나 이런 기술 습득에 실패하면 열등감이 형성된다.	교사 혹은 또래	능력	잠복기
5	청소년기	자아정체감 대 역할혼미	자신이 누구이며 가정과 사회에서 역할에 대해 고민하는 시기로서 자신에 대한 정체감을 형성하고자 하나 이에 실패하면 역할 혼미에 빠진다.	동료 집단	충성	생식기
6	성인초기	친밀감 대 고립감	타인과 보다 친밀하고 신뢰할 수 있는 관계를 맺으려고 노력하는 시기로 친밀한 관계의 형성을 회피하려고 하면 고립감을 경험하게 된다.	이성 친구	사랑	생식기
7	성인중기	생산성 대 침체감	자녀, 업적, 생산물 등 다음 세대에 물려줄 수 있는 어떤 특성을 소유하고 있음에 대한 자신감을 소유하게 되는데 이러한 생산성이 약하거나 상실되었다고 느낄 때 침체감을 경험한다.	배우자	보호	생식기
8	노년기	통합성 대 절망감	죽음이 다가옴에 따라 자신의 삶을 재조명하고 지나온 삶에 대한 나름대로의 의미를 찾으며 만족하게 되면 자아통합감이 생기나 이에 실패하면 절망감과 허무감을 느끼게 된다.	인류	지혜	생식기

4. 에릭슨 성격발달이론의 의의

(1) 인간의 사회적 관계에 초점을 두고 인간의 발달적 특성을 밝혔다.

(2) 인생을 8단계로 구분하고 각 단계에서 습득해야 할 기본적 과업을 대칭적으로 설정하였다.

(3) 각 단계에서의 과업을 습득하느냐 습득하지 못하느냐에 따라 정상과 이상(abnormal)을 구분하였다.

(4) 점성적 원리(epigenetic principle, 후생론적 원리)

태아가 태어날 때 어떤 기관이 어떤 특수한 시기에 나타나서 유아의 형태로 결합되어 가는 것을 말하며, 성격발달도 이와 유사하다. 성장은 바탕에서 부분이 생기고, 각 부분이 생겨나는 시기가 있으며, 모든 부분이 다 생겨난 후 전체 기능이 형성된다. 즉 성격은 상호 관련있는 일련의 단계를 거쳐 점진적으로 형성된다.

5. 교육적 시사점

(1) 유치원 시기

① 솔선할 때 칭찬하고 성취감을 제공한다.

② 아동으로 하여금 동기 유발된 질문이나 행동들에 대해 죄책감을 만들지 말고, 질투심이 많은 아동이 자신의 행동으로부터 만족을 얻을 수 있도록 도와준다.

(2) 초등학교 시기

① 아동이 성공적으로 완수할 수 있도록 과제를 제공함으로써 우월감을 경험하도록 한다.

② 협동과 자기 경쟁(self-competition)을 조장하고 다른 학생과 비교하는 것을 피한다.

(3) 중등 시기

① 학생 스스로가 정체감을 가지도록 한다.

② 정체감의 구성 요소는 자신의 외모에 대한 승인과 자신이 어디로 가고 있는지를 아는 것이다.

③ 남녀 역할에 대한 명확한 개념을 형성하고, 올바른 직업선택을 하도록 한다.

6. 청소년기의 정체감 상태[마샤(J. Marcia)]

마샤(J. Marcia) 등은 청소년에게 에릭슨의 이론을 정교화하여 자신의 선택과 자신을 직면하는데 있어서 4가지 대안이 있다고 보았다(1980).

(1) 정체감 성취(identity achievement)

현실적으로 선택할 수 있는 것들이 무엇인가를 먼저 고려한 후 선택을 하고 그것을 위해서 추구한다는 것을 의미한다.

예 "내 종교와 다른 종교에 대한 많은 정신적 탐색 후에 결국 내가 믿고 있는 것과 내가 믿지 않는 것이 무엇인지를 알게 되었어."

(2) 정체감 유실(identity foreclousure)

다른 정체감을 실험해보거나 다른 선택의 범위를 고려하지 않고, 대개 부모의 목표, 가치 그리고 생활방식을 택하는 상태를 말한다.

예 "내 부모가 침례교이므로 나도 침례교 신자야, 나는 그렇게 교육받아 왔어."

(3) 정체감 혼미(identity diffusion)

① 자신이 누구인지 또는 인생에서 무엇을 하고 싶어 하는지에 대한 어떤 결론에 도달하지 못했을 때 발생한다.

② 어떤 확고한 방향도 잡지 못한다. 정체감 혼미를 경험하는 청소년은 선택을 하는데 있어 성공적이지 못한 노력을 하였거나 혹은 전혀 그런 쟁점에 대해 진지하게 생각하지 않았을 것이다.

예 "나는 종교에 대해 많은 것을 진정 생각해 보지 않았어, 그리고 내가 믿는 것이 정확히 무엇인지를 모르겠어."

(4) 정체감 유예(identity moratorium)

① 에릭슨(Erikson)은 '유예'를 선택을 위한 노력 중에 있는 상태로 말하였고, 마샤는 유예의 의미를 정체성 위기에 대하여 대처하기 위한 청소년의 활동적 노력도 포함시켜 확장시켰다.

② 에릭슨(Erikson)은 복잡한 사회 속의 청소년들은 이러한 정체감 위기를 경험하거나 유예와 혼란의 일시적 시기를 경험한다고 믿었다.

예 "나는 내 신념을 평가하며 나에게 무엇이 옳은가를 판단할 수 있게 되기를 희망해. 나는 천주교 교육에 의해 제공되는 많은 가르침을 좋아하지만 일부 가르침에 대해서는 회의적이야. 그래서 의문점을 해결하기 위해 유니테리언 교도를 살펴보았어."

(5) 연령에 따른 정체감 발달지위 그래프

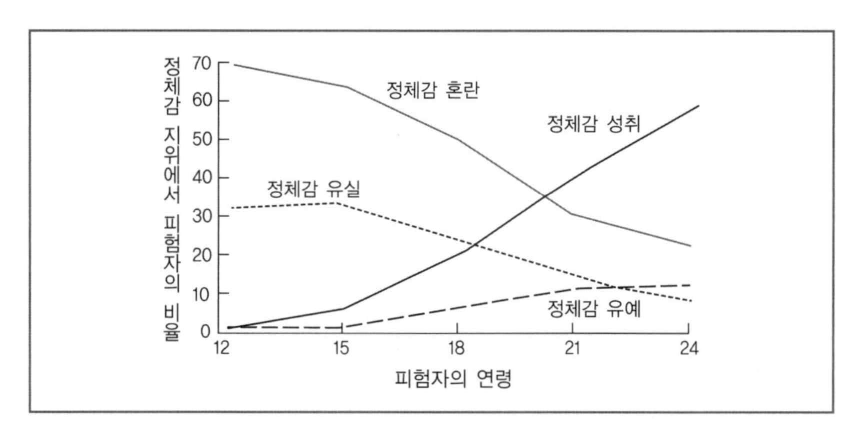

7. 각 시기별 지도방법

(1) 학령전기 아동의 주도성 격려를 위한 지침

① 아동으로 하여금 선택하고 그에 따른 행동을 하도록 격려한다.

② 각 아동이 성공을 경험할 기회가 있다는 것을 확실히 해준다.

③ 다양한 역할로 '가상 놀이(make-believe play)'를 격려한다.

④ 아동이 자신의 힘으로 무엇인가를 시도할 때, 사고와 실수에 대해 인내한다.

(2) 초·중학교 시기의 근면성 격려를 위한 지침

① 학생 자신이 확실히 기회를 설정하고 실제 목표를 향하여 작업하도록 한다.

② 학생에게 자신의 독립심과 책임감을 보일 수 있는 기회를 제공한다.

③ 낙심한 학생들을 격려한다.

(3) 청소년기의 자아 정체감 형성을 위한 지침

① 직업 선택과 성인의 역할에 대한 많은 모델을 제시한다.

② 학생의 개인적 문제를 해결하도록 지원한다.

③ 청소년들의 일시적인 유행에 대해서는 그것이 타인을 공격하거나 학습에 방해가 되지 않는 한 인내심을 보인다.

④ 학생들에게 실제적 피드백(feedback)을 준다.

㉠ 학생이 잘못 행동하거나 잘못 수행할 때, 행동의 결과와 그것이 자신과 타인에게 미칠 영향을 확실히 이해시킨다.

㉡ 모범 답안을 주거나 다른 학생의 우수한 프로젝트를 보여주고 자신의 작업과 비교할 수 있게 한다.

㉢ 여러 가지 역할을 시도하게 하여 역할과 사람을 분리시킨다. 그러면 사람을 비판하지 않고 행동은 비판할 수 있게 된다.

秀 POINT 프로이드 이론과 에릭슨 이론의 특징 비교

프로이드 이론	에릭슨 이론
'심리·성적' 측면을 강조한다.	'심리·사회적' 측면을 강조한다.
원초아(id) 강조한다.	자아(ego) 강조한다.
인간관계의 초점: 아버지 - 자녀 - 어머니	**인간관계의 초점:** 가족 → 사회로 확대
문제행동의 근본원인을 인간발달의 부정적인 측면(유아기의 정신적 외상)에 둔다.	초점을 인간발달의 긍정적 측면(발달적 위기의 성공적 해결)에 둔다.
청소년기 이후에 성격의 본질은 불변한다.	전 생애동안 성격은 계속적으로 발달한다(평생발달론적 관점).
① 정신분석학에 기초를 둔 이론이다(정신분석학적 발달이론). ② 인생 초기 경험의 중요성을 강조한다. ③ 생물학적 및 성적 요소가 동기와 성격형성의 토대가 된다. ④ 성격발달단계가 미리 예정되어 있고, 발달단계를 통과하는 순서가 불변적이다. ⑤ 원만한 성격발달을 위하여 성장과정에서 여러 가지 욕구가 적절하게 충족되어야 한다.	

제2절 | 도덕성 발달

1 도덕성 발달에 대한 각 이론적 관점

1. 정신분석학적 입장

정신분석학은 도덕성 발달의 정서적 측면을 강조한다.

(1) 프로이드(Freud)

① 초자아가 형성되기 이전의 유아들은 원초아(id)가 지배적이기 때문에 비도덕적이다(초자아는 남근기, 즉 3 ~ 6세에 발달).

② 부모에 대한 동일시의 과정을 통해 한쪽 부모의 도덕성을 내면화한다.

③ 부모의 도덕성을 성공적으로 내면화한 아동은 도덕적 기준을 어겼을 때 죄의식이나 수치심을 느끼게 된다.

(2) 에릭슨(Erikson)과 신프로이드학파(Neo Freudian)

① 초자아는 남근기에 발달하는 것이 아니라 구강기와 항문기에 발달한다.

② 아동은 많은 좌절을 경험하게 되는데 그들의 행동에 대한 부모의 통제와 제한이 아동의 초자아를 형성시킨다.

③ 초자아뿐만 아니라 자아도 아이의 도덕성 발달에 중요하다.

2. 사회학습이론

(1) 특징

도덕적 행동을 중시(도덕성을 상황적인 요인으로 간주), 즉 도덕적 행위와 그것을 가능하게 하는 결정요인에 강조점을 둔다.

(2) 관점[반두라(Bandura), 아론프리드(Aronfreed), 미셀(W. Mischel) 등]

① 인간이 도덕적으로 행동하는 것은 자기 강화이거나 죄책감, 불안감, 벌을 피하기 위하여 사회적으로 용인된 방식으로 행동한다.

② 반두라(Bandura)는 구체적인 도덕적 반응이나 습관이 여타의 사회적 행동과 마찬가지로 직접 교수와 관찰학습에 의해 획득된다고 주장한다.

③ 이들의 관점에서 볼 때, 도덕성의 가장 중요한 준거는 들키거나 벌을 받을 가능성이 없는 상황에서 도덕규범을 어기고자 하는 욕구를 얼마나 참아낼 수 있는가 하는 유혹에 대한 저항 능력이다[호프만(Hoffman)].

④ 아동의 도덕성 발달에 영향을 미치는 강화, 벌, 모델링(modeling) 등의 효과를 중시한다.

3. 인지발달이론

(1) 특징

도덕성 발달에 대해 인지발달이론은 도덕적 사고와 판단이나 추론을 중시한다.

(2) 도덕성 발달의 기본전제

① 도덕성 발달은 연령의 증가와 더불어 질적으로 구분되는 일정한 단계를 거쳐 이루어진다.

② 각 발달단계는 한 개인이 세계를 보는 전체적 관점을 나타내는 것으로 그 이전 단계와 전적으로 구분된다.

③ 도덕성의 본체는 심층에 자리 잡고 있는 인지구조이다.

④ 인지구조는 언어적 진술을 분석함으로써 추정해낼 수 있다.

⑤ 발달의 속도와 종착점은 다르더라도 어떤 문화적 배경을 가진 사람들이든지 동일한 단계를 거친다.

⑥ 피아제와 콜버그의 도덕성 발달단계 이론이 대표적이다.

도덕성(morality)

도덕성이란 옳고 그른 것을 분별하고 이러한 분별에 따라 행동하며, 바람직한 행위를 하게 되면 자긍심을 경험하고, 자신의 기준들을 위반하는 행위들에 대해서는 죄책감 혹은 수치심을 경험하는 되는 능력을 말한다. 대부분의 현대 이론가들은 도덕적 성숙에 이르는 가장 중요한 이정표는 외적으로 통제된 행위들로부터 내적 기준과 원칙에 의해 지배되는 행위로의 전환인 내면화(internalization)를 핵심적 요인으로 간주한다.

2 피아제(Piaget)의 도덕성 발달이론

1. 특징

① 습관의 단계(4세까지), ② 성인의 요구에 합치하는 단계(5 ~ 7세), ③ 친구와의 평등 관계와 상호 적응의 단계(8 ~ 9세), ④ 행동의 동기를 이해하는 단계(10 ~ 14세), ⑤ 규칙, 원리, 이상을 체계화하는 단계(15세 이후)로 나누고 5세에서 14세까지를 도덕 판단의 기준이 생기는 시기로 보았다.

2. 도덕성 발달단계

(1) 전(前) 도덕 단계(3세 이전)

자기중심적으로 행동하는 단계이다.

(2) 현실적 도덕 단계(4 ~ 10세)

① 규율을 절대적으로 간주하는 단계이다.

② 이 단계에서 아동은 행위의 이유를 찾거나 판단함이 없이 규칙에 무조건 복종한다. 아동은 부모나 그 밖의 권위 있는 성인을 전지전능한 존재로 여긴다.

③ 행위 뒤에 있는 동기를 고려하기보다는 그것으로 인해 생긴 결과에 따라서 그 행동을 옳고 그른 것으로 판단한다.

(3) 자율적 도덕 단계(10세 이후)

① 스스로 규율을 만들고 규율을 상대적으로 간주하는 단계이다.

② 아동은 행동의 이면에 놓여 있는 행위자의 의도를 고려하여 행동의 선악을 판단한다.

③ 도덕적 위반 사태가 발생하게 되면 그 당시의 구체적인 상황을 고려하기 시작한다.

3 콜버그(Kohlberg)의 도덕성 발달단계 이론

1. 의의

(1) 콜버그의 도덕성 발달은 피아제가 주로 아동을 연구 대상으로 한 것에 반해 성인까지로 확대하여 도덕성 발달단계를 더욱 체계화시켰다.

(2) 사람들이 실제로 도덕 문제에 어떻게 답하는가 하는 사고 체계를 연구하여 이것을 바탕으로 도덕성 발달단계를 3수준 6단계로 나누었다.

2. 도덕성 발달 단계(3수준 6단계)

수준	단계	내용
1수준 전 인습적 단계 - 전도덕 수준	1단계	벌 회피·복종 지향 단계 - 주관화 ① 행위의 옳고 그름을 그 행위의 결과에 의해 판단한다. ② 진정한 의미의 규칙에 대한 개념이 없다. ③ 도덕 판단 기준은 신체적, 물리적 힘이다. 예 벌 받기 싫고, 벌 받을까 무서워서 행동하는 수준
	2단계	욕구 충족을 위한 도구적 상대주의 단계 - 상대화 ① 자신에게 당장 이익이 있을 때 규칙을 준수한다. ② 네가 나를 도와주면 나도 도와준다는 1 : 1의 상호교환관계를 중요시한다.
2수준 인습적 단계 - 관습적 도덕 수준	3단계	대인관계 조화 지향 단계(착한 아이 지향) - 객체화 ① 도덕 행위는 다른 사람들을 도와주고 기쁘게 해주는 행위를 말한다. ② 타인의 반응이 도덕성 판단의 기준이 되지만, 물리적인 힘보다는 심리적인 인정 여부에 관심이 있다. ③ 사회적 규제를 수용하며, 의도에 의해 행위의 옳고 그름을 판단한다. 예 타인으로부터 비난 받지 않으려고 행동하는 수준
	4단계	법과 질서 준수 지향 단계(예외불인정) - 사회화 ① 권위, 고정된 규칙, 사회적 질서를 지향한다. ② 사회, 집단, 제도에 공헌하는 것 역시 선(善)이라고 한다. 예 '나'라고 해서 예외일 수는 없다고 판단하고 행동하는 수준
3수준 후 인습적 단계 - 자율 도덕 수준	5단계	사회계약(사회공리)지향 단계 - 일반화 ① 개인의 권리를 존중하고 사회 전체가 인정하는 기준을 준수한다. ② 사회질서를 유지하기 위해 법과 규칙을 준수한다. ③ 법과 규칙은 대다수 성원들의 더 나은 이익을 위해서라면 변경이 가능하다.
	6단계	보편적 원리 지향 단계 - 궁극화 ① 옳은 행동을 자신이 스스로 선택한 윤리적 원리와 일치하는 양심에 의해 결정한다. ② 정의와 인간권리와 상호성과 평등성, 개인으로서의 인간존재의 존엄성을 존중한다. ③ **황금률에 따르는 보편적 행동이 가장 정의롭다고 믿음:** "남으로부터 대접받고자 하는 대로 너희도 남을 대접하라."라는 황금률(黃金律)이나 "자기가 싫어하는 것을 남에게 베풀지 말라."(己所不慾 勿施於人)라는 공자의 말, 혹은 행위 자체의 가치를 중시하는 칸트(Kant)의 정언명법, 소크라테스(Socrates)의 행동 등은 모두 이 단계에 해당한다.

7단계 - 우주적 영생을 지향하는 단계

1. 콜버그는 자신의 말년에 7단계를 추가하였다.
2. 도덕문제는 도덕이나 삶 자체가 문제가 아니라 우주적 질서와 통합이라고 보는 단계이다.
3. 예수, 간디, 마틴 루터 킹, 공자, 테레사 등의 위대한 도덕가나 종교지도자, 철인들의 목표가 곧 우주적인 원리이다.
4. 생명의 신성함, 최대 다수를 위한 최선의 원리, 인간성장을 조성하는 원리 등이 우주적 원리에 속한다.

3. 특징

(1) 도덕적 딜레마(moral dilemmas)를 통해 연구하였다.

(2) 민족과 사회에 따라 도덕적 발달은 동일하다고 보았다.

참고 콜버그는 미국, 대만, 멕시코, 터키, 멕시코의 유카탄 반도에 사는 젊은이들에게 하인즈의 딜레마를 적용해서 연구하였다. 그 결과 터키에서만 5, 6 단계의 도덕성을 가진 사람이 나타나지 않았을 뿐 모두 비슷한 결과를 얻었다.

(3) 모든 사람이 다 높은 수준의 단계로 올라가는 것이 아니라 6단계 가운데 어느 하나에 머물러 고착될 수도 있다.

(4) 인지발달의 특징

① 단계는 사고의 틀 속에서 질적으로 다른 차이를 내포한다.

② 각각의 단계는 구조화된 전체를 형성한다.

③ 단계들은 불변의 계열성을 형성한다.

④ 단계들은 위계적 통합이다.

4. 한계

(1) 단계는 서로 현실적으로 분리되거나 순서적으로 일관성 있는 것이 아니다. 즉, 한 상황에서의 개인의 선택은 어떤 한 단계에 적합하고 또 다른 상황에서는 다른 단계를 반영할 수도 있다.

(2) 도덕적 추론의 높은 단계에 이르기 전까지는 사회의 인습과 진정한 도덕적 쟁점들을 구별하지 않는다.

(3) 5단계와 6단계는 서구적 개인주의를 강조하는 남성적 가치로 편파되어 있다. 즉, 가족 중심적이거나 집단 지향적인 경향이 높은 문화에서는 가장 높은 도덕적 가치는 집단 의견을 개인 양심에 근거한 결정보다 우위에 놓는다.

(4) 단계들이 남성 중심적으로 편파되어 있고, 여성에게서 도덕적 추론이 발달하는 방식은 서술되지 않았다. 콜버그는 남성이 여성보다 한 단계 더 높은 발달단계에 이른다고 보았다.

길리건(Gilligan)의 보살핌의 윤리

콜버그의 도덕성 발달이론의 한계에 대한 대안으로 길리건(Gilligan)은 '보살핌의 윤리'를 제시하였다. 즉, 길리건은 개인은 자기 이익에 초점을 맞추다가 특정한 개인에 대한 책임과 관계에 근거한 도덕적 추론, 그 다음은 책임감과 모든 사람에 대한 보살핌의 원칙에 근거한 가장 높은 도덕성 수준으로 옮겨간다는 것이다.

4 인지 발달론에서의 도덕성 발달교육 모형

1. 비평형화(Disequilibrium)

(1) 당면한 도덕적 문제를 기존의 인지구조로 해결할 수 없을 때 비평형 상태가 된다.

(2) 비평형 상태는 다시 인지구조 자체의 변화를 유발시켜 새로운 경험들이 구조 속에 동화할 수 있도록 한다.

(3) 조절과정을 통해 일어나는 새로운 인지구조의 출현이 도덕발달의 징표가 된다.

(4) 따라서 도덕발달을 의도적으로 유도하기 위해서는 인지구조의 비평형 상태를 인위적으로 만들어야 한다.

2. 동년배 집단 교류모형(Peer Group Relation)

(1) 동년배 집단의 상호작용의 질은 아동의 도덕발달에 최적의 환경을 제공한다.

(2) 이들은 동년배이기 때문에 상호 동등한 입장에서 대화와 교류를 한다.

(3) 동등한 관계는 도덕성 발달의 요체인 대인관계에서의 상호반응성의 인식을 크게 조장한다.

(4) 동년배 집단 간의 대등성은 학생들 상호 간에 역할 바꾸기의 기회를 쉽게 제공한다.

(5) 학생들이 부모나 교사의 관점으로 사고하기는 어렵지만 자기 친구와 입장을 바꾸어 생각하기는 쉽다.

3. 블렛트 효과(Blatt Effect)

(1) 또래 집단으로 구성된 학급상황에서 도덕적 갈등상황에 대한 토론이 도덕적 사고 수준의 향상에 미치는 효과(인지발달론적 도덕교육의 효과)이다.

(2) 도덕적 갈등 상황에 대한 12주간의 토론을 진행한 집단의 63%의 학생이 한 단계 승급한다.

(3) 블렛트 효과의 조건

① 학생들에게 인지적 비평형을 유발시키는 논쟁적인 도덕적 딜레마를 제공한다.

② 서로 다른 도덕발달 수준의 학생들로 학급을 구성한다.

③ 개방적이고 지적(知的) 도전감을 불러일으킬 수 있는 소크라테스식 문답법을 사용한다.

4. 리코나(Lickona) 모델 - 도덕적 사고에서 도덕적 행동으로

(1) 학생의 도덕적 사고를 이해하면 도덕적 행동을 촉진할 수 있다는 이론이다.

(2) 도덕적 행동을 촉진하는 4가지 구성 요소

① 자존감(self-esteem): 학생마다 자존감을 향상시키는 훌륭한 방법을 가지고 있으며 높은 자존감은 도덕적 행동의 가능성을 향상시킨다.

② 협동학습(cooperative learning): 협동학습은 도덕적 행동, 특히 돕는 행동이나 사회적 행동을 증가시키는 것과 관련된다.

③ 도덕적 반성: 도덕적 반성은 도덕적 문제에 대해 토론하고, 읽고, 쓰고, 생각하는 것이다.

④ 참여적 의사결정(participatory decision making): 참여적 의사결정은 교실 생활의 질에 영향을 주는 의사결정에 학생들이 참여하는 것을 말한다. 이는 학생들이 교실 규칙의 구성에 능동적으로 참여하는 구성주의적 교실(constructive classroom)의 창조에 기여한다.

秀 POINT '하인즈(Heinz) 딜레마' 이야기

1. 하인즈 딜레마

유럽에서 하인즈의 부인이 암에 걸려 죽어가고 있는데, 그 부인을 살릴 수 있는 약이 발명되었다. 그것은 같은 마을에 사는 어느 약사가 발명한 라디움 종류의 약이었다. 이 약은 가격이 매우 높았는데, 왜냐하면 약값을 제조원가의 10배로 책정했기 때문이었다. 원가는 200달러였으나 판매는 2,000달러에 하는 것이었다.

하인즈는 돈을 구하려고 모든 노력을 다하였으나, 약값의 절반인 1,000달러 밖에 구할 수가 없었다. 하인즈는 약사에게 자기 부인이 죽기 직전에 있다는 것을 설명하고 그 약을 싸게 팔거나 아니면 일단 외상이라도 자기에게 팔아 달라고 간청하였다. 그러나 약사는 "절대 안 됩니다. 그 약은 내가 발명한 것이니 나는 그 약으로 돈을 벌어야 되겠습니다."라고 매몰차게 거절하였다. 절망에 빠진 하인즈는 마침내 부인을 위하여 약을 훔쳤다. 남편은 정당한 일을 하였는가? 만약 정당하다면 왜 그런가?

2. 도덕성 단계별 하인즈(Heinz) 행동에 대한 구체적 응답반응

단계	구분	응답
벌 회피·복종 지향 단계	정당	훔친 약값이 실제로는 200달러밖에 안 될지도 모른다.
	부당	남의 것을 함부로 훔칠 수 없다. 그것은 죄다. 약값이 비싸니까 비싼 것을 훔치면 그만큼 죄가 된다.
도구적 상대주의 단계	정당	약국 주인에게 큰 해를 끼치는 것도 아니고, 또 언제나 갚을 수도 있다. 아내를 살리려면 훔치는 길 밖에 없다.
	부당	약사가 돈을 받고 약을 팔려는 것은 당연한 일이다. 그것은 영업이고 이익을 내야만 한다.
대인관계 조화 지향 단계	정당	훔치는 것은 나쁘지만 아내를 사랑하는 남편으로서 당연한 행동이다. 아내를 살리려 하지 않는다면 비난받을 것이다.
	부당	아내가 죽는다고 해서 남편이 비난받을 수는 없다. 죄를 안 지었다고 해서 무정한 남편이라 할 수는 없다. 약을 훔치지 않았어도 하인즈는 자기가 할 일을 다한 것이다.
법과 질서 준수 지향 단계	정당	아내를 살리는 것이 하인즈의 의무이다. 그러나 약값은 반드시 갚아야 하고, 훔친 것에 대한 처벌도 받아야 한다.
	부당	아내를 살리려는 것은 당연하지만 그래도 남의 것을 훔치는 것은 역시 나쁜 일이다. 자기 감정이나 상황과 관계없이 규칙은 항상 지켜야 한다.
사회 계약 지향 단계	정당	훔치는 것이 나쁘다고 말하기 전에 전체적인 상황을 고려해야 한다. 이 경우 법은 분명히 훔치는 것이 나쁘다고 규정한다. 그러나 이 상황이라면 누구라도 약을 훔칠 수밖에 없을 것이다.
	부당	약을 훔쳐서 결과적으로 아내를 살릴 수 있지만, 목적이 수단을 정당화하지 못한다. 하인즈가 전적으로 나쁘다고 말할 수 없지만 상황을 핑계로 해서 그의 행동이 정당화될 수도 없다.
보편적 원리 지향 단계	정당	법을 준수하는 것과 생명을 구하는 것 사이에서 선택하라면 약을 훔치더라도 생명을 구해야 하는 것이 더 높은 수준의 원칙이다.
	부당	암은 많이 발생하고 약은 귀하니 필요한 사람에게 약이 다 돌아갈 수 없다. 이 경우 모든 사람들이 보편적으로 옳다고 생각하는 행동을 해야 한다. 감정이나 법에 따라 행동할 것이 아니라 한 인간으로서 무엇이 이성적인가를 생각했어야 한다.

제3절 | 언어발달

1 언어발달의 유전설(생득설)

언어 발달의 유전론자들은 인간은 언어를 습득하도록 생물학적으로 프로그램화되어 있다고 본다.

1. 촘스키(Chomskey)의 언어습득장치(LAD)

(1) 가장 간단한 언어의 구조조차도 놀랄 정도로 정교화 되어 있어서 부모가 가르치거나 단순한 시행착오를 통해서는 습득될 수 없다고 하였다.

(2) **언어습득장치(LAD)**

촘스키가 제안한 언어습득장치(language acquisition device, LAD)는 인간이 언어를 획득할 수 있도록 선천적으로 가지고 태어난 언어 생성기제를 말한다. LAD는 외부로부터 들어오는 언어자극을 분석하고 처리하는 지각적·지적 능력을 뜻한다.

(3) LAD는 보편적 문법, 혹은 모든 언어에 공통적인 규칙에 관한 지식을 포함한다. 그래서 아이가 듣고 있는 언어에 상관없이 LAD는 중요한 어휘를 습득한 아이들이 단어들을 낯설고, 규칙에 매인 말로 조합하고 그들이 듣는 것을 이해하는 것을 가능하게 한다.

2. 슬로빈(Dan Slobin)의 언어생성능력(language making capacity, LMC)

선천적으로 언어학습을 위해 전문화된 인지적 능력과 지각적 능력을 말한다. LAD나 LMC는 선천적으로 아이가 언어적 입력을 처리하고 그들이 듣고 있는 언어가 무엇이든 특징짓는 음운 규칙들, 의미적 관계, 문장 구조를 추론하는 것을 가능하게 한다.

3. 뇌의 전문화와 언어

(1) 뇌의 좌측 반구에 주요 언어 중추가 편재화되어 있다.

(2) **브로카 영역(Broca's area)**

좌반구의 전두엽 근처에 있으며 이 영역의 손상은 전형적으로 이해력보다 언어 생성에 영향을 미친다.

(3) **베르니케 영역(Wernicke's area)**

좌반구의 측두엽 근처에 있으며 이 부위의 손상은 비교적 말은 잘하지만 언어를 이해하는데 어려움을 겪는다.

4. 민감기 가설(sensitive-period hypothesis)

언어는 출생부터 사춘기 사이에 가장 쉽게 습득된다는 것으로 레네버그(E. Lenneberg)가 주장하였다. 이 시기는 편제화된 인간의 뇌가 언어기능에 대해 점점 전문화되는 시기이다. 아이의 실어증은 특별한 치료 없이도 잃었던 언어기능을 회복하지만, 성인 실어증환자는 잃어버린 언어기술 중의 단지 일부를 회복하기 위해서도 광범한 치료가 필요하다.

5. 어휘력의 동일한 발달

유아의 언어적 반응, 혹은 문화권에 관계없이 어휘력은 동일하게 발달한다. 즉 어휘력의 증가는 2세에서 272개, 3세 896개, 4세 1540개, 6세에서 2562개 정도로 동일하다.

2 환경설

1. 행동주의의 언어발달설

인간은 조작적 조건형성에 의해 언어를 학습한다.

2. 브루너의 언어습득지원체제(language acquisition support system, LASS)

(1) 브루너(J. Bruner)가 『Child's Talk(1983)』에서 주장한 것으로 아동이 언어사용 기술을 배우려면 반드시 사람들과의 상호작용이라는 문화적인 체계가 있어야 한다는 것이다.

(2) 유아들은 언어 환경 속에 노출되어야 할 뿐만 아니라 더 효과적으로 언어를 사용할 수 있는 언어사용의 전략들이 의도적인 과정을 통하여 가르쳐져야 한다고 한다.

(3) 이 전략은 학습자의 체계적이고 의도적인 선택, 조정, 계획이 포함된 행위와 사고를 말한다.

3 언어발달의 상호작용설[피아제(Piaget), 비고츠키(Vygotsky)]

1. 특징

(1) 아동의 인지구조와 인지능력 발달의 결과로 언어발달이 이루어진다.

(2) 상호작용론자들은 아이가 타고난 것은 전문화된 언어처리장치가 아니라 동일한 연령에 유사한 생각을 발달시키도록 하는 점진적으로 성숙하고 경향을 띤 신경체계라고 한다.

(3) 이는 동료들과 공유하려는 동기가 된다. 그래서 생물학적 성숙은 인지발달에 영향을 미치고, 이것은 다시 언어발달에 영향을 미친다. 그러나 이들은 환경이 언어발달에서 결정적인 역할을 한다고 주장한다. 특히 비고츠키를 비롯한 상호작용론자들은 나이든 동료와의 대화가 인지와 언어발달을 촉진하는 방법을 강조한다.

2. 피아제의 언어발달이론 - 사고와 언어의 관계

(1) 피아제는 전조작기 아동의 언어적 특징은 자기중심적이라는 것이다. 자기중심적 언어는 자기중심적 사고를 나타내며 성장하면서 점차 감소한다고 보았다.

(2) 자기중심적 사고가 자기중심적 언어로 나타날 뿐이다(사고가 언어 발달을 촉진).

(3) 피아제는 언어는 단지 이미 알고 있는 것을 반영할 뿐이지 새로운 지식을 형성하는데 어떤 기여도 하지 않는다고 보았다.

(4) 인지적 발달(사고발달)이 언어발달을 촉진시킬 뿐 그 역은 성립되지 않는다.

3. 비고츠키의 언어발달이론

(1) 언어가 사고발달을 촉진

비고츠키는 자기중심적 언어의 사용은 단순한 자기만의 생각을 표현하는 것이 아니라 문제해결을 위한 사고의 도구로 보았다.

(2) 독립적으로 발생하기 시작한 사고와 언어는 일정 시간이 지나면 서로 연합되며 이런 연합은 아동이 발달해 가는 과정에서 변화하고 성장한다(2세 정도에서 사고와 언어가 결합하기 시작해서 점차 지적이고 합리적이 됨).

(3) 아동의 지적 발달이 내적 언어와 사회적 언어에 모두 영향을 받는다.

(4) 비고츠키에 의하면 언어는 아동을 더욱 조직적이며 효율적인 문제해결자가 되게 함으로써 인지발달에 결정적인 역할을 한다고 보았다.

(5) 내적 언어

목적달성에 필요한 수단을 얻기 위해 마음속에서 사용되는 언어로 아동의 문제해결에 중요한 기능을 한다. 비고츠키는 내적 언어가 자기 조절적 기능을 한다고 보았다.

(6) 자기중심적 언어(사적 언어)에 대한 피아제와 비고츠키의 비교

구분	피아제	비고츠키
발달의 의의	타인의 관점을 받아들이고 상호 의사소통에 참여하는 능력이 없음을 나타낸다.	외면화된 사고를 나타낸다. 기능은 자기 - 안내와 자기 - 지시의 목적을 위해 자신과 의사소통 하는 것이다
발달의 과정	부정적·가장 사회적, 인지적으로 덜 성숙한 아동이 더 자기중심적인 언어를 사용한다.	어릴 때는 증가하고 그 후에는 점차 들리지 않는 소리로 되어 내적인 언어 사고가 된다.
사회적 언어와의 관계	부정적·가장 사회적, 인지적으로 덜 성숙한 아동이 더 자기중심적인 언어를 사용한다.	긍정적·사적 언어는 타인들과의 사회적 상호작용으로부터 발달한다.
환경적 맥락과의 상호작용	-	과제 난이도와 함께 증가한다. 사적 언어는 해결에 도달하고자 더 많은 인지적 노력이 필요한 상황에서 도움이 되는 자기 - 안내 기능을 제공한다.

秀 POINT 발달단계에 따른 발달이론 간의 비교

단계	주요특징	인지 발달 (피아제)	인지 발달 (브루너)	심리성격 발달 (프로이트)	심리사회성 발달 (에릭슨)	도덕성 발달 (콜버그)
유아기 (0 ~ 1세)	체위이동, 기본언어 획득, 사회적 애착	감각 운동기	작동적 표현	구강기	신뢰감 대 불신감	전도덕기
초기 아동기 (1 ~ 6세)	언어능력 숙달, 성차발달, 집단 유희, 취학준비 완료	전 조작기		항문기, 남근기	① 자율성 대 수치심 ② 주도성 대 죄책감	① 벌회피 복종 지향 ② 도구적 상대주의

<table>
<tr><td>후기 아동기
(6 ~ 11세)</td><td>인지과정이 성인 수준으로 발달, 협동놀이</td><td>구체적
조작기</td><td>영상적
표현</td><td>잠복기</td><td>근면성 대
열등감</td><td>대인관계
조화 지향</td></tr>
<tr><td>청년기
(11 ~ 21세)</td><td>사춘기로 시작하여 성숙에서 끝남, 최고 수준의 인지능력 획득, 부모로부터 독립, 이성관계 형성</td><td rowspan="4">형식적
조작기</td><td rowspan="4">상징적
표현</td><td rowspan="4">생식기</td><td>정체감 대
역할 혼미</td><td>법과 질서
준수 지향</td></tr>
<tr><td>성년기
(21 ~ 25세)</td><td>직업 선택과 가족 형성</td><td>친밀감 대
고립감</td><td>사회
계약 지향</td></tr>
<tr><td>장년기
(25 ~ 50세)</td><td>직위가 가장 높아짐, 자기 평가, 자녀출가로 인한 '공허감' 위기, 은퇴</td><td>생산성 대
침체성</td><td rowspan="2">보편적
윤리 지향</td></tr>
<tr><td>노년기
(50세 이상)</td><td>가족과 업적을 즐김, 의존성, 홀아비, 과부, 건강 악화</td><td>자아통합
대 절망감</td></tr>
</table>

참고

피아제(Jean Piaget, 1896 ~ 1980)

피아제는 중세 문학 교수인 피아제(Arthur Piaget)의 첫 아이로 스위스에서 태어났다. 피아제는 조숙한 아이였다는 징후들이 있다. 그는 11세 때 알비노 참새에 관한 한 쪽 분량의 첫 "학문적인" 논문을 출판하였다. 이 어릴 적의 저술은 그가 뒷날 많은 저서를 출판할 것임을 암시하였다. 피아제의 첫 관심은 주로 생물학이었으며, 이 분야에서 22세에 Ph.D.를 취득하였다. 박사학위를 받은 후, 다음에 무엇을 할 것인지를 확신하지 못하여 유럽을 방랑하며 일 년을 보냈다. 이 일 년 동안 정신분석학치료소, 심리실험실, 그리고 드디어 사이먼(Theodore Simon)의 지도하에 유명한 스탠포드 - 비네(Stanford-Binet) 지능검사의 근원이 된 비네(Alfred Binet)의 실험실에서 연구하였다. 피아제는 여전히 놀랄 정도의 속도로 연구 및 출판을 수행하고 있었다. 죽음 직전에 완성한 저서는 그의 사고에 있어 중요한 변화와 진전을 소개하였다. 그리고 사후 20년이 지나서도 이전에 출판되지 않은 논문들과 그의 연구물의 새로운 번역들이 계속 나타나고 있다.

기출문제

발달이론을 제안한 학자와 그의 관점에 대한 설명으로 옳지 않은 것은?

2019년 국가직 7급

① 에릭슨(Erickson) - 각 발달단계에서 겪게 되는 위기를 어떻게 해결하느냐에 따라 성격발달이 이루어진다.
② 콜버그(Kohlberg) - 개인의 도덕적 판단은 인지발달 수준과 병행한다.
③ 비고츠키(Vygotsky) - 한 개인이 수행할 수 있는 수준과 타인의 도움을 받아 수행할 수 있는 수준의 차이가 존재한다.
④ 피아제(Piaget) - 자기중심적 언어는 단순히 자기만의 생각을 표현하는 것이 아니라 문제해결을 위한 사고의 도구이다.

해설

자기중심적 언어(혹은 사적 언어, 중얼거림)에 대해 피아제는 전조작기의 인지적 미숙성에서 나타나는 언어로 인지발달에 영향을 주지 못한다고 주장하였다. 반면, 비고츠키는 유아의 자기중심적 언어를 자기 - 지시, 자기 - 통제의 기능을 하는 문제해결을 위한 사고의 도구라고 본다.

답 ④

06 | 지능과 창의성

핵심체크 POINT

1. 지능
   ① 개념: 목적을 향해 행동하고, 합리적으로 사고하며, 환경을 효과적으로 다루는 개인의 집합능력
   ② 지능검사

비네(1905)지능검사	아동용, 개인용, 언어검사
터만의 Stanford-Binet(1916) 지능검사	아동용, 개인용, 언어검사, 비율지능 사용, IQ개념 처음 도입
웩슬러(1936)지능검사	개인용, 언어검사와 비언어검사로 구성, 편차지능 사용(IQ = 15Z + 100으로 계산)

   ③ 지능이론

인지구조적 접근	스페어만의 2요인설(G요인, S요인), 버논(Vernon)의 위계적 구조 모형, 서어스톤(Thurstone)의 기본정신 능력모형, 길포드(Guilford)의 3차원 입방체 모형, 카텔(Cattell)의 유동적, 결정적 지능
인지과정적 접근	인지과정을 컴퓨터의 정보처리과정으로 설명하려는 모형으로 스텐버그(Stenberg)의 삼위일체지능 이론

   ④ 검사 종류: 일반지능(G)과 특수지능(S)검사, 언어검사(α)와 비언어검사(β)검사, 개인지능검사와 집단지능검사(육군 α, β검사), 탈문화검사와 문화구속성 검사
   ⑤ 감성지능: 감정을 조절하는 지적 능력[셀로비와 마이어(Salovey & Mayer)]

2. 창의성

학자	길포드(Guilford, 유창성, 융통성, 독창성), 칙첸마하이와 울프(Csikszentmihalyi & Wolfe, 독창성, 가치, 실현성)
개발방법	유추법, 브레인스토밍, 체크리스트, 속성 열거법, 육색사고모자, 브레인라이팅, PMI법, 마인드 맵(Mind-map) 등

1 지능(Intelligence)

1. 어원

(1) Intelligence

(L)intelligentia가 어원이다[inter(內) + leger(모으나, 선택하다)].

(2) 어원적으로 마음속에 무엇을 함께 연결시키거나 선택하는 능력을 말한다.

2. 정의

(1) 터만(Lewis Terman)

추상적 사고를 수행하는 능력을 의미한다.

(2) 손다이크(E. L Thorndike)

진실 혹은 사실이라는 관점에서 보아 좋은 반응을 하는 힘을 말한다.

(3) 콜빈(S. S. Colvin)

자기 자신을 환경에 적응하도록 하는 학습 능력이다.

(4) 핀트너(Rudolf Pintner)

생활 속에서 비교적 새로운 상황에 자신을 적절히 적응시키는 개인의 능력이다.

(5) 웩슬러(David Wechsler)

지능이란 목적을 향해서 행동하고, 합리적으로 사고하며, 환경을 효과적으로 다루는 개인의 집합적 능력이다.

(6) 피아제(J. Piaget)

적응 활동에 있어서 동화와 조절에 의해 평형화된 상태이다.

3. 지능에 대한 견해

(1) 생활적응 능력으로 보는 견해

지능은 전체 환경에 대한 적절한 적응 능력, 즉 생활의 새로운 문제 및 새로운 상황에 적절히 대응하는 정신적 적응 능력이다.

(2) 학습하는 능력으로 보는 견해

학교에서 학습을 적절히 수행하는 능력이다.

(3) 추상적인 능력과 구체적, 실제적 능력과의 관련 및 응용 능력으로 본다.

(4) 종합적, 포괄적, 집합적 능력으로 본다.

2 지능검사

1. 역사

(1) 분트(W. Wundt)는 인간의 지능을 감각과 주의력으로 보고 이것을 어떻게 보다 복잡한 정신과정으로 종합하느냐에 관심이 있었다.

(2) 갈톤(F. Galton)은 정신능력의 개인차에 관심을 가지기 시작하였다. 그 역시 인간의 정신능력을 청각, 무게, 시각 등과 같은 감각적 및 지각적 과정으로 인식하였으며, 이것들을 정확히 측정하기 위한 측정도구를 처음으로 제작하였다.

(3) 비네(A. Binet)는 정신능력은 감각기능이나 운동기능에 있는 것이 아니라 보다 복잡한 정신작용에 있다고 보고 사이먼(T. Simon)과 공동으로 최초의 지능 검사인 비네 - 사이먼 척도를 만들었다(1905, 아동용, 개인용, 언어검사).

(4) 터만(M. Terman)은 스탠포드 - 비네(Stanford-Binet) 검사(1916)를 제작하였다. 이때 처음으로 IQ(Intelligence Quotient)라는 말을 사용하였고, 아동용 개인 지능검사, 언어검사로 구성되었다.

秀 POINT 비율지능

1. 아동의 정신발달 속도가 잠재능력을 나타낸다고 보며, 스탠포드 - 비네(Stanford-Binet) 검사에서 처음 사용되었다.

IQ = MA/CA × 100 * MA: 정신연령(Mental Age) CA: 생활연령(Chronological Age)

2. 이 공식을 처음 만든 사람은 독일의 스턴(W. Stern)이다.
3. 그런데 아동의 연령이 증가함에 따라 정신연령의 범위와 변산도가 증가하기 때문에 정신연령을 기초로 계산되는 IQ 점수는 각 연령에서 동일한 의미를 갖지 않는다.

(5) 웩슬러(Wechsler)는 처음에 성인용 지능을 측정하기 위한 개인지능검사(Wechsler Adult Intelligence Scale, WAIS)를 개발하였고(1936), 현재는 개정된 성인지능검사(Wechsler Adult Intelligence Scale-Revised, WAIS-R), 그리고 아동용 지능검사(Wechsler Intelligence Scale for Children, WISC)를 웩슬러 지능검사 - Ⅲ(WISC-Ⅲ)이라고 부른다. 그리고 연령이 낮은 취학 전 아동을 대상으로 하는 유치원 및 초등학년용 웩슬러 지능검사(Wechsler Preschool and Primary Scale of Intelligence, WPPSI)를 개발하였다. 웩슬러 지능검사는 언어검사와 비언어검사로 구성되었으며, 이 때부터 편차 IQ를 사용하였다. 즉 IQ = 15Z + 100을 사용하였다.

秀 POINT 편차지능

1. 비율지능의 문제를 극복하기 위한 개념으로 소개되었다.
2. 편차 IQ 점수는 그 검사에서 점수를 받은 어떤 사람이 동년배 집단 다른 사람들과 비교하여 평균보다 얼마나 위에 혹은 아래에 있는지를 정확하게 말해주는 숫자이다. 즉 한 사람의 어떤 시점의 지능을 그와 동년배 집단 내에서의 그의 상대적 위치로 규정한다.
   예 7세 아동의 점수를 다른 7세 아동들의 점수와 비교하여 그의 점수가 평균 7세 아동보다 20점 높으면 그의 IQ는 120이 된다.
3. 웩슬러(Wechsler)의 지능검사에서 표준편차 15의 의미는 정상 인구의 약 68%가 IQ 85에서 115를 가지고 있다는 의미이다.

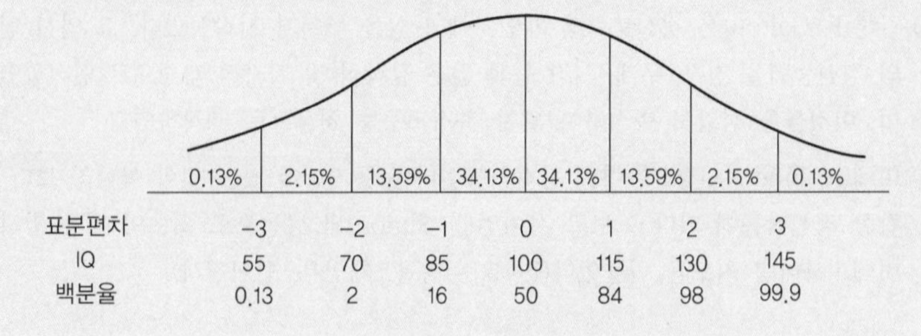

2. 지능검사의 종류

(1) 일반 지능검사와 특수 지능검사

측정 목적에 따라 일반지능을 종합적, 혼합적으로 측정하려는 일반 지능검사(현재 사용되고 있는 대부분의 검사)와 특수한 정신 능력을 독립적으로 측정하려는 특수 지능검사로 분류한다.

(2) 언어검사와 비언어검사

검사 문항이 주로 언어에 의존되어 구성된 언어검사(α 검사)와 문항구성이 언어자극을 최대한 극소화시킨 비언어검사(β 검사)로 구분한다.

(3) 동작성검사와 필답검사

피험자로 하여금 구체적인 재료를 가지고 어떤 작업, 동작을 요구하는 동작성 검사와 종이 위에 모든 검사문항이 제시되어 읽고 생각해서 쓰는 것만을 요구하는 필답검사로 분류한다.

(4) 개인지능검사와 집단지능검사

검사를 실시할 때 한 번에 피험자 한 사람을 대상으로 검사를 실시하는 개인지능검사와 한 번에 여러 사람에게 동시에 실시할 수 있도록 구성되어 있는 집단지능검사(육군 α검사와 β검사가 시초)로 구분한다.

(5) 탈문화검사와 문화구속성검사

검사 문항 속에 가능한 한 문화의 내용을 완전히 제거하려는 노력에 의해 제한되어 문항에 그림, 도형, 공간재료 등을 사용한 탈문화검사(culture-free test)와 문화의 내용이 담겨있는 문화구속검사(culture-bound test)로 구분한다. 탈문화검사의 예로는 K-ABC, SOMPA, CAS, CPM 등이 있다.

3. 지능의 구성요인

(1) 스페어만(Spearman, 1927)의 2요인설

지능을 일반적 지적 능력(G요인)과 특수한 지적 능력(S요인)으로 구분하였다. 예를 들어 일반능력은 별로 뛰어 나지 않지만, 그림이나 음악 등에 두드러진 재능을 보이는 경우 특수능력이 있다고 볼 수 있으며, S요인 간에 상관관계는 낮다.

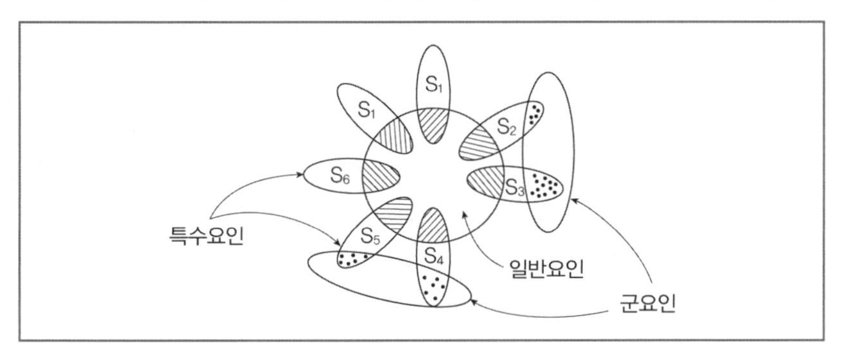

(2) 서어스톤(Thurstone, 1938)의 다(多) 요인설(PMA)

지각속도 요인	같은 숫자 찾기 등
수요인	덧셈, 뺄셈 등 기초적인 산수능력
단어유창성 요인	특정한 단어로 시작되어 일정한 단어로 끝나는 말 나열하기 등
언어요인	단어이해력, 문장 완성력, 동의어, 반의어 등
공간요인	상상능력, 시각화능력 등
기억요인	단순한 정보나 짝 지어진 것의 한쪽을 기억하기 등
추리요인	일반 원칙 찾기 등

(3) 카텔(Cattell, 1963)의 유동적 지능과 결정체적 지능

① 유동적 지능(fluid intelligence)

㉠ 개념

ⓐ 추리, 개념 형성, 추론, 추상성과 같이 정식 훈련과 관계없는 지능이다.

예 귀납적 추리력, 형태 지각의 융통성, 통합능력 등

ⓑ 학교 학습과 밀접한 관련성을 갖지 않으며 어떤 특정한 문화권에 구애를 받지 않는 생득적 요소를 가진다.

㉡ 특징

ⓐ 이 지능은 발달 초기에 정상에 도달한다.

ⓑ 10 ~ 20대에 가장 잘 하는 것으로 나타난다.

ⓒ 환경보다는 유전에 의해 많은 영향을 받는다.

ⓓ 신속하게 반응하고 빠르며 정확하게 계산하는 능력이다.

ⓔ 이 지능의 발달 진도는 15세경에 정점에 달한다.

ⓕ 언어적 개념이나 추상적인 개념, 지식을 이해하는 능력이다.

ⓖ 타고 나는 능력으로 학습에 의한 영향을 받지 않는다.

ⓗ 나이가 들수록 점점 퇴화하다가 70대 이후에는 건강한 사람들도 심각하게 쇠퇴한다.

ⓘ 새로운 환경은 개인에게 부단한 적응력을 요구하는데, 이에 따른 과제해결력이다.

ⓙ 사고의 융통성을 요구하며 새로운 사고 유형, 문제해결 - 학습양식 유형을 탐구할 것을 요구한다.

ⓚ 보다 광범위한 능력으로 자극 간의 관계를 찾아내고 관계 속에서 추론을 이끌어 내고 의미를 파악하는 능력이다.

ⓛ 일련의 숫자나 문자를 기억하고, 복잡한 모양에 끼워 넣은 무늬를 알아내거나 논리적이거나 시각적인 관계를 유추하는 것으로 측정할 수 있다.

② 결정체적 지능(crystallized intelligence)

㉠ 개념

ⓐ 독서, 이해, 어휘, 일반 지식 등과 같이 문화에 의해 학습되고 가치화된 지능이다.

ⓑ 결정체적 지능은 나이가 들어도 감소하지 않는다.

예 어휘력, 문제해결력, 판단력, 분석력, 책임수행력 등

ⓛ 특징

ⓐ 타고난 능력이 아니라 학습, 노력, 교육, 자극에 의해 영향을 받는다.

ⓑ 합리적 판단을 하고 여러 범주에서 유사성을 발견하고 귀납적이며 논리적, 창의적인 사유를 한다.

ⓒ 신속한 반응능력이라기보다는 심사숙고, 사유, 성찰에 의존하며 대체로 시간이 경과하면서 60세까지는 증진, 개발된다.

ⓓ 초기 환경조건에 크게 의존하는 능력으로 문화적 생활환경에의 성장을 통해 얻어지며 학습과 실천에 의해 발달하는 능력이다.

ⓔ 개인이 학습을 계속함에 따라 발달면에서 증대하며 이 구체화된 지능은 연령적으로 30세나 그 이상의 연령층에서 발달이 증진된다.

ⓕ 지식의 누적, 선행 조직과 상위 인지능력과 관련성이 있고 어휘력 검사나 일반적인 정보자료를 측정하는 심리검사도 가능하다.

ⓖ 안정성과 성취력으로 특징 지어지는 인지과업과 관련된 능력이다.

ⓗ 학습을 통해 구체화되는 능력으로, 특히 학업성취의 기초가 된다.

③ 발달곡선: 카텔(Cattell)의 이론을 적용한 혼(Horn)은 10개의 상위 지능을 주장하였는데 이 가운데 전체적 지능(G), 결정체적 지능(Gc), 유동적 지능(Gf)의 발달곡선은 다음과 같다.

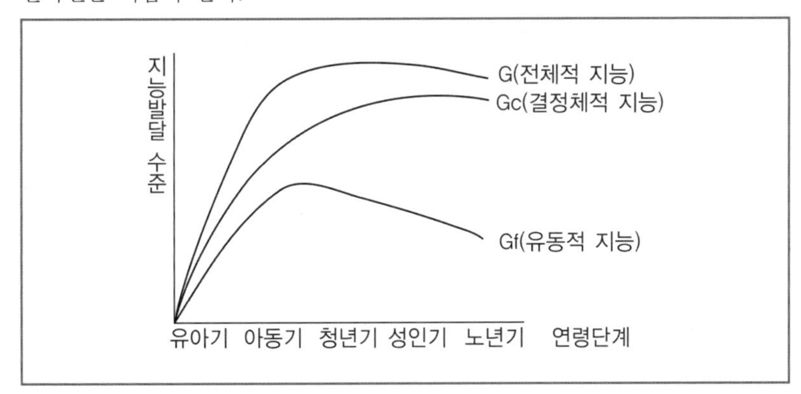

3 최근의 지능이론

1. 길포드(Guilford, 1959, 1988)의 3차원설

(1) 특징

지능을 내용(5개), 조작(6개), 산출(6개)의 3차원으로 구성되며 각 차원의 요소들이 상호작용하여 180개의 지능구조 단위로 구성된다고 보았다(지능의 구조모형, Structure of intellect).

(2) 의의

① 수렴적 사고와 확산적 사고의 개념을 사용함으로써 확산적 사고는 이후 창의성 개념으로 발전하였다.

② 확산적 사고란 인지 혹은 기억된 정보로부터 새롭고 신기하고, 다양하고, 비습관적인 답과 해결책 등을 생성해내는 생산적 사고를 말한다.

③ 지적 능력을 사고력과 기억력으로 구분하고 사고력을 다시 인지적 사고력과 생산적 사고력 및 평가적 사고력으로 구분하였다.

(3) 길포드의 지능의 3차원 모형

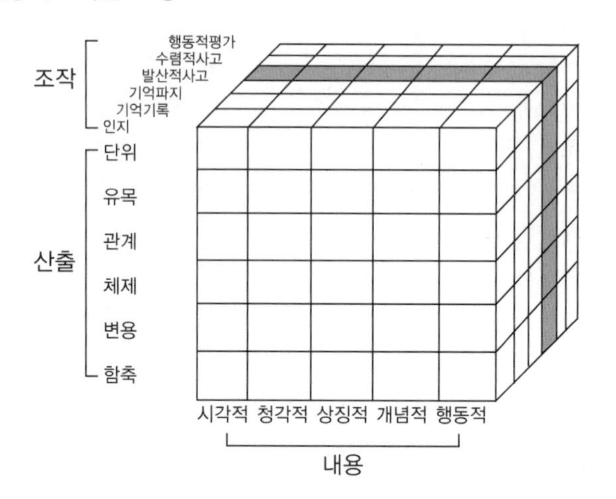

2. 가드너(Gardner)의 다중지능(Multiple Intelligence)

(1) 특징

① 기존의 IQ test의 문제점을 지적하였다. 가드너는 1983년 『정신의 틀: 다중지능이론(Frames of Mind: The Theory of Multiple Intelligences)』이라는 저서에서 지능의 7가지 스펙트럼(spectrum)을 주장하였다.

② 지능은 일반지능과 같은 단일한 능력이 아니라 다수의 능력이 인간의 지능을 구성하고 있으며 이러한 능력들도 상대적 중요성은 동일하다고 가정하였다.

③ 기존의 IQ점수가 함축하고 있는 의미보다 넓은 시각에서 인간의 잠재적 능력을 탐구하는 계기가 되었다.

가드너의 지능

특정 문화권에서 중요한 문제해결능력 혹은 문화적 산물을 창출해내는 능력이다. 문제해결능력이란 문제를 파악한 후 목적을 설정하여 그 목적달성에 가장 적절한 방법을 파악하는 것이고, 문화적 산물이란 지식을 알아내고 전달하며, 다른 사람의 기분이나 관점을 표현하면서 생겨나는 결정체이다.

(2) 유형

① 언어적 지능(Linguistic Intelligence)

㉠ 개념: 단어의 소리, 리듬, 의미에 대한 감수성이나 언어의 다른 기능에 대한 민감성 등과 관련된 능력이다.

㉡ 책을 읽을 때, 말을 듣고 이야기 할 때 사용되는 지능이다.

㉢ 언어적 지능이 높은 사람은 토론 학습시간에 두각을 나타내며, 유머나 말잇기 게임, 낱말 맞추기 등을 잘하거나 같은 글을 써도 사람의 심금을 울리기도 하며, 다양한 단어를 잘 활용함으로 달변가가 많다.

② 논리 - 수학적 지능(Logical-Mathematical Intelligence)

㉠ 기존의 지능에서 핵심적 요인으로 간주되어왔던 것으로, 다중지능에서도 중요한 위치를 차지한다.

㉡ 개념: 논리적 문제나 방정식을 풀어가는 정신적 과정에 관한 능력으로 때에 따라서는 언어 사용이 요구되지 않는 지능이다.

㉢ 수학문제를 풀 때, 세금을 계산할 때, 논리적 문제를 풀 때 사용된다.

㉣ 논리 - 수학적 지능이 높은 사람은 논리적 과정에 대한 문제를 해결하는 능력이 높으며, 추론을 잘 이끌어 내며 차량번호나 전화번호 등도 다른 사람들에 비해 잘 기억한다.

③ 공간적 지능(Spatial Intelligence)

㉠ 개념: 시공간적 세계를 정확하게 인지하고 3차원의 세계를 잘 변형하는 능력이다.

㉡ 한 곳에서 다른 곳으로 이동할 때, 지도를 볼 때, 작은 가방에 많은 물건을 넣어야 할 때 등에 사용된다.

㉢ 예술가나 건축가에게서 볼 수 있는 능력으로 색깔, 선, 모양, 형태, 공간 그리고 이런 요소들 사이의 관계에 대한 민감성과 관련이 깊다.

㉣ 공간적 지능이 높은 사람은 밤하늘의 별을 보고 방향을 잘 찾아내며, 처음 방문한 곳도 다시 찾아가는데 큰 어려움을 느끼지 않는다. 아이디어를 도표, 지도, 그림 등으로 잘 나타내고, 시각적으로 표현하는 디자인, 그림 그리기, 만들기 등을 좋아한다.

④ 신체 - 운동적 지능(Bodily-Kinesthetic Intelligence)

㉠ 개념: 무용, 운동, 조깅 등 표현하거나 목적을 나타내기 위해 자신의 신체를 숙련되게 사용하거나 사물을 능숙하게 다루는 능력이다.

㉡ 가드너의 여러 지능들 가운데 가장 논란이 많이 되는 것으로 자신의 운동, 균형, 민첩성, 태도 등을 조절할 수 있는 능력을 말한다.

㉢ 매직 존슨이나 칼 루이스 등에게 볼 수 있는 능력으로 이들은 몸을 어떻게 움직여야 하고 어떻게 반사적인 행동을 해야하는지에 대한 타고난 감각을 가졌다.

㉣ 신체 - 운동적 지능이 높은 사람은 생각이나 느낌을 글이나 그림보다는 몸동작으로 표현하는 능력이 뛰어나다. 이들은 몸의 균형 감각과 촉각이 다른 사람들에 비해 발달되어 있어 율동을 쉽게 따라 하거나 손재주가 뛰어나다.

⑤ 음악적 지능(Musical Intelligence)

㉠ 개념: 노래를 부를 때, 작곡할 때, 악기 연주할 때, 음악 감상을 할 때 등에 사용되는 능력이다.

㉡ 개개의 음과 음절에 대한 민감성, 음과 음절들을 더 큰 음악적 리듬이나 구조로 결합하는 방법과 음악의 정서적 측면에 대한 이해와 관련된다.

㉢ 음악적 지능이 뛰어난 사람은 소리, 리듬, 진동과 같은 음의 세계에 민감하고, 사람의 목소리와 같은 언어적인 형태의 소리뿐만 아니라 비언어적 소리에도 민감하다. 음악의 형태를 잘 감지하고 음악적 유형을 잘 구별할 뿐만 아니라 다른 음악 형태로 변형시키기도 한다.

㉣ 발자국 소리만 들어도 누가 오는지를 잘 알아내는 사람은 음악적 지능이 높다.

⑥ 대인관계 지능(Interpersonal Intelligence)

㉠ **개념:** 다른 사람들과 교류하고, 이해하며, 그들의 행동을 해석하는 능력을 말한다. 타인의 의도나 심정을 헤아리고자 할 때 사용된다.

㉡ 다른 사람들의 기분, 감정, 의도, 동기 등을 잘 인식하고 구분할 수 있는 능력과 얼굴 표정, 음성, 몸짓 등에 대한 감수성, 대인관계에서 나타나는 다양한 힌트, 신호, 단서, 암시 등을 변별하는 능력, 이들에 효율적으로 대처하는 능력이다.

㉢ 유능한 정치가, 지도자, 또는 성직자들 가운데 대인관계 지능이 높은 사람들이 많다.

⑦ 개인내적 지능(Intrapersonal Intelligence)

㉠ **개념:** 내적 지향의 상호관련적 능력으로 자신에 대한 정확하고 진실된 모델을 형성하는 능력이면서 인생에서 이 모델을 이용해서 현명하게 살아가는 능력을 말한다.

㉡ 자신을 들여다보고 스스로를 다스릴 때 사용된다.

㉢ 개인내적 지능이 높은 사람은 자기 존중감, 자기 향상, 자기가 처한 문제를 해결하기 위해 사용할 수 있는 성격이 강하다.

㉣ 흔히 종교인들에게서 많이 나타난다.

⑧ 자연 탐구적 지능(Naturalist Intelligence)

㉠ **개념:** 최근에 제시된 지능으로, 자연현상에 대한 유형을 규정하고 분류하는 능력을 말한다(『Leading Mind(1995)』에서 제시).

㉡ 자연 탐구적 지능이 높은 사람은 영화에서 나오는 타잔처럼 자연 친화적이고, 동물이나 식물 채집을 좋아하며, 이를 구별하고 분류하는 능력이 높다. 산에 가서도 나뭇잎의 모양이나, 크기, 지형 등에 관심이 많고 이들을 종류대로 잘 분류하기도 한다.

가드너는 위의 8가지 지능 이외에 실존적 지능과 그 밖에 많은 지능이 있을 수 있다고 하였다.

지능	특징	직업유형
언어적 지능	언어의 소리, 단어선택	시인, 언론인
논리-수학적 지능	추리력, 논리력	과학자, 수학자
음악적 지능	음 높이, 음색, 감상력	작곡가, 바이올리니스트
시·공간적 지능	지각 전환 능력	항해사, 조각가
신체-운동적 지능	신체 부분의 통제	운동선수
대인관계 지능	타인 이해 및 관계 맺기	세일즈맨, 정치가
개인내적 지능	자신 이해	종교인, 심리상담가
자연 탐구적 지능	사물 관찰력	곤충학자
실존적(영적) 지능	철학적 사고	심령과학자

가드너의 다중지능의 특징과 직업유형

3. 스텐버그(Sternberg, 1985, 1990)의 삼위일체론(triarchy theory)

(1) 특징

① 종래의 지능이 현실생활과 무관하고, 지적 행동이 관찰되는 상황을 참작하지 않는 실험과제를 중심으로 연구되어 왔음을 지적하고 이를 극복하기 위한 지능 이론을 제시하였다.

② 지적 행동은 사고 전략을 적용하고, 새로운 문제들을 창의적으로 신속하게 처리한 것의 산물이며, 또한 우리의 환경을 선택하고 재형성함에 의해서 주변 상황에 적용한 것의 산물이라고 보았다.

③ 지능은 한 개인이 처한 상황(상황하위론 - 상황적 지능), 그 개인이 특정한 과제를 경험한 정도(경험하위론 - 경험적 지능), 그 과제에 대한 인지적 처리 방식(요소하위론 - 구성 요소적 지능)을 종합적으로 고려해야 한다.

(2) 3차원 지능모형

① 상황적 지능(실용적 지능)

㉠ 실제적 지식(practical knowledge)으로 학교교육을 통해 습득되는 것이 아니라 세상과 더불어 습득되어 가는 모든 정보를 포함한다.

㉡ 개념: 환경에 적응하고 기회를 최적화하는 능력을 말한다.

㉢ 구체적 상황에서 문제를 해결하는 개인의 능력을 다룬다.

② 경험적 지능(창의적 지능)

㉠ 개념: 새로운 생각들을 형성하고 관련되어 있지 않은 사실들을 조직하여 새로운 문제를 재빨리 해결하는 능력을 말한다.

㉡ 경험적 지능 검사는 자동적으로 신기한 과제를 다루는 한 개인의 능력을 측정한다.

㉢ 정보처리의 자동화나 실제에서 정보처리 효율성의 증가를 반영한다.

③ 구성 요소적 지능(분석적 지능)

㉠ 개념: 정보를 추상적으로 사고하고 무엇이 필요하게 될지를 결정하는 능력이다.

㉡ 정보를 습득, 저장하고 정보를 파지 또는 재생, 변환, 계획, 의사결정, 문제해결 전략을 수행하거나 생각들을 결정하고 행동하기 위해 사용하는 것을 포함한다(정보 처리적 지능).

㉢ 구성 요소적 지능의 요소들을 측정하도록 사용될 수 있는 과제들은 유추(analogies), 어휘(vocabulary), 삼단논법(syllogisms)이다.

④ 의의: 구성적 지능은 개인의 내적인 세계와 관련된 것이고, 경험적 지능은 개인의 내적인 세계와 외적인 세계와 관련되고, 상황적 지능은 개인의 외적인 세계와 관련시키는 것을 설명한다.

(3) 성공지능(SI)

① 스텐버그는 분석적 지능(AI, 구성 요소적 지능), 창의적 지능(CI, 경험적 지능), 실천적 지능(PI, 상황적 지능)을 기초로 성공지능 모형을 제시하였다.

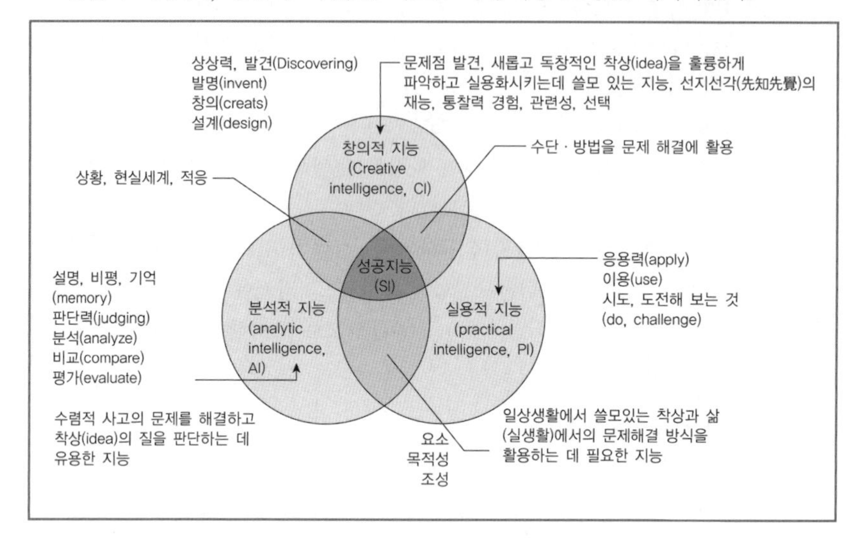

② 특징

㉠ 중요한 목표를 달성하기 위해 사용되는 지능이다.

㉡ 삶에서 숭고한 목표를 달성하는 데 필요한 지능이다.

㉢ 당사자는 물론이고 그 주위 사람들까지 변화시키는 능력이다.

㉣ 사업적 감각(business sense)과 관련된 능력이다.

㉤ 미래의 성공지능을 예측하는 가장 좋은 지표는 과거의 성공지능이다.

㉥ 경험에서 배우는 능력과 주위 환경에의 적응능력은 비활성 지능보다는 성공지능과 기능상 더 가깝다. 즉 상위인지에 대하여 개인이 발휘하는 능력과 관련이 깊다.

㉦ 성공지능에 필요한 정신적 능력은 문화권, 직종에 따라 달라진다.

㉧ 분석적, 창의적, 실용적이라는 세 측면의 생각을 잘 해내고 활용하는 능력이며 이 세 측면의 지능이 조화를 이룰 때 그리고 필요한 시기와 활용 방법을 알고 잘 선택할 때 가장 효과적이다.

㉨ 성공지능은 정적이기보다는 동적(動的)이며 모든 능력과 관련된 것이 아니라 어느 특정 분야에 한정되기도 한다.

㉩ 단순한 인지적 능력만을 의미하는 것이 아니라 인생을 살아가는 방법에 대한 반성적인 태도를 포함한다.

㉪ 사회·문화적 상황 속에서 개인적인 기준에 따라 성공적인 삶을 획득, 실현하는 능력이다.

㉫ 자신이 살고 있는 환경에 더 잘 맞도록 사고나 행동을 조절하거나 새로운 환경을 선택하여 환경에 적응하고, 환경을 조성, 선택하는 능력의 결합이다.

4 지능의 유전·환경설, 지능과 성차, 지능과 창의성

1. 지능의 유전·환경설

(1) 유전적 요인

① 초기에는 뇌의 크기, 중량 등을 비교하였다.

② 1969년 젠센(A. R. Jensen)이 지능은 유전적인 요인이 80%, 환경적인 요인이 15%라고 보고함으로써 지금까지의 보상교육은 큰 교육적 효과를 거두기가 어려운 것으로 보고하였다.

참고 젠센은 1977년에 이 이론을 유전 65%, 환경 28%, 유전환경 7%로 수정하였다.

③ 헤른스타인(R. Herrnstein)은 경제적 부와 사회적 지위는 IQ에 의해 결정되며 IQ는 유전적으로 결정되므로 경제적 지위, 사회적 지위는 한 세대에서 다음 세대로 이전된다고 말하였다.

④ 쌍생아는 비록 다른 환경에서 자랐더라도 IQ의 유사도가 높다고 본다.

⑤ 양자로 간 아이가 실부모(實父母)의 지능을 닮는가, 양부모의 지능을 닮는가를 연구하여 실부모를 닮는 비율이 높다고 보았다.

(2) 환경적인 요인

① 지능에 미치는 환경적인 요인에는 분만 손상, 쌍생아, 조산(早産), 산모의 영양 조건, 가족구조 등이 있다. 쌍생아와 조산은 정상아보다 지능이 낮다.

② 1972년 젠크스(Jenks)는 유전적인 요인이 25%, 유전환경 공동요인이 20%, 가족 간 변량이 20%, 가정 내 변량이 15%라고 보고하였다. 보울스와 진티스(Bowles & Gintis) 등은 특정 직업에서의 성공은 인지적 요인, 즉 IQ가 정하는 것이 아니라 개인의 비인지적 특성, 즉 동기, 권위에 대한 태도, 훈련, 직업 규범의 내면화 등에 의해 결정된다고 보았다.

③ 왓슨(Watson)을 비롯한 행동주의자들도 지능의 환경결정론을 주장하였다.

④ 지능에 대한 환경적 영향의 증거로 쌍생아의 연구결과가 있다. 즉 쌍생아의 지능이 완전한 상관을 보이지 않는 것은 환경의 영향도 작용한다는 증거이다.

⑤ 블룸(Bloom)은 어릴 때의 문화적 결손이 성장 후의 결손보다 훨씬 큰 영향을 미친다는 증거를 제시하면서 지능발달에 미치는 환경의 영향은 어릴 때일수록 더 크다고 주장하였다. 그는 지능발달을 촉진시키는 환경적 조건으로 다음과 같은 4가지(언어자극, 문화적 기회, 지적 환경, 친자 관계)를 제시하였다.

언어자극	언어의 효과적인 사용과 언어능력의 신장을 자극하는 환경
문화적 기회	환경 속의 문화적 요소에 대한 직접적 경험과 독서 등을 통한 간접적 경험의 기회가 풍부하게 주어지는 환경
지적 환경	생활 장면에서 여러 가지 문제를 정확하게 사고하도록 자극하고 자발적으로 해결해나가도록 격려하는 지적 환경
친자관계	성취동기의 고취, 언어적 시범, 탐구에 대한 자극 등 지능발달을 촉진하게 하는 친자관계

2. 지능의 해석

(1) 지능은 고정적, 유전적이고 인간을 위계화시킬 수 있으며 이것이 인간의 성공, 사회계층 신분을 결정한다.

(2) 지능은 단지 인간이 지닌 지적 능력의 대략적인 측정치일 뿐 고정적인 것이 아니고 환경에 의해 개발, 발달할 수 있다.

3. 지능과 창의성의 관계

(1) 창의성의 특징

유창성, 융통성, 독창성, 높은 감수성이 특징이다.

(2) 지능, 창의성, 학업성취도의 비교[게젤스와 잭슨(Getzels & Jackson)]

구분	전체집단	고(高)지능집단	고(高)창의력집단
IQ	132	150	127
학업성취도	50	55	56
성취동기	50	49	50
교사평정	10.2	11.2	10.5

① 창의성은 학업성취도와 밀접한 관련을 맺고 있다. 즉 학교 학습은 지능에 의해서만 좌우되는 것이 아니라 창의성에 의해서도 좌우된다.

② 고(高) 지능집단과 고(高) 창의력집단의 지능 차이는 현저하나 그들의 학업성취도는 동등하다. 이는 전체 집단의 평균에 비해 월등히 높게 나타난다.

③ 고 지능집단과 고 창의력집단의 성취동기에는 큰 차이가 없다.

④ 교사는 일반적으로 창의성이 높은 학생보다는 지능이 높은 학생들을 선호하는 경향이 있다.

4. 최근 지능을 보는 관점

(1) 인간주의적 관점에서 인간의 다양한 특성으로 이해하고 개발하려는 관점이다.
예 비네(Binet)

(2) 계급적, 차별주의적 혹은 귀족주의적 시각에서 지적 열등자를 가려내서 불임 수술, 이민제한, 사회적 지위 획득에 이용하려는 관점이다.

(3) 미국에서 지능검사는 상업적으로 발전되어 학교, 기업체 등에 널리 퍼져 지능이 거의 모든 직업영역에서 작동한다고 생각했다.

5. 최근 지능에 대한 연구 경향

(1) 지능의 특성 또는 지능의 산출물에 관한 연구보다는 지능발달을 이해하기 위한 사고과정 연구에 관심을 더 가진다.

(2) 지능의 개념에 정서적 측면과 의지적 측면을 포함시켜 개념을 확장하고 있다.

(3) 인간 지능을 상황적으로 이해하려고 시도한다.

(4) 지능 그 자체에 대한 연구보다 학업성취에 대한 연구, 특히 특정 영역에서의 지식의 습득, 조직화, 사용에 대한 연구로 전환하고 있다.

(5) 지능에서 사회적 지능[워커와 폴리(Walker & Foley), 캔터와 킬스트롬(Cantor & Kihlstrom)], 실제적 지능[스텐버그와 와그너(Sternberg & Wanger)], 다중지능에서의 인간적 지능[Human intelligence, 가드너(Gardner)] 등과 같은 비학업적 지능(non-academic intelligence)에 대한 관심이 커지고 있다.

秀 POINT 플린 효과(Flynn Effect)

세대가 반복될수록 지능검사 점수가 높아지는 현상을 말한다. 이는 IQ검사가 학교교육에 필요한 능력, 특히 읽고 쓰고 셈하는 능력을 주로 측정하고 농경사회에 비해 산업사회 이후 생활환경에서 쓰거나 읽거나 셈하는 것과 같은 과제가 늘어난 데 원인이 있다. 최근에는 인터넷과 컴퓨터 게임 등은 이런 현상을 더욱 부채질하고 있다. 그러나 반드시 이전 세대에 비해 새로운 세대가 더 똑똑해지고 있다는 의미는 아니다.

5 감성지능(EQ)

1. 역사

(1) 1990년 하버드 대학의 셀로비(Salovey)와 뉴햄프셔 대학의 마이어(Mayer)가 처음 사용하였다.

(2) 그 후 1995년 골만(Goleman)이 『Emotional Intelligence』라는 책을 출간하였으며 많은 사람들이 관심을 가졌다.

2. 의의

(1) 셀로비와 마이어는 "감성지능은 감정을 정확히 지각하고 표현하는 능력, 감정을 생성하거나 이용하여 사고를 촉진시키는 능력, 감정과 감정지식을 이해하는 능력, 감정발달과 지력 발달을 촉진시키기 위하여 감정을 조절하는 능력"이라고 정의하였다.

(2) 감성지능은 어떤 일을 할 때 많은 여유를 제공한다. 감성적으로 뛰어난 사람은 자신의 감정을 잘 알고 조절할 수 있으며 다른 사람의 감정을 잘 읽어낸다. 또한 그러한 사람은 다른 사람과의 친밀한 관계를 형성하거나 조직의 성공을 결정하는 규칙들을 알아내고 자신의 삶을 만족스럽게 만들 수 있으며, 자신의 생산성을 기르는 마음을 가진다.

3. 감성지능을 결정하는 5가지 능력

(1) 자신의 감정을 정확하게 파악하는 자기인지력

지금 자기 자신이 어떤 기분이고 어떤 감정인지를 정확하고 냉정하게 주시하거나 하나의 자기 자신을 만들어 두고 그 목소리에 귀 기울임으로써 자신의 감정을 정확히 확인하는 능력이다.

(2) 분노나 욕구 등의 충동을 조절할 수 있는 자제력과 인내력

마음 속의 불안이나 분노와 같은 스트레스의 원인이 되는 감정들을 조절하는 능력으로 자신의 진짜 감정을 정확히 지각하고 그 감정이나 기분을 소중히 처리할 수 있는 충분히 납득할 만한 결단을 내리는 능력이다.

(3) 타인의 감정을 헤아리고 파악할 수 있는 공감력

상대방의 마음이 내보내고 있는 다양한 사인을 민감하게 헤아려서 상대방의 마음을 배려한 말과 행동을 하는 능력이다.

(4) 문제를 일으키지 않고 관계를 잘 유지하는 사회적 능력

상대방의 말에 친절하게 귀 기울이고 잘못된 점이 있으면 그 사람의 감정이 상하지 않도록 논리적으로 설명하거나 상대방이 강력하게 주장하며 한 발자국도 양보하지 않는다면 할 수 있는 한 부드럽게 다른 관점을 제시하여 해결점을 발견하도록 하는 능력이다.

(5) 사물의 긍정적인 면에 주목하는 플러스 지향의 능력

어떤 상황에서도 약해지거나 기죽지 않고 어떻게든 될 것이라는 플러스 지향으로 자신을 위로하며 적극적으로 목표를 향해 나아가고자 하는 능력이다.

기출문제

지능에 대한 설명으로 옳지 않은 것은? 2020년 국가직 9급

① 서스톤(Thurstone) - 지능의 구성요인으로 7개의 기본정신능력이 존재한다.
② 길포드(Guilford) - 지능은 내용, 산출, 조작(operation)의 세 차원으로 구성되어 있다.
③ 가드너(Gardner) - 8개의 독립적인 지능이 존재하며, 각각의 지능의 가치는 문화나 시대에 따라 달라진다.
④ 스턴버그(Sternberg) - 지능은 유동적 지능과 결정적 지능으로 구성되며 결정적 지능은 경험에 따라 변할 수 있다.

해설

지능을 유동적 지능과 결정적 지능으로 구분한 사람은 카텔(Cattell)이다. 이 가운데 유동적 지능은 경험과는 무관하게 선천적으로 결정되며, 결정적 지능은 20세 이후에 발달되며 학습이나 경험에 영향을 받는다.

답 ④

6 창의성

1. 개념

(1) 길포드(Guilford)

새롭고 신기한 것을 낳는 힘을 의미한다.

(2) 테일러(Taylor)

생산적 사고와 창조적 사고를 표현하는 복잡한 심리적 과정으로서 인내성과 성취, 변화, 개선을 추구하는 태도 그리고 아주 큰 소신을 낳게 하는 정열을 말한다.

(3) 기셀린(Ghiselin)

열반(涅槃, nirvana)과 같이 정형이 없다. 창조적 과정은 자유의 상태가 전제되어야 하며 숙달된 이해력이 작용하고 그 후 기능이 작용하므로 혼란에서 행동으로 질서가 세워지며 전통적인 것에서 새로운 것으로 바뀌는 것이다.

(4) 클로플리(Cropley, 1999)

연관성이 있고 효과적인 새로운 사고를 생산하는 것을 의미한다.

(5) 칙센트미하이와 울프(Csikszentmihalyi & Wolfe, 2000)

독창적이고 가치가 있으며 실천할 수 있는 사고 혹은 산출물이다.

2. 창의성에 대한 학설

(1) 요인설

① 길포드(Guilford)의 창의적 사고 요인설

㉠ 문제에 대한 감수성(sensivity)

㉡ **사고의 유창성(fluency)**: 어휘, 관념, 연상, 표현 등에서 여러 가지 관점이나 해결안을 빠르게 떠올리는 능력을 말한다.

예 두 개의 원을 사용하여 만들 수 있는 것들을 가능한 한 많이 생각하기

㉢ **사고의 융통성(flexibility)**: 자발적, 적응적 융통성으로 주어진 문제 사태를 해결하기 위해 틀에 막힌 사고방식이나 시각으로부터 벗어나 다양한 해결책을 찾아내는 능력을 말한다.

예 무거운 물건을 나르고자 할 때 해결할 수 있는 다양한 방법 찾기

㉣ **사고의 독창성(originality)**: 비범성, 원격연합, 기교성 등 고정관념으로부터 탈피하여 스스로 새로운 점을 찾아보려는 성향을 의미한다.

예 미래의 교통수단이 될 배낭 크기만한 1인용 제트 비행기를 구상해냄

㉤ **집요성(persistency)**: 찾고자 하는 새로운 아이디어를 얻을 때까지 또는 주어진 과제를 해결할 때까지 다각적으로 생각하면서 끈기 있게 노력하는 성향을 의미한다.

② **테일러(Tailor)와 홀랜드(Holland)의 3요인설**: 이 가운데 인성요인이 창의성 발현에 특히 중요하다고 보았다.

지적요인	기억, 인지, 평가, 수렴적 사고 및 확산적 사고
동기요인	용기, 일에 대한 헌신과 열정, 풍부한 전략, 현상을 질서정연하게 정리하고 무엇인가 발견해 내려는 열망
인성요인	독립심, 자부심, 불확실한 문제에 매달리는 인내심, 직업에 대해 가지는 자신감

③ **칙센트미하이와 울프(Csikszentmihalyi & Wolfe)**: 창의성의 독창성은 특정 아이디어나 산출물이 사회·문화 속에서 가치를 인정받고, 실현 가능해야 한다.

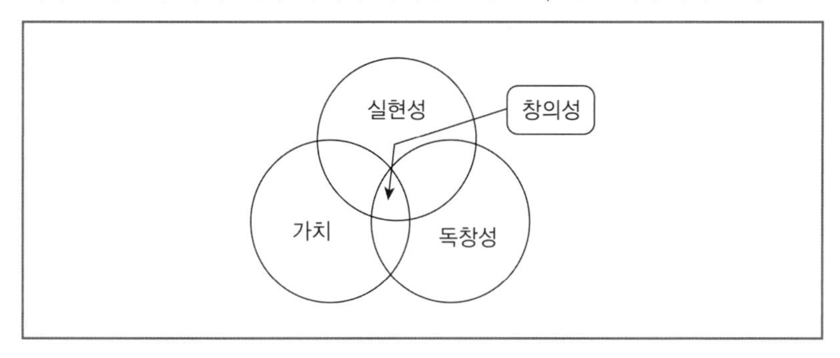

④ 우반(Urban)의 창의성 구성요소 모형

㉠ 개인적 성향

과제집착력과 집중력	주제, 대상, 상황, 산출물에 집중하는 능력, 안정적 속도, 지구력, 집착력, 열정 등
동기유발	새로움에 대한 필요성, 호기심, 지식과 탐구에 대한 욕구, 의사소통, 자기실현화, 헌신, 책무감, 외적 동기 등
개방성과 모호함에 대한 인내	실험하는 것, 즐기는 것, 위험감수에 대한 적극성, 비추종성, 자율성, 유머, 여행하거나 여유를 가지는 것 등

㉡ 인지적 요소

발산적 사고력	독창성, 정교성, 재구성력, 재조직력, 유창성, 융통성, 문제민감성 등
일반 지식과 사고력	메타인지, 비판적 사고력, 논리적 사고력, 분석적 사고력, 종합력, 기억 연결력, 포괄적 견해 등
특수영역의 지식과 기능	영역별 지식과 기능, 전문성 등

(2) 스텐버그(Sternberg)와 루버트(Lubart)의 투자이론

① 특징

㉠ 창의적인 사람은 생각의 영역에서 '싸게 사서 비싸게 파는' 행위를 한다. 즉, 매우 가치 있다고 여겨지는 결과물을 생산하고, 현재 비싸게 팔 수 있으며, 이어서 성장 잠재력을 가진 새로운 혹은 인기 없는 생각으로 이동한다.

㉡ 창의성을 중다요인으로 보며 다양한 인지적, 개인적, 동기적 그리고 환경적 자원들이 결합되어 창의적인 문제해결을 향상시킨다고 본다.

㉢ 스텐버그는 창의적인 사람들의 인성적 특성으로 모호한 것에 대한 인내, 장애물을 극복하려는 의지, 성장하고자 하는 의지, 내적 동기, 적절한 모험심, 인정받고자 하는 욕구, 인정받기 위해 일 하고자 하는 의지 등을 들었다.

② 창의성의 6가지 요인

㉠ **지적인 자원들**: 오래된 문제들을 새로운 방식으로 해결하거나 이해하기 위해 새로운 문제들을 찾아내는 능력, 추구할 만한 가치가 있는지의 여부를 결정하기 위해 자신의 생각들을 평가하는 능력, 새로운 생각들을 충분히 발달시키는데 요구될 수 있는 지지를 얻기 위해 새로운 생각들의 가치를 다른 사람에게 팔 수 있는 능력

㉡ **지식**: 자신이 선택한 분야의 현재 상태에 익숙하기

㉢ **인지 스타일**: 자신이 선택한 것에 관하여 새롭고 발산적인 방식으로 사고하는 것을 선호하는 경향성

㉣ **동기**: 자신이 성취하려는 분야에 대한 열정, 일 자체에 대한 관심

㉤ **지지적 환경**: 재능과 동기를 육성하고 성취에 대해 보상해 주는 환경

㉥ **성격**: 발생하기 쉬운 위험을 받아들이고, 불확실성 혹은 모호성에 직면하여 견뎌내며, 군중을 의식하지 않는 자기 확신을 갖는 자발성

3. 창의성 개발 방법

(1) 브레인스토밍(brainstorming)

① **개념**: 일상적인 사고방식대로가 아니라 제멋대로 거침없이 생각하도록 격려함으로써 좀더 다양하고 폭넓은 사고를 통하여 새롭고 우수한 아이디어를 얻고자 하는 방법이다[오스본(Osborn)이 시도].

② 기본원칙

㉠ **평가의 금지(보류)**: 타인의 의견 또는 자신의 의견을 성급하게 판단하거나 비판하는 일을 금지 또는 보류한다.

㉡ **양산(量産)**: 양은 질을 수반하므로 질을 따지지 말고 양을 늘리도록 한다.

㉢ **자유분방한 사고**: 심리적, 정신적 모든 억압과 속박을 벗어버리고 완전 자유와 최대한 허용적인 분위기 속에서 종횡무진으로 사고력을 구사해서 사고의 폭을 넓힌다.

㉣ **결합과 개선**: 기존의 아이디어를 결합하여 재구성하거나 개선한다.

예 교사는 학생들에게 "인간이 무인도에 표류했을 때 절대적으로 필요한 것은 무엇인가?"를 물으면 학생들은 가능한 한 답을 계속적으로 제시한다. 처음에는 발표 없이 답을 수집해 본 뒤, 집단토론을 통해 제시된 것을 평가하고 토론하여 의견을 수정하거나 기각한다. 이 방법은 토론을 자극하고 좀 더 자유롭게 더 많은 학생들이 참여할 수 있는 장점이 있다.

(2) 유추(analogy)

① **개념**: 고든(Gordon)이 개발한 방법으로 사고를 연계의 과정으로 보고 이를 이룩하는 심리적 상태를 4단계로 제시하였다. 유추(類推)적 사고란 사고를 연계의 과정으로 보는 것을 말한다.

② 유추의 4단계

단계	내용
이탈(detachment)	문제를 그 상황에서 떼어놓고 멀리서 통찰하는 과정이다.
거치(deferment)	처음에 얻은 해결책에 일시적인 저항을 느끼면서 잠시 두고 보는 마음의 상태이다.
성찰(speculation)	해결책을 찾기 위해 마음을 자유롭게 하는 과정이다.
자율(autonomy of the object)	해결책이 구체화되는 과정이다.

③ 유형

㉠ **대인 유추**: 학습자로 하여금 역할극을 통해 타인의 입장, 감정을 느끼게 한다.

㉡ **직접 유추**: 지극히 모순된 것 같은 두 현상을 제시해 주고 그것을 직접 비교하게 한다.

㉢ **상징적 유추**: 이미 잘 알고 있는 어떤 것을 우리가 전혀 겪어 보지 못한 어떤 다른 것에 비교한다.

㉣ **환상적 유추**: 정신분석학에서 말하는 소원 성취의 한 형태이다.

秀 POINT 유추(類推, analogy)

유사성에 의한 추리로서 학습, 과학적 발견, 창의적 사고에서 중심적인 역할을 하는 인간 인지의 가장 기본적인 양상 가운데 하나이다. 문제들 간의 표면적인 유사성을 넘어 보다 심층적인 유사성 관계를 인식하는 능력은 어느 분야에서나 전문가와 초보자를 구별하는 중요한 특징이다. 최근에는 유추의 이런 중요성을 인식하여 예시에 의한 학습, 개념구조의 본질, 창의적 문제해결, 인공지능과 같은 다양한 영역에서 유추에 초점을 맞추고 있다. 가령 '손:장갑 = 발:?(구두, 농구)'은 언어유추문항의 한 예이다. 수업 시간에 대도시의 교통 흐름에 대한 이해를 돕기 위해 반 학생들에게 강과 하천의 흐름에 대한 영상을 보여 주며 설명하는 것도 유추능력을 활용하는 수업의 한 예이다.

(3) 체크리스트 법(idea checklist)

① **개념**: 기존의 형태나 아이디어를 다양하게 변형시키는 발상법으로 SCAMPER 법이라고도 한다.

② **시사점**: 이 방법은 아래와 같은 문제들에 대해 구체적인 방향을 시사해준다.

㉠ 동일한 목적을 달성할 수 있는 또 다른 수단은 무엇인가?

㉡ 동일한 수단으로 또 다른 어떤 목적을 만족시킬 수 있는가?

㉢ 현상을 변화시킬 수 있는 방법에는 어떤 것이 있는가?

㉣ 어떻게 하면 보다 능률적으로 새로운 결합을 시도할 수 있는가? 등

③ SCAMPER의 구성 요소

Substitute	어떤 일정한 기존의 장소, 방법, 내용, 색깔, 소리 등을 다른 것으로 대체 및 대체하는 방안을 생각한다.
Combine	유사한 것, 상이한 것을 서로 결합, 혼합하면 어떨까를 생각한다.
Adapt	어떤 형태나 원리, 방법을 다른 분야에 적용하면 어떨까를 생각한다.
Modify	의미, 색깔, 운동, 소리, 냄새, 형태 등을 약간 고쳐서 변화를 주면 어떨까를 생각한다.
Magnify	어떤 형태나 아이디어를 크게 또는 조금 확대하면 어떨까를 생각한다.
Put to other uses	어떤 사물이나 아이디어를 다른 방법으로 쓰는 방안을 생각한다.
Elimination	어떤 부분을 삭제, 소거시키면 어떨지를 생각한다.
Rearrange	순서나 배치를 달리하면 어떨지를 생각한다.
Reverse	전후좌우, 안과 밖, 대소, 노소 등 형태, 순서, 방법, 아이디어를 거꾸로 뒤집으면 어떨까를 생각한다.

(4) PMI법(Plus, Minus, Interesting Point)

① **개념**: 드 보노(De Bono)가 개발한 것으로 '인지사고 프로그램'(CoRT Thinking Program) 속의 사고기법이다.

② 어떤 아이디어나 제안을 다룰 때 열린 마음의 태도로 다루게 하기 위하여 의도적으로 사용되는 방법이다.

③ 결정을 억누르는 것이 아니라 긍정적 측면, 부정적 측면, 흥미 있는 측면 등으로 대안의 모든 측면들을 고려해본 다음에 결정하도록 한다.
④ 어떤 문제 장면에 대한 시야를 넓혀 준다. 훈련 대상은 어린이에서 성인까지, 지능이 낮은 사람에서 영재아에 이르기까지 광범위하다.

(5) 속성열거법(Attribute Listing)

크로포드(R. P. Crawford)가 발전시킨 방법으로 먼저 주어진 문제나 개선을 필요로 하는 물건의 다양한 속성을 목록으로 작성한다. 그리고 나서 각각의 세분된 속성에 주의를 환기하고 그 속성들을 그 문제의 모든 부분을 볼 체크리스트로서 이용한다.

(6) 브레인 라이팅(Brain Writing)

① 개념: 문제해결(problem solving)을 위한 아이디어(idea)나 질문에 대한 참가자의 의견을 카드에 직접 작성하고 진행자가 카드를 수집하여 게시판 등에 정리하는 아이디어 수집방법으로 브레인스토밍(brainstorming)의 변형이다.
② 장점
㉠ 진행하는 동안 교육 참가자의 관심을 계속적으로 토론과정에 집중시킬 수 있다.
㉡ 전체 참가자의 다양한 견해를 모두 게시판에 집합, 전시할 수 있다.
㉢ 어떠한 문제해결에 대한 참신한 아이디어를 발굴할 수 있다.
㉣ 발표력이 부족하여 침묵하는 다수의 의견을 이끌어 낼 수 있다.
㉤ 어느 정도 익명성이 보장되어 말로 표현하기 어려운 사항 등이 감추어진 의견이 제시되어 활발한 토론이 제기될 수 있다.
㉥ 학습결과물을 보존·전시하여 교육 자료로 활용할 수 있다.

(7) 육색 사고모자(Six Thinking Hats)

① 개념
㉠ 영국의 드 보노(Edward De Bono)에 의해 고안된 방법으로 학습자들이 서로 다른 사고의 유형을 의미하는 6가지 각기 다른 색으로 만들어진 모자를 쓰고 자신이 쓰고 있는 모자의 색깔이 표상하는 유형의 사고를 하는 것을 말한다.
㉡ 측면적(수평적)사고를 하게 하며, 감정적, 객관적, 긍정적 측면 등의 사고를 한번에 한 가지씩 할 수 있도록 하는 방법이다.
② 6가지 색깔의 사고 모자 내용

흰색 모자	순수함, 순수한 사실과 수치 및 정보
녹색 모자	풍요로움, 창조적, 씨앗의 발아, 변화와 자극
빨간색 모자	붉게 보임, 감정과 느낌, 직관과 육감
검은색 모자	악마의 대변인, 부정적 판단, 시행 불가능한 이유
노란색 모자	햇빛, 밝음과 낙천주의, 긍정적이고 건설적 사고
파란색 모자	통제와 냉정, 오케스트라의 지휘자, 사고에 대한 사고

(8) 마인드 맵(Mind-Map)

① 개념

㉠ 영국의 심리학자인 부잔(Buzan)이 발전시킨 노트방법으로, 중심 이미지(central image), 핵심어(key word), 색, 부호, 상징기호 등을 사용하여 머리 속에 지도를 그리듯이 노트를 하는 방법이다.

㉡ 읽고 생각하고 분석하고 기억하는 모든 것을 마음속에 지도를 그리듯 한다는 의미로 사고와 기억의 원천지인 두뇌의 기능을 정확히 파악한 후 그 기능을 효과적으로 활용할 수 있도록 고안된 기법이다.

② 주요 요소

조직화	두뇌는 기억하고 있는 모든 자료에 주관적인 조직화를 부여하며, 자료가 서로 무선적인 경우에 회상에 도움이 된다.
핵심어	핵심어 노트는 문장식의 노트보다 훨씬 효과적이다.
연상	단어와 아이디어 및 그림을 따로 따로 암송하는 경우보다 연상하여 암송하는 경우 회상이 더 잘 된다.
묶기	마인드 맵은 중심 이미지를 뚜렷하게 할 뿐만 아니라 그 중심 이미지에서 여러 개의 주(主)가지로 나가고 이 주가지에서 부가지(sub-branch)로, 그리고 부가지에서 세부가지로 계속해서 나간다.
시각적 이미지	시각적 이미지는 단어보다 훨씬 더 회상이 잘 된다. 마인드 맵은 교재내용을 시각적으로 정리하여 여러 요소들 간의 관계를 시각적 이미지로 제시하므로 기억효과를 한층 높여준다.
특이함	정보가 어떤 방식으로든 특이할 경우 기억이 잘 된다.
의식적인 몰두	학생들이 노트하기 과정에 적극적이고 의식적으로 참여할수록 노트하기의 효과는 크게 나타난다.

③ 장점

㉠ 두뇌에 숨어 있는 잠재적 가능성을 쉽게 이끌어 낸다.

㉡ 신속하게 시작하고, 짧은 시간 동안 많은 아이디어를 발상해내게 한다.

㉢ 핵심 단어는 한 부분에 단어를 첨가하고 다른 부분으로 건너뜀으로써 새로운 아이디어를 이끌어 낼 수 있는 기회를 제공한다.

㉣ 우뇌·좌뇌의 두뇌 전체를 활발히 움직이게 한다.

㉤ 창조성과 자발성을 활발하게 함과 동시에 논리적인 순서나 세부사항에도 관여해 정리·체계화를 가능하게 한다.

㉥ 작은 공간에 많은 양의 정보를 표현할 수 있다.

㉦ 상세도(세부도)와 조감도(전체도)의 양쪽 특성을 가진 '마음의 길잡이'가 되어 명확한 시점을 갖는 두뇌지도를 갖게 할 것이다.

㉧ 전체 내용의 상을 보다 선명하게 기억하는 것을 쉽게 한다.

㉨ 색·중심 이미지·핵심 단어 등 마인드 맵의 3가지 중심 요소는 문장과 비교해 훨씬 머리에 쉽게 들어오게 된다.

㉩ 요점 정리보다 스스로 즐길 수 있는 특색이 있다.

㉪ 발전단계에서 보다 풍부한 상상력을 작용하게 하거나 유머를 이끌어 내어 생생하게 할 수 있다.

④ 활용

㉠ 두뇌가 쉽게 동화하고 기억할 수 있는 형태로 정보를 조직하게 해준다. 따라서 학생들이 노트정리나 시험공부를 할 때 이용할 수 있다.

㉡ 정보가 기억에 떠오를 때마다 떠오른 아이디어를 조직적인 방식으로 신속하게 정리할 수 있다.

㉢ 방사적으로 연상을 하기 때문에 이전에는 생각하지 못했던 새로운 아이디어가 연상되어 창의적인 아이디어 도출에 용이하다.

㉣ 개인적으로든 집단에서든 브레인스토밍을 하는 데 도움이 된다. 학생들이 어떤 문제에 대한 해결책을 찾으려 할 경우 기본적인 문제를 중심에 두고 다양한 아이디어를 연상해낼 수 있다.

㉤ 교사가 수업을 시작할 때 마인드 맵을 제시함으로써 학생들은 본시에 공부할 내용을 한 눈에 파악할 수 있다.

㉥ 마인드 맵을 이용하여 수업을 할 경우 교사는 수업 주제에서 벗어나지 않고 지금 자신이 어디를 설명하고 있는지를 쉽게 알 수 있다.

⑤ 마인드맵 활용 예시 - 제주도 여행에 대한 마인드 맵

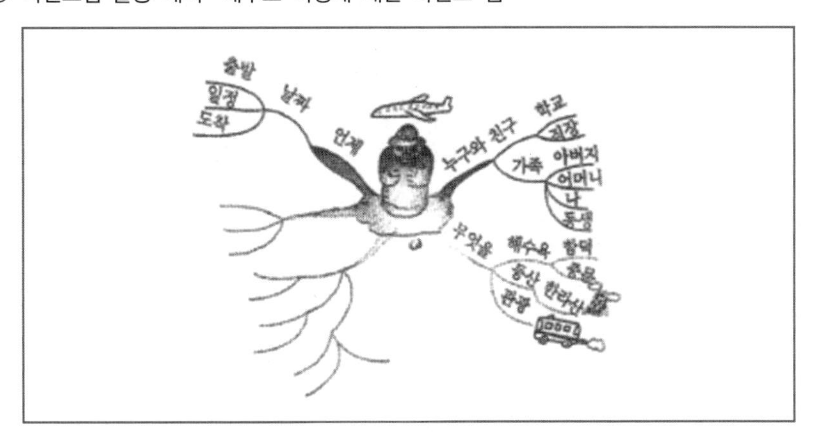

4. 창의성의 개발

(1) 창의성 개발을 억제하는 학교 환경

① 학생의 이상한 질문이나 답에 대한 교사의 부정적 태도

② 전통적으로 강조해온 비판적, 수렴적 사고력

③ 입시 위주의 단순기억, 재생에 의존하는 교수방법

④ 창의력에 대한 교사들의 인식 부족

(2) 창의력을 개발하기 위한 교육체제

① 창의성 개발을 위한 교수 - 학습 방법

㉠ 호기심과 흥미를 자극하고 지속시킨다.

㉡ 학생들이 새로운 사고를 추구하도록 내적 동기를 불러일으키는 외적 보상을 제공한다.

㉢ 학생들이 도전적인 상황에 처하더라도 포기하지 않도록 한다.

㉣ 학생 개인적 성향을 존중하여 새로운 사고를 발현하도록 격려한다.

② 창의성 개발을 위한 교사의 역할[토렌스(Torrance)]

㉠ 비범한 질문을 고무한다.

㉡ 어린이의 비범하고 상상적인 형태의 아이디어에 대해 칭찬한다.

㉢ 교사의 기준으로 평가·판단하지 않고, 아동 나름대로 활동을 전개하도록 돕는다.

㉣ 이것저것 지시하지 않고 어린이의 목적과 의도에 따라 계획하고 활동하도록 돕는다.

㉤ 교과 학습의 기준으로 아동을 판단·평가하지 않고, 새로운 관점에서 이해한다.

㉥ 새로운 시도, 의도, 탐색을 고무하고 발전·심화학습을 고무·지원한다.

③ 창의성 개발을 위한 부모의 역할

㉠ 창의적 탐구의 태도가 유아 및 아동기에 주로 결정되기 때문에 가정적 환경은 창의성에 매우 중요한 요인 가운데 하나이다.

㉡ 아동기 이전까지 어린이가 어떤 가정환경에서 자라났는가에 따라 그가 주변의 사람이나 과제·자연·사회를 보는 태도에 차이가 난다.

㉢ 볼비(Bowlby)는 가정에서 충분한 사랑과 애정을 경험한 어린이는 낯선 상황을 접했을 때 긍정적이며 적극적인 태도를 취하지만, 반대의 경우에는 위축되고 소극적이며 공격성이 강한 반응을 보인다고 하였다.

㉣ 아동기 초기의 경험을 통해 독립심, 자긍심, 적극적·탐구적 태도, 낯선 것에 대한 수용, 용기, 내면적인 동기화와 인내심, 개방성 등 창의적 인성특성을 배양하는 일이 중요하다.

秀 POINT 지능이론

인지구조적 접근과 지능의 과정을 밝히는 인지과정적 접근으로 구분된다.

1. 인지구조적 접근

인지구조적 접근에는 Spearman의 2요인설, Vernon의 위계적 구조모형, Thurstone의 기본정신능력모형, Guilford의 3차원적 입방체모형 등이 있다.

① 위계적 구조모형: Spearman의 2요인설과 이에 기초한 Vernon의 위계적 구조모형이 있다.

② 비위계적 모형: Thurstone의 기본정신능력모형(Primary Mental Ability / PMA)이 있다.

2. 인지과정적 접근

인지과정적 접근에는 인지과정을 컴퓨터의 정보처리과정으로 설명하려는 정보처리모형과 인지과정을 뇌의 구조와 기능으로 설명하려는 신경생리학적 모형이 있다. 정보처리모형으로는 Stenberg의 지능이론이 대표적이다.

07 | 학습이론, 학습동기, 학습전략

제1절 | 학습과 학습이론

핵심체크 POINT

1. 학습의 개념

유기체가 주어진 사태에 반응함으로써 어떤 행동이 발생하거나 변화되는 과정

2. 학습의 견해

행동주의적 관점	외적 자극에 의한 외적 행동의 변화
인지주의적 관점	장(場)의 재체제와 혹은 인지구조의 변화
인본주의적 관점	정서, 감정, 개인적 실현, 대인관계의 중요성 강조

3. 학습의 조건

주체적 조건	지능, 선수학습, 학습적성, 동기, 자아개념, 불안, 각성 등
객체적 조건	학습과제 곤란도, 학습 집단의 특성
방법적 조건	분습법과 전습법, 분산법과 집중법

4. 학습이론

① 행동주의 학습이론(S-R설, 연합설, 결합설)

조건 반사설	파블로프(Pavlov)의 고전적 조건화설과 스키너(Skinner)의 조작적 조건화설
시행착오설	손다이크(Thorndike)의 시행착오설 → 스키너에 영향

② 인지주의 학습이론(형태주의와 정보처리이론)

통찰설	학습은 형태파악, 재체제화 혹은 통찰로 간주[쾰러(Köhler)]
장(場)설	학습은 생활공간의 재조직 혹은 재구성과정[레빈(K. Lewin)]
기호형태설 (목적적 행동주의)	학습은 기호 - 형태 - 기대의 관계[톨만(Tolman)]
정보처리이론	㉠ 학습을 기억과정으로 간주[앳킨슨과 시프린(Atkinson & Shiffrin)] ㉡ 기억구조: 감각기억 - 단기기억(작업기억) - 장기기억(의미, 일화, 절차기억으로 저장)

③ 사회학습이론

㉠ 행동주의와 인지이론의 영향[반두라(Bandura)]

㉡ 요소: 관찰, 모방, 동일시를 모델링(modeling)으로 간주

㉢ 학습동기: 자기효능감과 목표설정

㉣ 관찰학습의 요소: 주의집중 - 파지(암기, 상상, 정교화) - 운동재생(실제 수행) - 동기화(강화 - 대리강화 중시)

1 학습(learning)

1. 특징

(1) 학습은 행동의 변화이다.

학습이란 인간이나 동물과 같은 유기체의 행동에 관련된 개념이다.

(2) 학습은 경험에 의한 변화이다.

행동은 성장이나 성숙에 의해서도 변화하지만 이러한 변화는 학습에 포함되지 않으며, 생리적 변화나 신체적 상해로 인한 변화도 학습에 포함되지 않는다. 따라서 학습이란 이전의 경험이나 연습의 결과로 나타나는 변화를 말한다.

(3) 행동의 변화는 지속적이다.

비록 경험과 연습에 의한 행동의 변화라고 해도 그 변화된 행동이 비교적 지속적일 때 학습이라고 할 수 있다. 일시적 피로, 약물, 질환 등에 의한 변화는 그 요소들이 제거되면 원상태가 되므로 이러한 일시적 행동변화는 학습이 아니다.

학습의 예
1. 5세 아이가 아침 어린이 TV프로를 보고 TV속의 아이들처럼 노래 부르고 춤을 춘다.
2. 서울 대공원의 돌고래가 조련사의 지시에 따라 물 위로 뛰어 오르고, 사람들에게 인사한다.
3. '학습'의 의미가 무엇인지 분명히 알 수 없었는데, 이이수 교수의 교육학 강의를 듣고 정확히 알게 되었다.

2. 개념

(1) 힐가드(Hilgard)

학습이란 주어진 사태에 반응함으로써 어떤 행동이 발생하거나 변화되는 과정을 말한다. 그러나 생득적 반응경향, 성숙, 유기체의 일시적 상태(예 피로, 약물 등)에 의한 변화는 제외된다.

(2) 마이어(Mayer)

경험의 결과로 인해 어떤 개인의 지식, 행동 또는 태도가 비교적 지속적으로 변화되는 것, 즉 학습이란 연습 혹은 경험에 의한 지속적 행동의 변화를 말한다.

(3) 가네(Gagné)

외적 자극에 의해 내적 과정을 통해 행동이 변화되는 것, 즉 학습은 개인이 자기의 외적 환경에서 오는 자극을 받고 이에 반응할 때 일어난다. 그런 의미에서 성숙(成熟)은 단지 개인의 내적 성장만을 의미하기 때문에 제외된다.

3. 학습의 조건

(1) 주체적 조건(학습자 내적 조건)

① 학습자의 지적 조건: 학습이 일어나기 위한 학습자의 지적 조건으로는 학습 적성, 일반지능, 선수학습 등이 있다.

② 정의적 측면: 흥미, 자신감, 학습동기, 각성, 불안 등의 정서적 측면도 학습과 밀접한 관련이 있다.

(2) 객체적 조건(학습자 외적 조건)

① 과제의 성질: 학습 과제의 곤란도를 말하는 것으로 중간 정도의 곤란도를 갖는 과제가 쉽거나 너무 어려운 과제보다 효과적이다.

② 학습장면: 학습 집단의 성격 및 학급 분위기를 말한다. 즉 학습 집단이 경쟁적인가 혹은 협조적인가도 학습과 밀접한 관련을 지닌다.

③ 학급의 물리적 구조: 잠재적으로 학습에 영향을 미치는 것으로 환기, 온도, 습도, 조명, 소음, 좌석배치 등이 있다.

(3) 방법적 조건

① 분산법(分散法)과 집중법(集中法)

㉠ 분산법: 시간을 짧게 여러 번 나누어서 학습하는 것으로 학습초기에 유리, 저학년, 지능이 낮은 아동에게 유리하다.

㉡ 집중법: 학습 후기, 고학년, 지능이 높은 아이에게 유리하다.

② 분습법(分習法)과 전습법(全習法)

㉠ 분습법: 학습 자료를 나누어서 학습하는 것으로 단원이 길 때, 학습재료의 난이도가 차이 날 때, 지능이 낮은 아동일 때 유리하다.

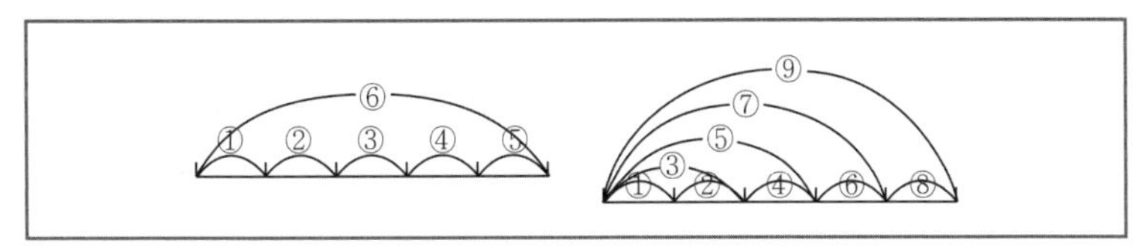

㉡ 전습법: 학습 후기, 지능이 높은 아동일 경우, 문장과 시구(詩句)의 기억, 피아노 연주를 연습할 때 유리하다.

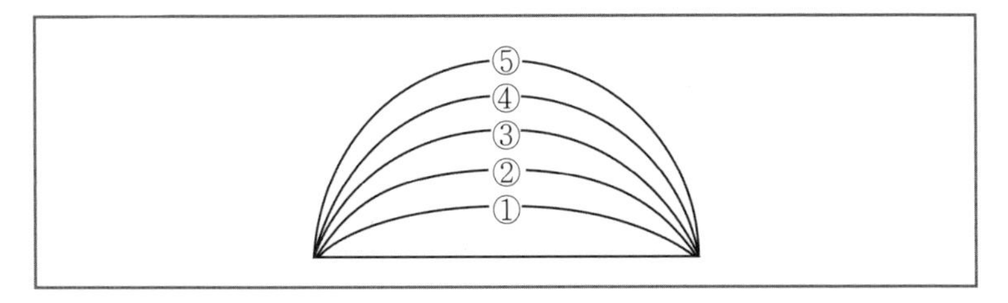

2 행동주의 학습이론

1. 특징

(1) 1930 ~ 1960년대 행동주의 심리학의 영향을 받아 주로 통제된 실험실에서 동물을 대상으로 이루어졌다.

(2) 근본 원리

자극(stimulus)과 반응(response) 간의 연합이다. 자극은 학습자가 환경으로부터 받는 모든 것을 의미하며, 반응은 자극의 결과로 나타나는 행동을 의미한다.

(3) 행동주의자들은 학습이라는 말보다는 조건화에 대해 말한다.

(4) 유기체를 '검은 상자(black box)'로 보고, 그 속에서 발생하는 것은 연구될 수 없다고 본다.

2. 행동주의 학습이론

(1) 조건 반사설

① 고전적 조건화설[파블로프(Pavlov)]

㉠ 조건화 실험의 예: 파블로프(Pavlov)는 개에게 음식을 가까이 했을 때 침이 흐르기 시작한 것을 관찰하였다. 즉 자극(음식)이 반응(타액)을 도출한 것이다. 이때 자극과 반응은 모두 무조건적이다. 실험적으로 음식이 개에게 제시되기 수 초 전에 벨을 울렸고 역시 타액을 분비하였지만 그것은 벨에 대한 반응으로서가 아니라 음식에 대한 반응으로서였다. 이 같은 실험을 10여 차례 시행한 후에는 음식 없이 벨만을 울렸고, 그 결과 개는 타액을 분비하였다. 이 때 벨에 대한 개의 반응을 조건적 반응이라고 한다. 즉 고전적 조건화는 한 자극을 다른 자극으로 대체하고 두 자극 간의 강한 연합의 형성을 포함한다.

㉡ 개 실험 결과의 도식

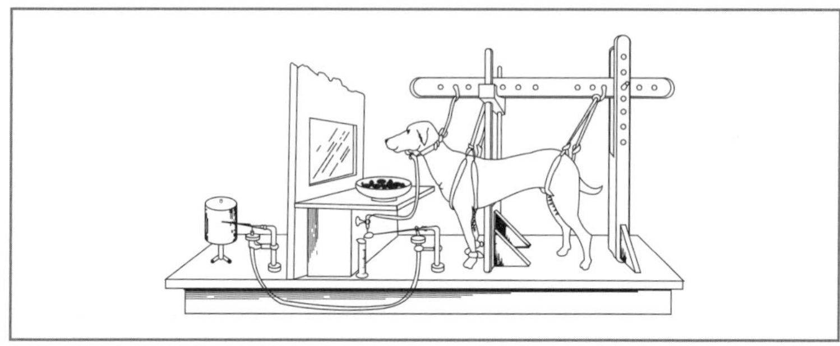

훈련 전	음식물(unconditioned stimulus, UCS)	→ 타액분비(unconditioned response, UCR)
	종소리(conditioned stimulus, CS)	→ 무반응 혹은 부적절한 반응
훈련 중	종소리(CS) + 음식물(UCS)의 결합을 통해 종소리(CS)	→ 무반응 혹은 부적절한 반응
		→ 타액분비(conditioned response, CR)
훈련 후	종소리(CS)	→ 타액분비(CR)

㉢ 원리

시간의 원리	조건자극(CS)은 무조건자극(UCS)과 동시 혹은 그 이전에 주어져야 한다.
강도의 원리	조건자극(CS)에 대한 반응은 무조건자극(UCS)에 대한 반응보다 강하든지, 완전한 것이어야 한다.
일관성의 원리	조건자극(CS)에 대한 반응은 조건반응(CR)이 확립될 때까지 일관하여 무조건자극(UCS)에 대한 반응을 계속해야 한다.
계속성의 원리	자극과 반응의 관계가 반복되는 횟수가 많으면 많을수록 좋다는 원리이다.

㉣ 고전적 조건화의 적용

ⓐ 왓슨(Watson)이 1세 아동인 앨버트(Albert)에게 두려움을 가르쳤다.

ⓑ 학교학습에서 교과목에 대해 가진 태도는 고전적 조건형성에 의해 학습될 수 있다.

예 수학에 대해 부정적 태도를 습득하는 것을 학습한 경우, 즉 수학시간에 칠판 앞에서 문제를 푸는 데서 오는 불쾌한 감정을 수학과목과 연결시킨다. 수학시간을 두려워하도록 조건형성된 학생들은 다른 과목의 학습, 더 나아가 학교의 모든 활동에 대해 공포를 확대시킬 수도 있다.

ⓒ 특정한 향수 냄새가 연인을 생각나게 한다든지, 시험이라는 소리를 듣고 속이 울렁거린다든지, 그림으로만 보아왔던 뱀을 실제로 보고 놀라서 움찔한다든지 하는 현상들은 향수냄새, 시험, 뱀 등과 같은 중립자극이 조건화되어 반응을 일으키는 예가 된다.

ⓓ 사람과 사물에 대한 정서적 및 인지적 반응이 고전적 조건화 과정을 통해 학습된다.

② 조작적 조건화설[도구적 조건화 혹은 강화이론, 스키너(Skinner)]

㉠ 조작적 혹은 도구적 조건화는 손다이크(Thorndike)의 효과의 법칙에 기초를 두고 있다.

㉡ 실험의 예

ⓐ 쥐가 지렛대를 누르면 전깃불이 켜지면서 먹이 접시가 나온다.

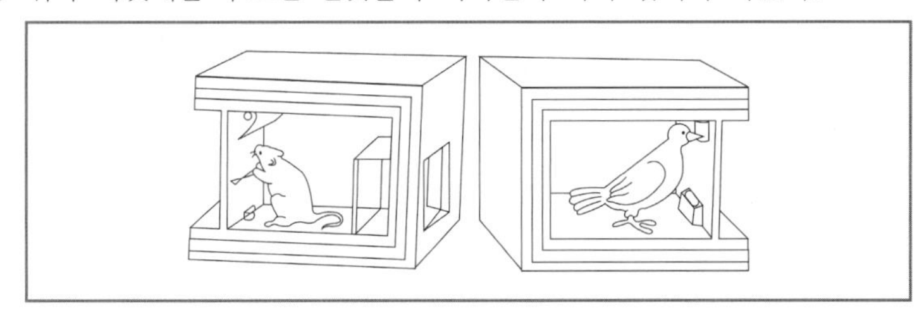

스키너(Skinner) 상자

ⓑ 개에게 "앉아"(CS) → 으르렁거린다. / 뛴다. / 앉는다(CR). → 먹이(보수): 학습

㉢ 이론의 적용

ⓐ **자기 속도 학습(self-paced learning)의 영역**: 자기 속도 학습이란 학생이 교수기계(teaching machine)나 프로그램 학습교재를 이용하여 자기의 이해 속도에 따라 학습하는 것을 말한다. 프로그램 학습, 교수기계, CAI 등에 적용된다.

ⓑ **행동수정의 영역**: 행동수정 원리는 바람직한 행동반응에 대해서는 보상을 줌으로서 그 반응빈도를 증가시키며, 부적절한 행동을 약화시기 위해서는 혐오 자극을 제공하는 것이다. 문제행동에 대한 행동수정의 원리와 기법에 활용된다.

ⓒ 산업관리 분야(과학적 관리론)

③ 고전적 조건화와 조작적 조건화의 비교

구분	고전적 조건화	조작적 조건화
조건반응	이미 예정된 한 가지 반응 (유발된 행동, elicited)	반응이 무한정 (방출된 행동, emitted)
강화	자극과 동시	반응 후
시간	조건자극과 무조건자극 사이	조건반응과 보수와의 사이
학습자 태도	수동적(소극적)	능동적(적극적)
조건화 대상	의식되지 않은 내분비샘	외현적 행동

(2) 시행착오설(연합학습)

① 특징

㉠ 손다이크가 굶주린 고양이를 넣은 문제상자(puzzle box) 실험으로 설명했다.

㉡ 시행 착오설(trial and error)이란 명칭은 모르간(Morgan)이 명명하였다.

문제상자(problem box) 실험

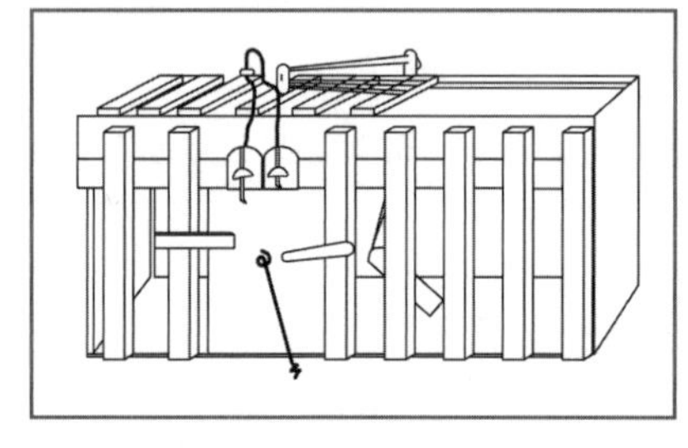

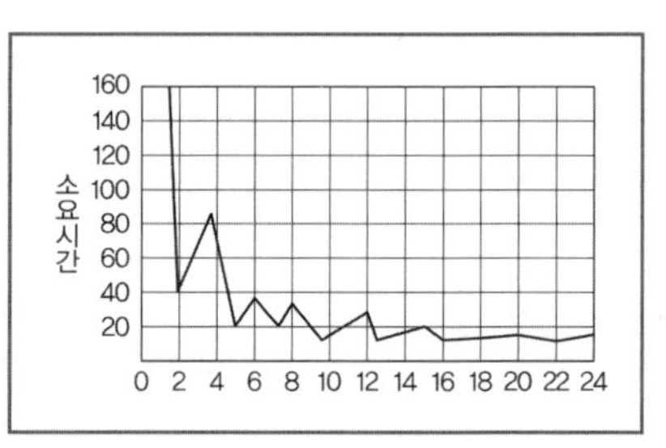

1. 문제상자(problem box)라고 하는 실험 장치를 사용하여 고양이가 어떻게 하면 자신을 가두어 놓은 상자에서 탈출할 수 있는가를 밝히고자 하였다.
2. 문제상자에서 고양이가 탈출할 수 있는 방법은 줄을 당기거나 지렛대를 누르는 것으로, 그 외의 어떤 행동도 그 상자를 탈출하는 데 도움을 주지 못한다.
3. 고양이가 상자에 갇힌 후, 몇 분 이내에 우연히 줄을 낚아채거나 발판을 눌러 상자 문을 열고 탈출하게 되면, 그 고양이는 약간의 음식물을 보상받고 다시 상자 속에 갇히게 된다.
4. 처음에는 우연히 상자를 탈출하던 것이 시행이 반복됨에 따라 탈출소요시간이 점차 단축되어 이제는 상자에 넣자마자 탈출하는 것을 학습하게 된다. 손다이크는 이렇게 시행횟수가 증가됨에 따라 탈출시간이 짧아지는 학습을 '시행착오학습'이라고 설명한다.

② 학습의 법칙

효과의 법칙 (만족의 법칙)	반응이 만족한 상태로 연결되면 자극과 반응은 더욱 강해지고, 그 반응에 불쾌한 상태와 연결되면 그 연합은 약해진다.
연습의 법칙	실험을 통해 연습이 많아지면 연합이 강해지고 연습을 하지 않으면 연합은 약해진다.
준비의 법칙	어떤 행동을 하기 위한 강한 욕구와 같은 준비가 되어있을 때 그 행동을 하게 되면 만족하고, 준비가 안 되었을 때 그 행동을 강요당하면 불쾌하게 느낀다.

3 인지주의 학습이론

학습에 대한 인지적 접근은 지각, 기억, 문제해결과 같은 인간의 내적 심리과정을 설명하기 위한 것으로 형태심리학에 근거한 초기 인지학습이론과 정보처리이론 등이 여기에 해당한다.

1. 초기 인지주의 학습이론

이 이론에 중요한 이론적 기초를 제공한 것이 형태주의 심리학[베르트하이머(M. Wertheimer)]이다. 통찰설, 장(場)설, 기호형태설 등이 있다.

(1) 통찰설[쾰러(Köhler), 코프카(Koffka)]

① 학습이란 객체적으로는 형태 파악 혹은 재체제화이고, 주체적으로는 통찰(insight)적으로 행해진다(A-há theory).

통찰 · 통찰력(insight)
문제해결학습에서 사용되는 경우와 심리치료의 과정에서 사용되는 경우가 있다. 문제 사태의 구조 또는 구성을 통찰하는 것, 즉 문제해결에 필요한 수단 - 목적관계를 인지적으로 파악하는 것을 의미한다. 그것은 문제해결의 주체측에서 말한다면 인지적인 태도변화이고, 사태 쪽에서 보면 구조전환이라 할 수 있다.

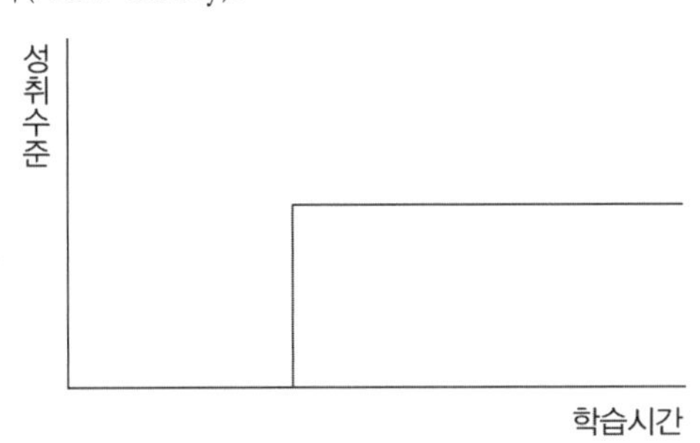

쾰러의 A-há곡선

② 쾰러(Köhler)는 통찰이 하등동물에 있어서도 적용되기는 하지만 흔히 통찰에 의한 학습은 고등동물에서 고도의 지적 혹은 정신적 활동에서 이루어지며 하등동물에서는 주로 시행착오에 의하는 경우가 많다고 보았다[『원숭이의 지혜(The Mentality of Ape, 1917)』].

③ 실험의 예: 우리 안에 사과궤짝과 같은 것을 아무렇게나 놓아두고 이 궤짝들을 몇 개 포개 놓고 그 위에 올라가야 닿을 수 있을 만큼 높은 곳에 바나나를 놓아 두었다. 잠시 뒤 원숭이가 아무렇게나 놓여진 상자들을 들어다가 포개 놓고 올라가서 바나나를 따먹는다.

④ 통찰학습에 영향을 주는 요인
㉠ 통찰은 문제상황의 배열에 달려 있다.
㉡ 일단 통찰로 해답을 구하면 그것은 즉각적으로 반복될 수 있다.
㉢ 통찰로 달성된 해답은 새로운 사태에 적용될 수 있다.

(2) 장(場)의 이론[레빈(Lewin)]

① 개념

㉠ 레빈(Lewin)에 의하면 사람은 어느 시점에서 특정의 목표를 추구하려는 내적 긴장에 의해 행동하게 된다. 즉 개인의 지각은 그 사람의 생활 공간의 한 부분이며, 학습은 생활 공간에서 재조직 혹은 재구성 과정으로 본다.

㉡ 인간은 새로운 지식으로 세상에 대한 이해를 구체화하고 새로운 요소들을 도입함으로써 그리고 원하는 것, 좋아하는 것, 싫어하는 것에 변화를 가져봄으로써 자기의 인지를 재구성한다.

② 재구조화의 심리학적 의미: 학습은 생활 공간이 한층 더 고도로 분화되어 가는 것이다. 인지구조의 변화는 항상 작은 단위의 영역으로 세분화되는 것이 아니라 분화 없이 인지구조가 변화되는 경우도 있다.

(3) 기대형성이론[기호형태설, 톨만(Tolman)]

① 개념

㉠ 학습은 기대의 형성이다. 즉 유기체의 강화에 대한 기대는 선행하는 반응에 영향을 준다. 즉 학습이란 '기호(sign) - 형태(gestalt) - 기대(expectation)' 혹은 '기호 - 의미관계'의 형식이다.

㉡ 쥐의 미로 실험에서 학습되어지는 것은 '지형(cognitive map)'과 같은 것이다. 즉 인지지도를 신경조직 속에 형성하는 일이다.

㉢ 행동은 목적적이므로 유기체는 어떤 목적을 성취하려고 한다. 그래서 이 학습이론을 목적적 행동주의(purposive behaviorism)라고도 한다.

② 미로학습의 예

㉠ **보수기대**: 학습이란 기대를 얻게 되는 과정이다. 예를 들면 엎어 놓은 그릇 속에 바나나를 넣는 것을 원숭이에게 보인 다음 막을 치고 원숭이가 보지 않는 동안 야채와 바꾸어 놓았더니 야채를 보고 먹으려 하지 않았다. 이는 원숭이가 처음에 바나나라는 보수를 기대했기 때문에 좋아하는 야채를 보고도 먹으려 하지 않은 것이다.

㉡ **장소학습**: 학습이란 전체적인 장소의 관계성을 형성하는 것으로 예를 들어 출발점에서 목표물에 이르는 데는 여러 개의 통로가 있는 미로가 있는 경우 쥐를 처음 훈련시킬 때 가장 긴 통로로만 가게 하고 짧은 통로는 모두 막아 버리고 훈련이 끝난 다음 짧은 통로를 열어 주면 쥐는 훈련받은 긴 통로로 가지 않고 곧장 짧은 통로를 통해 목표물로 간다.

㉢ **잠재학습(우연학습)**: 동물은 기호와 기호가 의미하는 것과의 관계를 학습하는 것이다. 미로학습에서 목표점에 음식물을 두지 않았더니 학습이 거의 일어나지 않았다는 것을 알고, 이를 몇 번 되풀이하여 미로 속에 넣은 다음 음식물을 주었더니 갑자기 학습량이 늘었다. 이는 음식물이 없을 때에도 학습이 있었지만 실천에 옮겨지지 않았을 뿐이다.

참고

잠재학습의 실험

1. 실험내용
   ① 톨만과 혼지크는 세 집단의 쥐를 사용하여 하루에 1회씩 20회의 미로학습을 실시하였다.
   ② 1집단에는 실험기간 내내 미로의 목표지점에 도달해도 보상을 제공하지 않았고, 2집단에는 목표지점에 성공적으로 도달하면 항상 보상을 제공하였으며, 3집단에는 처음에는 보상을 제공하지 않다가 실험 시작 11일째가 되어서야 성공적인 도달에 대해 보상을 제공하였다.
   ③ 톨만은 이 실험을 통해 11일째부터 보상을 받은 집단이 처음부터 계속 보상을 받은 집단보다 수행수준이 높다는 사실을 밝혀냈다.

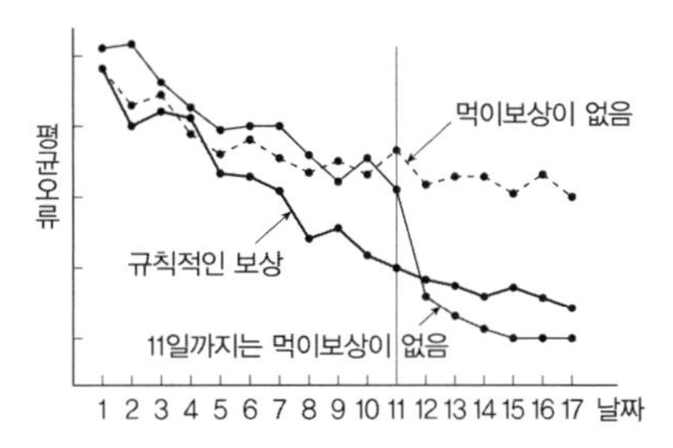

2. 결론
   쥐는 먹이를 찾아가는 길을 인지지도라는 기호-형태로 기억(잠재학습)하고 있다가 문제 상황이 주어지면 이를 이용하여 찾아갔다.

기출문제

1. 다음과 가장 관계가 깊은 학습이론은? 2022년 국가직 9급

> 영수는 국어 성적이 좋지 않아서 시험 성적이 나올 때마다 여러 번 국어 선생님으로부터 꾸중을 들었고, 꾸중을 들을 때마다 기분이 상해서 얼굴이 붉어졌다. 어느 날 영수는 우연히 국어 선생님을 복도에서 마주쳤는데, 잘못한 일이 없음에도 불구하고 자신도 모르게 얼굴이 붉어졌다.

① 구성주의 이론
② 정보처리 이론
③ 고전적 조건형성 이론
④ 조작적 조건형성 이론

해설

학습을 자극과 반응 간의 연합으로 보는 것은 행동주의 학습이론이다. 행동주의 학습이론은 고전적 조건형성 이론과 조작적 조건형성 이론으로 구분된다. 학습을 정서적 자극과 반응 간의 연합으로 보는 것은 파블로프(Pavlov)의 고전적 조건형성 이론이다. 고전적 조건형성의 예로는 수학시간에 칠판 앞에서 문제를 푸는 데서 오는 불쾌한 감정을 수학과목에 대한 부정적 태도의 습득과 관련시키는 것, 특정한 향수 냄새가 옛 애인을 생각나게 하는 것 등이 있다. **답 ③**

2. 학습이론에 대한 설명으로 옳지 않은 것은? 2021년 지방직 9급

① 형태주의 심리학에 따르면 학습은 계속적인 시행착오의 결과이다.

② 사회인지이론에 따르면 개인, 행동, 환경의 상호작용에 의해 학습이 이루어진다.

③ 행동주의 학습이론에 따르면 학습의 근본적인 원리는 자극과 반응 간의 연합이다.

④ 정보처리이론에 따르면 정보저장소는 감각기억, 작업기억, 장기기억의 세 가지로 구분된다.

해설

학습이론 가운데 학습은 계속적인 시행착오의 결과라고 보는 것은 행동주의 학습이론이다.

답 ①

2. 정보처리이론

(1) 학습을 기억과정으로 간주한다[앳킨슨과 시프린(Atkinson & Shiffrin), 가네(Gagné) 등].

(2) 기억의 과정은 기명(memorizing) → 파지(retention) → 재생(recall) → 재인(recognition)으로 구성된다.

(3) 기억구조

기억체계의 기본구조는 여러 개의 기억저장고로 이루어져 있으며 이를 중다(重多)기억이론이라고 한다. 중다기억이론에 의하면 기억의 기본구조는 감각기억, 단기기억, 작동기억, 장기기억으로 나누어진다.

① 감각기억(sensory memory)

㉠ 저장고의 용량이 제한되어 있지 않다.

㉡ 감각적 정보의 정확한 복사가 아주 짧은 시간동안 저장된다. 특히 시각적 저장은 0.5초 이내에 사라진다.

㉢ 감각 수용기는 환경으로부터 필요한 정보를 받아들이는 눈, 코, 입, 귀, 피부 등 오관을 말하며, 감각 등록기는 감각기관에서 유입된 정보가 선택적 지각에 의해 단기기억구조로 들어가는 것을 말한다.

② 단기기억(short-term memory, STM)

㉠ 감각기관을 통해 들어온 정보가 선택적 주의집중을 통해 잠시 동안 기억된다.

㉡ 정보의 양이 7 ± 2로 제한적이고 지속시간이 20 ~ 30초로 일시적이다.

㉢ 정보를 묶어서(chunking) 정보량을 증대시킬 수 있고, 암송이나 시연(試演) 등의 방법을 통해 소멸을 방지, 다음 단계로의 기억으로 저장되도록 한다.

㉣ 칵테일파티 효과(cocktail party effect): 다양한 정보의 홍수 속에서 대화를 나누는 상대방의 말을 이해할 수 있는 것을 말한다.

秀 POINT 청킹(chunking)

1. 개개의 숫자들을 큰 덩어리 또는 의미있는 단위로 묶는 과정을 의미한다.
2. 예를 들어 숫자 폭 실험에서 5 ~ 7개 이상의 숫자를 기억하는 것은 어렵지만 숫자를 일정한 덩어리로 묶으면 기억하기 쉽다. 즉, 0413563315는 기억하기 어렵지만, 041 - 356 - 3315로 3덩어리로 묶으면 기억하기 쉽다.

③ 작업기억(working memory)

㉠ 작업기억은 용량의 한계, 지속기간의 한계, 처리체계의 의식적인 부분, 처리과정의 병목지점 등 단기기억과 똑같은 특징을 지닌다.

㉡ 단기기억이 의식적 기억이라고 한다면 작업기억은 암산할 때 사용하는 정신적 편지지와 같은 것이다.

㉢ 장기기억 속에 보관되어 있던 정보는 활성화되어 작업기억으로 되돌아온다.

㉣ 인지부하이론(cognitive load theory): 작업기억의 한계를 인식하고 그것의 용량을 조정할 수 있는 방법이다. 인지부하이론은 작업기억의 한계를 조정하기 위해 청킹, 자동화, 이중처리(dual processing; 시각과 청각의 두 구성요소가 작업기억에서 함께 정보를 처리하는 방식) 등을 강조한다.

④ 장기기억(long-term memory)

㉠ 정보를 처리하는 단계에서 지식을 영구적으로 기억하는 것을 말한다.

㉡ 단기기억에 있는 정보가 더 많이 시연될수록, 정보는 더 많이, 그리고 더 오래 저장될 수 있다.

㉢ 일반적으로 30초가 지난 후까지 기억되는 것은 장기기억의 기능 때문이다.

㉣ 장기기억은 의미기억, 일화기억, 절차기억의 3가지로 구분된다.

의미기억 (semantic memory)	ⓐ 명제(propositions), 심상(images), 도식(schemas)의 형태로 저장된다. ⓑ 일반적인 사실과 개념에 대한 기억으로 학교에서 배운 대부분의 것은 의미기억 안에 저장된다.
일화기억 (episodic memory)	ⓐ 특정한 장소 및 시점과 관련된 정보이다. ⓑ 특히 개개인의 일상생활에서의 사태에 대한 지식을 말한다.
절차기억 (procedual memory)	ⓐ 일을 하는 방법에 관한 기억이다. ⓑ 과제를 수행하기 위한 기술이나 단계를 회상하는데 도움이 된다.

㉤ 정보를 저장하는 방법으로는 정교화, 조직화, 맥락이 중요한 역할을 한다.

⑤ 계열위치효과[호블랜드(C. I. Hoveland)]

초두효과 (primacy effect)	기억목록의 앞 부분에 제시된 항목의 회상률이 높은 것으로, 초두효과는 정보가 장기기억에서 인출되어서 나타난 것이다.
최신효과 (recency effect)	마지막 부분의 항목이 회상이 잘 되는 것으로 이는 단기기억에서 사라지지 않고 남아서 인출된 것으로 본다.

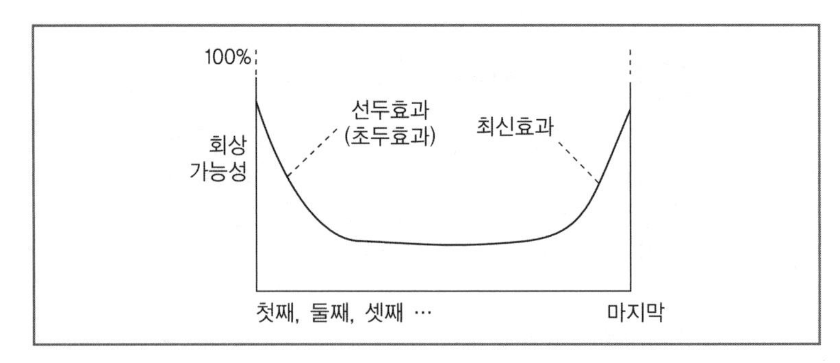

계열위치효과

(4) 기억 및 인출전략

① 부호화(encoding)

㉠ 각종 경험 내용을 지각하고 기억에 정보로서 기록하는 과정이다. 이는 감각기관을 통해 들어온 자극을 자신의 고유한 부호를 사용하여 정보화하는 과정이다.

㉡ 정보를 지각하고 그것으로부터 몇 가지 분류상의 특징을 추출해내고 그것에 상응하는 기억흔적을 만드는 과정이다.

㉢ 각종 정보들은 부호화되어 기억에 저장된다.

㉣ 단기기억에서 장기기억으로 정보를 부호화하여 저장하는 과정은 시연(암송, 기계적 되뇌임)과 정교화(작동기억에서 부연과정)이다.

② 부호화 특수성(encoding specificity)

㉠ 부호화할 때의 배경 맥락 또는 단서가 인출할 때의 배경 맥락 또는 단서와 최대한 일치해야 한다는 것이다.

㉡ 맥락효과(context effect)라고도 하며, 어떤 자극이 속한 특성이 그 자극의 지각에 영향을 미치는 현상을 말한다. 이는 인간이 정보를 부호화하고 인출하는 과정을 이해하는 데 도움을 준다.

예 어떤 사람을 극장에서 만났다면 다음에 다른 곳에서 그 사람을 만날 경우 기억하기 어려우나 다시 같은 극장에서 만난다면 그를 기억하기가 더 쉽다.

③ 이중 부호화(dual-code)

㉠ 정보가 시각적 혹은 언어적 형태로 보존되는 것을 말한다.

㉡ 개, 집, 소풍과 같은 구체적인 대상이나 사건들은 이미지 형태로 저장된다.

㉢ 진실, 영혼과 같은 추상적 대상과 사건은 언어적 체제로 저장된다.

④ 조직화(organization)

㉠ 관련 있는 내용을 공통 범주나 유형으로 묶는 과정으로, 일종의 부호화를 촉진하기 위한 전략이다.

㉡ 정보는 여러 가지 방법으로 조직화될 수 있는데 도표와 행렬표, 위계, 모델, 개요 등이다. 그래프, 표, 순서도와 지도 등도 조직화의 유형이다.

⑤ 시연(rehearsal)

㉠ 정보가 제시된 이후에 계속해서 반복하는 것을 말한다. 일반적으로 어떤 정보가 단기기억에서 더 많이 시연될수록 그 정보는 장기기억으로 전환되기가 쉽다.

ⓛ 자극 내용들 간의 새로운 연결이나 새로운 정보를 추가하지 않은 채 기계적으로 반복하여 되뇌이는 것이다. 이 과정은 단기기억에 있는 정보가 장기기억으로 옮겨갈 기회를 높여 주고 단기기억에 있는 정보들 사이의 연합강도를 높여준다.

⑥ 정교화(elaboration)

㉠ 어떤 정보에 조작을 가하여 정보가 갖는 의미의 깊이와 폭을 더욱 심화, 확장시키는 사고전략을 말한다.

ⓛ 기억하고자 하는 정보를 이미 알고 있는 정보, 즉 장기기억에 저장된 정보와 연합시키는 것이다. 이를 통해 조작공간은 증가하고 저장공간은 감소한다.

ⓒ 처음 학습할 때 정교화하면 나중에 재생하기가 훨씬 쉽다. 정교화는 기존 지식과 더 많은 연결고리를 만들어 준다. 한 가지 정보나 지식이 다른 정보들과 더 많이 연합될수록 찾고 있는 정보를 알아 볼 수 있게 해주는 인출 단서가 많아진다.

ⓔ 주어진 자극에 대해 우리 자신의 지식을 동원하여 내용을 첨가하여 살을 붙이고, 가다듬고, 관련 내용을 유의미하게 조직하는 일체의 과정이며 정보들 사이의 연결이 더 정교할수록 그 연결은 기억에 오래 남는다.

기출문제

학습에 대한 관점 중 정보처리이론에 대한 설명으로 옳은 것은? 2022년 지방직 9급

① 감각기억 - 인지과정에 대한 자각과 통제로 자신의 사고를 확인하고 점검하는 기능을 한다.
② 시연 - 관련 있는 내용을 공통 범주나 유형으로 묶는 과정이다.
③ 정교화 - 새로운 정보를 저장된 지식에 연결하고 의미를 부여하기 위해 정보를 재처리하는 과정이다.
④ 조직화 - 정보에 대한 시각적 이미지를 머릿속에 표상하는 과정이다.

해설

정보처리이론에서 정교화란 기억하고자 하는 정보를 이미 알고 있는 정보, 즉 장기기억으로부터의 정보와 연결하는 것을 말한다. 즉 어떤 정보에 조작을 가하여 정보가 갖는 의미의 깊이와 폭을 더욱 심화·확장시키는 정보처리전략이다. **답 ③**

⑦ 자동화(automaticity)

장기기억에 저장된 정보가 여러 번의 연습으로 자동적으로 인출되는 과정이다.

예 운전에 능숙한 사람이 운전을 하려는 순간, 자신이 의식하고 노력하지 않아도 운전에 대한 지식이 자동적으로 장기기억으로부터 인출되어 행동화하게 되는 경우이다.

⑧ 설단(舌端)현상

㉠ 찾아야 할 정보가 혀끝에서 뱅뱅 맴돌며 찾아지지 않는 현상이다.

ⓛ 인출실패는 인출하고자 하는 정보가 저장되지 않은 것이 아니라 적절한 시점에 그 내용이 저장된 곳으로 접근할 수 없어서 나타나는 현상이다. 따라서 기억탐색이 목표 지점에 얼마나 가까이 접근했는가를 보여주는 증거라고 할 수 있다.

(5) 정보처리모델[스완슨(Swanson)의 단순화된 정보처리모형]

① 정보저장고, 인지과정, 메타인지로 구성된다. 정보저장고(information stores)는 정보를 유지하는 창고로, 컴퓨터의 주기억장치와 하드 드라이브와 유사하다. 정보저장소는 감각기억, 작업기억, 장기기억이다.

② 인지과정(cognitive processes)은 정보를 변화시키고 한 저장소에서 다른 저장소로 정보를 옮기는 등의 지적 활동으로 주의집중, 지각, 시연, 부호화, 인출을 포함한다. 이는 컴퓨터에서 정보를 처리하는 소프트웨어에 비유된다.

③ 메타인지(meta-cognition)는 개인의 인지과정에 대해 스스로 자각하고 그 과정을 조절하는 능력이다. 메타인지는 주의의 중요성에 대해 자각하도록 하고, 정확한 지각을 증가시키며, 작업기억을 통해 정보의 흐름을 조절하는 것을 돕고, 유의미한 부호화에 영향을 미친다.

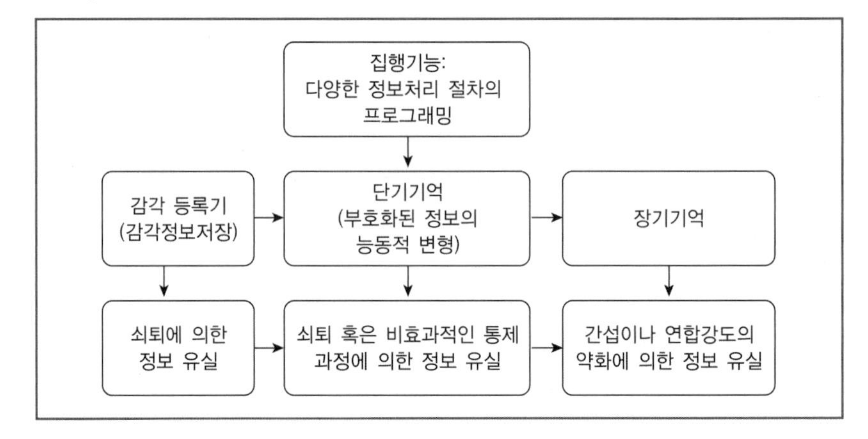

(6) 수업 시에 저장과 재생을 촉진하는 방법

① 기계적인 학습보다 의미학습을 강조한다.

② 새로운 자료를 의미 있게 학습하기 위해서는 학습자의 선행지식과 경험을 바탕으로 서로 연관시킨다.

③ 새로운 자료는 적당하게 조직하여 제시한다.

④ 새로운 정보를 정교화하도록 격려한다.

⑤ 새로운 자료를 학습할 때, 학습자들은 정보를 재생이 요구되는 다양한 상황과 연관시키도록 한다.

(7) 정보처리이론의 교수를 위한 제안

① 가능한 유의미성을 강조하라.

② 다양한 학습전술을 이용하고 학생들에게 연습할 기회를 주어라.

③ 의미와 군집을 강조하는 적당한 암송 기법을 사용하라.

④ 어떤 정보가 중요하고 이미 배운 것과 관련될 수 있다는 것을 알도록 지도하라.

⑤ 학생 스스로 배울 것을 조직하고, 나이든 학생의 경우는 자신의 방식대로 자료를 조직하도록 격려한다.

⑥ 지식 습득의 과정과 기억법에 영향을 주는 여러 가지 조건들에 대해 생각하도록 격려하라.

⑦ 어떤 과제를 준비할 때마다 교사 자신과 학생이 사용하게 될 학습전략에 대해 생각하라.

⑧ 주의집중을 유지하고 흥미를 주는 다양한 기법을 활용하라. 주의집중을 하게 하는 기술을 세밀히 하고 연습할 기회를 주어라.

참고

1. 폰 레스토프 효과(Von Restorff effect)

① 폰 레스토프는 어떤 '수'를 다른 '수'들과 함께 제시했을 때보다 '무의미 음절'과 함께 제시했을 때 기억이 잘 되는 것을 발견하였다. 이는 '무의미 음절'만 있는 상태에서 '수'는 특이한 요소로 작용하기 때문이다. 이와 같이 우리의 두뇌가 특이한 요소를 기억하는 것을 폰 레스토프 효과라고 한다.

② 학습에서 폰 레스토프 효과를 활용하는 방법으로는 내용을 과장하거나, 노트를 정리할 때 중요한 내용에 밑줄을 긋거나 굵은 글씨, 색깔, 다른 서체, 글씨 크기 등이 있다.

2. 상기효과(reminiscence effect)

학습이 일어나고 잠시 지난 후에 기억이 약간 증가하는 현상을 말한다. 이는 연습기간 사이에 짧은 휴식시간을 두었을 때 학습의 효율성이 높아지는 것과 같은 현상을 설명해준다. 짧은 휴식이 학습의 효과를 증진하는 현상은 초두효과와 최신효과로도 증명되었다.

3. 자이가르닉 효과(Zeigarnik effect)

무언가 끝을 보지 못한 일에 더 아쉬움을 느끼고 더 오래 기억하는 현상, 즉 완전한 것보다는 불완전한 것을 더 오래 기억하는 현상이다.

예 완성하지 못한 첫사랑의 추억을 평생 아쉬워한다든가, 틀린 시험문제를 더 오래 기억하는 것

3. 망각(forgetting)

(1) 망각의 연구

① 에빙하우스(Ebbinghaus)의 망각 연구(1885)

㉠ 무의미철자의 학습을 통해 시간의 경과에 따른 파지량 혹은 망각량의 변화를 연구하였다.

㉡ 학습한 직후에 망각이 가장 많이 발생하고 시간이 경과함에 따라 망각의 정도가 완만하게 된다.

㉢ 에빙하우스의 망각곡선

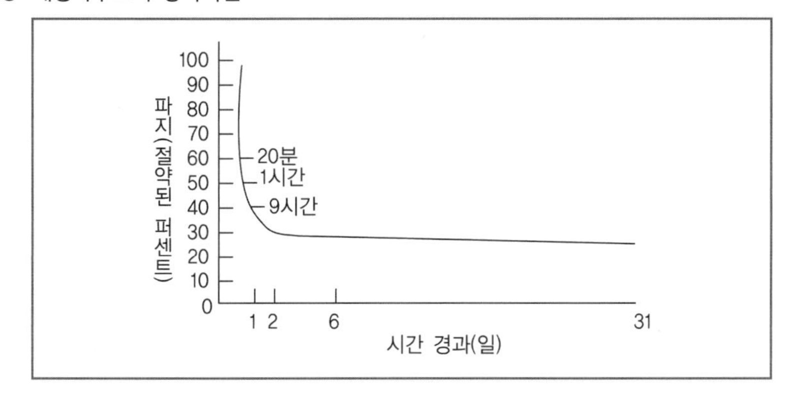

② 바틀렛(Bartlett)의 연구(1932): 의미 있는 자료의 기억을 연구하였으며, 피험자들이 세상에 대해 그들 자신이 가지고 있는 지식에 부합되는 방식으로 정보를 재구성한다고 보았다. 또 사람들이 어떤 지식구조를 가지고 있다고 보고 이 지식구조를 도식(schema)이라고 불렀다. 도식이론은 모든 새로운 정보가 도식(기존 지식)에 표상된 기존의 정보와 상호작용한다는 것을 전제로 한다.

(2) 망각이론

① 간섭설(interference theory): 파지를 방해하는 외부적 영향으로 인한 간섭으로 인해 망각이 촉진된다. 선행학습이 후속학습 내용에 의해 방해받는 역행간섭(retroactive inhibition)과 선행학습 내용에 의해 후속학습이 방해받는 순행간섭(proactive inhibition)이 있다.

② 기억흔적 쇠퇴설(memory trace-decay theory): 학습내용이나 정보가 뇌 속에 흔적으로 남아있는 기억이 시간의 경과에 따라 점차 쇠퇴함으로써 망각이 발생한다.

③ 의도적 망각(motivated forgetting): 처음 학습할 때에 의도적으로 기억하지 않으려고 하기 때문에 망각이 발생하는 경우이다.

④ 단서의존 망각(cue-dependent forgetting, Tulving): 저장된 정보에 접근하는 적절한 수단, 즉 인출단서가 없기 때문에 기억해 내지 못한다는 이론이다. 현대의 기억 이론들은 대체로 대부분의 망각이 인출 실패에 기인하는 것으로 가정하고 있다. 장기기억에 일단 저장된 정보는 비록 인출이 불가능하더라도 기억에 영구적으로 남아 있다고 간주된다.

(3) 망각의 방지

① 연습의 횟수가 많을수록 망각률이 낮고, 학습효과를 더 높일 수 있다.

② 학습 직후부터 반복 연습하는 것이 효과적이다.

③ 일반적으로 학습의 효과를 높이고 망각을 방지하는 데는 분산법이 집중법보다 효과적이다.

④ 순행간섭 혹은 역행간섭이 발생하지 않도록 두 학습 간의 관계를 적절히 한다.

⑤ 학습내용을 유의미하고 논리적인 체계로 유도한다.

(4) 기억증진방법[(PQ4R, 토마스와 로빈슨(Tomas & Robinson)]

① 개관(Preview): 학습하기 전에 전체 내용이 무엇인가를 소제목 등을 통해 미리 개관한다. 개관, 목표, 각 절의 제목 및 소제목들, 요약, 주요 절 등의 첫 문장들을 읽어본다.

② 질문(Question): 학습할 내용의 소제목들과 관계된 질문들을 생각해봄으로써 그 해답이 무엇인가에 대한 기대감을 가진다.

③ 숙독(Read): 학습할 내용 중 미리 생각해 둔 질문에 대한 답으로서 적절한 것을 골라 집중적으로 읽는다. 자료의 난이도나 책을 읽는 목적에 따라 읽는 속도를 조절할 필요가 있다.

④ 숙고(Reflect): 책을 읽으면서 실례를 생각해 보거나 자료의 심상(images)을 머리 속에 그려보도록 한다.

⑤ 암송(Recite): 학습내용을 읽은 후 책을 덮고 암송을 통해 자신이 가지고 있던 문제들에 답을 하도록 시도한다. 이 과정에서 책에서 읽은 내용과 이미 알고 있는 내용과의 관계에 대해 다시 생각해 본다.

⑥ 복습(Review): 마지막으로 학습과정 중에 만들어 놓은 노트나 질문 및 그에 대한 해답을 총괄적으로 개관한다. 효과적인 복습은 새로운 자료를 장기기억 속으로 더욱 완전하게 통합시키는 역할을 한다. 가장 좋은 복습은 책을 보지 않고 중요한 질문들에 답 해보는 것이다.

4 사회학습이론

1. 특징

(1) 반두라(Bandura)는 학습에 대한 전통적인 행동주의적 관점은 비교적 정확하지만 불완전하다고 믿었다. 즉 행동주의자들은 학습에 미치는 중요한 사회적 영향을 간과하고 있다고 주장하였다. 인간은 타인, 즉 모델의 행동을 관찰하거나 봄으로써 여러 가지 행동을 배우게 된다.

(2) 사회학습이론은 행동주의적 접근과 인지적 접근을 통합한 이론으로 사회인지학습(social cognitive theory)이라고도 한다.

2. 원리

(1) 인간은 다른 사람의 행동을 관찰함으로써 배우기도 한다. 학습은 시행착오에 의한 것이 아니라 단지 다른 사람의 행동을 보는 것으로 발생한다.

(2) 학습과 실행은 구분된다. 사회학습이론가들은 관찰만으로도 학습이 일어난다고 본다.

(3) 강화는 학습에 중요한 역할을 한다. 그러나 사회학습에서 강화는 간접적인 영향을 준다고 한다.

(4) 인지적 과정은 학습에 중요한 역할을 한다.

(5) 환경, 개인, 행동은 각각 서로 두 부분에 영향을 준다. 이를 상호적 결정론(reciprocal determinism)이라고 한다.

3. 요소

사회학습은 관찰, 모방, 동일시를 핵심요소로 하며, 특히 반두라의 사회학습이론에서는 동일시와 모방의 현상을 모델링(modeling)이라고 한다.

4. 모델링의 효과(기능)

(1) 관찰자는 타인의 행동을 관찰함으로써 새로운 행동패턴을 획득한다.

(2) 그 이전에 학습한 반응을 억제 혹은 약화시킨다.

(3) 타인의 행동은 기존의 반응을 촉진시키는 단서 역할을 한다.

5. 동기의 원천

(1) 자기 효능감(sense of self-efficacy)

① 개인이 어떤 행동이나 활동을 성공적으로 수행할 수 있는 자신의 능력에 대한 신념을 말한다.

② 최근에는 자기 효능감이 학업능력에 대한 일반적인 지각보다 학업수행을 강력하게 예언하는 요인으로 인정되고 있다.

③ 근원[반두라(Bandura)]

실제경험	과거의 성공과 실패의 경험, 특히 성공 경험
대리경험	사회적 모델을 통한 경험 예 자기와 비슷한 아이가 어떤 일을 성공하는 경우 자신이 성공할 것에 대한 기대가 높아진다.
언어적 설득	할 수 있다는 언어적 격려를 받은 경우
생리적 각성	정서적 각성 예 시험을 보는 동안의 식은 땀이나 가슴이 울렁거리는 경험

(2) 적극적 목표설정

① 어떤 사람이 설정한 목표는 성취결과를 평가하기 위한 그의 기준이 된다.

② 이때 자기 효능감이 그가 도달하고자 하는 목표에 또한 영향력을 행사하게 된다.

③ 목표를 향해 일을 수행해나갈 때는 그가 설정한 기준에 부합될 때까지 계속 해서 노력하게 된다.

6. 관찰학습의 4가지 구성요소

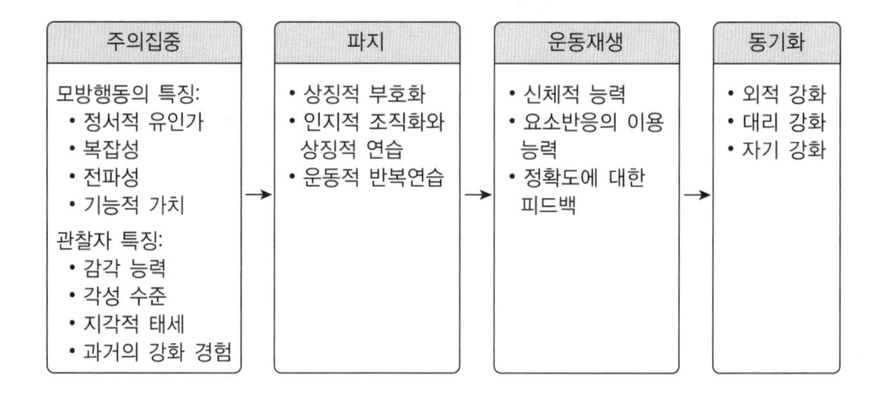

(1) 주의집중 과정

관찰자들은 온정적이고, 유능하며, 강력하다고 여겨지는 모델에 더욱 주의를 집중하는 경향이 있다. 의존적이고, 자아 개념이 낮으며, 불안감이 높은 관찰자일수록 타인의 행동을 모방하는 경향성이 높다.

(2) 파지 과정

주의집중에 덧붙여 학습자는 기억할 수 있는 형태로 관찰된 행동의 표상을 만든다. 이러한 파지 혹은 기억과정은 암기, 상상, 정교화의 사용을 포함한다.

(3) 운동재생 과정

관찰된 행동을 실제로 수행하는 것을 말한다. 개인은 반응 요소를 선택하여 조직화해야만 그러한 반응을 정보 송환에 근거하여 세련되게 만들어야 한다. 요구되는 행동을 성공적으로 실행할 수 있다는 학습자의 자아 효능감(self-efficacy)은 모방 행동의 성공적 수행에 커다란 영향을 미친다.

(4) 강화 혹은 동기화

대리강화와 처벌이 보상받은 행동을 수행하고 처벌받은 행동을 회피하는 데 인센티브를 제공해준다.

기출문제

1. 반두라(Bandura)의 관찰학습 단계 중 모델의 행동을 언어적·시각적으로 부호화하는 단계는? 2022년 국가직 9급

① 재생
② 파지
③ 동기화
④ 주의집중

해설

반두라(Bandura)의 관찰학습 단계는 주의집중 - 파지 - 운동재생 - 동기화 등으로 이루어진다. 이 가운데 모델의 행동을 언어적·시각적으로 부호화하는 단계는 파지단계이다. 즉, 파지단계에서는 주의집중에 덧붙여 학습자가 기억할 수 있는 형태로 관찰된 행동의 표상(表象)을 만든다.

답 ②

2. 사회인지이론에서 주장하는 관찰학습의 단계를 순서대로 바르게 나열한 것은? 2019년 국가직 9급

① 파지단계 → 재생단계 → 동기화단계 → 주의집중단계
② 주의집중단계 → 파지단계 → 재생단계 → 동기화단계
③ 동기화단계 → 주의집중단계 → 파지단계 → 재생단계
④ 재생단계 → 주의집중단계 → 동기화단계 → 파지단계

해설

관찰학습의 단계는 온정적이고, 유능하며, 강력하다고 여겨지는 모델에 더욱 주의를 집중하는 주의집중 과정, 상징적 부호화가 이루어지는 파지 과정, 관찰된 행동을 실제로 수행하는 운동재생 과정, 외적 혹은 자기강화가 이루어지는 강화 혹은 동기화로 이루어진다.

답 ②

인본주의 학습이론

1. 1970년대부터 출현하게 된 인본주의 심리학에 그 이론적 토대를 두고 있다. 인본주의 심리학은 개인의 잠재력을 실현시키는 데 역점을 둔다는 점에서 1970년대부터 출현한 실존주의 심리학과 일치한다.
2. 학습에 대한 인본주의적 접근은 현상학적 접근이라고 하며, 학습을 지식과 정의가 결합된 유의미한 실존적 경험이라고 강조한다. 또한 특정 사태에 대한 개인의 지각·해석·의미 등 인간의 주관적 경험을 강조한다.
3. 대표적인 학자로는 올포트(Allport), 콤즈(Combs), 매슬로우(Maslow), 로저스(Rogers) 등이 있다.

제2절 | 구성주의 학습이론

핵심체크 POINT

1. 구성주의 학습이론

학습관	학습자 자신이 지식을 내부적으로 표상하여 자신의 경험적 해석을 통해 구성해내는 과정
이론적 배경	피아제의 개인적 구성주의, 비고츠키의 사회문화적 구성주의
학습원리	체험학습, 자기 성찰적 학습, 협동학습, 실제적 성격의 과제 제시, 교사의 역할(촉진자, 동료학습자)

2. 구성주의 학습모형
① 대화학습[월취(V. Wertsch)]
② 인지적 도제학습: modeling-coaching-scaffolding-fading, 명료화, 반성적 사고, 탐구
③ 윌리스(Willis)의 R2D2모형: 순환적, 비선형적 수업설계모형
④ 바로우스(Barrows)의 PBL: 비구화된 문제, 가설연역적 추론, 자기주도적 학습
⑤ 참여학습, 인지적 유연성[스피로(R. Spiro)], 정착학습[브랜스포드(J. Bransford)]
⑥ 조나센(Jonassen)의 모형(modeling, coaching, scaffolding)

1 구성주의 학습이론의 이해

1. 구성주의

(1) 특징

① 지식은 개인과 독립적으로 존재하는 것이 아니고 환경과의 상호작용을 통해 개인에 의해 구성된다. 지식의 구성과정에서 개인의 능동적 참여뿐만 아니라 사회적 맥락에서의 상호작용의 중요성도 강조한다.
② 학습을 학습자가 지식을 내부적으로 표상(表象)하여 자신의 경험적 해석을 통해 구성해내는 과정으로 본다.
③ 학습은 의미 있는 경험을 토대로 하여 발전해나가는 활발한 구성화 과정이다. 따라서 학습은 실제 상황을 반영하는 풍부한 맥락 속에서 상황화되었을 때 효과적으로 이루어질 수 있다고 본다.

(2) 중심 개념

다중적(多重的) 조망(관점), 개별적 해석, 실제학습과제, 인지적 신축성, 비구조적 학습영역, 수업내용의 동시적 병렬, 탈(脫)목표 평가, 맥락 의존적 평가 등이 있다.

(3) 객관주의와 구성주의의 비교

구분	객관주의	구성주의
지식	고정적이고 확인할 수 있는 대상	개인의 사회적 경험을 바탕으로 하여 개인의 인지적 작용에 의해 지속적으로 구성 및 재구성
지식의 특징	초역사적, 초공간적, 범우주적	특정 사회, 문화, 역사, 상황적 성격의 반영과 구현
현실	규칙적으로 규명 가능하며 통제와 예측이 가능	불확실하며, 복잡하고, 독특함을 지니고, 예측이 불가능
최종 목표	모든 상황적, 역사적, 문화적인 것을 초월해 적용할 수 있는 절대적 진리와 지식을 추구	개인에게 의미 있고 타당하고 적합한 것이면 모두 진리이며 지식
주요 용어	발견, 일치	창조, 구성

2. 피아제와 비고츠키

(1) 피아제(Piaget)의 입장

① 생물학적 적응기제를 인간의 인지적 적응에 적용하였다.

② 인지발달: 개인이 환경에 적응을 통하여 새로운 인지구조를 형성해나가는 과정이다. 동화와 조절 기능의 상보적 진전에 의한 평형화 과정에 따라 이전의 구조와는 질적으로 다른 새로운 인지구조가 형성된다.

③ 평형화는 '구성과정'이다. 즉 인지발달을 움직이는 자기 조절적인 힘이며, 동화와 조절의 균형을 맞추는 보상적 과정이다. 발달을 더욱 종합적이고, 분화되고, 조직구조를 위계적이게 하는 기초를 제공한다.

(2) 비고츠키(Vygotsky)의 입장

① 마음의 사회적 발달, 혹은 고등정신기능에 관심을 가졌으며, 고등정신기능은 사회적 활동에 참여함으로써 발달된다고 주장한다.

② 정신기능의 발달은 사회적 상호작용과 상호작용을 중재하는 심리적 도구(예 언어)의 내면화의 결과에서 비롯된다.

③ 정신기능의 발달에서 질적 변환을 설명하는 말과 언어의 역할은 중요하다.

(3) 차이점과 공통점

① 차이점

㉠ 피아제의 구성주의 인식론은 지식에 대한 철학적 물음 대신 지식 획득이 일어나는 과정에 대한 심리학적, 인식론적 설명이다.

㉡ 비고츠키는 마음의 사회·문화적 기원을 주장하며 정신 기능 발달의 사회적 상호작용을 강조한다(사회적 구성주의).

㉢ 두 사람은 개인의 인지발달에 영향을 미치는 사회적 상호작용의 중요성에 대한 상이한 입장에서 출발한다.

② 공통점: 개인이 자기 조절적인 정신 활동을 통해 경험을 구조화, 재구조화하는 능동적 과정을 통해서 지식이 획득되고 의미를 만든다는 점에서 같다.

(4) 피아제와 비고츠키의 구성주의 비교

인지적 구성주의	사회적 구성주의
피아제(Piaget)의 이론에 근거	비고츠키(Vygotsky)의 이론에 근거
개인이 지식을 구성해 나가는 과정과 인지적 작용에 주된 관심	사회적 상호작용의 내면화를 통해 인지발달이 이루어짐
학습자의 발달 수준에 맞는 자극을 줄 때 교수 - 학습이 효과적	인간에 대한 이해를 돕기 위해 사회, 문화, 역사적 측면을 중시
개인의 인지적 활동이 지식의 구성에 핵심적 역할을 하므로, 동화와 조절을 촉진할 수 있는 방법에 관심	사회적 상호작용의 중요성은 아동의 '근접발달영역(ZPD)'을 통해 설명

3. 구성주의 교수 - 학습의 특징

(1) 학습자의 학습에 대한 주인의식

① 학습자는 수동적인 지식의 습득자가 아니라, 적극적이며 자율적인 지식의 형성자가 된다.

② 학습에 대한 주인의식(ownership): 스스로 자율학습할 수 있는 지적 기술과 능력을 존중하며, 자신의 학습을 관리하고 학습의 목표와 방향을 설정해나갈 수 있는 능력을 뜻한다.

③ 학습자들은 과제가 주어졌을 때 그 과제를 통해 자신이 배우고 해결해야 할 문제가 무엇인지를 스스로 파악하고, 개인 혹은 그룹 간 협동적 노력을 통해 문제해결과정을 스스로 찾아낸다. 교사는 조언자, 촉매자로써 학습자가 결론을 유도하고, 그 결론에 대한 적절하고 타당한 논리적 이유를 제시할 수 있도록 한다.

(2) 자아 성찰적 실천(reflective practice)

① 자신의 모든 개인적 경험이나 일상적인 사건이나 현상에 대해 무심코 지나쳐 버리는 것이 아니라 그 의미와 중요성에 대해 항상 의문을 가지고 분석하는 인지적 습관이다.

② "스스로 무슨 일이 일어났는가?", "나는 그것에 어떤 식으로 대응하고 행동했는가?", "왜 나는 그런 식으로 대응할 수밖에 없었는가?", "유사한 일이 발생하면 나는 또 다시 같은 식으로 대응할 것인가?" 등의 질문을 통해 자아 성찰적 사고를 습관화한다.

(3) 협동학습 환경의 활용

① 구성주의를 극단적인 상대주의 혹은 극단적인 주관주의와 구분하도록 하는 척도가 된다.

② 복잡한 문제해결을 서로 나눔으로써 인지적 부담을 덜어 주는 것이 아니라 오히려 사람마다 얼마나 다양한 생각과 견해를 지니고 있는지를 배우게 한다.

③ 협동학습을 통해 자신의 견해와 생각을 논리적이고 설득력 있게 제시하는 기술도 익히고 토론과 협상의 기술도 익힐 수 있다.

(4) 학습의 조언자, 동료 학습자로서의 교사 역할

① 전통주의에서 교사에게 부여되었던 지식의 전달자로서의 절대적 힘과 권위를 학습자에게 대폭 이양해야함을 강조한다.

② 교사는 학습자가 필요로 할 때 학습에 대한 도움을 주는 조언자(scaffolder), 또는 학습자가 해결해야 하는 과제의 전 과정을 먼저 시연(modeling)해 줌으로써 학습자에게 그가 배워야 할 문제에 대한 전반적인 개념적 틀을 제공한다.

③ 급진적 구성주의에서 교사는 동료학습자(co-learner)의 역할을 수행한다. 즉, 교사 자신도 학습자들과의 지속적인 접촉과 참여를 통해 그들을 더욱 이해하고, 그들로부터 배우는 학습자로서의 역할을 인정한다.

(5) 구체적 상황을 배경으로 한 실제적 과제

① 구성주의가 객관주의와 구분되는 점이 '상황(context)'과 '실제적 과제(authentic task)'이다.

② 우리가 무엇을 이해했다든가 배웠다는 것은 항상 구체적인 '상황'을 전제로 한다.

③ '실제성'이란 어떤 과제가 어떤 특정한 학습목표의 달성과 얼마나 관계가 있는지를 보여주는 것이다.

기출문제

구성주의 교육에 대한 설명으로 옳은 것만을 모두 고르면? 2020년 지방직 9급

ㄱ. 교수의 내용은 객관적 법칙이라고 밝혀진 체계화된 지식이다.
ㄴ. 실재하는 지식을 효과적으로 전달할 수 있는 교수·학습 방법을 강조한다.
ㄷ. 학습자가 정보를 획득하고 의미를 재구성할 수 있도록 복잡하고 비구조화된 과제를 제시한다.
ㄹ. 협동수업, 소집단활동, 문제해결학습 등을 통해 사고와 메타인지를 촉진하는 다양한 교육방법을 적용한다.

① ㄱ, ㄴ
② ㄱ, ㄹ
③ ㄴ, ㄷ
④ ㄷ, ㄹ

해설

객관적 지식을 교수의 내용으로 하거나, 실재하는 지식을 효과적으로 전달할 수 있는 교수·학습 방법을 강조하는 것은 객관주의 교육이다. **답 ④**

2 구성주의 학습모형

1. 월취(J. V. Wertsch)의 대화학습

(1) 비고츠키의 고등정신 기능에 대한 이해와 로트만(Lotman)의 언어의 대화적 기능을 바탕으로 한 모형으로 대화학습과정에서 나타나는 생성적 기능을 강조한다.

(2) 언어는 정보전달 외에 사고의 도구 혹은 의미의 생성자로서 기능을 지닌다.

(3) 월취는 언어가 갖는 일방적 전달 기능 이외에 언어들이 서로 상호작용하고 간섭하고, 서로를 위계적으로 조직하며 기호학적 공간에서 새로운 사고를 생성해내는 대화적 기능에 관심을 갖는다.

(4) 수업과정에서 교사는 정형화된 질문을 피해야 한다.

2. 인지적 도제학습(cognitive apprenticeship)

(1) 특징

① 도제방법: 초보자가 실제 장면에서 전문가가 과제를 수행하는 과정을 직접 관찰하고, 이를 모방하여 수행하는 과정을 통해 특정 지식과 기능을 연마하는 과정으로 이루어진다. 대표자는 러고프(B. Rogoff)이다.

② 실제 상황에서 이루어지는 전통적인 도제방법의 장점을 최대한 수용하되, 이를 현대 사회의 요구에 비추어 창의적, 반성적 사고와 문제해결 등과 같은 내적인 고등정신 기능을 학습하는데 적합하도록 재구성한 교수 - 학습방법이다.

③ 스스로 문제를 해결할 수 없는 영역과 남의 도움을 받아 해결할 수 있는 영역(근접발달영역)이 전제된 구성주의 학습이론이다.

④ 학습 환경을 구성하는 내용, 방법, 순서, 사회학의 차원을 중시한다.

(2) 도제이론의 과정(MCSARE)

① 학생들이 관찰과 안내된 실습의 과정을 통해 인지적 및 초인지적 기능을 획득하도록 돕는 단계이다.

② 전문적인 문제해결의 관찰과 자신의 문제해결전략에 의식적으로 접근하도록 돕는 단계이다.

③ 전문적인 문제해결과정을 실행하고 문제를 정의하고 설정하는 과정에서 학습자의 자율성을 증진하는 단계이다.

1단계	㉠ 시범보이기 (Modeling)	교사가 시범을 보이면 학습자는 교사의 사고와 행동을 관찰한다.
	㉡ 코칭 (Coaching)	학습자가 관찰한 시범의 내용에 조언을 해주고, 잘못 관찰한 내용에 대해서는 피드백을 제공해준다.
	㉢ 비계 마련해주기 (Scaffolding)	교사와 학습자가 공동으로 과제를 수행하면서, 학습자의 학습에 도움을 주는 디딤돌 역할을 한다(교수적 도움). 학습자가 과제수행에 익숙해짐에 따라 도움을 점차 감소시키다가, 필요가 없는 경우 제공하지 않는다(교수적 도움 중지; fading).

2단계	㉣ 명료화 (Articulation)	학습자가 학습한 지식, 기능, 태도를 명료하게 표현해 보도록 하는 과정으로, 학습자는 스스로 표현해봄으로써 지식을 보다 명료하게 인식할 수 있다.
	㉤ 반성 (Reflection)	학습자 자신이 수행하고 있는 문제해결과정을 교사의 문제해결과정과 비교하여 반성한다.
3단계	㉥ 탐색 (Exploration)	학습한 지식과 기능을 새로운 방식으로 활용하는 방법이나 가설 등을 탐색하도록 한다.

(3) 인지적 도제이론의 비유

조산원의 산파와 보조원(도제) 간의 관계이다. 즉 보조원은 항상 산파와 같이 있으면서 '실제 상황'에서 '실제 과제'가 풀어지는 과정을 지켜본다. 처음에는 지켜보기만 하다가 점차 과제의 중요한 부분에 참여, 나중에는 또 다른 산파로 탄생하게 된다. 즉 실제 상황 속에서 실제 과제를 풀어 가는 과정에 지속적으로 참여함으로써 종국에는 새로운 문제해결의 학습이 가능하게 한다.

3. 문제중심학습(Problem-Based Learning, PBL)

(1) 특징

① 비구조화된 문제(ill-structured problem)상황에 직면할 때 요구되는 추론기능(가설 - 연역적 추론)과 자기주도적 학습기능을 기를 수 있는 학습 형태이다.

② 비구조화된 문제를 해결하기 위해 추론 기능과 지식 기반을 통합하여야 한다는 요구를 반영한다. 또한 계속적인 자기학습기능의 요구를 반영한 교수학습 환경이다.

(2) 구조

① 바로우스(Barrows)가 제시한 구성주의 학습모형으로 PBL의 구조는 'Team학습'과 '자기주도적 학습(SDL)'이다.

② 과제(문제)가 주어지면 팀으로 나누어 각 팀에서 그 과제를 통해 자신들이 학습하게 될 학습목표를 결정하도록 한다.

(3) 목표

학습자로 하여금 어떤 문제나 과제에 대한 해결안 혹은 자신의 견해나 입장을 전개하여, 제시하고 설명하며, 나아가 옹호할 수 있도록 하는 것이다. 즉 ① 문제해결 능력, ② 관련 분야의 지식 및 기술의 습득, ③ 자신의 견해를 분명히 제시, 옹호, 반박할 수 있는 능력, ④ 협동학습 능력 등이다.

(4) 절차와 각 단계에서의 활동(하버드 의과대학 모형)

제1단계	학생들에게 문제 시나리오를 제시한다.
제2단계	각 집단별로 문제를 정의한다.
제3단계	집단별로 학습목표를 확인한다.
제4단계	학습목표를 달성하기 위해 자기 주도적 개별학습을 진행한다.
제5단계	집단별로 학습결과를 발표하고 토의하며 목표 달성여부를 확인한다. 이 때 추가적인 개별학습과 토의가 이루어질 수 있다.
제6단계	집단별로 연구결과를 종합하고 요약한다. 학생들은 학습결과를 다른 상황에 일반화한다.

(5) 교사와 학생의 역할과 효과적인 학습전략

문제	① 비구조화된 문제(추론기능과 자기 주도적 학습능력 배양) ② 실제 세계의 맥락 속에서 지식의 구성을 돕기 위한 목적으로 제시 ③ 팀 학습과 자기 주도적 학습
교사의 역할	① 인지적 조력과 코치 ② 문제사태의 제시 ③ 시범, 조력, 정교화 ④ 학습과정 및 결과의 평가
학생의 역할	① 적극적 참여와 문제해결 ② 실제의 맥락 속에서 지식 구성 ③ 사전 지식과 경험에 기초한 문제해결
효과적인 학습전략	① 학습내용의 이해를 목적으로 함 ② 학습내용을 사전 지식에 관련시킴 ③ 학습내용과 비판적 상호작용 ④ 조직원리를 이용하여 지식을 통합

기출문제

다음 설명에 해당하는 교수 - 학습 이론은? 2021년 지방직 9급

> 전문가와 초심자 간의 특정한 관계 속에서 실제적 과제를 해결해나가는 과정을 통하여 새로운 지식을 구성함으로써 개념을 발전시켜 나간다. 전문가는 초심자의 지식 구성과정을 도와주는 역할을 하며, 초심자는 전문가와의 토론이나 초심자 간의 토론을 통하여 사회적 학습행동을 습득하고 자신의 인지적 활동을 통제하면서 인지능력을 개발한다.

① 상황학습 이론
② 문제기반학습 이론
③ 인지적 융통성 이론
④ 인지적 도제학습 이론

해설

구성주의 교수 - 학습이론 가운데 인지적 도제학습 이론은 초보자가 실제 장면에서 전문가가 과제를 수행하는 과정을 직접 관찰하고, 이를 모방하여 수행하는 과정을 통해 특정 지식과 기능을 연마하는 과정으로 이루어져 있다. 인지적 도제학습의 단계는 시범보이기, 코칭, 비계설정하기, 명료화, 반성, 탐색 등으로 진행된다. **답 ④**

4. 상황학습[situated learning, 레이브(J. Lave)]

(1) 구성주의 학습에서 강조하는 능동적인 학습자의 참여를 강조하는 이론이다.

(2) 추상적이거나 탈상황적인 지식을 다루는 대부분의 전통적 교실 수업과는 달리 참여학습에서는 사회적인 교류가 학습의 중요한 요소를 이룬다.

(3) 학습자들은 특정한 신념과 행동이 습득되어질 수 있도록 하는 '실천사회(community of practice)'에 참여하게 된다.

기출문제

상황학습(situated learning)의 설계 원리에 대한 설명으로 옳지 않은 것은?

2019년 국가직 9급

① 지식이나 기능은 유의미한 맥락 안에서 제공되어야 한다.
② 교실에서 학습한 것과 교실 밖에서 필요로 하는 것의 관계 형성을 돕는다.
③ 전이(transfer)를 촉진할 수 있도록 추상적인 형태의 지식을 제공한다.
④ 다양한 사례를 활용하여 능동적인 문제해결을 유도한다.

해설

상황학습 혹은 참여학습은 구성주의 학습모형의 하나로 능동적인 학습자의 참여를 강조하며, 추상적이거나 탈상황적인 지식을 다루는 전통적인 교실 수업과는 달리 사회적인 교류가 학습의 중요한 요인이 된다. **답 ③**

5. 인지적 유연성 이론(cognitive flexibility theory)

(1) 즉흥적으로 자신의 지식을 재구성할 수 있는 능력을 의미한다. 즉 급격하게 변화하는 상황의 요구에 따라 여러 가지 방법으로 적절하게 대처하는 것을 말한다.

(2) 특징

① 지식의 재현과 그 과정에 최대 관심을 두며, 결과적으로 지식의 사회적 측면은 거의 연구되어 있지 않다는 점에서 다른 구성주의 이론과 차이가 있다.
② 인지적 유연성을 위해서는 복잡한 실제 경험을 포착하고 제시하는 사례중심 학습이 요구되며, 비디오 디스크, 하이퍼미디어도 요구된다.

(3) 대표자

스피로(R. Spiro), 펠트비치와 콜슨(P. Feltovitch & R. Coulson) 등이 있다.

6. 정착수업(anchored instruction)

(1) 의의

① 학습자가 풍부한 상황, 즉 실질 상황과 비슷한 복잡하고 역동적인 문제 상황이 정교하게 표현되고 있는 상황에서 지속적인 탐구활동을 할 수 있다.
② 현대 기술 문명의 장점을 살린 하나의 수업의 틀이다.
③ 호환성 비디오디스크의 발달과 더불어 성장하였다. 교사와 학생들로 하여금 복합적이고 실제적인 문제들을 설정하고 해결하는 것을 북돋우는 것이다. 주로 초등학교 읽기, 쓰기, 수학의 수업에 많이 활용되며, 대표적인 예가 빈델빌트 대학의 인지공학 연구팀(Cognition & Technology Groupat Vanderbilt, CTGV)이 개발한 호환적 비디오 디스크 프로그램이다. 이 프로그램에서는 학생들은 모험(탐험)을 하면서 문제를 하나하나 풀 때마다 수학적인 개념들을 하나하나 읽어나가게 된다.

(2) 대표자

브랜스포드(J. Bransford)가 있다.

(3) 특징

① 학습자 중심 학습

㉠ 의도적으로 학생들의 결점보다는 강점에 기초하여 수업환경을 구성한다.

㉡ 교사와 학생들이 공유할 수 있는 학구적으로 풍부한 환경을 조성하고 제공한다.

㉢ 도전적이고 동기유발적인 실제적 문제해결에 참여할 수 있는 기회를 제공한다.

② 지식중심 환경

㉠ 새로운 지식을 도출하기 위한 탐구의 과정뿐만 아니라 효과적인 문제해결을 돕는 핵심 아이디어들을 중심으로 조직된 학문적 지식을 습득하도록 돕는다.

㉡ 학생들이 스스로 학습을 점검하고, 안내하고, 주도하도록 유도한다.

③ **평가중심 환경**: 학생과 교사들이 목표를 설정하고, 피드백을 추구하고, 필요한 교정을 하도록 돕는다.

④ **공동체 중심 환경**: 학습규칙을 정하고, 공동체로서의 학교, 학교와 지역사회와의 연결을 도모한다.

3 구성주의의 교육적 의의

1. 학교교육의 시사점

(1) 탈맥락 지식을 일방적으로 제시해서는 안 되고 개인의 의미있는 지식 구성을 허용한다.

(2) 실제 문제해결 경험을 제공한다.

(3) 전문가가 실제 상황에서 보여주는 수행을 관찰하고 따라 할 수 있는 기회를 제공한다.

2. 교사의 역할

(1) 학생들의 자율성과 솔선수범을 격려하고 수용한다.

(2) 조작적, 상호작용적, 물리적 자료와 더불어 원자료와 1차 자료를 활용한다.

(3) 과제를 체계화할 때 '분류하다.', '분석하다.', '예측하다.', '창조하다.'와 같은 인지적 전문 용어를 사용한다.

(4) 학생들의 반응을 수용하여 수업을 진행하며 수업내용과 방략을 다양화한다.

(5) 개념을 일방적으로 전달하지 않고 이해 여부를 탐색한다.

(6) 교사와 학생간, 학생들 상호 간의 대화를 고무한다.

(7) 사려 깊고 개방적인 질문을 한다.

(8) 학생의 초기 반응을 정교화한다.

(9) 질문을 제기한 뒤 대답할 시간적 여유를 준다.

(10) 학생들이 스스로 관계를 구성하고 비유를 할 수 있는 시간적 여유를 제공한다.

3. 평가관

(1) 목표를 달성했는가가 아니라 학습자가 내용영역의 과제를 실제 상황에서 어떻게 사용하느냐, 즉 평가는 사고과정을 조사하는 일이다.

(2) 지식 획득의 결과보다는 과정에 비중을 둔다.

(3) 평가자는 학습이 일어나고 있는 상황을 고려하여 복잡한 상황 안에서 행해지는 학습자의 행위를 평가한다.

(4) 평가 전문단, 초보자, 보조자가 함께 다양한 시각과 방법으로 평가한다.

(5) 고차원적 사고력을 평가, 즉 평가의 기준은 독창력을 중시한다.

(6) 문제해결력, 정보처리능력, 전이 및 적용능력을 평가한다.

4. 구성주의의 비판

(1) 학습 목표설정에 대한 문제

구성주의에 의하면 학습 목표설정에 대해 다음과 같은 문제가 있다.

① 절대적인 진리는 없다.

② 학생마다 구성하는 지식이 다르기 때문에 공통적인 목표를 세울 수 없는가?

③ 학습목표를 설정할 수 없는데 어떻게 학교에 도입될 수 있는가?

④ 나아가 목표가 없기 때문에 평가는 더욱 더 불가능한 것이 아닌가? 등

(2) 학생들이 자율을 감당할 수 있는가의 문제

대부분의 사람들은 학생들은 교사의 끊임없는 지도를 받아야 하는데, 이를 학생의 자율에 맡기다 보면 방종으로 흐를 가능성이 높다는 우려이다.

(3) 문제해결 위주의 학습 환경은 때때로 학생들에게 너무 힘겨워 좌절감을 줄 수도 있다.

(4) 학습에 기본이 되는 독·서·산의 교육에 소홀히 하게 될 가능성이 높다.

기출문제

다음 설명에 해당하는 학습은? 2022년 국가직 7급

- 유의미한 학습이 일어나기 위해서는 지식이 사용되는 맥락에 대한 정보가 제공되어야 한다.
- 전이를 촉진하기 위해 한 가지 주제를 다양한 맥락에서 다양한 예시와 함께 다룰 필요가 있다.
- 학습은 일상생활의 활동에 참여하는 경험을 통해 진행되므로 사회공동체의 활동에 참여하는 과정이 장려되어야 한다.

① 발견학습(discovery learning) ② 상황학습(situated learning)
③ 혼합학습(blended learning) ④ 거꾸로학습(flipped learning)

해설

구성주의 학습모형 가운데 상황학습(situated learning)은 학습자의 능동적인 참여를 강조하며, 추상적이거나 탈상황적인 지식을 다루는 대부분의 전통적 교실 수업과는 달리 사회적인 교류가 학습의 중요한 요소를 이룬다. **답 ②**

제3절 | 동기와 학습전략

1. **학습 동기**
   ① 동기이론
   ㉠ 행동주의: 강화와 벌 강조
   ㉡ 인본주의: 자기결정성, 자존감
   ㉢ 인지주의: 귀인
   ㉣ 사회학습이론: 기대 × 가치
   ② 귀인이론: 바이너, 귀인요소 - 능력, 노력, 과제곤란도, 운
2. **성취 동기**
   성공추구동기(과제지속력 강하고 쉽게 문제해결에 도달)와 실패회피동기(과제수행에 대한 실패의 두려움이 동기로 작용)
3. **학습의 전이**

형식도야설	정신 능력의 전이(능력 심리학에 근거)
동일요소설 [손다이크(Thorndike)]	두 학습과제 사이에 동일한 요소가 중요
일반화설 [주드(Judd)]	두 학습 내용 사이에 원리가 같을 때 전이가 일어남
형태이조설 (형태심리학)	장면이나 학습 자료의 역학적 관계가 다음 학습에 영향

4. **인지양식**
   ① 장독립성(지각적 상황을 재빨리 구조화, 구조부여 능력 뛰어남)과 장의존성(지각 대상을 전체로 지각)
   ② 충동적(일은 빨리 처리하나 실수 많음) 및 반성적(사려성 깊고, 천천히 일처리, 실수 적음)
   ③ 초인지(Flavel): 자신에 대한 정보, 당면 과정의 종류, 인지활동의 성과에 영향을 주는 방략 등

1 학습동기

1. 개념

학습자로 하여금 특정 학습의 준비 또는 일련의 학습을 지속시키도록 하는 내적·외적 조건을 말한다. 일반적인 동기요인으로 과제동기, 성취동기, 열망수준, 자아개념, 불안 등이 있다.

2. 내적 동기와 외적 동기

(1) 내적 동기

① 장점
㉠ 학습자가 외적 보상이 주어지지 않는 학교 밖의 학습활동에도 참여한다.
㉡ 학습자가 도전감 있는 과제를 더 많이 선택하게 한다.

㉢ 내적 동기를 촉진시키는 조건(흥미와 즐거움)은 이해와 개념학습을 촉진시킨다.

㉣ 창의성을 촉발시킨다.

㉤ 외적 흥미나 동기보다 더 큰 즐거움을 유발시키고 과제에 더 적극적으로 참여하게 된다.

② 내적으로 동기화된 학습자의 특징

㉠ 학습활동을 자발적으로 시작한다.

㉡ 도전감 있는 과제를 선호하거나 과제의 도전적인 측면을 추구한다.

㉢ 학교학습을 학교 밖의 활동이나 흥미와 자발적으로 관련시킨다.

㉣ 현재 수행하고 있는 과제와 관련된 질문을 해서 지식의 폭을 확장시킨다.

㉤ 필수적으로 이수해야 할 과제는 물론 그 밖의 다른 영역에도 관심을 갖는다.

㉥ 자신이 아직 완성하지 못한 과제를 중간에 그만두려고 하지 않는다.

㉦ 외적 이유(예 성적, 교사의 점검 등)와는 상관없이 과제를 수행한다.

㉧ 과제를 수행할 때 미소를 지으며 과제를 즐기는 것처럼 보인다.

㉨ 자신이 성취 결과에 자부심을 표현한다.

(2) 외적 동기

행동주의에 기초한 동기, 강화나 유인가를 통한 강화 등이다.

3. 동기에 관한 4가지 접근

(1) 행동주의적 접근

① 특징

㉠ 동기를 보상(reward)이나 유인가(incentive) 등의 개념으로 설명한다.

㉡ 보상이란 어떤 특정한 행동의 결과에 따라 주어지는 매력적인 사물이나 사건을 말하고, 유인가란 행동을 조장하거나 단념시키는 사물이나 사건이다.

㉢ 어떤 행동에 대해 지속적으로 강화를 받는다면, 특정 방식으로 행동하는 습관이나 경향성을 발전시킨다.

② 대표적인 이론: 스키너(Skinner)의 강화이론, 헐(Hull)의 욕구감소이론 등이 있다.

욕구감소이론

인간의 모든 행동이 내적 욕구를 감소시키는 방향으로 진행된다는 이론. 즉 유기체는 생리적인 욕구가 결핍될 경우 내적 긴장이나 흥분 상태를 일으키게 되므로 유기체는 이러한 상태에서 벗어나기 위해 행동한다.

(2) 인본주의적 접근

① 특징

㉠ 내재적 근원을 '자아실현'(매슬로우), '자기결단'(데씨, 발레랜드, 펠레티어와 레인), 생득적 '실현경향성'(로저스와 프라이버그)을 위한 개인의 욕구라고 본다.

㉡ 자신의 잠재력을 실현시키기 위한 생득적 욕구에 의해 지속적으로 동기화된다고 믿는다.

㉢ 학생들을 동기화 시킨다는 것은 그들의 내적 자원, 즉 유능감, 자존감, 자율성과 자아실현 등을 격려해줌을 의미한다.

② 대표적인 이론: 매슬로우(Maslow)의 욕구 위계이론, 데씨(Deci)의 자기 결단 이론(self-determination theory) 등이 있다.

자기결단 이론

1. 특징

① 데씨(Deci)가 주장한 이론으로, 어떤 일이 자기 자신에 의해 결정되고 있다는 느낌을 가질 때 내적 동기가 계속 유지된다고 본다.

② 사회적 가치의 내면화 강조: 교육에서 외적인 통제가 점차 내면화되고, 자기 규제의 일부가 되도록 하는 것을 강조한다.

③ 학습에서의 자기결정을 강조하고 있다는 점에서 교육적 실천에 많은 것을 시사한다.

2. 교육에의 적용

① 선택은 자기결정 및 내적 동기의 선행조건으로, 학생들의 필요와 가치에 따라 학습동기 유발과 학습의 만족도를 높여준다.

② 재미없는 과제나 내용을 가르칠 경우에는 학생들의 불만감을 인정해야 한다.

③ 학생들에게 활동을 제시할 때와 평가 결과나 피드백을 전할 때, 비통제적인 방식으로 이야기를 하는 것이 학생들의 자기결정을 손상시키지 않는 방법이다.

(3) 인지주의적 접근

① 특징

㉠ 동기는 단순히 과거의 그 행동이 보상되었는가 혹은 처벌되었는가가 아니라 우리의 사고에 의해 행동이 결정된다고 본다.

㉡ 행동은 계획(밀러), 목표(로크와 레이썸), 도식(오토니, 클로어와 콜린스), 기대(브룸), 귀인(바이너) 등에 의해 시작되고 조절된다.

㉢ 기본 가정 가운데 하나는 사람들이 외부의 사건이나 신체적 조건 등에 반응하는 것이 아니고 그런 사건들에 대한 자신의 해석에 반응한다는 것이다.

㉣ 내재적 동기를 강조한다. 즉, 인간을 자신과 관계있는 문제를 풀고 정보를 찾는 적극적이고 호기심이 많은 존재로 보며, 또 그 일을 즐기고 그 일에 대해 알고 싶기 때문에 열심히 노력한다고 본다.

② 대표적인 이론: 바이너(Weiner)의 귀인이론, 코빙턴(M. Covington)의 자기가치(self-worth) 이론 등이 있다.

자기가치 이론

사람들은 누구나 자기 자신이 가치 있는 유능한 존재로 평가되기를 원하는 욕구를 가지고 있으며, 이러한 자기가치에 대한 욕구가 인간의 행동을 결정한다는 이론

(4) 사회학습이론적 접근

① 특징

㉠ 사회학습이론은 행동의 효과나 결과에 관한 행동주의자의 관점과 개인적 신념과 기대의 영향에 대한 인지주의적 접근을 수용한다.

㉡ 가장 특징적인 것은 '기대 × 가치' 이론이다[반두라(Bandura)]. 즉, 동기란 목표에 도달하려는 개인의 기대와 그 목표가 자신에게 주는 가치의 산물이다.

② 대표적인 이론: 반두라의 '기대 × 가치' 이론, 로터(Rotter)의 사회학습이론이 있다.

구분	행동주의	인본주의	인지주의	사회학습이론
동기의 근원	외적 강화	내적 강화	내적 강화	외적·내적 강화
주요 영향	강화물, 보상, 유인가, 처벌	자존심, 자기 충족감, 자기결단	신념, 성공과 실패에 대한 귀인, 기대	외적·내적 강화, 목표에 대한 기대, 목표의 가치
주요 이론가	스키너	매슬로우	바이너	반두라

4. 학습동기의 귀인이론(attribution theory)

(1) 특징

① 개인이 어떤 특정한 상황에서의 성취결과(성공 혹은 실패)에 대하여 그 원인을 무엇이라고 인식하느냐에 따라 그의 행동이 결정된다는 이론을 말한다.

② 귀인이론은 여러 인지과정은 행위계열에서 개인의 행위방식에 영향을 줌으로써 목표달성을 도와준다는 인지적 기능주의(cognitive functionalism)와 객관적인 현실보다는 지각된 세계를 중시하는 현상학(phenomenology)에 기초하고 있다.

(2) 바이너(Weiner)의 귀인이론 모형

안정성 소재	내적 통제	외적 통제
안정요인	능력	과제 곤란도
불안정 요인	노력	운

① **능력**: 내적, 안정적, 통제 불가능한 원인
② **노력**: 내적, 불안정적, 통제 가능한 원인
③ **과제 곤란도**: 외적, 안정적, 통제 불가능한 원인
④ **운**: 외적, 불안정적, 통제 불가능한 원인

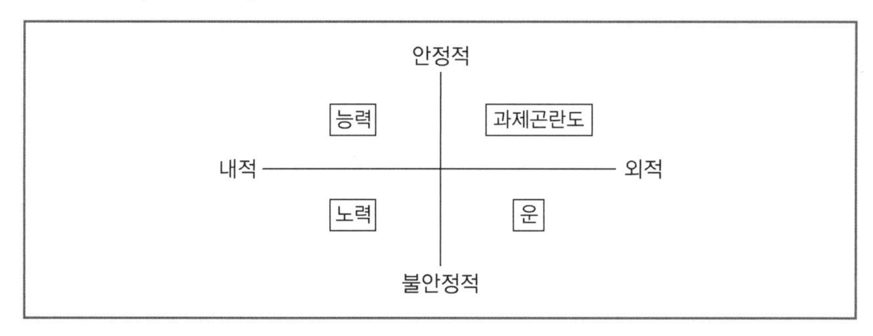

(3) 학습된 무기력(learned helplessness)

① 동기유발에서 학생들이 실패를 내적, 안정적, 통제 불가능한 원인으로 귀인하는 경우, 즉 그들은 아무것도 그리고 어느 누구도 자기에게 도움을 줄 수 없다고 믿으며, 자기 자신의 과거의 경험으로 비추어 볼 때 실패할 운명으로 태어났다고 생각하는 것이 고질화되는 것을 말한다[바이너(Weiner), 러셀(Russell)과 러먼, 마이어(Maier)], 셀리그먼과 솔로몬(Seligman & Solomon)].

② 특징

㉠ 학습된 무기력은 실패를 많이 한 학생들이 실패를 피하기 위해 자신이 할 수 있는 일은 아무것도 없다고 믿을 때 발생한다.

㉡ 이들은 실패 상황에 직면하게 되면 그것을 자신의 낮은 능력 때문이라고 보고 이를 통제할 수 없다고 귀인시킨다.

㉢ 학업수행은 항상 저조해서 동료들로부터 바보 취급을 당한다.

㉣ 자신이 무능력하기 때문에 어떠한 새로운 과제도 성공적으로 수행할 수 없을 것이라는 신념을 갖게 된다.

㉤ 그는 분명히 실패할 것이라고 생각하기 때문에 모든 과제에 직면해서 "하면 뭘해"라고 포기해버린다.

㉥ 과제를 해결하려는 시도를 거의 하지 않기 때문에 그것을 성공적으로 수행하는 경우가 드물다.

㉦ 과제를 성공적으로 수행하고서도 성공의 원인을 자신보다는 과제의 용이성, 교사의 도움, 행운 등과 같은 자신이 통제할 수 없는 변인으로 본다.

③ **증상**: 학습된 무기력의 일반적 증상으로는 수동성과 학습의 손상, 공격성과 감소, 우울, 문제해결전략의 효율성 저하, 기대와 행동을 쉽게 포기하는 인내성의 부족 등을 나타낸다.

5. 귀인훈련 프로그램의 효과

(1) 실패의 책임을 능력과 같은 안정적이고 내적인 원인으로 돌리는 귀인이나 운과 같은 불안정적이고 외적인 원인으로 돌리는 특성을 지닌 귀인양식을 학업성취에 바람직한 방향으로 변경 혹은 교정시킴으로써 학생의 학업성취도 증진을 도모하고자 하는 것이다.

(2) 바이너(Weiner)의 귀인변경 프로그램 절차

'실패 → 추론된 능력결핍 → 무능감 → 성취감소'의 흐름을, '실패 → 노력결핍 → 죄책감과 수치감 → 성취증가'로 변경시키고자 하는 것이다.

6. 귀인이론의 교육적 시사점

(1) 학생들이 학교학습에서의 성공과 실패를 자신의 능력, 운 또는 타인과 같이 자신들이 통제할 수 없는 힘에 귀인시킬 때보다 자신들의 노력 또는 노력 부족으로 귀인시킬 때 학습하고자 하는 동기가 더욱 증진될 것이다.

(2) 학생들이 통제할 수 없는 원인들 때문에 좋은 성적을 받았다고 지각한다면 학습동기가 증진되지 않는다.

(3) 성공은 자신의 노력의 결과이며 실패는 노력의 부족 때문이라고 지각한다면 학습동기는 계속 유지·증진될 것이다. 즉 학습결과에 대한 책임을 자신의 내부에 존재하는 가변적인 통제 가능한 요인(노력)에서 찾는다면 학생 자신의 의지에 따라 결과를 변경시킬 여지가 있으므로 학습하고자 하는 의욕이 높아질 가능성이 높다.

(4) 학습에 투입한 노력의 양이 중요한 것이 아니라 자신의 노력과 학습의 성패 간에 인과적 관계가 있다고 지각하는 것이 중요하다. 즉 귀인이론의 핵심은 개인의 지각에 대한 견해이다.

7. 기대×가치이론[앳킨슨, 반두라(Atkinson, Bandura)]

(1) 특징

① 인간이 어떤 과제를 전력을 다해서 수행하는 것은 자신이 그것을 완성할 수 있을 것이라는 기대 이외에 과제 그 자체가 과제를 수행하는 사람에게 부여하는 가치이다. 이 가운데 어느 하나라도 0(zero)이라면 목표를 향한 일의 동기가 이루어지지 않는다.

② 기대×가치이론에 따라서 학생들의 행동을 예측하거나 그것을 변화시키려고 한다면 먼저 보상의 가치에 대한 학생들의 지각을 측정해 보아야 한다.

(2) 기대×가치 모형에서 3가지 동기 요인[핀트리치와 디그룻(Pintrich & DeGroot, 1990)]

기대적 요소	과제수행 능력에 관한 학생들의 신념을 포함하고 있다.
가치적 요소	학생들의 과제에 대한 목적과 과제의 중요성과 흥미에 관한 신념을 포함하고 있다.
정의적 요소	과제에 대한 학생들의 정의적 혹은 정서적 반응을 포함하고 있다.

(3) 사회학습이론적 접근

자기효능감[반두라(Bandura)], 기대×가치이론[위그필드와 에클스(Wigfield & Eccles)]

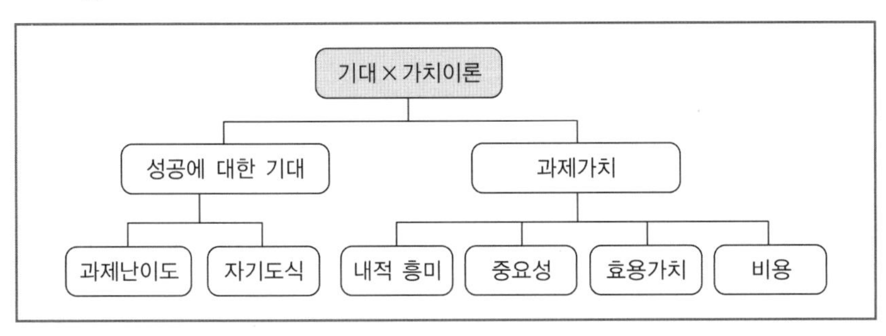

① **과제난이도**: 적절한 난이도를 의미한다.
② **자기도식(self-schemas)**: 자기능력에 대한 긍정적 인지적 평가이다.
③ **내적 흥미**: 기꺼이 참여하도록 유도하는 활동의 특성과 주제의 성격이다.
④ **중요성**: 주제나 활동에 참여했을 때 그것이 자기도식에서 중요한 점을 얼마나 확증해주는가를 의미한다.
⑤ **효용가치**: 직업이나 미래의 목표를 충족시킨다는 인식을 의미한다.
⑥ **비용**: 과제에 참여함으로써 올 수 있다고 인식되는 부정적인 면을 말한다.

참고 기대×가치이론은 인간은 자신이 성공할 것이라는 기대에 그 성공에 대한 개인이 부여하는 가치를 곱한 값만큼 동기화된다. 성공에 대한 기대는 "내가 이 과제를 할 수 있을까?"와 과제 가치는 "내가 왜 이 과제를 해야 하지?"라는 물음에 답을 준다.

8. 동기와 각성(arousal)

(1) 각성

주의, 기민성, 혹은 경계성과 같은 인간행동의 반응의 질을 의미하는 것으로 신체적·심리적 반응을 모두 포함한다. 쉽게 말해서 각성 수준이란 한 인간이 깨어 있는 정도를 나타내는 말이다.

(2) 최근 연구에 의하면 활동을 위한 최적의 각성수준이 있다[모리스(Morris)]. 즉 잘 알고 있는 시를 암송하는 경우와 같이 단순한 과제에는 각성 수준이 높을수록 도움이 되는 반면, 복잡한 과제에는 각성 수준이 낮을수록 좋다고 보고 있다.

9. 학습과 불안의 관계[스피겔버거(Spigelberger)]

(1) 불안이 높은 학생은 기억 실수의 가능성이 적을 때 기억검사에서 높은 점수를 얻고, 불안이 낮은 학생은 비교적 기억 실수의 가능성이 높을 때 높은 점수를 얻는다.

(2) 지능과 불안의 관계

① 중간 정도의 지능을 가진 학생들의 경우, 불안 수준이 낮은 학생이 높은 학생보다 성적이 좋다.

② 높은 불안 수준은 지능이 낮은 학생의 학업성취에 아무런 영향도 미치지 못한다.

③ 높은 지능을 소유한 학생들의 경우, 높은 불안이 학업성취를 촉진하는 경향이 있다.

(3) 불안과 학습의 관계

① 기계적 계열 학습의 경우, 불안이 낮은 학생은 학습 초기에 우수하고, 불안이 높은 학생은 학습 후기에 우수하다.

② 개념 학습은 불안이 높고 지능도 높은 학생이, 지능은 높으나 불안이 낮은 학생보다 우수하다.

③ 또 불안이 높고 지능이 낮은 학생은, 불안과 지능이 모두 낮은 학생보다 오히려 수행이 떨어지는 경향을 보인다.

④ 불안과 학습의 관계는 적정 수준의 불안은 학습활동을 활발하게 해주나, 불안이 나치게 높거나 낮을 때는 학습활동이 극히 저조하다.

⑤ 학습과제에 따른 불안은 쉬운 과제일 경우 불안이 높을 때가 학습의 효율성이 증대되나 학습과제가 어려울 때는 학습의 초기에 효율성이 낮다.

(4) 시험불안(test anxiety)의 유형

① 특성불안(trait anxiety): 인성적인 특징과 관련된 불안을 의미한다.

② 상태불안(state anxiety): 일시적인 정서적 상태로 인한 불안을 의미한다.

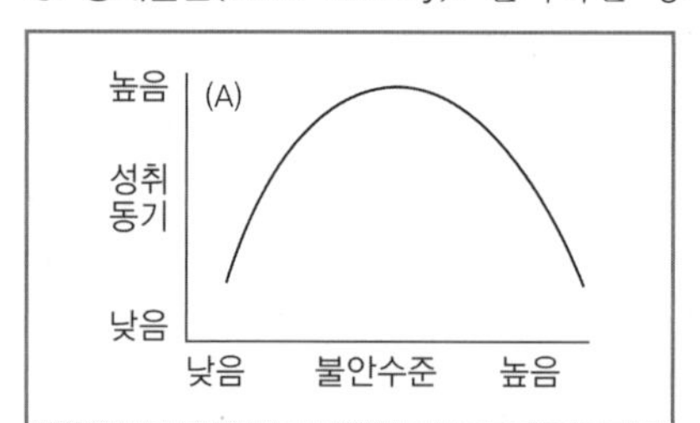

불안과 성취동기

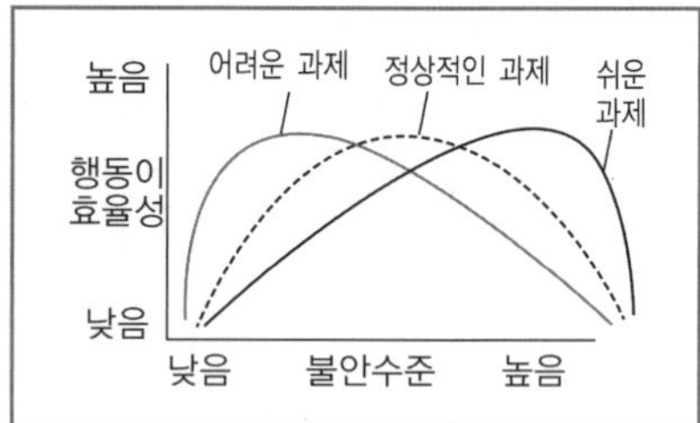

성취불안 및 과제 난이도

10. 매슬로우(Maslow)의 성장동기

(1) 개인이 결핍 욕구가 만족될 때 동기는 감소하고, 성장 욕구가 충족될 때 동기는 중단되지 않고 더 높은 성취를 위해 증가된다.

(2) 종류

① 결핍 욕구(deficiency needs)

㉠ 안전하려는 동기로 두려움으로부터 방어적이고, 과거 지향적이다. 또한 성장하기를 꺼려하며, 기회잡기를 두려워하며, 위험에 처하려하지 않고, 독립, 자유, 분리를 두려워하는 것이다.

㉡ 생존, 안전, 소속감, 자존의 욕구가 있다.

② 성장 욕구(growth needs)

㉠ 자아의 통합과 특수성을 향하게 하고 그의 모든 능력을 발휘하도록 하며, 외부 세계에 직면하여 확신을 갖도록 하는 것이다.

㉡ 지적 성취, 심미적 이해, 자아실현의 욕구가 있다.

(3) 결핍 욕구와 성장 욕구의 차이

결핍 욕구	성장 욕구
개인은 결핍 욕구를 제거하기 위해 행동한다.	개인은 성장을 위한 기쁨을 추구한다.
결핍 욕구는 긴장을 추구하지 않으며, 평형화로 회귀한다.	성장 욕구는 긴장을 즐겁게 추구하려고 한다.
결핍 욕구는 환경에 의존하는 경향이 있다.	성장 욕구는 자기만족을 많이 주고 자기통제를 이루려는 경향이 있다.
결핍 욕구는 해방감과 만족감을 향하게 한다.	성장 동기의 만족은 즐거움과 보다 나은 완수를 위한 욕망을 향하게 한다.
결핍동기화 된 개인은 어려움을 만날 때 도움을 위해 다른 사람에 의존해야 한다.	성장 동기화 된 개인은 문제를 스스로 해결할 수 있다.

(4) 교사의 동기화 방법

① 학생은 위험하고, 위협받고, 가치가 없는 상황으로 몰고 가면, 학생은 노력을 경주하지 않고, 학습하는 것을 피하여 안전한 방향으로 나가려고 할 것이다.

② 교사가 매력을 증가시키는 학습 환경을 만들고 압박감을 줄이고, 실패와 당황에 대한 가능성을 줄이면 학생은 부여된 과제를 기꺼이 하려고 할 것이다.

③ 교사는 학생들의 자아실현의 목표를 제시하도록 하고, 현재의 욕구수준을 파악하여 충족되도록 해야 한다.

④ 교사는 자주 학생들로 하여금 절정경험(peak experience)을 맛보도록 해야 한다. 절정경험이란 동기에 따른 만족의 경험(만족감), 정상 정복에 대한 성취감을 의미한다. 정상경험은 자존심을 향상시키고 아울러 자아실현의 동기를 더욱 향상시킨다.

2 성취동기(achievement motivation)

1. 특징

(1) 개념

① 도전적이고 어려운 과제를 성취함으로써 만족을 얻으려는 의욕을 말한다.

② 학교학습 상황에서는 성취동기를 학업성취에 대한 의욕으로 정의한다.

③ 성취동기에 대한 연구는 머레이(Murray)에 의해 개념화되었고 그 후 매클리랜드 (D. McClelland)와 앳킨슨(J. Atkinson) 등에 의해 더 깊은 연구가 이루어졌다.

(2) 측정

TAT(주제통각검사, Thematic Apperception Test)법으로 성취동기를 비롯한 인간의 필요와 압력을 측정하였다.

(3) 의미

① 앳킨슨(Atkinson)은 모든 인간은 성취하고자 하는 욕구는 물론 실패를 회피하고자 하는 욕구를 가지고 있다고 보았다.

② 만일 어떤 상황에서 성취하고자 하는 욕구가 실패를 회피하고자 하는 욕구보다 더 크다면, 전반적인 경향성 혹은 결과적 동기는 위험을 무릅쓰고라도 성취하고자 노력을 기울이게 된다.

③ 반면 실패를 회피하고자 하는 욕구가 더 크다면 위험에 도전하기보다는 위험을 모면하고자 할 것이다.

2. 성취동기와 학업성적과의 관계

(1) 성취동기가 높은 학생들은 과제에 정통한 학생을 파트너로 선택하는 경향이 높다.

(2) 여러 학자들의 견해

① **프렌치와 토마스(French & Thomas)**: 성취동기가 높은 학생들은 과제지속력이 더 강하며, 보다 쉽게 문제해결에 도달한다고 보았다.

② **로웰(Lowell)**: 성취동기가 높은 피험자들과 낮은 피험자들의 간단한 덧셈문제와 단어해독의 성취결과를 비교하였다. 그 결과 성취욕구가 보다 높은 피험자들이 허락된 시간 내에 보다 많은 문제를 해결하였다.

③ **바이너와 쿠쿨라(Weiner & Kukula)**: 성취동기가 높은 개인들은 성취동기가 낮은 개인보다 실패를 경험하고 있을 때조차도 지속력이 더 긴 것으로 밝혀졌다. 성취동기가 높은 학생들은 흔히 실패를 외부의 요인보다는 자신의 능력의 결핍에 의한 것이라고 평가한다.

3. 성공추구 동기와 실패회피 동기

(1) 특징

① 모든 학생들 혹은 모든 교사들이 단지 성공하고자 하는 희망 때문에 동기가 유발되는 것은 아니다.

② 과제수행의 동기는 실패에 대한 두려움 때문에 야기되는 경우도 많다.

③ 실패의 두려움(예 수치, 동료들의 조롱, 부모의 벌 등)은 성공추구 동기보다 더 강렬한 동기요인으로 작용할 수도 있다.

④ 실패에 대한 두려움은 학생들이 어떤 활동을 시도하지 못하게 할 수도 있다. 혹은 실패에 대한 두려움은 개인들이 비현실적으로 어려운 과제를 시도하도록 동기를 유발할 수도 있다.

(2) 유형

① 인간은 모두 실패회피 동기와 성공추구 동기의 유형을 가지고 있다고 볼 수 있다. 그러므로 인간을 성공추구 동기보다 실패회피 동기가 강한 유형($M_{af} > M_s$)과 실패회피 동기보다 성공추구 동기가 강한 유형($M_s > M_{af}$)으로 나뉜다.

② $M_s > M_{af}$ 유형의 개인들은 난이도가 중간 정도인 과제에 대한 동기가 유발되는 데 비해, $M_{af} > M_s$ 유형의 개인들은 쉽거나 어려운 과제에 대해 동기가 유발되며 따라서 난이도가 낮은 혹은 어려운 과제를 선택한다. 즉, $M_{af} > M_s$ 유형의 사람들은 난이도가 중간 정도인 과제를 회피한다.

③ 실패를 회피하려는 경향이 높을수록 비현실적인 직업을 더 많이 선택하고, 성공을 추구하려는 경향이 높을수록 현실적인 직업을 더 많이 선택한다.

④ 아이작슨(Isaacson): 두 유형의 대학생들이 학점 취득이 쉬운 과목, 중간 정도인 과목, 가장 어려운 과목 중에서 어느 과목에 더 많이 등록하는지를 연구한 결과 $M_s > M_{af}$ 유형의 학생들이 $M_{af} > M_s$ 유형의 학생들보다 중간 정도의 어려운 과목에 더 많이 등록하는 반면 $M_{af} > M_s$ 유형의 학생들은 $M_s > M_{af}$ 유형의 학생들보다 쉽거나 어려운 과목에 더 많이 등록한다는 사실을 밝혔다.

⑤ 실패회피 동기보다 성공추구 동기에 의해서 동기화되는 학생들에게는 난이도가 중간 정도인 과제가 더욱 매력적이다. 이들 학생들은 성공하기를 원하지만, 비현실적으로 어려운 과제나 도전하기에는 너무 쉬운 과제를 원하지는 않는다.

M_{af}와 M_s

1. M_{af}(motive to avoid failure)
   실패회피동기이다.
2. M_s(motive for success)
   성공추구동기이다.

(3) 바이너(Weiner)의 연구

① 과제에 관한 성공과 실패는 성공추구 동기와 실패회피 동기 중 무엇이 더 강한가에 따라 미치는 영향이 서로 다르다고 하였다.

② 성공추구 동기가 실패회피 동기보다 더 강할 경우 어떤 과제에서의 성공은 그로 인해 공부하려고 하는 동기를 감소시키는데 반해 실패는 동기를 증진시키며, 이와는 반대로 실패회피 동기가 성공추구 동기보다 더 강할 경우 어떤 과제에서의 성공은 동기를 증진시키는데 비해 실패는 동기를 감소시킨다.

③ 성공추구 동기가 높은 학생들은 과제의 난이도가 중간 정도인 것을 선택하는데 비해, 실패회피 동기가 높은 학생들은 쉽거나 어려운 과제를 선택하는 경향이 강하다. 그 이유는 이들은 과제를 성취하는 과정에서 만족을 얻으려고 하기 때문이다.

④ 실패를 회피하려는 경향이 높을수록 비현실적인 직업을 더 많이 선택하고, 성공을 추구하는 경향이 높을수록 현실적인 직업을 더 많이 선택한다.

4. 성취동기의 증진 방법

(1) 일반적 전략

① 학생들이 자신들이 성공적으로 학습과제를 수행할 수 있다는 기대를 높여준다.

② 학생들이 주어진 과제를 성공적으로 수행하였다면 이를 자신들의 능력과 노력에, 만일 실패하였다면 자신의 노력 부족에 그 원인을 귀인시키도록 훈련시킨다.

③ 교실 내에서 각 학생들이 가지고 있는 기본적인 성취동기를 높여준다.

(2) 일반적 단계

① 목표 설정 단계에서 각 학생들이 현실적이고 실제적인 학습목표를 하도록 도와준다.

② 학생들이 성취지향적인 사람처럼 생각하도록 교사가 도와준다. 이를 위해 교사는 학생들이 어느 정도 어려운 과제에 도전하도록 격려해 주어야 하며, 자신의 능력에 대한 자신감을 갖고, 성공이란 노력에 의하여 성취되는 것으로 생각하도록 학생들을 지도한다.

③ 자기 자신을 성취지향적인 사람으로 보이도록 도와준다. 교사는 각 학생들이 자신은 어느 정도 어려운 과제에 도전하고, 성취에 가치를 두는 사람이며, 또한 자신의 노력으로 성공하기를 원하는 사람이라는 생각을 갖도록 지도해 준다.

④ 학생들이 성취하려는 노력을 보일 때, 집단적 지원을 해준다. 동료 학생들과 협동적으로 학습목표를 세워 같이 공부하도록 함으로써 동료 학생들과 교사가 모두 자기의 성취노력에 보조한다는 사실을 깨닫게 해준다.

(3) 성취동기가 낮은 학생들의 학습동기 유발 방법

① 교과 내용을 단순화시켜 소단계로 나누어 제시한다.

② 언어적이고 추상적인 문제해결의 양을 축소한다.

③ 기본적인 개념이나 선수학습 내용을 반복한다.

④ 이차적 강화자를 사용한다.

⑤ 학생의 이전의 성취도와 비교하여 성취한 것에 대해 강화한다.

5. 성취과제에 접근하는 유형

(1) 완숙지향형 학습자(mastery-oriented student)

① 성취를 중시하며 능력이란 향상될 수 있는 것이라고 생각한다.

② 기술과 능력을 향상시키기 위해 목표에 집중한다.

③ 성공을 자신의 노력에 귀인하며 꾸준히 노력하고 성공적으로 학습을 수행한다.

④ 실패를 통해 목표를 수정하고 기존의 목표를 성취하기 위해 새로운 접근법을 찾는다.

(2) 실패 회피형 학습자(failure-avoiding student)

① 자기의 능력이 부족하여 수행을 통해 자기 가치가 평가되는 것을 꺼린다.

② 주어진 과제를 성공적으로 수행했을 때 이들은 자신이 가치를 갖고 있다고 느끼지만, 반대로 실패했을 경우 자신이 가치가 없다고 느낀다.

③ 유능감을 느끼기 위해 그들은 실패로부터 자신의 이미지를 보호하고자 한다.

④ 실패 회피형 학습자들은 대부분 안전한 쪽을 선택한다. 이미 자신에게 익숙한 과제만 하려고 하거나 성공할 것이 확실한 경우에만 그 과제에 응하려고 하며 아는 것만 계속하려고 한다.

⑤ 이들이 채택하는 전략은 ㉠ 성공을 확실히 보장하기 위해서 매우 낮고 실패할 가능성이 거의 없는 목표를 설정하거나, ㉡ 자기 가치를 보호하기 위해서 현실성이 없거나 지나치게 높은 목표를 설정한다. 전자가 성공을 확실히 보장하기 위해서라면 후자는 자기 가치를 보호하기 위해서이다.

(3) 실패 수용형 학습자(failure-accepting student)

① 이들은 학습을 포기한 학습자들이다.

② 자신들의 능력 부족으로 인해 성공이라고는 해본 적이 없다고 생각하기 때문에 이들은 희망을 거의 갖지 않는다.

③ 이 단계의 학습자들은 더 이상 실패를 회피할 수 없다고 느끼며 무력하고 희망 없는 태도를 갖게 된다.

秀 POINT 학습동기의 개념정립 모형

구분	학습동기 최적의 특성	학습동기를 감소시키는 특성
동기의 근원 [브로피(Brophy)]	① 내재적 동기 ② 욕구, 흥미, 호기심, 즐김과 같은 개인적 요인들	① 외재적 동기 ② 보상, 사회적 압력 처벌과 같은 환경적 요인들
목표 유형 [로크와 라썸 (Locke & Latham)]	① 숙달목표(mastery goals) ② 도전 거리를 해내고 향상시키는 속에서 얻는 개인적 만족감, 적당히 어렵고 도전할만한 목표 선택(학습목표)	① 수행목표(performance goals) ② 수행한 것에 대해 승인을 받고자 하는 욕구, 아주 쉽거나 어려운 목표선택
참여 유형 [니콜라와 밀러 (Nicholla & Miller)]	① 과제 개입형 ② 과제를 숙달시키는 데 관심	① 자아 개입형 ② 타인의 눈에 자신이 어떻게 비칠지 관심
성취동기 [앳킨슨(Atkinson)]	① 성공추구 동기 ② 완숙 지향	① 실패회피동기 ② 불안하기 쉬움
귀인 [바이너(Weiner)]	① 성공과 실패를 통제 가능한 노력과 능력에 귀인	① 성공과 실패를 통제 불가능한 원인들에 귀인
능력에 대한 신념	① 증가적 견해 ② 노력과 지식이나 기술의 축적을 통해 능력이 향상될 수 있다는 신념	① 고정적 견해 ② 능력이 안정되어 있고 통제 가능하지 않은 특성이라는 신념

칙첸트미하이(M. Csikszentmihalyi)의 플로우(flow)

1. 플로우

어떤 행위에 깊이 몰입하여 시간의 흐름이나 공간, 더 나아가 자신에 대한 생각까지도 잊어버리게 되는 심리적 상태이다. 이는 단순한 기쁨이나 열중할 때의 느낌이라기보다는 완벽한 심리적 몰입을 의미한다.

2. 구성요소

① 자신이 완성시킬 가능성이 있는 과제에 직면할 때
② 자신이 하고 있는 행위에 집중할 수 있을 때
③ 명확한 목표가 있을 때
④ 즉각적인 피드백을 받을 수 있을 때
⑤ 걱정이나 좌절을 의식하지 않고, 자연스럽고도 깊은 몰입상태로 행동할 때
⑥ 자신의 행동에 대한 통제감을 느낄 수 있을 때
⑦ 자아에 대한 의식이 사라질 때
⑧ 시간의 개념이 왜곡될 때

3. 특징

① 주의집중
② 자아의식의 상실
③ 현실의 단순화
④ 시간의식의 동요
⑤ 환경의 지배

4. 과제의 수준과 학습자의 능력수준에 함수관계에 따른 경험의 질

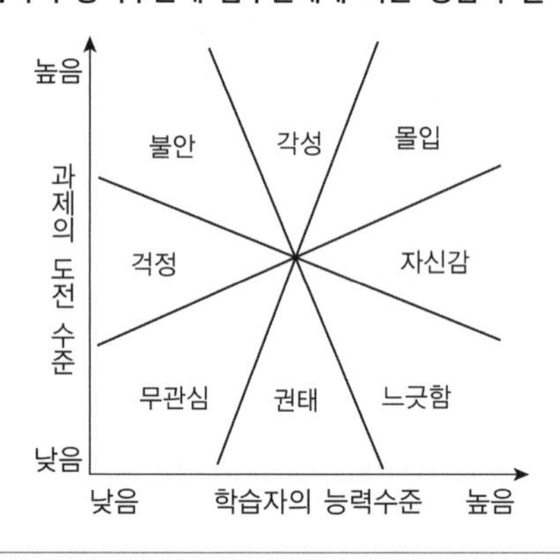

秀 POINT 학습 고원(高原)현상

1. 개념

연습에 소요되는 시간이 증가함에 따라 성취량이 상승하지만 일정한 단계에 이르면 정지하는 현상이다.

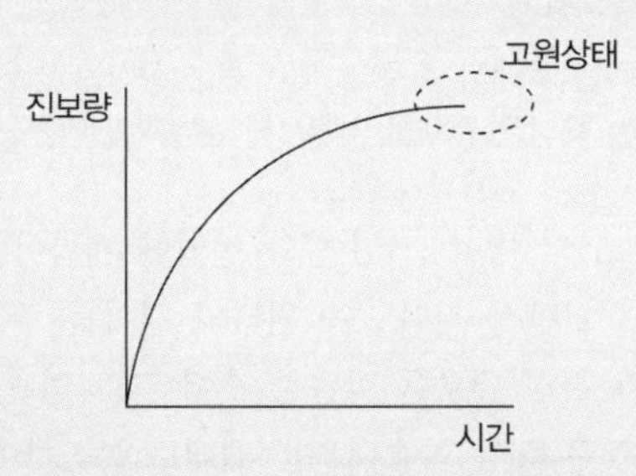

2. 원인

① 학습자료에 대한 흥미와 동기의 상실
② 학습자료의 곤란도 심화
③ 학습방법의 재체제화
④ 정서적 불안정
⑤ 통찰 불가능
⑥ 피로, 권태

3. 대처방법

일단 쉬고, 다시 기분을 전환시켜 시작하는 것이 효과적이다. 결과에만 집착하다 진전이 없으면 연습을 포기할 수도 있기 때문에 이때는 각별한 격려와 조언이 필요하다.

3 학습의 전이설(轉移說, transfer of learning)

1. 개념

이전에 이미 형성된 일정한 습관이 다음에 어떤 습관을 성취, 획득할 때 영향을 미치는 과정이다. 즉, 이전에 어떤 것을 학습한 효과가 새로운 학습을 촉진하거나 방해하는 현상을 말한다.

2. 학습전이의 이론

(1) 형식도야설(Formal Discipline Theory)

① 특징

㉠ 능력심리학(faculty psychology)을 기초로 한 전이설이다.

㉡ 인간의 마음은 지각, 기억, 상상, 추리, 감정, 의지 등과 같은 서로 뚜렷한 일반능력들로 구성되어 있어 신체의 근육을 단련하듯이 마음을 단련하면 된다는 입장이다(고대의 7자유과론).

㉢ 이 이론은 교과의 가치는 내용에 있다기 보다는 형식(그것을 통해 개발되는 정신능력)에 있다는 주장을 통해, 비록 어려운 책이라도 반복적으로 암송하거나 재미없고 어려운 교과를 힘들여 공부하는 이유를 정당화시켰다.

② 시사점: 고전, 수학, 언어 등의 학습은 인간의 지적 능력에 자극을 주어 관련된 내용 및 실제 문제해결에 긍정적인 영향을 준다. 따라서 학습자가 특정 분야의 학습을 제대로 수행하지 못하는 것은 일반적 지적 능력의 개발을 위한 교수활동이 효과적으로 이루어지지 않았기 때문이라고 본다.

전이의 유형

1. 정적 - 부적 전이
2. 수평적 - 수직적 전이
3. 일반적 - 특수적 전이
   일반전이는 어떤 상황에서 배운 지식, 기술이 더 넓은 범위의 다양한 상황에 적용되는 것이고(예 라틴어 학습이 사고력 증진), 특수전이는 어떤 것을 배운 상황과 유사한 상황에서만 적용(예 수학의 사칙계산이 가계에서 물건을 계산하는 데 적용)하는 것이다.

(2) 동일 요소설(Theory of Identical Elements)

① 특징

㉠ 한 학습의 효과가 다음 학습을 촉진시키는 경우 두 학습과제 사이에 동일한 요소가 존재해야 한다는 이론으로 손다이크(Thorndike)가 형식도야설을 부정하고 주장하였다.

예 육상을 잘하는 학생이 축구나 배구 등을 잘하는 경우이다. 왜냐하면 모든 운동의 기초가 되는 육상은 신체의 일반적인 순발력과 민첩성이 요구되며 이는 축구나 배구에서도 똑같이 적용되기 때문이다.

㉡ 브루너(Bruner)의 '특수적 전이'와 동일한 개념이다. 브루너는 교육의 으뜸가는 원리로 '일반적 전이', 즉 원리의 전이를 주장하였다.

② 시사점: 학습자가 특정 내용을 학습한 후에 그와 연관된 실제문제를 제대로 해결하지 못하는 것은 해당 학습내용을 제대로 분석하여 그것을 교육내용화하지 못하였기 때문이라고 본다.

(3) 일반화설(동일원리설)

① 특징

㉠ 두 학습 내용 사이에 원리가 같을 때 전이가 일어난다는 이론으로 쥬드(Judd)가 주장하였다.

㉡ 선행학습과 후속학습 간의 전이 여부는 선행학습에서 학습된 원리나 법칙이 후속학습에서 사용될 수 있느냐에 따라 좌우된다.

② 시사점: 동일요소설의 확장이라고 볼 수 있으며, 이 이론은 효과적인 교수 활동에 도움을 준다. 즉 교사는 여러 교과목에 포함되어 있는 수많은 특수한 사실들을 가르치기보다는 의미 있는 개념이나 원리를 가르치도록 해야 한다.

참고

쥬드(Judd)의 수중목표물 명중실험

쥬드는 한 집단에게는 굴절의 원리를 가르쳐 주고, 다른 집단에게는 이 원리를 가르쳐주지 않았다. 그 후 수중 12인치 깊이에 있는 목표물을 맞히는 연습을 시켰다. 두 집단의 명중률은 차이가 없었다, 그러나 표적을 수중 4인치에 옮기고 실험한 결과 굴절의 원리를 배운 집단은 그 원리를 새로운 과제에 적용하여 원리를 가르치지 않은 다른 집단보다 훨씬 성적이 좋았다. 굴절의 원리를 배우지 않은 집단은 전과 같이 시행착오를 일으키며 혼란스러워 했다. 이는 곧 전이는 학습자가 과제해결에 기반이 되는 원리를 이해하고 있을 때 나타난다는 사실을 밝혀준다. 이는 동일요소가 전이된 것이 아니라 굴절의 원리에 대한 이해가 전이된 것임을 보여준다.

(4) 형태이조설(形態移調說)

① 특징

㉠ 어떤 장면 또는 학습 자료의 역학적 관계가 발견되거나 이해될 때 그것이 다른 장면이나 학습 자료에 전이된다는 이론으로 게슈탈트(Gestalt) 심리학에 기초한다.

㉡ 일반화설이 확장된 것으로 볼 수 있다. 즉 어떤 상황에서의 완전한 형태의 수단 - 목적 관계를 이해하는 것이 원리를 이해하는 것보다 전이가 잘 일어난다고 본다.

ⓒ 장(場)을 구성하고 있는 요소들 간의 관계를 파악하거나 주어진 문제의 구조적 성질을 이해했을 때 전이가 발생한다. 형태심리학에 의하면 인간이 환경을 지각할 때, 각각의 자극체로서 지각하는 것이 아니라 요소들 간의 관계로 지각한다고 본다.

예 음계를 들을 때 각각의 음의 강도를 듣는 것이 아니라 음들 간의 관계 속에서 소리의 조화를 듣는다.

② **시사점:** 새로운 사태에서 인지된 구조는 이전의 비슷한 인지구조와 더불어 해석된다. 따라서 개인의 과거 경험과 인지구조를 분석하고 학습과제를 개인의 구조에 구조화되도록 하는 교사의 역할이 중시된다.

③ **베르트하이머(Wertheimer)의 전이실험:** 평행사변형의 면적 계산 과제를 이용하여 실험하였다.

㉠ **구조이해 집단:** 평행사변형의 한쪽 끝에 있는 삼각형은 다른 한쪽으로 이동시키면 직사각형이 된다는 점을 이해시킨다.

㉡ **기계적 학습 집단:** 수직선을 긋는 방법을 학습시킨 후 '평행사변형 면적 = 밑변 × 높이'라는 공식을 암기시킨다.

(5) 현대적 이론 - 전문가 - 초보자 이론, 메타인지

전이력이란 문제해결에 있어서 전문가 - 초보자 간의 차이(expert-novice differences in problem-solving)에서 비롯되는 전문성과 메타인지 기능(metacognitive skills)의 수준으로 파악될 수 있다[베레이터(Bereiter), 1983]. 전문가는 자신의 전문 영역에 관한 방대한 지식(선언적 지식)을 가지고 있다. 초보자의 지식은 매우 부분적이며, 주요 개념들에 대한 피상적인 이해와 단편적인 정의들로 이루어져 있다. 경험이 늘어감에 따라 초보자의 지식들은 기존 지식과 결합되고 구조화되어 보다 큰 결집을 이루고, 장기기억으로부터 더 큰 단위로, 더 빨리 인출된다.

4 인지양식

1. 의의

개인이 정보를 처리하고 문제를 해결할 때 사용하는 전략의 선호성을 말하는 것으로 인지양식은 과제를 수행함에 있어서의 전략의 사용과 밀접하게 관련되기 때문에 수행의 차이를 만드는 중요한 요소이다.

2. 장(場) 독립성과 장 의존성 학습양식

위트킨(H. Witkin, 1977)이 정의한 인지양식의 일종으로 사람들이 어떻게 전체 시각장(total visual field)으로부터 하나의 요소를 분리해내는가에 대해 연구하여 장 독립적인 사람과 장 의존적인 사람으로 구분하였다. 장 독립적인 학생과 장 의존적인 학생 간에는 지능과 높은 상관관계는 없다.

(1) 장 독립성(field independence)

① 특징

㉠ 장 독립적인 사람은 지각적 상황을 재빨리 재구조화할 수 있으며, 구조가 없거나 적은 상황에 구조를 부여할 수 있다.

㉡ 이런 사람들은 다른 사람들과는 별개로 자아에 대해서 강하게 감지하고 있다.

㉢ 장 독립적인 개인은 스스로를 다른 사람과 분리시켜 상대적으로 객관적인 형태로 행동할 수 있다.

㉣ 자신이 속한 상황을 분석하는 경향이 강하며, 수학이나 과학 등 분석적 능력이 요구되는 일에 적합하다.

② **장 독립적 교사:** 장 독립적인 교사들은 처음부터 계획되고 구조화된 교수절차를 고집하며, 교사중심의 지시적 특징을 강하게 드러낸다.

③ **장 독립적 학습자:** 장 독립적인 학습자들에게는 하이퍼텍스트적인 CAI 프로그램이나 비구조화된 과제를 제공하는 것이 좋다. 장 독립적 학습자는 잠입도형검사(Embedded Figure Test)에서 점수가 높다.

(2) 장 의존성(field dependence)

① 특징

㉠ 지각 대상을 전체로서 지각하는 인지 유형으로, 대상을 그것이 가지고 있는 전체 자체로 받아들인다.

㉡ 상황을 특정한 면으로 분리하거나 중요한 하위 부분을 인식하거나 그 양식을 다른 부분으로 나누지 못해 문제해결에 있어서 자신의 전략을 조정하기 어렵다.

㉢ 장 의존적인 사람은 집단 안에서 활동에 능하고, 집단으로 일할 때 좋은 결과를 내며, 사회 정보를 잘 기억하기 때문에 문학, 역사 등을 더 좋아한다.

② **장 의존적 교사:** 장 의존적 교사들은 교수 - 학습이 이루어지는 수업상황의 맥락에 크게 관심을 기울이며, 수업의 전체 과정은 매우 융통적이고 다양한 교수방법을 동원하기도 한다.

③ **장 의존적 학습자:** 장 의존적인 학습자들에게는 선형적인 CAI 프로그램이나 구조화된 과제를 제공하는 것이 좋다. 장 의존적 학습자는 잠입도형검사(Embedded Figure Test)에서 점수가 낮다.

(3) 장 의존적과 장 독립적 학생의 특징

장 의존적인 학생	장 독립적인 학생
① 개념이나 자료에 대해 총체적인 관점으로 지각한다. ② **교육과정의 자기화:** 개념을 자신의 경험과 연결한다. ③ 교사로부터 안내와 시범을 원한다. ④ 교사와의 관계를 강화해주는 보상을 요구한다. ⑤ 타인과 활동하기를 선호하고 타인의 감정과 의견에 민감하다. ⑥ 협동하기를 좋아한다. ⑦ 교사에 의해 구조화된 활동을 선호한다.	① 교육과정 자료의 세부사항에 초점을 맞춘다. ② 사실과 원리에 중점을 둔다. ③ 교사와 물리적인 접촉을 별로 원하지 않는다. ④ 교사와의 공식적인 상호작용을 자신에게 부여된 과제에 국한시켜 비사교적인 보상을 요구한다. ⑤ 독자적인 활동을 선호한다. ⑥ 경쟁을 좋아한다. ⑦ 스스로 정보를 구조화한다.

(4) 장 의존적과 장 독립적 학생을 위한 수업전략

장 의존적인 학생	장 독립적인 학생
① 인정과 온정 차원의 물질적이고 언어적인 경험을 제시한다. ② 사교적이고 몸으로 느낄 수 있는 보상에 의해 동기화된다. ③ 협동학습 활동을 활용한다. ④ 교정적인 피드백을 자주 사용한다. ⑤ 학습 중에 상호작용을 허용한다. ⑥ 수업, 프로젝트, 숙제 등을 구조화한다. ⑦ 강의자, 시연자, 점검자, 강화자, 채점자, 자료설계자로서의 교사 역할을 강조한다.	① 학생과 단도직입적인 상호작용 영위: 수업 내용에 대한 전문성을 보여준다. ② 점수와 같이 비사교적인 보상에 의해 동기화한다. ③ 완전학습 지향적인 수업전략을 더 많이 사용한다. ④ 필요 시에만 교정적인 피드백을 이용한다. ⑤ 독자적인 프로젝트를 수행하는 활동을 강조한다. ⑥ 학생 자신의 구조를 개발하도록 격려한다. ⑦ 자문역, 경청자, 중재자, 촉진자로서의 교사 역할을 강조한다.

3. 충동적 인지양식과 반성적 인지양식(impulsive & reflective cognitive style)

(1) 충동적인 학생들은 빨리 일을 처리하기는 하나 실수가 많다.

(2) 반성적인 학생들은 사려성이 깊고 천천히 일을 처리하나 실수가 적다.

(3) 충동적이거나 반성적인 인지 양식은 정상 범위 내에서 지능과 높은 상관관계는 없다.

(4) 아이들이 나이가 들어갈수록 일반적으로 좀 더 반성적이 되며, 학령기 아이들이 반성적인 것은 읽기 같은 학교 과제에서 수행을 향상시킨다.

(5) 반성적인 학습을 하기 위한 방법으로 매킨바움(D. Meichenbaum)의 '자기 교수법(self-instruction)'이나 '전체적 훑어보기(scanning strategies)'를 학습하는 것 등이 있다.

4. 메타인지(meta-cognition, 상위인지 혹은 초인지) 학습전략

(1) 특징

① 인지에 대한 인지로, 어떤 과제의 해결에 필요한 적절한 기술의 선택과 그 실행을 조정하고 지시하는 일반적 지식이다. 초기억(metamemory)이나 기억술은 메타인지의 하위능력을 말한다.

② 발달심리학자인 존 플레벨(John Flavell, 1976)이 왜 연령에 따라 학습과제에 다르게 대처하는지에 대한 설명을 하려는 것에서 출발하였다.

(2) 메타인지적 지식

① 학습자로서 자신에 대한 정보, 당면한 과정의 종류, 인지활동의 성과에 영향을 주는 방략 등이 포함된다.

② 어떤 방략들을 활용했는가?, 어떤 방략이 효과적이었으며, 어떤 것이 비효과적이었는가?, 다음번에는 어떻게 달리 해볼 것인가?, 문제해결에 가장 난점은 무엇인가?, 시간과 자원이 부족할 경우에는 어떻게 할 것인가? 등이 있다.

(3) 메타인지 훈련목표

아동이 자기통제, 대인관계, 혹은 학업 문제 등을 적응력 있게 대처하는 데 활용할 수 있는 일반적이고 탈내용적 인지 체계 혹은 청사진을 제공하는 데 있다.

(4) 영향

① 메타인지 능력에 대한 훈련의 효과가 쌓이게 되면 아동은 자신의 한계를 예측할 수 있게 되고 자신이 적응할 수 있는 문제해결전략의 양을 인식하게 된다.

② 최근 학습 장애아들의 학습 실패 원인을 메타인지 능력의 결함으로 보고 있다.

(5) 메타인지 학습전략의 예

① 정보를 분류하는 방법 알기

② 과제의 결과를 예측하고 평가해보기

③ 무엇을 어떻게 학습해야 할지 알아보기

④ 자신이 과제에 대해 아는 것을 생각해보기

⑤ 자신의 문제해결방법을 검토하고 오류를 찾아가기

(6) 메타인지적 학습전략

① **자기 - 질문**: 메타인지를 촉진시키기 위해 교사들은 학생들에게 확산적 질문을 제시하여 답하도록 하거나 그들 자신의 질문을 만들어 내도록 북돋을 수 있다. 자기 - 질문은 학생들로 하여금 자기 - 교정과 더 새로운 자기 이해를 위한 발달을 돕는다.

② **KWL 전략**: 학생들이 자신이 알고 있는 것이 무엇이고, 무엇을 배우고 싶어하며, 배웠던 것은 무엇이었나를 알도록 하는 전략이다[딕슨 - 크라우스(Dixon-Krauss)]. 그들이 알고 있는 것에 대한 학생들의 토의와 그 정보 목록으로 시작하며, 학생들은 그들이 배우기를 원하는 것에 대해 예측한다. 정보 내용을 읽은 후에 학생들은 그들이 배웠던 정보를 회상하도록 이끈다.

③ **PQ4R 기법**: 많은 정보를 상대적으로 짧은 시간에 처리할 수 있도록 돕는 방법이다. 학생들이 실제로 읽기를 하기 전에 인지적으로 과제에 방향을 맞추도록 돕는다[로빈슨(Robinson)].

P - 사전검토(Preview)	주요 내용과 절들을 살펴보고 읽는 목적을 설정한다.
Q - 질문(Question)	각 절에 대해 책을 읽는 목적과 관련된 질문들을 글로 써본다. 한 가지 방법은 제목과 소제목들을 질문으로 바꾸는 것이다.
R - 읽기(Read)	질문했던 문제를 생각하며 읽는다.
R - 숙고(Reflect)	책을 읽으면서 실례를 생각해보거나 자료의 심상을 머릿속에 그려보도록 한다. 지금 읽고 있는 것과 이미 알고 있는 것을 정교화시키고 연관시켜 본다.
R - 암송(Recite)	각 절을 읽은 다음에는 뒤로 기대앉아서 처음에 가졌던 목적과 질문들에 대해 생각해 본다.
R - 복습(Review)	마지막 단계로써 질문에 대해 명확하게 답하지 못했던 점을 겨냥하여 자료를 읽는다.

④ IDEAL: 인식하기, 정의하기, 조사하기, 행동하기, 보기 등으로 구성되며, 효과적이고 효율적인 사고와 문제해결을 위해 중요한 방법이다. 효과적인 문제해결은 인식 또는 잠재적인 어려움에 대한 주의 깊은 예측으로 시작하며, 다음에 문제를 정의한다. 이 단계를 통해 효율적인 학습자들은 목적을 검토하고 그런 목적의 장애물을 찾아낸다. 다음 단계는 조사이다. 조사단계에서는 이해에 대한 장애물의 인식과 정의를 내린 후 해결방안을 조사한다. 마지막 단계에서는 학생의 어떤 행동이 성공적인 해결을 이끌 것이고, 어떤 행동이 그렇지 않은지 돌아보고 적어본다.

5. 정신자치제 이론[스텐버그(Sternberg), theory of mental self-government]

(1) 특징

사람들은 일상생활을 하면서 자신에게 용이하고 선호하는 방식의 사고양식을 가지고 있다. 그리고 한 상황에서 어떠한 선호의 경향성을 가진 사람이 다른 상황에서는 다른 사고양식을 보일 수 있는 융통성을 가지고 있으며, 이러한 사고양식은 하나의 특질(trait)로서 개인 내에 존재하기보다는 환경에 따라 어느 정도 변화되고 사회화될 수 있는 특성을 가지고 있다. 스텐버그(Sternberg)는 정부의 기능, 형태, 수준, 범위, 경향성의 다섯 가지 차원에서 13가지의 사고양식을 가정하였다.

(2) 기능(function)

입법적(legislative) 기능	창의적 전략을 가지고 새로운 것을 만들어 내는 기능이다.
행정적(executive) 기능	어떠한 지침에 따라 과제를 수행하는 기능이다.
사법적(judicial) 기능	판단, 평가, 비교 등과 관련된 기능이다.

① 정부가 입법적, 행정적, 사법적 부서를 가지고 기능하듯이 인간도 같은 기능을 수행한다는 것을 전제하고 있다.

② 대부분의 사람들은 이 세 가지 기능 중에서 한 가지가 지배적으로 드러나게 되며 하나의 방식을 선호하는 경향이 있다.

㉠ **입법적 기능이 강한 사람:** 자신만의 규칙을 설정하여 창조적으로 문제를 해결하려 하고, 구조화되어 있지 않는 과제를 선호하는 경향이 있다.

㉡ **행정적 기능이 강한 사람:** 규칙에 따르는 것을 좋아하고, 기존의 방식으로 문제를 해결하며, 자신의 역할이 분명한 상황과 구조화된 문제를 선호한다.

㉢ **사법적 기능이 강한 사람:** 기존의 규칙과 절차 또는 관념이나 사물에 대해 평가, 판단, 분석하는 경향을 보이는 사람들이다.

(3) 형식(form)

여러 가지의 정부의 형태에 대한 유추를 통해서 나타난다.

① **군주제(monarchic):** 일 처리에서 단일한 목표나 방식을 설정하여, 한 가지 과제나 측면에만 초점을 두고 그 일이 완성될 때까지 전념하는 경향이다.

② **계급제(hierarchic):** 사람들은 다양한 목표를 허용하며 목표들에 대한 우선 순위를 정하고, 체계적으로 접근하여 문제를 해결하려는 특성을 보인다.

③ **과두제(oligarchic):** 다양한 목표를 설정한다는 점에서는 계급제와 같으나 각 목표의 중요성에 대한 우선 순위 설정을 어려워하며 한 가지 일을 완벽하게 수행하기보다는 여러 가지의 일을 동시에 수행하는 방식을 선호한다.

④ **무정부제(anarchic):** 규칙, 절차, 지침, 체제 등이 필요한 상황일지라도 일종의 형식을 매우 싫어하며, 과제를 수행하는 데 있어서 상당한 융통성을 즐긴다.

(4) 수준(level)

전체적 수준과 지엽적 수준으로 나누어진다. 전체적(global) 유형은 비교적 크고 추상적인 문제를 다루고자 하며, 개념적이고 이상적인 세계에서 일하는 것을 좋아한다. 그러나 지엽적(local) 유형의 사람들은 세부적인 작업과 정확성을 요구하는 구체적인 문제들을 좋아하고, 실질적인 지향성을 가지고 있다.

(5) 범위(scope)

정부가 국내 혹은 국외 정세를 다루듯이 사고양식을 내부 지향과 외부 지향으로 구분하는 것이다. 내부 지향적(internal) 유형은 일반적으로 내성적이고, 과제 지향적이고, 혼자 일하는 것을 좋아한다. 한편 외부 지향적(external) 유형은 외향적이며, 대인관계 지향적이어서 사교성이 풍부하고, 협동을 요구하는 문제를 추구한다.

(6) 경향성(leaning)

정부의 정치적인 성향으로 자유주의적(liberal) 양식은 기존의 규칙과 절차에서 탈피하고 변화를 추구한다. 이와는 반대로 보수주의적(conservative) 성향의 사람들은 현재의 규칙과 절차에 집착하고, 변화를 최소화하며 가능하면 모호한 상황을 피하고, 생활과 일을 일치시키고 싶어 한다.

(7) 사고양식의 측정

스텐버그(Sternberg)는 자신의 사고양식 개념을 소개한 후, 교사들과 학생들을 중심으로 그들의 사고양식의 측정하는 도구를 개발하고, 그에 대한 타당화 연구를 시작하였다. '사고양식 검사지(Thinking Style Questionnaire)'는 그 중 대표적인 것으로 대학생들을 대상으로 자신의 선호경향성을 9간 척도에서 자기 - 보고하도록 하였다.

5 자기 조절학습(self-regulated learning) 전략

1. 특징

(1) 개념

학습전략이란 주로 지식의 습득, 저장과 인출에 관한 전략으로 효율적인 학습을 위해 취하는 모든 방법적 사고 혹은 행동을 말한다.

(2) 인지 개념을 학습전략에 활용하기 시작하면서 비롯된 것으로 개인의 행동을 어떻게 인지적으로 그리고 동기적으로 조절해야 하는가에 관심을 기울여 왔다.

예 학습자가 인지적 기술을 가지고 있다고 하더라도 효율적인 학습을 위해서는 효율적인 동기전략을 필요로 하고 이를 조절해야 한다. 따라서 바람직한 학습자는 인지와 동기를 결합해야 하며 또한 인지와 동기 수준에서 자신의 학습활동을 조절해야 한다.

2. 자기 조절학습의 세가지 측면

학습자가 학습 과정에서 초인지적으로, 동기적으로, 행동적으로 능동적인 참여를 통하여 효율적인 학습을 위한 모든 활동을 말한다.

(1) 초인지적 측면

① 자기조절 능력이 있는 학습자는 초인지적 측면에서 볼 때, 학습과정 중 다양한 계획을 세우고, 목표를 설정하며, 자기모니터링하고, 자기평가를 한다.

② 초인지적으로 자기조절된 학습자는 학습과정의 다양한 단계동안 계획하고, 조직화하고, 자기 - 지시, 자기 - 감시, 자기 - 평가를 하는 사람이다.

(2) 동기적 측면

① 자기 효능감을 높이며, 주로 내재적 요인에 귀인하고 과제에 대한 유인가가 높고 적극적인 노력으로 끈기 있게 문제를 해결하려고 한다.

② 동기적으로 자기조절된 학습자는 자신을 능력 있고, 효과적이고, 자율적인 존재로 지각한다.

(3) 행동적 측면

① 효율적인 학습을 위한 정보를 탐색하고, 시간을 관리한다. 또한 물리적 환경을 선택하고 구조화하고 창조한다.

② 행동적으로 자기조절된 학습자는 학습을 최적화하는 환경을 선택하고 구성하고 창조한다.

3. 자기조절 전략과 학습의 예

전략	예
자기평가 (self-evaluating)	자신이 잘 했는지를 확인하기 위해 스스로 과제를 체크한다.
조직화 및 변형 (organizing, transforming)	보고서를 쓰기 전에 스스로 전체적 윤곽을 생각한다.
목표설정 및 계획 (goal-setting, planning)	시험보기 전에 먼저 2주일 동안 공부한 후 자신을 조절한다.
정보탐색 (seeking information)	보고서를 쓰기 전에 관련 주제에 대한 가능한 한 많은 정보를 얻기 위해 도서관에 간다.
기록유지 및 모니터링 (keeping records, monitoring)	토의에 대해 기록하고 틀린 부분을 교정한다.
자기 보상 (self-consequating)	내가 이번 시험을 잘 보면 엄마가 영화를 보러 가게 할 것이다.
시연과 기억화 (rehearsing, memorizing)	수학 시험 준비를 위해서 공식을 암기할 때까지 공식을 써보거나 여러 가지 방법을 스스로 사용하여 본다.
사회적 도움 추구 (seeking social assistance)	수학 숙제를 잘 모르면 스스로 친구에게 도움을 청한다.
기록 검토(reviewing records)	시험 준비 시 본인의 노트를 검토한다.

참고

자기조절 학습 전략

1. 구성요소

인지변인	① 인지전략(cognitive strategy): 학습자가 자료를 기억하고 이해하는 데 사용하는 실제적인 전략으로 시연, 정교화, 조직화 전략 등이 있다. ② 초인지 전략(meta-cognitive strategy): 학습자가 학습하면서 자신의 인지과정에 대한 개념을 형성하는 것으로 이를 통해 효과적인 인지전략을 선택하고 통제한다. ③ 인지전략은 학습내용을 이해하고 기억하는 데 적용되고, 초인지(메타인지)전략은 자신의 인지과정을 조절하고 통제하는 데 적용된다. 학습자가 초인지적 활동을 많이 수행하면 학습에 능동적으로 참여하게 되고 학습효과도 커진다.

동기변인	① 숙달목적 지향성: 학습에 있어 결과보다는 새로운 지식과 기능을 습득하는 것을 중시하는 내재적 가치를 우선으로 하는 것으로, 숙달목적을 지향하는 학습자는 보다 학습활동에 대한 흥미를 가지고 과제에 대해 도전적이며 학업에 대해 만족감을 가지고 긍정적인 태도를 가지게 되므로 자기조절적인 활동에 더욱 몰두하게 된다. ② 자기효능감: 반두라(Bandura)에 의해 제시된 개념으로, 자기능력에 대한 자신의 평가를 의미한다. ③ 자기가치: 학습자가 자신의 학습과제가 가치 있다고 생각하는 것이다.
행동변인	① 행동통제: 자기주도적 학습을 하면서 어떤 어려움에 부딪혀도 포기하지 않고 계속해 나아가는 능력을 말한다. ② 도움 구하기: 자기주도적 학습을 진행하는 중에 어려운 문제에 부딪혔을 때 자신보다 더 잘 알고 있는 사람들, 즉 선생님이나 동료들에게 도움을 구하는 것이다. ③ 학업시간의 관리: 학업시간을 관리하고 조절하는 것이다.

2. 인지전략 및 초인지 학습전략

발췌 (abstracting)	① 문장이나 학습내용의 핵심을 추출해내는 기법으로, 일반적으로 책을 쭉 훑어 본 후에 그 장의 내용을 가장 잘 묘사하고 있는 문장이나 구절을 요약하는 방식으로 사용된다. ② 발췌의 목적은 내용을 쉽게 이해할 수 있도록 자료의 양을 줄이는 것이며, 발췌의 결과는 주요 내용의 개요나 요약으로 나타난다.
정교화 (elaborating)	① 발췌와는 약간 상반되는 개념으로 정보를 줄여가는 것이 아니라 더 늘려가는 것을 말한다. ② 자신에게 더욱 명확한 의미를 지닌다는 점에서 최초의 정보와는 다르며, 일반적으로 더욱 구체적이고, 실제적이며, 친근한 것이 특징이다. ③ 정교화는 예나 삽화, 그림, 비유, 은유를 사용하거나 내용을 독자 자신의 말로 다시 적어보는 것 등을 포함한다.
도식화 (schematizing)	① 도식(schema): 정보를 이해하고 장기기억에 저장하기 위해 그 정보를 구조화할 때 사용하는 기본 틀이나 부호를 의미한다. ② 메이어(Meyer)는 내용의 핵심을 추출하기 위해서 문장을 도식화하는 데 사용될 수 있는 다섯 가지 구조를 제시하였다. ㉠ 전례와 결과: 두 주제 사이의 원인과 결과의 관계를 보여주는 구조 ㉡ 비교: 주제 간의 유사점과 차이점을 지적하는 것 ㉢ 통합: 주제의 요소들을 모으고 열거하는 것 ㉣ 묘사: 일반적인 진술과 함께 자세한 내용이나 설명을 제시하는 것 ㉤ 반응: 문제와 해결, 질문과 답변을 같이 제시하는 것
조직화 (organizing)	① 내부의 구조를 발견하기보다는 자료에 구조를 부과하려는 노력을 말한다. ② 정보처리를 쉽게 하기 위해서 내용을 묶음으로 나누고 도식화를 하는 하나의 방법이다. ③ 책의 '장', '절', '머리말' 등과 같이 위계적 관계를 갖는 것이 특징이다.
인지적 감지 [점검(monitoring)]	① 자신이 하고 있는 학습에 대해 계속적으로 추적하는 과정이다. 즉, 자신이 학습내용을 이해하고 있는지, 결과를 예측하고 효과적으로 과제를 수행하는지를 평가하고, 다음 단계를 계획하고, 적절한 시간과 노력을 결정하고, 어려움이 발생했을 때 그것을 극복하기 위해 다른 전략을 사용하거나 기존의 전략을 수정하는지 등을 점검한다. ② 인지적 감지 활동: 자기질문, 목표설정, 자기점검, 환경점검, 피드백을 활용한다.

08 적응(정신위생)과 부적응

핵심체크 POINT

1. 갈등
   ① 접근 - 접근 갈등
   ② 회피 - 회피 갈등
   ③ 접근 - 회피 갈등
2. 기제[프로이드(Freud)]
   ① 공격기제
   ② 방어기제: 합리화, 보상, 투사, 동일시, 승화, 역형성
   ③ 도피기제: 고립, 퇴행, 백일몽, 억압
3. 학교 부적응 행동
   학업부진, 상습적 지각, 결석, 집단따돌림 등
4. 특수 학습자
   영재아, 학습장애아, 정신지체아, 행동장애아, 주의력결핍과잉행동장애 등

1 적응(정신위생)

1. 정신위생

넓은 의미로는 정신적 건강의 유지와 증진을 도모하는 것으로 인간의 전인적 발달을 목표로 하는 활동을 말하며, 좁은 의미로는 정신장애자의 치료와 예방을 목적으로 하는 활동을 말한다. 정신적 건강이란 환경에 적응하고 있는 상태이다.

2. 갈등(Conflict)

(1) 개념

유인성의 강도가 같고, 방향이 반대가 되는 상태를 말한다.

(2) 유형[레빈(K. Lewin)]

① **접근 - 접근 갈등**: 두 개의 + 유인성의 중간에 개체가 위치할 때이다.
   예 수업을 받을 것인가 영화구경을 갈 것인가 망설이는 경우

② **회피 - 회피 갈등**: 두 개의 - 유인성의 중간에 개체가 위치할 때이다.
   예 하기 싫은 일을 강요당하는 경우

③ **접근 - 회피갈등**: 어느 대상이 동시에 +의 유인성과 -의 유인성을 동시에 갖는 경우, 즉 한 사람에 대해 사랑과 미움의 두 가지 마음을 품게 되는 경우이다.
   예 하기 싫은 공부에 상이 걸려 있는 경우, 귀엽기도 하고 밉기도 한 아이 등

3. 기제(Mechanism)

(1) 개념

욕구불만이 쌓였을 때 이를 비합리적 방법으로 해소하는 것을 말하며 방어기제, 도피기제, 공격기제로 구분된다.

(2) 방어기제

① 합리화(Rationalization)

㉠ 자기의 행동이 억압되었을 때 그 행동에 대해 그럴듯한 변명을 함으로써 자아를 보호하려는 기제이다.

㉡ 정당화 혹은 변명이라고도 한다.

예 • 이솝 우화의 신포도 행동(Sour Grapes Mechanism)
• 시험에 실패하고서 교사가 문제를 잘못 출제하였다고 변명하는 경우

② 보상(Compensation)

㉠ 자기의 결함으로 야기된 열등감이나 신체적 부족을 다른 것으로 대체시켜 만족을 얻으려는 기제이다.

㉡ 헬런 켈러의 문학작품은 기관 열등감의 과보상 행위이며 히틀러, 무소리니의 잔학 행위는 어린 시절에 불만족스러웠던 삶의 보상 행위라고 볼 수 있다.

예 • 공부를 못하는 아이가 운동에 열심인 경우
• 신체가 허약한 어린이가 공부에 열심인 경우

③ 투사(Projection): 자아의 욕구가 억압당했을 때 그 이유를 외부의 탓으로 돌려 긴장을 해소시키는 기제이다.

예 • 공부 못하는 이유를 가정형편 탓으로 돌리는 경우
• 선생님이 자신만 미워한다고 여긴다.
• 이수는 희수를 싫어하면서 오히려 희수가 자기를 싫어한다고 생각함

④ 동일시(Identification): 자기 자신을 다른 사람이나 집단과 같거나 비슷하다고 느껴서 자신의 열등감에서 빠져 나오려는 기제이다.

예 • 탐정소설이나 연예인의 옷을 입고 다니면서 흉내내는 경우
• 영화나 TV의 주인공을 닮으려고 하는 행동

⑤ 승화(Sublimation): 억압된 욕구가 사회적으로 보다 바람직한 행동으로 발산되는 기제이다.

예 • 운동경기나 올림픽 경기
• 젊어서 미망인이 된 부인이 사회사업에 몰두함
• 소년 소녀 가장(家長)의 경우

⑥ 역형성(Reaction Formation = 반동): 억압된 욕구나 충동이 무의식의 세계에 잡입해 있다가 방향이나 성질이 정반대의 현상으로 표현되는 기제이다.

예 초등학교 남학생이 좋아하는 여학생을 넘어뜨리고 도망가는 경우

⑦ 치환(displacement): 어떤 감정이나 태도를 본래의 대상으로부터 덜 위험하고 다루기 쉬운 대상으로 옮기는 기제이다.

예 누나에 대한 애정이 연상의 여인에게 옮겨가는 경우

⑧ 부정: 고통스러운 환경이나 위협적인 정보를 거부하는 기제이다.

예 자녀가 학교에서 도둑질을 했다는 경찰의 연락을 접한 부모가 처음에는 "그럴 리가 없어, 우리 아이는 그런 아이가 아니야" 하다가 다음에는 "뭔가 잘못이 있어. 담임선생님과 경찰이 오해를 했을 거야" 라는 식으로 부정함으로써 자신의 불안으로부터 도피하는 경우

(3) 도피기제

① 고립(Isolation): 외부와의 접촉을 끊고 자기 내부에 갇혀서 현실의 억압에서 피하려는 기제이다.

예 등교거부 아동, 은둔생활을 하는 사람

② 퇴행(Regression): 어릴 때의 감정, 사상, 생활태도로 되돌아가 현실의 과제로부터 도피하려는 기제이다.

예 동생이 태어났을 때 야뇨(夜尿)를 하는 아이

③ 백일몽(Day-Dreaming): 현실적으로는 도저히 만족할 수 없는 욕구나 소원을 상상의 세계에서 찾으려는 기제로 승리자 영웅형과 순교자형 등이 있다.

예 • 운동선수가 경쟁자를 물리치고 승리자가 되어 우승컵을 타는 모습 상상
• 자신을 비참한 처지로 전락시켜 다른 사람의 동정심을 유발하는 것 상상

④ 억압(Repression): 의식상 용서받지 못한 소망, 욕구를 의식 하에 억눌러 버리고 의식상은 아무 것도 아닌 것처럼 행동하는 기제이다(가장 흔한 경우).

예 성적(性的)욕구는 사회적으로 제한을 받고 금기시되어 무의식 속에 억누르는 경우

⑤ 거부: 고통스럽거나 위협적인 상황의 존재를 무의식 수준에서 거부 또는 부인해버리는 행동 기제이다.

예 "우리 애는 그럴 리 없어.", "그것은 잘못된 것 일거야."하고 부인해버리는 경우 등

(4) 공격기제: 욕구 충족을 저해하는 원인이나 대상에 대해서 직접 공격(폭력, 싸움 등)이나 간접 공격(비난, 욕설, 조소 등)을 하여 긴장을 해소하는 기제로 가장 나쁜 기제 가운데 하나이다.

秀 POINT 합리화의 유형

신포도형	어떤 목표를 달성하려고 했으나 실패했을 때 자기는 처음부터 원하지 않았다고 자기 변명을 하는 경우를 말한다. 예 이솝우화에 나오는 '여우와 포도'처럼, 포도를 따 먹으려 했으나 실패하고 나서 하는 말이 "저 포도는 시어서 따지 않겠다."라고 변명하는 경우
달콤한 레몬형	현재의 상태를 과시하는 행위로서 이것이야 말로 바로 내가 원하는 것이었다고 변명하는 것이다. 예 "먹을 복이 많다.", "팔자소관이다.", "현재의 고통은 내일의 평안을 얻기 위한 시련이다." 등 자기의 입장을 숙명적으로 합리화시키는 행위
망상형	자기가 원하는 일이 마음대로 되지 않았을 때 전혀 허구적인 자신의 능력에 대한 생각으로써 실패의 원인을 합리화시키는 경우를 말한다. 예 위대한 과학자나 장래 의사가 되겠다고 한 학생이 성적이 불량할 때 자신은 충분한 자질이 있음에도 불구하고 교사가 학생의 눈부신 업적이 두려워 성적을 나쁘게 준다고 믿고 있는 경우

기출문제

다음 설명에 해당하는 방어기제는? 2019년 국가직 9급

- 사회적으로 용인될 수 없는 충동을 정반대의 말이나 행동으로 표출하는 과정
- 친구를 좋아하면서도 표현하기가 힘든 아이가 긴장된 상황에서 '난 네가 싫어!'라고 말하는 것

① 억압(repression)
② 반동형성(reaction formation)
③ 치환(displacement)
④ 부인(denial)

해설

기제(mechanism)란 욕구불만이 쌓였을 때 이를 비합리적 방법으로 해소하는 것으로 방어기제, 도피기제, 공격기제 등이 있다. 이 가운데 억압된 욕구나 충동이 무의식의 세계에 잡입해 있다가 방향이나 성질이 정반대의 현상으로 표현되는 기제가 역형성 혹은 반동형성이라고 한다.

답 ②

2 학교생활 관련 부적응 행동

1. 학업부진

(1) 영향

원인이 다양하며 다른 많은 문제를 일으키는 원인으로 작용한다. ① 자아개념을 손상시키며, ② 신체적 질병이나 정신적 문제를 일으키고, ③ 부모와의 관계를 약화시키며, ④ 좌절에 의한 비행과 탈선의 원인이 되기도 한다.

(2) 발생 요인

① **선수학습의 결핍**: 학교수업의 대부분이 집단학습으로 이루어지는 학교교육과정 한 시점에서의 불충분한 학습결과는 이후의 후속학습에 심대한 문제를 일으키며 이것이 누적되고 반복되면서 학습결손이 발생한다.

② **학습 동기의 결여**: 학습 동기는 학습에 대한 정서적인 요인으로 학습과제에 대한 흥미, 의욕, 관심 등을 포괄하는 일반적인 개념이다. 이와 같은 정의적인 요인의 결여는 학습 자체에 대한 무관심을 일으키고 학업부진이 되기도 한다.

③ **가정환경의 문제**: 유아기 때의 감각적 자극경험, 영양 상태, 양육방식, 학업에 대한 성취기대나 압력 등은 아이의 지적 발달에 영향을 주는 가정적 요인이다. 그 밖에 가정에서 사용하는 언어 등도 지적 발달에 영향을 주며, 이런 요인이 부정적으로 작용할 때 학습에 부정적인 영향을 미친다.

④ **또래 집단의 영향**: 아이들이 어떤 친구를 사귀는가는 학업과 밀접한 관련을 가진다. 놀기를 좋아하거나 비행 친구들과 어울리게 되면 공부에 투자하는 시간이 감소하고 공부에 열의를 느끼지 못하여 학업부진의 원인이 될 수도 있다.

⑤ **비효과적인 공부 방법**: 공부할 때의 시간관리 방법, 주의집중 정도, 독서방법, 시험 준비 및 시험 보는 요령, 예습 및 복습방법, 노트 필기 방법이 비효율적인 경우 학습부진이 될 수 있다.

⑥ **교사**: 교사가 학생을 어떻게 기대하는가, 그리고 학생이 교사에게 느끼는 선호의 감정 등은 교사가 가르치는 교과목에 대한 흥미와 학습 행동에 영향을 미치게 된다.

⑦ **정신건강**: 시험불안뿐만 아니라 우울증, 정신분열증 등 정신증적 문제는 학습에 지장을 초래할 수 있으며, 발달장애 등도 학업부진의 원인이 될 수 있다.

2. 상습적 지각

(1) 습관적인 지각은 학교생활에 대한 부적응의 한 현상으로 작용한다.

(2) 원인

① 불규칙한 생활습관, 불규칙적인 취침시간 및 기상시간

② 책임감 부족, 시간관념 부족, 의무와 책임감에 대한 인식 부족

③ 학교에 대한 부정적인 태도

④ 등교 도중 여러 가지 일에 대한 정신 팔림 등과 같은 산만함

3. 결석

(1) 잦은 결석이나 장기적인 무단결석과 같은 행위는 심각한 문제의 징후이다.

(2) 무단결석의 원인

① 가출

② 친구의 유혹

③ **가정적 문제**: 결손·빈곤·가정불화 등

④ **학교의 문제**: 학업부진, 학습동기 상실, 흥미 상실 등

⑤ **유해 환경문제**: 불량배의 위협, 폭행이나 금품탈취 등

⑥ **학생 개인의 심리적인 문제**: 학교공포, 대인공포, 이별불안 등

4. 집단따돌림

(1) 집단따돌림을 당하는 학생은 학교생활에 제대로 적응하지 못한다.

(2) 형태

① 싫어하는 별명을 부르며 바보 취급하거나 말을 따라하며 놀리는 등 말로 놀리는 경우

② 지나갈 때 발을 걸거나 분필 등을 던지는 등 신체적으로 모욕감을 주는 경우

③ 특정 학생을 무시, 소외시키고 같이 놀아주지 않는 경우

(3) 따돌림 당하는 학생의 특징

① 담임교사가 싫어하는 행동을 자주한다.

② 어느 교사에게나 지적을 많이 받는다.

③ 의지가 약하거나 잘 운다.

④ 좋지 않은 버릇을 가지고 있다.

⑤ 키가 작고 체구가 왜소한 경우가 있다.

⑥ 자신을 감싸주거나 동정해 주는 친구가 없다.

⑦ 자기주장을 할 줄 모르거나, 편협한 주장을 하고, 융통성이 없이 고집을 부린다.

3 특수학습자

1. 영재아(gifted student)

(1) 개념

능력이 뛰어나고 탁월한 성취를 보일 가능성이 있는 자로서 그들이 자아를 실현하고 사회에 공헌하기 위해서는 정규학교 교육과정이 제공하는 것 이상의 특수한 교육 프로그램과 지원을 필요로 한다고 전문가에 의해 판단되는 자를 말한다.

렌쥴리(Renzulli)의 영재성 요소
1. 평균 이상의 지능
2. 높은 창의성
3. 높은 과제집착력

(2) 특징

① 일반 아동들에 비해 학습속도가 빠르며 기억력이 뛰어나기 때문에 일반 아동들과 동일한 학습내용의 수준이나 학습속도로 진행하기가 매우 어렵다.

② 스스로 파악하고자 하는 성향이 높고 과제 집착력이 뛰어나다. 한 가지 문제가 해결되기 전까지는 모든 것을 잊어버리고 그 문제에 매달리는 경향이 높다.

③ 대부분의 경우 교사가 동기를 유발시키지 않아도 수업에 능동적으로 참여하며 혼자서 공부하거나 호기심이 많아 질문이 전문적이며 횟수가 매우 많다.

2. 학습장애아(learning disabilities)

(1) 개념

① 비교적 정상적인 지능을 가지고 있으면서도 특정 학습에서 학습문제를 가지고 있는 아동이다.

② 정신지체, 정서장애, 환경 및 문화적 결핍과는 관계없이 듣기, 말하기, 쓰기, 읽기 및 산수 능력 등을 습득하거나 활용하는 데 있어 한 분야 이상에서 어려움을 보이는 장애를 가진 아동이다.

(2) 학습장애의 판단기준[커크와 갤러거(Kirk & Gallagher)]

① 불일치 기준에 의하면 학습장애는 여러 가지 심리적인 면 사이에 의미 있는 발달상의 불일치를 보여주거나 일부 영역의 학문적인 성취와 다른 능력 또는 성취 간의 설명할 수 없는 불균형을 보여준다.

② 배제 기준에 의하면 정신지체, 청각이나 시각장애, 행동장애, 학습기회 부족으로 설명할 수 있는 학습곤란을 학습장애에 포함시키지 않는다.

③ 특수교육 기준에 의하면 발달에 특수교육이 요구되는 아동만을 학습장애에 포함시킨다.

(3) 특성

① 학습영역, 특히 듣기, 말하기, 읽기, 쓰기, 산수 등의 영역 중 한 가지 이상에서 어려움을 지닌다.

② 잠재적인 능력은 있으나 특정 학습 영역에 있어서 심각한 어려움을 경험한다. 즉 지니고 있는 잠재능력과 실제로 나타나는 성취도 간에 차이가 있다.

③ 학업 수행에 있어서 영역 간 불균형한 성취를 보인다. 이는 아동 개인에게서 나타나는 개인차 때문이다.

④ 중추신경계의 신경학적 기능장애와 관련되는 것으로 추정된다.

⑤ 아동의 학습문제가 환경적인 불이익이나 정신지체, 정서 및 행동장애 등의 기타 장애로 인한 경우는 제외한다.

3. 정신지체아

(1) 개념

① 정신지체(mental retardation)란 지능이 평균보다 낮으며(-2SD 이하, 즉 IQ 70 이하), 특히 정신적인 발달이 지체되는 것을 말한다.

② 정신지체아를 규정하는 정의에서 가장 중요한 점은 평균 이하인 지적 기능과 적응 행동상의 장애가 동시에 존재할 것과 이러한 두 가지가 모두 발달기간인 18세 이전에 일어날 경우이다.

(2) 특성

① 인지와 학습을 포함하는 개념적 지능에 한계가 있다.

② 사회적 능력의 한 측면인 실제적 지능과 사회적 지능에 한계를 보인다.

③ 발라(Balla)와 지글러(Zigler)는 정신지체아의 성취 능력 부족 때문에 자기 자신에 대해서 부정적인 감정을 가지게 된다고 한다.

④ 교육가능 정신지체아의 운동 숙달 정도는 보통의 지능지수를 가진 일반 학습자에 비해 열등하며, 체육 프로그램은 그들의 운동 숙달에 정적인 영향을 미친다.

4. 행동장애아

(1) 개념

행동장애(behaviorally disordered)란 학습장면과 관련지어 사회적 갈등, 개인적 불만, 학교성적 부진 등을 지속적으로 나타내는 학습자이다.

(2) 특성

① 과잉행동, 비협조, 반항, 적개심, 잔인성, 악의성 등의 특성을 나타내며, 학습에 지장이 많고 학교규칙을 어기며 행동결과에 대해 아무런 반응을 보이지 않는다.

② 크게 과잉과 결여라는 두 가지로 요약할 수 있다.

5. 주의력결핍과잉행동장애(ADHD)

(1) 용어의 기원

1980년 미국 정신과학협회에서 주의력결핍증(Attention Deficit Disorder, ADD)라는 말을 처음 사용하였고, 1987년에 ADHD(Attention Deficit Hyperactivity Disorder)라는 용어로 바꾸어 사용하였다.

(2) 주요 증세

ADHD의 3대 특징은 주의력 결핍, 충동성, 과잉행동이다.

① 주의력이 부족하고, 지능이 정상인데도 학교 성적이 부진하다.

② 지나치게 활동적이고 충동적 행동을 한다.

③ 읽기나 쓰기 같은 특정한 학습 장애를 보인다.

④ 적대적·반항적 장애나 품행 장애 등을 보이기도 한다.

(3) 원인

① 미세뇌기능 장애와 유전적 요인에 의한 것으로 보며, 환경적 원인은 아니라고 본다.

② 대부분 남자 아이들에게 나타나지만 최근에는 여자 아이들에게도 나타난다고 보고 있으며, 이 경우 우울증, 불안 등의 원인이 되기도 한다.

③ 뇌기능장애의 원인은 신경전달물질인 노르아드레날린(noradrenaline)과 도파민(dopamine)의 불균형에서 오는 것으로 보고 있다.

(4) 영향

① 학령기의 학습 및 행동에 지속적인 영향을 미칠 뿐만 아니라, 성인이 되어서도 나타난다.

② ADHD의 특징이 나타나는 아이들의 절반 정도는 특정한 학습장애, 예를 들면 난독증, 언어 장애, 수학과목에서 취약성을 보이기도 한다.

(5) 치료방법

① 약물치료가 우선이고 그 밖에 행동치료 등을 병행하는 방법을 사용한다.

② 치료약물로는 흥분제의 일종인 리탈린(Ritalin)과 덱스암페타민(Dexamphetamine) 등이 사용되며, ADHD의 약 80 ~ 90%는 단기적인 효과를 얻을 수 있다.

(6) ADHD 아동 지도

① 간단하게 말하며 불필요한 단어는 말하지 않는다.

② 시끄러운 곳을 피해서 말한다.

③ 전달하려는 메시지를 구체적으로 말한다.

④ 복잡한 정보는 짧으면서도 쉽게 이해할 수 있게 나누어 전달한다.

⑤ 영화, 비디오, 어린이 프로그램 등에서 정보를 얻어 대화의 주제를 끌어낸다.

참고

교육학에서 사용되는 여러 효과의 용어 정리

자기 암시 효과	① 긍정적 자기 암시 효과: 위약 효과, 플라시보 효과(Placebo effect) ② 부정적 자기 암시 효과: 노시보 효과(Nocebo effect)
기대 효과	① 긍정적 기대효과: 피그말리온 효과(Pygmalion effect) ② 부정적 기대효과: 골렘 효과(Golem effect)
자이가닉 효과 (Zeigarnik effect)	완성된 과제보다는 미완성된 과제를 더 잘 회상하는 현상
가르시아 효과 (Garcia effect)	특정한 먹거리의 미각과 뒤에 따르는 질병사이의 관련성을 조건반사적으로 학습하는 현상
베르테르 효과 (Werther effect)	유명한 사람의 자살 후에 유사한 방식으로 잇따라 자살이 일어나는 현상
밴드 웨건 효과 (Band wagon effect)	특정 상품에 대한 어떤 사람의 수요가 다른 사람들의 수요에 의해 영향을 받는 현상(편승 효과)
메디치 효과 (Medici effect)	프란스 요한스의 저서에서 비롯된 것으로, 전혀 다른 역량의 융합으로 생겨나는 창조와 혁신의 빅뱅 현상

秀 POINT 중요 개념

- □ 조건화
- □ 형태 심리학
- □ 생태학적 발달이론
- □ 동화와 조절
- □ 물활론적 사고
- □ 근접발달영역(ZPD)
- □ 정체감 유예
- □ 도덕성
- □ 지능검사
- □ 결정적 지능
- □ 삼위일체지능
- □ 창의성
- □ 마인드 맵
- □ 조건화설
- □ 조직화
- □ 단서의존 망각
- □ 자기 효능감
- □ 인지적 도제학습
- □ 귀인이론
- □ 성취동기
- □ 동일요소설
- □ 장독립성과 장의존성
- □ 합리화
- □ 영재성
- □ 자아실현
- □ 발달
- □ 발달과업
- □ 자기중심성
- □ 비가역적 사고
- □ 자아정체성
- □ 정체감 유실
- □ 자기중심적 언어
- □ 비율지능과 편차지능
- □ 다중지능
- □ 감성지능(EQ)
- □ 브레인스토밍
- □ 학습의 조건
- □ 통찰설
- □ 정교화
- □ 관찰학습
- □ 구성주의
- □ 문제중심 학습
- □ 학습된 무기력
- □ 숙달목표와 수행목표
- □ 일반화설
- □ 메타인지
- □ 동일시
- □ 정신지체

VI

생활지도 및 상담

01 | 생활지도

핵심체크 POINT

1. 생활지도의 개념

학생의 건전한 성장과 발달을 촉진하기 위해 생활과정에서 나타나는 현실적 문제를 개인의 특성에 알맞게 지도함으로써 자아실현을 도모하는 일

2. 생활지도의 주요 활동

① 학생조사활동(혹은 학생이해 활동)
② 정보활동(정보제공 활동)
③ 상담활동
④ 정치활동
⑤ 추수(추후) 활동

3. 진로지도이론

특성요인이론	개인의 특성에 대한 객관적 자료와 직업 특성에 관한 자료를 토대로 진행[파슨스(Parsons), 윌리암슨(Williamson)]
발달이론	개인이 직업에 대한 지식, 태도, 기능의 발달과 환경적 요인의 상호작용을 강조[진즈버그(Ginzberg), 슈퍼(Super) 등]
욕구이론	아동기에 형성된 개인의 욕구, 아동 초기의 가정환경이 직업선택에 작용[로우(Roe), 홀랜드(Holland) 등]
사회학적 이론	사회적 상호작용(가정, 학교, 지역사회 등의 요인) 중시[크럼볼츠(Krumboltz), 케인스(Keynes), 블라우(Blau) 등]

1 생활지도

1. 개념

학생의 건전한 성장과 발달을 촉진하기 위해 생활과정에서 나타나는 현실적 문제를 개인의 특성에 알맞게 지도하는 일로 학습지도와 더불어 현대 교육활동에서 중시된다.

2. 목적

개인생활과 사회생활에서의 만족·행복·효능성을 증진하고 개인의 자아실현을 도모하는 것이다.

3. 필요성

(1) 현대과학의 발달에 따른 아동 이해의 필요성이 증대되었다.

(2) 변화하는 사회 속에서 적응능력을 배양시킨다.

(3) 민주시민으로서의 자질이 요구된다.

4. 목표

(1) 모든 학생으로 하여금 자신을 바르게 이해하도록 돕는 일이다.

(2) 자신의 능력, 흥미 및 여러 가지 자질을 발견하고 이를 최대한 발전시키도록 한다.

(3) 끊임없이 당면하는 문제를 정확히 파악하고 스스로 해결할 수 있는 능력을 배양한다.

(4) 급격히 변화하는 생활 속에서 현명한 선택과 적응을 돕는다.

(5) 미래의 개인적 성장과 생활 속에서 건전하고 성숙된 적응을 위한 기초를 마련한다.

(6) 지적·신체적·정서적 및 사회적 측면에서 조화되고 통합된 발달을 도모한다.

5. 활동원리

(1) 모든 학생을 대상으로 한다.

(2) 처벌보다는 지도를 앞세운다.

(3) 치료보다는 예방에 중점을 둔다.

(4) 과학적 근거를 기초로 한다.

(5) 자율성 배양을 원리로 한다.

6. 기본원리

계속성의 원리	① 생활지도는 일정의 주기성을 갖고 연속적으로 전개된다. ② 예를 들면 입학으로부터 졸업 후의 추수지도에 이르기까지 모든 과정을 주기적으로 전개한다.
균등의 원리	생활지도는 문제 학생이나 부적응 학생뿐만 아니라 모든 학생을 대상으로 한다.
적극적 예방의 원리	생활지도는 학생의 전인적 성장 발달을 돕기 위해 처벌보다는 지도, 선도하는데 중점을 둔다.
전인의 원리	생활지도는 학생의 전인적 성장을 위한 활동이다.
협동의 원리	생활지도는 학교, 가정, 지역 사회가 유기적으로 관계를 맺고 아동의 성장발달을 도와준다.

2 생활지도의 내용과 활동영역

1. 생활지도의 내용

교육지도	오리엔테이션(orientation), 학업부진아 지도, 학습방법지도, 독서지도 및 기타 학업상의 모든 문제
직업지도	직업적성지도, 진학지도, 진학정보 및 지도, 추수지도
사회성지도	교우관계, 이성 관계, 가족관계, 대인관계
건강지도	신체장애, 각종 질병, 위생 등
여가지도	여가선용, 취미 및 오락 활동, 놀이지도 등

2. 생활지도의 주요 활동

(1) 학생조사 활동(student inventory service)

① 개념: '학생이해 활동' 또는 '학생평가 활동'이라고도 한다. 이는 학생의 인적 사항 등을 객관적이고 과학적으로 파악하는 활동을 말한다.

② 범위: 가정환경, 학업성취도, 학업적성, 지능, 신체 및 정신건강, 교외(校外)활동, 학습 및 직업적 흥미, 적성, 성격 등을 파악한다.

③ 방법: 각종 표준화 심리검사, 학업성취도 검사, 환경조사, 질병조사를 실시하고, 생활사, 가족관계, 교우관계 등을 조사한다.

(2) 정보 활동(information service)

① 개념: 학생들이 원하는 각종 정보 및 자료를 제공하여 학생들의 개인적 발달과 사회에 현명하게 적응할 수 있도록 돕기 위해 제공되는 활동으로, 교육정보, 직업정보, 개인적 및 사회적 정보 등이 제공된다.

② 정보의 유형

㉠ 교육정보: 이수해야 할 교육과정, 특별과정, 입학조건과 상황 그리고 학생 생활의 문제들을 포함한다.

㉡ 직업정보: 직업의 세계에 관한 정보이다. 즉, 직업과 직위에 대한 타당하고도 유용한 자료를 의미한다.

㉢ 개인 및 사회적 정보: 개인과 인간관계에 작용하는 인간 및 물리적 환경의 기회와 영향에 관한 타당하고 유용한 자료이다.

(3) 상담 활동(Counseling)

① 개념: 전문적 지식과 기술을 가지고 내담자 자신과 환경에 대한 이해를 증진시키고 합리적이며 현실적인 의사결정을 내리도록 원조(援助)하는 활동을 말한다.

② 앞에서 전개된 객관적인 학생조사 활동과 각종 정보제공 활동을 통해 획득한 종합적인 자료와 정보를 근거로 하여 상담자와 내담자의 친밀한 관계 속에서 전문적인 대화가 전개된다.

(4) 정치(定置) 활동(placement service)

① 개념: 상담의 결과 학생들을 적재적소에 배치하는 활동이다. 정치활동에는 교육정치와 직업정치가 있다.

② 유형

㉠ 교육적 정치: 학과 선택, 특별 활동반 선택, 서클 활동 부서 선택 등을 하도록 돕는 활동이다.

㉡ 직업적 정치: 직업선택, 진로선택, 부직 알선 등의 활동을 말한다.

(5) 추수(追隨) 활동(follow up service)

① 개념: 사후의 점검을 위해 이루어지는 일련의 활동이다.

② 학생들의 인적사항 파악, 각종 정보의 제공활동, 상담의 실시, 적재적소의 배치 등 상담활동의 종결과정으로 학생들이 학교생활이나 사회생활, 직업생활 등에서 낙오되지 않도록 보살펴 주는 활동이다.

기출문제

생활지도 활동과 적용 사례가 바르게 짝지어진 것은? 2023년 국가직 9급

① 학생조사 활동 - 진로 탐색을 위한 학생 맞춤형 프로그램을 실시하였다.
② 정보제공 활동 - 신입생에게 학교의 교육과정 및 특별활동에 관한 안내 자료를 배부하였다.
③ 배치(placement) 활동 - 학생들의 수업 적응 정도를 점검하고 부적응 학생을 상담하였다.
④ 추수(follow-up) 활동 - 학기 초에 학생에 관한 신체적·지적 특성과 가정환경 등 기초적인 정보를 수집하였다.

해설

선지분석
① 진로 탐색을 위한 학생 맞춤형 프로그램을 실시한 것은 배치활동이다.
③ 학생들의 수업 적응 정도를 점검하고 부적응 학생을 상담한 것은 상담활동이다.
④ 학기 초에 학생에 관한 신체적·지적 특성과 가정환경 등 기초적인 정보를 수집한 것은 학생조사활동이다.

답 ②

3 생활지도의 실제

1. 진로교육

(1) 필요성

① 기술과 지식의 급격한 변화: 평생직장의 개념이 퇴조하였다.
② 가정에서 여성의 역할 변화: 여성에 대한 진로교육을 필요로 한다.
③ 직업에 대한 태도의 변화: 새로운 직업윤리를 요구하였다.

(2) 단계

① 진로인식 단계(초등학교)
㉠ 여러 종류의 직업을 이해시킨다.
㉡ 잠정적인 진로에서 직업과 연관하여 자아인식을 개발시킨다.
㉢ 일과 사회에 대한 태도를 함양하기 위한 기반을 발전시킨다.
㉣ 모든 분야에 있어서 직업인에 대한 존경과 인정의 태도를 기른다.
㉤ 수업을 통하여 직업군(職業群)을 이해하고 잠정적으로 선택할 수 있는 기회를 제공한다.

② 진로탐색 단계(중학교)
㉠ 주요 직업 분야를 탐색함으로써 자신의 흥미와 능력을 발휘하도록 한다.
㉡ 직업의 분류 및 직업군에 익숙하도록 한다.
㉢ 자기의 의사결정에 관련된 요소를 인식하도록 한다.
㉣ 의미 있는 의사결정과 그 기회를 가지도록 한다.
㉤ 잠정적으로 직업계획을 발전시키고 선택할 수 있는 경험을 제공한다.

③ 진로준비 단계(고등학교)
㉠ 직업기술 수준과 고용 수준에 도달할 수 있는 지식과 기술을 습득시킨다.
㉡ 직업의 훈련계획을 세우게 한다.

ⓒ 직업에 대한 긍정적 태도를 발전시켜 준다.

2. 성교육

(1) 적절한 성에 관한 지식(20%), 태도(80%), 방법 등을 알려준다.

(2) 건전한 성도덕과 윤리를 확립시킨다.

(3) 이성에 대한 올바른 태도를 이해시킨다.

(4) 청소년기의 생리적, 심리적 특성에 대한 올바른 이해를 돕는다.

(5) 남녀평등의 원칙에 입각한 올바른 인간관계가 형성되도록 한다.

양성성(兩性性, androgyny)

이 말은 남자를 뜻하는 andro와 여자를 뜻하는 gyn이 합성된 말이다. 현대 심리학에서 인간이 양성성(anima, 남성의 무의식 속에 있는 여성적 요소)을 소유한 존재라고 주장한 것은 융(C. Jung)이고, 최근의 양성성 이론은 벰(Bem)이 주장하였다. 벰(Bem)은 전통적인 성역할 개념에서 벗어나서 남녀의 좋은 특성을 자유롭게 표현할 수 있는 남성과 여성 모두를 위한 심리학적으로 건강한 새로운 성역할 표준으로서 양성성 개념을 제시하였다.

3. 진로상담(Career Counseling) 이론

(1) 특성요인 이론(Trait Factor Theory)

① 특징

㉠ 삶의 어느 특정 시기에 의사결정을 하려고 할 때 도움을 줄 수 있는 이론으로 개인차 심리학과 응용심리학에 근거를 둔다. 파슨스(Parsons), 윌리암슨(Williamson), 헐(Hull) 등이 대표자이다.

㉡ 개인의 특성에 대한 객관적 자료와 직업의 특성에 관한 자료를 중시한다. 또한 표준화 검사(예 흥미검사, 적성검사, 학력검사 등)의 실시와 해석을 진로상담 과정에서 크게 강조한다.

㉢ 개인과 직업을 연결시키는 엄격하고 과학적이며 고도로 특별화된 진로상담 방법으로, 과학적인 측정방법을 활용하여 학생의 특성뿐만 아니라 직업의 요구사항을 파악함으로써 개인의 특성과 가장 일치되는 직업을 선택하도록 돕는 역할을 한다.

② 주요 내용

㉠ 인간은 각자 객관적으로 측정하고 조사할 수 있는 독특한 특성, 즉 적성, 욕구, 흥미, 가치관, 기대, 심리적 적응, 모험성 그리고 포부를 지니고 있다.

㉡ 인간은 특정 직업에서 성공하려면 그 직업에 맞는 특성을 지녀야 한다.

㉢ 개인의 능력이 직업에 맞는 특성일수록 개인이 성공하고 만족감을 느낄 가능성은 커진다.

㉣ 특성에 맞는 직업을 선택하는 능력은 의도적인 방식으로 할 수 있는 의식적인 과정이다. 그러나 이 과정은 자신의 독특한 특성에 대한 통찰과 환경적 요인에 대한 지식을 가지고 있을 경우에 효과적으로 이루어질 수 있다.

③ 특성요인 진로상담 모형[윌리암슨(Williamson)]

제1단계 - 분석	개인의 특성, 즉 태도, 흥미, 가족배경, 지적 능력, 교육적 능력, 적성 등에 관한 재료 수집 및 표준화 검사를 실시한다.
제2단계 - 종합	개인의 장·단점, 욕구, 문제를 분류하기 위한 정보를 수집, 조정한다.
제3단계 - 진단	진로문제의 객관적인 원인을 파악한다.
제4단계 - 예측	가능한 대안을 탐색하고 각 대안의 성공 가능성을 평가하고 예측한다.
제5단계 - 상담	개인 특성에 관한 자료를 중심으로 직업에 잘 적응하기 위해 어떻게 해야 할지를 상담한다.
제6단계 - 추수지도	내담자가 행동계획을 잘 실천하도록 돕고 결정 과정의 적합성을 점검한 뒤 필요한 부분의 보충을 위해 추수지도한다.

(2) 발달이론(Developmental Theory)

진로 발달을 개인의 전체 발달의 한 측면으로 본다. 발달이론에서 진로란 개인의 일생에서 발달적 과정을 통해 일어나는 연속적인 사건임을 강조한다. 여기에 해당하는 이론이 진즈버그(Ginzberg)와 수퍼(Super)의 직업발달 이론이 있다.

① 진즈버그(Ginzberg)의 직업발달 이론

㉠ 특징

ⓐ 인간의 신체와 정신이 발달하는 것처럼 직업에 대한 지식, 태도, 기능도 어려서부터 발달하기 시작하여 일련의 발달단계를 거친다는 것이다.

ⓑ 개인의 진로발달은 부분적으로 자신의 심리적 및 생리적 속성뿐만 아니라 중요한 타인을 포함하는 환경적 조건에 의해 결정된 비율에 따라 전체 발달의 한 측면으로 이루어진다.

㉡ 기본적인 요소

ⓐ 직업 선택은 발달과정이며 일회적으로 결정되는 것이 아니라 수년간에 걸쳐 일련의 결정들이 이루어진다.

ⓑ 직업 선택 과정을 불가역적으로 보는 것은 타당하지 않다.

ⓒ 직업 선택에서는 타협보다는 적정화라는 용어가 더 적합하다.

ⓓ 직업 선택은 일의 만족을 추구하기 위해 일생 동안 계속되는 과정이다.

㉢ 진로 발달의 단계

ⓐ 환상기(6 ~ 10세): 현실여건, 능력, 실현 가능성을 고려하지 않고 어린 시절의 우상과 동일시하며 자신이 원하는 것은 무엇이나 다 할 수 있다고 믿는다.

ⓑ 잠정기(11 ~ 17세): 청소년기에 자신의 흥미, 능력, 가치는 고려하지만 현실적인 요인들은 고려하지 않고 진로를 잠정적으로 정한다.

ⓒ 현실기(18 ~ 22세): 자신의 흥미, 능력, 가치, 기회는 물론 직업의 요구조건, 교육기회, 개인적 요인 등을 고려하여 현실적으로 실현 가능한 진로를 탐색하고 선택한다.

② 수퍼(Super)의 직업발달 이론

㉠ 특징

ⓐ 진즈버그(Ginzberg)의 직업발달 이론에 대한 비판으로 비롯된 것으로 직업발달 이론 가운데 가장 포괄적인 이론이다.

ⓑ 개인적 요인과 환경요인의 상호작용을 강조하는 통합적 접근이다.

ⓒ 개인은 발달 단계에 따라 연령과 사회적 기대에 따른 발달 과제에 직면하게 되고 아동, 학생, 직업인, 배우자 등의 지위를 얻게 되고 각각의 역할에 대한 자아개념을 발달시키게 된다.

㉡ 수퍼의 진로상담 모형

ⓐ 비지시적 방법에 의해 문제를 탐색하고 자아개념을 표출한다.

ⓑ 자아수용과 통찰을 위해 사고와 감정을 명료화한다.

ⓒ 심리검사, 직업정보 분석을 통해 자료를 수집한다.

ⓓ 자신과 일의 세계에 대해 탐색한다.

ⓔ 가능한 대안과 행동을 고찰한다.

㉢ 직업 발달단계

단계	내용
성장기 (출생 ~ 14세)	가정이나 학교에서 주요 인물과 동일시함으로써 자아개념이 발달한다. 초기에는 욕구와 환상이 지배적이며 사회참여와 현실검증이 증가함에 따라 흥미와 능력을 중시하게 된다.
탐색기 (15 ~ 24세)	학교, 여가활동, 시간에 일 등을 통해 시행착오를 거치면서 자기검증, 역할수행, 직업적 탐색을 한다.
확립기 (25 ~ 44세)	자신에게 적합한 직업 분야를 발견하고 그 분야에서 안정적인 위치를 확보하려고 노력한다.
유지기 (45 ~ 64세)	직업 세계에서 확고한 위치가 확립되어 이를 유지하기 위한 노력을 한다.
쇠퇴기 (65세 이상)	신체적 및 정신적 힘이 쇠퇴함에 따라 작업 활동에 변화가 오고 중단하게도 됨으로 새로운 역할을 개발해야 한다.

㉣ 학교 진로상담에 적용

ⓐ 상담교사는 학생들에게 각자 자신의 다양한 장점과 흥미를 말해 보도록 함으로써 진로에 대한 탐색을 시작할 수 있다.

ⓑ 부모와 가정환경이 진로에 관한 지식과 포부를 갖게 하는 데 학생들에게 어떤 영향을 미치는지 깨달을 수 있는 기회를 제공한다.

ⓒ 발달단계의 특성에 대한 지식을 토대로 학생들의 성숙도에 알맞게 진로의 중요성을 강조한다.

ⓓ 학생들이 각자의 자아개념을 표현할 수 있는 진로를 택하게 함으로써 직무 만족도를 높일 수 있도록 노력을 기울인다.

ⓔ 상담교사는 학생들에게 효과적인 시간관리, 질 높은 인간관계, 인생에 있어 모든 역할을 균형 있고 조화롭게 통합·유지할 수 있는 능력을 가르칠 수 있다.

(3) 욕구이론[로우(Roe)]

① 특징

㉠ 로우(Roe)는 개인의 욕구가 직업선택에 커다란 영향을 미친다고 본다. 즉 아동기에 형성된 욕구에 대한 반응으로 직업선택이 이루어진다는 것이다.

㉡ 부모의 양육방식이 자녀의 성격과 욕구 위계를 형성하고 이는 자녀의 직업선택에 영향을 준다.

㉢ 자녀의 직업발달에 영향을 주는 요인은 부모의 양육방식뿐만 아니라 흥미, 성별, 경제, 신체적 외모, 기회요인, 가족배경, 기질 등이 있다.

② 부모의 양육방식과 자녀의 직업선택

㉠ 자녀에 대한 정서적 집중

ⓐ **과보호적(overprotective) 부모:** 서비스. 예술, 혹은 연예활동과 관련된 직업에 관심을 갖는다.

ⓑ **과요구적(overdemanding) 부모:** 법조인, 교사, 학자, 도서관 사서나 예술과 연예 관련 직업에 관심을 갖는다.

㉡ 자녀에 대한 회피

ⓐ **거부적(rejecting) 부모:** 과학과 관련된 직업에 관심을 가진다.

ⓑ **무관심(neglecting) 부모:** 과학과 옥외에서 활동하는 직업에 흥미를 느낀다.

㉢ 자녀에 대한 수용

ⓐ **태평한(casual) 부모:** 기술직(엔지니어, 항공사, 응용 과학자)이나 단체에 속하는 직업(은행원, 회계사, 점원)을 추구한다.

ⓑ **애정적(loving) 부모:** 서비스나 비즈니스와 관련된 직업을 추구한다.

③ **직업군 유형:** 서비스(Ⅰ), 비즈니스(Ⅱ), 단체(Ⅲ), 기술(Ⅳ), 옥외(Ⅴ), 과학(Ⅵ), 일반문화(Ⅶ), 예술과 연예(Ⅷ)의 8가지 범주로 분류하고 개인은 양육방식에 따라 이 범주 가운데 하나에 속하게 된다.

(4) 인성이론[홀랜드(Holland)]

① 특징

㉠ 홀랜드(Holland)는 개인의 행동양식이나 인성유형이 직업 선택과 발달에 중요한 영향을 미친다고 보았다.

㉡ 직업선택을 개인의 타고난 유전적 소질과 문화적 요소(동료, 부모, 중요한 타인, 개인이 속한 사회의 문화와 물리적 환경 등) 간의 상호작용의 결과라고 보았다.

㉢ 개인의 직업선택 행동은 인성의 표출이다. 그래서 사람들은 자기의 인성유형을 표출할 수 있는 직업 환경을 선택하게 된다.

② 진로유형

㉠ 홀랜드는 인성과 직업의 조화를 탐구하여 '인성 - 적성 적합성 이론(personality-job fit theory)'을 제시하였다. 퍼스널리티에는 6가지 특징이 있고 이들 특징에 맞는 직업을 갖고 있느냐에 따라 직업 만족도나 이직율이 좌우된다고 보았다. 세상의 모든 직업들과 사람들의 직업적 적성은 다음과 같은 6가지 유형으로 나누어질 수 있다고 보았다.

진로유형	성격적성	전공	직업
탐구형 (Investigative)	ⓐ 논리적, 분석적이며 탐구심이 많고 합리적이며 정확하고 호기심이 많음 ⓑ 소극적이며 내성적이고 학문적임	자연대학, 의과대학, 화학과, 생물학과, 수학과, 천문학과, 사회학과, 심리학과, 자유전공학과 등	과학자, 의사, 생물학자, 화학자, 수학자, 저술가, 지질학자, 편집자 등
예술형 (Artistic)	ⓐ 상상력이 풍부하고 감수성이 강하며, 개방적이고 직관적임 ⓑ 자유분방하고 개성이 강하며 협동심이 약함	예술대학, 음악, 미술, 공예과, 연극영화과, 국문학과, 영문학과, 무용과 등	예술가, 시인, 소설가, 디자이너, 극작가, 연극인, 미술가, 음악평론가, 만화가 등
사회형 (Social)	ⓐ 친절하며 이해심이 많고 남을 도와주며 관대하고 우호적임 ⓑ 협동적이며 감정적이고 외향적임	사회복지학과, 사범대학, 심리학과, 가정학과, 간호학과, 재활학과, 레크레이션학과 등	교사, 임상치료사, 사회복지사, 보건교사, 간호사, 청소년지도자, 유아원장, 종교지도자, 상담가, 사회사업과 등
설득형 (Enterprising)	ⓐ 지도성이 있고, 설득적이며, 경쟁적이고 열성적임 ⓑ 야심이 많고 외향적이며 모험심이 있고 낙천적임	경영학과, 경제학과, 정치외교학과, 법학과, 무역학과, 사관학교, 정보학과, 보험관리학과 등	정치가, 기업경영인, 광고인, 영업사원, 보험사원, 판사, 관리자, 공장장, 판매관리사, 매니저 등
관습형 (Conventional)	ⓐ 정확하며, 빈틈이 없고, 조심성이 있고 변화를 싫어함 ⓑ 계획적이고 사무적임	회계학과, 무역학과, 행정학과, 도서관학과, 컴퓨터학과, 세무대학 등	회계사, 세무사, 경리사원, 은행원, 컴퓨터 프로그래머 등
실재형 (Realistic)	ⓐ 솔직하며 성실하고 검소하며 말이 적고 직선적이고 단순함 ⓑ 기계를 만지거나 조작하는 것을 좋아하며 몸을 움직이는 활동을 선호함	공과대학, 기계공학과, 전자공학과, 화학공학과, 농과대학, 축산학과 등	기술자, 엔지니어, 기계기사, 정비사, 전기기사, 운동선수, 건축가, 도시계획가 등

㉡ 홀랜드는 성격유형을 직업 환경과 연결시킴으로써 '육각형 모형(Hexagonal Model)'을 제시하였다. 두 가지 유형 간의 거리가 가까울수록 상호 간의 심리적인 유사성이 커지며 거리가 멀수록 다른 특성을 지닌다.

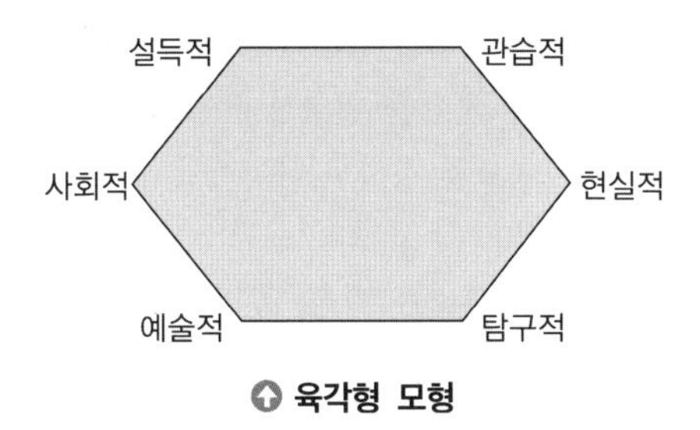

육각형 모형

③ 학교 진로상담에 적용

㉠ 학생의 성격유형과 특정한 근무환경 사이의 일치도를 가늠해 볼 수 있다.

㉡ 상담교사는 학생들로 하여금 자신의 성격유형을 발견하고 이해한 후에 자신의 강점을 깨닫도록 하고 개발하여 그 성격유형에 어울리는 환경을 찾아 진로를 결정하도록 한다.

(5) 의사결정 이론(Decision Making Theory)

① 특징

㉠ 개인의 여러 가지 선택 가능한 직업 중에서 자신의 투자가 최대로 보상(지위, 명예, 일하는 보람, 봉사, 욕구 충족 등) 받을 수 있는 직업을 선택하는 과정이다.

㉡ 개인의 가치탐색, 적절한 정보와 지식, 지식과 전략을 효과적으로 사용할 것을 강조한다.

② 겔라트(Gelatt)의 의사결정 이론

㉠ 겔라트는 내담자의 결정과정을 돕는 것을 상담의 목적으로 하고 중요한 결정을 결과만으로 평가하는 것이 아니라 결정을 내리는 과정을 중시하였다.

㉡ 직업선택과 발달의 순화적 과정

ⓐ 진로목표 설정

ⓑ 정보수집

ⓒ 가능한 대안의 열거

ⓓ 각 대안의 실현 가능성 예측

ⓔ 가치평가

ⓕ 의사결정

ⓖ 의사결정의 평가

ⓗ 재투입

③ 하렌(Haren)의 진로의사결정 모형

인식(Awareness) 단계	㉠ 자아개념과 의사결정 유형에 따라 각 대안들을 인식한다. ㉡ 자아개념의 발달 정도에 따라 각 대안들의 평가가 달라진다.
계획(Planning) 단계	선택된 대안을 바탕으로 개인의 진로 목표를 설정한다.
잠정적 시행 (Commitment) 단계	내담자가 잠정적으로 의사결정에 임한다.
실행(Implement) 단계	내담자 자신이 결정한 진로를 실행에 옮긴다.

(6) 사회학습 이론(Social Learning Theory)

① 특징

㉠ 지속적인 학습 경험들이 각 개인의 진로형성에 어떻게 관련되는지를 보여주는 진로발달 이론이다.

㉡ 사회학습 이론에 기초한 진로상담에서는 내담자가 그동안 학습했던 것을 평가하고, 진로목표를 향하여 나아가기 위해 학습할 필요가 있는 것에 관한 증거를 수집한다.

㉢ 평가에 포함되는 요소는 기술, 흥미, 신념, 가치, 성격 등이다.

② 크럼볼츠(Krumboltz)의 이론

㉠ 사회학습 이론의 원리를 직업 선택의 문제에 적용한 것으로 진로결정에 영향을 미치는 사회적 요인들의 상호작용을 중시한다.

㉡ 진로 상담자의 역할

ⓐ **내담자의 능력과 흥미 확장:** 표준화 검사 등에 국한하여 내담자의 특성을 결정하기 보다는 내담자의 새로운 가능성을 개발하도록 한다.

ⓑ **직업의 변화에 대비:** 직업이 안정적이라고 생각하기 보다는 업무의 변화에 대비한다.

ⓒ **내담자에 대한 진단 및 행동 유도:** 내담자에게 진단을 내려줄 뿐만 아니라 자신의 진로선택을 실천하도록 유도할 필요가 있다.

ⓓ **모든 진로문제를 다룰 것:** 진로상담자는 직업 선택뿐만 아니라 모든 진로문제를 다룰 필요가 있다.

③ 블라우(Blau)의 사회학적 이론

㉠ 사회학적 이론에 근거하여 개인을 둘러싼 사회, 문화적 환경이 진로결정에 영향을 준다고 보고, 가정, 학교, 지역 사회 등의 사회적 요인을 중시하였다.

㉡ 특히 부모를 진로 선택에 영향을 미치는 중요한 요인으로 간주한다.

㉢ 진로 상담 시 가정의 사회, 경제적 지위, 가정의 영향력, 지역사회, 압력 집단, 역할 지각 등의 요인을 고려하여야 한다.

㉣ 특히 문화 실조아 등의 특수 집단을 진단하고 훈련 프로그램을 실시할 경우 유용하다.

(7) 진로상담 이론과 주요 개념

구분	이론	내용
파슨스 특성요인이론		개인적 흥미나 능력이 바로 직업의 특성과 일치하기 때문에 직업을 선택한다는 이론이다.
데이비스와 롭퀴스트 직업적응 이론		① TWA(theory of work adjustment) 이론 ② 미네소타 대학 1950년대 후반부터 진행된 프로젝트 ③ 개인환경조화상담(Person-environment correspondence counseling)
인성 이론	로우 욕구이론	① 개인의 욕구가 직업선택에 큰 영향을 미친다는 이론이다. ② 로우(Roe): 욕구의 차이는 어린시절의 부모 - 자녀관계에서 기인한다.
	홀랜드 인성이론	① 개인의 행동을 그 인성과 환경간의 상호작용에 의한 것으로 자신이 가지고 있는 인성적 특성의 표출을 허용하는 직무환경을 택할 것이라고 주장한다. ② 성격유형과 작업환경을 각각 6가지로 분류하고 개인의 성격유형에 맞는 직업 환경을 찾아야 한다고 본다.
	호폭 구성이론	① composite theory of occupational choice ② 직업은 개인의 욕구를 충족시키기 위해 선택한다.
크럼볼츠 사회학습이론		개인의 사회·경제·문화적 요인이 직업 선택에 영향을 미친다는 이론이다.
블라우 사회학적이론		① 직업발달의 선택에 있어서 사회적인 영향 강조, 직업기회가 중요한 역할을 한다. ② 가정, 학교, 지역사회 등의 사회적 요인이 직업 선택에 큰 영향을 미친다.
정신분석이론		개인이 선호하는 직업은 생후 6년 동안 만들어지는 욕구에 의해 결정적으로 선택되어진다는 이론이다.
젤라트 의사결정이론		자신의 투자가 최대로 보장을 받을 수 있는가가 직업의 선택에 영향을 미친다는 이론, 상담의 중요한 목표 중 하나가 학생들로 하여금 훌륭한 결정을 내릴 수 있도록 돕는다.
발달 이론	진즈버거 3단계 발달	환상기 → 잠정기 → 현실기
	수퍼 5단계 발달	(자아개념 중요) 성장기 → 탐색기 → 확립기 → 유지기 → 쇠퇴기
	타이드먼 & 오하라 2-4-3발달	① 진로발달은 직업정체감을 형성해 가는 과정이며, 연령이 증가하고 새로운 경험이 쌓일수록 개인의 정체감이 발달된다. ② [예상기]탐색, 구체화, 선택, 명료화 → [적응기]순응, 개혁, 통합
	터크먼 진로개발 교육이론 8단계	① 자아인식, 진로인식, 진로의사결정이라는 세 가지 주요요소를 포함하여 8단계 진로개발 단계를 제시한다. ② 일방의존 → 자아주장 → 조건의존 → 독립 → 외부지원 → 자기결정 → 상호관계 → 자율성
	고트프리슨 직업포부이론 4단계	① 아동은 성장함에 따라 자아개념이 점차 분화되어 가면서 자신의 자아개념에 더욱 알맞은 직업을 선호한다. ② 크기와 힘 → 성역할 지향 → 사회적 가치 → 내적 자아형성 단계

02 | 상담(Counseling)

핵심체크 POINT

1. **상담의 개념**
   상담자가 내담자에게 전문적 지식과 기술을 가지고 내담자 자신과 환경에 대한 이해를 증진시키고 합리적이며 현실적인 의사결정을 내리도록 하는 전문적 조력 과정
2. **상담기법**

경청	내담자의 말에 상담자가 선택적 주목
수용	상담자가 내담자의 말을 받아들임
반영	내담자의 생각, 태도를 다른 말로 부연 - 정서적 태도
환언	내담자의 생각, 태도를 다른 말로 부연 - 지적 태도
명료화	내담자의 말 속에 내포된 것을 명확하게 해줌
직면	내담자의 말과 행동의 불일치를 지적
해석	내담자에게 어떤 의미를 전달

1 상담

1. 개념

상담자가 내담자에게 전문적 지식과 기술을 가지고 내담자 자신과 환경에 대한 이해를 증진시키고 합리적이며 현실적인 의사결정을 내리도록 원조(援助)하는 활동이다.

2. 여러 학자의 정의

(1) 브래머(L. M. Brammer)

상담이란 일상생활에 있어서 위기 사태 또는 문제 사태에 임했을 때 현명한 선택, 적응, 해결을 하도록 개인을 조력하는 과정이다.

(2) 버크스(H. M. Burks)

상담이란 상담자가 내담자의 행동을 바람직한 방향으로 변화시키기 위한 전문적인 조력 과정이다.

3. 특징

(1) 상담은 내담자가 자발적으로 변화하는 것과 관련된다.

(2) 상담은 내담자의 자발적인 변화를 촉진하기 위한 여러 조건을 제공하는 것이다.

(3) 상담의 중요한 부분은 면접을 통해 제공된다.

(4) 상담자는 내담자를 이해하는 데 있어 다른 인간관계에서 이루어지는 이해와는 질적으로 구별된다.

(5) 상담은 사적(私的)관계에서 이루어지는 것을 특징으로 하며 상담을 통해 알게된 내용은 비밀이 유지된다.

상담활동이 아닌 것

1. 상담과정에서 정보를 제공할 수는 있으나 정보제공 그 자체가 상담은 아니다.
2. 상담에서 충고, 제안, 권장 등이 이루어질 수는 있으나 그 자체가 상담은 아니다.
3. 설득, 유도, 권고 등에 의해 태도, 신념, 행동을 변화시키는 것은 상담이 아니다.
4. 협박이나 경고 위협 등에 의해 행동이 변화되는 것은 상담이 아니다.
5. 개인에게 어떤 일이나 활동을 강요하는 것은 상담이 아니다.
6. 상담과정에서 면담은 중요하나 직접적인 면담이나 대화가 곧 상담은 아니다.

4. 목표

(1) 상담은 개인의 행동변화를 목표로 한다.

(2) 상담은 정신적 건강의 증진을 도모하는 것을 목표로 한다.

(3) 내담자 자신의 문제를 해결하는 데 목표를 둔다.

(4) 내담자의 사고, 행동, 의사결정의 효율성을 증진시키는 것을 목표로 한다.

(5) 상담은 내담자의 의사결정을 돕는 데 목표를 둔다.

5. 상담자의 기술

(1) 내담자에 대해 동정하는 표현이나 언행을 보인다.

(2) 내담자가 가진 문제는 해결할 수 있다는 확신을 시킨다.

(3) 내담자가 한 말이나 행동에 대해 적극적인 동의를 표시한다.

(4) 내담자가 긴장이나 불안을 해소하기 위해 유머를 사용하기도 한다.

(5) 내담자가 가진 문제를 해결하는 데 도움이 되는 객관적인 자료를 제시한다.

(6) 내담자가 지닌 문제와 유사한 개인사례를 제시한다.

(7) 잘못하면 내담자가 곤란을 겪을 것이라는 암시를 주기도 한다.

(8) 내담자가 한 말이나 행동에 대해 놀라는 표정을 짓기도 한다.

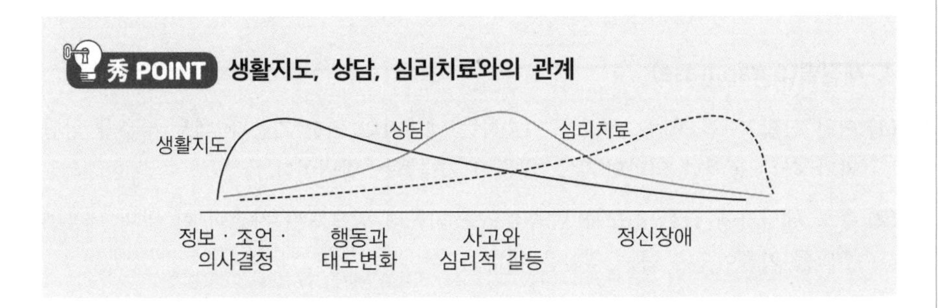

2 개인 상담의 기법

1. 적극적 경청(active listening)

(1) 상대방이 중요하고 가치 있는 사람임을 나타내는 반응이며, 말의 내용이나 표면적인 감정뿐만 아니라 표현되지 않은 의미 및 내면의 감정까지도 이해했음을 보여주는 반응이다.

(2) 상대방이 이해하거나 느끼는 것을 보다 명확하게 자각하도록 도와주는 역할을 한다. 적극적 경청을 통해 상담자는 내담자의 심리적 내면세계에 귀를 기울일 수 있고, 마음의 소리를 들을 수 있게 된다.

2. 구조화(structuring)

(1) 상담자가 상담의 시작 단계에서 내담자에게 상담에 필요한 제반 규정과 상담에서의 한계에 대해 설명해주는 것이다.

(2) 상담에 적극적으로 참여하기, 상담약속 시간 준수하기, 상담약속 취소나 연기 신청 방법, 위급한 상황에 처했을 때 상담자에게 연락하는 방법, 상담실 이용방법 그리고 기타 내담자가 알아야 할 제반 사항 등이 포함된다.

3. 반영(reflection)

(1) 내담자의 느낌이나 진술의 정서적인 부분을 다른 동일한 의미의 말로 바꾸어 진술하는 것을 말한다. 즉 내담자의 말, 생각, 느낌, 행동 등을 거울처럼 비추어 내담자에게 되돌려 주는 기술이다.

(2) 내담자의 자기 이해를 도와줄 뿐만 아니라, 내담자로 하여금 자기가 이해받고 있다는 인식을 주게 된다. 반영은 '내담자의 마음의 문을 여는 기술'이다.

(3) 방법

"~ (사건, 상황, 사람, 생각) 때문에, ~ (기분, 느낌, 감정)이구나. 너는 ~하기를 원하는데"라는 형식을 취한다.

(4) 목적

내담자가 자신의 감정을 더 표현하도록 독려하고 자신의 감정을 보다 강하게 경험하게 하며, 내담자를 압도하고 있는 감정을 깨달을 수 있도록 도와주는 데 있다.

4. 재진술(paraphrase)

(1) 어떤 상황, 사건, 사람, 생각을 기술하는 내담자의 진술 가운데 내용 부분을 상담자가 다른 동일한 의미의 말로 바꾸어 기술하는 방법이다.

(2) 주로 내담자에 관한 정보를 함축적으로 되돌려 줌으로써 자신이 한 말의 내용에 주의를 기울이도록 돕는 역할을 한다.

5. 요약(summarization)

(1) 둘 이상의 언어적 표현들을 묶어서 진술의 내용 부분을 다른 동일한 의미의 말로 바꾸어 기술하는 재진술과 반영의 확대된 형태이다.

(2) **목적**

학생의 언어적 표현들 가운데 여러 요소들을 서로 엮어 공통적인 주제 혹은 유형을 밝혀내고 지나치게 두서없는 이야기를 정리하며 상담의 진척 정도를 검토함으로써 내담자로 하여금 자신의 문제에 대한 통찰을 촉진시키기 위함이다.

6. 명료화(clarification)

(1) 내담자의 말 속에 내포되어 있는 것을 내담자에게 명확하게 해주는 것을 의미한다.

(2) 내담자들은 자신의 고민과 문제에 몰입한 나머지 문제에 대한 진술 내용이 모호하거나 분명하지 않은 경향이 있기 때문에 이를 정확하게 밝히기 위한 기법이다.

(3) 명료화의 자료는 내담자 자신은 미처 자각하지 못하는 의미 및 관계이다. 내담자가 애매하게만 느끼던 내용이나 자료를 상담자가 말로 표현해준다는 점에서 내담자는 자기가 이해를 받고 있으며 상담이 잘 진행되고 있다는 느낌을 갖는다.

(4) 명료화의 요령은 내담자의 말을 반복하면서 "~라는 뜻이니?", "~라는 말이니?"라는 질문을 던지는 것이다.

7. 직면(confrontation)

(1) 내담자가 모르고 있거나 인정하기를 거부하는 생각과 느낌에 대해서 주목하도록 하는 것이다.

예 내담자가 모르고 있는 과거와 현재의 연관성, 행동과 감정 간의 유사점 및 차이점을 지적하고 그것에 주목하도록 한다.

(2) 내담자 스스로는 깨닫지 못하고 그의 말이나 행동에서 어떤 불일치가 발견될 때 상담자가 이 같은 불일치를 지적하거나, 내담자로 하여금 자신의 욕구에 의해서만 상황을 바라볼 것이 아니라 상황을 있는 그대로 볼 수 있도록 하는 것이다.

8. 해석(interpretation)

(1) 특정 행동의 원인에 대해 가능한 설명이나 연관성 여부를 지적하는 것이다. 해석은 내담자의 진술에 대해 명료화, 재진술, 반영, 요약 등에 이어서 사용되는데 내담자의 진술에 무엇이 함축되어 있는지 상담자가 잠정적 가정을 하거나 설명을 하는 것이다.

(2) 내담자가 말한 경험 내용에 새로운 의미와 관련성을 부여하여 언급하는 것으로 내담자가 미처 자각하지 못하고 있는 의미와 관련성을 상담자가 지적해주는 것이다.

(3) 내담자에게 어떤 의미를 전달하고자 하는 상담자의 시도이다. 해석은 내담자가 보이는 행동들 간의 관계 및 의미에 대한 가설을 제시하는 것이다. 즉, 내담자로 하여금 과거 생각과는 다른 각도에서 자기의 행동과 내면세계를 파악하게 하는 것이다.

기출문제

상담기법에 대한 설명으로 옳지 않은 것은? 2022년 국가직 7급

① 경청 - 상담자가 자신의 선입견, 편견, 고정관념에서 벗어나 내담자의 생각, 감정, 입장까지 생각하면서 듣는 것이다.
② 질문 - 내담자의 사고·느낌·행동방식을 구체적으로 확인하는 것으로, 내담자가 새로운 시각에서 생각해 볼 수 있는 자극이 된다.
③ 반영 - 내담자의 왜곡된 사고와 신념을 논박하여 내담자가 이를 깨닫게 하는 것이다.
④ 공감 - 내담자의 내면에 있는 감정을 상담자가 자신의 감정인 것처럼 느끼면서 내담자와 소통하는 것이다.

해설

상담기법 가운데 반영(reflection)은 내담자의 느낌이나 진술의 정서적인 부분을 다른 동일한 의미의 말로 바꾸어 진술하는 것을 말한다. 즉, 반영이란 내담자의 말, 생각, 느낌, 행동 등을 거울처럼 비추어 내담자에게 되돌려 주는 기술을 말한다. 내담자의 왜곡된 사고와 신념을 논박하여 내담자가 이를 깨닫게 하는 것은 REBT 상담의 상담기법이다. **답 ③**

참고

상담의 형태

구분	위기 상담	촉진 상담	예방 상담	발달 상담
개념	상담자가 거의 파멸 상태에 도달한 내담자를 대할 때 행하게 되는 상담	명시된 문제에 관해서 내담자가 필요한 행동을 취하도록 도와주는 상담	장차 일어나게 될 여러 가지 문제들을 예방하기 위해 사전에 필요한 행동을 취해서 방지하는 상담	개인적 성장이 일어나도록 조력하는 상담
상담 시간	즉시	단기간에서 장기간에 이르기까지 다양	문제별로 일정한 기간	일생동안 계속
상담 문제	① 자살기도 ② 약물불안 ③ 실연	① 직업정치 ② 학업문제 ③ 결혼에의 적용	① 성교육 ② 자아와 진로 의식 ③ 약물인식	① 초등학교에서 긍정적인 자아개념 발달 ② 중년에서의 진로 변경 ③ 죽음의 수용
상담자 활동	① 개인적 지지 ② 직접적 개입 ③ 더 필요한 지지에 집중 ④ 개인상담이나 적합한 의료원 및 기관에 의뢰	① 개인상담 ② 내용과 감정의 반영 ③ 정보 제공 ④ 해석 ⑤ 직면 ⑥ 행동 지시	① 정보 제공 ② 적합한 프로그램에 내담자 위탁 ③ 프로그램 내용과 과정에 관한 개인상담	① 가치관의 명료화 ② 의사결정 검토 ③ 중요 인물과 환경적 정치에 관련된 개인적 발달에 관한 개인상담

03 | 상담이론

1. 정서적 및 통찰적인 측면

정신분석 상담	인간의 무의식적 갈등을 의식화시켜 성격 재구성(자유연상, 꿈의 분석, 해석, 저항, 전이 등)
비지시적 상담	내담자 중심, 인본주의 상담, 지적인 면보다는 정서적 면 중시, 로저스(C. Rogers), 공감적 이해, 무조건적 긍정적 관심 등
실존상담	내담자를 현 존재로 보고 이를 그대로 이해, 의미치료[플랭클(Frankl)], 현존분석[빈스방거(Binswanger)]

2. 인지적 및 통찰적인 측면

개인심리학적 상담	아들러(Adler), 부적응은 열등감, 내담자의 사회적 관심, 가치 변화, 즉시성, 역설적 의도, 마이더스 기법
개인구념 상담	인간의 현실적 지각은 해석에 의해 변화됨, 치료방법은 고정역할 치료
합리적 정서 상담 (REBT)	엘리스(Ellis), 비합리적 생각이 정서적 반응을 통해 행동상으로 나타남, ABCDE기법, 논박, 수치감 - 공격연습, 이완훈련 등
지시적 상담	상담자 중심, 임상적, 특성·요인 상담, 비행상담 - 윌리암슨(Williamson)
심리교류분석	번(Bern), 부모 자아(P), 어른 자아(A), 아이 자아(C), 교류분석으로 보완적, 교차적, 저의적 교류 등

3. 인지적 및 행동적인 측면

인지치료	벡크(Beck), 역기능적 인지도식, 부정적 생활사건, 인지오류, 부정적 자동적 사고, 우울증 치료기법으로 활용
현실상담	글래서(Glasser), 실패정체감, 현재 행동 속에서 스스로 목표를 성공하도록 도움(자기 충족적 예언), 역설적 기법 사용,
행동수정	① 바람직한 행동을 증가시키는 방법: 정적 강화, 부적 강화, 1차 강화, 2차 강화, 프리맥(Premack)원리, 식별, 행동조형, 토큰강화, 용암법 ② 바람직하지 않은 행동을 감소시키는 방법: 벌(수여성 벌과 제거형 벌), 혐오치료, 소거, Time-Out, 상반행동 강화, 상호억제(체계적 둔감법), 포화

4. 정서적 및 행동적인 측면

펄스(Perls), 현상학적 - 실존적 접근, 전체로서의 유기체 존중, 빈의자 기법, 반대 행동하기

5. 그 밖의 상담이론

① 인지적 행동수정: 인지주의와 행동수정 결합, 초인지 전략, 내적 사고변화를 통한 외적 행동 수정

② 해결중심 상담: 문제가 아니라 해결을 초점을 두는 방법

6. 상담기간 및 장에 따른 상담

단기상담	상담횟수는 25회 미만, 지시적 기법, 인지행동수정 활용
집단상담	4 ~ 8명 정도를 대상으로 원만한 대인관계를 통한 상담, 집단 속에서 이루어짐
가족상담	구조적 가족상담[미누친(Minuchin)], 일반체제이론 기초

秀 POINT 주요 상담이론들의 강조점 및 상대적 위치

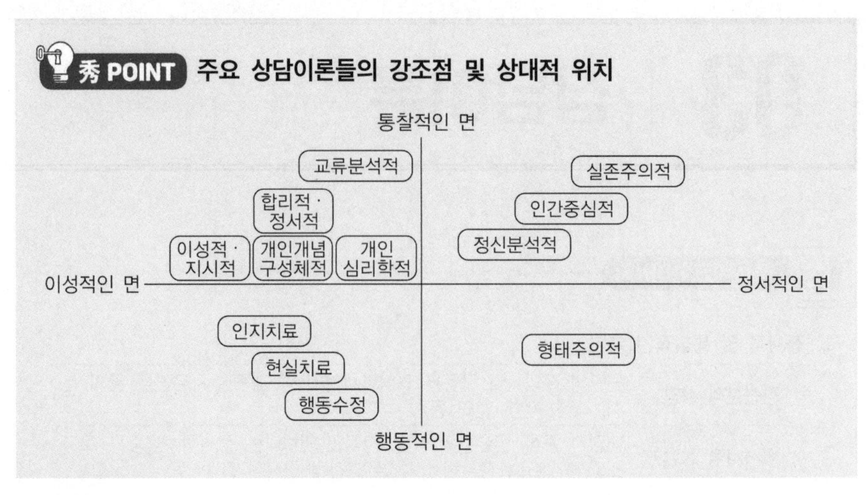

인지적 영역	① 개념: 인간의 인지적 특성을 중심으로 이해를 돕고자 하는 상담이론 ② 인지적 상담이론에 토대를 둔 상담방법: 지시적 상담(특성 - 요인 상담), 인지·정서·행동치료(REBT), 개인구념 이론(주로 단기상담으로 진행)
정의적 영역	① 개념: 인간의 정의적 측면을 중요시하고, 그러한 측면에서 인간을 이해하고 돕고자 하는 상담이론(문제보다는 인간에 초점) ② 정의적 상담이론에 토대를 둔 상담방법: 비지시적 상담(인본주의적 상담), 정신분석적 상담, 실존주의적 상담, 현실치료, 의사교류분석, 게슈탈트 치료
행동 영역	① 개념: 추리적이거나 가설적인 개념을 배제하고 관찰·측정할 수 있는 외형적 행동의 변화를 강조하는 상담이론 ② 행동적 상담이론에 토대를 둔 상담방법: 상호제지, 행동수정
절충적 영역	① 개념: 특정 상담이론이나 기법을 고집하지 않고 상담목적과 문제 및 내담자에 따라 적절한 기법을 선택하고 통합하여 내담자의 문제해결을 위해 도움을 주는 활동 ② 절충적·통합적 상담이론에 토대를 둔 상담방법: 존스(E. S. Jones)와 브래머(L. Brammer)의 절충적 상담이론

상담이론의 영역별 분류

1 정서적 및 통찰적인 측면

1. 정신분석적 상담

(1) 특징

① 인간의 행동은 어린 시기의 경험에 따라 크게 좌우되며, 마음의 대부분은 의식할 수 없는 무의식 속에 잠겨있다고 가정한다(결정론과 무의식).

② 상담치료는 무의식적 갈등을 의식화시켜 개인의 성격구조를 재구성하는 데 있다. 따라서 치료과정은 아동기의 경험을 되살리는데 초점을 둔다(초기에는 최면술을 사용).

(2) 대표자

프로이드(Freud), 아들러(A. Adler), 프롬(E. Fromm), 설리반(H. S. Sullivan), 알렉산더(F. Alexander) 등이 있다.

(3) 상담목표

① 무의식적 갈등을 의식화하여 개인의 성격을 재구성한다.

② 자아를 건강하게 구축하여 행동이 본능적 충동에 따르기 보다는 현실에 적합한 행동에 따르도록 유도한다.

(4) 상담기법

① 자유연상(free association)

㉠ 내담자로 하여금 머리 속에 떠오르는 생각이나 욕망, 생리적 느낌 등 모든 것을 말하게 하는 것을 말한다.

㉡ 자유연상 과정에서 떠오르는 것이 비합리적인 것이든, 비도덕적인 것이든, 고통스러운 것이든 개의치 않는다.

㉢ 내담자의 어떤 생각이나 감정을 있는 그대로 표현하게 함으로써 억눌린 부분을 방출하게 하는 효과가 있다.

㉣ 상담자는 이때 이러한 자료들을 잘 포착하여 내담자의 무의식 속에 억압된 문제들을 찾아낸다.

② 해석(interpreting)

㉠ 자유연상이나 꿈, 저항, 전이 등을 분석하고 그 속에 담긴 행동상의 의미를 내담자에게 지적하고 설명해주는 절차이다.

㉡ 주요 기능은 자아를 새로운 자아와 통합시켜 더 깊은 무의식의 과정을 밝히는 데 있다.

㉢ 치료적 효과는 내담자의 준비도와 상담자가 내담자 수준을 넘지 않는 범위에서 이루어졌을 때 극대화된다.

③ 꿈의 분석

㉠ 무의식에 이르는 왕도(王道)로서 수면 중에는 방어가 약화되므로 억압된 욕망과 감정이 의식 표면에 떠오르게 된다.

㉡ 프로이드는 꿈의 분석을 통해 무의식적 욕구를 찾아내고 내담자가 해결되지 않은 문제들에 대한 통찰을 얻게 하는 중요한 절차로 보았다.

④ 저항(resistance)

㉠ 치료의 진전을 방해하고 상담자에게 협조하지 않으려는 내담자의 무의식적 행동을 의미한다.

㉡ 자유연상이나 꿈의 분석을 하는 동안 내담자가 어떤 체험을 털어 놓기를 꺼리거나, 또는 상담시간 약속을 잘 지키지 않을 때에는 저항이 나타난 것으로 볼 수 있다.

㉢ 프로이드는 저항을 참을 수 없는 불안에 대해서 자아를 방어하려는 무의식적 역동성으로 보았다.

⑤ 전이(transference)

㉠ 자유연상 과정에서 내담자가 어렸을 때 자신의 부모 형제나 주위 사람들에게 느낀 애정, 선망 또는 적개의 감정이 다른 사람에게 옮겨가는 현상을 말한다.

㉡ 내담자가 과거의 중요한 인물에 느꼈던 감정을 치료자에게 투사하는 현상으로 전이 현상의 해소가 치료의 핵심이다.

⑥ 훈습(working through)

㉠ 전이의 분석과 동시에 일어나며 전이의 분석을 지속시키는 역할을 한다.

㉡ 전이의 분석은 여러 번에 걸쳐서 여러 가지 다른 방식으로 지속되어야 한다. 내담자가 자신의 문제에 대한 통찰을 가능하게 하는 데 반복, 정교화, 확대로 구성된 과정인 훈습에 의해 더욱 깊어지고 공고화된다.

㉢ 전이의 분석과 중요한 아동기 경험에 대한 기억상실의 극복 사이에 일종의 촉매 역할을 한다.

(5) 치료기법

① 유희요법(play therapy)

㉠ 놀이를 통해 과거의 경험이나 심리적 갈등을 동작이나 언어로 표현하게 해서 감정적 긴장을 해소한다.

㉡ 어린이의 성격 연구와 행동 문제의 치료를 위해 사용되는 기법으로 놀이 치료라고도 하며 어린이는 놀이를 하는 가운데 자신의 갈등을 표현하도록 한다.

㉢ 어린이의 적응 문제를 진단하는 기법으로도 사용된다.

② 심리극(psychodrama)

㉠ 연극을 이용한 집단심리치료법으로 줄거리 없이 등장인물이 무대 위에서 직접 결정하도록 한다.

㉡ 개인적 주제일 때 psychodrama, 사회적·공공적인 내용일 때 sociodrama라고 하며 심리극은 모레노(J. L, Moreno)가 창안하였다.

(6) 정신분석상담의 평가

① 공헌점

㉠ 무의식적 동기를 강조하고 그 기제를 명백히 해주었다.

㉡ 유아기의 중요성을 강조함으로써 자녀양육과 유아기 체험의 중요성을 인식하도록 하였다.

㉢ 상담치료자의 탈 도덕적 입장을 처음으로 강조하였다.

㉣ 상담치료에서 면접활용의 한 모형을 제시하였다.

② 한계

㉠ 장기간의 치료는 현대인의 생활양식에 부적합할 뿐만 아니라, 경비의 부담을 주어 치료가 부유한 사람들만의 특권이 되는 경향이 있다.

㉡ 신경증의 상담치료기법으로 탄생하였기 때문에 신경증 이외의 분야에 적용하는데 제한이 있다.

㉢ 결정론적 입장으로 인해 개인 자신의 행동에 대한 책임은 극소화된다.

㉣ 유아기의 경험을 지나치게 강조함으로써 개인 스스로의 변화 가능성을 무시한다.

참고

신경증(neurosis)

1. 자아를 중심으로 한 유기체의 기능에 결과적으로 불편과 고통을 가져다주는 파손이 생겨서 일어난 장애를 말한다. 자아의 조절이나 통합 기능의 실패와 그 대신에 반항적인 충동을 처리하기 위한 퇴행, 억압, 방어 기제의 발달이 특징이다.
2. 아동기에 충동을 지나치게 억압한 데서 연유하며, 억압이 충동을 처리하는 방법이 되어 버렸기 때문에 충동이 의식화되어 자아의 처리를 받아 건강한 발전에 기여하지 못하고 무의식에 머물러 문제의 원인이 된다.

2. 인본주의 상담[로저스(C. Rogers)]

(1) 특징

① 로저스가 1942년 『Counseling and Psychotherapy』에서 제시하였다.

② **치료의 초점:** 문제 자체보다는 인간에게 두며, 지적인 면보다는 정서적인 면을 중시한다.

③ 인간의 의지와 통찰력을 인정하고 면담과정을 통해 스스로 자신의 문제를 해결하도록 도와준다(정신분석학과 장의 이론에 근거).

④ **기본이론:** "If~ then~(만일 ~이라면, ~이다)"이라는 가설의 형태로 표현할 수 있다.

⑤ 인간을 합리적이며 사회적이고 전진적이며 현실적인 존재로 본다.

⑥ 인본주의 상담에서 부적응 행동은 개인의 경험에 대한 지각의 왜곡된 결과이다.

인간중심 상담
비지시적 상담에서 내담자 중심 상담으로 그리고 후에는 인간중심 상담으로 이름이 변경되었다.

(2) 상담과정의 필수조건

① 두 사람이 심리적 접촉을 한다.

② 내담자라고 불리는 사람은 상처받고 불안하며 부조화 상태에 있다.

③ 상담자라고 불리는 사람은 정서적으로 안정되고 조화롭고 통합적이다.

④ 상담자는 내담자에게 무조건적 긍정적 관심 혹은 진정한 양육적 태도를 갖는다.

⑤ 상담자는 내담자의 내적 준거를 공감적으로 이해하고 이 경험을 내담자에게 전달하도록 노력한다.

⑥ 상담자의 공감적 이해와 무조건적 긍정적 관심이 내담자에게 지각되고 전달되어야 한다.

(3) 상담기법

① 수용(acceptance)

㉠ 상담자가 편견이나 판단 없이 내담자의 문제를 듣고 내담자의 견해·태도·가치에 관계없이 하나의 인간으로서 내담자를 인정하는 것을 말한다.

㉡ 수용의 두 가지 측면

ⓐ 사람마다 모든 일에 있어 다르다는 사실을 기꺼이 받아들이고 또 제각기 다르게 성장하고 발달하도록 허용한다.

ⓑ 개인의 현재 경험은 인지·정의·행동 등의 복잡한 유형이 뒤얽혀 있다는 사실을 도덕적 평가와 사회적 판단 없이 받아들인다.

② 공감적 이해(empathy, 감정이입)

㉠ 상대방의 감정, 경험, 사고, 신념을 상대방의 준거체제에서 자신이 상대인 것처럼 듣고 이해하는 능력을 말한다.

㉡ 상담과정에서 공감은 내담자를 판단하거나 설교하지 않고 돕겠다는 상담자의 의욕 및 감수성과 관계된다. 공감을 받는 내담자는 상담관계에서 자유롭게 자신을 드러내고 싶은 감정 상태가 된다.

㉢ 감정이입(感情移入)이라고도 하며, 심리치료에서는 내담자를 지적으로 이해하고, 감정을 공유하고, 의사소통을 원만히 하고, 긍정적으로 수용하는 태도로 정의하기도 하나, 어떤 경우에는 타인의 내적 경험을 이해하는 인지적 능력 혹은 타인의 정서를 자신이 경험하는 것으로 보기도 한다.

③ 무조건적 긍정적 관심(unconditional positive regard)

㉠ 내담자를 선택적으로 평가하지 않으며 가능한 한 탐색, 동의, 반대, 권위적 해석을 피하는 태도이다. 즉, 내담자에 대한 배려, 수용에 있어서 조건이 없다는 뜻이다.

㉡ 속으로든 겉으로든 비판적인 언동을 보이지 않는 것을 말한다. 상담자는 내담자를 갈등과 부조화, 좋은 점과 나쁜 점을 모두 갖추고 있는 그대로의 개인으로서 수용한다.

㉢ 이런 상담자의 태도는 내담자를 진지하게 받아들이고 내담자의 자기 이해나 긍정적인 변화를 위한 능력을 완전히 믿는 데서 나올 수 있다.

④ 진지성(genuineness, 혹은 진솔성, authenticity)

㉠ 내담자와의 관계에서 상담자의 경험이나 감정을 솔직하게 표현하는 것이다.

㉡ 진지성이란 상담자가 상담관계 속에서 내담자에게 단순히 상담자로서의 역할을 수행하는 행동을 취하며 가식하거나 "~인체" 하지 않고 인간으로서의 모습을 진솔하게 나타내는 것을 말한다.

㉢ 상담과정에서 내담자에 대한 느낌이나 경험을 가감 없이 솔직하게 표현하는 것으로 진지성이 있는 상담자는 속으로 생각하고 느끼는 것과 드러내는 언행이 같다.

⑤ 일치성(congruence): 상담자가 자신의 내부의 경험을 알고 상담관계에서 자신의 내면적 경험을 명백하게 할 수 있는 능력을 말한다. 즉, 내면적 자아와 행동하는 자아가 일관된 것을 말한다.

⑥ 로저스는 치료자가 위와 같은 5가지 태도를 보이게 되면 '완전히 기능하는 사람'이 된다고 보았다. 이렇게 될 때 진정한 치료 효과가 발생한다.

(4) 인본주의 상담의 평가

동기부여상담(motivational interviewing)
밀러(Miller)와 롤릭(Rollnik)이 제안한 상담으로 인본주의 상담이론의 확장 상담

① 공헌점

㉠ 고도로 훈련된 전문가들의 독점물이었던 상담과정을 모든 사람들이 이해할 수 있고, 활용할 수 있는 방향으로 발전시켰다.

㉡ 상담에서 요구되는 상담자와 내담자의 관계의 특징들을 분명하게 밝히도록 하였다.

㉢ 상담과정에서 내담자를 중요한 결정을 하는 사람으로 인정하였다.

㉣ 인간 행동에서 정서, 감정의 역할을 적절하게 강조하였다.

② 한계

㉠ 어떤 상담치료보다도 상담자의 인격과 소양이 중요시된다.

㉡ 내담자의 정서적·감정적 요인을 강조하는 반면 지적·인지적 요인들을 무시하였다.

㉢ 상담을 통해 도움을 받을 수 있는 대상이 제한된다. 즉 현실접촉, 의사소통 능력, 지적 기능이 떨어진 내담자에게는 효과적이지 않다.

㉣ 객관적 정보의 사용을 통해서 내담자를 도와주는 면이 부족하다.

㉤ 모든 내담자에게 광범하고 일반적이며 동시에 동일한 상담의 목표를 상정하고 있다.

3. 실존주의적 상담

(1) 특징

① 내담자 세계에 존재하는 그대로를 이해하려는 상담이다.

② 인간 존재를 현존재(dasein)로 보고 이를 중요시한다.

③ 대부분의 문제는 삶(生)에서의 의미를 찾을 능력이 없기 때문에 발생한다고 본다.

(2) 대표자

메이(R. May), 플랭클(V. E. Frankl), 빈스방거(L. Binswanger) 등이 있다.

(3) 치료기법

① 의미치료(logotherapy)

㉠ 플랭클(Frankl)이 체계화한 것으로, 내담자를 도와 그들의 존재에 대한 목표나 목적을 발견하도록 하는 방법이다. 의미치료는 실존분석과 유사한 개념에서 출발하였다.

㉡ **정서적 장애**: 억압된 추동 혹은 외상(trauma), 약한 자아 혹은 삶의 불안보다는 오히려 삶에서 의미를 찾을 능력이 없는 데서 나타난다고 본다. 즉 부적응자들은 자신이 무가치하고, 자기 자신의 삶을 무의미하다고 느낀다.

㉢ **상담의 목표**: 정신건강과 개인적 성장의 선결조건으로 삶의 가치, 의미, 목적을 중시하며, 의미에의 의지를 최대로 신장시켜 자기의 인생에 긍정적이고 가치 있는 의미를 부여하는 것을 핵심으로 한다.

㉣ 상담기법

ⓐ **역설적 의도**: 순간적으로 내담자가 두려움으로 예측 또는 기대하는 바를 직접 대면하도록 요구하거나 격려하는 것이다.

ⓑ **역반응(de-reflection)**: 과잉된 주의나 자기관찰이 오히려 행동장애의 원인이 된다고 보고, 과잉된 주의를 내담자 자신의 밖으로 돌려 문제를 무시하도록 함으로써 그의 의식을 긍정적이고 생산적인 방향으로 전환할 수 있게 돕는 방법이다.

② **현존분석**: 빈스방거(Binswanger)가 시도한 것으로 내담자의 내적 세계를 밝히며 그 세계 내에서의 존재 구조를 분석하는 방법이다.

2 인지적 및 통찰적인 측면

1. 개인 심리학적 상담[아들러(Adler)]

(1) 특징

① 아들러는 프로이드(Freud), 융(C. Jung)과 함께 정신 역동적 접근법을 발전시켰지만 프로이드와는 달리 인간을 이해하는데 사회·문화적 관심의 중요성을 강조하였다.

② 인간은 무의식적인 본능의 지배를 받는 존재가 아니라 그 자신이 설정해놓은 목표를 발전시키기 위한 그리고 자기 자신의 생활양식을 창조해내기 위한 의식적인 충동의 지배를 받는 존재로 보았다.

③ 인간의 모든 행동은 목표 지향적이며 목적이 있다고 보고 인간의 선택과 그에 따른 책임, 삶의 의미, 자기실현의 추구 등을 강조한다는 특징이 있다(현상학의 영향을 받음).

(2) 인간 본성에 대한 가정

① 인간의 성격은 자기 자신에 의해 창조되는 것이며 이런 창조적 힘은 각 개인의 가상적 목표와 생활양식을 형성하는 데 결정적인 역할을 한다.

② 인간은 자신이 세운 목표를 직시하고 그 삶을 결정할 수 있으며 자신의 목적 및 가치와 일치하는 삶의 방식을 선택할 수 있는 힘을 지닌다.

③ 인간의 행동을 이해하기 위해서는 인간을 자아 일관적이며 목표 지향적이고 목적 합리적인 존재로 보아야 한다.

④ 인간은 생후 5년 이내에 열등의식과 보상으로 뿌리 내린 생활양식을 구축하게 되며 일생동안 우월에 대한 추구와 어린 시절에 창조된 가상적 목표를 추구하기 위해 노력한다(프로이드의 입장을 취함).

(3) 상담목표

① 내담자의 사회적 관심, 즉 잘못된 사회적 가치를 변화시키는 것을 목표로 한다.

② 내담자의 소속감을 발전시키고 공동체감과 사회적 관심을 가진 행동과 과정을 받아들이도록 한다.

③ 내담자가 자기 인식을 증가시켜 기본적인 삶의 전제들, 삶의 목표나 기본 개념을 도전하도록 한다.

(4) 상담과정[모삭(Mosak)]

① **좋은 관계 형성**: 상담자와 내담자가 좋은 치료적 관계를 형성한다.

② **목표**: 내담자의 목표와 생활양식을 발견한다.

③ **통찰**: 내담자가 자신의 잘못과 그러한 잘못을 수정하기 위해 무엇을 해야 할 것인가를 발견하는 능력이다.

④ **재정향(reorientation)**: 통찰을 함으로써 다른 생활양식으로의 변화 혹은 재정향을 한다.

(5) 상담기법

① 즉시성(immediacy): 현재 이 순간에 무엇이 일어나고 있는지를 다루는 기법이다. 이것은 내담자로 하여금 상담 시간에 일어나는 것이 일상생활에서 일어나는 것의 표본이라는 점을 깨닫도록 돕는 것이다. 예를 들어 내담자가 계속 중요한 결정을 내릴 때마다 상담자의 조언에 의지한다면 그것은 즉시적인 것이 된다. 내담자 자신에게는 결정할 능력이 없다는 잘못된 신념에 집착함으로써 어떻게 자신을 패배시키고 있는가를 지금 - 여기에서 보여줄 수 있기 때문이다.

② 격려: 내담자의 기(氣)를 살려주는 방법으로 신념을 바꿀 수 있는 가장 강력한 기법이다.

③ 역설적 의도: 체계처방기법 혹은 반(反)암시 기법이라고도 하며, 내담자가 의도적으로 허약한 사고나 행동을 과장하게 하는 것이다.

④ 자기 모습 파악: 내담자가 자신을 파악하는 과정에서 자기를 경멸하지 않고 자신의 비합리적 논리나 자기 파괴적 행동을 파악하게 된다.

⑤ 마이더스 기법: 슐만(Schulman)이 개발한 기법으로 마이더스의 황금에 대한 미칠 듯한 욕망과 그가 원하는 모든 것을 가질 수 있는 것이 축복이 아니라 저주가 된다는 것에 기초한다. 즉 상담자가 내담자를 과잉 동정하고 내담자의 행동을 웃음거리로 만들면서 내담자 자신의 깨달음을 유도하는 것이다.

⑥ 내담자의 스프(행동)에 침 뱉기: 누군가가 나의 스프에 침을 뱉으면 더 이상 그 음식을 먹지 않게 되는 것처럼, 내담자의 잘못된 생각, 인식, 행동에 대해 침을 뱉게 되면 내담자가 더 이상 그 행동을 하지 않게 된다는 것에 기초한다. 즉 내담자로 하여금 유익하지 못한 목적과 대가를 위해 행하는 행동에 대해서 그것이 손해 보는 행동임을 분명하게 보여 주어, 바람직하지 못한 행동을 반복하지 않도록 하는 기법이다.

⑦ 버튼 누르기: 내담자가 유쾌한 경험과 유쾌하지 않은 경험을 번갈아 가면서 생각하도록 하여 각 경험과 관련된 감정에 관심을 갖게 함으로써, 자신이 원하는 감정을 선택하여 만들어 낼 수 있음을 인지하게 하는 기법이다.

(6) 개인 심리학적 상담의 평가

① 엘리스(Ellis)의 REBT, 펄스(Perls)의 게슈탈트 상담, 메이(May)의 실존주의 상담 등에 영향을 주었다.

② 의학적 모델이라기보다는 개인의 성장을 근간으로 한다는 점에서 아동지도센터, 부모 - 아동상담, 부부상담, 가족상담, 집단 상담과 치료, 아동과 청소년의 개인상담, 문화갈등 등에 적용되기도 한다.

③ 인간의 사회적 측면에 관심을 가짐으로써 인본주의적 측면을 강조하고 나아가 사회·심리학적 접근을 수립한 시조로 인정받고 있다.

④ 우월성에 대한 개념, 창조적 자아개념, 열등의식의 개념 등이 지나치게 일반적이고 조잡하다는 비판을 받기도 한다.

2. 개인 구념이론[켈리(G. A. Kelly)]

(1) 특징

① **구념(構念)**: 개인이 자신의 경험 세계를 이해하고 해석하는 사고의 범주이다.

② **심리적 장애**: 일반적으로 효과가 없음에도 불구하고 반복해서 사용하는 개인 구념에서 비롯된다.

③ **철학적 관점**: 구성적 대안주의와 과학자로서의 인간, 즉 "해석으로부터 자유로운 인간과 자연 현상이란 있을 수 없다. 인간의 현실적 지각은 언제나 해석에 의해서 변화된다. 또한 인간은 모든 사실에 대한 구념(construct)을 지니고 있으며 이 구념을 통해서 각 사상들을 이해, 예견, 조정, 통제한다."

(2) 치료절차

치료는 내담자의 구념을 변화, 재구념화시키기 위해 다음과 같은 절차를 거친다.

① 상담자는 새로운 개념적 요소를 선별적으로 추가해 나간다.

② 내담자의 경험의 속도를 가속화시킨다.

③ 이전의 요소에 최근의 구조를 적용한다.

④ 부적절한 구념을 비삼투적인 상태로 약화시키도록 돕는다.

⑤ 내담자가 실험을 설계하고 실천하도록 돕는다.

⑥ 내담자의 구념을 여러 측면에서 검증하고 확인하는 역할을 한다.

(3) 치료방법

① 치료방법으로는 고정역할 치료방법이 있다.

② 고정역할 치료 단계는 ㉠ 자기성격 묘사, ㉡ 고정역할 묘사, ㉢ 고정역할의 시연이다.

3. 합리적 - 정서적 상담[엘리스(J. Ellis)]

(1) 특징

① **인지적 치료기법(Rational Emotive Therapy: RET)**: 엘리스는 처음에 합리적 치료(rational therapy)라고 명명한 후 합리적 - 정서적 치료(Rational Emotive Therapy, RET)라고 개칭한 후 최근에는 합리적 - 정서적 - 행동적 치료라는 뜻으로 REBT로 개칭하였다(1993).

② **부적응 행동**

㉠ 인간의 부적응 행동은 비윤리적, 비현실적, 비합리적 사고에 의해 발생한다는 입장이다. 즉 어떤 사실에 접하여 우리가 경험하게 되는 정서는 우리가 경험한 어떤 사실 그 자체에 의해서라기보다는 그 사실에 대하여 우리가 어떻게 생각하느냐에 따라 달라진다.

㉡ 정서장애를 일으키는 것은 생활사건 자체가 아니라 사건에 대한 왜곡된 지각 때문이다. 이 왜곡된 지각 및 잘못된 생각의 뿌리에는 비합리적이고 자기 패배적인 관념들이 깔려있다고 본다.

③ **비합리적 사고방식의 예**

㉠ 주위의 모든 사람으로부터 반드시 사랑과 인정을 받아야만 한다.

㉡ 가치 있다고 여겨지기 위해서는 완벽하리만큼 유능하고, 성취적이어야만 한다.

ⓒ 어떤 사람은 나쁘고, 사악하며, 악랄하다. 그러므로 그러한 사람은 반드시 비난과 처벌을 받아야만 한다.

ⓓ 일이 바라는 대로 되지 않는 것은 곧 무시무시한 파멸이다.

ⓔ 사람의 불행은 외부 환경 때문이며, 사람으로서는 그 불행을 막을 길이 없다.

ⓕ 위험하거나 두려운 일이 일어날 가능성은 항상 있는 것으로 끊임없이 걱정의 원천이 된다.

ⓖ 어떤 어려움에 직면하거나 자기책임을 지는 것보다는 이들을 피하는 것이 더 쉽다.

ⓗ 사람은 다른 사람에게 의존해야만 하고, 자신이 의존할만한 더 강한 누군가가 있어야만 한다.

(2) 상담방법 - ABCDE 모형

① 상담은 잘못된 상념을 현실적이고 합리적으로 재교육하고자 하는 데 있으며 대표적인 방법이 ABCDE기법이다. 이는 내담자가 가지고 있는 비합리적 생각과 그 생각에 근거한 자기 언어를 찾아 이의 비합리성을 확인하고 논박하며 합리적 생각과 자기 언어로 바꾸고 이를 토대로 적절한 정서와 행동을 할 수 있도록 하는 것이다.

② ABCDE모형

㉠ A(activating event): 내담자가 노출되었던 문제 장면이나 선행사건이다.

㉡ B(belief): 문제 장면에 대한 내담자의 사고 내지 신념이다.

㉢ C(consequences): 선행사건 A 때문에 생겨났다고 내담자가 보고하는 정서적 혹은 행동적 결과이다.

㉣ D(dispute): 비합리적 상념, 사고, 신념에 대해서 도전하고 다시 생각하도록 하여 재교육하기 위해 적용하는 논박을 가르친다.

㉤ E(effect): 내담자의 비합리적 관념을 직면 또는 논박한 효과이다.

③ A(선행사건)가 C(정서적 결과)를 초래한다고 보는 것이 아니라 각 개인의 A에 대한 믿음인 B가 C인 정서적 반응을 초래한다고 본다.

④ 상담의 성공여부는 B에서 나타난 비합리적 사고를 계속적으로 논박하여 재교육을 성공적으로 할 수 있느냐에 달려 있다.

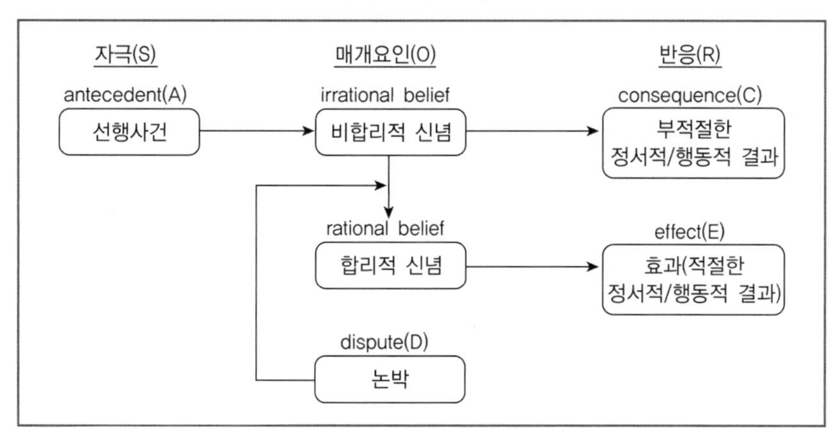

(3) 상담진행 절차

① 합리적 정서 치료의 기본 철학 및 논리를 내담자가 믿도록 설명하고 설득한다.

② 상담 면접 과정에서 내담자의 자기 보고 및 상담자의 관찰을 통해 비합리적 신념을 발견하고 규명한다.

③ 내담자의 비합리적 신념에 대해 상담자가 직접적으로 논박하거나 합리적 신념의 예시 또는 시범을 보인다. 논박의 구체적인 방법으로는 ㉠ 지적이나 설득, ㉡ 비현실적 생각에 대한 과잉 강조, ㉢ 극적 부정 등의 정서유발기법과 ㉣ 장면에서의 ⓐ 역할 연습, ⓑ 과제물 주기, ⓒ 행동 변화에 대한 강화 등의 행동적 기법들이 있다.

④ 비합리적 신념을 합리적 신념으로 대치시키기 위한 인지적 연습을 반복한다.

⑤ 합리적 행동 반응을 개발하고, 촉진시키기 위한 행동 연습을 실시한다.

(4) 상담기법

① **인지적 - 설명기법(cognitive-explicatory technique)**: 가장 일반적이며 핵심적인 인지적 방법으로 상담자가 적극적으로 내담자의 비합리적 신념을 논박하는 것을 말한다. 기법으로는 ㉠ 비합리적 신념에 대한 논박, ㉡ 자신의 말을 바꾸기 등이 있다.

② **정서적 - 환기기법(evocative-emotive technique)**: 부정적 혹은 긍정적 상상을 하게 함으로써 부끄러움을 제거하는 것을 말한다. 기법으로는 ㉠ 합리적 - 정서적 이미지, ㉡ 역할놀이, ㉢ 수치감 - 공격연습 등이 있다.

③ **행동적 - 적극적 - 지시적 기법(behavioristic-active-directive technique)**: 보상이나 과제부과 혹은 자극통제 등을 통해 바람직한 행동의 빈도를 증가시키는 것을 말한다. 기법으로는 ㉠ 조작적 조건화, ㉡ 체계적 둔감법, ㉢ 도구적 조건화, ㉣ 생체자기제어, ㉤ 이완훈련, ㉥ 모델링 등을 사용한다.

(5) 합리적 - 정서적 상담의 평가

① 공헌점

㉠ 상담에 있어서 합리적 사고에 대한 중요성을 재인식시켰다.

㉡ 인간의 사고와 정서 간의 관계를 명료화시키고 강조하였다.

㉢ 정서적 장애와 문제행동의 원인 및 해결방법을 명확하게 제시하였다.

㉣ 인간에게 장애를 유발하는 것은 과거 사건이나 심리적 외상 그 자체가 아니라 이것에 관한 인간의 해석이라는 점을 강조하였다.

㉤ 상담과정에 상담자가 보다 적극적으로 개입하는 방법을 발전시켰다.

② 한계

㉠ 자신의 합리적 생각에 대한 철저한 분석을 통한 논박을 할 수 없을 정도의 지적 수준을 가진 내담자, 현실감이 거의 없는 내담자, 생각이 경직된 내담자, 철학적 편견을 가진 내담자에게는 그 효과를 기대하기 어렵다.

㉡ 훈련받지 않은 상담자는 REBT를 속결치료방법으로 축소하여, 즉 내담자의 잘못됨이 무엇이며 어떻게 변화시켜야 할지의 방법을 일방적으로 알려주는 것으로 오용할 수가 있다.

㉢ 과거의 경험을 경시한다.

4. 심리교류분석[Transactional Analysis, 번(E. Bern)]

(1) 특징

① 심리교류분석은 자아상태 간의 교류형태를 분석하여 보다 건강하고 적응적인 자아상태를 모색하고자 하는 방법이다.

② 개인 안에는 각기 다른 몇 개의 자아가 존재하며, 이 자아들이 개인의 행동유형과 전체 성격을 결정한다고 본다.

(2) 자아상태

자아상태를 부모의 자아상태, 어른의 자아상태, 어린이의 자아상태로 구분한다[프로이드의 원초아(id), 자아(ego), 초자아(superego)와 유사].

① 부모 자아

㉠ 주로 부모나 그 외 정서적으로 중요한 인물 형제 및 이와 비슷한 사람들의 행동이나 태도로부터 영향을 받아 형성된다.

㉡ 부모의 자아상태란 어떤 상황에서 우리가 과거에 부모의 감정을 이미지화한 것을 재경험하거나, 우리의 부모가 우리에게 느끼고 행동한 대로 다른 사람에게 느끼고 행동하게 되는 상태이다.

㉢ 학습된 생활개념이다.

② 어른 자아

㉠ 성격에 있어서 객관적인 부분으로서 현실적으로 무엇이 진행되고 있는지에 관한 정보를 수집하는 역할을 한다.

㉡ 객관적으로 현실을 파악하고자 하는 속성이 있다. 어른 자아는 생후 10개월 경부터 점차로 나타나는데, 이때 어린이는 자기 자신의 지각과 독창적 사고를 통하여 자신이 어떤 일을 할 수 있다는 능력감을 갖게 된다.

㉢ 사고적 생활 개념이다.

③ 아이 자아

㉠ 출생 후 5세경까지의 외적 사태들(주로 부모와 관련)에 대한 감정적 반응으로서 외적 사태에 대한 어린이의 감정적 반응체제가 내면화된 것이다.

㉡ 아이 자아의 기능

ⓐ **순응적 아이 자아**: 아이가 부모나 주위의 어른들로부터 관심과 주의를 끌기 위하여 눈치보는 행동을 취한다.

ⓑ **자유 아이 자아**: 타인을 의식하지 않고 자유롭게 기능하는 아이 자아로서 자기중심적이거나 쾌락을 추구하고, 감정을 억제하지 않고 자유롭게 표출하는 반응을 보인다.

ⓒ **아이 교수 자아**: 일종의 어른 자아의 축소판으로서 창조적이고 탐구적이며 조정적인 기능을 한다.

㉢ 일종의 감정적 생활개념이다.

(3) 자아상태의 병리현상

① **혼합**: 자아 기능에 장애를 주는 부모 자아나 아이 자아가 어른 자아의 기능에 영향을 미치는 것이다.

② **배타**: 부모 자아, 아이 자아의 경계가 지나치게 경직되어 심적 에너지의 이동이 거의 불가능한 상태이다.

(4) 교류분석(transactional analysis)

① 어른, 어린이, 부모 상호 간의 관계에서 이루어지는 대인적 교류·교환의 분석으로 보완적 교류, 교차적 교류, 저의적 교류가 있다.

② 유형

㉠ **보완적(상보적) 교류**: 한 특정한 자아 상태로 메시지를 보내면서 다른 사람의 특정한 자아 상태의 메시지가 기대했던 대로 나타나는 경우이다.

㉡ **교차적 교류**: 상대방으로부터 예기치 못했던 메시지나 전혀 엉뚱한 반응을 듣는 의외적인 교류방식이다.

㉢ **저의적(암시적) 교류**: 두 가지 이상의 자아 상태가 포함되어 있고, 혐오적인 속임수를 내포하는 메시지를 보내는 경우이다.

③ 교류분석의 예 - 교차적 교류

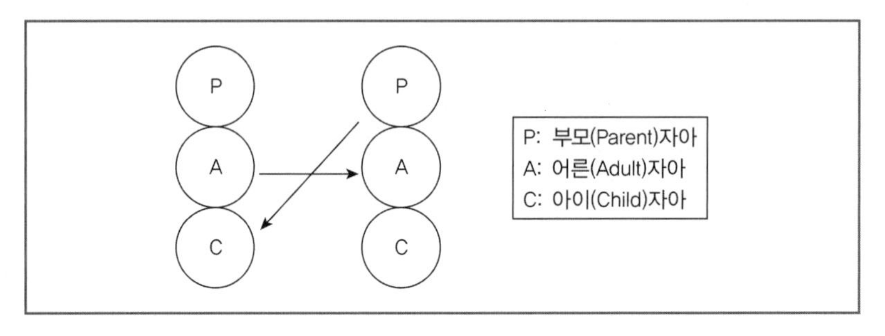

(5) 상담목표

① 부적절하게 형성된 생활 자세와 생활 각본으로부터 해방될 수 있도록 도와주어 자기 긍정과 타인 긍정의 생활 자세를 갖도록 하는 데 있다.

② 개인이 자신이 삶에 대해 책임지고 스스로를 지도할 수 있는 자율성을 갖도록 하는 데 있다.

③ 자아 사이에 혼합과 배타가 없도록 자아 상태를 바꾸어 필요에 따라 모든 자아를 적절하게 사용할 수 있는 능력을 기르고자 한다.

(6) 심리교류분석의 평가

① 공헌점

㉠ 대인관계에 있어 의사소통의 질을 개선할 수 있는 구체적인 방안을 제시하였다.

㉡ 효율적인 부모 역할에 대한 지혜를 제공해주었다.

㉢ 사용되는 개념들이 이해하기 쉽고 적용하기에 용이하다.

② 한계

㉠ 사용하는 많은 개념들이 인지적이기 때문에 지적 능력이 낮은 내담자에게는 부적절하다.

㉡ 이론과 개념들의 타당성을 검증하거나 지지하기 위해 수행된 경험적 연구가 부족하다.

5. 지시적 상담

(1) 특징

① 상담자가 권위와 능력을 가지고 개인의 부적응 문제와 목표를 진단하고 확실한 해결책을 제시하는 방법이다.
② 상담자 중심 치료법, 임상적 상담, 의사결정 상담, 특성·요인 상담이라고도 한다.
③ 부적응 행동을 직업적 또는 교육적 부적응으로 간주한다.
④ 주로 비행자에 대한 상담기법으로 많이 사용된다.

(2) 대표자

윌리암슨(E. G. Williamson), 패터슨(D. G. Patterson), 달리(J. Darley), 쏜(F. C. Thorne) 등이 있다.

(3) 상담목표[윌리암슨(Williamson)]

① 내담자가 자신의 동기, 능력, 적성, 성격, 흥미 등의 특성과 요인을 이해하고 수용하도록 한다.
② 자신의 특성 및 요인과 직업 또는 외부 조건을 검토하여 만족스러운 결정을 내릴 수 있게 한다.
③ 내담자가 자신의 가능성을 확인하고 이를 실제로 활용할 수 있게 한다.
④ 자기통제가 가능하도록 한다.

(4) 상담과정

① 내담자를 이해하기 위한 자료를 수집한다.
② 자료와 면접과 임상을 통한 과정에서 개인이 지닌 문제의 성질과 원인을 규명하고 진단한다.
③ 내담자의 부적응 문제를 설명, 이해시키고 환경과 타협하고 적응하도록 한다.

(5) 지시적 상담의 6단계[윌리암슨(Williamson)]

단계	내용
분석 (analysis)	내담자에 관한 정보와 자료를 수집한다.
종합 (synthesis)	분석 단계에서 수집하여 분석한 자료를 유용하게 활용할 수 있도록 정리한다.
진단 (diagnosis)	잠재적인 적응과 부적응을 추구하는 함축성, 학생의 문제와 원인, 의미가 있고 적절한 특성을 간결한 요약으로 이끌어 낼 수 있는 일관성과 유형을 발견한다.
예후 (prognosis)	진단을 통해 나타난 가능성과 변화의 용이성을 고려한다.
상담 (counseling)	상담자가 내담자로 하여금 현재 및 미래의 일상생활에 최적 상태로 적응할 수 있도록 도와준다.
추수지도 (follow-up service)	상담 종료 후 내담자에게 상담했던 문제나 새로운 문제가 발생했을 때 또는 상담의 효과를 확인하고자 한다.

(6) 지시적 상담의 평가

① 공헌점

㉠ 상담발달의 초기 단계에서 개인의 문제를 과학적인 방법으로 해결하도록 함으로써 상담을 전문화시키는 데 기여하였다.

㉡ 상담과정에서 객관적 자료를 강조하였다.

㉢ 문제행동과 원인을 다루는 기술에 이르는 일련의 체계적 과정에 주의를 불러일으키는 진단에 강조를 두었다.

㉣ 상담에서 정서보다는 이성을 강조함으로써 상담활동의 균형적 발전을 이루도록 하였다.

㉤ 교육 및 직업에 관련된 부적응 문제에 적용하도록 하였다.

② 한계

㉠ 적용대상이 어느 정도 책임감이 높고 정서적으로 성숙되어 있는 내담자들이어야 하며, 상담자의 지시적 역할이 지나치게 강조되어 내담자의 독립적 결정을 경시하였다.

㉡ 지시적이고 설교적이라는 점에서 비민주적이다.

㉢ 내담자가 스스로 선택하고 결정하는 권리가 소홀히 되었다.

秀 POINT 지시적·비지시적·절충적 상담

1. 지시적 상담[윌리암슨(Williamson)]

상담자가 권위와 능력을 가지고 개인의 부적응 문제와 목표를 진단하고 확실한 해결책을 제시하는 방법으로 상담자 중심 치료법, 임상적 상담, 의사결정 상담, 특성·요인 상담이라고도 한다. 지시적 상담에서 부적응 행동은 직업적 또는 교육적 부적응이다. 주로 비행자에 대한 상담기법으로 많이 사용된다.

2. 비지시적 상담[로저스(C. Rogers)]

지시적 상담에 대한 반발로 치료의 초점을 문제 자체보다는 인간에게 두며, 지적인 면보다는 정서적인 면을 중시한다. 비지시적 상담에서 내담자중심 상담으로 그리고 후에는 인간중심 상담으로 이름이 바뀌었다. 비지시적 상담은 심리적 부적응을 겪고 있는 사람뿐만 아니라 인간적 성숙과 자기실현을 추구하는 모든 정상적인 사람들에게 적용할 수 있다. 인간중심 상담자가 내담자에게 진솔하고, 내담자를 무조건적인 긍정적 존중을 보이고 내담자의 감정을 공감한다면 내담자는 자아실현의 경향성을 발휘한다고 믿는다. 이 상담은 접근이나 기법보다는 상담자의 내담자에 대한 상담자적 태도를 강조한다.

3. 절충적 상담[존스(Jones)]

지시적 상담과 비지시적 상담을 절충한 것으로, 상담 초기는 비지시적 상담, 상담 후기는 지시적 상담기법을 사용한다. 내담자의 이해를 위한 정보를 수집, 분석 → 내담자와의 생각과 이해를 위한 정보를 수집, 분석 → 내담자와의 생각과 감정이 일치되어 친근한 대인 관계의 형성 등으로 진행된다.

3 인지적 및 행동적인 측면

1. 인지치료(Cognitive Therapy)

(1) 특징

① 벡크(Beck)가 처음 체계화하였다.

② 정서적 장애의 본질을 이해하기 위해서는 마음을 어지럽히는 사건에 대해 개인적으로 반응하는 인지적 내용이나 사고의 흐름에 초점을 맞춘다.

③ 사람들이 어떻게 느끼고 행동하느냐 하는 것은 자신들의 경험을 어떤 방식으로 인지하여 구조화하였는가에 달려있다고 본다.

④ 인지적 측면에서 부정적 생활사건에 대한 인지적 오류, 자동적 사고 등을 강조한다. 인지적 오류란 현실을 제대로 지각하지 못하거나, 사실 또는 그 의미를 왜곡하여 받아들이는 것을 말한다.

예 벡크(Beck)는 우울증의 원인을 부정적인 생활 사건과 인지오류 때문이라고 하였다.

(2) 이론적 근거

① 역기능적 인지도식

㉠ **인지도식:** 세상을 살아가는 과정에서 형성된 삶에 대한 이해의 틀을 의미한다.

㉡ **역가능적 인지도식:** 생활 속에서 형성된 인지도식이 부정적인 경우를 의미한다.

㉢ 역기능적 인지도식이 형성되면 심리적 문제에 매우 취약하게 되고 심리적 문제를 초래하게 된다.

예 "절반의 실패는 전부 실패한 것이나 다름없다.", "인정을 받으려면 항상 일을 잘 해야만 한다.", "다른 사람의 사랑 없이 나는 행복해질 수 없다." 등

② 인지오류(cognitive errors)

㉠ 인지오류란 현실을 제대로 지각하지 못하거나 사실 또는 그 의미를 왜곡하여 받아들이는 것을 말한다.

㉡ 종류

흑백논리 (이분법적 사고)	사건의 의미를 이분법적인 범주의 둘 가운데 하나로 해석하는 오류 예 어떤 일의 성과를 성공이냐 실패냐의 이분법적으로 평가하는 경우, 타인이 나를 사랑하는가 미워하는가의 둘 중의 하나로만 생각할 뿐 회색 지대를 인정하지 않는 경우 등
과잉일반화	한 두 번의 사건에 근거하여 일반적인 결론을 내리고 무관한 상황에도 그 결론을 적용시키는 오류 예 한두 번의 실연(失戀)으로 '항상', '누구에게나' 실연당할 것이라고 생각함
선택적 추론	상황이나 사건의 주된 내용은 무시하고 특정한 일부의 정보에만 주의를 기울여 전체의 의미를 해석하는 오류 예 발표 시 많은 사람이 긍정적인 반응을 했음에도 불구하고 한두 명의 부정적인 반응에만 선택적으로 주의를 기울여 실패했다고 단정지음
의미의 확대 및 축소	사건의 의미를 지나치게 과장하거나 축소하는 오류 예 한 번 낙제 점수를 받은 것을 가지고 '내 인생은 이제 끝이다.'라고 생각하거나 과(科) 수석을 차지하고도 '어쩌다 운이 좋아서 그렇게 됐을 뿐'이라고 생각함
개인화	그럴만한 근거가 없는데도 외부 사건을 자신과 관련짓는 오류 예 직장 동료가 불쾌한 표정을 짓고 있다면 그 구체적인 이유를 알기도 전에 자신이 뭔가 실수하거나 잘못해서 그런 것이라고 지레짐작함

㉢ 자동적 사고(automatic thoughts)

ⓐ 어떤 사건에 접했을 때 자동적으로 어떤 생각들이 떠오르게 되는 현상으로, 특히 우울증자들은 부정적인 생각들이 자동적으로 떠올라 자신의 행동을 통제할 수 없게 된다.

ⓑ 벡크는 사람들이 경험하는 심리적 문제는 스트레스 사건을 경험했을 때 자동적으로 떠올리는 부정적인 내용의 생각들로 인해 발생한다고 보았다.

© 인지 3제(cognitive triad): 우울증을 경험하는 사람들이 가지는 자동적 사고의 3가지의 내용을 '인지 3제(cognitive triad)'라고 한다.

- 자신에 대한 비관적 생각(예 나는 무가치한 사람이다.)
- 앞날에 대한 염세주의(예 나의 앞날은 희망이 없다.)
- 세상에 대한 부정적 생각(예 세상은 살기가 매우 힘든 곳이다.)

(3) 심리적 문제의 발생과정

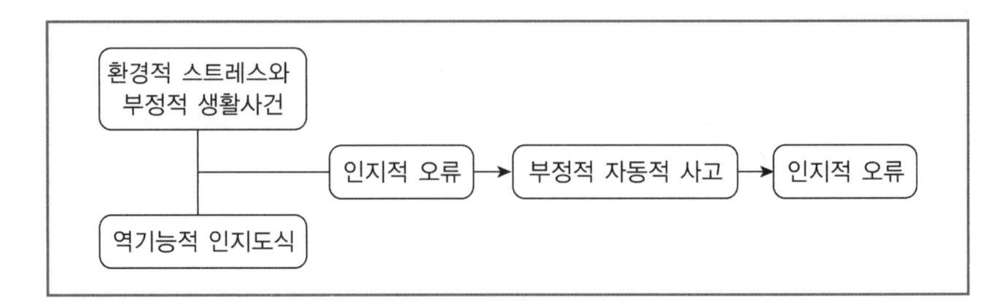

(4) 상담목표

① 내담자로 하여금 자신을 파괴하는 생각이나 신념을 인식하고 그것을 제거하도록 도와주는 데 있다.

② 상담 초기에는 내담자의 문제를 지속화하고 확대시키는 일련의 과정을 깨뜨리는 데 둔다.

③ 구체적인 목표

㉠ 부정적인 자동적 사고를 찾아내 이를 보다 적절한 적응적인 사고로 대치한다.

㉡ 부정적인 자동적 사고의 기저를 이루는 근원적인 역기능적 인지도식을 찾아 그 내용을 보다 현실적인 것으로 바꾸어 준다.

(5) 상담진행 과정

① 내담자가 호소하는 심리적인 문제를 구체화하고 내담자와 상의하여 상담의 목표로 정한다.

② 심리적 문제에 인지적 요인이 관련되어 있음을 내담자가 납득할 수 있도록 인지치료의 기본원리들을 설득력 있게 설명한다.

③ 내담자의 현재의 삶 속에서 심리적 문제를 불러일으키는 환경적 자극과 자동적 사고를 내담자와 함께 탐색하고 조사한다.

④ 환경적 자극에 대한 내담자의 해석 내용(자동적 사고)의 현실적 타당성을 따진다.

⑤ 환경적 자극에 대한 내담자의 해석 내용보다 더 객관적이고 타당한 대안적 해석을 탐색해보고 이를 기존의 부정적인 자동적 사고와 대치한다.

⑥ 환경적 자극을 왜곡하게 지각하도록 만드는 근원적인 역기능적 인지도식의 내용들을 탐색하여 확인한다.

⑦ 역기능적 인지도식의 내용을 현실성, 합리성, 유용성 측면에서 검토한다.

⑧ 보다 현실적이고 합리적인 대안적 인지를 탐색하여 이를 내면화할 수 있도록 유도한다.

(6) 적용

인지상담 이론은 우울증, 불안증, 시험불안, 공포증, 분노, 만성적 통증문제, 자살 행동, 성격장애 등을 치료하는 데 효과적이다.

> **秀 POINT 우울증**
>
> 벡크는 우울증이란 일상생활에서 부정적이고, 불쾌한 경험을 많이 할수록 현실에 대한 부정적 견해, 실패감과 무능감이 생겨 우울증을 초래한다고 보았다. 그는 환자의 현실에 대한 부정적 견해는 아동기에 근원을 둔 인지구조에서 비롯된다고 본다. 최근 만성 우울증은 뇌의 화학물질의 불균형이 아니라 해마에 이상이 있는 것으로 보고 있다. 즉, 만성 우울증자는 해마가 뇌세포의 파괴로 인해 작아지는 것이다.

2. 현실상담[글래서(W. Glasser)]

(1) 특징

① 현실요법(Reality Therapy)이라고도 하며 인간은 누구나 자신이 자기 삶의 주인이 되어 자신의 삶을 통제할 수 있을 때 행복을 느낀다고 본다. 즉 자신의 삶에서 중요한 선택을 스스로 할 수 있고, 선택한 것에 대해 책임을 질 수 있는 사람이 행복한 사람이라는 것이다. 핵심개념은 '행동', '지금', '선택' 등이다.

② 부적응 행동이란 실패정체감(failure identity)에 기인한다. 즉, 실패정체감을 발달시킨 사람은 고독하고, 자기 비판적이며, 비합리적인 경향이 있다. 그들의 행동은 융통성이 없고, 비효율적이며, 종종 나약하고 무책임하고 자신감이 결여되어 있다.

(2) 주요 개념

① **인간관**: 인간은 누구나 자신의 행동과 정서에 책임이 있으며 궁극적으로 자기 결정과 자기 삶에 대한 책임이 있다고 본다. 즉, 인간을 자유롭고 자신의 목표를 스스로 선택하려는 자율적 특성을 지닌 유기체로 간주한다.

② **선택이론**: 인간이 어떻게 느끼고, 생각하고, 행동하는가 하는 것은 스스로의 선택에 의해 결정된다고 본다.

③ **전(全) 행동**: 인간의 전체 행동은 '활동하기', '생각하기', '느끼기', '신체반응하기'의 4개의 구성요소로 이루어져 있다. 따라서 전체 행동을 변화시키기 위해서는 활동과 사고를 먼저 변화시키면 감정과 신체현상도 더불어 변화된다고 한다.

④ **기본욕구**: 생존의 욕구, 자유의 욕구, 힘의 욕구, 즐거움의 욕구, 소속의 욕구를 가지고 있다. 인간은 이러한 욕구를 충족하기 위해 노력하며, 그 과정에서 욕구 간의 중복이 발생하고 갈등이 일어나고 우선 순위를 정하는 데 어려움을 겪으며, 이를 해결하기 위해 노력한다.

⑤ **지각(知覺)체계**: 개인은 현실 세계를 지각체계와 감각체계를 통해 인식하며 지각체계는 사물을 객관적이고 있는 그대로 바라보는 지식 여과기와 인간이 각자 가치를 부여하는 가치 여과기로 구성되어 있다. 현실요법에서는 자신의 문제를 타인이나 외부세계에 전가하지 않는다. 대신 자신이 스스로 행동에 대한 선택의 권리와 의무를 지각함으로써 현실 안에서의 욕구를 충족시켜야 한다는 것을 깨닫게 된다고 본다.

(3) 상담목표

① 인간은 자신이나 환경을 통제할 수 있는 존재이며, 또한 자신의 행동을 포함한 자신에 대해 책임질 수 있는 존재이기 때문에 자신의 행동, 느낌, 생각, 환경적 여건에 대해 책임지고 스스로 통제하며 효율적으로 살아가는 방법을 배우도록 도와주는 데 있다.

② 구체적인 목표

㉠ 개인적 자율성을 갖도록 한다.

㉡ 자기결정(self-determining)을 할 수 있도록 한다.

㉢ 장·단기간에 걸쳐 내담자가 자신의 인생목표를 설정할 수 있도록 한다.

㉣ 내담자가 성공적 정체감을 갖도록 한다.

㉤ 내담자가 책임감을 갖도록 한다.

㉥ 내담자가 자기의 주위 환경을 통제할 수 있도록 한다.

㉦ 자신의 각성 수준을 높이도록 한다.

㉧ 내담자가 긍정적으로 행동하고, 느끼고, 생각하고, 신체적 활동을 할 수 있도록 한다.

(4) 상담원리

① 내담자와 개인적인 유대관계 맺는다.

② 내담자의 감정보다는 현재 행동에, 과거보다는 현재 시간에 초점을 둔다.

③ 내담자가 자신의 행동에 대해 스스로 평가하고 판단할 수 있도록 돕는다.

④ 내담자가 책임 있게 행동할 계획을 세울 수 있도록 돕는다.

⑤ 내담자가 책임 있는 행동 단계를 결정하고 서약하도록 돕는다.

⑥ 내담자가 계획을 이행 혹은 완수하지 못할 경우 변명을 허용하지 않는다.

⑦ 내담자의 실패에 대해서 처벌을 주지는 않지만 초래될 수 있는 응분의 결과를 받아들이도록 한다.

⑧ 절대로 포기하지 않는다.

(5) 상담절차

① WDEP: ㉠ 바람파악하기(Want), ㉡ 현재 행동파악하기(Doing), ㉢ 자신의 행동과 수행능력 평가하기(Evaluation), ㉣ 계획수립하기(Planning)이다.

② SAMIC3/P: 계획을 세울 때 고려해야 할 기본적 요소로 ㉠ 계획은 단순해야 하고(simple), ㉡ 도달 가능해야 하며(attainable), ㉢ 측정이 가능하도록 구체적이고 정확해야 하며(measurable), ㉣ 계획은 가능한 빨리 수행되어야 하고(immediate), ㉤ 계획을 한 사람에 의해 통제되어야 하며(controlled), ㉥ 일관성이 있어야 하고(consistent), ㉦ 이행에 대한 확신(committed)이 있어야 한다.

(6) 상담기법

① 유머사용: 내담자의 긴장을 풀어주기 위해 적절한 유머를 사용한다. 치료적 유머는 교육적, 교정적 내용이며, 내담자로 하여금 상황 파악을 하도록 한다.

② 역설적 기법

㉠ 역설적 기법이란 하나의 언어충격(verbal shock)이다.

예 잠을 잘 수 없다고 불평하는 내담자에게는 계속 깨어 있으라고 한다. 실수하는 것을 죽도록 무서워하는 내담자에게는 일부러 실수하라고 말한다.

㉡ 역설적 기법은 우울, 불면증, 공포, 불안장애 등을 효과적으로 치료하는 기법이다.

(7) 현실상담의 평가

① 공헌점

㉠ 내담자가 현실적 방법으로 욕구를 충족시킬 수 있도록 행동, 생각, 느낌, 신체활동을 선택하여 환경을 통제할 수 있도록 교육하는 것이기 때문에 학교나 소년원과 같은 교육기관에 적용하기가 가능하다.

㉡ 긍정적인 사고와 활동에 대한 능력과 잠재력을 강조함으로써 상담자들에게 내담자의 자기 충족적 예언을 실제 도움이 되는 방향으로 전환시킬 수 있도록 하는 원리를 제공하였다.

㉢ 책임을 강조하여 문제행동의 원인이 내담자 자신에 있음을 깨닫게 하였다.

② 한계

㉠ 상담자의 가치나 도덕률이 내담자에게 지나치게 강요될 수 있다.

㉡ 무의식적 동기, 과거를 지나치게 무시한다.

㉢ 현실상담은 어느 정도 책임질 수 있는 사람에게만 적용이 가능하다.

㉣ 내담자가 자신의 해답을 찾는 대신 상담자의 해결책을 받아들이도록 강력하게 영향을 미칠 위험성이 있다.

㉤ 현실상담은 쌍방적 의사소통에 기초한 언어적 치료이기 때문에 자폐증 환자나 지적 수준이 낮은 사람에게는 적합하지 못하다.

3. 행동수정(Behavioral Modification)

(1) 특징

① 행동수정의 원리는 1950년대 심리학, 교육학, 임상 실험자에게 강력한 치료 전략으로 수용되어 일반화되었다.

② 인간행동의 학습에 관한 행동주의 심리학의 개념과 원리를 적용하여 여러 가지 형태의 부적응 행동을 변화시키는 원리이다. 이를 '응용행동 분석(applied behavior analysis)'이라고도 한다. 주로 스키너(Skinner)의 조작적 조건화설에 기초한다.

③ 객관적으로 치료할 수 있고 측정 가능한 행동을 치료대상으로 삼기 때문에 치료의 효율과 성과 및 진전 정도를 객관적으로 평가하는 것이 가능하다.

(2) 기본입장

① 현재의 부적응된 행동에서 결손된 부분을 체계적인 강화에 의해 보충하고 부적응 행동을 도태시켜 나간다.

② 스키너(Skinner)는 상담이란 내담자의 바람직한 행동은 더욱 증강시켜 주며, 바람직하지 못한 행동은 약화 또는 감소시킴으로써 내담자의 적응력을 높여주는 재학습과정으로 정의한다.

(3) 행동수정의 방법

① 바람직한 행동을 증가시키는 행동 수정 기법

㉠ 정적(正的) 강화(positive reinforcement)

ⓐ 표적이 되는 행동이 증가되는 결과를 가져오기 위해 어떤 자극을 제시하는 것을 말한다. 즉, 어떤 반응 또는 행동에 대해 그 행동의 빈도나 강도를 증가시키는 자극을 제공하는 것이다.

ⓑ 정적 강화는 정적 자극에 의해서 이루어지며, 정적 자극이란 어떤 행동에 대하여 후속하는 자극이 선행의 행동을 증강시키게 되는 것을 말한다.

ⓒ 어떤 자극이 정적 자극이 되느냐 하는 것은 개인에 따라 그리고 상황에 따라 다르기 때문에 경험적으로만 알 수 있다.

강화의 유형

1. 1차적 강화(기초강화, primary reinforcement, 혹은 무조건적 강화)

학습경험의 영향을 비교적 덜 받으며, 생리적 필요를 충족시킬 수 있는 강화이다.

예 성적(性的) 자극, 배고픈 사람에게 음식, 목마른 사람에게 물 등

2. 2차적 강화(조건강화)

강화가 된 다른 결과와 연계됨으로써 강화를 주는 것을 말한다. 원래는 중성적 자극이 강화력이 있는 1차적 강화 자극과 여러 번 연결되면 강화력을 가지게 된다.

예
- 성적에 대한 가치를 모르는 유치원생이 '수'를 받아오면 부모의 칭찬을 받고 보상까지 받는 경우, 이때 '수'는 이미 강화가 된 결과와 연계되어 별개로 강화적 가치를 지님
- 돈이 경제적 교환가치와 연결될 때, 즉 음식, 옷, 집 등을 얻는 인자가 될 때
- 사회적 강화인자로써의 주목, 인정, 호의, 타인에 대한 복종
- 사회적 승인, 즉 배우자가 데이트 상대자가 자신을 인정해주는 눈짓을 해주기를 희망하여 거울 앞에서 멋을 내는 시간을 소비하는 경우

秀 POINT 강화계획(schedules of reinforcement)

1. 계속적 강화(continuous schedules)

반응이 일어날 때마다 그 반응을 강화하는 상황을 말한다.

예 수업 시간에 정답을 맞출 때마다 칭찬을 해주는 것

2. 간헐적 강화(intermittent schedules)

반응이 어떤 경우에는 강화되나, 어떤 경우에는 강화되지 않는 상황을 말한다.

① 고정강화(fixed schedules): 일정한 횟수의 반응마다 강화하든가 일정한 시간 간격마다 반응을 강화하는 것이다.

㉠ 고정간격강화(fixed interval schedules): 반응의 횟수와는 관계없이 일정한 시간이 지날 때마다 강화하는 것이다.

예 아이를 매주 토요일마다 영화관에 데리고 가는 것

㉡ 고정비율강화(fixed ratio schedules): 바람직한 반응을 일정한 배수로 보일 때만 보상하는 것이다(기업체에서 작업량에 따라 지급되는 성과급제도).

예 바람직한 행동을 할 때, 다섯 번째 혹은 열 번째마다 칭찬하는 경우

② 변동강화(variable schedules): 강화가 계속적 혹은 어떤 일정한 규칙에 따라 이루어지는 것이 아니라, 불규칙적이고 불확실한 패턴으로 이루어지는 것이다.

㉠ 변동간격강화(variable interval schedules): 강화가 불규칙한 것은 변동비율과 같으나 몇 번째 반응에 대해서가 아니라 강화의 시간간격이 불규칙하다. 이 경우는 반응의 수보다는 마지막으로 강화를 받고 나서 시간이 얼마나 경과했느냐에 따라서 다음 반응의 강화여부가 결정된다.

예 낚시꾼의 낚시 행위

㉡ 변동비율강화(variable ratio schedules): 두 번째 혹은 세 번째 반응에서 강화를 받다가 열 번째 반응에서 강화를 받는 경우 등 강화를 얻는 데 필요한 반응의 수가 변화하는 경우이다.

예 도박꾼의 도박 행위

③ 4가지 강화계획 가운데 고정강화보다는 변동강화를 주었을 때 행동의 일관성과 함께 반응이 증가된다.

계획	정의	예	반응양식	강화가 중지될 때 반응
계속 강화	매 반응 후 강화	TV를 켜는 것	반응의 빠른 학습	• 지속성이 거의 없음 • 반응이 빨리 사라짐
고정 간격	정해진 시간 간격 후의 강화	매 시간 마다 쪽지시험 보기	강화시간에 다가옴에 따라 반응 비율이 증가했다가 강화 후 감소	• 약한 지속성 • 강화시간이 지나도 강화인자가 나타나지 않을 때 반응 비율이 급격히 떨어짐
변동 간격	다양한 시간 간격 후의 강화	예고 없이 보는 쪽지 시험, 낚시질	• 느리고 꾸준한 반응 비율 • 강화 후 거의 쉬지 않음	• 강한 지속성 • 반응 비율이 늦게 떨어짐
고정 비율	일정한 수의 반응 후의 강화	업적급, 품삯일	• 빠른 반응 비율 • 강화 후 휴식	• 약한 지속성 • 기대했던 반응수가 주어져도 강화인자가 나타나지 않을 때 반응 비율이 급격히 떨어짐
변동 비율	다양한 수의 반응 후의 강화	도박꾼의 도박	• 매우 높은 반응 비율 • 강화 후 거의 쉬지 않음	• 강한 지속성 • 반응 비율이 높게 지속되고 점점 떨어짐

④ **4가지 종류의 강화에 따른 반응**

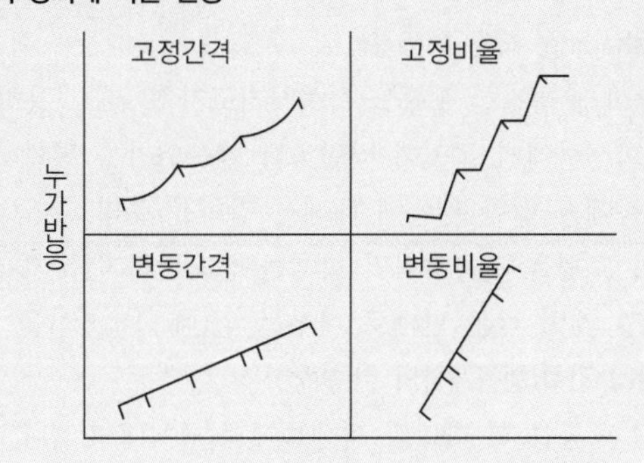

㉡ 부적(負的) 강화(negative reinforcement)

ⓐ 기존에 제공되던 자극을 제거하거나 강도를 약화시킴으로써 행동의 발생확률을 증가시키는 것(혐오통제)을 말한다.

ⓑ 개인에게 불만족을 주거나 고통을 주는 어떤 것을 종결하는 것 또는 개인이 싫어하는 어떤 것을 회피하는 것을 말한다. 이는 벌이 아니며 벌의 회피 혹은 면제이다.

ⓒ 역사적으로 인간행동을 규제하기 위한 사회적 통제 수단으로 흔히 사용되어 왔다. 예를 들어 학급관리의 수단으로 부적 강화는 학생이 바람직하게 행동할 때, 불유쾌한 상황을 즉시적으로 중단하는 방법으로 활용한다.

예
- 실직(失職)을 피하기 위해 싫은 일에 매달린다.
- 어머니의 잔소리를 듣지 않기 위해 방 청소한다.
- 가족 간의 대화를 위해 TV를 치운다.
- 벌을 받지 않기 위해 교통신호를 잘 지킨다.
- 화장실 청소를 면제받기 위해 공부를 열심히 하는 것 등이 있다.

㉢ 프리맥(Premack) 원리

ⓐ 낮은 행동의 확률을 증가시키기 위해 높은 확률의 행동을 연합시키면 낮은 확률의 행동이 증가된다는 원리이다.

ⓑ 다른 사람에게 해주기를 바라는 것을 먼저 하고 네가 원하는 것을 해도 된다는 것으로 이는 '할머니의 규칙(Grandma's rule)'으로 간주되기도 한다.

예
- 남편이 설거지보다 TV의 야구경기 보는 것을 더 좋아하는 경우, 남편이 설거지를 마쳤을 때 TV 보기를 아내가 허용한다.
- 숙제를 먼저 해 놓고 나서 컴퓨터 게임을 하도록 한다.

㉣ 식별(discrimination)

ⓐ 어떤 반응이 한 자극 상태에서 일어날 때 강화되고 다른 상태에서는 강화되지 않는 현상, 즉 차별강화를 말한다.

ⓑ 행동은 모든 사태에서 동일한 반응을 일으켜서도 안 되고, 때와 장소에 따라 일어나야 한다.

㉤ 행동조형(shaping, 혹은 행동형성)

ⓐ 학생들에게 특정한 행동을 형성시키고자 할 때 사용하는 것으로, 교사는 먼저 학생들에게 무엇이 바람직한 행동인가를 명확하게 설명해준 다음 그 행동에 근접한 행동에 대해서 강화를 준다.

ⓑ 교사가 조형을 사용하려면 학생들이 숙달하기를 기대하는 최종적인 행동을 몇 개의 작은 단계로 나누는 일(예 과제분석)을 먼저 해야 한다.

㉥ 토큰(Token) 강화(행동계약의 한 방법)

ⓐ 특정한 행동을 할 때마다 학생들에게 표식(스티커나 종이 쪽지)을 주어, 일정한 양을 모았을 때 원하는 것과 교환하도록 함으로써 행동을 강화시키는 것이다. 비행청소년 및 지진아 교정에 효과적이다.

ⓑ 장점
- 강화 자극을 다른 종류로 바꿀 수 있기 때문에 심리적 포화현상을 제거할 수 있다.

- 토큰을 저축하여 좀 더 값진 물건이나 특혜와 교환할 수 있다.
- 토큰은 아동의 행동을 강화할 때 간편하게 처리할 수 있다.
- 토큰 제도는 강화의 지연을 예방해 줄 수 있다. 원래 강화 자극은 행동 즉시 제시되어야 하지만 토큰 강화는 바람직한 행동을 할 때마다 즉시 토큰을 주면 시간적 지연을 즉시 메꿀 수 있다.

ⓢ 용암법(溶暗法, fading)

ⓐ 한 행동이 다른 사태에서도 발생할 수 있도록 그 조건을 점차적으로 변경해주는 과정이다.

예 식구들 앞에서는 말을 잘 하지만 이웃이나 학급의 친구들 앞에서는 말을 못하는 경우의 행동을 수정할 때 활용된다.

ⓑ 어떤 특정한 행동을 일어나게 하는 자극을 점차 변화시켜 특정한 반응을 통제하고자 하는 변화된 자극이 되게 하는 방법이다.

ⓒ 이 방법은 대상자를 잘 탐색하여 원하는 행동이 어떤 다른 자극 하에서 일어날 경우에 사용하는 것이 바람직하다.

ⓓ **스키너의 비둘기 실험**: 빨간 불빛이 비칠 때 스위치를 쪼으면 콩알을 얻을 수 있다는 것을 터득한 비둘기에게 파란 불빛이 비칠 때 스위치를 쪼도록 행동을 고치려면 우선 빨간 불빛과 함께 약간의 파란 불빛을 비추어 주어 계속 스위치를 쪼게 한다. 그런 뒤 차츰 빨간 불빛을 약하게 비추고 파란 불빛을 점점 더 진하게 비추어 준다면 그 비둘기는 마침내 완전히 파란 불빛이 비칠 때에도 스위치를 쪼게 된다.

② 바람직하지 못한 행동을 감소시키는 행동수정 기법

㉠ 벌

ⓐ 어떤 행동을 감소시키거나 하지 않도록 하기 위해 고통이나 불쾌감 등을 줄 수 있는 혐오자극을 제공하는 것을 말한다.

ⓑ **제1유형의 벌(수여성 벌)**: 꾸중이나 경멸, 체벌과 같이 혐오적이고 부정적인 보상을 얻는 경우이다.

ⓒ **제2유형의 벌(제거형 벌)**

- 강화를 멈추거나 제거하는 방법으로 바람직하지 못한 행동의 대가로 자신의 권리를 포기하거나 돈을 치르게 하는 것이다.
- 제2유형의 벌이 제1유형의 벌보다 효과적이다.

예 수업 시간에 떠들면 쉬는 시간에 밖에 나가서 놀지 못하고 교실에 혼자 남아 있게 하거나 벌금을 내게 하는 경우, 귀가 시간을 어겼을 때 TV를 보지 못하게 하는 것 등이 있다.

참고

벌의 효과

1. 벌의 효과는 일시적이다.
2. 바람직하지 않은 부수적 사태를 이끄는 결과를 초래할 가능성이 높다.
3. 수반되는 혐오자극을 줄이는 행동을 강화한다. 즉 벌을 받게 되는 상황을 도피함으로써 벌을 모면하려고만 한다.
4. 바람직하지 못한 행동을 감소시킬 수는 있지만 바람직한 새로운 행동을 발생시키지는 못한다.

㉡ 혐오치료

ⓐ 증상이 나타날 때마다 고통스런 혐오자극을 가하여 문제행동을 소거시키는 방법이다.

ⓑ 혐오자극으로 전기충격이나 구토제 등을 사용한다.

ⓒ 자폐증, 아동의 문제행동 제거, 알코올 중독, 약물중독, 흡연, 강박증, 성도착증, 도벽 치료에 적용한다.

㉢ 소거(extinction): 어떤 행동에 대해 아무런 환경적 귀결도 제시하지 않음으로써 그 행동이 약화되거나 소멸되는 것을 말한다.

㉣ 타임 아웃(Time-Out)제

ⓐ 잘못된 행동을 하는 아이를 자극이 없는 상황으로 보내는 방법이다.

ⓑ 위험하고 파괴적이고 공격적인 행동을 감소시키는 효과가 있다.

예 교실에서 떠드는 학생을 격리된 곳이나 구석진 곳으로 보내는 경우이다(타임아웃은 벌의 일종).

ⓒ 타임 아웃 실시 조건

- 문제행동이 발생하는 장소(예 교실)에는 그 문제행동을 강화하고 있는 요소가 있다는 확증이 있어야 한다.
- 학생이 일시적으로 격리되어 있을 장소(예 복도, 빈 방 등)에는 강화 자극들이 없어야 한다.

㉤ 상반행동의 강화

바람직하지 못한 행동 대신에 다른 바람직한 행동을 강화하면 나쁜 행동은 점차 없어지고 새로운 행동이 학습된다는 법칙에 근거를 두고 있다.

예 학급에서 교사의 허락 없이 자주 뜨는 자리를 학생의 자리를 뜨는 행동자체를 감소시키기보다는 그 학생이 자리에 얌전히 앉아 있을 때를 찾아 강화를 주는 경우이다.

㉥ 상호억제(reciprocal inhibition, 체계적 둔감법)

ⓐ 월페(J. Wolpe)가 제시한 것으로 내담자의 행동을 변화시킴으로써 태도나 감정을 변화시키고자 하는 것이다. 고전적 조건화설에 기초해서 역조건화(counterconditioning) 방법을 활용한 것이다.

ⓑ 내담자에게 그렇게 행동하도록 압력을 가해서 자기 행동의 결과를 두려워할 필요가 없다는 것을 학습하도록 한다.

ⓒ 내담자는 상상 속에서 불안을 일으키는 장면에 맞대결하도록 하거나 무리하게 압력을 일으키는 장면에 들어가 그것을 두려워할 아무런 이유가 없다는 것을 배운다.

ⓓ 불안 공포감이 심한 신경증 증상이나 성행동 장애, 우울증 또는 대인관계 부적응 행동의 치료에 효과적이다.

ⓔ 치료기법

실시 전(前)단계	• 내담자에게 정서반응이나 행동의 학습과정에 대한 기본적인 정보를 알려준다. • 내담자의 생활에서 두려움, 불안 등의 부적절한 정서를 일으키는 요인을 찾아낸다.

제1단계 (긴장이완)	• 체계적 둔감법이 실제로 시행되는 시점으로 긴장을 이완시킨다. • 최면술도 활용될 수 있고 대신 녹음기로 대체할 수도 있다.
제2단계 (위계구성)	불안위계는 내담자로 하여금 긴장이 이완되었을 때 상상하도록 하는 불안을 야기하는 상황을 가장 약한 것부터 가장 강하게 일으키는 순서대로 나열한 것이다.
제3단계 (감감절차)	• 내담자가 이완된 상태에서 낮은 위계에 있는 자극부터 제시한다. • 그 장면을 자세하고 생생하게 상상할 수 있도록 하고 15 ~ 30초 동안 상상한 후 불안을 느끼지 않으면 다음의 단계가 제시된다.

ⓢ **포화(saturation)**: 개인이 원하는 것보다 또는 견딜 수 있는 수준보다 더 많은 강화를 제공하여 결국에는 지치게 만듦으로써 바람직하지 않은 행동을 약화시키는 방법으로 내적 억제 혹은 포만(satiation)으로 설명되기도 한다.

(4) 행동수정의 일반적 절차

① **행동의 선정과 정의**: 행동을 효과적으로 수정하기 위해서는 먼저 그 행동을 정확하게 파악해서 관찰 가능하고 측정 가능한 행동으로 세분화하고 서술적 용어로 정의해야 한다.

② **행동의 기초선 측정**: 행동의 기초선이란 행동수정의 시발점이다. 실제 행동수정에 들어가기 전에 일상생활 중에서 수정하기 위해 선정되어 정의된 행동이 얼마나 빈번하게 또는 오랫동안 일어나고 있느냐를 측정한다.

③ **적응행동의 증강과 부적응 행동의 약화**: 정의된 빈도와 지속시간을 측정한 후 정적 강화, 부적 강화, 벌 혹은 소거 등 행동수정의 기법을 적용한다.

④ **행동수정 효과의 검증**: 행동의 변화를 목적으로 시작한 행동수정은 목적한 행동변화가 확인되면 행동수정 작업은 끝내야 한다.

⑤ **행동의 일반화**: 어떤 행동이 획득된 후에 그 행동이 생활환경에 확대되어 유지되지 않으면 수정의 목표를 달성했다고 볼 수 없다. 적응행동의 일반화를 위해서는 행동 수정을 끝내기 전에 학습된 행동을 고착시킬 필요가 있다. 이 목적 달성을 위해서는 적응행동의 강화 횟수를 점점 줄여나간다.

(5) 행동수정의 평가

① 공헌점

㉠ 상담을 과학적으로 발전시켰다.

㉡ 상담효과를 측정 가능한 사실에 관심을 두었다.

㉢ 상담은 과거의 행동보다는 현재의 행동에 초점을 두어야 한다는 점을 강조하였다.

② 한계

㉠ 인간을 단순한 자극에 반응하는 유기체로 보아 비인간적이다.

㉡ 상담자와 내담자와의 관계를 경시하고 기술을 지나치게 강조한다.

㉢ 문제행동의 일시적 제거는 가능하지만 근본적인 치료는 어렵다.

㉣ 구체적인 문제행동을 수정하는 데는 효과적이나 자아실현적인 측면에는 소홀하다.

기출문제

더 선호하는 활동을 덜 선호하는 활동의 강화원으로 활용하는 강화 방법은?
2022년 국가직 7급

① 조형(shaping)의 원리
② 프리맥(Premack) 원리
③ 토큰 경제(token economy)
④ 타임 아웃(time out)

해설

강화기법 가운데 프리맥(Premack) 원리란 낮은 행동의 확률을 증가시키기 위해 높은 확률의 행동을 연합시키면 낮은 확률의 행동이 증가된다는 행동수정 원리이다. 다른 사람에게 해주기를 바라는 것을 먼저 하고 네가 원하는 것을 해도 된다는 것으로 이를 '할머니의 규칙'이라고도 한다. 예를 들어 '숙제를 해 놓고 나서 컴퓨터 게임을 하라' 혹은 '남편이 설거지보다는 TV 보는 것을 더 좋아하는 경우에 남편이 설거지를 마치고 나서 TV보기를 원한다'는 부인의 행동 등이 그 예이다.
답 ②

4 정서적 및 행동적인 측면 - 게슈탈트 상담(Gestalt Counseling)

1. 특징

(1) 펄스(Perls)에 의해 창시된 게슈탈트 상담은 정신분석과 같은 요소주의 심리학에 반기를 들고 과정적이며 종합적인 점에 중점을 둔다.

(2) 치료의 초점을 '여기'와 '현재'에 두고 치료대상을 '전체로서의 유기체'로 다룬다. 이 상담은 인간은 자신의 현재 행동과 환경 간의 관계를 이해하고 있어야 한다는 실존적 및 현상학적 접근의 기본 전제를 따른다.

(3) 내담자의 현실 지각을 강조한다는 점에서 현상학적이며, 사람이 항상 자신을 창출, 개선, 재발견하는 과정에 있다고 보는 점에서 실존적이다. 또한 내담자가 상담자와 상호적인 관계를 갖게 되면서 내담자가 '무엇을', '어떻게' 생각하고 느끼고 행동하는지를 이해한다는 점에서 경험적이다.

(4) 펄스는 상담을 부적응자들을 보다 성숙한 인간으로 성장시키고 그들의 감정, 지각, 사고, 신체가 모두 하나의 전체로서 통합된 기능을 발휘할 수 있도록 도와주는 일이라고 본다.

2. 부적응의 원인

(1) 각성의 결여(lack of awareness)

(2) 책임의 결여(lack of responsibility)

(3) 환경과의 접촉상실(loss of contact with environmrnt)

(4) 미해결의 일(unfinished business)

(5) 욕구의 부인(disowning of needs)

(6) 자아의 양극화(dichotomizing the self)

3. 치료목표

(1) 내담자 자신이 무엇을 하고 있고 그것을 어떻게 하고 있는지를 자각하도록 하는 것과 동시에 그 자신을 수용하고 존중하는 것을 배우도록 한다.

(2) 한 개체를 통합된 상호 연관성 있는 전체로 파악하며, 그 자신과 주위 환경 간의 균형적 관계를 중시한다.

4. 상담자의 역할

(1) 상담자는 내담자가 스스로 자신의 감정과 욕구를 자각하도록 도와준다.

(2) 현재 내담자가 활용하고 있는 언어, 신체동작, 감정, 사고 등 지금 여기서 일어나고 있는 실존적 현상에 주의를 기울이도록 하고 자신의 행동에 대해 책임을 자각하도록 돕는다.

(3) 상담자와 내담자와의 관계에서 상담자의 경험, 각성, 지각 등은 상담과정의 배경(background)이 되고 내담자의 각성과 반응은 전경(foreground)이 된다.

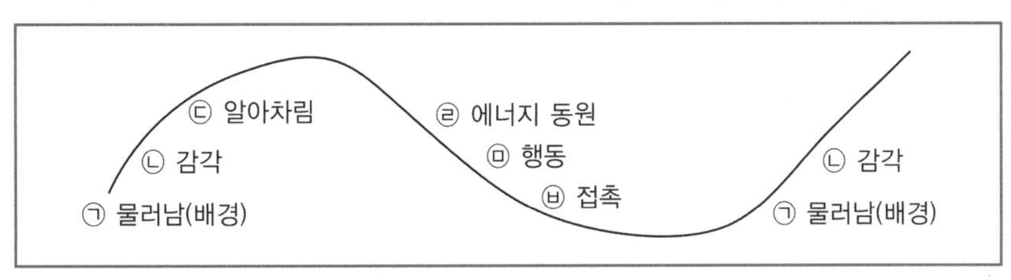

알아차림 - 접촉주기 모델

5. 게슈탈트 상담의 평가

(1) 공헌점

① 개인에게 실존적 의미를 실제로 최대한 경험하게 하도록 한다.

② 비언적 행동을 의미발견을 위한 열쇠로서 중시한다.

③ 내담자가 단시간 내에 더 직접적으로 자기 각성을 할 수 있도록 하였다.

④ 내담자 스스로 꿈의 실존적 의미를 발견하도록 하였다.

(2) 한계

① 상담자의 내담자에 대한 인지적 설명을 소홀히 하였다.

② 상담자가 기법들을 통해 내담자를 좌지우지하기 때문에 위험할 수 있다.

③ 상징이나 심상, 환상을 사용하는 능력이 없거나, 발달시키지 못한 내담자는 상담 과정에서 큰 도움을 받을 수 없다.

④ 개인을 그 자신의 운명에 대해 책임을 져야할 유일한 주체로 강조함으로써 일상적인 타인의 영향이나 보다 큰 사회의 기능을 무시한다.

秀 POINT 전경과 배경(figure & ground) 그리고 미해결 과제(unfinished business)

인간이 어떤 대상을 인식할 때 관심이 있는 부분은 지각의 중심으로 떠올리고 나머지는 배경으로 보낸다. 즉 어느 한 순간에 관심의 초점이 되는 부분을 전경이라고 하고 관심 밖에 놓여 있는 부분을 배경이라고 한다. 예를 들어 목이 마르면 그 순간의 목마름이 전경으로 떠오르고 다른 것은 잠시 배경으로 사라진다. 건강한 개인은 매순간 자신에게 중요한 게슈탈트(gestalt)를 강하게 형성하여 전경으로 떠올릴 수 있는 데에 반해 건강하지 못한 개체는 전경을 배경으로부터 명확하게 구분하지 못한다. 이런 사람들은 자신이 진정으로 하고 싶은 일이 무엇인지를 잘 모르며 행동목표가 불분명하고 매사에 의사결정을 잘 하지 못하고 혼란스러워 한다. 이렇게 완결되거나 해소되지 않은 게슈탈트(gestalt)를 미해결 과제(unfinished business)라고 한다. 미해결 과제는 전경과 배경의 자연스런 교제를 방해하기 때문에 개체의 적응에 장애가 된다. 미해결 과제가 많아질수록 개체는 욕구를 효과적으로 해소하는 데 실패하게 되고 심리적 및 신체적 장애를 겪게 된다.

5 그 밖의 상담이론

1. 분석 심리학적 상담

(1) 특징

① 칼 융(C. Jung)에 의해 이론화된 상담으로, 인간의 성(性)에 대한 관점의 차이로 프로이드와 결별하고 독자적인 이론을 제시하였다.

② 인격 전체를 정신이라고 부른다. 정신은 의식적 및 무의식적인 모든 사고, 감정, 행동을 포함하며 개인을 규정하고 그가 속한 사회적·물리적 환경에 적응하는 지침의 역할을 한다.

③ 인간은 여러 부분을 주워 모은 것이 아니라 이미 전체성을 가지고 있으며 하나의 전체로서 태어난다. 그러므로 인간이 일생을 통해 해야 하는 일은 이 타고난 전체성을 최고도로 분화시켜, 일관성 있고 조화롭게 발전시키는 것과 제각기 흩어져 제멋대로 움직이고 갈등을 일으키는 여러 체계로 분열되는 것을 막는 것이다.

④ **분열된 인격**: 왜곡된 인격으로 환자들에게 잃어버린 정체성을 되찾고 정신을 강화하여 장래의 분열에 저항할 수 있도록 도와 궁극적으로는 정신통합을 하는 데 목적이 있다. 따라서 치료자는 환자의 정신을 보고 환자의 그 정신을 환자가 통찰하게 한다. 즉 환자 자신의 정신을 통찰하고 통제하게 한다.

(2) 정신의 구조

① **구조**: 환자의 정신은 의식과 무의식으로 구성되며, 의식은 지극히 작은 부분이고 정신의 대부분은 무의식으로 구성되어 있다. 무의식은 개인적 무의식과 집단적 무의식으로 되어 있다.

개인적 무의식	㉠ 개인생활에서의 체험 내용 가운데서 무슨 이유에서든 잊어버린 것 ㉡ 현실세계의 도덕관이나 가치관 때문에 현실에 어울리지 않아 억압된 여러 가지 내용 ㉢ 반드시 성적인 것에만 국한되지 않은 그것을 포함한 모든 그 밖의 심리적 경향, 희구, 생각들, 고의로 눌러버린 괴로운 생각이나 감정, 의식에 도달하기에는 자극의 강도가 미약한 지각 ㉣ 개인의 특수한 생활체험과 관련되고 개인의 성격상의 특성을 이루는 것
집단적 무의식	㉠ 개인적인 특성과는 관계없이 사람이면 누구에게나 발견되는 보편적인 내용 ㉡ 지리적 차이, 문화나 인종의 차이와 관련 없이 존재하는 인간의 원초적인 행동 유형으로 인류 일반의 특성을 부여하는 요소 ㉢ 인간에게 주어진 여러 가지의 근원적 유형에 의하여 구성 ㉣ 신화를 산출하는 그릇이며 우리 마음 속의 종교적 원천 ㉤ 인류가 태초부터 살아오는 가운데 정신에 침전된 것으로 현대인이 갖고 있는 정신기능 ㉥ 집단적 무의식은 불안할 때, 위험할 때, 힘에 대항할 때, 이성 관계에, 사랑할 때와 미워할 때 등에 나타나는 인간본성

② **의식과 무의식의 관계**: 무의식은 의식에 결여된 것을 보충하는 역할을 하며 그럼으로써 그 개체의 정신적인 통합을 꾀한다. 의식이 지나치게 외향적이면 무의식은 내향적인 경향을 띤다.

(3) 상담목표

① 인간의 성격발달의 목표는 개성화 혹은 자기실현이다. 즉 전체로서 집단 무의식을 갖고 태어난 개인은 인생의 초기에 자기에서 분화된 자아가 인생 중반까지 발달하다가 다시 자아가 자기에게 통합되는 과정이 인생 중반 이후에 이루어진다.

② 꿈을 해석함으로써 자신의 무의식적 주인의 목소리를 경청하는 태도가 우리가 갖는 문제를 해결하는 데 요구된다고 볼 수 있다.

(4) 상담기법

① **꿈의 분석**: 융의 분석심리학에서 가장 중요한 방법으로 환자의 무의식을 이해하는데 사용된다.

㉠ 융은 꿈이 미래를 예견해 준다고 보았다.

㉡ 융은 꿈이 보상적이라고 믿었다. 꿈은 적응을 위한 노력이며, 성격의 결함을 교정하려는 시도다.

예 몹시 수줍어하는 사람은 자신이 파티에서 매우 활동적인 역할을 하는 꿈을 꿀 수 있다고 믿는다.

㉢ 융은 꿈을 해석하는 데 있어, 일정한 기간에 걸쳐 환자가 보고하는 일련의 꿈들을 함께 분석하였다.

② **상징의 사용**: 융의 정신 모델은 자기와 원형의 개념에 의존한다. 융은 내담자의 사고, 감정, 행동을 추동하는 역동성과 패턴을 상징적으로 생각하고 이해할 능력을 강조하였다.

③ **단어연상검사**: 개인이 어떤 자극단어에 마음에 떠오르는 어떤 단어로 반응하는 투사 기법이다.

④ **증상분석**: 환자가 보고하는 증상에 초점을 둔다. 환자의 증상은 분석자의 증상 원인에 대한 해석을 통해 감소되거나 사라지게 된다.

⑤ MBTI: 성격유형을 측정하는 검사로서 광범위하게 사용되고 있다. 융의 심리유형론의 요점은 각 개인이 외부로부터 정보를 수집하고, 자신이 수집한 정보에 근거해서 행동을 위한 결정을 내리는 데 있어서 각 개인이 선호하는 방법이 근본적으로 다르다는 것이다. 이것으로 심리적으로 흐르는 에너지의 방향 및 생활양식들을 이해할 수 있도록 해준다. MBTI 검사는 대인관계나 부부관계의 갈등에서 서로 다른 성격유형을 서로가 이해하게 됨으로써 상대방의 독특성을 수용하고 인정하고 해결의 실마리를 제공할 수 있게 한다.

(5) 공헌점

① 프로이드나 아들러(Adler)가 소홀히 한 중년의 성격 변화에 주목하고, 중년의 심리학을 이해하려고 노력한 최초의 성격 이론가이다.

② 완전한 자기실현을 이루는 사람은 없다고 해도 성장과 성숙의 잠재력을 의미하는 자기 원형이 누구에게나 있다는 가정을 통해 낙관주의적 인간관이 반영되었음을 알 수 있다.

③ 문학, 역사, 철학, 종교 등의 다방면에 많은 영향력을 미쳤다.

2. 인지적 행동수정(cognitive behavior modification, CBM)

(1) 특징

① 문제 아동의 자기행동을 스스로 통제하도록 가르치기 위한 새로운 전략이다. 즉 아동으로 하여금 여러 가지 상황에서 자기 행동을 스스로 통제하도록 훈련시키는 전략이다.

② 자신의 행동수정에 능동적인 역할을 한다고 가정하기 때문에 '자기관리(self-management)' 혹은 '초인지 전략'이라고도 한다.

③ 내현적 사고 과정을 조작해서 외현적 행동을 수정하는 것이다.

(2) 전략

① **자기기록**: 자신의 행동을 계속 스스로 기록하게 하는 것이다.

예 매일 저녁에 책을 몇 시간씩 읽는지, 숙제를 얼마나 하는지 등을 기록한다.

② **자기교수**: 자신의 행동을 조절하고 문제를 해결하기 위해 언어를 사용하는 방법이다. 즉, 언어를 통해 자신에게 지시하도록 한다.

③ 자기강화

㉠ 학생들이 자신의 행동을 통제할 수 있도록 자신의 강화를 스스로 선택하고 관리하게 하는 것이다.

예 정해둔 작업량을 끝냈을 때 과자를 하나씩 먹기로 한다.

㉡ 문제점

ⓐ 상대적으로 빨리 일을 진행하는 소수 집단만 보상을 이용할 가능성이 있다.

ⓑ 학생들에게 강화된 과제는 바람직하지 못한 것이고, 강화로 제공된 활동은 바람직하다는 인상을 줄 수 있다.

예 수학 과제를 끝내면 게임을 하도록 하는 경우, 수학문제를 푸는 것보다 게임이 더 가치가 있다는 인상을 줄 수 있다.

(3) 일반적 절차

① **인지적 모델링:** 성인 모델이 자기 자신에게 큰 소리로 말하면서 어떤 과제를 시범적으로 수행해보인다.

② **모델의 외현적 지도:** 모델의 교시에 따라 아동이 동일한 과제를 직접 수행한다.

③ **아동의 외현적 자기 지도:** 아동이 큰 소리로 자기교시를 하면서 과제를 수행한다.

④ 아동은 자기 자신에게 작은 소리로 교시하면서 과제를 수행한다(외현적 자기교시가 내면화되기 직전).

⑤ **내면적 자기교시:** 밖에 들리지 않을 정도로 내면적인 언어로 자기교시를 하면서 과제를 수행한다.

(4) 대표자

루리아(Luria), 매첸바움(Meichenbaum) 등이 있다.

3. 신경언어학적 프로그래밍(Neuro-Linguistic Programming, NLP)

(1) 특징

① 그라인더와 반들러(J. Grinder & R. Bandler)에 의해 개발된 기법이다.

② 인간은 언어로 설명되거나 규정되는 세상을 감각기관을 통해 경험하며, 의식적이든 무의식적이든 외부의 정보를 특정한 방식으로 인식(감각)한 후에(신경적인 반응이 일어난 후) 구체적인 행동으로 옮긴다.

③ 인간의 경험이나 행동은 언어에 의해 유발되며 독특한 방식으로 프로그램화된 신경과정의 작용에 의해 나타난다.

(2) 기본개념

① N[Neuro(신경)]: 인간의 모든 경험은 의식적이든 무의식적이든 오감(五感)을 중심으로 하는 감각과 중추신경계를 통해 이루어진다. 즉, N은 인간의 모든 행동은 시각, 청각, 미각, 후각, 촉각이라는 신경과정으로부터 유래된다는 의미이다.

② L[Linguistic(언어)]: 인간의 심적 과정(mental process)은 언어를 통해 부호화, 조직화되며 의미부여가 이루어진다. 인간의 생각과 행동을 명령하고 타인과 의사소통하기 위해서는 언어를 사용한다는 점을 의미한다.

언어는 비언어적인 것까지 포함한다.

③ P[Programming(프로그래밍)]: 인간의 행동이나 마음에서는 구조화, 패턴화된 체계적인 일련의 신경과정이 작용하고 내적 - 외적 의사소통이 이루어진다. 또한 언어에 의해 유발된 신경적 반응은 특별한 방식으로 조직적이고 체계적으로 프로그램화되어 나타난다.

(3) 목적

어떠한 인간의 마음과 행동이라도 신경 - 언어적 프로그래밍의 과정을 거침으로써 형성되거나 수정될 수 있다고 본다. 이러한 원리를 통해서 부정적인 행동과 마음을 변화시키거나 치료하고 긍정적인 새로운 행동과 마음을 형성하도록 한다.

4. 해결중심(solution focused) 단기상담

(1) 특징

① 드쉐이저(S. de Shazer)와 베르그(I. Kim Berg)에 의해 시작된 해결중심 치료는 문제가 아니라 해결에 초점을 두는 방법이다.
② 과거에 초점을 두는 전통적 치료와는 달리 현재와 미래에 초점을 둔다.
③ 기존의 상담이론과는 다르게 인간은 건강하고, 능력이 있고, 자신의 삶을 향상시킬 수 있는 해결을 구성할 능력을 지닌다고 가정한다.
④ 상담자는 문제보다는 해결에 초점을 두어 내담자를 조력하여 그의 삶을 향상시키고자 한다.

(2) 기본규칙

① **"부서지지 않았다면, 고치지 말라."**: 상담목표를 결정하는 사람은 내담자이지 상담자가 아니다. 문제의 정의, 생각과 느낌의 탐색, 대인관계나 개인 내적 또는 환경적 영향 등과 관련한 상담자의 주제들은 내담자가 해결을 찾는데 큰 도움을 주지 못한다.
② **"일단 효과가 있는 것을 발견하면, 그것을 더 많이 하라."**: 효과가 있는 일을 반복해서 하면 내담자는 긍정적 행동이 증가되는 것을 이해하게 되어 발생적 행동을 강화해서 더 많은 성공을 생성한다.
③ "만약에 부서졌으면, 그것을 고치도록 시도해라. 만약에 효과가 없으면, 다시 그것을 하지 말라."

(3) 기본가정

① 틀린 것과 문제의 원인보다 옳은 것과 효과가 있는 것에 초점을 둔다.
② 작은 변화는 더 큰 변화를 야기할 수 있는 다양한 효과를 가진다.
③ 항상 긍정적인 용어로 목표를 세운다.
④ 사람들은 더 나은 방향으로 변화하기를 원한다.
⑤ 사람들은 매우 영향을 받기 쉽고 의존적이다.
⑥ 내담자가 전에 성공하지 못했던 일을 하도록 결코 요구하지 마라.
⑦ 문제 분석을 피하라.
⑧ 효율적으로 해라.
⑨ 희생자가 아니라 생존자가 되어라.
⑩ 현재와 미래에 초점을 두어라.
⑪ 내담자는 효과적으로 행동할 능력을 가진다.
⑫ 상담자는 문제를 해결할 내담자의 의도를 신뢰한다.

(4) 해결중심 상담이론의 질문 예

면접 전의 변화 질문하기	면접 신청 후 상담을 하기까지 달라진 것이 무엇인지 질문한다.
예외를 찾기 위한 질문하기	과거에 성공했던 경험과 현재 잘하고 있는 것을 강화하기 위한 것으로, 예외란 문제가 일어나지 않았던 때를 의미한다.
기적에 관한 질문하기	내담자로 하여금 문제가 해결되어 바뀐 현실을 꿈꾸고 희망을 갖게 한다.
척도로 질문하기	내담자에게 자신의 문제, 우선순위, 성공, 정서적 관계, 자아존중감 등의 수준을 수치로 표현하도록 함으로써 상담자가 문제를 빨리 평가하도록 한다.
대처방법에 관해 질문하기	기적과 예외적인 상황에 관한 대답이 모호하고, 문제와 고통을 계속 호소하거나 악화되어 절망적인 경우에 사용한다.

참고

MBTI검사

1. 의의

MBTI(**M**yers-**B**riggs **T**ype **I**ndicator)는 브릭스(C. Briggs)와 브릭스 마이어스(Isabel B. Myers)가 칼. 융(C. Jung)의 초기 분석심리학 모델을 바탕으로 1944년에 개발한 자기보고형 성격 유형 검사로, 사람의 성격을 16가지의 유형으로 나누어 설명한다.

지표		설명
내향 (Introversion)	외향 (Extroversion)	선호하는 세계: 내면 세계 / 세상과 타인
직관 (iNtuition)	감각 (Sensing)	인식형태: 실제 너머로 인식 / 실제적인 인식
감정 (Feeling)	사고 (Thinking)	판단기준: 관계와 사람 위주 / 사실과 진실 위주
인식 (Perceiving)	판단 (Judging)	생활 양식: 즉흥적인 생활 / 계획적인 생활

2. 16가지 성격 유형

구분		T		F	
		J	P	J	P
I	S	ISTJ	ISTP	ISFJ	ISFP
	N	INTJ	INTP	INFJ	INFP
E	S	ESTJ	ESTP	ESFJ	ESFP
	N	ENTJ	ENTP	ENFJ	ENFP

I (내향) | E (외향), S (감각) | N (직관), T (사고) | F (감정), J (판단) | P (인식)

04 | 상담의 실제

핵심체크 POINT

1. 상담과정

초기	상담 구조화 - 상담목표 설정, 상담 기간, 시간, 비밀약속
중기	문제 해결하기
후기	성과다지기

2. 상담 시 질문유형
개방적 및 폐쇄적 질문, 간접질문 및 직접질문, 이중질문(이중질문은 피할 것)

3. 상담유형

단기상담	25회 미만으로 대인관계에 초점, 인지행동치료 등 활용
집단상담	4 ~ 8명 정도를 대상으로 발달상의 문제나 생활과정의 문제 대상
가족상담	구조적 가족 상담(체제 이론에 기초)

1 상담의 과정

1. 상담의 진행과정

(1) 초기 단계 - 상담의 틀 잡기(상담의 구조화)

① 내담자 문제의 이해
- ㉠ 도움을 청하는 직접적인 이유를 확인한다.
- ㉡ 문제의 발생 배경을 탐색한다.
  - ⓐ 왜 지금 문제가 되는가?
  - ⓑ 과거에 비슷한 문제는 없었는가?
- ㉢ 문제 해결 동기를 평가한다.

② 상담의 목표 및 진행 방식의 합의
- ㉠ 상담 목표 정하기
  - ⓐ 1차적 목표와 2차적 목표를 정한다.
  - ⓑ 상담 목표 설정 시 고려할 사항
    - 구체적이고 명확히 한다.
    - 현실성 있는 목표를 정한다.
    - 문제를 축약한다.
- ㉡ 상담의 진행 방식의 합의
  - ⓐ 상담 기간 및 시간에 대해 합의한다.
  - ⓑ 바람직한 내담자 행동 및 역할에 대해 안내한다.

③ 촉진적 상담 관계의 형성한다.

(2) 중기 단계 - 문제 해결하기

① 과정적 목표를 설정하고 달성한다.

② 저항이 출현하고 해결한다.

(3) 종결 단계 - 성과 다지기

① 성과 다지기 과정으로서의 종결단계이다.

② 종결의 후유증 극복

㉠ 종결에 대한 부정적 정서 반응을 처리한다.

㉡ 상담자에 대한 의존성을 극복한다.

2. 상담의 기초기술

(1) 상담활동에서 고려해야 할 점 - 내담자와의 관계

① **상담의 구조화:** 새로운 상담관계를 시작하기 전에 상담의 목적과 목표, 상담에서 사용하는 기법, 상담에서 서로 지켜야 할 규칙들, 그리고 상담관계에 영향을 미칠 수 있는 여러 가지 가능한 제한점들에 대해 내담자에게 미리 알려주어야 한다.

② 상담자는 내담자와 이중적 관계 혹은 상담자 자신의 전문적 판단에 영향을 미칠 수 있는 다른 관계를 맺지 않도록 노력해야 한다. 상담시간 동안에는 치료적 관계, 상담시간 이외에는 개인적 관계를 유지하는 것과 같은 이중적 관계는 바람직하지 않다.

③ 상담자와 내담자 사이의 성적(性的) 혹은 애정적 관계는 바람직하지 않다. 이는 내담자에 대해서는 상담자에 대한 의존성을 조장하거나, 상담자에 대해서는 내담자에 대한 객관성을 상실하게 할 위험성이 있다.

(2) 비밀보장의 문제

① 상담에서 드러난 내담자에 관한 정보들은 일종의 위임된 비밀정보로, 정보에 대한 비밀이 지켜지는 조건에서 얻어진 정보이다. 따라서 상담자는 내담자에게 상담에서의 비밀보장을 약속해야 하며 약속된 비밀은 반드시 지켜져야 한다.

② 일반적으로 비밀보장의 약속은 내담자가 자신이나 타인, 혹은 사회에 대해 심각한 위해를 가할 것이 분명한 상황에서는 지켜지지 않을 수도 있다. 이 경우 상담자는 적절한 절차를 거쳐 관련된 기관이나 사람들에게 알릴 수 있다.

예
- 법정의 요구가 있을 때
- 내담 학생이 성적으로 학대받은 사실을 알게 되었을 때
- 내담 학생이 스스로에게 해를 입히려는 의도를 밝혔을 때
- 내담 학생이 부모에게 상습적으로 매를 맞는다는 사실을 알게 되었을 때

(3) 상담자가 지양해야할 태도

① 듣기를 소홀히 하는 것

② 상담과정 중에 상담목표의 설정을 생략하는 것

③ 정보 수집의 실수

④ 자기주장의 실수

⑤ 질문 사용의 실수

⑥ 강의하는 실수

⑦ 이해의 정도를 파악하지 못하는 것
⑧ 모든 대답을 가지고 있는 것

(4) 촉진적 의사소통의 일반적 기술

① 적극적 경청(active listening)
㉠ 시선의 처리: 상담자는 내담자의 눈을 바로 보면서 내담자의 이야기를 잘 듣고 있음을 눈으로 이야기할 수 있어야 한다.
㉡ 적절한 물리적 거리: 내담자가 편안함을 느낄 정도의 적절한 거리를 둔다. 물리적 거리가 너무 가깝거나 멀지 않도록 한다.
㉢ 몸을 약간 내담자를 향해서 앞으로 숙인다.
㉣ 고개를 끄덕이며 반응한다.
㉤ 추임새나 질문을 활용한다.

② 공감적 이해(empathetic understanding): 상담자가 상대방의 입장이 되어 그의 주관적인 세계를 이해하는 것으로 상담자가 제3의 귀를 갖고 상대방의 가슴에 있는 '소리 없는 소리' 또는 '마음의 소리'를 듣는 것을 말한다. 공감적 이해는 내담자를 정서적 및 지적으로 이해하고 있음을 내담자가 알게 하는 것이다.

③ 질문의 기술
㉠ 질문의 유형
ⓐ 개방적 질문과 폐쇄적 질문: 개방적 질문은 내담자가 포괄적으로 대답하여 내담자의 관점, 의견, 생각 그리고 감정까지를 이끌어낼 수 있는 질문으로, 촉진적 관계를 만들어 준다. 반면, 폐쇄적 질문은 한정된 대답만 이끌어내는 질문이다.
ⓑ 간접질문과 직접질문: 간접질문은 넌지시 물어보는 것으로, 문자의 끝에 물음표가 없지만 대답을 해야 하는 질문이다. 반면 직접질문은 직설적으로 물어보는 것이다.
ⓒ 이중질문: 두 개의 질문에 대한 답이 동시에 나오게 하는 질문이다. 상담과정에서 내담자를 혼란스럽게 할 수 있으므로 피해야 한다.
ⓓ 구체적 질문: 추상적이고 미묘한 의미를 담고 있는 질문보다는 구체적인 내용을 담고 있는 질문이 내담자편에서 파악하기 쉽고 대답하기도 용이하다.
㉡ 질문의 시기
ⓐ 상담자가 내담자의 말을 잘못 들었거나, 안들었거나, 그가 무슨 말을 하고 있는지 이해할 수 없을 때
ⓑ 내담자의 생각이나 감정을 명료화할 필요가 있을 때
ⓒ 내담자를 충분히 이해하기 위해서 상세한 정보가 필요할 때
ⓓ 망설임 때문에 말을 더 하지 못할 때

④ 요약하기(summarization)
㉠ 상담이 진행되는 매 회기마다 마지막 부분에 상담자가 내담자가 했던 이야기를 토대로 하여 그 회기의 요점을 정리하는 것이다.
㉡ 요약의 목적은 내담자가 미처 의식하지 못한 부분을 학습시키고 문제해결 과정을 밝히며 자신의 생각과 감정을 탐색하도록 돕는 데 있다.

⑤ 재진술하기(paraphrasing)

㉠ 내담자가 한 말의 의미가 잘 전달이 되지 않았을 때 내담자가 한 말을 그대로 되풀이해서 말하거나 내담자가 한 말의 비슷한 말을 쓰되, 더 구체적이고 분명하게 표현하는 것을 말한다.

㉡ 내담자에게 상담자가 자신의 이야기를 듣고 있으며 내담자를 잘 이해하려는 노력까지 전달하는 부수적인 효과가 있다.

㉢ 상담자의 관점이 아니라 내담자의 관점과 입장을 반영하는 것이어야 한다.

⑥ 자기 개방하기(self-disclosure)

㉠ 내담자가 상담과정 중에 표현하는 어떤 경험이나 생각, 또는 감정과 관련되는 상담자의 체험이나 개인적 정보를 내담자에게 공개하는 것을 말한다.

㉡ 내담자가 자신만이 그런 독특한 경험을 하였다고 믿고 괴로워하였는데, 상담자도 그와 유사한 경험이 있다는 것을 알게 되면서 자기 자신이 정상적이라는 것을 깨닫고 안심하게 되는 효과가 있다.

2 상담기간 및 활용 무대별 상담 유형

1. 단기상담

(1) 특징

① 상담 횟수의 상한선은 25회 정도이다.

② 아동기의 경험보다는 현재 환경에서의 대인관계에 초점을 둔다.

③ 인지행동치료, 위기상담, 절충적 접근 등의 접근 방법이 있다.

④ 대표자로는 알렉산더(Alexander), 프렌치(French), 발린트(Ballint), 다란루(Davanloo), 말란(Malan), 루보스키(Luborsky) 등이 있다.

(2) 단기상담이 요구되는 이유

① 내담자들은 상담을 받고자 할 때 대개 상담이 장기간 진행될 것으로 생각하지 않는다. 구체적인 문제를 빨리 해결하려고 상담자를 찾아온다.

② 상담자들은 본인이 원하든 원하지 않든 간에 실제로 단기상담을 하게 된다. 상담자의 이론적 입장에 관계없이 내담자와 상담하는 횟수는 평균적으로 6 ~ 8회 정도에 불과하다.

③ 적용 범위와 관련해서 처음에는 내담자의 지적, 정서적, 동기적 수준이 높아야 하고 내담자의 문제도 단순하고 구체적이어야 한다고 보았으나, 실제로 단기상담은 심하고 만성적인 문제에도 상당한 효과가 있는 것으로 밝혀지고 있다.

④ 단기상담은 장기상담만큼 효과가 있는 것으로 알려져 있으며, 비용면에서도 장기상담은 내담자에게 많은 부담을 준다. 따라서 자연스럽게 단기상담이 많이 이루어지게 되었고 상담자는 단기상담의 절차와 기법을 배우게 되었다.

(3) 목표

① 내담자들이 가장 절실히 느끼는 불편함을 없애고, 합리적이고 적절한 수준에서 기능하도록 돕는다.

② 내담자들이 미래의 문제들을 잘 다루고 미리 예방할 수 있도록 대처 기술을 개발한다.

③ 장기상담에 비해 더 문제해결 중심적이고 지시적이다. 즉 내담자가 이전보다 더 생산적인 방식으로 자신의 문제를 극복하고 미래의 어려움을 다룰 수 있도록 단기적으로 도와주기 위해서이다.

(4) 단기상담에 적합한 내담자

정신병, 경계선적 장애, 중독 등과 같은 심각한 장애를 가진 내담자는 제외되고, 불안이나 우울이 주요 문제인 경우에 도움이 된다. 단기상담은 내담자를 특별하게 제한하지 않는다.

(5) 상담자의 역할

① 상담자는 단기상담이 가치 있고 바람직한 시도라는 견해를 가져야 한다.

② 단기상담에서는 시간을 효율적으로 사용하기 위해 상담자는 적극적인 참여자가 되어야 한다.

③ 단기상담에서 상담자의 적극적 역할을 강조하는 것은 상담자가 항상 언어적으로 적극적이어야 하고 해석과 지시를 많이 제공해야 한다는 것을 의미하지는 않는다.

2. 집단상담

(1) 특징

① 한 사람의 상담자가 동시에 여러 명의 내담자들을 상대로 각 내담자의 관심사·대인관계·사고 및 행동양식의 변화를 가져오게 하려는 노력을 말한다.

② 전문적인 훈련을 받은 한 명의 상담자가 동시에 4 ~ 8명의 내담자들과 대인관계를 맺게 된다.

③ 내담자들의 병리적 문제보다는 주로 발달의 문제, 생활과정의 문제를 다룬다. 대인관계에 관련된 태도, 정서, 의사결정과 가치문제 등에 초점이 맞추어진다.

④ 집단상담에서 상담자의 역할은 내담자 개개인의 문제해결에 치중하기보다는 집단성원들 간에 생산적인 상호교류가 이루어지는 '집단풍토'를 형성하고 유지하게 하는 데 있다.

(2) 집단상담과 개인상담의 공통점과 차이점

① **공통점**: 집단상담이든 개인상담이든 효과적인 상담이 되려면 상담자는 '촉진적' 조건을 조성해야 한다. 공통적 구비 조건은 다음과 같다.

㉠ 가치 있는 개인으로 수용이 되는 것

㉡ 자신의 행동에 대한 책임감을 갖는 것

㉢ 인간행동에 대한 이해를 심화시키는 것

㉣ 개인의 정서적 생활의 다양성을 탐색하고, 충동적 정서를 통제하는 데 있어서 전보다 더 자신을 얻는 것

㉤ 자신의 관심과 가치를 검증하고, 그 결과를 실제 생활과정과 행동 계획에 통합시키는 것

② **차이점**: 내담자에 따라 집단상담보다는 개인상담이 더 잘 적용되는 경우도 있고, 그 반대의 경우도 있다. ㉠ 내담자가 매우 복잡한 위기적인 문제를 가졌거나 전반적으로 대인관계의 실패자인 경우, ㉡ 집단 앞에서 이야기하는 데 대한 두려움이 너무 큰 경우, ㉢ 남의 인정과 주목에 대한 욕구가 너무 강하기 때문에 집단상황에 맞지 않는 경우는 개인상담이 효과적일 수 있다.

(3) 목표

① 감정의 바람직한 표현 및 발산을 촉진한다.
② 자기 문제에 대한 질문과 해결을 권장한다.
③ 집단생활에의 자아 개념의 강화 및 협동성을 향상시킨다.
④ 대인 관계 기술을 향상시킨다.

(4) 집단규모

집단의 크기는 4 ~ 8명 사이가 이상적이며, 모임의 빈도는 일주일에 한 번 혹은 두 번 정도가 보통이다. 모임시간은 한 시간에서 두 시간 정도가 바람직하다.

(5) 구조적 특성

① **집단 지도성**: 민주적 토론식 혹은 참여적 지도성
② **집단의 크기**: 4 ~ 8명 정도로 하되 내담자의 성숙도, 주의력, 타인에게 관심을 가질 수 있는 능력에 따라 크기가 결정된다. 아동은 더 적은 인원과 짧은 시간으로 진행된다.

(6) 단계

① 탐색 - 방황
② 자기중심 - 경쟁
③ 타인과의 비교 - 갈등
④ 집단 중심 - 순응
⑤ 집단과의 개인적인 융화의 단계

(7) 과정

① **참여 단계**: 상담자는 상담집단의 분위기를 형성하고 유지시키는 책임을 진다. 각 구성원들에게 왜 이 집단에 들어오게 되었는가를 분명히 해주고 서로 친숙하게 해주며, 수용과 신뢰의 분위기를 형성하여 집단상담에서 새롭고 의미 있는 경험을 가지도록 이끌어 준다.
② **과도적 단계**: 참여 단계에서 생산적인 작업 단계로 넘어가도록 하는 '과도적' 과정이다. 이 단계의 성공여부는 주로 상담자의 태도와 기술에 달려 있다. 이 단계의 주요 과제는 집단원들로 하여금 집단에 참여하는 과정에서 일어나는 망설임, 저항, 방어 등을 자각하고 정리하도록 도와준다.
③ **작업 단계**: 가장 핵심적인 부분이다. 대부분의 집단원들이 자기의 구체적인 문제를 집단에 가져와서 활발히 논의하며 바람직한 관점과 행동방안을 모색한다. 상담자는 구성원들이 대인관계를 분석하고 문제를 다루어 나가는 데 자신감을 얻도록 도와주는 존재이다. 작업 단계에서는 높은 사기와 분명한 소속감을 갖는 것이 특징이다. 집단원들은 '우리 집단'이라는 느낌을 갖게 된다.

④ **종결 단계:** 상담자와 집단원들은 집단상담 과정에서 배운 것을 미래의 생활에 어떻게 적용할 것인가를 생각한다. 상담자는 언제 집단을 끝낼 것인가를 결정해야 한다. 이 단계에서 적용되는 원리는 집단에서 경험하고 배운 것을 일상생활에서 적용할 수 있다는 것, 자신을 더 깊이 알고 자신과 타인을 수용하면서 살아갈 수 있다는 것이다.

(8) 변화를 위한 내담자 행동

집단 내 내담자의 행동변화에는 타인의 반응을 위한 순응, 타인과의 관계 형성, 유지를 위한 동일시, 타인의 가치 체계와 자기 행동 및 신념의 일치를 유지하기 위해 타인의 영향을 받아들이는 내면화 등의 심리적 과정이 작용한다.

(9) 효과적인 집단상담의 특성

① 상담자는 내담자의 참여 의식을 높이고 분명하고 구체적인 기대를 갖도록 한다.

② 또한 상담자는 내담자에게 집단에의 소속감 및 책임감을 갖도록 하고, 바람직한 분위기 및 생산적인 긴장이 조성될 수 있도록 한다.

③ 집단의 매력은 내담자 자신이 갖는 목표의 중요성, 다른 구성원과의 친숙감 및 인기 구성원의 포함여부에 따라 영향 받는다.

④ 집단의 바람직한 규범은 솔직히 이야기하고, 서로를 존경하고 집단 내의 의사표현이 자유롭고, 구성원 간 신뢰감이 있으며, 타인의 이야기를 경청하고 반응해 주는 행동이다.

> **참고**
>
> **나 - 전달법(sending I-message)**
>
> 말하는 사람이 집단의 다른 구성원이나 상담자에게 '나'를 주어로 하는 메시지를 보내는 것을 말한다. '너 전달법'이 상대방을 좌지우지하거나 공격하거나 나무라거나 탓하는데 사용되는 어법인 반면, '나 전달법'은 자신의 감정이나 생각을 솔직하게 표현하여 상대방에게 알려준다. 이 기법은 개인상담에서도 사용된다.

3. 가족상담

(1) 정신역동적 가족상담

① 일반적으로 정신분석학은 가족과 같은 사회체제보다는 개인에 초점을 둔다.

② 애커만(Ackerman)은 가족문제는 개인이 아닌 부부와 가족체제에서 나타나는 무의식적이고 기능장애적인 행동 방식을 의미하는 연동 병리학(interlocking pathologies)에서 초래한다고 보았다.

③ 가족 구성원의 성격을 변화시켜 그들이 서로 건강하고 생산적인 방식으로 생활할 수 있도록 도와주는 것을 주요 목표로 한다.

(2) 행동주의적 가족상담

① 가족의 규칙과 기술 훈련을 강조하며, 행동은 선행된 학습보다 결과에 의해 결정된다고 본다.

② 행동주의에서는 문제시되는 행동을 수정하고자 한다.

③ 대부분은 새로운 행동을 가르치고, 모델링하며, 강화하는 과정을 통한 쌍방적인 상호작용에 초점을 둔다.

④ 행동주의자들은 부정적인 행동을 감소시키는 것보다는 긍정적 행동을 증가시킴으로써 변화가 잘 이루어진다고 본다.

⑤ 주로 부모의 행동주의적 훈련[패터슨(Patterson)], 행동주의적 결혼상담[스튜어트(Stuart)], 성기능 장애 치료[로피콜로(LoPiccolo)] 등의 영역에 초점을 둔다.

(3) 구조적 가족상담

① 미누친(Minuchin)에 의해 발전되었으며 일반체제이론을 기초로 하여 주로 가족의 하위체제 내의 변화하는 상호작용과 가족 간의 명확한 위계를 정하는 데 관심을 갖는다.

② 상담상황에서 지도자의 위치로 가족상담을 진행한다.

③ 상담하는 가족의 구조를 확실히 인지하고 가족 기능장애의 유형이 어떻게 생겨나는지를 알아낸다. 그 후 가족 구성원의 활동 변화를 목적으로 다양한 치료방법을 이용한다.

④ 치료기술 가운데 가장 중요한 것은 가족을 상호작용으로 치료한다는 점이다.

⑤ 가족의 구조를 변화시키고 문제를 재구성하며, 부모의 책임하에 위계를 설정하고 경계와 상호작용의 방법을 명확히 함으로써 가족이 생산적이고 건전하게 기능할 수 있도록 도와주게 된다.

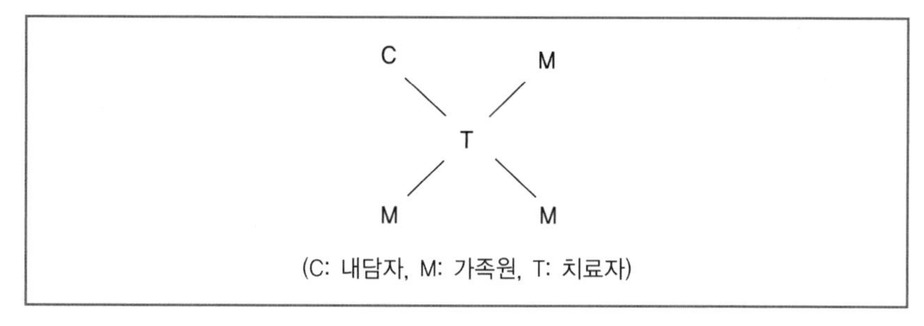

(C: 내담자, M: 가족원, T: 치료자)

(4) 문제해결 가족상담

① 형성과정

㉠ 에릭슨(M. Erikson)의 연구에 근거를 둔 것이다. 그는 사람들이 자신의 문제를 스스로 해결할 수 있는 수단과 능력을 가지고 있다고 보며, 개인에게 있어서 사소한 변화가 종종 문제 상황에서 더욱 난해한 변화를 가져오는 중요한 계기를 만든다고 설명한다.

㉡ 그 후 헤일리(J. Haley)와 드쉐이저(Steve de Shazer)에 의해 문제해결 가족상담으로 형성되었다.

② 기본입장

㉠ 문제해결 가족상담가들은 내담자가 가지고 있는 문제는 대부분 스스로가 만들어 내는 것으로 본다. 따라서 상담가들은 내담자들이 자신의 상황에 대하여 다르게 인식하도록 유도한다.

㉡ 내담자의 문제행동에 대한 긍정적인 면을 강조하며 역기능적으로 보이는 행동이라도 온당하고 이해할 만한 것으로 해석함으로써 맥락을 변화시키고 내담자로 하여금 새로운 맥락에서 다르게 행동하도록 만든다.

㉢ 부정적으로 집중된 개인의 사고를 긍정적으로 강조함으로써 개인에게 나타나는 현실적인 문제를 해결하는 데 초점을 둔다.

05 | 청소년 비행이론

핵심체크 POINT

1. 고전적 이론

특성 - 요인이론	생물학적 혹은 심리적 요인을 비행의 원인으로 간주
아노미론	문화구조와 사회구조의 차로 인해 비행 발생
차별접촉이론	비행의 학습효과 강조
비행하위문화론	아노미 이론과 차별접촉이론을 결합

2. 최근 이론

낙인이론	상징적 상호작용론에 기초해서 행위자의 낙인 여부가 비행의 원인
사회통제이론	가정 - 학교 - 사회의 유대관계가 비행의 원인

1 고전적 이론

1. 특성·요인 이론

(1) 생물학적 요인[롬브로소(Lombroso), 쉘던(Scheldon)]

비행의 원인을 생물학적 요인, 즉 가계, 혈통, 체형 그리고 신경 호르몬 등으로 보고, 연구하는 것을 말한다.

(2) 심리학적 요인[프로이드(Freud)]

비행의 원인을 심리학적 요인(예 부모의 양육 태도, 본능, 모방 학습 등)으로 설명한다.

2. 아노미(Anomie) 이론

(1) 특징

① 머튼(Merton)이 주장하였다.
② 사회구조적 맥락에서 가난과 범죄와의 연관성을 설명한다.
③ 사회를 구성하는 기본적인 기둥으로서 문화구조와 사회구조를 강조하며, 문화구조와 사회구조 사이에서 발생되는 괴리 현상을 아노미라고 한다.

(2) 문화구조와 사회구조

문화구조	가치, 규범과 같이 사람들의 의식이나 태도를 결정하는 요소로, 문화구조는 그 사회에서 바람직한 가치를 규정하고 사회구조는 그러한 가치를 실현할 수 있는 구조적 가능성을 결정한다.
사회구조	지위나 역할과 같이 사회의 위계 서열로 나누는 요소이다.

(3) 이론적 논의

① 안정된 사회는 문화구조와 사회구조 사이에 괴리가 없으나, 불안정한 사회는 괴리가 발생한다. 위계서열에서 불리한 위치를 차지하고 있는 사람들은 이 괴리를 더 크게 느끼게 된다.

② 자본주의 사회에서 가장 중요한 가치는 물질적 성공, 즉 부의 축적이다. 이러한 가치는 모든 사람들이 공유하고 있으며, 이러한 물질적 성공은 합법적이고 제도적인 수단을 통해서 이루어져야 한다. 즉, 훌륭한 교육을 받아 좋은 직장을 얻어 열심히 일하는 것을 통해서 물질적으로 성공할 가능성이 높아진다. 그러나 모든 사람에게 이러한 기회가 똑같이 주어지는 것은 아니며 하층 사람들에게는 특히 불리하다.

예 부자가 되고 싶으나 부자가 될 합법적 방법이 제한되어 있는 사람은 아노미(Anomie)를 체험하게 되며, 그 결과 비합법적인 방법으로라도 부자가 되려고 하는 과정에서 법을 위반하게 되어 범죄를 저지를 가능성이 높아진다.

③ 사회적 일탈은 사회화에 대한 구성원들의 열망과 사회가 그러한 열망을 실현하는 데 제공해주는 방식이 서로 다르기 때문에 발생한다고 본다.

3. 차별접촉이론(Differential Association Theory, D. A. T)

(1) 특징

① 서덜랜드(Sutherland)와 크래시(Cressey)가 주장하였다.

② 가난과 범죄 사이의 관계를 아노미 이론보다 더 문화적 맥락에서 접근하였다. 즉, 가난한 지역에 범죄를 조장하는 문화가 존재한다는 가정에서 출발한다.

(2) 이론적 논의

① 인간의 행동은 정상적인 행동과 일탈적인 행동 모두 학습된다고 가정한다.

② 모든 사람들은 서로 다른 가치관을 지닌 여러 집단들과 접촉하게 되는데, 그들은 자신이 가장 많은 시간을 보내고 자기들에게 가장 중요한 집단의 규범을 내면화시키는 경향이 있다.

③ 차별적인 접촉과정에서 범죄의 기술도 학습되지만 더 중요한 것은 범죄에 대한 우호적인 태도나 가치, 즉 법을 위반하는 행동에 대한 허용적인 태도를 배우게 된다는 것이다. 특히 주로 친밀한 집단 내의 상호작용을 통해서 이러한 가치와 태도를 배우게 된다.

4. 비행하위문화이론

(1) 특징

① 코헨(Cohen), 클라워드와 올린(Cloward & Ohlin) 등이 제시하였다.

② 아노미 이론과 차별접촉이론을 통합한 것이다.

(2) 이론적 논의

① 차별접촉이론으로부터 범죄 및 비행은 학습된다는 것을 받아들였고, 아노미 이론으로부터 왜 가난한 지역에 하위문화가 존재하는지에 대한 설명을 받아들였다. 즉, 가난한 지역의 청소년들은 중산층 문화가 지배적인 미국사회에서 자신들의 지위를 획득하기가 힘들기 때문에 자기들에게 유리한 문화를 형성하게 된다.

② 비행하위문화: 중산층 문화에 대한 반동으로 형성된 것이기 때문에 중산층 문화와는 대립적인 성격을 지닌다. 중산층 문화에서 규율과 준법정신을 강조한다면, 비행하위문화에서는 법 위반에 대한 허용적인 태도를 형성하게 된다.

③ 중산층 이하의 계층은 기회박탈에 대한 반응으로 비행집단을 형성하게 되고 이러한 집단형태가 지속됨에 따라 자신들의 비행을 합리화하는 신념이나 가치관을 발전시킨다고 설명한다.

참고

편류이론(Drift theory)

일상생활에 적응하지 못하고 일탈해서 방황하다가 일정 기간이 지난 후 다시 제 모습을 찾아 돌아온다는 이론으로 마자(D. Matza)와 사이크스(Sykes)가 주장하였다. 이 이론은 청소년 비행이란 일시적인 하나의 편류현상과 같은 것으로 청소년들은 때때로 정상에서 벗어난 행위를 하지만 이런 행위는 어디까지나 일시적인 현상일 뿐 언젠가는 다시 정상으로 되돌아온다는 것이다. 따라서 일시적인 일탈행위를 저지를 때 청소년들은 빈번히 그들의 비정상적인 행위를 합리화시키려고 하며, 일탈행위와 정상행위를 서로 중화시켜보려고 하는 변명을 중화화(neutralization)라고 한다.

2 최근 이론

1. 낙인이론(labeling theory)

(1) 특징

① 상징적 상호작용론에 기초해서 레머트(Lemert)와 베커(Becker) 등이 주장하였다.

② 행위자에 대한 낙인 여부가 비행 소년을 낳는 원인이라고 본다.

③ 기존의 이론과는 달리 비행청소년과 정상소년은 범죄 성향에 있어 차이가 없다고 본다. 다만 비행 청소년으로서의 주위의 낙인여부의 차이가 비행의 여부를 결정하게 된다.

(2) 이론적 논의

① 낙인과정: 누구나 우연한 기회에 사소한 일탈의 가능성에 놓이게 되는데 이러한 일탈이 범죄로 규정되고 그 행위자에 대해 범죄자로 '낙인'이 주어지면 그 행위자는 더욱 심각한 범죄를 저지르게 된다.

② 한 번 범죄자로 낙인이 되면 비행 청소년으로서의 자아가 형성되어 계속적으로 비행을 저지르게 된다.

③ 낙인의 결과는 자기 충족적 예언이 되고 결국 일탈자라는 낙인이 찍히게 되면 그 운명을 받아들이게 되어 일탈행동에 대한 합리화를 배우게 된다.

(3) 교실에서의 낙인과정

① 교실에서 교사가 학생을 유형화하는 과정을 3단계로 나누어 학생의 일탈행동이 형성되는 과정을 연구한 하그리브스(Hargreaves)는 학생의 일탈행동이 구체적인 학교 규칙의 위반으로 인한 것이라기보다는 교사가 학생의 행동을 일탈로 규정하는 태도에 의해 결정된다고 보았다.

② 유형화의 단계

제1단계	교사가 학생을 처음 만나 그들에 대해 가정하기 시작하는 모색(speculation) 단계이다.
제2단계	교사가 학생에 대한 인상을 명료화(elaboration)하는 단계이다.
제3단계	교사가 학생을 범주화하여 공고화(stabilization)하는 단계이다.

2. 사회통제이론(사회유대이론, social bonding theory)

(1) 특징

① 허쉬(Hirschi)가 주장하였다.

② 인간은 누구나 선천적으로 일탈 및 비행의 성향을 갖고 태어났다고 보기 때문에 비행성향이나 비행 동기는 비행의 원인이 될 수 없다.

③ 비행성향을 통제해 줄 수 있는 사회에의 유대가 원인으로, 어떤 개인이 사회에의 유대가 강하면 비행성향을 통제할 수 있게 되어 비행을 저지르지 않는다. 그러나 그 유대가 약하게 되면 비행을 통제할 수 없어 자연적으로 비행을 저지르게 된다.

④ 가정, 학교, 친구와의 유대를 강조한다.

(2) 사회 통제의 요인

중요한 타인에 대한 애착 (attachment)	애착은 감정적 혹은 정서적 구성요소로 가족, 친구, 그리고 학교에 대한 청소년들의 결속에 관심을 갖는다.
관례적 행위에 대한 전념 (commitment)	전념은 비용적 요소를 말하는 것으로 관례적 행동에 투자한 것을 잃을 위험을 말한다.
관례적 행동에 대한 개입 (involvement)	개입은 기회적 구성요소를 말하는 것으로 비행을 저지를 기회는 동조에 대한 사회적 가치를 증진시키는 관례적 행위에 대한 참여의 질과 양에 역으로 관련된다.
도덕적 요소로서의 믿음 (belief)	믿음은 사회나 집단 내부에는 그 규범이 위반되고 있는 공통적 가치체계가 존재한다는 가정에 기초한 것이다. 사람들이 그러한 규칙에 복종해야 한다는 믿음이 적으면 적을수록, 규칙을 위반할 가능성이 더욱 커진다.

(3) 사회통제이론의 특수유형

① **봉쇄이론[containment theory, 레클리스(Reckless)]**: 학교사회에서 거듭된 실패와 소외감을 경험한 학생들이라고 해서 모두 비행에 빠지는 것이 아니라 학업성취가 극히 저조하고 학교활동에서 소외된 학생들 중에도 스스로를 비행으로부터 봉쇄 혹은 견제하는 긍정적 자아개념을 가진 학생은 같은 실패에도 불구하고 비행에 빠지지 않도록 하는 강력한 내면적 억제력이 있다고 본다.

② **제지이론[deterrence theory, 짐링 & 호킨스(Zimring & Hawkins)]**: 제지이론은 외적 사회통제의 수단에 의한 처벌을 비행예방의 가장 효과적인 수단으로 본다. 인간은 합리적이므로 범법행위에 수반되는 이득과 대가를 합리적으로 계산하여, 처벌의 가혹성, 확실성, 즉시성 등 3차원에 관심을 갖는다.

秀 POINT 최근 이론의 기본입장

1. 비행의 원인을 설명하는 원인론의 입장을 반대한다. 특히 기존의 이론이 비행 청소년과 정상 소년 간에 근본적인 차이가 있다고 가정하고 그 차이를 설명하는 입장을 반대한다.
2. 비행의 과정이라는 사회심리학적 요인을 더 강조하고 집단의 차이보다는 개인의 차이에 관심을 갖는다.

참고

일반이론[general theory, 고트프린슨 & 허치(Gottfredson & Hirsch)]

이 이론은 어릴 때 형성된 자기통제력이라는 내적 성향 요소가 다양한 문제행동, 청소년 비행과 성인 범죄의 중요한 원인임을 강조한다. 자기통제력은 순간 만족과 충동성을 조절할 수 있는지, 스릴과 모험을 추구하기보다는 분별력과 조심성이 있는지, 근시안적이기보다 앞으로의 일을 생각하는지, 쉽게 흥분하는 성격인지를 말한다. 이는 어릴 때 부모의 양육방법에 의해 결정되며 부모로부터 감독이 소홀하거나 애정 결핍 속에 무계획적 생활습관이 방치되고 잘못된 행동에 제재가 없이 자란 아이들은 내적 통제력이 낮아 우연한 비행기회에 우발적이고 충동적으로 쉽게 비행에 빠져들 수 있게 된다.

기출문제

다음 설명에 해당하는 청소년 비행 관련 이론은? 2023년 지방직 9급

- 일탈행위가 오히려 정상행동이며, 규범준수행위가 비정상적인 행동이다.
- 인간의 본성은 악하기 때문에 사람은 항상 규범을 위반할 수 있으며, 개인과 사회 간의 결속이 약화될수록 일탈할 확률이 높아진다.

① 낙인이론 ② 사회통제이론
③ 아노미이론 ④ 차별접촉이론

해설

사회통제이론(사회유대이론, social bonding theory)은 허쉬(Hirschi)가 주장하였다. 이 이론에 의하면 인간은 누구나 선천적으로 일탈 및 비행의 성향을 갖고 태어났다고 보기 때문에 비행 성향이나 비행 동기는 비행의 원인이 될 수 없다.

답 ②

秀 POINT 중요 개념

- □ 정치(定置)활동
- □ 추수활동
- □ 인성이론
- □ 구조화
- □ 자유연상
- □ 저항
- □ 공감적 이해
- □ 논박
- □ 인지오류
- □ 현실상담
- □ 정적 강화
- □ 부적 강화
- □ 간헐 강화
- □ 프리맥(Premack) 원리
- □ 상호억제
- □ 전경과 배경
- □ 차별접촉이론
- □ 낙인이론

MEMO

VII

교육사회학

01 | 교육사회학의 성립과 발전

핵심체크 POINT

1. 교육적 사회학과 교육의 사회학

교육적 사회학 (educational sociology)	교육목적이나 내용의 사회적 결정(규범적 성격)
교육의 사회학 (sociology of education)	사회학의 연구방법을 교육에 적용, 교육사회학을 이론화

2. 교육사회학의 연구방법

양적 접근 (규범적 접근)	인간의 사회적 행동은 규칙적이며, 이는 자연과학적 방법(실증적 방법)으로 연구 가능
질적 접근 (해석학적 접근)	인간의 사회적 행동은 공유된 규칙에 따르는 것이 아니라 개별적으로 이해 혹은 해석(해석학)

1 교육적 사회학과 교육사회학

1. 교육적 사회학(Educational Sociology, 1920 ~ 1940년대)

(1) 개념

교육목적이나 교육내용의 사회적 결정 등 실천적·규범적·응용적 연구를 말한다. 즉 교육적 사회학은 사회학의 지식을 교육 실천에 응용하려는 실천 지향적 교육사회학이다.

(2) 역사

① 교육목적이나 교육내용에 대한 사회학적 접근 경향은 주로 교육학자들이 사회학적 지식을 응용하여 교육실천을 향상시키려는 데 목적을 두고, 학문 영역상 교육학의 하위 영역에 속한다고 할 수 있다.

② 스펜서가 교육목적과 교육내용을 사회학적으로 연구하였고, 듀이가 『학교와 사회(1899)』에서 교육과 사회와의 관련성을 논의하였다. 교육적 사회학은 스잘로(H. Suzzalo)가 콜럼비아 대학교에 Educational Sociology 강좌가 개설되면서 비롯되었다.

(3) 한계

교육적 사회학으로서의 접근은 학문적 엄격성과 방법론적으로 정밀하지 못하다.

2. 교육사회학(Sociology of Education, 1950년대 이후)

(1) 특징

① 사회학의 연구방법을 교육에 적용, 방법의 과학화를 시도하였다. 이런 연구경향을 사회학 지향적 교육사회학이라고 하며, 1950년대 이후 본격화되었다.

② **연구경향**: 과학으로서의 교육사회학은 교육현실에 대한 정확한 진단과 설명을 위한 가치중립적이며 이론적 탐구를 지향하고자 하였다. 사회학의 주류를 형성하였던 기능주의적 시각에서 주로 학교교육의 사회적 기능, 사회적 선발, 교육의 기회균등, 교육의 효율성 등을 탐구하였다.

(2) 역사

① 1963년 전문학술지인 『Sociology of Education』(이는 기존의 『Educational Sociology』의 제호를 바꾼 것임)을 발행함으로써 교육사회학의 학문적 위치가 확고해지는 계기가 되었다.

② 사회학 지향적 교육사회학의 기초를 놓은 사람은 뒤르케임(Durkheim)이었다.

3. 갈등론적 교육사회학

1960년대 중반 미국에서 대두되었다. 갈등론은 교육에 대한 마르크스주의(Marxism)의 관점을 반영한다.

4. 신교육사회학(New Sociology of Education)의 대두

(1) 신교육사회학(특히 교육과정 사회학)은 1970년대 영국에서 발전하였다.

(2) 신교육사회학(교육과정 사회학)은 학교지식의 본질과 분배과정 및 사회적 기능을 주 연구대상으로 한다. 신교육사회학 혹은 미시적 교육사회학의 발전에 공헌을 한 사람은 번스타인(B. Bernstein)과 영(Y. D. Young)이었다.

(3) 사회학 지향적 교육사회학과 교육과정 사회학은 주로 사회학자들이 교육의 사회적 성격을 탐구하여 사회학 이론을 발전시키는 데 목적을 두고 있으며, 교육사회학을 사회학의 하위 영역으로 다룬다.

2 교육사회학 이론의 접근방법

1. 거시적 접근

(1) 사회 문화적 요인을 사실적인 것이 아니라 당위적인 것으로 보아 규범적 접근(paradigm)이라고도 한다. 윌슨(Wilson)은 거시적 접근을 규범적 접근, 미시적 접근을 해석학적 접근으로 구분하였다.

(2) 양적 연구 지향

인간의 행위가 규칙에 의해 지배되고 있다는 관점에서 이를 자연과학의 접근모델을 적용하여 사회현상의 규칙 발견에 중점을 둔다.

(3) 거시적 접근에는 기능론과 갈등론이 있다.

패러다임(paradigm)

1. 쿤(Kuhn)에 의해서 보급되고 일반화된 용어로, 과학적 조사의 전통을 마련해 주는 모델을 제공해주는 것으로서 실제적인 연구에 동원되는 법칙·이론·적용·도구 등의 모든 것을 포함하고 있는 본보기를 지칭하는 것이다.
2. 좁게는 패러다임이 이론과 동일하게 취급되기도 한다.

(4) 교육사회학에서 거시적 접근은 학교체제와 사회체제의 관련 속에서 교육현상을 연구한다.

예 어떤 회사에 노사분규가 발생해서 파업데모가 발생했을 경우 그 파업에 참가한 개개 노동자들을 분석하기보다는 파업의 전체로서의 성격을 나타내는 참가 노조원 수, 격렬성의 정도, 요구사항 등을 분석한다. 이는 파업의 전체적 성격이 개인 참가자들의 사고나 감정 및 행동에 미친 영향들과 연관된다.

2. 미시적 접근

(1) 베버(M. Weber)의 전통을 이어 받아 해석학적 접근(paradigm)이라고도 한다.

(2) 해석학적 접근

인간의 사회적 행위는 일정하게 공유된 규칙에 따르는 것이 아니라 행위자는 서로의 행동을 의미 있는 것으로 받아들이고 그것을 해석 혹은 정의하는 가운데 상호행위를 영위한다는 관점에서 행위자의 행위에 초점을 두고 이를 이해 혹은 해석하고자 한다.

(3) 신교육사회학은 미시적 접근을 강조한다(질적 연구지향).

예 노사분규의 문제를 분석할 때 집단행동의 전체 성격보다는 참가자 개개인의 참가동기·행동방식·감정상태 등을 분석하고 종합하여 그 분규의 성격을 규명한다.

참고

규범적 패러다임과 해석적 패러다임의 비교

규범적 패러다임	해석적 패러다임
교육과 사회의 관계에 대한 거시적 접근	교육의 내적 과정에 대한 미시적 접근
연역적 사고가 지배적	귀납적 사고가 지배적
양적 연구	질적 연구
이론, 법칙, 가설의 인과적 법칙에 의한 설명	사회적 사실의 의미에 대한 해석의 상대적 가치 중시
기능주의와 갈등주의 패러다임의 교육사회학	해석학적 패러다임의 교육사회학
구교육사회학	신교육사회학

秀 POINT 뒤르케임(E. Durkheim)의 교육사상

1. 배경

뒤르케임(1857 ~ 1917)이 살던 당시의 프랑스는 농촌사회가 붕괴되고 도시 산업화로 이행해가는 과정에 있었고, 유럽 전 사회가 변화와 갈등의 와중에 있었던 시기였다. 이런 병화(病禍)와 갈등의 상황 속에서 연대적 질서와 도덕을 강조하는 뒤르케임의 사회학 이론이 형성되었다.

2. 교육의 본질과 역할

① 교육은 아직 사회생활에 준비를 갖추지 못한 어린 세대들에 대한 성인 세대들의 영향력 행사이며, 그 본질은 사회화이다.
② 교육은 그 기원에 있어서나 그 기능에 있어서 반드시 '사회적인 것'이다. 따라서 학교교육은 사회적 기능을 수행하기 때문에 국가가 관여해야 한다.
③ 교육목적은 전체 사회로서의 정치 사회화와 그가 종사해야 할 특수 환경의 양편에서 요구하는 지적·도덕적·신체적 특성을 아동에게 육성·계발하는 일이다.
④ 전체 사회가 그 사회의 존속에 필요한 동질성을 유지해주고, 산업사회에서 각 직업집단은 사회 존속에 필요한 다양한 기능(분화와 협동)을 수행한다. 전자를 위해 보편적 사회화를, 후자를 위해 특수 사회화를 시켜야 한다.
⑤ 그는 교육을 사회화 과정으로 파악하고 또한 도덕교육을 강조하였다. 사회화란 집합표상, 집단적 의식을 내면화시키는 일이다. 집합표상은 개인을 초월한 그 자체의 실체로 존재하며 이는 그 구성원의 개인으로 환원이 불가능하다.

3. 도덕교육론

① 도덕이란 한 사회의 도덕적 실재를 반영하는 행위 규칙의 체계이다.
② 도덕은 사회의 변화에 따라 달라지며, 한 사회에서도 사회가 변화하면 달라진다.
③ 체벌은 규칙에 대한 반감을 줄 수 있으므로 규칙에 대한 존경심과 권위를 지키기 위해 금지되어야 한다.
④ 누구에게나 요구되는 도덕성의 요소는 규율, 집단에 대한 애착, 자율성이다.
⑤ 학교에서 학생들이 도덕적 규칙의 권위를 받아들이도록 하기 위해 교사의 권위는 존중되어야 한다.

4. 교육과학의 본질과 임무

① 뒤르케임은 당시 유럽의 사변적 교육학과 교육을 주로 개인적이고 심리적인 측면에서 보는 경향을 반대하였고, 경험과학으로서의 교육과학 및 사회적 사실로서의 교육현상에 대한 분석을 강조하였다.
② 교육에 관한 활동의 분야는 ㉠ 교육에 관한 과학적 연구로서의 교육과학, ㉡ 교육을 실현시키기 위한 방법으로서의 교수학(pedagogy), ㉢ 교육실천의 분야로 구분하였다.

5. 교육과학의 사회학적 방법론

① 교육은 아직 미숙한 인간(생물적 존재)을 새로운 인간(사회적 존재)으로 창조하는 일이다. 교육의 목적이 사회적인 것이기 때문에 이 목적을 달성시키기 위한 수단도 필연적으로 사회적인 성격을 띠게 된다.
② 교육은 하나의 사회적 사실(social facts)이다. 사회적 사실이란 개인에 대해서 외재(外在)하면서 동시에 개인의 의식이나 욕구에 관계없이 개인의 행위에 대해서 강제력을 갖는 일단의 현상을 말한다. 그에 의하면 사회적 사실은 사물과 같은 성질을 가진 것이며, 사회학이 과학이 되려면 자연과학이 그 대상을 다루는 방법과 같이 객관적 방법으로 다루어야 한다. 교육현상도 심리현상이 아니라 사회현상이다.

6. 교육사회학의 연구방법

① 교육에 관한 사회적 사실들과 그것들의 사회적 기능을 밝힌다.
② 교육과 사회 및 문화 변화 간의 관계를 밝힌다.
③ 교육체제의 여러 유형을 비교하고 문화적으로 연구한다.
④ 살아있는 사회체제로서의 학교와 학급을 탐구한다.

02 교육사회학 이론 - 거시 구조적 관점

1. 기능론의 교육사회학
   사회는 하나의 생물학적 유기체와 같다고 전제, 콩트(Comte), 스펜서(Spencer), 뒤르케임(Durkheim) 등

기술기능론	산업기술의 고도화에 따른 높은 기술인력 양성의 필요성 강조[클라크(B. Clark)]
인간자본론	교육에 대한 투자는 경제성장과 개인의 소득증대에 기여[슐츠(Schultz), 베커(Becker)]
근대화론	교육과 근대적 가치관 습득과의 관계 연구[인켈스(Inkeles)]
지위 획득론	교육과 개인의 직업획득, 혹은 사회적 상승이동과의 관계 연구[블라우와 던컨(Blau & Duncan)]
국민통합론	근대 민족국가 형성을 위한 국민통합의 필요성 강조(한국의 해방 이후 강조)

2. 갈등론의 교육사회학
   마르크스(Marx)와 베버(M. Weber)의 이론에 기초, 교육과 사회현상(정치, 경제, 문화 등)을 비판적으로 탐구
   ① 경제적 재생산론: 자본주의 사회에서 학교가 자본의 이익을 매개하기 위해 권력이 어떻게 사용되는가 연구[알튀세(L. Althusser)의 국가기구, 보올스와 진티스(Bowles & Gintis)의 대응원리]
   ② 문화적 재생산론: 자본주의 사회에서 학교가 지배집단의 문화자본이 어떻게 정당화되는가 관심[문화자본, 상징적 폭력, 아비투스 등, 부르디외(Bourdieu)가 대표적]
   ③ 저항이론: 윌리스(Willis)가 노동계급 학생들이 기존의 학교문화에 저항하고 모순을 극복하려는 측면 분석에서 시작
   ④ 지위경쟁이론 :학교교육의 팽창과정을 지위, 권력 및 명예를 위한 집단간 경쟁의 산물로 설명, 특히 한국사회의 학력경쟁 및 학력병 사회현상을 설명하는 데 유용[콜린스(Collins), 헌(C. Hurn) 등]
   ⑤ 그 밖에 헤게모니론[그람시(Gramsci)], 문화적 제국주의[카노이(M. Canoy) 등]

1 구조기능론

1. 성립 배경

(1) 역사

① 콩트(A. Comte), 스펜서(Spencer)에서 비롯되어 뒤르케임(E. Durkheim), 파레토(Pareto), 말리노브스키(Malinowski), 브라운(R. Brown) 등에 의해 발전되었고 미국의 파슨스(T. Parsons)에 의해 포괄적인 사회학 이론으로 정립되었다.

② 대표자로 드리븐(Dreeben), 슐츠(Schultz), 호퍼(Hopper) 등이 있으며, 1980년대 신기능주의자로는 알렉산더(J. Alexander) 등이 있다.

(2) 기능론의 구성요소

기능론을 체계화한 파슨스(T. Parsons)는 어느 사회체제든 다음과 같은 3가지 구성요소를 가진다고 보았다.

① 한 체제를 구성하고 있는 요소들은 기능상으로 상호의존적이다.

② 한 체제의 구성요소들은 그 체제의 계속적 작용에 적극적으로 공헌한다.

③ 한 체제는 다른 체제에 영향을 주며, 이 체제들은 한층 더 높은 수준의 체제인 상위체제에 대한 하위체제이기도 하다.

(3) 신기능주의

신기능주의자들은 제2차 세계대전 이후 학교교육의 팽창원인을 생태학적 체제이론의 관점과 구조적 분화론의 관점에서 설명한다.

생태학적 체제이론의 관점
교육팽창을 국제경쟁 증대에 대한 각 사회의 적응과정으로 해석한다.

구조적 분화론의 관점
교육팽창을 초등교육에서 대학교육까지의 연속적인 분화의 결과로 설명한다.

2. 기능론의 기본가정과 교육관

(1) 기능론의 기본가정

사회는 하나의 생물학적 유기체와 같다는 생물학에 근거한다[콩트(Comte), 스펜서(Spencer), 뒤르케임(Durkheim), 말리노프스키(Malinowski), 브라운(Brown) 등].

① 사회는 독립된 존재의 형태를 취한다.

② 사회구조는 체제나 하위체제로 구성된다.

③ 사회는 균형 지향적이거나 안정 지향적이다.

④ 사회는 환경에 대하여 적응적이다.

⑤ 사회는 문화를 통하여 통합된다.

⑥ 사회는 새로 출현하는 새로운 성질을 갖는다.

⑦ 사회와 사회구조는 중요한 체제욕구나 체제기능에 기초하고 있다.

(2) 기능론의 교육관

① 교육을 사회와의 연관 속에서 파악하는 거시적 관점을 취한다.

② 교육과 사회와의 관계를 비교적 긍정적·낙관적으로 본다.

③ 학교를 한 사회의 유지, 발전을 위하여 존재하는 합리적 기관으로 본다.

④ 교육과정이란 그 사회와 문화의 핵심을 선정해서 조직한 것으로 학생들에게 필수적으로 가르쳐야 한다.

⑤ 학교는 학생들을 가르치는 곳이며, 학생들은 미성숙한 존재로서 성숙한 교사로부터 가르침을 받아야 한다.

⑥ 사회화 혹은 사회적 선발을 통한 사회질서, 통합, 안정, 발전을 교육의 목적으로 본다.

3. 기능론의 주요 개념과 기능론이 지향하는 사회

(1) 주요 개념

기능론을 구성하고 있는 주요 개념으로는 구조와 기능, 역할, 부분의 전체에 대한 공헌, 상호의존성과 통합, 안정성, 합의 등이 있다.

(2) 기능론이 지향하는 사회

능력주의 사회 (meritocractic society)	타고난 권위나 지위보다 개인의 능력과 업적 그리고 노력의 여하가 더 중요하게 취급되는 사회이다.
전문가 사회 (expert society)	대부분의 직업적 지위를 부여하기 위해 고도로 훈련된 전문 인력을 필요로 하고, 경제성장을 위해 합리적인 지식에 의존하는 사회이다.
민주사회 (democratic society)	사회정의를 추구하고, 모든 시민에게 더욱 충만한 생활을 영위하게 하며, 다양성을 인정해주는 사회이다.

4. 기능론의 주요 이론과 교육

(1) 기술기능이론

① 대표자: 클라크(B. Clark)가 있다.

② 기본입장

㉠ 산업사회에서 기술의 필요는 기술의 다양화에 따라 높아진다.

㉡ 학교교육은 보다 높은 기술을 요하는 직업에 맞도록 특수한 기술이나 일반능력을 위한 훈련을 제공해준다.

㉢ 직업에 필요한 교육 수준은 날로 높아지며 더 많은 사람들이 오랫동안 학교에 머물러 있어야 한다.

(2) 인간자본론

① 대표자: 슐츠(T. W. Schultz), 베커(G. S. Becker), 민서(Mincer) 등이 있다.

② 기본입장

㉠ 인간자본(human capital): 교육이나 훈련을 통해 인간에게 체계화된 지식·기술·창의력 등과 같이 인간이 구비한 생산력을 말한다.

㉡ 교육은 '증가된 배당금'의 형태로 미래에 되돌려 받을 인간자본에의 투자로 보고 인간이 교육을 통해 지식과 기술을 갖추게 될 때 인간의 경제적 가치는 증가하게 된다.

③ 교육에 대한 투자와 국가의 경제적 발전 사이에 높은 상관 관계, 그리고 정치적 측면이나 개인의 성공과 실패에 관한 논의에도 응용되었다.

(3) 근대화 이론

① 대표자: 인켈스(A. Inkeles), 맥클리랜드(D. McClelland)가 있다.

② 기본입장: 근대화론은 교육과 근대적 가치 습득과의 관계를 분석하고자 하는 이론으로 1950년대 출현해서 우리나라에서는 1960~1970년대를 풍미하였다.

(4) 지위 획득론(사회이동론 촉진론)

① 대표자: 블라우와 던컨(P. M. Blau & O. D. Duncan)이 있다.

② 기본입장: 교육과 개인의 직업 지위 획득 간, 혹은 사회적 상승이동의 과정을 긍정적으로 분석하는 입장이다.

(5) 발전교육론(development education)

① 주요 이론: 진화론, 기능주의 이론, 인간자본론, 근대화론 등

② 기본입장

㉠ 한 나라의 정치, 경제, 사회 등에 걸친 국가발전이 그 나라의 전통문화, 국민의 성격특성, 지배적 가치관 등과 관련이 크다는 사실이 밝혀지고, 국가발전을 위해 교육의 기능 내지 역할이 중요함을 재인식하게 하였다.

㉡ 우리나라는 1960년대 초기부터 경제발전 계획을 추진하면서 교육 분야에도 발전개념을 도입하여 국가발전을 위한 교육계획 수립의 이론적 모형을 설계하고 발전교육의 연구 과제를 모색하기 시작하였다.

5. 기능론의 한계와 교육

(1) 한계

① 사회규범, 문화, 가치 등을 지나치게 강조함으로써 보수적 색채를 지닌다.

② 역사를 소홀히 함으로써 사회의 역사적 변화과정을 바르게 설명하지 못하여, 몰(沒)역사적이란 비판을 받는다.

③ 사회 내부에 엄연히 존재하는 다양한 갈등현상에 무관심하여, 사회 내의 개인 간 및 집단 간 대립과 갈등을 정면으로 다루지 못한다.

④ 사회변동에 무관심하여 변화와 개혁보다는 현상 유지를 지지한다.

(2) 교육관에서 기능론의 한계

① 교육을 전통이나 문화를 보존하고 전달하는 데만 관심을 가짐으로써 지나치게 보수적 색채를 지닌다.

② 사회의 개혁보다는 기존 질서에 안주한다.

③ 학생 각자의 개성보다는 공통성 내지는 유사성을 중요시함으로써 엄격한 지도와 훈련을 강조한다.

④ 학력경쟁을 강조함으로써 고학력화를 부채질하는 경향이 있다.

⑤ 학생들의 인지적 측면만을 강조하여 인성교육 혹은 전인교육에 소홀하다.

2 갈등론(Conflict Theory)

1. 성립 배경과 마르크스주의

(1) 성립 배경

① 마르크스의 사상 및 이론에 토대를 두고 다렌도르프(R. Dahrendorf), 밀즈(C. W. Mills), 코저(L. A. Coser)등에 의해 제창되었다.

② 대표적으로 막스 베버(M. Weber)의 사상에 이론적 토대를 둔 지위경쟁이론, 신마르크스의 이론적 입장에 근거한 저항이론 등이 있다. 종속이론도 넓은 의미에서 갈등론의 범주에 속한다고 볼 수 있다.

(2) 마르크스주의와 신마르크스주의

① 마르크스주의(Marxism)

㉠ 사회적·물질적 조건은 인간의식과 사회구조의 토대이며, 사회는 인간들의 의지의 집합에 기반을 두고 있는 것이 아니라 생산력과 생산 관계에 기반을 둔다고 본다.

ⓛ 자본주의 사회는 계급사회이며, 사회 내의 모든 갈등은 계급 간에 존재하는 이해관계에 뿌리를 두고 있기 때문에 생산수단을 둘러싼 계급이익만이 존재하며 공공의 이익은 존재하지 않는다.

ⓒ 인간의 의지나 의식보다는 대상화된 사회구조를 강조하고 인간을 사회의 산물로 보며, 생산양식에 관련된 경제적 토대구조가 이데올로기와 국가를 포함하는 상부구조를 지배한다고 하는 경제주의적 입장이다.

ⓔ 인간의 의지나 노력으로는 사회를 변화시킬 수 없을 뿐만 아니라 인간을 역사의 필요에 부응하지 못하는 존재로 여긴다.

② 신마르크스주의(Neo-Marxism)

ⓐ 사회적 상황은 인간의 노력·투쟁·희생에 의해 결정된다고 보고, 인간을 역사의 창조적 주체로 인식한다.

ⓛ 인간 의지와 실천을 강조하고, 현재의 상태에 굴복하는 것을 거부하고, 과학과 기술보다 역사가 길고 근본적이라고 생각하는 인본주의적 가치를 강조한다.

2. 갈등론의 기본가정과 교육관

(1) 기본가정

① 사회는 경쟁 집단이나 이해집단의 형태를 취한다.
② 사회적 갈등이나 계급갈등은 어떤 조직적인 사회조건하에서도 발생한다.
③ 산업화는 자본주의적 지배형태인 중앙집권화, 엘리트주의에 공헌한다.
④ 사회적 갈등은 자원의 희소성과 독점화에 기인한다.
⑤ 사회적 갈등은 전체 사회의 진화와 적응을 심화시키는 데 기여한다.

(2) 갈등론적 교육관

① 교육을 사회와 연관시키는데 있어 거시적 관점을 취한다.
② 교육과 사회와의 관계를 비판적으로 본다.
③ 학교는 특정 집단이나 계층의 사고방식을 가르치는 곳이다.
④ 학교교육은 특정 집단의 문화와 이익을 옹호하고 정당화시켜 준다.
⑤ 학교의 교육과정은 특정 집단의 문화를 재생산하는 데 기여한다.
⑥ 교육체제는 사회의 구조적 불평등을 유지하는 기능을 한다.
⑦ 경제적 사회계급, 정치권력, 사회적 지위를 사회계층의 결정요인으로 보고 중시한다[베버(M. Weber)].

참고 보올스와 진티스(Bowles & Gintis)는 사회적 재생산의 3요소로 계급, 지위, 정당을 제시하였다.

3. 재생산론

(1) 재생산(Reproduction)의 개념과 기본입장

① 재생산이란 명제는 원래 자본주의 경제를 정치·경제학적으로 분석하기 위해 사용되었다. 이 명제는 자본주의 경제가 자본주의 경제로 유지되기 위해서는 자본주의적 생산 조건의 재생산이 이루어져야 한다는 주장이 핵심이다. 즉 자본주의적 생산력(노동력)과 생산관계가 재생산될 때 자본주의가 유지될 수

있다는 것이다. 자본주의적 생산 조건의 재생산 기능은 제도교육에서 가장 확실하게 수행되고 있다는 것이 이들의 기본 주장이다.

② 기본입장

㉠ 학교가 지배사회의 이익을 위해 어떻게 작용하는가에 관한 문제를 핵심적 관심으로 삼는다.

㉡ 학교가 문화적 우수성, 가치중립적 지식, 그리고 객관적인 교수양식을 향상시키는 민주적 제도라는 가정을 거부한다.

㉢ 학교와 자본의 이익을 매개하기 위하여 권력이 어떻게 사용되는가에 초점을 맞춘다.

㉣ 공식적인 학교 교육관으로부터 벗어남으로써 이들은 학교가 기존의 생산관계에 필요한 노동의 사회적 분업을 유지하기 위해 요청되는 생산관계와 태도를 재생산하기 위해서 물적·이데올로기적 자료들을 어떻게 사용하는가에 초점을 맞춘다.

㉤ 권력과 통제가 학교의 안팎에서 지배사회의 이익을 위하여 어떻게 작용하는가에 관하여 근본적으로 다른 관점을 공유한다.

(2) 경제적 재생산론(사회재생산이론, 대응이론)

① 기본입장

㉠ 학교는 자본주의 생산관계를 유지하기 위해 필요한 사회구성체를 재생산함에 있어 주된 역할을 담당한다는 개념을 핵심적 주제로 한다.

㉡ 학교는 작업 기술을 재생산하고 이 기술들이 놓여 있는 사회관계를 정당화하는 태도들을 산출해내며 전통적으로 분리된 과제들을 통합하는 사회적 장으로서 출현하였다.

② 대표자

㉠ 알튀세(L. Althusser) - 구조적 마르크스주의

ⓐ 노동력이 자본주의 생산양식을 재생산함에 있어서 중요한 물적·이데올로기적 기능을 충족시키키 위해 어떻게 구성될 수 있는가 하는 문제를 제기한다.

ⓑ 알튀세는 시민사회제도에 대한 경제적 토대의 관계는 단순 인과결정론으로 환원될 수 없으며, 그의 자본주의 산업사회의 정당화 원리는 국가의 자기 규제적 실천에 뿌리를 박고 있다. 이것은 첫째, "억압적 국가기구(repressive apparatus)"로서 강제력으로 통치되고 군대·경찰·법정·감옥으로 대표되며, 둘째, "이데올로기적 국가기구(ideological state apparatus)"로서 합의를 통해 통치되고 학교·가정·법적 구조·대중매체 그리고 다른 대행기관들로 구성된다. 그는 자본주의 사회를 재생산함에 있어 일차적인 결정은 이데올로기적 국가기구로서의 제도에 달려 있음을 주장한다.

ⓒ 알튀세에 따르면 학교는 일반적으로 그들의 정치적 기능을 잘 수행하는 주된 이데올로기적 국가기구로서 학생들에게 노동과 시민성에 적합한 태도를 제공한다.

㉡ 보울스와 진티스(Bowles & Gintis)

ⓐ 자본주의 사회에서 학교교육의 역할에 대한 알튀세의 기본 개념을 공유한다.

ⓑ 자본주의 사회에서 학교는 다음과 같은 두 가지 기능에 봉사한다고 믿는다.

- 첫번째 기능: 자본축적에 필요한 노동력의 재생산이다. 이것은 학교는 위계적인 노동의 사회적 분업에서 적합한 직무수행을 위해 요구되는 기술적·인지적 기술을 가진 학생들의 계급적·성적 계열을 따라 상이한 선발과 훈련을 시키는 것을 통해 제공한다.
- 두번째 기능: 노동을 이윤으로 촉진시키는 제도와 사회관계를 유지하기 위해 필요한 의식·기질·가치의 형태를 재생산하도록 요구한다.

ⓒ 재생산의 관점에서 미국 대중교육 제도의 역사적 기원과 발전 및 실제로 수행하고 있는 사회적 기능을 분석한 결과, 보편화된 대중교육은 자본주의 경제 질서가 성숙되는 정도에 따라 요구되는 '순치된 노동력'을 제공하는 기능을 수행하고 있다고 보았다.

ⓓ 학교는 노동계급에 대한 지배를 확보하는 역할을 제시하기 위해 대응원리(혹은 상응원리, correspondence principle)의 개념을 사용한다고 주장했다. 대응원리는 자본주의하에서의 노동력과 계급 상호작용의 사회적 역동성이 반영된다는 것을 제시한다. 교실의 사회관계는 자본주의 경제의 사회적·경제적 명령을 받아들이는 데 필요한 태도와 기질들을 학생들에게 주입한다.

참고 반면 알튀세(Althusser)는 이데올로기 개념을 제시하였다.

ⓔ 대응이론에서 중요한 점은 교육의 '내용'이 아니라, 교육이 이루어지는 '형식'을 통하여 교육과 경제구조 간의 대응관계가 유지된다는 것이다. 이런 의미에서 학교의 공식적 교육과정보다 잠재적 교육과정이 근본적으로 더 중요한 기능을 수행한다.

ⓕ 학교의 사회적 관계와 생산현장의 사회적 관계 간의 대응

- 노동자가 자신의 작업내용을 스스로 결정할 수 없듯이 학생들도 자기가 배워야 할 교육과정에 대해 아무런 결정권을 가지지 못한다.
- 교육은 노동과 마찬가지로 목적이 아니라 수단이다.
- 생산현장이 각자에게 잘게 나누어진 분업을 시키듯이 학교도 계열을 구분하고 지식을 과목별로 잘게 나눈다.
- 생산현장에 여러 직급별 단계가 있듯이 학교도 학년에 따라 여러 단계로 나누어져 있다.

③ 대응이론의 문제점

㉠ 저항의 문제가 소홀히 다루어질 뿐만 아니라 노동계급의 주관성이 구성되는 복합적인 방식에 대한 설명도 경시된다.

㉡ 경제적 재생산론자들은 모두 인간 주체를 수동적인 사회화 모델과 관련시키며 지배를 과잉 강조하는 한편, 학교·작업장과 같은 사회적 자리들을 특성화하는 모순이 있고 저항형태를 소홀히 하였다.

(3) 문화적 재생산이론

① 기본입장

㉠ 사회재생산이론이 문화 이론을 발전시키지 못한 반면, 문화재생산이론은 문화·계급·지배를 학교교육의 논리와 명령에 연결시키는 교육과정의 사회학을 발전시키고자 시도하였다.

㉡ 자본주의 사회가 어떻게 그들 스스로를 재생산하고 반복할 수 있는가에 관한 질문과 관련을 맺고 있다.

㉢ 전통적인 교육사회학의 거시적 접근과 신교육사회학의 미시적 접근을 통합한 이론이다.

② 기본 개념

㉠ 문화자본(cultural capital)

ⓐ 개인들이 그들 가정의 계급적 배경에 의해 상속받는 상이한 언어적·문화적 능력체계를 말한다. 어린이들은 가장 가치 있는 지배계급의 문화자본으로 명명된 특정한 사회적 가치와 지위에 부합되는 의미체계·스타일·사고양식·기질유형을 그들의 가정으로부터 상속받는다. 학교는 지배문화를 정당화하고 재생산하는 두 가지 중요한 역할을 수행한다[부르디외(Bourdieu)].

ⓑ 문화자본은 첫째, 어렸을 때부터 계급적 배경에서 자연스럽게 체득된 지속적인 성향인 아비투스(habitus)적 문화자본, 둘째, 객관화된 상태로서의 문화자본(책이나 예술작품 등), 셋째, 제도화된 상태로서의 문화자본(졸업장, 자격증 등)이 있다.

ⓒ 부르디외는 아비투스적 문화자본을 가장 중요하게 취급한다.

秀 POINT 문화자본의 세 가지 형태

아비투스적 (습성화된) 문화자본	① 어렸을 때부터 계급적 배경에서 자연스럽게 체득된 지속적인 성향으로서 각각의 계급 혹은 사회계급 내의 파벌들이 그들의 특징적인 문화양식이나 지배유형을 발전시켜 그 관점을 가지고 아동을 사회화시키고, 그들의 세계관을 형성해나가는 것이다. ② 부르디외가 가장 중요하게 취급한 문화자본이다.
객관화된 문화자본	① 책(교과서)이나 예술작품 등이 있다. ② 법적 소유권 형태로 존재하는 문화자본을 의미한다.
제도화된 문화자본	① 학력증서(졸업장, 학위, 자격증) 등이 있다. ② 교육제도는 제도화된 문화자본을 형성하는 수단으로서의 기능을 수행한다.

㉡ 상징적 폭력(symbolic violence)

ⓐ 학교가 중·상류계층의 문화를 가르침으로써 하류층 아동에게 행사하고 있는 것이다. 학교는 지배집단인 중·상류계층의 문화와 의미체계를 가치중립적이며 상대적으로 우월한 것으로 학생들에게 가르친다. 이러한 과정에서 이들 문화에 익숙하지 못한 피지배집단인 노동자 계층의 아동들은 학교생활에 제대로 적응하지 못하게 된다.

ⓑ 이와 같이 학교는 중·상류계층의 문화를 가르침으로써 하류층 아동에게 행사하고 있는 것을 상징적 폭력이라고 한다.

ⓒ 상징적 폭력이란 '불평등한 사회적 관계를 정당한 것처럼 합리화시켜 주는 힘'을 말한다.

ⓓ 이러한 과정에서 나타나는 전형적인 지각과 이해의 방식을 부르디외는 습성(habitus)이라고 부른다. 여기에는 그 집단의 독특한 생활방식, 지각, 그리고 세상을 이해하고 해석하는 방식 등이 포함된다.

ⓒ 아비투스(habitus)

ⓐ 사고의 구성 틀에 영원히 새겨진 것으로 계급에 기초한 기호·지식·행동의 사회적 문법을 반영한다.

ⓑ 각각의 계급 혹은 사회계급 내의 파벌들이 그들의 특징적인 문화양식이나 지배유형을 발전시켜 그 관점을 가지고 아동을 사회화시키고 그들의 세계관을 형성해나가는 것을 말한다.

ⓒ 내면화된 능력과 구조화된 욕구 체계라고도 하며, 구조, 사회적 실천, 그리고 재생산을 연결하는 매개이다.

ⓓ 상징적 폭력의 체계는 피억압자들 스스로에 의해 재생산된다. 습성들이 실천의 창의적 작용에 제한을 가하고, 그것을 지배하기 때문이다.

ⓔ 다시 말해서 객관적 구조(언어, 학교, 가정)는 기질을 생성해내는 경향이 있고, 이것은 반대로 똑같은 객관적 구조를 재생산해내는 사회적 경험을 구성한다.

부르디외(Bourdieu, 1930 ~ 2002)

부르디외는 프랑스의 세계적 사회학자·철학자·문화비평가이자, 행동하는 지성으로, 1930년 프랑스 남부 베아른의 작은 농촌 마을에서 태어났다. 파리의 명문 루이 르 그랑 고등학교를 거쳐 파리 고등사범학교를 졸업한 뒤 25세에 교수 자격시험에 합격하였다. 이어 지방 고등학교 교사를 거쳐 알제리대학 조교로 근무하면서 저술활동을 시작해 1958년, 『알제리 사회학』을 발표하고, 34세에 파리 고등사범학과 학과장으로 부임하였다. 1968년 유럽사회학센터를 설립하고 『사회학연구』를 발행하기 시작하였고, 이 잡지에 활발한 연구논문을 발표하면서 이른바 부르디외 학파를 형성하였다. 이때 사회구조를 객관적으로 분석하는 관점을 고수하면서, 사회학적 방법론과는 거리가 먼 문화예술 현상에도 관심을 가지고 미학적 인식이 사회적으로 구성되어가는 방식 등에 관한 저서를 잇달아 발표했다. 1970년에는 학교의 독립성과 중립성이 환상에 불과하다는 내용을 다루면서 구조와 행위의 통합을 꾀한 역저 『재생산』을 출판해 사회적으로 큰 반향을 불러일으켰다. 1981년 41세의 나이로 콜레주 드 프랑스 교수로 취임한 이후 활발한 저술 활동을 하며 틈틈이 현실 참여에도 앞장서 텔레비전에 출연해 언론 기자들을 비판하고, 실업자들을 지지하며, 문명 파괴 반대 운동에도 참여하는 등 행동하는 지식인이라는 평가를 받았다.

기출문제

다음 설명에 해당하는 이론은? 2023년 지방직 9급

> • 사회질서는 상징적 폭력을 매개로 하여 재생산된다.
> • 체화된 상태의 자본(취향, 태도 등), 객관화된 상태의 자본(책, 예술작품 등), 제도화된 상태의 자본(졸업장, 학위 등)을 강조한다.

① 경제재생산이론
② 문화재생산이론
③ 저항이론
④ 지위경쟁이론

해설

Altusse가 주장한 문화재생산이론은 문화·계급·지배를 학교교육의 논리와 명령에 연결시키는 교육과정의 사회학을 발전시키고자 시도하였다. 문화자본(cultural capital)이란 개인들이 그들 가정의 계급적 배경에 의해 상속받는 상이한 언어적·문화적 능력체계를 말한다. **답** ②

4. 저항이론[애플(Apple), 지루(Giroux), Resistance Theory]

(1) 역사

① 1970년대 후반 노동계급 학생들이 기존의 학교 문화에 저항하고 모순을 극복하려는 측면을 분석한 윌리스(P. Willis, 『노동학습(Learning to labor)』)으로부터 출발한 이론이다. 그 후 지루(H. A. Giroux), 애플(M. W. Apple)등에 의해 체계적으로 연구되었다.

② **윌리스(P. Willis)의 관점**: 윌리스는 노동자 계급의 학생들이 집단적으로 형성한 저항문화는 교육과 직업지위 획득에 심층적인 영향을 미치며, 바로 그러한 경로를 통해 지배적 사회질서인 자본주의 제도가 재생산되고 있다고 주장하였다. 노동자 계급의 학생들은 학교의 권위와 지적 활동의 가치 및 중요성을 거부하는 독특한 반(反)학교 문화를 형성하며, 이들의 반학교 문화는 그들의 부모가 작업장에서 형성한 문화를 근원으로 하고 있다. 학교 공부를 거부하고 특히 지적 활동의 가치와 중요성을 거부하는 것은 이론보다는 실천을 훨씬 중요하게 취급하는 노동문화의 특성을 반영하고 있으며 남성다움에 가치를 두어 육체 노동직을 선택하는 것은 노동문화의 남성우월주의를 반영하고 있다는 것이다.

(2) 기본입장[지루(Giroux)]

① 저항

㉠ 학교와 사회의 관계를 분석할 때 중요한 초점을 제공해주는 이론적·이데올로기적 구성물이다.

㉡ 이는 종속 집단이 경험하는 교육실패의 복잡한 방식을 이해하는 데 있어 새로운 이론적 장치를 제공하며, 새로운 사고와 비판적 교육학의 방식을 재구성하는 것에 관심을 갖도록 한다.

㉢ 학교를 사회적 자리로서 검토하기 위한, 특히 종속집단의 경험을 검토하기 위한 새로운 구성 틀과 문제 틀을 제시해주는 이론적 원리들에 기초한다. 즉, 저항의 개념은 급진적 교육의 언어로서 새로운 해석적 표어 그 이상이다.

㉣ 학교교육의 실패와 반대 행동에 대한 전통적인 설명을 거부하는 논의양식을 제공한다.

② 학교교육에 대한 기능론, 경제적 재생산 이론, 문화적 재생산 이론의 입장 모두를 비판하고 학생들은 가르치는 것을 수동적으로 받아들이기만 하는 것이 아니라 주체적으로 판단하고 외부의 압력에 저항하며, 배우는 것과 가르치는 것은 다를 수 있다는 점을 강조한다. 따라서 이들의 논의를 '탈재생산 논의'라고도 부른다.

(3) 저항의 교육적 가치

① 구조와 인간 주체의 개념 그리고 문화와 자기 형성의 개념을 자리매김 하도록 해주는 데 있다. 이것은 학교는 단지 가르치는 자리라는 개념을 거부한다. 그렇게 함으로써 문화의 개념을 정치화할 뿐만 아니라 투쟁과 경쟁의 영역으로 전환시킴으로써 학교문화 분석의 필요성을 제기한다.

② 저항의 요소들은 상이한 삶의 경험체계, 즉 학생들이 그들 자신의 문화와 역사에서 긍정적인 영역들을 유지하고 확장시키며 자신의 목소리를 발견할 수 있는 경험을 구성하도록 해준다. 또한 학교의 다양한 메시지 체계, 특히 교육과정, 교수양식, 그리고 평가과정에 깊이 새겨진 이데올로기적 관심들을 밝혀낼 필요가 있는 교육양식에 대해 관심을 갖도록 한다.

(4) 저항이론의 교육에 대한 기본입장

① 학교교육의 목표 및 정치적 목표와 관련된 이데올로기의 문제

② 저항의 가치와 기능

③ 학교 학생들에 대한 의식화 교육

④ 교육의 상대적 자율성 문제 등

(5) 영향

1990년대 들어 문화운동, 환경운동, 여성운동, 소수민족 운동 등 다양한 사회운동이 확대되는 사회여건과 맞물려 지배집단에 대한 동시 다발적인 비판과 공격의 실천적 이론으로 주목받고 있다.

秀 POINT 의식화(conscientization)

의식화란 이데올로기의 허위성을 깨닫고 비판적으로 이해하고, 자신의 존재 조건과 의식과의 관계를 일치시키려는 움직임을 말한다. 의식화는 흔히 대항 이데올로기(counter ideology)의 성격을 가지며, 비판적 세계관이며 사회의 모순과 갈등을 폭로하는 경향을 말한다. 이 말은 프레이리(P. Freire)로부터 비롯되었는데 그는 의식화를 "사회적·정치적·경제적 모순들을 인식하고, 현실의 억압적 요소들에 대항하여 행동을 취하게 되는 것"으로 규정하고 있다.

5. 문화적 헤게모니론(cultraral hegemony)

(1) 헤게모니(hegemony)

① 학교, 지식, 일상생활에 대한 통제는 눈에 보이는 경제적 분업과 조작에 의해서 뿐만 아니라, 상식적인 사고방식과 실천에 대한 은밀한 영향력 행사를 통해 이루어진다. 이렇게 일상생활과 사회의식 속에 깊이 스며있는 지배집단의 의미와 가치의 체계이다.

② 국가, 사회 등 어떤 실체가 존속하기 위해서 필요한 지배계급의 집행력 외에도 피지배계급을 승복시키고 또 그들도 기꺼이 따르도록 하기 위해 필요한 일종의 도덕적 동의이다.

③ 지배계층의 문화를 피지배계층이 수용하도록 해주는 세계관이며, 한 집단이나 국가, 문화가 다른 집단이나 국가, 문화를 지배하기 위한 사고방식, 제도, 사상 등을 말한다.

(2) 대표자

헤게모니의 개념을 처음 도입한 사람은 그람시(A. Gramsci)이다.

(3) 기본입장

① 학교의 교육과정에는 헤게모니가 깊이 잠재되어 있다. 학교는 문화적·이념적 헤게모니의 매개자로서 보이지 않는 가운데 사회통제를 한다.

② 한 사회의 헤게모니가 그 사회 체제를 유지하는 데 중요한 기능을 수행하며 학교교육에서 그 기능이 두드러진다. 예를 들면 '학교교육이 교육의 기회를 공정하게 제공하고 능력에 따라 사회계층을 결정하게 한다.'고 믿게 하는 지배력 행사방식과 같은 것이다.

③ 이데올로기는 헤게모니의 핵심적 요소이다. 이데올로기는 사회적 실천에서 구체화되면서 현상을 유지하고 변화시키는 세계관과 가치체계를 의미한다.

6. 문화적 제국주의론

(1) 대표자

카노이(M. Carnoy) 등이 있다.

(2) 기본입장

① 카노이는 교육의 국제적 관계를 제국주의적 관점에서 파악하고 국가 간의 갈등 현상이 교육에 어떻게 반영되고 있는지를 분석하였다. 즉 식민지의 교육이 식민지 국민의 의식을 어떻게 왜곡시켜 지배자들에게 복종하도록 만들었는지를 분석하였다.

② 카노이에 의하면 제3세계의 교육제도는 식민지 교육의 유산을 그대로 답습한 것이며 이는 과거의 식민지에 대한 정치적 및 경제적 영향력을 유지하기 위한 식민지배국의 의도적 노력의 결과로 본다.

③ 중심국가가 주변국가에 대한 신식민적 침투를 용이하게 하는 문화적 토대를 형성하기 위한 것(교육원조, 학교 및 연구기관 설립 지원, 교육자문단 파견, 유학생 지원 등)으로 간주한다.

④ 오늘날 아시아와 아프리카의 많은 나라들이 정치적으로는 독립하였으나 문화적으로 여전히 식민지 상태를 벗어나지 못하고 있으며, 특히 문화적으로 종속되어 있는 현실을 잘 설명해주고 있다.

7. 지위경쟁이론(status competition theory)

(1) 대표자

콜린즈(R. Collins)와 헌(C. Hurn) 등이 있다.

(2) 기본입장

① 막스 베버(M. Weber)의 전통에 따라 학교교육의 팽창 과정을 지위, 권력 및 명예를 위한 집단 간 경쟁의 결과로 교육을 설명하려는 이론이다.

② 근대 시민사회로 넘어오면서 신분제도가 붕괴되고 학력(學歷)이 지위획득을 위한 합법적 사다리로 인정받게 되면서 사회적 선발을 위한 제도적 장치로 자리 잡았다. 학력이 개인의 능력과 노력의 수준을 나타내는 공인된 '품질 증명'이 된 것이다.

③ 학력(學歷)은 높은 지위를 획득하는 수단이며, 지금까지 학력이 부족하여 낮은 계층에 남아있던 집단은 높은 학력을 획득하여 높은 지위를 얻으려고 한다. 그렇게 되면 기존의 높은 지위를 점유하고 있던 집단은 위협을 느껴 자신들의 학력을 더욱 높이게 된다. 이것은 다시 낮은 지위집단에게 더 높은 학력을 요구하는 환경으로 작용하여 학력상승과 교육팽창을 부채질하게 된다.

④ 학력이 사회적 지위획득의 수단이기 때문에 사람들이 경쟁적으로 높은 학력을 취득하는 탓으로 학력이 계속 상승하며, 그 결과 학력경쟁 사회, 나아가 학력병 사회(diploma disease) 현상을 설명하는 데 유용하게 활용된다.

참고 특히 한국의 교육상황을 설명하는데 유용하다.

8. 갈등론적 교육이론의 평가

(1) 공헌점

① 기존의 학교제도의 근본적 문제점, 예를 들면 학교교육을 통한 사회적 불평등의 재생산, 특정문화와 이념의 표준화 등에 대한 비판을 드러내 주었다.

② 학교교육의 문제점을 학교제도 내에서만 찾기보다는 사회 구조적 문제와 연결시킴으로서 논의의 지평을 확대시켰다.

③ 지금까지 당연하게 여겨오던 능력주의와 같은 이념에 대한 근본적인 의문을 제기하고 그 허구성을 지적하였다.

④ 학교교육의 사회적 성격을 해석하는 데 있어서 다양한 해석의 틀을 제공하였다.

(2) 한계

① 교육이 경제구조나 문화구조에 의해 일방적으로 그 성격이 결정된다고 보아 교육행위의 설명에서 인간의 의지를 무시하였다.

② 사회구조를 지배자와 피지배자, 가진 자와 못가진 자 등의 이분법에 따라 설명함으로써 교육을 가진 자에게만 봉사하는 것으로 규정한 것은 교육의 본 모습을 왜곡하고 과장한 것이다.

③ 학교교육이 전통사회의 구속적인 신분세습 제도를 약화시키고 업적주의적 사회이동을 가능하게 해준 공헌을 전적으로 부정한다.
④ 교육이 사회적 결속력을 높이고 국가 공동체적 의식을 높이는 데 기여한 점을 과소평가한다.
⑤ 교육을 통한 능력과 재능의 선별과 사회적 상승이동에 기여한 점을 의도적으로 무시한다.

9. 기능이론과 갈등론의 차이점과 유사점

(1) 차이점

두 이론의 차이점은 ① 무엇이 사회를 하나의 전체로 묶어 놓는가(합의 대 억압), ② 사회에서 교육의 기능은 무엇인가(가치의 사회화 대 계층 재생산)이다. 즉, 기능론은 재능 활용의 능률과 사회적 통합성을 위한 교육의 기능을 강조하는 반면 갈등론은 기존 학교교육에 대한 비판에 주력하여 불평등의 정당화와 지배층 문화의 주입을 논박한다.

(2) 유사점

교육을 정치·경제적 구조의 종속변수로 간주한다는 공통점이 있다. 교육이 봉사하는 대상에 관한 설명에서 다를 뿐 교육이 기존 사회구조와 문화를 반영한다는 주장은 동일하다. 두 이론이 말하는 사회의 최종 단계는 체제통합적이고 사회 평등화를 지향한다. 갈등이론은 교육을 통한 인간성 회복, 비인간화 극복, 사회 구조적 모순에 대한 개혁과 같은 것으로 이는 기능론적 교육관과 유사한 입장을 견지하고 있다.

秀 POINT 교육사회학의 접근방법에 따른 연구분야

접근방법	연구분야
거시적 접근 (macro perspective)	① 기능론적 관점: 기술기능론, 인간자본론, 근대화 이론 등 ② 갈등론적 관점: 경제적 재생산, 문화적 제국주의, 지위경쟁론 등 ③ 사회구조적 특징의 고찰 ④ 사회 구조의 질서와 갈등의 연구 ⑤ 교육을 정치적, 경제적 구조와 관련시킴 ⑥ 교육과 사회와의 관계를 거시적으로 연구 ⑦ 사회문제의 분석을 구조나 기능체제, 조직 사회적 사실에 둠 ⑧ 교육격차 문제를 사회구조 - 교육제도 - 학습과정을 포괄한 교육 불평등 현상으로 인식, 종합적으로 접근
미시적 접근 (micro perspective)	① 해석학적인 관점: 상호작용 이론, 민속지학연구(현상학적 접근) ② 교육과정 사회학적 관점: 지식 사회학적 관점에서 교육의 내적 과정에 초점을 둠 ③ 상호작용론적 접근: 사회적 상황에서의 상호작용 ④ 개인 - 소그룹 간의 상호작용 ⑤ 학생 - 교사 간의 상호작용 ⑥ 학교교육과정 상에서 나타나는 현상에 관심을 둠 ⑦ 인간과 사회화의 상호작용 및 사회심리적인 면에 관심을 둠 ⑧ 교육과정, 교사, 학생 간의 상호작용에 관심을 둠 ⑨ 교육격차 연구: 학교배경 - 학교사회구조 - 학습과정에 초점을 둠

기출문제

1. 다음 주장을 한 학자는? 2020년 지방직 9급

> • 학교는 자본주의적 사회관계의 유지에 필수적인 통합기능을 수행하는 기관이라고 보았다.
> • 경제적 재생산이라는 개념을 사용하여 학교교육이 자본주의 경제체제를 재생산하는 데 어떻게 기여하는지 그 메카니즘을 설명하고자 하였다.
> • 학교 교육체제에서 학생이 미래에 차지할 경제적 위치를 반영하여 차별적 사회화가 이루어진다고 주장하였다.

① 해비거스트(Havighurst)
② 보울스와 진티스(Bowles & Gintis)
③ 콜만(Coleman)
④ 번스타인과 영(Bernstein & Young)

해설

경제적 재생산이론을 주장한 학자로는 보울스와 진티스(Bowles & Gintis)와 알튀세(Althusser) 등이다. 번스타인과 영(Bernstein & Young)은 신교육사회학자이다. **답 ②**

2. 다음에 해당하는 개념은? 2021년 국가직 9급

> • 특정 계급적 환경에서 내면화된 지속적 성향이나 태도를 의미한다.
> • 내면화된 문화자본으로서 계급적 행동유형과 가치체계를 반영한다.

① 아노미(anomie)
② 쿠레레(currere)
③ 패러다임(paradigm)
④ 아비투스(habitus)

해설

부르디외(Bourdieu)에 의해 제시된 아비투스란 특정의 계급적 환경에서 내면화된 지속적인 성향이나 태도를 말한다. **답 ④**

03 | 신교육사회학 - 미시적 관점(해석학적 관점)

핵심체크 POINT

1. **신교육사회학의 의의**
   교육을 미시적 관점(질적 연구)에서 연구, 교육과정 사회학과 상징적 상호작용론
2. **유형**

교육과정 사회학	① 학교 지식의 생성, 선택, 조직, 배분에 작용하는 사회적 문제를 비판적으로 탐구[영국의 영(M. Young), 번스타인(B. Bernstein), 미국의 애플(Apple), 지루(Giroux) 등] ② 교육과정 속에 숨겨진 성역할 불평등, 도시문화 중심, 신식민주의적 내용 분석 → 학업성취 불평등을 교육내용 속에서 찾음
상징적 상호작용론	① 자아 형성의 사회적 관계 분석틀을 학교 내에 작용하는 교사-학생, 학생 간 상호작용 연구 ② 교사의 지도성, 교사의 기대효과, 친구유형, 학교 문화 등에 관심 → 학업성취 불평등 연구

1 신교육사회학 - 교육과정 사회학

1. 특징

(1) 신교육사회학이라는 용어는 1972년 고버트(D. Gorbutt)에 의해 제안된 뒤부터 널리 사용되어지고 있다. 신교육사회학은 학교지식의 객관성·중립성·보편성에 의문을 제기한다. 학교에서 가르치는 지식은 교육제도 속에서 '선별적으로 처리된 것'으로 간주한다.

(2) 영(M. Young), 번스타인(B. Bernstein), 이글스턴(J. Eggleston) 등은 지식은 사회적 산물로서 상대적 속성을 가지며, 가변적이기 때문에 어떤 사람에게 일방적으로 강요할 수 없다고 본다.

(3) 학교지식의 선택·조직·배분에 작용하는 사회적 문제를 탐구함으로써 교육과정 탐구의 범위와 방법론을 크게 확대하였고, 교육사회학 연구를 교육내용에 관한 연구에까지 확장시켜 주었다.

(4) 교육과정 속에 나타나 있는 지식과 사회구조와의 역학 관계, 지식과 집단 간의 사상적 갈등을 집중적으로 분석하면서 교육과 사회평등에 관한 문제 논의의 새로운 지평을 열었다.

(5) 지식사회학의 관점에서 학교에서 가르쳐지고 있는 지식은 누구에 의해 구성된 것이며, 왜, 어떤 이유에서 선택되었고, 어떻게 학생들에게 분배되고 있는가에 관한 문제를 제기한다. 이러한 문제 분석을 통해 신교육사회학은 교육과정(잠재적 교육과정 포함) 속에 숨겨진 이데올로기를 분석한다.

(6) 교육내용의 사회적 측면들, 즉 교육과정 속에 포함된 지배이데올로기, 남녀 성역할의 불평등 문제, 도시문화의 강조, 신식민주의적 교육 내용 등이 주요 분석 대상이다.

2. 의의

(1) 지식의 사회성, 의식의 존재 구속성을 강조하면서 지식은 그 지식이 생성된 사회구조를 반영한다는 점을 강조한다. 따라서 신교육사회학은 교육과정과 학교 내의 상호작용 과정에 대한 연구의 사회학적 시각을 새롭게 해주었다.

(2) 지식·문화·이데올로기·규범 등의 지적인 과정을 통한 지배와 억압의 구조를 파헤침으로써 교육과 사회 불평등에 대한 이해의 폭을 확장시켰다. 이들은 개인의 해방과 지배구조의 재편성을 통한 평등과 자율이 보장되는 사회를 이상적인 교육과 사회의 모습으로 가정한다.

(3) 교육사회학의 연구를 교육의 지도와 기능 중심으로부터 교육내용과 과정(process), 학교 내부의 현상에 관심을 기울이도록 하였다. 연구방법에 있어서도 양적(量的) 연구로부터 질적(質的) 연구의 필요성을 강조하였다.

(4) 교육과 사회 불평등에 관한 연구에서 기능론적 관점인 개인주의적이고 능력주의적인 분석을 비판하고, 역사적이고 구조적인 분석에 비중을 두게 되었다.

(5) 학업성취와 교육과정을 합법화된 학교지식으로 대상화시켜 분석하는 사회정치적 분석의 중요성을 강조하였다.

(6) 학교와 교실에 대한 통제와 조직에 대해 사회적으로 상호작용적이고 문화적인 면을 강조하는 비판적 견해의 중요성을 부각시켰다.

3. 미국에서 교육과정에 관한 사회학적 연구[애플(Apple), 지루(Giroux)]

(1) 교육내용에 관한 미국에서의 연구 경향은 애플(Apple)과 지루(Giroux) 등에 의해 이루어졌다.

(2) 신마르크스주의의 관점에서 교육과정, 교과서, 교사에 대한 연구를 통해 학교가 충실한 혹은 무기력한 재생산 기제인 것처럼 설명하는 종래의 재생산이론을 비판한다.

(3) 교육에 관한 논의를 확장하여 한 사회 내에서 일어나는 문화의 생산과 유통, 기득권 집단 문화와 주변 집단 문화의 경쟁, 문화 정치학 등으로 확장시켰다.

4. 번스타인(B. Bernstein)

(1) 기본입장

① 베버(M. Weber)의 방법론적 전통을 수용하여 언어사회화라는 미시적 주제의 분석을 통해 사회계급 불평등이라는 거시적 현상을 설명하였다.

② 교육과정(curriculum), 교수법(pedagogy), 평가(evaluation)의 분석을 통해 이것들이 지니고 있는 사회적 의미를 파악하였다.

(2) 언어사회화와 사회계급

① 특징

㉠ 의사소통 방식에서 하류계급의 의사소통 방식의 특징인 '제한된 어법(restricted linguistic code)'과 중류계급의 '세련된 어법(elaborated linguistic code)'은 가정에서의 사회화에 의해 습득되는 것이지만 이런 의사소통의 형태는 학교가 수행하는 사회계급의 재생산 기능과 관련된다고 주장한다.

㉡ 두 언어양식은 말의 복잡성 정도, 어휘의 다양성 정도 등 외부적인 특징에 있어서도 차이가 있지만, 가장 기본적인 차이는 사고와 감정을 조직하는 수단으로서의 언어에 대한 상이한 태도를 나타낸다는 점이다.

㉢ 번스타인에 의하면 사회의 어떤 계급에서 습관적으로 사용되는 의사소통 양식은 그것이 가지고 있는 사고와 감정의 전달방식을 통하여 그 계급의 문화를 다음 세대에게 전수해 준다는 것이다. 즉 언어는 사회적 유전인자를 담고 있다고 본다.

㉣ 번스타인이 말하는 언어사회화는 학교교육을 받기 이전에 가정에서 이루어지며, 학교교육과 관계없이 그 이후에도 계속적으로 영향을 미친다.

㉤ 따라서 사회계급에 따라 상이한 언어양식을 가진 아이들이 학교에서 적응하는데 차이가 생긴다. 학교에서 교사가 사용하는 언어는 세련된 언어이므로 중류가정의 아이들은 쉽게 이해하지만 노동계급의 아이들은 쉽게 이해하지 못해 학업성취가 뒤떨어지게 된다.

② 제한된 어법(대중어)과 세련된 어법(공식어, 교양어)

㉠ 제한된 어법의 특징

ⓐ 어설픈 구문형식으로 이루어진 짧고, 문법적으로 단순하며, 흔히 미완결 상태의 문장이다.

ⓑ 접속사를 단순하게, 그리고 반복적으로 사용한다.

ⓒ 지배적 주어의 초기 범주를 세분화하는데 사용되는 종속절을 거의 사용하지 않는다.

ⓓ 일련의 발화 표현에서 구문형식상의 주어를 일관성 있게 유지하지 못하여 정보 내용의 분산, 탈락을 조장한다.

ⓔ 형용사 및 부사를 융통성 없이 제한적으로 사용한다.

ⓕ 조건절 또는 글의 주어로 비인칭대명사를 사용하는 빈도가 낮다.

ⓖ 이유와 결론이 뒤섞인 단정적 발화(發話)를 생성하는 표현들을 사용한다.

ⓗ 앞서 이루어진 일련의 발언을 강화하기 위한 요구를 나타내는 표현과 어구들을 많이 사용한다.

예 "안그래?", "아시겠죠?", "생각 좀 해보세요!" 등

ⓘ 일련의 관용적 표현들 중에서 자기식으로 선택하여 사용하는 일이 자주 일어난다.

ⓙ 표현 대상에 대한 개인적 수식이 문장의 자체에 암시되어 있다.

㉡ 세련된 어법의 특징

ⓐ 정확한 문법적 어순과 통사구조가 발화되는 표현을 규제한다.

ⓑ 논리적 변용과 강조가 문법적으로 복잡한 구문을 통해 이루어진다.

ⓒ 시간적, 공간적 근접성을 나타내는 전치사뿐만 아니라 논리적 관계를 나타내는 전치사도 빈번하게 사용한다.

ⓓ 비인칭 대명사를 빈번하게 사용한다.

ⓔ 표현 대상에 대한 개인적 수식이 문장들 내부, 그리고 문장들 사이의 구조와 관계를 통해 언어적으로 이루어진다.

ⓕ 표현적 상징이 일련의 발화표현 내의 의미들을 세밀한 층위(層位)로 구분하고 변별한다.

ⓖ 경험을 조직하기 위한, 복잡한 인지위계에 내재하는 여러 가지 가능성을 보여주는 언어를 사용한다.

㉢ 정교한 언어(교양어)와 제한된 언어(대중어)

정교한 언어(elaborated code)	제한된 언어(restricted code)
ⓐ 중산층 가정, 아동의 의사소통 유형 • 인간관계중심 • 상황탈피적 • 개방적 의사전달 • 일과 놀이의 동일시 ⓑ '우리'라는 말보다 '나'라는 내용 강조 ⓒ 구두 언어의 세계(분명한 문맥) ⓓ 일반상황중심(추상적, 논리적)	ⓐ 하류층 가정, 아동의 의사소통유형 • 지위중심 속성 • 상황부가적 • 폐쇄적 의사전달 • 일과 놀이의 명확한 구분 ⓑ '나'라는 말보다 '우리'라는 말 강조 ⓒ 비구두언어의 세계(몸짓, 손짓) ⓓ 특수상황 중심(구체적, 실증적)

(3) 교육과정 분석

① 특징

㉠ 번스타인은 교육과정 분석에 '분류(classification)'와 '구조(frame)'의 개념을 사용한다.

ⓐ **분류**: 과목, 전공 학문, 학과 간의 구분을 말한다. 즉 구분된 교육내용들 사이의 경계의 선명도이다.

ⓑ **구조**: 과목 또는 학과 내 조직의 문제로, 가르칠 내용과 가르치지 않을 내용의 구분이 뚜렷한 정도, 계열성의 엄격성, 시간 배정의 엄격도 등을 포함한다. 달리 표현하면 교육내용의 선정, 조직, 진도, 시정(時程)에 대하여 교사와 학생이 소유하고 있는 통제력의 정도를 말한다.

㉡ 구조화가 철저하면 교사나 학생의 욕구를 반영하기 어렵고, 반대로 구조화가 느슨하면 욕구를 반영시키기 용이하다. 분류와 구조의 강함과 약함의 정도에 따라 ⓐ 강한 분류·강한 구조, ⓑ 강한 분류·약한 구조, ⓒ 약한 분류·강한 구조, ⓓ 약한 분류·약한 구조로 구분하고, 이 가운데 ⓐ, ⓑ를 집합형, ⓒ, ⓓ를 통합형으로 구분하였다.

② 집합형과 통합형

㉠ **집합형**(collection type)

ⓐ 엄격히 구분된 과목 및 전공분야 또는 학과들로 구성되어 있어 과목 간, 전공분야 간, 학과 간의 상호관련이나 교류를 찾아 볼 수 없다.

ⓑ 상급과정으로 올라감에 따라 전문화되고, 세분화되어 학습영역이 좁아진다.

예 심리학에서 교육심리학으로 좁아지고, 다시 학습이론으로 전문화되고, 더 나아가 피아제 학설 등으로 좁아진다.

ⓒ 많이 배울수록 아는 것이 좁아진다는 말이 성립되기도 한다.

ⓓ 학생과 교사들이 어느 분야 또는 어느 학과에 속해 있는지가 분명하며 소속학과에 대한 강한 충성심이 요구된다.

ⓔ 인간관계는 횡적 관계보다 종적 관계가 중시되며, 상하 간의 위계질서가 뚜렷하고 엄격하다.

ⓕ 다른 분야와의 교류는 제한적이고 교육과정의 계획과 운영에 학생들의 참여기회가 적다.

ⓖ 교육과정에서 학생들이 자유롭게 스스로 선택하고 결정할 수 있는 여유가 거의 없다.

ⓛ 통합형(integrated type)

ⓐ 과목 및 학과 간의 구분이 뚜렷하지 않아 횡적 교류가 많다.

ⓑ 여러 개의 과목들이 어떤 상위개념이나 원칙에 따라 큰 덩어리로 조직된다.

예 역사, 지리, 정치, 경제가 사회생활로 통합된다.

ⓒ 대학에서 학과 간의 울타리가 낮아져서 강좌를 상호 개방하고, 나아가 생화학이나 역사 사회학 등 혼합학문(hybrid discipline)이 생겨나기도 한다.

ⓓ 극단적인 통합형에서는 학문 자체의 경계가 약화되어 상식적 지식, 비상식적 지식이 뒤섞이고 실생활문제가 교육과정에 직접 반영된다.

ⓔ 인간관계는 횡적 관계가 강화되고 중시된다.

ⓕ 교사와 학생들의 재량권이 늘어나고, 교사와 교육행정가 간의 관계에서도 교사의 권한이 증대된다.

(4) 교수법(pedagogy)

번스타인은 『Pedagogy, Symbolic control and Identity(2000)』, 『The structuring of pedagogic discourse(2003)』 등에서 두 가지 형태의 교수법을 주장하고 있다. 그는 언어 code뿐만 아니라 교수법도 사회적 통제와 권력관계로 특징지어진다고 보았으며, 이 두 교수법 사이의 갈등은 신 - 구 중간계급 사이의 갈등을 반영하고 있는 것으로 보았다.

① 보이는 교수법(visible pedagogy)

㉠ 전통적인 지식교육에 해당하는 교수법이다.

ⓛ 강한 분류와 강한 구조가 특징이며, 놀이와 공부를 엄격히 구분한다.

② 보이지 않는 교수법(invisible pedagogy)

㉠ 놀이와 공부를 엄격하게 구분하지 않는다.

ⓛ 통제가 맹목적일 뿐만 아니라 학생들은 특별한 기술을 배울 것이 요구되지 않는다. 평가의 준거도 모호하다.

보이는 교수법	보이지 않는 교수법
ⓐ 전통적인 지식교육은 보이는 교수법에 의해 이루어진다. ⓑ 학습내용 상의 위계질서가 뚜렷하며, 전달절차의 규칙이 엄격히 계열화되어 있으며, 학습내용의 선정준거가 명시적이다. ⓒ 번스타인의 용어로 표현하면, 전통적인 지식교육은 학습경험을 강한 분류와 구조로 규제한다. ⓓ 배울 만한 가치 있는 내용과 그렇지 못한 내용이 명백하게 구분된다. ⓔ 공부와 놀이는 구분된다.	ⓐ 열린 교육은 보이지 않는 교수법에 의해 이루어진다. ⓑ 보이는 교수법과는 달리 공부와 놀이가 구분되지 않는다. 즉 공부가 놀이가 되고 놀이가 공부가 된다. ⓒ 번스타인의 용어로는 이러한 현상은 약한 분류와 약한 구조로 표현된다. ⓓ 학령 전 교육단계에 적용된 다음 점차적으로 중등교육 단계로 확대된다.

5. 베레데이(Bereday)의 교육과정론

(1) 특징

교육과정을 통제하는 집단에 따라 교육과정이 서로 다르다고 보고 이를 미국, 구소련, 영국, 프랑스 등 4개국을 비교해서 밝히고 있다.

① **영국**: 교육에 영향력을 가지고 있는 사람은 교사집단이다.

② **미국**: 일반시민들의 의견이 교육과정 결정에 가장 직접적으로 반영될 수 있는 제도이다.

③ **프랑스**: 교육행정조직은 중앙집권적이기 때문에 중앙부서의 고급관료들이 영향력을 미치는 제도이다.

④ **구소련**: 각 공화국 혹은 자치구마다 교육부가 있어 교육을 관장하고, 이들 부서의 책임자들은 당 출신이기 때문에 정치성이 높다.

(2) 학문중심 교육과정과 실용주의 교육과정

베레데이에 따르면 영국과 프랑스의 교육과정을 지배하는 교사집단과 고급관료들은 지적 엘리트들이기 때문에 교육과정이 학문 중심적이다. 반면 시민들이 관여하는 미국과 대중의 요구에 민감하며 현실 지향적인 정치인들이 결정권을 가진 구소련은 교육과정이 실용주의적이다.

6. 왈라스(Wallace)의 교육과정론

(1) 개념

왈라스(Wallace)는 사회의 이념적 변화에 따라 교육과정의 강조점이 달라진다고 보고 사회적 역사를 혁명기(revolutionary phase), 보수기(convervative phase), 복고기(reactionary phase)로 진행된다고 보았다.

(2) 강조점의 변화

① 혁명기에는 교육과정의 우선순위가 도덕성 - 지성 - 기술의 순서로 강조된다.

② 혁명이 완수된 보수기에는 실용주의가 득세하기 때문에 기술 - 도덕성 - 지성의 순서로 교육과정이 강조된다.

③ 보수기의 말기 혹은 혁명의 실패 뒤에 오는 복고기는 도덕성이 다시 강조되어 도덕성 - 기술 - 지성의 순서로 강조된다.

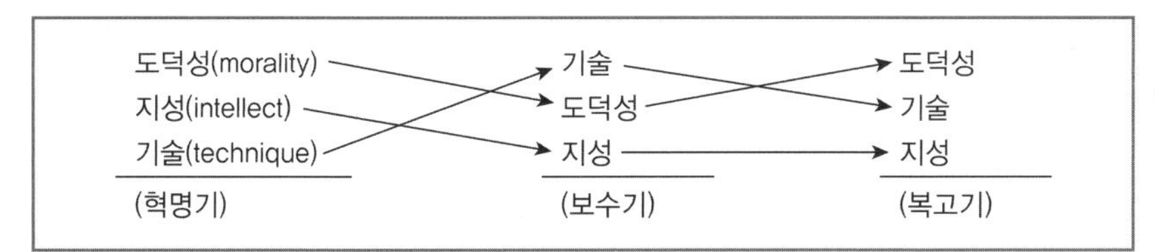

교육과정 우선순위의 변화

秀 POINT 방어적 수업

1. 의미

① 맥닐(L. M. McNeil)은 『방어적 수업과 학습통제(Defensive teaching and classroom control)』에서 교사들이 학급 내의 규율을 유지하기 위하여 교과내용을 독특한 방식으로 제시하고 있으며 교수방식도 학생들의 반응을 줄이는 방식으로 진행한다고 보고하며 이러한 수업방식을 총칭해서 '방어적 수업'이라고 칭하였다.

② 맥닐은 어떤 정보가 학생에게 전달되는가뿐만 아니라 그 정보가 어떤 방식으로 전달되는가를 확인하기 위해서 세 교사의 수업을 관찰하였는데, 그 결과 모든 주제가 교사에 의해 통제된 단순한 정보로 환원된다는 점을 지적하고 있다.

③ 학생들에게 읽기나 쓰기가 요구되지 않았고 학생 토론이 거의 없었으며 교육시설이나 자료들이 거의 사용되지 않았다. 이러한 수업 방식은 교과서에 포함되어 있는 내용조차 왜곡하거나 생략하였다.

2. 내용

단편화	어떠한 주제든지 단편들 혹은 서로 연결되지 않는 목록들로 환원시키는 것이다.
신비화	교사들은 종종 논의의 여지가 있거나 복잡한 주제는 그것에 관한 토론을 막기 위해서 신비한 것처럼 다룬다. 즉 그 주제는 매우 중요하지만 알기 힘든 것처럼 보이게 한다.
생략	학생들이 몰라도 된다고 생각하는 부분이나 한 단원 전체를 생략하고 넘어가는 행위이다.
방어적 단순화	교사들이 학생들의 능력이 모자란다고 여겼을 때 그것을 극복하기 위하여 사용하는 전략이다.

3. 특징

① 교사들은 동기화라는 전래의 전략을 따르기보다는 내용이 별로 어렵지 않고 또 깊이 들어가지 않을 것이라고 학생들에게 약속함으로써 학생들의 불평을 제거하는 방식을 사용한다.

② 교사는 공부할 주제를 발표한 다음 복잡한 문제처럼 들릴지 모르지만 학생들이 양해해 주기를 바란다고 말하고 노력을 많이 해야할 필요는 없을 것이라고 약속한다. 교사는 노력을 별로 하지 않아도 되고 시간도 얼마 걸리지 않을 것이라고 약속함으로써 학생들이 저항을 하지 않고 협력하게 만든다.

③ 때로는 주제의 핵심요소는 빼고 사실에 관련된 용어들만을 목록으로 뽑기도 한다. 단순화는 강의 시간에 간단히 설명하거나, 시험지의 빈칸을 단편적 사실로 채우게 하거나, 주제를 가능한 한 단순한 형태로 축소시킨 필름을 사용하거나, 제대로 설명하지 않고 한 페이지의 잡지 기사처럼 주제의 개요만을 말해주는 형태를 말한다.

④ 이와 같은 단순화를 사용하는 이유로는 교직의 피로감, 학생들이 최소한의 노력만 하는 것처럼 보이는 점 및 행정적 지원의 부족현상 때문이라고 한다.

⑤ 이러한 방어적 수업은 기존의 재생산이론이 설명하는 것보다 현실은 훨씬 복잡하다는 점을 시사하고 있으며 지식의 성격이 교사에 의해서 전달되는 과정에서 왜곡되는 과정을 밝혀주는 있다는 점에서 그 의의가 있다.

2 상징적 상호작용론(symbolic interactionism)

1. 성격

(1) 미드(G. H. Mead)가 처음 연구를 시작하였다.

(2) 자아는 사회적이며, 그것은 주체로서의 나(I)와 객체로서의 나(me)사이의 관계의 산물이라고 보았다. 또한 사회를 인간들의 상징을 통한 상호작용으로 설명하였다.

(3) 사람과 사람 사이의 교섭을 가능하게 하는 핵심적 메카니즘을 인간들의 유의미한 몸짓(상징)에서 찾았다. 반면 동물의 몸짓은 자극에 대한 즉각적인 반응만을 의미하며, 동물은 무의미한 몸짓을 사용한다고 보았다.

(4) 인간의 의사소통에는 단순한 반응이외에 유의미한 몸짓이 작용한다. 즉 서로 다른 개인들 간에 동일한 하나의 내용(의미)을 운반하는 언어적 상징에 기초한다.

(5) 상징은 인간 집단이 임의로 부여한 것으로 사회적 합의에 기초하며, 집단 구성원 모두에게 동일한 의미로 해석된다.

(6) 블루머(H. Blumer)는 사회를 상호작용을 통해서 사회적 상황을 끊임없이 재정의하는 작품으로 보았다. 행위자로서 인간은 그가 행위를 지향하는 사물 또는 대상을 스스로에게 지적해준다. 이때 지적하는 일 자체는 행위자 자신 속에서 자신과 상호작용하는 내재화된 사회과정이다.

2. 특징

(1) 개인의 자아의식 형성은 사회에서의 상호작용의 결과이며, 각 개인은 일상생활 속 다양한 상황에서 접하는 타인의 눈을 통해 자신을 알게 된다.

(2) 우리는 타인과의 상호작용을 통해 의미를 이해하고, 사회적으로 주어진 의미를 중심으로 생활을 조직하게 된다.

(3) 사회관계는 상호작용 관계에 있는 쌍방이 각각 자신의 행동에 대하여 상대방이 어떻게 대응할 것인가를 예견하고, 상호 용납할 수 있는 방법으로 상황을 정의하여, 쌍방이 수용할 수 있는 행동의 한계를 설정해준다.

(4) 사회를 사람들간의 상호작용 관계로 봄으로써 사회의 정치적, 불변하는 구조적 측면을 중시하는 기능주의와 달리 사회의 과정적 측면을 강조한다.

3. 강조하는 점

(1) 자신의 행위를 구성하는 구성자로서의 개인을 강조한다.

(2) 자아를 구성하는 다양한 요인과 그 요인들이 상호작용하는 방식을 강조한다.

(3) 의미가 끊임없이 구성되어 가는 협상의 과정을 강조한다.

(4) 의미가 어떻게 발생하고 유래하는가 하는 사회적 맥락을 강조한다.

4. 학교에 제기하고 있는 문제

(1) 교사와 학생들은 수업, 교육과정, 동료, 상호관계와 같은 학교의 과정, 직원, 조직 등을 어떻게 해석하는가?

(2) 어떤 요소들이 이러한 해석에 영향을 주는가?

(3) 교사와 학생들은 학교의 과정을 어떻게 경험하는가?

(4) 교사와 학생들은 자신들의 학교에서의 활동을 어떻게 조직하는가?

(5) 교사와 학생들은 학교에서의 자신들의 경력을 어떻게 인식하는가?

5. 연구방법

(1) 민속방법론

① 가핑클(H. Garfinkel)이 제창한 이론으로 사람들이 어떻게 현실을 구성하는지 그 과정에 관심을 갖는다.

② 사람들은 자신들이 생각하는 세계의 질서를 어떻게 보고, 기술하고, 설명하는지 그 과정에 관심이 있다.

③ 행위의 인과적 설명을 하고자 하는 것이 아니라 구성원의 의미구조와 그리고 그 의미구조와 관련된 사회적 맥락의 이해에 초점을 맞춘다.

④ 교육에서의 연구는 학교 내의 교사 - 학생의 일상생활을 분석하기 위한 미시적 수준의 접근을 시도한다.

⑤ 이들은 질적(質的) 참여관찰을 통해 의미구조를 분석한다.

⑥ 호만스(Homans)의 교환이론: 개인의 행위가 행위자 자신에 의한 손익계산에 근거하여 스스로 선택하는 것이라고 주장함으로써 사회연구에서 행위자의 판단과 계산이 중요하다고 보았다.

⑦ 민속방법론의 특징

㉠ 총체적 접근방법이다.

㉡ 비실험적 접근방법이다.

㉢ 탐색적이며 개방적 접근이다.

㉣ 장기적이며 참여관찰방법이다.

㉤ 연구방법은 참여관찰과 심층 면접이 주로 활용된다.

㉥ 문화 주체자의 의미의 관점에서 사건을 이해하려는 노력이다.

㉦ 민속기술지라고 하는 기술된 형태로서의 연구결과를 취한다.

㉧ 모든 변인 간의 관계나 의미를 있는 그대로 전체적으로 사회문화적 맥락에서 파악한다.

(2) 현상학

① 사회 현상에 대한 현상학적 접근을 시도한 대표자는 슐츠(A. Schultz)이다.

② 그에 의하면 삶의 세계는 인간 개인의 사유와 정서, 그리고 행동의 상호작용을 통하여 하나의 의미를 부여한다.

③ 삶의 세계는 의미의 집합이며 그리고 현상학은 이 의미부여의 의식작용을 파악하는 방법이다.

④ 현상학은 삶의 세계에서의 상호 주관성(inter-subjectivity)을 중요시한다.

⑤ 교육에서는 학교 및 교실에서의 행위자들 간의 상호작용에 관심을 갖는다. 교실이야말로 그 안에서 생활하고 있는 교사 - 학생 간의 삶의 세계이다.

6. 교육에의 영향

교육에서의 상징적 상호작용론은 교사의 리더십 유형, 학생들의 친구유형, 교실여건, 교사의 기대 수준, 학교문화 등에 관심을 갖는다. 특히 교사의 기대와 관련하여 중요시되는 낙인(stigma), 딱지붙이기(labelling), 자기 충족적 예언(self-fulfilling prophecy) 등과 같은 이론들이 교육학에 도입되게 되었다.

秀 POINT 해석적 관점의 특징

1. 연구자는 행위자(참여자)들과 같은 방식으로 관찰하고 해석하며, 그들로부터 특정한 유형이나 규칙성을 찾으려는 내부자 관점(insider's point of view)을 강조한다.
2. 관심 대상 사태가 처한 복잡한 상황 중에서 몇몇 요소들을 발췌하여 분석적으로 탐구하기보다는 문제 상황을 전체적으로 인식하고 탐구하는 총체주의(holistic apporach)를 강조한다.
3. 모든 자료는 그 자료가 수집된 환경의 맥락 속에서 고려되어야 한다는 맥락화(contextualization)를 강조한다.

기출문제

신교육사회학에 대한 설명으로 옳지 않은 것은? 2021년 국가직 9급

① 학교교육과정 또는 교육내용에 주목한다.
② 불평등의 문제를 학교교육 안에서 찾는다.
③ 학교에서 가르치는 지식의 사회적 성격을 탐구한다.
④ 구조 기능주의에 기반하여 교육의 사회적 기능을 탐구한다.

해설

신교육사회학은 교육을 미시적 관점에서 연구하는 분야로 교육과정 사회학과 상징적 상호작용론이 대표적이다. 이 가운데 교육과정 사회학은 학교지식의 선택·조직·배분에 작용하는 사회적 문제를 탐구함으로써 교육과정 탐구의 범위와 방법론을 확대하는 데 기여하였다. 즉 교육과정 사회학은 교육과정 속에 나타나 있는 지식과 사회구조와의 역학 관계, 지식과 집단 간의 사상적 갈등을 분석하였다. 구조 기능주의에 기반하여 교육의 사회적 기능을 탐구하는 것은 기능론이다. 신교육사회학은 기능론적 관점이 아니라 비판적 관점에서 학교교육과정을 분석한다.

답 ④

04 교육과 사회

1. **교육의 사회적 기능**
   사회문화의 전달, 사회개혁 및 개선, 사회이동 촉진, 사회통합
2. **사회화**
   ① 뒤르케임(Durkheim)의 보편적 사회화와 특수적 사회
   ② 드리븐(Dreeben)의 학교사회화: 성취성, 독립성, 보편성, 특정성
3. **교육과 문화**

문화변용	두 개의 이질문화가 동화되어 제3의 문화
문화지체	물질문화와 비물질문화 간 변화속도의 차[오그번(Ogburn)]
문화실조	보상교육 운동의 근거

1 교육과 사회

1. 교육의 사회적 기능

(1) 사회문화의 전달기능

문화유산의 전달기능은 모든 사회의 존재 조건의 가장 기본적인 일이며, 교육의 이런 기능을 통해 사회는 유지되고, 개인은 그 사회에 사회화된다. 이를 위한 사회제도 가운데 가장 중요한 것이 교육제도이다(보수적 기능).

(2) 사회개혁 및 개선

교육은 과거의 문화유산을 전달할 뿐만 아니라 오늘의 문제점을 해결하고, 국가사회의 발전을 도모하며, 미래의 문제점에 대한 대책을 세움으로써 사회개혁 및 개선의 기능도 수행하게 된다.

교육의 사회개혁에 대한 긍정론	민족개조론, 인간자본론, 발전교육론, 저항이론, 보상교육론, 민중교육론 등
교육의 사회개혁에 대한 부정론	대응이론, 재생산론, 문화식민지론

(3) 사회이동 촉진의 기능

민주사회는 능력과 업적에 따라 사회에 진출하고 승진하고 보상을 받는다. 교육은 이러한 능력을 가진 사람을 평가하고 그 결과를 토대로 사회선발 및 이동의 기능을 수행한다. 이런 기능이 올바르게 수행되면 그 사회는 교육평등과 사회평등의 이상이 실현되게 된다.

(4) 사회통합의 기능

사회는 다양한 사회 구성원들을 지적·정서적으로 일체화시켜 하나의 통합된 집단으로 형성할 필요가 있으며 교육이 이런 기능을 수행해왔다. 근대 국민교육제도는 이런 필요성에 의해 형성되었다.

2. 사회화(socialization)

(1) 개념

① 개인이 그가 속한 사회의 문화를 습득하여 내면화함으로써 그 사회의 성원으로서 요구되는 태도, 가치관, 신념, 행동을 갖추어 건전한 사회생활을 할 수 있게 되는 과정을 말한다.

② 개인적 측면에서 사회화는 그 사회의 지배적인 신념, 규범 및 가치를 내면화하고 학습하는 과정이며, 사회적 측면에서는 집단적 신념체계를 그 사회구성원들에게 내면화시켜 사회를 결속시켜 유지해가는 과정을 의미한다.

③ 초기의 사회화의 개념이 사회가 그 구성원의 새로운 세대들을 그 사회의 요구에 따라 필요한 인간형을 조형하고자 하는 것이었다면, 최근에는 '자아개념의 형성' 혹은 '자아 정체성의 확립과정'으로 규정하여 개인의 내재적 발달 가능성과 기존의 사회관계 영향의 상호작용 과정에 의해서 개인은 발달하고 사회도 변화 과정을 밟아 가게 된다고 해석한다.

(2) 종류

① **예기적 사회화(anticipatory socialization)**: 아동이 성인이 되었을 때 필요하다고 생각되는 생활방식과 가치관을 지금 미리 사회화시키는 것이다.

② **재사회화(re-socialization)**: 이미 이루어진 사회화가 잘못된 것일 경우 이를 바람직한 방향으로 다시 사회화시키는 것이다.

예 교도소나 새생활 교육 등

③ **탈 사회화(de-socialization)**: 과거에 이루어졌던 사회화로부터 이탈되거나 그것을 망각하도록 하는 것으로, 재사회화가 성공적으로 이루어지기 위해서는 탈사회화가 선행되어야 한다.

④ 인간의 일생 동안의 사회화 경험은 사회화, 예기적 사회화, 탈사회화와 재사회화의 끊임없는 연속의 과정으로 이루어진다.

(3) 내용

① 정체감의 습득

② 사회적 지위와 역할

③ 문화전승 등

(4) 사회화의 대리자(agent)

① 가족, ② 동료집단, ③ 학교, ④ 직장, ⑤ 대중매체가 해당한다.

(5) 정치 사회화(political socialization)

① 개인이 여러 매체를 통하여 정치적 태도, 성향, 행동 유형을 학습하는 경향을 의미한다.

② 한 사회의 정치 사회화 과정은 그 사회의 안정, 지속과 변화 및 시민의 정치 참여도에 영향을 미친다.
③ 한 나라의 정치 체제의 안정적 유지와 발전에 중요한 요인이다.

(6) 기능이론의 사회화 이론

① 뒤르케임(Durkheim)의 사회화 이론
㉠ **보편적 사회화:** 집합표상(집단적 표현)을 새로운 세대에게 내면화시키는 일을 말하며, 전체로서의 사회가 요구하는 신체적, 지적, 도덕적 특성의 함양이다. 집합표상이란 뒤르케임이 사회화 과정에서 일어나는 심리적 기제로서 강조한 말로 한 사회의 공통된 신념·가치·감정 및 행동양식을 말한다.
㉡ **특수 사회화:** 장래의 직업에 관한 기술이나 지식을 습득하는 것으로 개인이 속하게 되는 특수 환경이 요구하는 신체적, 지적, 도덕적 특성의 함양을 의미한다.
㉢ 뒤르케임은 사회가 점점 분화하기 때문에 다양한 직업교육은 불가피하지만 전문화된 교육이 증가하면 할수록 사회전체의 동질성 유지를 위한 보편교육은 필수적이고 교육의 핵심이 된다고 보았다. 즉 교육은 이념적 활동이다.

② **파슨스(Parsons)의 사회화 이론:** 학교를 개인에게 도덕과 기술을 습득하게 하는 곳으로 보았다. 그는 학교가 사회화의 대행기관으로서 어떻게 전체 사회에 이바지하는가를 설명하였다. 학교뿐만 아니라 학급 내에서도 사회적 도덕과 규범들이 그대로 반영되고 있음을 지적하였다.
㉠ **가정의 사회화:** 감성적(affective), 편애적 혹은 특수적(particularistic), 귀속적(ascriptive)으로 이루어진다.
㉡ **학교의 사회화:** 합리적, 보편적(universalistic), 성취적(achievement)으로 이루어진다.

③ 드리븐(Dreeben)의 학교사회화

독립성의 규범	㉠ 아동들이 자신의 선택과 행위에 대한 책임을 인식하고, 자신의 권리를 알게 되는 것을 의미하며 학문적 학습활동에 적용되는 규범이다. ㉡ 학교에서 과제를 스스로 처리해야 하고 자신의 행동에 대한 책임을 지게 함으로써 습득된다. 예 부정행위에 대한 규제와 공식적 시험을 통해 습득되는 규범이다.
성취의 규범	성취결과에 따라 사회적 희소가치가 배분된다는 것을 인식한다. 즉 학생들은 다른 학생들의 성취결과를 비교하는 가운데 자신의 성취결과의 의미를 인식하게 되며, 실패를 극복하는 방법을 배우고 동시에 어떤 분야에서는 다른 사람들이 훨씬 재능이 있다는 것을 인정하는 것까지 배운다. 예 교수 - 학습 - 평가라는 체계 속에서 형성되는 규범이다.
보편성의 규범	보편적으로 통용되는 일반화된 규범을 의미한다. 예 동일 연령의 학생들이 같은 학습내용과 과제를 공유함으로써 형성된다.
특수성(특정성)의 규범	예외적인 규범을 의미한다. 예 다른 학년과 구별되어 특정한 환경을 공유하고, 각 개인은 학년이 올라갈수록 흥미와 적성에 맞는 분야의 교육을 집중적으로 수행하면서 형성된다.

④ 기능론자들의 기본입장

㉠ 교육은 사회인을 만드는 일이다.

㉡ 개인의 출세는 능력에 기초한 경쟁에 의해 결정된다.

㉢ 학교교육은 사회적 출세에 가장 큰 영향을 준다.

(7) 갈등론의 사회화 이론

① 일리치(Illich)의 사회화 이론

㉠ 학교교육이 특수층의 규범이나 가치를 모든 아동에게 일방적으로 인지시키려고 노력해왔다고 보았다. 이러한 노력은 특수층의 가치관을 일반 아동들의 생활준거로 내면화시키는 의도에 불과하다.

㉡ 학교는 특수층의 가치나 규범을 모든 아동에게 효과적으로 내면화시키기 위해 적절한 물리적 보상체계와 심리적 상벌체계를 활용하고 있다.

㉢ 학교교육을 받는다는 것은 물리적으로나 심리적으로 인간이 무력하다는 식의 심리적 무력현상을 주입 받는 것과 차이가 없다고 주장한다.

㉣ 학교의 사회화 기능은 이런 모순을 극복하고 새로운 인간성을 회복하는 일이다.

② 보올스와 진티스(Bowles & Gintis)의 사회화 이론

㉠ 학교교육이 갖는 사회관계는 생산구조에서 강조되고 있는 사회관계이다.

㉡ 학교는 직업 생산 구조의 사회관계를 그대로 학교현장에 채택하고 있다. 즉 학교의 사회화 기능은 일반 경제 및 정치 구조를 위한 시녀구실을 하는 것이다.

㉢ 보올스와 진티스는 민주주의적 교육체제 안에서는 ⓐ 학교가 청소년들을 다양한 역할과 기타 성인들의 역할에 통합시키는 기능을 수행해야 하며, ⓑ 학교는 경제적인 불평등을 해소하여 사회적 평등을 촉진시키는데 공헌해야 하고, ⓒ 학교는 도덕적·인지적·심미적 발달을 통해 개인의 성취를 도와주는 기능을 수행해야 한다고 주장하였다.

③ 갈등론자들의 기본입장

㉠ 학교교육은 아동의 사회적 진출에 어느 정도 성취 방향을 제시한다.

㉡ 가정적 사회배경은 아동의 사회 진출에 결정적이다.

㉢ 가정의 사회적 환경은 학교교육에 일정한 영향력을 행사한다.

(8) 지위집단론(지위경쟁이론)의 사회화 이론

① 헌(C. Hurn), 콜린즈(Collins), 밀즈(Miles) 등은 학교의 사회화 기능은 정치적 지배, 경제적 이해, 사회적 지위 확보를 위한 지위집단 간 갈등을 대변하는 사회적 현상에 불과하다고 본다. 밀즈는 중요한 사회제도 간의 구조적 연결을 통해 개인의 이해관계를 극대화시키기 위해서 권력엘리트가 학교제도를 활용한다고 한다.

② 기본입장

㉠ 가정배경은 사회진출에 있어 결정적 역할을 담당한다.

㉡ 학교교육은 가정적 배경의 문화적 유형을 대표한다.

㉢ 학교교육은 사회진출에 있어서 지위집단의 이해관계를 반영하기 때문에 한 개인의 사회진출에 결정적 역할을 담당한다. 따라서 학교의 사회화 기능이란 특정집단의 소양, 권익을 정당화시키는 과정에 불과하다.

2 문화와 교육

1. 문화

(1) 개념

① 사회구성원인 인간에 의하여 습득된 지식, 신앙, 예술, 도덕, 관습 및 제반능력과 습관 등을 포함한 복합된 전체이다[타일러(E. B. Tylor)].

② 문화는 '행위로부터 끌어낸 추상(抽象)'이다[클럭혼(Kluckhohn)].

(2) 기능

욕구 충족	문화를 통해 개인은 욕구를 충족한다.
사회 통제	법, 관습 등을 통해 개인이 일정한 틀에 벗어나지 못하게 한다.

(3) 문화의 보편성과 상대성

문화의 보편성	시대, 사회, 지역을 초월해서 인간이 살아가기 위해 공통으로 가지고 있는 측면이다(욕구 충족과 사회 통제의 양식).
문화의 상대성	한 사회의 관습이나 관념을 포함하는 문화는 그 사회의 맥락에서 이해되고 평가되어야 한다는 입장이다(문화적 상대주의).

2. 주요 개념

(1) 문화변용

두 개의 이질문화가 전파, 동화 과정을 거쳐 제3의 문화를 형성하는 것을 말한다.

(2) 문화지체(cultural lag)

① 현대 산업사회에서 기술과 과학의 급격한 발전으로 이룩된 물질문화가 비물질문화보다 빠른 속도로 변동하는 데서 오는 지체현상이다.

② 오그번(W. F. Ogburn)이 사용하였다.

③ 문화지체와 적응 과정

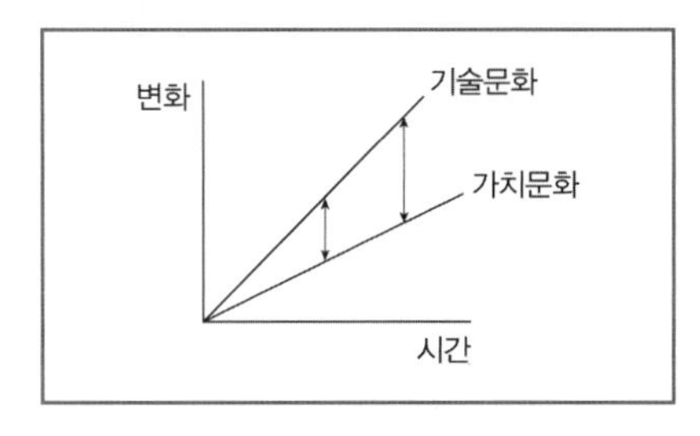

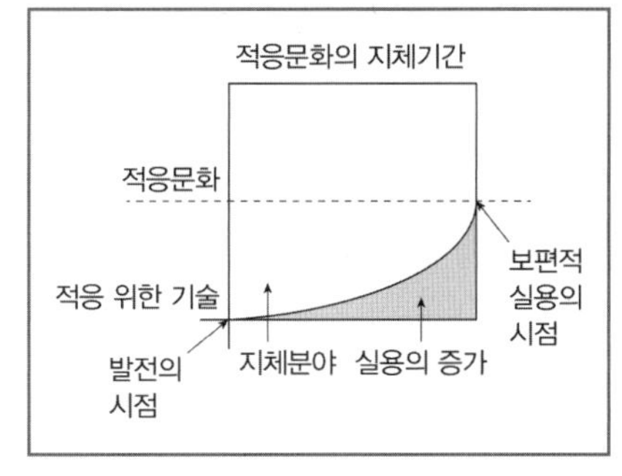

(3) 주변인(marginal man)

① 파크(Park)가 개념화하였다.

② 새로운 문화와 전통문화 어디에도 속하지 않는 경계인을 의미한다.

③ 어느 한 가치에도 만족하지 못하고, 사회로부터 소외되어 있다.

(4) 문화실조(cultural deprivation)

① 인간의 발달 과정에서 요구되는 문화적 요소의 결핍과 시기적 부적절성에서 초래되는 지적·사회적·인간적 발달의 부분적 상실, 지연 및 왜곡현상이다.

② 아동 발달 과정에서 초기 환경의 문화적 결핍은 지적 발달에도 영향을 미친다. 이는 마치 영양실조가 신체발육에 지장을 초래한다는 개념과 동일한 논리에서 비롯된다.

③ 문화실조에 대한 과학적 연구는 1960년대 미국의 흑인 아동에 대한 교육 문제가 대두되면서 시작되었다.

④ 문화실조 상태에 있는 흑인 아동들에게 교육적으로 긍정적 환경을 제공하고 집중적인 보상교육(compensatory program)을 실시해서 지능 발달을 촉진시키려는 시도가 1960년대 광범위하게 이루어졌다.

⑤ 블룸(Bloom): 문화실조 현상을 지적 영역의 문화실조, 정의적 영역의 문화실조, 심리 운동적 영역의 문화실조로 구분하고 이 세 요인의 상호작용에 의해 문화실조가 일어난다고 보았다.

⑥ 비판

㉠ 문화적 차이를 문화격차로 오해하였다.

㉡ 지배집단이 자신들의 문화를 피지배집단에게 침투시키기 위한 이데올로기적 도구이므로 이에 근거한 보상교육은 문화적 폭력이다.

예 영양실조는 부모의 요리 기술 부족이 아니라 식량 부족이라는 구조적 문제로 보아야 한다.

(5) 아노미(anomie)

① 집단의 규범 또는 집단기대가 너무 많거나 다양하고 자주 변경됨으로써 야기되는 무(無) 규범상태(normlessness)를 말한다.

② 뒤르케임(E. Durkhiem)이 현대 대중사회의 한 부정적 특성을 표현하기 위해 사용하였다.

③ 아노미에 빠지면 어떤 제도에도 소속감을 느끼지 못하고 정신적으로 불안한 상태에 놓여 수동적인 행동을 하거나 극단적인 행동을 하게 된다.

④ 아노미 현상에서는 자신의 행위에 대한 의미를 부여할 수 없을 뿐만 아니라 도덕적인 판단도 불가능하여 사회적 이상(異常) 행동자가 되기도 한다.

참고

학교에서 학생의 적응양식 유형[머튼(Merton)]

1. 학자들은 학생들의 행동양식을 연구하기 위해 머튼의 적응양식 유형을 확대하여 사용한다. 머튼은 문화목표와 제도적 수단의 수학적 조합에 의해 다섯 가지 적응양식 유형을 개발하였다. 이는 뒤르케임(Durkheim)의 아노미 개념을 정교하게 발전시킨 것이다.

2. **적응양식의 유형**

동조형 (conformity)	정상적인 기회구조에 접근할 수는 없지만 그래도 문화적 목표와 제도화된 수단을 수용하는 적응방식으로, 반사회적인 것은 아니다.
혁신형 (innovation)	문화적 목표는 수용하지만 제도화된 수단은 거부하는 적응방식으로, 대부분의 범죄, 횡령, 탈세, 매춘, 강도, 절도 등이 이에 속한다.
의례형 (ritualism)	문화적 목표는 거부하고 제도화된 수단만을 수용하는 적응방식으로, 절차적 규범·규칙만을 준수하고자 하는 무사 안일한 관료가 대표적인 예이다.
도피형 (retreatism)	문화적 목표와 제도화된 수단을 모두 거부하고 사회로부터 후퇴 내지는 도피해 버리는 적응방식으로, 만성적 알코올 중독자 또는 마약상습자 등이 이에 속한다.
반역형 (rebellion)	기존의 문화적 목표와 제도화된 수단을 모두 거부하면서 동시에 새로운 문화적 목표와 제도화된 수단으로 대치하려는 적응방식으로, 사회운동가, 히피 등이 이에 속한다.

05 사회집단과 교육

핵심체크 POINT

집단의 유형	① 공동사회와 이익사회[토니스(F. Tönnis)] ② 1차 집단과 2차 집단[쿨리(C. H. Cooley)] ③ 내집단과 외집단[섬너(Sumner)] ④ 준거집단[하이만(Hyman)]: 행동의 기준이 되는 집단 ⑤ 3차 집단[브라운(Brown)]
동료집단의 유형	① 놀이집단 ② 동류집단 ③ 갱 집단

1 집단과 교육

1. 집단(group)

(1) 개념

두 사람 이상 또는 그 이상의 사람들로써 그들 사이에 제도화된 심리적 상호작용의 양상이 이루어지는 집합체이다.

(2) 집단의 유형과 성격

① 공동사회와 이익사회[토니스(F. Tönnis)]

구분	사회의 성격	교육의 성격
공동사회	㉠ 정태적, 보수적 ㉡ 사회에 의존, 보호를 바람 ㉢ 전통과 습관 존중 ㉣ 숙명적 신분에 안주 ㉤ 동질적 단조성	㉠ 사회에 동화 강조 ㉡ 사회의 표준에 맞는 인간형성(동질적 인간) ㉢ 독창성, 신기성 배척 ㉣ 개척, 창조, 진취성, 변화 등 배척 ㉤ 현상유지, 전통유지의 보수적 교육기능
이익사회	㉠ 이질적 복합성 ㉡ 역동적 변화 ㉢ 유기적 연대성	㉠ 자주성 개발 ㉡ 실용주의적 생활교육 ㉢ 개성존중, 창조적 진보적 기능

② 1차 집단과 2차 집단[쿨리(C. H. Cooley)]

구분	1차 집단	2차 집단
전형적 집단	가족, 놀이집단, 도당(徒黨), '동지' 집단, 인카운터(감수성훈련) 집단, 촌락	학교, 보이스카웃, 공장, 노동조합, 군대, 정당, 전문인 집단, 도시, 국가
사회적 특성	㉠ 인격적(인간적) ㉡ 비형식적 역할과 구조 ㉢ 자발적 ㉣ 일반적 목표 ㉤ 타인에 대한 지식의 포괄적 ㉥ 목적의 동일화	㉠ 비인격적(비인간적) ㉡ 형식적 역할과 구조 ㉢ 공리적(인위적) ㉣ 특정 목표 ㉤ 제한된 지식 ㉥ 목적의 다양성
외형적 조건	㉠ 영구적(장기적) ㉡ 소규모 ㉢ 신체적 근접	㉠ 일시적(유동적) ㉡ 대규모 ㉢ 신체적(사회적) 거리

(3) 내(內)집단과 외(外)집단[섬너(Sumner)]

① 외집단은 눈으로 직접 관찰이 가능한 집단이다.

② 내집단은 직접 관찰되지 않고 사회성 측정법에 의해 밝혀진다.

③ 사회성 측정법(sociometry)

㉠ 모레노(F. L. Moreno)에 의해 창안되어 테닝스(H. H. Tennings)에 의해 발전되었다.

㉡ 집단 구성원의 역할 행동 분석과 구성원의 상호작용에 의한 견인과 반발의 형태를 분석해서 집단의 구조, 응집성, 안정성, 외부 압력에 대한 저항, 사기 및 구성원 개개인의 특성을 알 수 있다.

㉢ 사회성 측정법은 형식적 및 비형식적인 이중체제 구조를 가지고 있는 학급에서 자생적으로 형성된 비형식적 인간관계를 파악하여 학급의 구조와 역동성을 이해하는 대표적인 방법이다.

(4) 준거 집단[하이먼(Hyman)]

한 개인이 자신의 신념·태도·가치 및 행동방향을 결정하는 데 기준이 되는 사회집단을 말한다.

(5) 3차 집단[브라운(Brown)]

일시적인 동기가 되어 어떤 목적이나 조건 없이 형성된 유동적인 중간집단을 말한다.

(6) 준 1차 집단(quasi-primary group)

① 1차 집단과 마찬가지로 친근한 관계로 형성되기는 하지만 집단의 목적과 조직 형태에 따라 그 친밀도가 제한된다.

② 보이스카웃이나 학생 클럽이 여기에 속한다.

2. 학교의 사회 집단적 성격[월러(Waller)]

(1) 일정한 인구로 구성된다.

(2) 소수의 상호작용 과정에 의해 영향을 받는 일정한 정치적 구조가 있다.

(3) 사회관계의 긴밀한 망상조직(network)을 나타낸다.

(4) 동지적 감정(We-feeling)이 충만되어 있다.

(5) 독자적인 문화를 갖는다.

3. 학급 집단과 교육

(1) 학급 집단의 특징

① 학급사회는 목적 집단(과업 지향적 집단)인 동시에 교사와 학생의 인격적 사회이며, 대면적인 1차 집단적 성격을 지닌다.

② 학급사회는 학생의 나이·언어·문화면에서는 동질적이면서 가정환경·지능·성격 면에서는 이질적으로 구성된 협동 사회이다.

③ 학급사회는 생활경험을 축적하며 협동과 경쟁, 책임과 의무, 관용과 인내 등을 훈련하고 희노애락을 함께 나누는 전인적 공동체 사회이다.

(2) 기능적인 면에서의 학급집단의 성격

① 학급은 그 기능면에서 볼 때 학습 집단으로서의 기능과 생활 집단으로서의 기능을 가진다.

② 학습 집단으로서의 학급은 집단의 과업적 측면을 강조하여 교과를 능률적으로 가르치기 위한 기초적 집단으로 보는 입장이다.

③ 생활 집단으로서의 학급은 집단은 정서적 측면을 강조하여 생활 전체를 관여하는 인격적 공동체로 학급을 보는 견해이다.

(3) 최근 학교사회의 사회 집단적 성격의 특징

① 최근 학교사회의 사회 집단적 특징을 1차 집단적 성격과 2차 집단적 성격의 중간 또는 양면적인 것으로 파악하는 경향이 우세하다.

② 학교사회는 그 구성원의 가입방식, 성원 간의 접촉 방식면에서 볼 때 스미스(Smith)는 중간집단(intermediate group)으로, 브라운(F. J. Brown)은 양차적 집단으로 규정하고 있다.

③ 중간집단으로서의 특징은 성원들의 사회적 접촉이 부분적으로는 직접적이고, 부분적으로는 간접적이다. 교과서는 2차적 관계의 매개체로서 기능한다.

④ 제도적 혹은 전체적으로 학교집단은 2차적 혹은 이익 사회적이지만 그 안에 존재하는 교사들의 동료집단, 학생들의 친구집단, 과외활동반 등은 1차적이고 공동 사회적 집단이기도 하다.

⑤ 산업화·도시화·조직화·관료제화된 사회에 있어서는 학교가 2차적 또는 이익 사회 집단의 성격을 띠는 경향이 강해지고 있다.

2 동료집단과 교육

1. 동료집단의 특징

(1) 친근하고 동등한 지위를 가진 성원들로 구성된 1차 집단이다.

(2) 아동이나 청소년의 집단만을 가리키는 것이 아니고 성인집단이라 할지라도 대체로 동등한 지위를 가진 성원들로 구성되었을 때는 동료집단으로 생각할 수 있다.

2. 동료집단의 유형[브라운(Brown)]

(1) 놀이집단(Play Group)

① 놀이를 중심으로 맺어지는 무형(無形)의 소집단이다.

② 고정된 지도자가 없고 주관적, 순간적으로 집합하고 분산한다.

③ 집단놀이, 게임규칙, 언어 습득, 집단의식, 협동심, 사회적 지위와 역할, 지도자에 순응하는 태도, 개인과 집단의 관계 등을 배운다.

(2) 동류집단(Clique)

① 동일한 취미, 사회적 지위나 신분을 조건으로 맺어지는 청소년 집단이다.

② 우리의식이 강한 집단(동년배로 구성)이다.

③ 집단 구성원의 합의에 의해 성원이 결정되며, 민주적으로 지도자가 선출된다.

④ 유대감과 정서가 발달하며 서로 간의 신뢰감이 바탕을 이룬다.

⑤ 가정에서 얻지 못하는 욕구 충족과 서로의 도움을 주고받으며, 자기들만의 지식과 문화를 즐기고 교환한다.

(3) 갱(Gang) 집단

① 강한 동료의식과 집단의식을 지니며, 강력한 힘을 지닌 지도자가 존재하는 집단이다.

② 때로는 금지된 반사회적 행동을 하기도 한다.

③ 조직적으로 구성된 정형집단(定型集團)의 성격을 지닌다.

④ 일정한 의식, 암호 등을 가지고 가장 엄격하게 조직되고 행동하는 비밀 사회집단이 되기도 한다.

06 | 학교사회와 교육

핵심체크 POINT

1. **학교의 사회적 기능**
   사회통합과 통제, 사회구성원의 선발과 분류, 사회의 변화 및 혁신
2. **학교의 선발방법**
   우리나라의 경우 - 중앙집권과 표준화, 만기선발, 보편주의, 개인주의[호퍼(Hopper)]
3. **학교교육 비판론**
   ① 일리치(Illich)의 탈학교교육론: 학습사회 강조 - 학습자들이 학습자원을 쉽게 활용할 수 있도록 지역자원이 연계된 학습망
   ② 라이머(Reimer)의 학교 사망론: 교육 신화(神話) 비판
   ③ 실버만(Silberman)의 학급위기론
   ④ 프레이리(Freire)의 의식화 교육론: 민중교육론, 문제제기식 교육 강조
4. **시험의 기능**
   ① 몽고메리(Montgomery): 자격부여, 경쟁촉진, 선발, 목표와 유인, 교육과정 결정, 학습성취의 확인과 미래학습의 예언
   ② 시험의 사회적 기능: 사회적 선발, 지식의 공식화와 위계화, 사회통제, 사회질서의 정당화와 재생산, 문화의 형성과 변화

1 학교와 사회

1. 학교의 사회적 기능

(1) 사회통합(integration) 및 사회통제(control)

사회통합	서로 다른 이질적인 요소가 각기 독립성과 고유한 기능을 유지하면서 전체적으로 모순이나 갈등 없이 조화 있게 구성되어 있는 상태이다.
사회통제	전체적인 질서를 위해 개별적인 행동을 하거나 하지 못하게 조정하는 것이다.

(2) 사회구성원의 선발 및 분류

① 학교는 개인을 선발해서 일정기간 교육을 통해 서로 다른 사회적 지위에 분배하는 기능을 한다. 즉, 교육은 능력에 따라 개인을 분류하고 그 능력에 합당한 자격을 부여함으로써 사회적 위치를 차지하게 한다.

② 학교의 선발기능
   ㉠ 학생들의 능력의 종류와 수준에 따라 분류한다.
   ㉡ 직업세계가 필요로 하는 사람들을 분류한다.
   ㉢ 사회적 희소가치의 불평등한 분배에 대해 합리화한다.

③ 기능론의 선발 및 분류이론
   ㉠ 학생들을 능력의 종류와 수준에 따라 분류함으로써 학습자에 대한 진단 기능을 한다.

ⓛ 학생선발은 직업세계에서 필요로 하는 사람들을 미리 선발해서 능력에 따라 교육의 양과 질을 결정하여 서로 다른 교육적 경험을 부여하고 이를 토대로 사회진출을 가능하게 하는 여과기능을 한다.

ⓒ 학생선발은 사회적 희소가치의 분배가 능력에 따른 교육경험의 결과라는 것을 암암리에 일반화시킴으로써 계층 간 및 집단 간 갈등을 완화시키고, 사회적 체제유지를 합리화시키는 기능을 한다. 학교는 능력 있는 사람을 분류, 선발하는 합리적인 방법으로서 가장 능력 있는 사람들이 높은 사회적 지위를 획득할 수 있도록 해준다.

ⓔ 학생선발은 능력별 분류에 의한 서로 다른 교육적 성취는 장차 성인사회의 직업적 분화에 도움을 준다. 즉 능력이 다른 아동은 서로 다른 교육적 성취를 통해서 능력에 맞는 사회진출의 기회를 가지게 됨으로써 성인 사회의 직업적 분화에 공헌하게 된다.

④ 갈등론의 선발 및 분류이론

㉠ 학교에서 이루어지는 선발과정은 불평등하게 이루어지고 있으며, 선발의 척도로서 업적주의 이념 또한 공정하게 적용되지 않고 있다고 주장한다.

ⓛ 경제적 재생산론자: 학교의 선발 과정은 지배계층 자신들의 특권을 유지하기 위한 것이다. 학교교육을 통해 하류계층을 효과적으로 탈락시킴으로써 그들에게 순종·복종·열등감을 조장하여 자신들의 지배적 위치를 정당화한다. 따라서 학교의 선발과정은 사회평등을 실현하는 장치가 아니라 사회·경제적 불평등을 재생산하는 도구적 장치에 불과하다.

ⓒ 문화적 재생산론자: 학교교육의 선발 과정은 대부분 특권 지배층 자녀에게 유리한 문화내용으로 되어 있으며, 특권 지배층 가정의 문화적 전통의 합리성을 학교교육에 투사시키고 있다. 따라서 기존 엘리트들은 자신의 권력이 도전을 받아 빼앗기는 일이 없도록 종속적이고 대항적인 집단에서 지도자가 될 수 있는 인재를 선발하여 이들을 학교를 통해 동질화시켜 문화적 재생산을 영구화하고 있다. 결국 학교교육의 선발 과정은 지배계층에게 유리할 수밖에 없으며 불평등한 구조를 유지하는 데 도움을 주는 도구적 수단이라는 것이다.

(3) 사회의 변화 및 혁신기능

교육받은 사람의 특징

1. 새로운 경험에 개방적이다.
2. 부모와 교회로부터의 독립하고자 욕구가 있다.
3. 운명론에서 벗어나 과학과 의학의 효율성을 신봉한다.
4. 업적주의를 지향한다.
5. 미래를 계획한다.
6. 지역사회에 적극적으로 참여한다.
7. 전국적이거나 세계적인 뉴스에 관심을 가진다.

(4) 2차적 기능

① 탁아소의 기능
② 부분문화의 전달기능 등

기출문제

다음에 해당하는 교육의 사회적 기능은? 2022년 국가직 9급

- 산업구조와 사회구조의 급격한 변화에 대응하는 인력 수급의 기능을 담당한다.
- 사회의 존속을 위해 필요한 다양한 기능에 적합한 학생을 교육하여 적재적소에 배치한다.

① 문화전승의 기능
② 사회이동의 기능
③ 사회통합의 기능
④ 사회충원의 기능

해설

교육의 사회적 기능 가운데 사회충원의 기능이란 사회구성원의 선발, 교육, 배치의 기능으로 사회 존속을 위해 필요한 다양한 기능에 적합한 학생을 선발하고 교육시켜 사회적 지위에 맞도록 적재적소에 배치하는 것을 말한다. 즉 교육은 능력에 따라 학생을 분류하고 그 능력에 합당한 자격을 부여함으로써 사회적 위치를 차지하게 하며, 나아가 산업구조와 사회구조의 급격한 변화에 대응하는 인력 수급의 기능을 수행한다. **답 ④**

2. 학교발달의 성격

(1) 학교제도는 계급적인 것으로부터 대중적인 것으로 발달하였다.

(2) 학교관리는 가정 혹은 교회로부터 국가 관리의 방향으로 변화되었다.

(3) 교육목적은 비직업적인 것으로부터 실제적인 방향으로 전환되었다.

(4) 교육내용은 고전, 신학, 형이상학적인 것으로부터 실제적, 현실적, 실용적인 내용을 중시하는 방향으로 변화되었다.

(5) 교육방법은 비합리적·수동적인 것으로부터 합리적·능동적·자발적인 것으로 바뀌었다.

3. 학교의 선발 방법

호퍼(E. Hopper)는 교육선발(educational selection)이 교육제도의 특징을 가장 잘 드러내주는 것으로 보고, 교육선발의 유형을 통하여 교육제도를 연구하는 것이 효과적이라고 주장하였다. 그는 교육선발을 다음과 같은 네 가지 측면에서 분석하였다.

(1) 선발형식

선발의 중앙집권화와 표준화의 정도에 따라 형식성이 강한 것에서 약한 것으로 구분된다.

중앙집권화와 표준화의 정도가 높은 국가	프랑스, 스웨덴, 소련
중앙집권화와 표준화의 정도가 중간인 국가	서독, 오스트렐리아, 영국
중앙집권화와 표준화의 정도가 낮은 국가	미국, 캐나다

(2) 선발시기

초등학교과정 혹은 초등학교 졸업 단계에서 중요한 선발을 실시하는 조기선발과 대학 단계에 이르러서야 선발이 이루어지는 만기선발로 구분하였다.

① 조기선발: 프랑스, 서독, 영국

② 만기선발: 미국, 캐나다, 스웨덴

③ 소련과 오스트렐리아는 중간 정도에 해당한다.

(3) 선발기준

사회의 이익을 우선적으로 고려하는 집단주의와 개인의 자아실현을 강조하는 개인주의로 구분하였다.

집단주의	소련, 스웨덴, 영국, 프랑스, 서독
개인주의	미국, 오스트렐리아, 캐나다

(4) 선발대상

특별한 자질을 구비한 사람만 뽑아야 한다는 특수주의(정예주의)와 누구나 교육받을 가치를 지니고 있다고 믿는 보편주의(대중평등주의)로 구분하였다.

특수주의	서독, 프랑스, 영국
보편주의	미국, 오스트렐리아, 스웨덴, 소련

4. 우리나라의 선발방법

중앙집권과 표준화, 만기선발, 대상의 보편주의, 기준의 개인주의에 속한다.

2 학교교육 비판론

1. 일리치(I. Illich)의 탈학교교육론

(1) 특징

『탈학교 사회(Deschooling Society, 1971)』에서 학교교육의 개혁보다는 학교폐지를 주장하였다. 그는 “사람들의 학습권(the right to learn)이 학교를 다녀야 한다는 의무 때문에 제한을 받고 있다.”라고 주장한다.

(2) 학교교육 비판의 이유

① **국제적 측면**: 가난한 국가들이 자국의 학교교육 수준을 부유한 국가들의 수준으로 끌어올릴 수 있는 방법은 전혀 없다. 따라서 학교교육을 신뢰할수록 부유한 국가에 대한 가난한 국가의 열등감은 심화된다.

② **국내적 측면**: 가난한 국가에서 학교교육의 확대는 학교교육을 적게 받았거나 받지 못한 사람들의 삶의 기회를 봉쇄시키는 결과를 가져왔다.

(3) 학교교육 비판

① 학교는 관료조직처럼 되어 있으며 인간적인 만남이 이루어질 수 없는 장소로서 오직 규약으로만 운영되는 법인조직일 뿐이다.

② 학교는 학생들로 하여금 현대사회가 법인 조직사회임을 인식시키며 경제성장의 가치, 물질적 재화의 중요성, 기술적 요령 등을 가르친다.

③ 학교는 학생들에게 가치 있는 지식을 배우려면 교사나 전문가에게 더욱 의존해야 한다고 주지시킨다.

④ 학생들이 학교에서 배우는 것은 '경제 및 물질 우위의 가치체계', '단편적인 조작기술', '상급자나 전문가에 대한 의존' 등이다. 학교에서 배운 이러한 지식이나 기술, 가치 등은 자본주의 경제체제에서 하위 생산 노동자들이 갖추어야 할 조건과 일치한다.

(4) 학습사회(learning society)론

① 인간의 자유, 평등, 박애를 증진시키는 학습을 주장하였다.

② 참다운 학습이란 개인의 동의하에 이루어지는 것으로 교수의 결과로 얻어지는 것이 아니라 살아가면서 경험을 통해 얻어지며, 생활과 사물의 관찰을 통해 얻을 수 없는 지식은 선배나 동료 또는 책이나 학습도구로부터 획득할 수 있다.

③ 일리치의 탈학교론은 창의적인 행동을 육성하는 교육은 현재의 위압적인 제도와는 전혀 다른 시스템, 즉 비형식적으로 자발적인 학습을 위해 조직망을 만들고 거기서 사람들이 자발적으로 학습기회를 선택하는 시스템을 통해 가능하다고 보았다.

④ 일리치의 학습사회는 학습자들이 학습자원을 쉽게 활용할 수 있도록 지역자원의 연계된 학습망(learning network)에 기초한다.

참고

일리치(Illich)

일리치는 1926년 오스트리아의 수도 빈에서 태어나 로마의 레고리안 대학에서 신학과 철학을 공부한 후, 계속해서 오스트리아의 짤즈부르크대학에서 역사학을 공부하고 박사학위를 취득하였다. 1951년 미국으로 건너가 1956년까지 5년간 뉴욕시 맨하탄의 웨스트사이드 지역 잉카네이션 교구에서 보조사제로 일하면서 이 교구에 많이 사는 아일랜드와 푸에르토리코 이주민들의 가난한 생활과 그에 따른 "미국인이면서도 미국인이 아닌" 생활을 보았다. 그는 푸에르토리코계 주민들과 뉴욕 시민 사이의 마음의 교류를 위해 노력하는 가운데 장관, 교사, 복지사문관을 포함해서 수많은 뉴욕 시민들이 철저한 고정관념에 사로잡혀 있다는 사실을 발견하였다. 그리고 비록 선의에 의한 것이라 할지라도 스스로의 신념을 타인에게 강제하는 폐해를 의식하게 되었다. 1956년부터 1960년까지 그는 푸에르토리코의 카톨리대학의 부학장을 역임하고, 1961년에는 멕시코로 옮겨가 게리 모리스 및 페오도라 스탄쵸프와 함께 멕시코시티 근교 쿠에르나바에 국제문화자료센터 CIDOC를 설립했다.

2. 라이머(Reimer)의 학교 사망론

(1) 특징

『학교는 죽었다(School is Dead, 1971)』에서 현대 사회의 교육제도, 특히 학교교육제도를 비판하였다.

(2) 학교교육 비판(교육 신화 비판)

① 모든 사람은 그의 능력이 허용하는 한 원하는 것은 무엇이나 성취할 수 있는 기회의 평등이 존재한다고 생각하지만, 이는 허구이다.

② 학교에서는 순종을 가르치면서도 규정 위반을 가르친다. 교사 개개인은 학생이 무엇을 배우는가에 관심을 갖기도 하지만 학교조직은 학생들이 얻는 점수만을 문제 삼는다. 따라서 학생들은 학교에서 강조하는 규율에는 순종해야 하고 별로 강요하지 않는 것은 어겨도 된다는 것을 배운다.

③ 오늘날 학교는 국가에 의해 운영됨으로써 국가의 이념을 가르치고 높은 수준에 이를수록 통치하고 지배하는 방법을 가르침으로써 국가에 봉사하는 자질을 길들인다.

④ 학교교육 본래 기능의 회복은 전체 사회의 광범한 변화 없이는 불가능하다. 그는 현대는 범세계적인 협동이 요구되고 있으며 공동체의 성원으로서 스스로 다른 사람들과 함께 모든 결정에 참여하고 모든 사람들이 평등한 권리를 가지고 있다는 사실을 깨닫도록 해야 한다고 주장한다.

3. 실버만(Silberman)의 학급 위기론

(1) 특징

『교실의 위기(Crisis in the Classroom, 1971)』에서 미국교육의 위기적 상황을 경고하고 인간교육으로서의 방향 전환을 제안하고 있다.

(2) 학교교육 비판

① 자발성과 배우는 즐거움은 물론 창조하는 즐거움과 자기의 의식 등이 모두 어려서부터 학교에서 시들어버린다.

② 특히 공립학교는 활기가 없고, 답답한 곳이며, 억압적이고 하찮은 규칙으로 얽매고, 지적이나 미적으로 메말라 있는 환경이다.

③ 학교는 일반적으로 질서와 통제로 가득 차 있으며 교장이나 교육감은 경영자로서 가능한 효율적으로 조직을 운영하는 것이 그들의 직무라고 생각한다.

④ 학교는 불신의 가정(假定) 위에서 운영되며, 생존을 위한 가장 중요한 전략은 순종과 영합이다.

⑤ 그는 새로운 학교는 인간교육을 저해하는 요인을 제거한 학교가 되어야 한다고 보았다.

4. 프레이리(Freire)의 의식화 교육론

(1) 특징

『피억압자의 교육학(Pedagogy of the Oppressed, 1970)』에서 전통적인 교육은 인간을 수동적으로 만듦으로써 억압을 더욱 촉진한다고 주장한다.

(2) 침묵의 문화, 은행 저축식 교육, 문제 제기식 교육

① 침묵의 문화(culture of silence)

㉠ 객체화, 비인간화된 인간의 모습

㉡ 피억압자들이 정복, 분할지배, 조종, 문화적 침략에 의해 주어진 현실에 지배당하여, 조직적으로 행해지는 이데올로기의 조정에 길들여져 스스로의 선택 능력을 잃어버리고 그 대신 억압자의 문화와 행동양식, 가치관을 내면화한 결과 억압자들처럼 입고, 걷고, 생활하려는 상태이다.

프레이리(P. Freire, 1921 ~ 1997)

교육의 궁극적 목표는 인간 해방임을 알리고 이를 실천한 20세기의 대표적인 교육 사상가이며, 제3세계 민중교육학의 고전으로 평가받고 있는 『페다고지(Pedagogy, 1968)』의 저자로 유명하다. '피억압자들의 교육학'이라는 부제가 달린 『페다고지』에서 프레이리는 전통적 교육의 수동적 성격이 억압을 더욱 촉진시키는 결과를 낳았다고 주장하며, '은행 저금식'의 주입식 교육보다는 '문제 제기식'의 교육을 해야 한다고 역설하였다. 즉 프레이리는 종래의 교육을 은행에 비유해, 교사는 그릇된 정보를 적립하고 학생은 그런 교육체계에서 그저 그 정보만을 수거하는 수동의 위치에 머물러 있을 따름이라고 보았다. 그리고 그 대안으로 교사와 학생 간의 대화를 유발하는 '해방의 교육'을 주장하였다.

② 은행 저축식 교육(banking education)

㉠ 교사와 학생 사이의 지배와 복종관계에서 이루어지는 교육으로, 학생이라는 텅 빈 저금통장에 교사가 지식이라는 돈을 저축하는 식의 교육을 의미한다.

㉡ 인간은 단지 세계 안에 존재할 뿐이며 세계와 혹은 자신의 동료들과 더불어 존재하지 않는다.

㉢ 교사와 학생의 관계는 일방통행적이다. 즉 교사는 말하고 학생은 들으며, 학생은 텅 빈 저금통장과 같이 취급된다.

③ 문제 제기식 교육(problem posing education)

㉠ 비인간화와 비인간화 시키는 억압을 극복하는 교육이다.

㉡ 교사와 학생은 수직적 관계가 아니라 공동 탐구자가 된다. 교사와 학생은 공동의 성찰(reflection)을 통해 실제의 베일을 벗기고 지식의 재창조 작업에 참여한다.

㉢ 교육 내용은 학생들로부터 제기되는 문제이며 저장되어야 할 내용이 아니라 해결해야 할 문제이다.

㉣ 문제 제기식 교육을 통해 인간이 의식화되면 의식을 실천하는 존재가 된다. 즉 역사와 문화의 주체로서 인간의 비판적 의식은 지적 노력을 통해서가 아니라 행동과 반성의 결합인 프락시스(praxis)를 통해 이루어진다.

3 시험의 기능

1. 시험의 사회문화적 성격[몽고메리(Montgomery)]

시험을 '교수와 학습과정의 핵심적 부분'으로 규정하고 시험의 기능을 자격부여, 경쟁촉진, 선발, 목표와 유인, 교육과정결정, 학습 성취의 확인과 미래학습의 예언 등 6가지로 제시하였다.

(1) 경쟁촉진 기능

입시 위주의 한국교육이 당면한 가장 큰 문제 가운데 하나이다. 과열된 경쟁분위기는 교육전체를 비교육적 상황으로 몰아넣고 있다.

(2) 목표와 유인 기능

시험은 학습자들에게 학습목표를 지시해줌과 동시에 그 목표에 도달하고자 하는 동기를 촉발하는 요인으로 작용한다.

(3) 교육과정 결정 기능

시험의 전도된 기능이라고 할 수 있다. 논리적으로는 교육과정이 시험을 결정하지만 실제로는 시험이 교육과정(학생의 학습내용)을 결정한다.

(4) 자격부여

시험을 통해 졸업자를 가려내거나 상급학교 진학자를 가려낸다.

(5) 학습 성취의 확인

시험을 통해 학생들의 학업성취 정도를 확인한다.

(6) 미래 학습의 예언

시험의 결과는 미래 학습을 예언하는 중요한 자료가 된다. 예를 들면 초등학교 수학시험 성적으로 중학교에 진학해서 어느 정도 학습에 성공할 수 있을지를 예측할 수 있다.

2. 시험의 순기능과 역기능[아시아지역 유네스코 보고서(APEID)]

(1) 순기능

① 교육의 질적 수준을 유지한다.
② 학교 간 비교를 가능하게 한다.
③ 단계별로 이수해야 할 최저학습 수준을 지시한다.
④ 교수의 개별적 평가가 범할 수 있는 편견을 탈피할 수 있다.

(2) 역기능

① 암기력을 주로 테스트한다.
② 교육과정의 일부만을 다룬다.
③ 선택적 학습과 선택적 교수를 부추긴다.
④ 정상적 공부습관을 약화시킨다.
⑤ 시험불안감 조성과 비정상적 행위를 유발시킨다.
⑥ 교육과정 및 교수법에 관한 교육개혁을 가로막는다.

3. 시험의 사회적 기능

(1) 사회적 선발 기능

시험을 통한 사회구성원의 선발기능은 공교육제도의 등장과 더불어 뚜렷해졌다.

(2) 사회통제의 기능

시험을 통한 사회통제는 지식의 통제를 통해서이다. 또는 규범과 가치관을 통제함으로써 사회를 효과적으로 통제할 수 있다.

(3) 지식의 공식화와 위계화 기능

시험에 출제되고 더욱이 정답으로 규정되는 지식은 그 사회가 공식적으로 인정하는 지식이다. 그리고 시험에 출제되는 지식과 출제되지 않는 지식 사이에는 자연히 위계화가 이루어진다. 시험의 이런 기능에 대해 마르크스는 "시험은 지식에 대한 관료적 세례이다. 즉 세속적 지식을 성스런 지식으로 변형시키는 공식적 의식과 같은 것이다."라고 말하였다.

(4) 사회질서의 정당화와 재생산 기능

(5) 문화의 형성과 변화의 기능

사회질서의 정당화와 재생산 기능 및 문화의 형성과 변화 기능은 그람시(Gramsci)의 헤게모니론과 부르디외(Bourdieu) 등의 주장을 통해 설명될 수 있다.

07 | 사회이동과 교육

핵심체크 POINT

1. **사회이동의 유형**
   세대 간 이동과 세대 내 이동(생애이동), 경쟁적 이동과 후원적 이동[터너(Turner)]
2. 블라우 & 던컨(Blau & Duncan)의 직업지위결정의 경로모형, 위스콘신 모형(의미 있는 타인, 교육포부수준과 직업포부 수준 등)

1 사회이동(social mobility)

1. 의의

(1) 개념

사회적 위계 체계 속에서 한 개인이나 집단이 어떤 사회적 지위로부터 다른 사회적 지위로 이동하는 것을 말한다.

(2) 특징

① 흔히 직업적 지위 또는 서열로 나타나지만 그 밖에 가옥의 크기나 형태, 사교 대상과 범위, 이웃동네의 특성으로도 나타난다.

② 관련요소: 개인의 특성, 직업과 수입, 가정 배경 등이다.

③ 사회적 지위(social status): 한 개인이 사회에서 차지하고 있는 위치, 사회계층이란 직업, 교육, 수입 등에 따라 서로 비슷한 사회적 지위에 있는 사람들이 비슷한 태도, 가치, 행동을 가질 때 나타나는 집단적 의미를 말한다.

2. 사회이동의 유형

(1) 수직적 이동과 수평적 이동

① 수직적 이동(vertical mobility): 개인 및 사회계층 조직 내에서 어떤 사람의 지위가 상하로 이동하는 것을 말한다.

예 수입이 많아지거나 직업적 서열이 높아지는 등의 사회적 신분이 위로 올라가는 상승 이동(upward mobility), 반대로 부모 때보다 낮은 사회적 계층으로 떨어지는 하강 이동(downward mobility)등이 있다.

② 수평적 이동(horizontal mobility): 사회적 위치가 동일한 수준에서 횡적으로 이동하는 것을 말한다.

예 한 회사의 과장이 비슷한 다른 회사의 과장으로 이동하는 경우 혹은 도시학교의 교사가 지방의 학교로 이동하는 경우이다.

(2) 세대 간 이동과 세대 내 이동

① 세대 간 이동(intergenerational mobility)

㉠ 부모와 자식 간의 사회이동을 말한다.

㉡ 한 사회체제 내에서 자식이 부모보다 더 높은 지위로 상승 이동하거나 더 낮은 지위로 하강 이동하는 경우이다.

② 세대 내 이동(intragenerational mobility)

㉠ 한 개인의 생애에 걸친 직업적, 사회적 지위의 변화를 말한다. 생애 이동(career mobility)이라고도 한다.

㉡ 공장 노동자가 스스로 노력해서 독립적인 사업가로 성공한 경우이다.

(3) 구조적 이동과 순환적 이동

① 구조적 이동(structural mobility): 산업구조의 변화로 인해 파생되는 사회적 이동이다.

예 사회가 공업화되면서 농업에 대한 요구가 감소되고 관리직이 늘어남에 따라 농부가 점자 관리직으로 직종(職種)이동하는 경우이다.

② 순환적 이동(circulation mobility)

㉠ 급격하게 산업화가 진행되는 사회에서 부모와 다른 직업을 자녀들이 갖게 되는 것을 말한다.

㉡ 구조적인 변화 없이도 일어나는 사회이동으로 한 사회에서 기회의 등급을 나타내주는 지수가 되기도 한다.

(4) 개인이동과 집단이동

① 개인이동(individual mobility)

㉠ 각 개인이 한 계층으로부터 다른 계층으로 이동하는 것을 말한다.

㉡ 요인

ⓐ 중간계급과 기능 인력의 구성비를 높이는 방향으로 노동력 구조를 변화시켜 생산성을 향상시키는 과학기술의 발달

ⓑ 상류계급의 자녀 출산력 감소를 통한 계급 재생산의 약화

ⓒ 개인의 재능과 노력

② 집단이동(group mobility)

㉠ 도시 노동자들과 같은 집단 전체의 계층수준(수입, 지위 등)이 상하로 이동하는 것을 말한다.

㉡ 요인

ⓐ 생산성을 높이는 과학기술의 발달

ⓑ 증가된 사회적 소득의 분배

ⓒ 소득증가집단에 의한 상급지위 상징(가구, 자녀교육, 의복 등)의 구매

2 교육과 사회이동

1. 터너(Turner)의 계층이동

(1) 경쟁적 이동(contest mobility)

① 개인적 자질과 노력에 의해 결정되는 사회 이동이다.

② 입학시험에 개인적 노력을 통해 경쟁적으로 일류학교에 합격하는 것과 같이 엘리트의 지위를 쟁취하여 상승 이동하는 것이다.

③ 미국의 사회 이동 방식은 경쟁적이다. 미국은 사회 이동을 공평하게 하기 위해 학생선발의 시기를 될 수 있으면 연기한다.

④ 경쟁적 이동 사회에서는 사회 이동을 위한 경쟁의 조건으로 교육을 청소년들이 최대한 이용하도록 기회를 주며, 우등생과 열등생의 엄격한 분리를 피하고 과정 간 이동의 통로를 넓게 열어준다.

(2) 후원적 이동(sponsored mobility)

① 경쟁방식을 피하고 통제된 선발과정을 통해 결정되는 사회 이동이다.

② 기득권을 가진 엘리트의 기준에 맞는지의 여부에 따라 사회적 이동이 결정되는 것을 말한다.

③ 영국의 사회 이동 방식은 후원적이다.

④ 후원적 이동이 지배적인 사회에서는 교육의 목표가 엘리트를 충원하는 데 있으므로 필요한 사람은 빠른 시기에 선발하고 우등생은 분리해서 특별한 교육을 시키는 체제가 확립된다.

2. 호퍼(Hopper)의 유형론

(1) 터너의 경쟁적 이동과 후원적 이동의 개념을 확장하여 각국의 학교교육의 선발과정의 구조를 분석해서 학교교육과 사회이동의 관계를 설명하고 있다.

(2) 신분 이동의 정도가 활발하지 못한 사회일수록 학생선발이 조기에 이루어지는 제도가 확립되어 있으므로 미리 학교교육의 기회를 가진 상층의 아동들에게는 유리하나 하층의 아동들은 불리하다고 보았다.

(3) 반면 선발시기가 늦어질수록 하층의 아동들도 선발될 수 있는 시간적 여유가 생기므로 계급 간의 이동 가능성이 커지는 데 비해 상층의 아동들에게는 이점이 감소된다.

3. 기능론과 갈등론의 사회이동

(1) 기능론

① 기능론자들은 학교교육이 사회적 진출에 결정적인 역할을 한다고 본다.

② 가정배경, 학교교육, 사회적 진출의 관계는 다음과 같다.

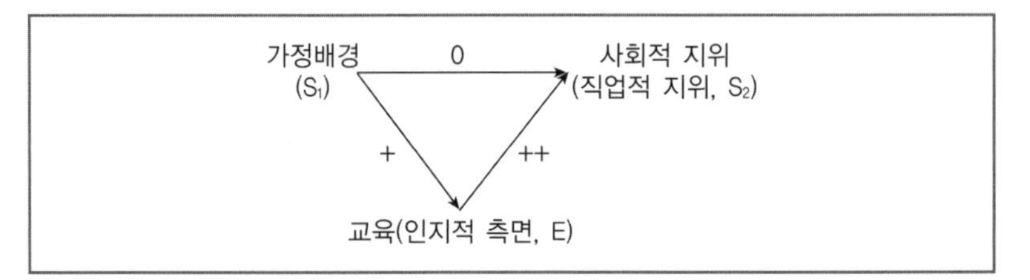

③ 블라우와 던컨(Blau & Duncan, 1967)은 사회이동 과정을 인과관계로 체계화하여 직업적 지위에 대한 사회이동을 실증적으로 분석하였다.

㉠ 개인의 지위 획득과정을 정교한 통계적 분석 방법에 의해 경험적으로 분석하였다.

㉡ 개인이 성취한 사회경제적 지위를 직업의 위세에 따라 양화(量化)하여 종속변인으로 하고, 아버지의 교육수준 및 아버지의 직업 지위와 같은 사회경제적 배경 요인을 귀속적 요인으로, 본인의 교육연한을 성취요인으로 간주하여 이 요인들이 개인의 첫번째 직업지위와 현재의 직업 지위를 결정하는 데 미치는 영향력을 측정하였다.

㉢ 그 결과 개인의 교육 정도는 자신의 직업 지위를 결정하는 데 긍정적인 영향을 미치고 있다.

㉣ 아버지의 직업 지위와 교육 수준과 같은 배경요인에 의해 영향을 받으며 따라서 배경요인이 직업 지위 성취에 미치는 영향을 매개하는 역할도 수행하고 있다.

㉤ 블라우와 던컨의 직업지위결정의 경로 모형

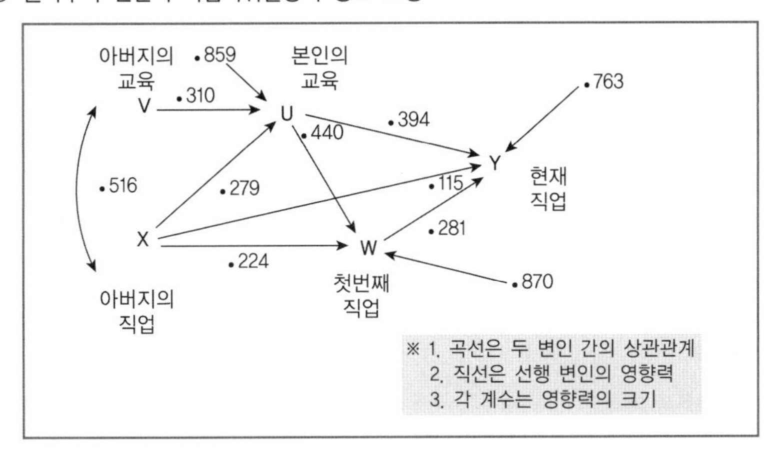

(2) 갈등론

① 갈등론자들은 교육기회를 확대함으로써 사회적 불평등의 간격이 좁혀진다는 주장에 대해 회의적이다.

② **1966년 콜만 보고서(Coleman Report)**: 학교교육에 대한 무력함을 실증적으로 밝혀줌으로써 종래의 인식을 변화시킨 계기가 되었다.

③ **젠크스(Jenkes)**: 학교교육 연한이나 개인의 지적 요인과 개인의 수입 간에는 별 상관이 없는 것으로 보았다.

④ **보올스와 진티스(Bowles & Gintis)**: 개인의 사회적 지위는 학교교육보다는 가정배경에 의해 결정된다고 보았다.

⑤ 가정, 학교교육, 사회적 진출 간의 관계

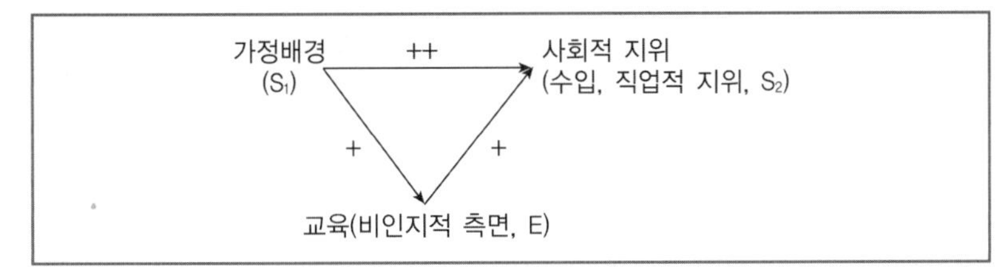

(3) 지위집단이론(지위경쟁이론)

① 가정배경은 사회진출에 있어 결정적 역할을 담당하며, 학교교육은 사회진출에 있어서 지위집단의 이해관계를 반영하기 때문에 한 개인의 사회진출에 결정적 역할을 담당한다.

② 가정, 학교교육, 사회적 진출 간의 관계

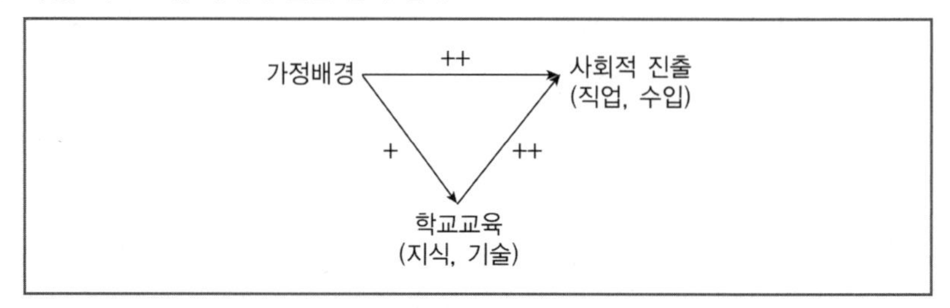

秀 POINT 지위획득 과정에 대한 위스콘신 모형

1. 개념

위스콘신대학교 사회학과의 수월(Sewell)을 중심으로 한 연구팀이 블라우와 던컨의 모형에 사회심리학적 변인들을 추가하여 발전시킨 모형이다.

2. 기본 가설

의미 있는 타인들로부터 받는 격려와 고무의 정보는 아동들의 사회적 지위와 능력에 따라 격차가 있고 이 격차에 따라 아동들의 포부수준(aspiration level)이 다르게 설정된다.

3. 연구결과

직업적 위세가 높은 아버지를 둔 자녀들은 사회적 지위가 높은 사람들을 의미 있는 타인으로 접하고 이 자녀들은 의미 있는 타인들을 모형으로 하거나 이들로부터 고무됨으로써 자신들의 교육적, 직업적 포부수준을 높이게 되며 그 결과로서 높은 학력을 성취하고 높은 지위의 직업을 획득하게 된다.

4. 교육적 의의

위스콘신대학 연구팀의 직업적 지위의 획득 과정에서 사회심리적 요인들 곧, 의미 있는 타인의 영향, 교육적 포부, 직업적 포부 등이 사회구조적 요인 못지않게 작용하고 있다는 주장은 생후의 처치가 가능한 사회심리적 변인들을 중요하게 취급하고 있기 때문에 블라우와 던컨의 모형보다 교육학적 의미가 더 많다.

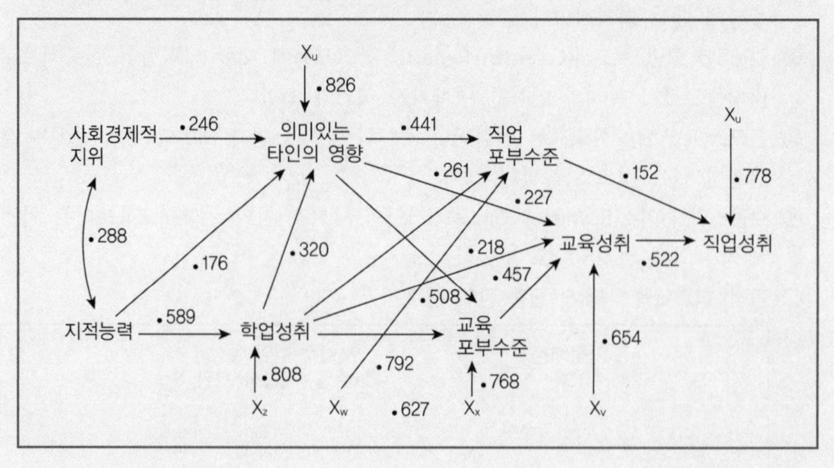

08 | 학력상승과 학교 팽창론

1. 학력상승이론

학습욕구이론	지적욕구 충족 강조
기술·기능이론	과학 기술의 발달에 따른 기업기술 수준의 향상
경제적 재생산론	자본가들이 자본주의 경제체제 유지를 위한 필요성
지위경쟁이론	집단간 높은 지위 상승을 위한 경쟁
국민 통합론	국민적 정체성 및 일체감 형성을 위한 기제

2. 학교팽창론

기능론	사회내부적 요인과 보편적 이익을 강조
갈등론, 지위경쟁이론	사회내부적 요인과 특수집단의 이익을 강조
문화전파론	외부적 요인과 보편적 이익을 강조
문화적 제국주의	외부적 요인과 특수집단의 이익을 강조

1 학력상승 요인을 설명하는 이론

1. 학습욕구이론

(1) 학교교육을 통해 지적 욕구 및 인격도야 등의 욕구를 충족시킬 수 있기 때문에 기회만 주어지면 누구나 교육을 받으려고 한다.

(2) 학교가 사람들의 학습 욕구를 충족시켜 주는 기관이기 때문에 누구나 학교에 다니기를 희망한다. 따라서 학습에 대한 강한 욕구로 인해 학력 상승이 발생한다(학교 팽창의 요인).

(3) 오늘날 학교가 학습욕구를 충족시켜주는 기관이라는 것을 입증하기 어렵다는 단점이 있다.

2. 기술·기능이론

(1) 과학기술의 부단한 향상으로 인해 직업 기술의 수준이 지속적으로 높아지며, 이에 따라 학력이 높아진다는 이론이다(인간 자본론적 입장).

(2) 학교제도와 직업세계가 상호 간에 긴밀한 관계를 유지하고 있음을 강조한다[클라크(R. Clark)].

(3) 이론적 입장

① 산업사회에서 직업의 기술요건이 과학기술의 변화에 따라 계속 높아진다.

② 학교교육은 기술수준이 점차 높아지는 직업에 필요한 전문기술과 일반적 능력을 훈련시킨다.

과잉학력 현상
한 사회의 직업 기술 수준과 학력 수준은 일치한다는 기술·기능 이론의 주장을 정당화하기 어렵게 만든다.

③ 취업을 위한 교육의 요구 수준이 높아지고 점점 더 많은 인구가 더 오랜 기간 동안 학교교육을 받게 되므로, 결국 과학기술이 변화하는 한 학교교육 기간은 계속 늘어나며, 학력 또한 상승하게 된다.

3. 대응이론

(1) 자본주의 사회의 학교제도는 처음부터 자본주의 경제체제를 유지하기 위해 고용주의 구미에 맞는 기술 인력을 공급하고 동시에 자본주의에 적합한 사회규범을 주입시키는 핵심장치로 작용하였다고 보는 입장이다.

(2) 미국 초기의 의무교육제도가 상류층이나 중류층의 자녀를 위한 교육을 위해서가 아니라, 공장 노동 청소년들의 노동의 질을 높일 목적으로 공장지대의 주변 지역에서 오히려 더 강력히 실시되었음을 지적한다. 공장주들은 잘 훈련된 노동인력을 쉽게 얻기 위하여 교육위원회에 의무교육의 실시를 요구하였기 때문이다.

(3) 학교에서는 읽기, 쓰기, 셈하기 등 지적 내용보다는 질서 지키기, 윗사람의 명령에 순종하기, 책임 다하기 등 규범적 내용을 가르치기를 원하였고, 실제로 노동자를 채용할 때 지식보다는 태도와 자세를 더 중요하게 고려하게 되었다는 것이다.

(4) 근대 자본주의 사회의 학교팽창 및 학력 상승의 부정적 측면을 지적한다.

4. 지위경쟁이론

(1) 학력(學歷)을 지위획득의 중요한 수단으로 간주해서 학력의 경쟁을 초래하며 따라서 개인의 학력이 상승한다는 입장이다.

(2) 현대 사회에서의 학력(學歷)은 지위 획득을 위한 합법적인 사다리로 인정받고 있으며 모든 사람들은 더 높은 사회적 지위 상승을 위해 더 높은 상급학교 졸업장을 받기 위해 온갖 노력을 기울인다. 결과적으로 학교가 확대되지만 경쟁은 끝나지 않으므로 학교의 확대는 상급으로 파급된다.

(3) 그러므로 모든 나라에서 학교제도는 거대한 사회적 선발장치로 이용되기 시작하였다. 졸업장, 즉 학력증명(學歷證明)은 개인의 능력과 노력의 수준을 나타내주는 공인된 품질증명이 된 것으로 볼 수 있다.

(4) 한국의 교육현실을 비교적 잘 설명해주는 이론이다.

5. 국민통합론

(1) 1950 ~ 1970년대 세계적인 교육체제의 팽창을 설명하는 이론으로 국가의 형성과 이에 따른 국민통합의 필요성이 교육팽창을 가져왔다는 이론이다.

(2) 교육은 국민으로서의 정체감을 형성시키는 기제이다. 다양하고 이질적인 문화적, 지역적 집단과 계급으로 구성된 국민들에게 일체감을 형성하게 한다.

(3) 교육은 모든 국가에서 점점 더 팽창할 뿐만 아니라 교육내용과 조직, 교사 양성 등 교육의 전 과정이 국가의 통제하에 놓이게 된다.

(4) 교육팽창을 정치 단위인 국가의 이데올로기 통합과정에서 교육제도가 수행하고 있는 정치적 기능을 새롭게 지적해주고 있으며, 특히 제2차 세계대전 이후에 전 세계적으로 일어난 교육팽창을 설명하는 데 유용한 이론이다.

2 근대 공교육제도의 팽창이론

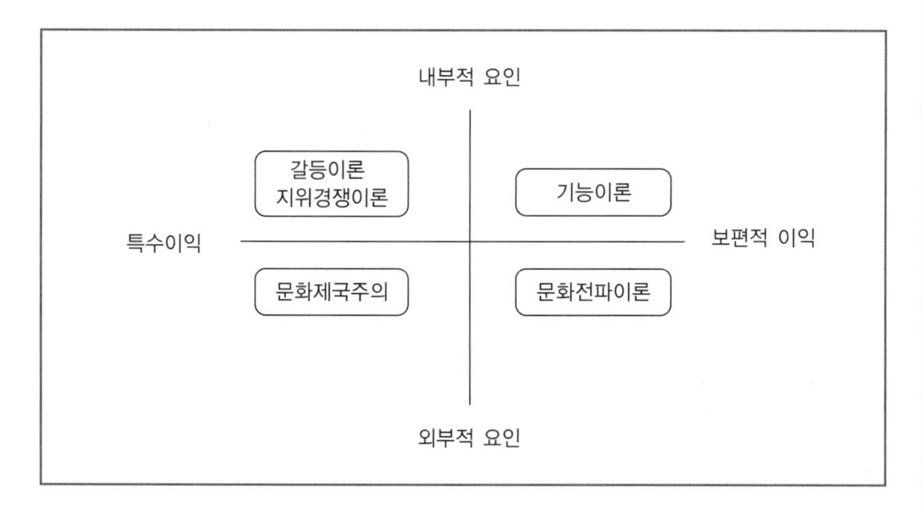

1. 기능이론

(1) 근대사회가 요구하는 내재적 필요를 충족하기 위한 장치로 제도화되었다.

(2) 근대 산업사회는 체계적인 지식과 기술을 갖춘 인력을 대량으로 요구한다.

(3) 다원화된 근대사회는 다양한 사회부분과 구성원 간의 긴밀한 문화적 합의를 도출하고 유지할 필요성을 제기한다.

(4) 학교교육을 통하여 산업사회가 요구하는 보편성, 특수성, 독립성, 성취지향성 등의 규범을 익힐 필요성이 증대되었다.

2. 갈등이론 및 지위경쟁이론

(1) 갈등이론은 자본주의 불평등 구조를 유지하고 재생산하며 이를 정당화하기 위한 일종의 사회통제 기제로 제도화되었다.

(2) 지위경쟁이론은 근대 공교육제도는 서로 상충되는 이해관계를 지닌 다양한 지위집단들의 기득권 수호 혹은 합법적인 사회적 지위상승을 위한 경쟁 수단으로 제도화되었다.

3. 문화제국주의[카노이(M. Carnoy)]

(1) 마르크스주의와 신마르크스주의에 바탕을 두고 특히 제3세계에서의 근대 교육체제의 형성 및 그 성격을 설명하는 데 있어 세계 체제의 위계구조와 불평등한 노동의 분화를 강조한다.

(2) 제3세계의 교육제도는 식민지 교육의 유산을 그대로 답습한 것이며 이는 과거의 식민지에 대한 정치적 및 경제적 영향력을 유지하기 위한 식민지배국의 의도적 노력의 결과로 본다.

(3) 중심국가가 주변국가에 대한 신식민적 침투를 용이하게 하는 문화적 토대를 형성하기 위해 교육원조, 학교 및 연구기관 설립 지원, 교육자문단 파견, 유학생 지원 등의 방법을 활용한다.

(4) 중심부에서와 유사한 형태의 교육을 통하여 주변부에 이식되는 중심부 국가의 사회제도, 이데올로기, 지식, 가치관, 소비양식 등은 주변부 국가들로 하여금 정치·경제·문화적으로 종속된 하청업자로서의 역할을 수행하게 하는 일이다.

(5) 제3세계 국가, 특히 제2차 세계대전 이후 신생독립국가에서의 근대적 공교육제도 형성을 설명하는 데 유용한 이론으로 간주된다.

4. 문화전파이론

(1) 한 사회의 교육제도는 다른 문화로부터 이식되거나 접촉을 통해 형성된다.

(2) 문화전파란 특정 사회제도나 관행, 발명품, 행동양식 등의 문화의 구성요소들이 여타의 지역이나 문화권으로 확산되는 현상을 말한다.

(3) 근대적 공교육제도는 문화 전파의 원리에 따라 전 세계적으로 확산된 것이다.

5. 한국의 교육 팽창론

(1) 국민통합론적 관점

근대 민족국가 형성을 위한 국민통합의 필요성이 강조되었다.

(2) 기술기능 이론적 관점

1960년대 이후 경제개발과정에서 수많은 노동력 수급의 필요성이 커지자, 이를 위해 1968년 중학교 무시험제, 1974년 고등학교 평준화제도를 시행하였다. 이는 중등교육의 폭발적 팽창 요인으로 작용하였다.

(3) 지위경쟁 이론적 관점

고학력 획득을 위한 계층상승의 욕구가 교육기회 확대로 작용하였다.

(4) 학습욕구이론

개인의 지적 욕구와 자아실현의 욕구충족을 위해 학교팽창이 일어났다.

학력사회(Degreeocracy)

1. 사회적 지위에 사람을 선발, 배분할 때 학교교육 연한이 결정적 기준으로 작용하는 사회이다.
2. 능력, 업적보다 졸업장, 학위 등으로 상징되는 학력(學歷)이 중시된다.
3. 학력병(diploma disease)현상이 나타나며, 한국의 학력병 사회를 설명하는 이론으로는 지위경쟁이론이 대표적이다.

09 교육평등과 사회평등

핵심체크 POINT

1. 교육평등관

허용적 평등	누구나 교육받을 기회 허용(의무교육과 공교육)
보장적 평등	경제적, 지리적 및 사회적 제반 장애 제거(단선형, 무상의무교육, 장학금, 학교종별균등배치 등)
여건의 평등	교사의 질, 교육과정, 시설 등 교육의 여건이나 조건 평등(평준화 정책)
보상적 평등	출발점의 불평등을 적극적으로 보상해서 결과적으로 학업성취나 사회적 지위획득을 균등화

2. 학업성취 불평등
   ① 개인의 인지적 능력차 혹은 가정배경 → 학교 내의 특징, 즉 교육과정, 교사 - 학생 상호작용과정 등에 관심
   ② 콜만 보고서(Coleman Report): 학교 간, 지역 간 존재하는 교육기회와 효과의 불평등 연구, 가정의 SES가 가장 크게 작용
   ③ 교육기회 분배개념: 취학률, 진학률, 탈락률, 지니(Gini)계수, 교육선발지수 등

1 교육 평등론의 관점

교육 평등관은 누구나 교육적으로 공평하게 취급받는다는 것으로 교육평등에 대한 실천적 정의는 시대에 따라 사람에 따라 다양하게 구분된다.

1. 콜만(Coleman)의 평등관의 변천

(1) 산업화 이전

① 산업화 이전 시대에서는 교육의 가정 책임을 강조하였기 때문에 학교교육의 평등 문제는 관심의 대상이 되지 않았다.

② 산업화 이후 초기의 평등관은 모든 학생이 동일한 학교에서 동일한 교육과정에 노출됨으로써 교육의 불균등을 막고자 했던 의무교육 현상을 반영한다.

(2) 초기 산업화 시대

① 산업혁명 이후 일반 국민을 대상으로 하는 학교교육이 발달되었고, 초등교육이 의무화되어 누구나 초등 정도의 교육을 받게 된 시대이다.

② 후센(Husén)의 보수주의적 평등관을 반영한다.

(3) 제2차 세계대전 이후

① 모든 사람들에게 교육받을 기회를 허용하고, 사회·경제적 제약으로 인해 교육을 받지 못하는 일이 없도록 무상교육을 실시해야 한다고 주장하였다.

② 각종의 교육지원제도를 마련해서 교육을 받을 만한 지적 능력을 소유한 사람은 누구나 적절한 수준과 종류의 교육을 받아야 한다고 주장하였다.
③ 미국에서 'seperate but equal'이라는 개념하에 흑백 분리교육을 실시하더라도 동등한 시설 및 교사의 자질을 보장해야 한다는 평등관이다.
④ 후센(Husén)의 자유주의적 평등관을 반영한다.

(4) 결과의 평등

① 최근의 평등관은 단지 학교에 다닐 수 있는 기회를 제공해주는 것뿐만 아니라 사회에서 살아가는데 필요한 지식을 배우는데 있으므로 배울 것은 누구나 제대로 배워야 평등교육이 실현되는 것이라고 보는 관점이다.
② 미국에서 1954년 이후 인종을 통합하고 인류가 이상으로 하는 정의의 실현을 위해서는 교육이 그 결과면에서 동등해야 한다는 결과의 평등을 의미한다.
③ 후센(Husén)의 보상적 평등관을 반영한다.

2. 후센(Husen)의 평등관

교육평등의 개념이 시대적, 지역적으로 다르게 규정되어 왔다고 보고 사회철학적인 관점에서 평등관을 구분하였다.

(1) 보수주의적(conservative) 평등관

① 신이 인간에게 내린 다양한 재능과 능력을 개인의 책임하에 최대한으로 활용해야 한다는 주장이다.
② 귀속적인 신분 사회의 계급 이념에 근거를 둔다.

(2) 자유주의적(liberal) 평등관

① 모든 사람이 자신의 귀속적인 지위에 관계없이 자신의 능력과 노력에 따라 균등하게 기회를 가질 수 있는 권리를 보장해야 한다는 주장이다.
② 능력주의 사회의 이념을 반영한다.

(3) 보상적(redemptive) 평등관

자유주의적 평등의 개념이 결과적으로 가정의 사회 경제적 지위에 영향을 받고 학교 교육이 기존의 불평등을 정당화하고 강화한다는 것에서 출발하는 평등관이다.

3. 화렐(Farrell)의 평등관

(1) 접근의 평등(equality of access)

각 사회집단이 각급 학교에 입학 또는 진학할 수 있는 확률의 일치성이다.

(2) 존속의 평등(equality of survival)

각 사회집단이 예를 들어 초등, 중등, 고등 교육기관에서 퇴학, 제적 등으로 퇴출당하지 않고 계속하여 재학할 수 있는 확률의 일치성이다.

(3) 결과의 평등(equality of output)

각 사회집단이 각급 학교에서 교육받는 내용과 그 수준의 일치성이다.

(4) 결실의 평등(equality of outcome)

학교를 마치고 사회에 진출하여 획득하는 교육의 결실(직업, 수입, 지위 등)이 일치하는 수준이다.

2 교육평등에 대한 법적 규정(교육의 기회균등)

1. 헌법 제31조 제1항

모든 국민은 능력에 따라 균등하게 교육을 받을 권리를 갖는다.

2. 「교육기본법」

(1) 제1장 제4조

모든 국민은 성별, 종교, 신념, 사회적 신분, 경제적 지위 또는 신체적 조건 등을 이유로 교육에 있어서 차별을 받지 아니한다.

(2) 제8조 제1항과 제2항

① 제1항: 의무교육은 6년의 초등교육 및 3년의 중등교육으로 한다(다만 3년의 중등교육에 대한 의무교육은 국가의 재정여건을 고려하여 대통령령이 정하는 바에 의하여 순차적으로 실시한다).

② 제2항: 모든 국민은 제1항의 규정에 의한 의무교육을 받을 권리를 가진다.

(3) 제12조 제2항

교육내용·교육방법·교재 및 교육시설은 학습자의 인격을 존중하고 개성을 중시하여 학습자의 능력이 최대한으로 발휘될 수 있도록 강구되어야 한다.

(4) 제28조 제1항

국가 및 지방자치단체는 경제적 이유로 인하여 교육을 받기 곤란한 자를 위하여 장학제도 및 학비보조 등을 수립·실시하여야 한다.

3 교육기회 평등관의 변천

1. 제1단계 - 교육기회의 허용적 평등

(1) 개념

① 모든 사람들에게 교육받을 동등한 기회가 주어져야 한다는 관점이다.

② 신분, 성, 종교, 인종 등을 이유로 교육기회의 차별을 받던 것을 철폐함으로써 모든 사람에게 교육받을 기회를 허용하고자 하는 것을 말한다.

③ 주어진 기회를 누릴 수 있느냐의 여부는 개인의 역량과 형편에 달린 것이고 법이나 제도상으로 특정 집단에게만 기회가 주어지고 다른 집단에게는 금지되는 일은 철폐되어야 한다는 것이다.

(2) 허용적 평등관의 예

① 허용적 평등을 실현하기 위한 제도적 장치로 공교육과 의무교육 실시가 있다.

② 인재군(pool of ability): 허용적 평등관을 잘 반영한 사례가 영국의 '인재군(pool of ability)' 혹은 '재능예비군(reserve of talent)' 개념이다. 이는 사회마다 얼마만큼의 인재가 존재하며 이 인재들을 발굴하여 알맞은 교육을 시킨 뒤에 충분히 활용하자는 것이다. 이에 관한 정확한 정보를 가지고 있으면 불필요하게 많은 교육을 하지 않아도 되고, 지나치게 기회를 제한하여 인재의 활용을 놓치는 일도 미리 막을 수 있다는 것이다.

(3) 한계

제도적 차별 없이 동등한 기회를 제공하는 것일 뿐 능력과 형편에 따른 교육기회의 차이는 존재한다. 이에 따라 학업능력이 있지만 경제적, 지리적 여건으로 인해 취학을 포기하는 경우도 발생한다.

2. 제2단계 - 교육기회의 보장적 평등

(1) 개념

① 취학을 가로막는 경제적·지리적·사회적 제반 장애를 제거해 줌으로써 교육평등을 실현하고자 하는 것을 말한다.

② 교육받을 기회를 허용하는 것만으로는 완전한 교육평등의 실현이 불가능한 경제적 능력이 없는 하류계층 자녀나 벽지, 외딴섬에 사는 아이들의 불평등 문제를 해결하기 위해 취학을 보장해주는 대책이 필요하다는 점에 의해 확산되었다.

(2) 보장적 평등관의 예

① 보장적 평등을 실현하기 위한 장치로 무상의무교육 제도의 확립, 단선형 학교 설치, 우리나라의 경우 학교의 지역적 종별 균등배치, 재능이 우수한 학생으로서 학자(學資) 곤란자에게 장학금 지급, 학비보조, 직업을 가진 사람의 수학 기회를 위해 야간제, 계절제, 시간제 교육실시 등이 있다.

② 중등교육의 무상화(영국): 이에 관한 대표적인 평등 정책이 영국의 '1944년 교육법'에 의한 교육개혁조치이다. 이는 중등교육을 보편화, 무상화하고 불우층의 자녀에게는 의복, 점심, 학용품 등을 지급하였다. 그러나 이 조치는 교육기회의 확대는 가져왔지만 계층 간의 사회경제적 분배구조를 변화시키는 데 까지는 미치지 못하였다는 비판을 받았다.

(3) 한계

교육과정상의 불평등 문제가 야기된다. 즉 교사의 질, 학교시설 등 교육 여건상의 격차가 학업성취의 격차문제를 해결해주지는 못한다.

3. 제3단계 - 교육조건의 평등(과정적 평등)

(1) 개념

① 교육의 과정(過程)을 통한 기회균등 - 교육성취에 필요한 기회의 균등을 의미한다.

② 내용의 균등화: 교육체제 내에서 제공되는 교사, 교육목표, 교육과정, 교육자료, 교육방법, 교육시설 등에 집단 간 균등화를 추구한다.

(2) 과정적 평등관의 예

여건의 평등을 실현하기 위한 방법으로는 교육 평준화 정책이 있다.

(3) 콜만(Coleman)의 평등관

교육여건의 평등화에 대해 콜만(Coleman)은 "교육기회의 평등은 단지 취학의 평등만이 아니라 평등하게 효과적인 학교에의 취학을 의미한다."라고 말하였다. 즉 다같이 학교에 다니는 것만으로 평등이 실현된 것이 아니라 학교의 시설, 교사의 자질, 교육과정 등에 있어서 학교 간 차이가 없어야 한다.

참고 콜만의 평등관은 과정적 평등을 강조한 것이었으나, 콜만 보고서(Coleman Report)의 결과는 예상하지 못한 결과가 나옴으로써 결과적 평등관을 강조하게 되는 계기가 되었다.

기출문제

"학교의 시설, 교사의 자질, 교육과정 등의 측면에서 학교 간의 차이가 없어야 한다."라는 관점에 해당하는 것은? 2019년 국가직 9급

① 교육기회의 허용적 평등
② 장학금 제도
③ 교육조건의 평등
④ 대학입학특별전형제도

해설

교육의 조건이란 학교 시설, 교사의 질, 교육과정, 교수법 등을 말하는 것으로 이들 조건의 평등을 통해 교육평등을 실현하고자 하는 관점을 교육조건의 평등 혹은 과정적 평등이라고도 한다.

답 ③

4. 제4단계 - 보상적 평등(교육 결과의 평등 혹은 질적 평등)

(1) 개념

① 질적(質的) 균등화: 모든 사람들의 교육필요성을 충족할 수 있도록 평등하게 분배하는 것을 말한다.

② 평등의 원리에 따라 타고난 능력에 관계없이 모든 사람에게 교육기회를 선택하도록 격려하는 것이 도덕적으로 정당하다는 입장이다.

③ 출발점의 불평등을 적극적으로 보상하여 결과적으로 학업성취나 사회적 지위 획득을 균등하게 해야 한다는 입장이다.

④ 능력이 다른 학습자를 같은 학습 수준에 도달시키기 위해서는 저능력자의 학습 결손을 보충해주는 교육 프로그램 제공 등의 역차별 정책 도입이 필요하다. 미국에서는 콜만 보고서 이후 보상적 평등관이 우세하게 되었다.

⑤ 학생의 학습능력에 반비례하여 교육자원을 배정함으로써 학습능력면에서 뒤떨어진 학생들을 능력이 앞서 있는 학생의 수준까지 끌어올림으로써 교문을 나갈 때에는 능력의 격차를 감소시켜 누구나 최저 능력면에서 격차를 내지 않도록 하는 일종의 학력 평준화 방식이라고 할 수 있다.

⑥ 사회적·경제적·지역적인 격차를 축소시키는 데 주요 의도가 있으며 자원배정에 있어서 보다 많은 자원이 벽지·저소득층·문화적 혜택을 받기 어려운 곳에 중점적으로 투입되어지도록 하여 학생 간, 계층 간, 지역 간의 교육적 불평등을 축소시키려는 접근이다.

⑦ 오늘날 교육의 평등관은 불리한 조건에 처해 있는 사람들의 교육기회와 성공적인 학업성취를 막는 장애 요인을 제거함으로써 모든 사람이 일정 수준의 능력을 갖춘 인간으로 성장할 수 있도록 해주는 동시에 개인의 능력과 적성에 부합하는 다양한 교육의 통로를 만들어 주는 것을 의미한다.

⑧ 보상적 평등주의를 기능적 불평등론이라고도 한다.

(2) 보상적 평등관의 예

특수교육, 농어촌 출신에 대한 정책적 배려, 영재교육, 수준별 수업 운영, 기회균형선발제도, 교육복지우선지원사업 등이 있다.

秀 POINT 보상적 평등관의 정책

1. 기회균형선발제

기회균형선발제란 가난의 대물림을 방지하고 균등한 고등교육기회를 제공하기 위해 농어촌, 전문계고 학생 및 기초생활수급자, 차상위계층 학생을 별도로 선발하는 제도이다. 그간 정부에서 마련하고 시행한 정책들은 사회적 소외계층 중 지원을 받지 못하는 사각 지대가 발생하고, 대학 진학 후 지속적으로 학업을 수행할 수 있는 환경 조성에 대한 지원이 미흡하다는 지적이 있어 왔다. 기회균형선발제는 이를 보완하여, 사회적 소외계층이 대학에 진학할 수 있는 경로를 마련하는 한편, 진학 후 장학금 및 학습능력 보충 프로그램 등을 지원함으로써 실질적인 고등교육 접근기회를 보장하기 위해 마련된 제도이다.

2. 교육복지우선지원사업

① 교육취약 영·유아 및 아동·청소년의 학습결손 예방 및 치유를 통해 학력을 증진한다. 학습에 대한 흥미와 학업성취가 낮은 학생들에게 개별·소집단·학급단위의 학습지도를 적절하게 제공하여 학습에 대한 흥미 및 자기 주도적 학습능력을 제고한다.

② 교육취약 영·유아 및 아동·청소년의 건강한 신체 및 정서발달과 다양한 문화적 욕구를 충족시킨다.

㉠ 가정환경이 취약한 학생들에게 급식 및 의료지원을 하여 건강한 신체발달을 도모한다.

㉡ 문화 활동 및 체험의 기회가 부족한 학생들에게 다양한 문화 활동 프로그램을 제공함으로써 특기신장 및 잠재력을 계발한다.

㉢ 정서·행동 발달상의 문제를 극복할 수 있는 심리·정서 계발프로그램을 제공하고 전문적인 진단과 치료 프로그램을 제공함으로써 정신건강 증진 및 안정적인 정서발달을 유도한다.

③ 가정 - 학교 - 지역사회 차원의 지원망을 구축하여 교육취약집단의 교육적 취약성에 대처함으로써 교육격차를 해소한다.

(3) 보상적 평등관의 비판과 옹호

① 비판적 견해: 능력주의로부터 비판을 받는다. 능력주의란 탈산업화 사회에서는 합리주의와 과학기술의 능력이 가장 중요하기 때문에 능력에 따라 교육받는 것이 사회 유지의 근간이 되어야 한다는 것이다. 이들은 능력(특히 지적 능력)이 낮은 사람들을 사회가 필요 이상으로 지원하는 교육정책은 낭비라고 주장한다.

② 긍정적 견해

㉠ 콜만 보고서 이후 등장한 결과적 평등을 주장하는 사람들은 보상적 평등관을 지지한다. 이들에 의하면 교육을 받는 것은 단순히 학교에 다니는 데에 목적이 있지 않고 배워야 할 것을 배우는 데 목적이 있으므로 교육결과가 같지 않으면 결코 평등이 아니라고 본다.

㉡ 이는 학생의 학습능력에 반비례하여 교육자원을 배정함으로써 학습능력면에서 뒤떨어진 학생들을 능력이 앞서 있는 학생의 수준까지 끌어올림으로써 능력의 격차를 감소시켜 누구나가 최저능력면에서 격차를 내지 않도록 하는 것이 일종의 학력(學力)의 평준화 방식이라는 것이다. 이를 위해서는 자원배정을 벽지, 저소득층, 문화적 혜택을 받지 못하는 곳에 중점적으로 투입하여 학생 간, 계층 간, 지역 간의 교육적 불평등을 축소시키려는 접근이다.

㉢ 결과적 평등을 위한 교육으로 저소득층의 취학 전 아동을 위한 보상교육이 있다. 미국의 'Project Head Start', 'Middle Start Project'를 비롯해서 영국의 EPA(Educational Priority Area, 교육우선지구) 등은 모두 불우층의 취학 전 아동들에게 기초학습능력을 길러주어 학교교육에서 뒤떨어지지 않도록 예비적 조치를 취하는 정책들이다.

롤즈(Rawls)의 정의론(『A Theory of Justice』, 1971)

1. 인간은 각기 다른 잠재 능력을 가지고 각자 다른 환경의 가정에 태어난다. 이는 순전히 우연의 결과로 마치 '자연의 복권추첨(natural lottery)'과 같은 것이다.
2. 그러므로 잠재 능력을 잘 타고났거나 좋은 가정에 태어난 사람은 '복권'을 잘못 뽑아 불리해진 사람에게 어느 정도의 적선(積善)을 하는 것이 도리에 맞으며 사회는 마땅히 그러한 방향으로 제반 제도를 수립해야 한다(정의는 사회제도의 제1의 덕성).
3. 롤즈의 정의의 원리는 ① 평등한 자유의 원리, ② '차이의 원리(difference principle)'이다. 즉, 불평등이 존재할 경우 사회적·경제적 불평등은 최소수혜자에게 최대 이익이 되도록 조정되어야 하며, 사회적 지위와 업무들은 모든 사람에게 개방되어야 한다. 이 원리가 정의론의 핵심 원리이다.
4. 정의론에 근거한 평등관이 '보상적 평등주의(redemptive egalitarianism)'이다.

4 교육과 사회 평등의 관점

1. 평등화론

(1) 기본입장

학교는 사회평등을 실현할 수 있는 장치이다.

평등주의 관점	교육을 통해 불평등 구조를 해소 또는 축소시킨다.
능력주의 관점	교육을 통해 사회적 지위를 능력(지능+노력) 본위로 결정한다.

⬆ 글렌어스터의 평등주의적 관점과 능력주의적 관점

(2) 해비거스트(Havighurst)의 연구

학교교육이 사회 불평등을 없애거나 줄일 수 있다고 주장하는 초기 연구의 하나로 사회적 이동을 개인 이동과 집단 이동으로 구분하고 상승 이동을 가능하게 만드는 요인을 다음과 같이 주장하였다.

① 개인 상승 이동 요인

㉠ 중간계급과 기능 인력의 구성비를 높이는 방향으로 노동력 구조(勞動力 構造)를 변화시켜 생산성을 향상시키는 과학기술의 발달

㉡ 상류계급의 자녀 출산력(fertility) 감소를 통한 계급 재생산의 약화

㉢ 개인의 재능과 노력

② 집단 상승 이동 요인

㉠ 생산성을 높이는 과학기술의 발달

㉡ 증가된 사회적 소득의 분배

㉢ 소득증가집단에 의한 상급지위 상징(가구, 자녀교육, 의복 등)의 구매

참고 과학기술의 발전으로 직업구조 하층이 줄어들고 중간과 상층이 커지는 방향으로 변하는 한편, 교육이 사람들의 직업능력을 향상시키기 때문에 사회는 점차 평등해진다고 하였다.

(3) 블라우와 던컨(Blau & Duncan)의 연구

① 직업결정에 있어서 교육이 실제로 작용하는가의 문제를 다루었다.

② 블라우와 던컨은 『미국의 직업구조』에서 '지위획득모형(status attainment model)'을 제시하였다.

③ 지위획득의 결정변수로는 사회적 배경요인(아버지의 교육, 아버지의 직업)과 자녀의 교육과 경험요인(본인의 교육, 본인의 첫 번째 직업)을 제시하였다.

2. 불평등 재생산론

(1) 기본입장

교육은 사회적 불평등을 더욱 조장한다(글렌어스터의 마르크스주의적 관점).

(2) 보울스(Bowles)의 입장

① 교육은 사회적 불평등을 재생산하고 합리화하는 도구이다.

② 교육 불평등의 원천은 학교제도 안에 있지 않고 학교 밖의 계급구조, 그러한 계급구조를 발생시킨 자본주의 경제체계에 있다.

③ 학교교육이 능력주의에 따라 실시되며, 교육수준에 따라 인재를 적재적소에 배치하는 것처럼 위장함으로써, 불평등 구조의 존속을 정당화한다.

(3) 카노이(Carnoy)의 입장

① 교육은 지배층의 이익에 봉사한다는 사실을 교육 수익률의 교육단계별 변화로 설명한다.

② 학교의 발달단계에 따른 교육 수익률 곡선

㉠ 교육 수익률이 높을 때에는 그 학교교육의 기회는 아직 제한되어 있고 경쟁이 치열하므로 하류층은 다니기 어려워 중·상류층이 주로 다닌다. 그러나 그 교육이 보편화되는 단계에 이르면 교육 수익률이 낮아져서 경제적으로 가치가 없지만 하류층은 최소한의 교육수준을 유지하기 위해 다니기 시작한다.

ⓒ 교육 수익률이 높을 때 즉, 교육의 경제적 가치가 높을 때에는 중·상류층이 다니면서 그 이득을 취하고 하류층은 이득도 없이 따라다닌다.

ⓒ 학교의 성장 단계

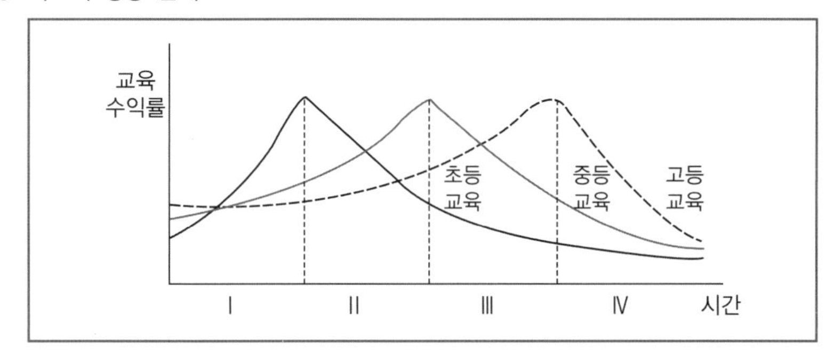

(4) 롸이트와 페론(Wright & Perrone)의 연구

① 교육은 기존의 소득 불평등 구조를 재생산한다고 주장한다.

② 교육수준이 소득에 미치는 영향을 직업별, 성별, 인종별로 비교·분석하여 교육과 계층구조와의 관계를 밝히려 하였다.

③ 연구결과에 의하면 교육은 하층에게 도움을 주지 못하고 오히려 상층에게 도움을 주고 있다.

3. 무효과론

(1) 기본입장

교육은 사회평등 또는 불평등과는 관계가 없다는 입장으로, 글랜어스터(Glennerster)의 현실적 평등주의 관점에 해당한다.

(2) 관련연구

① 버그(Berg)의 연구: 교육 수준이 개인의 직업 생산성에 영향을 준다는 근거를 찾을 수 없다고 주장한다.

② 치스위크와 민서(Chiswick & Mincer)의 연구: 소득분배상황과 교육분배상황의 비교·분석을 통해 양자 사이에 아무 관계가 없음을 확인하였다.

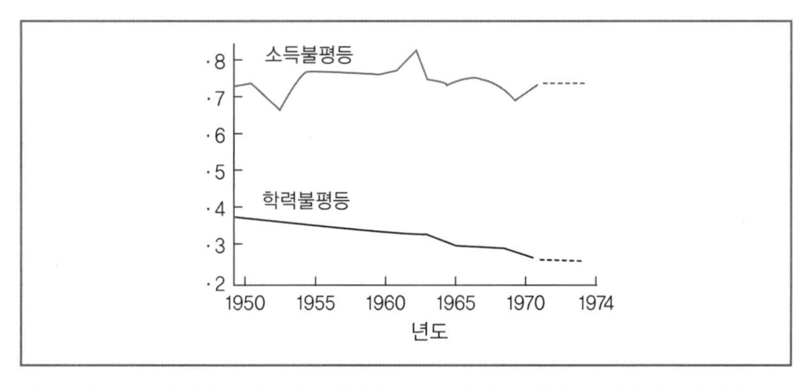

③ 젠크스(Jencks)의 연구: 학교와 평등화는 큰 관련이 없다고 결론을 내렸다.

5 학업성취 불평등 연구

1. 연구 경향

(1) 학업성취 불평등에 대한 1960년대의 논의는 인지적 능력(IQ)이 학업성취 불평등에 중요한 요인으로 간주하고 지능이 유전되는가[젠슨(A. Jensen), 헌스타인(R. Herrnstein)] 아니면 지능이 사회경제적 배경에 의해 영향을 받는가[젠크스(C. Jencks)]에 대한 논쟁이 주요 쟁점이었다(이를 'IQism'이라고도 함).

(2) 최근의 연구경향은 사회·경제적 배경이 학업성취에 어느 정도 영향을 미치는가보다[예 콜만 보고서(Coleman Report)] 사회·경제적 배경이 학업성취에 영향을 미치는 경로를 밝히고자 한다[예 문화실조론, 번스타인(Bernstein)의 사회계층별 언어모형, 교사의 기대효과, 학생문화 등].

(3) 교육과정 사회학과 문화재생산론에 의하면 학교 내의 교육과정 자체가 하류층 아동에게 불리하게 되어 있어 학업성취가 낮다.

2. 최근 학업성취 불평등 문제 연구의 경향

(1) 최근에는 지금까지 '검은 상자(black box)'로 간주되었던 학교의 내적 특징 - 학업성취가 실제로 이루어지는 과정의 특징을 보다 세부적으로 파악하여 지적 성취를 증진시키고 있는 요인을 찾으려는 연구가 시도되고 있다.

(2) 교육시설 자원상의 특징 문제보다는 교육의 과정(process)과 내용적인 측면에 관심을 기울이고 있다. 이를 한 마디로 표현하면 '학교문화'라고 할 수 있다.

(3) 학교장의 지도성, 학생들의 지적 수월성에 대한 기대, 생산적 학습을 가능하게 하는 학교 분위기, 기초학력에 대한 강조 정도와 학생들의 성숙과정에 대한 확인 등에 관심을 갖는다.

3. 교육과 불평등에 대한 콜만 보고서(Coleman Report, 1966)

(1) 목적

미국 내 6개의 주요 인종 및 소수민족 집단 간의 학교 간, 지역 간에 존재하는 교육기회와 효과의 불균등 현상 및 원인을 규명하고자 하였다.

(2) 연구 대상

미국 전 지역의 초등학교 및 중등학교 학생 가운데 1, 3, 6, 9, 12학년 645,000명과 교사 60,000명을 연구 대상으로 하였다.

(3) 연구 변인(103개)

가정배경 변인	성장지역, 부모교육, 부모생존, 가구, 책의 수, 문화 여건 등의 15개 변인
학교환경 변인	시설과 교육과정, 1인당 교육비, 실험실, 도서관 수, 학교 크기, 위치 등 27개 변인
학생집단 변인	전입 학생 수, 출석률, 숙제시간, 흑백 인종비 등 31개 변인
종속변인	언어능력, 비언어능력, 수학성적, 독서능력, 일반정보, 인문과목 성적 등

(4) 연구방법

상관관계 분석과 회귀분석을 연구 방법으로 한다.

(5) 연구결과

① 학생의 가정 배경은 학업성적에 미치는 가장 중요한 요인이다. 달리 말하면 입학 당시 학생들 간에 보이는 지적 성취 수준의 불평등 정도는 학교교육을 통해 좁혀지지 않고 졸업 후에까지 유지된다.

② 학교의 물리적 시설, 교육과정, 교사의 질 등은 학업성적에 미미한 영향 밖에 주지 못한다.

③ 학생집단의 사회적 구조는 가정환경과는 별도로 다른 요인보다 학생의 성적에 큰 영향을 미친다.

④ 환경을 통제할 수 있는 학생의 신념과 태도는 학업성적과 관계가 매우 깊다.

⑤ 학생구성 특성과 교사의 질이 학업성적에 미치는 효과는 있으나 전체적으로 10% 정도이다.

(6) 의의

① 학교가 학생들의 학업성취에 별로 공헌하지 못하고 있으며, 사회적 평등을 위한 기능을 제대로 수행하지 못하고 있다는 것이다.

② 이후 많은 후속 연구[젠크스(Jencks) 등, 플로우던(Plowden) 보고서 등]를 통해서도 비슷한 결과가 나타났다. 즉, 학교는 학업성취도 향상에 거의 영향을 주지 못하는 것으로 나타났다.

③ 플로우던(Plowden) 보고서(1976)는 영국의 초등학교 학생을 표집해서 수행한 연구로 부모의 태도, 가정환경, 학교 특성 등 104개 변인을 투입한 결과 사회계층이 높을수록 부모의 자녀 교육에 대한 포부 수준 및 그 실현도, 관심도가 높았고, 좋은 학교로 진학을 원하는 것으로 나타났다.

(7) 콜만 보고서에 대한 반론

콜만이 실증적으로 밝힌 자료에 의하면 학업성취의 차이는 아동 가정의 사회·경제적 배경이 결정적인 영향을 미친다고 보았다. 그러나 학업성취의 결과는 반드시 사회·경제적 배경과 같은 귀속적인 요인에 의해서만 결정된다고 볼 수 없다. 학교가 균등한 교육적 경험이나 혹은 보상교육을 통해 가난한 가정환경에서 오는 불이익을 보상할 수 있는 프로그램을 제공하면 학업성취도의 격차를 어느 정도 줄일 수 있다고 본다. 콜만 보고서의 반론 가운데 하나가 빈곤한 가정의 학생이 학생들의 성취도와 성취의욕이 높은 학교에 재학하는 경우 성취도의 향상이 더욱 커진다는 사실은 학교교육의 효과를 설명해주는 근거가 된다. 어떤 연구에 의하면 소수자 아동(minority children)들의 입장에서 볼 때, 학교교육은 인지학습에 중요하다는 사실을 제시해준다. 예를 들면 젠크스(Jencks)는 뉴욕시의 학생들을 대상으로 조사한 연구에서 백인 아동의 시험점수는 그들이 학교에 다니지 않았던 여름방학 중에 크게 향상된 반면 흑인 학생의 시험점수는 향상되지 않았다고 보고하고 있다. 즉, 흑인 아동의 시험점수는 학기 중에는 백인 학생의 점수와 같은 속도로 향상되었지만 여름 방학 중에는 그렇지 못했다는 것이다. 헤인즈(B. Heyns)도 『Summer Learning: The Effects of Schooling on Social Inequality Reconsidered』에서 흑백인 아동 간 그리고 빈부 아동 간에 나타나는 학업성취 격차는 방학 중에 더 커진다고 하였다.

콜만(Coleman)의 교육기회 불평등의 요인

1. 학교 시설자원(예 학생 1인당 교육비, 학교의 과학시설 등) 투입 정도의 차이
2. 학생들의 인종 구성비의 차이
3. 부모의 교육적 관심, 노력 및 교육적 노하우 등의 사회자본
4. 학교의 무형적 특징(예 교사의 사기, 학생에 대한 기대, 학교풍토, 학생문화 등)의 차이
5. 동일한 학교 시설자원이 투입된 상태에서의 학생 성취도 결과의 차이
6. 학교 시설자원상의 차이에 따른 학생 성취도의 불평등

콜만은 이 6가지 불평등 요인 가운데 '학교 시설 자원상의 차이에 따른 불평등"을 불식시키는 것이 교육 기회의 평등화라고 하였다. 즉 학생들 간에 나타나는 배경과 능력의 차이나 교육 시설상의 차이가 있음에도 불구하고 학생들은 모두 높은 수준의 지적 성취 수준으로 끌어올리는 것이 평등화이다. 다시 말하면 학생의 사회·경제적 배경에 따라 나타나는 투입변인의 차이를 극복할 수 있는 평등하고 효율적인 학교에 관심을 두고 학교에서의 균등한 성적이 기회균등으로 해석되어야 한다고 주장하였다.

秀 POINT 콜만(Coleman)의 인간자본, 사회자본, 경제자본

콜만은 학업성취 결정 요인 가운데 하나인 가정배경은 인간자본, 사회자본, 경제자본 등으로 구성된다고 하였다.

1. **인간자본(human capital)**
   ① 부모의 지적 능력 혹은 교육 수준
   ② 교육이나 훈련을 통해 인간에게 체계화된 지식, 기술, 창의력 등과 같은 인간이 구비한 생산력[슐츠(Schultz)]
2. **사회자본(social capital)**
   ① 부모와 자녀 사이의 상호 신뢰와 유대감
   ② 부모의 교육적 관심, 노력 및 교육적 노하우
   ③ 사회적 관계와 사회구조 안에 내재하는 것으로 의무와 기대로 표현되는 신뢰, 정보소통의 통로
   ④ 사회적 자본은 사람들 사이의 사회적 관계에서 형성되는 것으로, 가정을 중심으로 정의한다면, 좁게는 가정 내 부모와 자녀의 관계이고, 넓게는 부모가 가정 밖에서 맺고 있는 사회적 관계의 전체이다. 가정의 사회적 자본은 부모의 친구관계, 어머니의 취업여부, 자녀 교육에 대한 기대수준, 이웃과의 교육정보 교류정도와 같은 변인을 통하여 측정된다.
3. **경제자본(financial capital)**
   부모의 소득이나 경제적 지원 능력 등과 같은 가정이 자녀의 학교공부를 돕기 위해 지출되는 금액

   참고 퍼트넘(Putnam)은 사회 자본을 협력적 행위를 촉진시켜 사회적 효율성을 향상시킬 수 있는 시 시민적 참여의 네트워크, 포괄적 호혜성과 규범이라고 하였고, 부르디외(Bourdieu)는 사회자본을 한 집단에 속하는 멤버십(인맥)으로서 경제적 및 문화적 자본으로 전환되어 불평등을 재생산할 수 있는 자유 재산이라고 하였다.

6 교육기회의 분배

1. 교육기회 분배 공식

(1) 취학률

① 개념: 어떤 등급의 교육기관에 취학할 자격이 있는 적령(適齡) 아동 수에 대하여 실제로 취학하고 있는 학생 수의 비율이다.

② 산출 공식

$$\text{취학률} = \frac{\text{해당 연령층의 재적 학생 수}}{\text{적령 아동 수}} \times 100$$

(2) 진학률

① 개념: 어떤 등급의 학교를 졸업한 학생이 다음 등급의 학교 즉 상급학교에 입학하는 비율이다.

② 산출 공식

$$\text{진학률} = \frac{\text{상급학교 입학생 수(혹은 1학년 학생 수)}}{\text{하급학교 졸업생 수}} \times 100$$

(3) 탈락률

① 개념: 기준연도의 학생 수에 대한 각 학년별 낙제자와 퇴학자를 합한 수의 비율이다.

② 산출 공식

$$\text{탈락률} = \frac{\text{각 학년별 낙제자 + 퇴학자}}{\text{기준년도 학생 수}} \times 100$$

(4) 지니(Gini)계수

① 개념: 각 집단이 차지하고 있는 교육기회의 양과 인구비례로 차지했을 때의 양 사이의 차이로 표시한 것으로 원래는 경제적 소득 분배의 상황을 말해주는 지수이다.

② 집단별 선발지수를 모아서 하나의 종합지수로 표시한 것과 같은 것으로, 각 집단이 차지하고 있는 교육기회의 양과 인구비례로 차지했을 때의 양 사이의 차이를 수치로 표시한 것이다.

③ 지니계수의 기초가 되는 것이 로렌츠 곡선이고 범위는 $0 \leqq G \leqq 1$ 이며, 1에 가까울수록 분배의 불평등이 심화된다.

(5) 교육선발지수

① 개념: 전체 학생에 대한 집단별 학생의 구성비의 전체 인구에 대한 해당 집단의 인구 구성비로 교육기회분배의 집단 간 차이를 파악하는 데 가장 유용한 개념으로 사용된다.

② 산출 공식

$$교육선발지수 = \frac{\frac{해당\ 집단\ 학생\ 수}{전체\ 학생\ 수}}{\frac{해당\ 집단의\ 인구\ 수}{전체\ 인구\ 수}} \times 100$$

2. 교육기회 분배의 결정요인[펜샴(Fenshman)]

(1) 가정적 요인

예 사회 경제적 지위, 수입

(2) 지역사회 요인

예 지리적 위치, 지역사회의 문화적 특성

(3) 인종적 요인

(4) 종교적 요인

(5) 학교 요인

예 학교시설, 교사수준

(6) 교우 요인

7 학교풍토와 교육적 영향

1. 학교 학습풍토의 유형

(1) 트로우(Trow)의 분류

조직문화	지적인 면보다는 사회적 및 사교적인 면이 강조되고 스포츠나 오락에 대한 관심이 크게 지배한다.
직업문화	학교가 학생들의 직업적 배치의 기능에 주력하여 학교가 직업진로의 중심 역할에 주력하는 곳으로 인식된다.
학문적 문화	지적인 탐구를 중시하는 문화를 가르친다.
불응적 문화	학교당국에 대해 적대적인 경향을 갖는 분위기가 짙다.

(2) 페이스(Pace)의 분류

지적 - 인간적 풍토	인간주의를 지향하는 지적 풍토로 이상적인 것에 대한 연구를 중요시한다.
지적 - 과학적 풍토	과학적 사고나 접근방법을 위주로 조사나 평가를 강조한다.
실용적 풍토	교육의 실용적 측면과 과학의 응용 측면을 강조한다.
집단 복지 풍토	동료학생과 사회에 대한 개인의 책임을 강조한다.

2. 학교풍토의 결정요소[브루코버(Brookover)]

학생 풍토	① 학구적 무력감 ② 장래의 평가 및 기대 ③ 학생이 지각한 현재의 평가 및 기대 ④ 교사의 기대압력과 규범에 대한 지각 ⑤ 학업성취를 강조하는 학구적 규범
교사 풍토	① 대학진학에 대한 능력, 평가, 기대, 교육의 질 ② 고교졸업에 대한 현재의 기대와 평가 ③ 학력(學力) 증진에 대한 교사와 학생의 기대 일치도 ④ 교장의 기대에 대한 교사의 지각 ⑤ 학구적 무력감
교장 풍토	① 질적 교육에 대한 부모의 관심 및 기대지각 ② 학력증진을 위한 노력 ③ 현재 학교의 질적 상태에 대한 학부모와 교장의 평가 ④ 학생에 대한 현재의 기대 및 지각

3. 학교풍토의 교육적 영향

(1) 학생의 학업성취에 영향을 미친다.

(2) 가치관 및 태도에 영향을 미친다.

4. 학급에서 교사와 학생의 상호작용 유형[하그리브스(D. Hargreaves)]

(1) 특징

하그리브스는 교실에서 교사의 역할과 관련해서 교사의 유형을 사자길들이기형(liontamers), 연예인형(entertainers) 그리고 낭만주의형(romantics)으로 구분하였다.

(2) 교사 유형

① **사자길들이기 형**: 아이들을 버릇없고 난폭스러운 존재라고 간주하고, 교육을 이들을 세련되고 교양있는 인간으로 훈련시키는 과정으로 여긴다. 교사는 틀 속으로 아이들을 강제로 맞추어 나가며 요구수준에 도달하도록 조성시키는 전문가이다.

② **연예인형**: 학생들이 원래는 학습하기를 원하는 것은 아니지만 학습 자료를 재미있게 하고 학습방법을 잘 적용하면 학생들이 흥미를 느낀다고 믿는 교사 유형이다.

③ **낭만주의형**: 학생들은 천성적으로 학습의욕을 가지고는 있지만 교사들의 잘못된 학습방법과 자료 때문에 학습의욕을 잃게 된다고 주장한다. 이들은 학생들의 학습의욕을 존중하고 조정해야 하며, 학생들이 원하는 것을 학습할 수 있도록 해야 한다고 주장한다. 교육과정은 교사와 학생의 공동참여에 의해 구성된다. 교사와 학생의 관계는 신뢰와 애정을 바탕으로 한 관계이다. 성적 평가나 점수 등급은 크게 중요하지 않고 더 중요한 것은 학생들이 어떻게 자율적으로 학습하는가 하는 방법이다.

10 | 평생교육(Life-long education)

핵심체크 POINT

1. **평생교육의 의미**
   평생을 통한 모두의 삶의 질 향상을 위한 교육[랭그랑(P. Lengrand), 포레(E. Faure) 등이 주장]
2. **평생교육의 등장배경**
   교육 외적 요인(지식기반사회의 도래, 직업관의 변화 등), 교육 내적 요인(학교교육의 한계)
3. **평생교육 이론 모형**
   랭그랑(Lengrand)이 제안, 『Learning to be』, 『Learning: The Treasure Within』, 『Tolerance: The Threshold of Peace』 등
4. **우리나라의 평생교육**
   ① 역사: 1970년대 초 등장
   ② 평생교육법과 현실
      ㉠ 평생교육의 제도적 장치: 학점은행제와 학습계좌제
      ㉡ 평생학습도시: 주민의 자아실현, 지역경쟁력 제고, 사회통합 증진, 주민자치 활성화를 목적으로 전국의 각 자치단체(기초자치단체)에 설치

1 평생교육의 의미

1. 개념

개인과 집단 모두의 삶의 질(Quality of life)을 향상시키기 위하여 개인의 전 생애를 통한 개인적, 사회적, 직업적 발전을 성취시키기 위한 교육을 말한다. 이는 삶의 모든 단계와 영역에서 가능한 한 최대한의 발달을 이룩할 수 있도록 형식적, 비형식적 학습을 포함하는 종합적이고 통합적인 이념이다.

2. 기원

평생교육의 원리(랭그랑)
1. 교육의 전 과정을 통한 활성화
2. 개인의 전 생애를 통한 계속 교육
3. 교육의 통합적 연결 조직의 필요
4. 생의 전 기간을 통한 수직적 수평적 통합
5. 대인과 사회생활의 모든 측면을 포함한 수평적 통합

(1) 1965년 UNESCO의 성인교육추진국제위원회에서 처음 제시하였다[랭그랑(P. Lengrand)이 구상]. 그가 저술한 『평생교육에 대한 입문』은 평생교육 대두 배경을 제시한 입문서로 이후 평생교육 개념의 확산에 기여하였다.

(2) 포오르(E. Faure)등 6인의 보고서와 랭그랑(P. Lengrand) 등이 앞으로의 교육은 평생교육이 되어야 한다는 이념을 주장하였다.

(3) 1972년 일본에서 개최된 제3차 UNESCO의 성인교육 국제회의에서 국제적인 용어로 채택되었다.

(4) 우리나라에서는 1973년 유네스코한국위원회가 개최한 평생교육세미나를 통하여 평생교육의 개념 정립과 그 방향 및 전략을 협의한 이후 본격적인 학문적 관심의 대상이 되었다.

3. 평생교육 개념과 유사한 용어

(1) 계속교육(further education, continuing education)

① 영국에서는 further education, 미국에서는 continuing education으로 평생교육이라는 용어가 채택되기 이전부터 사용되었다.

② 최근에는 일생을 통해 인간 유기체의 학습활동을 도와준다는 이상적이고 시간의 제약을 받지 않는 개념으로 사용되고 있다.

(2) 순환교육(recurrent education)

① 순환교육이라는 용어는 OECD가 내건 정책이론이다. 1973년 『순환교육: 평생학습의 전략(Recurrent Education: A strategy for lifelong learning)』보고서 이후 널리 사용되고 있다.

② 의무교육을 마치고 사회에 진출한 사람들이 언젠가는 다시 학교에 돌아오게 하는 제도로, 조기교육(早期教育)이 아닌 후기교육(後期教育, late education)의 의미이다. 즉 의무교육 이후의 교육에 한정한 교육을 말한다.

③ **순환교육의 원리**

㉠ 의무교육 최종 학년에 진로 선택을 위한 교육과정이 설정되어야 한다.

㉡ 의무교육 후 각자의 생활주기에 따라 가장 적절한 시기에 교육의 기회를 열어준다.

㉢ 모든 사람이 필요한 장소와 시간에 교육받을 수 있는 적절한 시설이 분포되도록 한다.

㉣ 일과 사회적 경험이 입학 규정이나 교육과정 작성에 주로 고려되어야 한다.

㉤ 학업과 직업을 교대하여 가질 수 있는 단속적 방법으로 일생의 과정을 추구해 나가도록 한다.

㉥ 교과과정 편성, 교과내용, 교수방법을 흥미 집단, 연령집단, 사회집단별로 고려하여 동기화시킨다.

㉦ 학위나 증서를 성취결과로 보지 않고, 평생교육의 과정 지도와 인격의 발달을 중시한다.

㉧ 의무교육 후 각 개인은 적절한 직업준비와 사회적 안정을 얻을 수 있는 준비과정으로서 일정한 교육휴가의 기간을 가질 권리가 있다.

(3) 그 밖에 평생교육과 유사하게 사용되는 용어로는 기업 내 교육, 성인교육(adult education), 생애교육[career education, 알렌과 말랜드(J. Allen & S. Marland)] 등이 있다.

4. 유네스코(UNESCO)의 학습사회론적 접근

(1) 허친스(Hutchins)의 학습 사회론과 자유 교양론

허친스는 1968년 그의 저서 『학습사회』에서 학습사회의 건설을 주장하였다. 이는 자유교양교육이 평생교육 이념 구현을 위한 평생교육 실천의 방향이 되어야 한다는 것이다(완전한 인간 추구).

(2) 포레(Faure) 보고서와 학습사회의 실천

① 유네스코(UNESCO)에 의해 1972년 출판된 포레 보고서 『존재를 위한 학습(Learning to be)』에서 학습사회 건설을 주장하고, 자유교양교육을 강조하였다.

② 성인교육을 교육과정의 정점으로 설정하여 학교와 학교 외 교육의 긴밀한 상호관계의 유지를 강조하였다.

(3) 카네기(Carnegie)의 고등교육위원회

1973년 카네기 고등교육위원회는 『학습사회를 지향하여』라는 제목의 보고서에서 개인이 노동과 교육, 봉사를 희망에 따라 자유롭게 선택할 수 있는 시스템의 도입을 요구하였고 인간가치 실현이라는 교육목적에 대해서 공감을 표시하면서도 생활의 중심을 노동에 두고 직업교육을 포함시키는 광의의 입장에서 학습 사회론을 전개하였다(완전한 인간과 평생직업인 추구).

5. 평생교육의 등장배경

(1) 교육 외적 요인

① 과학기술의 고도화와 지식 및 정보의 증대: 과학기술의 진보와 변동은 새로운 지식과 정보를 계속하여 폭발적으로 생성해내며 기존의 지식·정보를 대량화하고 다양화하여 정보선택 가능성의 폭을 확대시킨다. 따라서 이를 수용하고 적응하며 지식·기술·정보혁신 개발의 주체자가 되기 위해서는 계속교육을 필수적으로 요구하게 된다.

② 산업변동과 전문화: 과학기술의 지속적 변동은 직업구조의 변화에도 영향을 주어 직업의 전문화·세분화 추세를 촉진시켰다. 또한 일생일업(一生一業)의 시대에서 일생다업(一生多業)의 시대로 변화하여 평생에 걸친 계속교육 기회에의 수요와 요구가 증대된다.

③ 생활수준의 향상과 여가시간의 증대: 물질적 생활수준의 향상, 과학기술의 발전으로 인한 자동화 사회복지제도의 강화는 여가시간을 증대시키고 여가 선용을 위한 문화적 욕구를 자극하게 되어 다양한 유형의 평생교육 활동에의 참가 동기를 증대시키게 되었다.

④ 가치관의 다원화와 소외의 증대: 급격한 사회문화적 변동으로 인한 가치관의 변화와 다원화, 물질문명과 정신문명 간의 격차 요인으로 인한 가치갈등은 세대 간·세대 내·지역 간의 갈등을 심화시키며 인간소외와 비인간화를 초래하였다.

⑤ 민주주의의 발전과 대중의식의 고취: 민주주의가 발달하고 대중의 민주의식 향상은 국가 사회의 구성원으로서의 건전한 대중의식 확립과 지적 수준 향상을 위한 사회학습을 요구하게 되며, 이는 전 사회가 교육의 장으로서의 기능을 수행하게 되는 계속적인 시민교육을 통해서 가능하게 된다.

(2) 교육 내적 요인(기존 학교체제의 한계와 역기능)

① 교육기회의 제한성과 불평등성: 기존의 교육기회는 아동 및 청소년기의 학교교육에 편중되어 성인기의 계속 교육기회가 미흡하였다. 또한 사회·경제적 지위가 낮은 집단이나 교육문화 취약집단을 위한 실질적 교육기회의 제공이 절대적으로 부족하였다. 따라서 이들에게 실질적인 교육기회를 제공하기 위한 교육적 관심이 증대되었다.

② **교육체제와 운영상의 경직성과 폐쇄성:** 기존의 교육체제는 중도탈락자나 교육기회 결손 집단의 2차적 교육기회 획득을 허용하는 개방적이고 유연성 있는 교육체제의 구축이 결여되어 있어 이들에게 보다 신축성과 융통성 있는 교육제도의 운영이 요구된다.

③ **교육내용과 운영방법상의 획일성과 경직성:** 전통적인 교육행정과 학교조직은 중앙집권적이고 조직이 관료화되어 있어 변화하는 사회의 다양한 교육적 수요와 요구가 충분히 수렴되기 어려웠으며 획일적인 교육내용과 교수방법의 운영은 교육의 효율성을 저하시키고 교육의 비민주화를 초래하게 되었다.

기출문제

경제협력개발기구(OECD)에 의하여 구상된 혁신적 교육프로그램으로, 사회에 진출한 사람들을 다시 정규교육 기관에 입학하게 하여 재학습의 기회를 주는 교육은?

2021년 지방직 9급

① 계속교육
② 생애교육
③ 성인교육
④ 순환교육

해설

순환교육(recurrent education)은 경제협력개발기구(OECD)에서 제시한 정책이론으로 의무교육을 마치고 사회에 진출한 사람들을 다시 학교에 돌아오게 하는 제도이다. **답 ④**

(3) 평생발달심리학의 등장

전통적인 관점에서는 학교교육 기간 동안의 연령이 학습에 가장 적합한 연령이며 또한 일반적인 지적 기능을 위해서도 최적의 시기라는 생각이 널리 받아들여졌다. 그러나 최근의 이론에 의하면 지적 기능의 하강 현상은 일반적인 현상이 아니고 특수한 지적 기능에 한정되어 있다는 사실이 밝혀지고 있다[타일러(Tyler), 아나스타시(Anastasi), 해비거스트(Havighurst), 카텔과 혼(Cattell & Horn)]. 이것은 성인들도 적합한 지시가 주어지고 적합한 수행조건만 주어지면 지적 과제를 성공적으로 수행할 수 있다는 것을 의미한다.

6. 평생교육의 이념

통합성	평생교육은 모든 형태의 교육을 유기적이고 체계적으로 통합한다.
전체성	평생교육은 학교교육과 학교 외 교육에 정통성을 부여한다.
융통성	평생교육은 어떤 상황이나 조건 속에 있는 어느 누구도 교육을 받도록 한다.
민주성	평생교육은 희망하는 모든 종류와 적정한 양의 교육을 받을 수 있게 한다.

7. 평생교육의 목표

기초 기능적 목표	기본적 사회적 기능, 3R's 기능, 건강과 위생의 기초, 초보의 실제적 기능
사회적 목표	평화와 민주주의를 추구하는 사회, 시민들에게 자유와 행복을 실현하는 사회, 인간 정신을 소외시키지 않으면서 효율적으로 기능화된 사회
개인적 목표	정신적 안정, 건정한 감정, 내적 젊음, 책임 있는 선택 능력, 사회적 실현, 개인적 성취, 지식의 갱신
도구적 목표	학습방법의 습득, 타인과 함께 경험을 나누고 지식을 교환하는 상호 학습, 학습자 스스로 자기 주도적으로 학습을 이끌어가는 자율적 학습

8. 평생교육의 의의

(1) 교육기회의 균등(질적 기회균등) 및 교육기회의 확대를 실현한다.

(2) 학교교육의 한계를 극복할 수 있다.

(3) 다양한 교육형태의 등장 배경이 되었다.

(4) 전문교육과 교양교육의 균형을 유지한다.

2 평생교육이론 모형

1. UNESCO 보고서 - 포레(E. Faure) 등 『Learning to be-The World of Education today and Tomorrow』

(1) 평생교육은 학습사회의 초석이 되어야 한다.

(2) 교육은 때와 장소의 구애 없이 교수활동을 재분배함으로써 생활경험을 쌓아나가야 한다.

(3) 교육은 다양한 방법에 의하여 시행되고 습득되어야 한다.

(4) 모든 교육제도는 학습자로 하여금 제도 내에서 종적, 횡적으로 이동할 수 있고 자유롭게 선택할 수 있는 범위를 넓혀 주어야 한다.

(5) 취학 전 아동교육은 모든 교육정책과 문화정책에 있어서 기본적 선행조건이 되어야 한다.

(6) 가능한 모든 아동들이 기초교육을 전일제로 받을 수 있도록 보장되어야 한다.

(7) 일반교육의 개념을 확대하여 사회 경제적, 기술적, 실용적 지식을 포함시켜야 한다.

(8) 직업과 실생활을 준비시키는 교육활동은 여러 다양한 직업에 적응할 수 있도록 할 뿐만 아니라 항상 변화하는 생산방법과 근로조건에 보조를 맞출 수 있도록 계속 그들의 능력을 발전시키는 것에 목적을 두어야 한다.

(9) 평생교육이란 넓게 보아 기업체나 산업체 또는 농업기관들이 광범위한 교육적 기능을 수행할 수 있다는 것을 의미한다.

(10) 고등교육이 확대될 때에는 증가하는 개인적 욕구와 지역사회의 욕구를 충족시킬 수 있는 여러 기관들을 폭넓게 개발해야 한다.

(11) 교육기회와 취업은 개인의 지식, 능력 및 적성에 따라 결정되어야 한다.

(12) 성인교육은 교육의 과정에 있어서 그 정점이 되어야 한다.

(13) 문맹퇴치교육은 성인교육에 있어서 다만 일시적이어야 한다.

(14) 새로운 교육풍조는 개인으로 하여금 자기 자신이 문화적 진보의 주인이며 창조자가 되게 해야 한다.

(15) 생산과 커뮤니케이션의 신기술을 가속화하고 증대시키는 것은 모든 교육혁신에 있어서 기본이 되어야 한다.

(16) 교육공학을 광범하게 효율적으로 이용하려면 교육체제 자체에 충분한 변화가 있을 때만 가능하다.

(17) 교직이 현대 교육체제에 잘 적응할 수 있는 구조를 갖지 못할 때에는 미래에 있어서도 그 역할을 충족하지 못할 것이다.

(18) 교사의 기본 과업의 하나는 모든 직업에 내재하고 있는 정신자세와 자격을 바꾸는 일이다. 오늘날 교직은 단순히 수업하는 것보다는 학생을 격려하고 자극하는 일을 더 중요시한다.

(19) 교육은 전체 사회성원들이 교육에 참여할 정도까지 계속 발전되어야 한다.

(20) 과거와는 달리 교수활동은 학습자에게 적절하지 않으면 안 된다. 따라서 이미 확정된 교수규칙에 반드시 따라야 할 필요는 없다.

(21) 사람들을 수동적으로 교육받게 하는 체제나 또는 학습자 간의 활발한 참여를 불러일으키지 못하는 교육개혁은 아무리 잘 해도 부분적 성공밖에는 거둘 수 없다.

2. 평생교육의 특징[랭그랑(P. Lengrand), 데이브(R. H. Dave) 등]

(1) 평생교육의 구성요소인 생(life), 평생(lifelong), 교육(education)은 하나하나가 평생교육의 핵심적인 내용을 결정하는 기본단어이다.

(2) 교육은 학교교육만으로 끝나는 것이 아니라 일생동안 지속되는 과정으로 파악되어야 한다.

(3) 평생교육은 성인교육 또는 사회교육에 한정되는 것이 아니라 유아교육, 초등교육, 중등교육 및 고등교육 등 모든 수준의 교육을 포괄하고 통합하는 체제이다. 즉, 평생교육은 교육을 하나의 전체로서 파악하지 않으면 안 된다.

(4) 평생교육은 형식적, 계획적 형태뿐만 아니라 비형식적, 우발적인 학습까지를 모두 포용하는 폭넓은 개념으로 파악되어야 한다.

(5) 가정교육은 평생교육에서 특히 중요시되는 부분이다. 가정이야말로 평생학습과정을 시작하고 전개하는 데 있어서 가장 민감하고 결정적인 역할을 담당하는 곳이기 때문이다.

(6) 평생교육체제에서는 지역사회가 중요한 역할을 한다. 지역사회는 학생들이 처음으로 사회적 관계를 경험하는 순간부터 성장하여 직업적, 사회적 생활을 영위해나갈 성인기까지 모든 영역에서 교육적 기능을 담당하기 때문이다.

(7) 평생교육체제에서 학교 또는 교육기관의 역할은 중요하지만 학교가 더 이상 교육을 독점하는 기관이어서는 안 된다.

(8) 평생교육은 교육을 수직적 연계, 즉 성장 단계별 교육과정의 상호연속성과 연계성을 최대한 반영해야 한다.

(9) 평생교육은 생의 각 단계별 교육의 수평적 통합을 도모하려고 한다. 따라서 인격의 균형 잡힌 발전을 추구하기 위하여 지적, 정서적, 신체적 성장을 돕는 종합 프로그램을 마련해야 한다.

(10) 평생교육은 본질적으로 교육의 엘리트화를 지양하고 교육의 민주화를 도모한다.

(11) 평생교육은 학습내용, 학습도구와 기술 그리고 학습시간의 융통성과 다양성을 최대한 보장하는 것을 특색으로 한다.

(12) 평생교육은 새로운 학습 자료와 학습매체를 활용함으로써 그때 그때의 사회적 요구와 새로운 것에 대해 능동적으로 적응할 수 있는 역동적 교육의 과정이다.

(13) 평생교육은 학습자가 원하는 형태의 교육과 학습방법을 재량에 따라 선택할 수 있는 교육체제이다.

(14) 평생교육의 내용은 크게 일반 교양교육과 전문 직업교육의 두 부분으로 나눈다. 이 두 영역은 독립적으로 존재하는 것이 아니라 서로 연관되고 상보적 역할을 해야 한다.

(15) 평생교육은 개인이나 사회의 적응적 기능과 개혁적 기능을 함께 기대한다.

(16) 평생교육은 기존 제도교육의 결함을 보완하는 교정적 기능을 수행한다. 즉 평생교육은 교육과 실생활과의 유리, 획일적이고 권위주의적인 교육과정으로 인한 학습의욕의 저하 및 가정·학교·사회의 유기적 연계의 실패 등을 교정하는 일을 담당하여야 한다.

(17) 평생교육이 지향하는 궁극적 목적은 삶의 질을 향상시키는 데 있다.

(18) 평생교육을 실현하기 위해서는 기회, 동기, 교육력의 세 가지 전제조건을 충족시켜야 한다.

(19) 평생교육은 모든 형태의 교육을 망라하여 구성된 조직 원리이다.

(20) 평생교육체제는 교육목표의 전체적 통합과 가정, 학교, 지역사회의 모든 교육, 교육행정, 학습전략, 학습방법, 평가절차 등을 망라한 교육제도로서 구현되어야 한다.

3. 스포올딩(Spaulding)의 평생교육개념모형

위로 올라갈수록 교육목적, 교육과정 및 교육방법이 탄력적이고 비형식적이며 아래로 내려올수록 비탄력적이고 형식적인 특징이 있다. 즉, 유형Ⅰ에서 유형Ⅵ으로 갈수록 개방적, 자기 선택적, 비경쟁적, 비형식적 교육내용이며 직접적 유용성, 자격취득보다 자기만족, 참여자 자신의 관심과 동기가 높다. 반면 유형Ⅵ에서 유형Ⅰ로 내려올수록 폐쇄적이고 엄격한 선발, 경쟁력, 형식적 교육내용, 장기적 목표, 자격취득 중시, 당국의 기준설정 및 통제가 강하다는 특징이 있다.

특성	유형	내용	구분
(1) 개방, 자기선택, 비경쟁 (2) 비형식적 교육내용 (3) 직접적 유용성 (4) 자격인정보다 자기만족 (5) 참여자의 관심과 동기	유형Ⅵ	대중매체 및 정보제공시설 예 TV, 신문, 잡지, 도서관, 서점, 정보센터 등	무형식적
	유형Ⅴ	클럽 및 자원단체 예 청소년 단체, 정치단체, 노동조합, 협동조합, 종교단체, 봉사단체 등	
↕	유형Ⅳ	지역사회개발 및 사회운동 예 소비자교육, 보건교육, 인구교육, 농촌지도, 새마을교육 등	비형식적
	유형Ⅲ	학교와 대학의 평생교육 및 비형식적 교육 예 방송통신교육, “울타리 없는 대학”(미국), 국민고등학교(스칸디나비아 제국), 지역사회센터 등	
(1) 폐쇄, 엄격한 선발, 경쟁 (2) 형식적 교육내용 (3) 장기적 목표 (4) 자격인정 (5) 당국의 기준 설정 및 통제	유형Ⅱ	혁신적 학교 및 대학 예 대안학교, 종합고등학교, 개별처방학교 등	형식적
	유형Ⅰ	전통적 학교 및 대학 예 초·중·고등교육기관	

스포올딩의 평생교육개념모형

참고

현재의 교육체제와 평생교육의 비교[랭그랑(P. Lengrand)]

현재의 교육체제	평생교육
교육을 일생의 한정된 시기 즉, 청소년기에 한정시킨다.	교육을 전 생애에 걸친 것으로 본다.
교육지식의 습득에 치중한다.	지적, 정서적, 심미적, 직업적, 신체적인 요소에 대한 균형적인 발달을 추구한다.
직업교육과 일반교육, 형식교육과 비형식교육, 학교교육과 학교 외 교육 등 여러 가지 교육활동을 분리하고 있다.	인격의 전체적, 유기적인 발달을 고려하여 여러 가지 교육 간의 연결 내지 결합을 시도한다.
축적된 기존의 지식을 후세대에 전수하는 것을 교육의 목적으로 한다.	지식은 계속적인 탐구를 통해 변화·발전한다고 보기 때문에 기존의 지식을 단순히 전달하는 것보다는 계속적인 탐구를 강조한다.
교육적인 규제 및 외부에서의 강제에 의해 기성의 문화가치를 습득시키는 데 중점을 두고 있다.	각 개인이 가지고 있는 개성과 잠재력에 따라 자발적인 발달과 성장을 할 수 있도록 돕는다.
교육을 문화유산을 전달하는 수단으로 보고 있다.	교육을 개인의 성장을 위한 수단으로 보아, 끊임없는 자기 계발의 과정으로 이해한다.
미성숙한 성장의 한 단계에서 개인의 능력을 평가하여 개인의 우열을 판정하고 선별하는 기능을 중시한다.	인간이 가지고 있는 능력과 잠재력을 일생동안 각 성장단계에서 발달시키고자 노력한다.
교육이라는 것을 초등학교, 대학, 기술전문학교 등 임의로 분리시킨 분야에 한정하고 있다.	교육이라는 것을 친구관계, 가족, 직장, 교회, 정당, 노동조합, 클럽 등 사람들의 실제 생활에 관련된 여러 가지 환경이나 상황에까지 확대시키는 것으로 생각한다.
도서, 강연, 학교, 대학제도 등은 교육의 매체가 되는 것이나 훈련에 일정한 계제(階梯)를 두고 있다.	교육의 기회를 선택할 때 부여된 환경 중에서 이용 가능한 매체의 여부, 혹은 개인이나 사회의 능력에 그것이 적용될지 안 될지를 유일한 결정방법으로 본다.
교육은 교사에 의해 행해진다고 생각한다.	때와 상황에 따라 사회구성원 모두가 교육을 제공할 수 있다고 본다.

4. UNESCO 보고서 - 『학습: 내재된 보물(Learning: The Treasure Within)』

(1) 평생교육의 4가지 기둥

① 알기 위한 학습(learning to know): 알기 위한 학습을 통해 이해의 도구를 획득한다.

② 행동하기 위한 학습(learning to do): 행동하기 위한 학습을 통해서 개인의 환경에 대해 창조적으로 대응할 수 있게 해준다.

③ 함께 살기 위한 학습(learning to live together): 함께 살기 위한 학습을 통해서는 모든 활동에 다른 사람들과 함께 참여할 수 있게 해준다.

④ 존재하기 위한 학습(learning to be): 존재하기 위한 학습은 알기 위한 학습, 행동하기 위한 학습, 함께 살기 위한 학습을 바탕으로 하는 궁극적인 목표이다.

(2) 의의

① 전통적으로 공식 교육제도하에서는 알기 위한 학습과 행동하기 위한 학습만을 강조하였고 함께 살기 위한 학습과 존재하기 위한 학습은 우연에 맡겨지거나 자연적 부산물로 간주되어 왔다.

② 교육은 전 생애를 통한 총체적인 경험의 과정, 곧 이해와 적용의 과정에 모두 관여함과 동시에 개인과 그 개인의 사회적 위치결정에 모두 관여하는 과정으로 간주되어야 한다.

③ 21세기의 도전에 대응하기 위해서는 개인으로 하여금 자신의 창조적 잠재력을 발견하고 계발하여 확장하는 일, 곧 각자에게 숨겨진 보물을 드러낼 수 있게 해주는 일이다. 이는 교육을 도구적 관점(기술, 능력, 경제적 잠재력 등)을 넘어선 자신을 완전한 사람으로 개발하는 과정, 곧 존재하기 위한 학습으로 간주되어야 한다.

5. UNESCO 보고서 - 『관용: 평화의 시작(Tolerance: the threshold of peace)』

평화의 성취, 인권의 실현, 그리고 민주주의의 구현을 위한 더욱 깊고, 폭넓은 학습의 출발점이 되는 관용교육을 각급학교 및 성인, 사회단체, 혹은 교사교육과정에서 어떻게 다루어야 하는 지침을 제시하고 있다.

6. 평생교육제도 모형

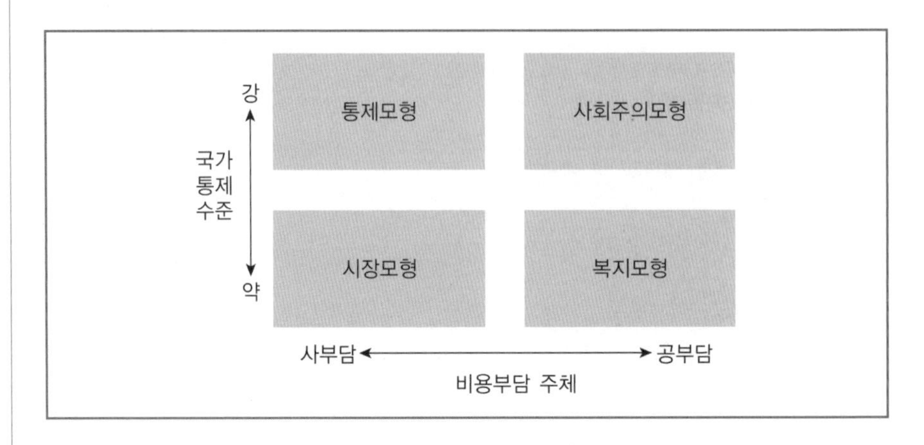

(1) 통제 모형

교육목적, 교육대상, 교육내용을 국가가 직접 결정하고, 교육기관의 설치와 운영도 국가가 직영하거나 세밀한 부분까지 엄격하게 통제한다.

(2) 사회주의 모형

교육목적과 내용이 국가에 의해 철저히 통제된다. 교육의 기본 목적이 모든 국민을 사회주의적 인간으로 양성하는 데 있으므로 교육내용과 교육방법이 엄격하게 통제된다.

(3) 복지모형

평등주의를 사상적 토대로 한다. 교육기회를 모든 국민이 평등하게 누릴 수 있도록 기본교육은 무상으로 실시하고, 그 이상의 교육에 대하여도 국가 재정으로 교육기회를 제공하거나 교육비를 국가가 부담한다.

(4) 시장모형

개인주의에 기초하여 교육을 사회의 공적 사업으로보다는 개인적 활동으로 인식하고, 각 개인의 요구에 근거하여 자유롭게 활동할 수 있는 활동으로 간주한다. 교육을 공공재가 아니라 사유재로 인식하여 국가가 직접 교육을 제공하지 않고 교육에 드는 비용도 학습자들이 부담한다.

秀 POINT 학습이 지역 활성화를 촉진하는 과정[반슬리(Barnsley) 모델]

OECD는 지식기반사회 및 학습경제(learning economy)의 출현에 대응하기 위한 새로운 지역 개발의 전략으로 평생학습의 필요성을 강조하고 있으며, 반슬리(Barnsley)는 지역 재생을 위한 평생학습의 전개과정을 그림과 같이 제시하고 있다.

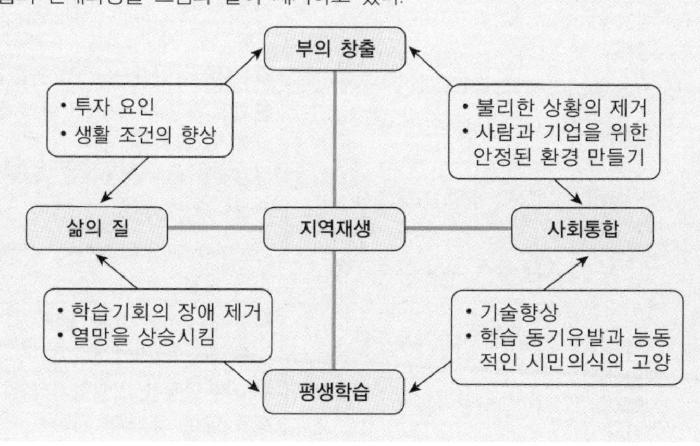

3 우리나라의 평생교육

1. 용어의 사용

우리나라에서 평생교육의 문제가 공식적으로 거론된 것은 1973년 8월 UNESCO 한국위원회가 주최한 세미나에서였다. 여기에서 평생교육의 이념과 전략이 초보적으로 토의되었고, 관련된 건의사항이 채택되었다.

대분류		중분류	
6대 영역	목적	18진 분류	목적
기초문해 교육	한글기초 교육과 생활문해	내국인 한글 문해 프로그램	비문해자가 한글을 읽고 쓸 수 있도록 지원
		다문화 한국어 프로그램	다문화인이 한국어를 읽고 쓸 수 있도록 지원
		생활문해 프로그램	문자해득 이후의 기초생활 교육을 지원
학력보완 교육	학교교육 보완 학력인증	초등학력 보완 프로그램	유아·초등학생의 교과연계 교육 및 역량 개발
		중등학력 보완 프로그램	중·고등학생의 교과연계 교육 및 역량 개발
		고등학력 보완 프로그램	(전문)학사 학력 인증
직업능력 교육	취·창업 자격 인증과 직무개발	직업준비 프로그램	취업 및 창업을 준비
		자격인증 프로그램	취업을 위한 해당 분야의 전문 자격증 취득
		현직 직무역량 프로그램	현재 수행 중인 직무역량 향상
문화예술 교육	문화예술 스포츠 체험과 활동	레저생활 스포츠 프로그램	여가 활용 및 체력 증진
		생활 문화예술 프로그램	문화예술 기술을 익혀 일상에 접목함으로써 삶의 질을 높임
		문화예술 향상 프로그램	문화 예술적 가치를 추구하며, 창작활동 및 심미적 욕구를 충족
인문교양 교육	건강한 생활 소양과 인문교양 개발	건강 심성 프로그램	신체적 건강 및 심리적 안정에 필요한 상담 및 활동을 지원
		기능적 소양 프로그램	일상생활에서 갖추어야 하는 소양 및 역할수행을 지원
		인문학적 교양 프로그램	인문학적 지식과 경험을 확장할 수 있도록 지원
시민참여 교육	시민 책임성과 지역사회 참여	시민 책무성 프로그램	시민이 갖추어야 할 인권·시민성·공동체 형성을 지원
		시민 리더역량 프로그램	공익적 활동을 지원하기 위한 시민활동가 양성 및 역량 강화
		시민 참여활동 프로그램	지역사회 참여와 실천

2. 현행 「평생교육법」

제1장 총칙

제1조 【목적】 이 법은 「헌법」과 「교육기본법」에 규정된 평생교육의 진흥에 대한 국가 및 지방자치단체의 책임과 평생교육제도와 그 운영에 관한 기본적인 사항을 정하고, 모든 국민이 평생에 걸쳐 학습하고 교육받을 수 있는 권리를 보장함으로써 모든 국민의 삶의 질 향상 및 행복 추구에 이바지함을 목적으로 한다. <개정 2021.6.8.>

제2조 【정의】 이 법에서 사용하는 용어의 정의는 다음과 같다. <개정 2023.6.13.>

1. "평생교육"이란 학교의 정규교육과정을 제외한 학력보완교육, 성인 문해교육, 직업능력 향상교육, 성인 진로개발역량 향상교육, 인문교양교육, 문화예술교육, 시민참여교육 등을 포함하는 모든 형태의 조직적인 교육활동을 말한다.
2. "평생교육기관"이란 다음 각 목의 어느 하나에 해당하는 시설·법인 또는 단체를 말한다.
   가. 이 법에 따라 인가·등록·신고된 시설·법인 또는 단체
   나. 「학원의 설립·운영 및 과외교습에 관한 법률」에 따른 학원 중 학교교과교습학원을 제외한 평생직업교육을 실시하는 학원
   다. 그 밖에 다른 법령에 따라 평생교육을 주된 목적으로 하는 시설·법인 또는 단체
3. "문해교육"이란 일상생활을 영위하는데 필요한 문자해득(文字解得)능력을 포함한 사회적·문화적으로 요청되는 기초생활능력 등을 갖출 수 있도록 하는 조직화된 교육프로그램을 말한다.
4. "평생교육사업"이란 국가 및 지방자치단체가 국민과 주민의 평생교육을 위하여 예산 또는 기금으로 조직적인 교육활동을 직·간접적으로 지원하는 사업을 말한다.
5. "평생교육이용권" 이란 평생교육프로그램을 이용할 수 있도록 금액이 기재(전자적 또는 자기적 방법에 따른 기록을 포함한다)된 증표를 말한다.
6. "성인 진로개발역량 향상교육"(이하 "성인 진로교육"이라 한다)이란 성인이 자신에게 적합한 직업을 찾고 진로를 인식·탐색·준비·결정 및 관리할 수 있도록 진로수업·진로심리검사·진로상담·진로정보·진로체험 및 취업지원 등을 제공하는 활동을 말한다.

제3조 【다른 법률과의 관계】 ① 평생교육에 관하여 다른 법률에 특별한 규정이 있는 경우를 제외하고는 이 법을 적용한다.
② 평생교육에 관한 법률을 제정하거나 개정할 때에는 이 법의 목적 및 이념에 부합되도록 하여야 한다.
[전문개정 2023.4.18.]

제4조 【평생교육의 이념】 ① 모든 국민은 평생교육의 기회를 균등하게 보장받는다.
② 평생교육은 학습자의 자유로운 참여와 자발적인 학습을 기초로 이루어져야 한다.
③ 평생교육은 정치적·개인적 편견의 선전을 위한 방편으로 이용되어서는 아니 된다.
④ 일정한 평생교육과정을 이수한 자에게는 그에 상응하는 자격 및 학력인정 등 사회적 대우를 부여하여야 한다.

제5조 【국가 및 지방자치단체의 임무】 ① 국가 및 지방자치단체는 모든 국민에게 평생교육 기회가 부여될 수 있도록 평생교육진흥정책을 수립·추진하여야 한다.
② 국가와 지방자치단체는 장애인이 평생교육의 기회를 부여받을 수 있도록 장애인 평생교육에 대한 정책을 수립·시행하여야 한다.
③ 국가 및 지방자치단체는 그 소관에 속하는 단체·시설·사업장 등의 설치자에 대하여 평생교육의 실시를 적극 권장하여야 한다.

제6조 【교육과정 등】 평생교육의 교육과정·방법·시간 등에 관하여 이 법과 다른 법령에 특별한 규정이 있는 경우를 제외하고는 평생교육을 실시하는 자가 정하되, 학습자의 필요와 실용성을 존중하여야 한다.

제7조 【공공시설의 이용】 ① 평생교육을 실시하는 자는 평생교육을 위하여 공공시설을 그 본래의 용도에 지장이 없는 범위 안에서 관련 법령으로 정하는 바에 따라 이용할 수 있다.
② 제1항의 경우 공공시설의 관리자는 특별한 사유가 없는 한 그 이용을 허용하여야 한다.

제8조【학습휴가 및 학습비 지원】 국가 · 지방자치단체와 공공기관의 장 또는 각종 사업의 경영자는 소속 직원의 평생학습기회를 확대하기 위하여 유급 또는 무급의 학습휴가를 실시하거나 도서비 · 교육비 · 연구비 등 학습비를 지원할 수 있다.

제2장 평생교육진흥기본계획 등

제9조【평생교육진흥기본계획의 수립】 ① 교육부장관은 5년마다 평생교육진흥기본계획(이하 "기본계획"이라 한다)을 수립하여야 한다.

② 기본계획에는 다음 각 호의 사항이 포함되어야 한다.

1. 평생교육진흥의 중 · 장기 정책목표 및 기본방향에 관한 사항
2. 평생교육의 기반구축 및 활성화에 관한 사항
3. 평생교육진흥을 위한 투자확대 및 소요재원에 관한 사항
4. 평생교육진흥정책에 대한 분석 및 평가에 관한 사항
5. 장애인의 평생교육진흥에 관한 사항
6. 장애인평생교육진흥정책의 평가 및 제도개선에 관한 사항
7. 그 밖에 평생교육진흥을 위하여 필요한 사항

③ 교육부장관은 기본계획을 관계 중앙행정기관의 장, 특별시장 · 광역시장 · 특별자치시장 · 도지사 · 특별자치도지사(이하 "시 · 도지사"라 한다), 시 · 도교육감 및 시장 · 군수 · 자치구의 구청장에게 통보하여야 한다.

제9조의2【평생교육사업에 대한 조사 · 분석 등】 ① 교육부장관은 매년 국가 및 지방자치단체에서 추진하는 평생교육사업에 대한 조사 · 분석(이하 "분석등"이라 한다)을 하여야 한다.

② 교육부장관은 평생교육사업의 분석등을 하기 위하여 관계 중앙행정기관, 지방자치단체, 관련 교육 · 훈련기관 및 평생교육사업에 참여하는 법인이나 단체에 필요한 자료의 제출을 요구할 수 있다. 이 경우 자료 제출을 요구받은 기관 · 법인 또는 단체는 특별한 사유가 없으면 이에 따라야 한다.

③ 교육부장관은 제1항에 따른 분석등의 결과를 관계 중앙행정기관의 장과 지방자치단체의 장에게 통보하고, 제10조의 평생교육진흥위원회에 제출하여야 한다.

[본조신설 2021.6.8.]

제10조【평생교육진흥위원회의 설치】 ① 평생교육진흥정책에 관한 주요사항을 심의하기 위하여 교육부장관 소속으로 평생교육진흥위원회(이하 "진흥위원회"라 한다)를 둔다.

② 진흥위원회는 다음 각 호의 사항을 심의한다. <개정 2023.4.18.>

1. 기본계획에 관한 사항
2. 제11조 제2항에 따른 추진실적 평가에 관한 사항
3. 평생교육진흥정책의 평가 및 제도개선에 관한 사항
4. 평생교육지원 업무의 협력과 조정에 관한 사항
5. 그 밖에 평생교육진흥정책을 위하여 대통령령으로 정하는 사항

③ 진흥위원회는 위원장을 포함하여 20인 이내의 위원으로 구성한다.

④ 진흥위원회의 위원장은 교육부장관으로 하고, 위원은 평생교육과 관련된 관계 부처 차관, 평생교육 · 장애인교육과 관련된 전문가 등 평생교육에 관한 전문지식 및 경험이 풍부한 사람 중에서 위원장이 위촉한다. <개정 2021.3.23.>

⑤ 진흥위원회의 구성 · 운영에 필요한 사항은 대통령령으로 정한다.

제11조【연도별 평생교육진흥시행계획의 수립 · 시행】 ① 관계 중앙행정기관의 장 및 시 · 도지사는 기본계획에 따라 연도별 평생교육진흥시행계획(이하 "시행계획"이라 한다)을 수립 · 시행하여야 한다. 이 경우 시 · 도지사는 시 · 도교육감과 협의하여야 한다. <개정 2023.4.18.>

② 관계 중앙행정기관의 장 및 시 · 도지사는 제1항에 따른 시행계획 및 그 추진실적을 대통령령으로 정하는 바에 따라 매년 교육부장관에게 제출하고, 교육부장관은 진흥위원회의 심의를 거쳐 매년 제출된 추진실적을 평가하여야 한다. <신설 2023.4.18.>

③ 교육부장관은 제2항에 따른 평가 결과를 관계 중앙행정기관의 장 및 시 · 도지사에게 통보하여야 한다. <신설 2023.4.18.>

④ 시행계획의 수립 · 시행 및 그 추진실적의 평가 등에 필요한 사항은 대통령령으로 정한다. <신설 2023.4.18.>

제12조 【시·도평생교육협의회】 ① 시행계획의 수립·시행에 필요한 사항을 심의하기 위하여 시·도지사 소속으로 시·도평생교육협의회(이하 "시·도협의회"라 한다)를 둔다.
② 시·도협의회는 의장·부의장을 포함하여 20인 이내의 위원으로 구성한다.
③ 시·도협의회의 의장은 시·도지사로 하고, 부의장은 시·도의 부교육감으로 한다.
④ 시·도협의회 위원은 관계 공무원, 평생교육과 관련된 전문가, 장애인 평생교육 전문가, 평생교육 관계 기관의 운영자 등 평생교육에 관한 전문지식 및 경험이 풍부한 사람 중에서 해당 시·도의 교육감과 협의하여 의장이 위촉한다. <개정 2021.3.23.>
⑤ 시·도협의회의 구성·운영에 필요한 사항은 해당 지방자치단체의 조례로 정한다.

제13조 【관계 행정기관의 장 등의 협조】 ① 교육부장관은 기본계획을 수립하기 위하여 필요하다고 인정하는 때에는 관계 행정기관이나 그 밖의 기관 또는 단체의 장에게 관련 자료를 요청할 수 있다.
② 시·도지사는 시행계획을 수립하기 위하여 필요하다고 인정하는 때에는 관계 행정기관이나 그 밖의 기관 또는 단체의 장에게 관련 자료를 요청할 수 있다.
③ 제1항 및 제2항에 따라 자료를 요청 받은 기관 또는 단체의 장은 특별한 사정이 없는 한 협조하여야 한다.

제14조 【시·군·자치구평생교육협의회】 ① 시·군 및 자치구에는 지역주민을 위한 평생교육의 실시와 관련되는 사업간 조정 및 유관기관 간 협력 증진을 위하여 시·군·자치구평생교육협의회(이하 "시·군·구협의회"라 한다)를 둔다.
② 시·군·구협의회는 의장 1인과 부의장 1인을 포함하여 12인 이내의 위원으로 구성한다.
③ 시·군·구협의회의 의장은 시장·군수 또는 자치구의 구청장으로 하고, 위원은 시·군·자치구 및 지역교육청의 관계 공무원, 평생교육 전문가, 장애인 평생교육 관계자, 관할 지역 내 평생교육 관계 기관의 운영자 중에서 의장이 위촉한다.
④ 시·군·구협의회의 구성·운영 등에 필요한 사항은 지방자치단체의 조례로 정한다.

제15조 【평생학습도시】 ① 국가는 지역사회의 평생교육 활성화를 위하여 특별자치시, 시(「제주특별자치도 설치 및 국제자유도시 조성을 위한 특별법」 제10조 제2항에 따른 행정시를 포함한다. 이하 이 조 및 제15조의2에서 같다)·군 및 자치구를 대상으로 평생학습도시를 지정 및 지원할 수 있다. 이 경우 이미 지정된 평생학습도시에 대하여 평가를 거쳐 재지정 여부를 결정할 수 있다. <개정 2023.4.18.>
② 제1항에 따른 평생학습도시 간의 연계·협력 및 정보교류의 증진을 위하여 전국평생학습도시협의회를 둘 수 있다.
③ 제2항에 따른 전국평생학습도시협의회의 구성·운영에 필요한 사항은 대통령령으로 정한다.
④ 제1항에 따른 평생학습도시의 지정, 지원 및 평가 등에 필요한 사항은 교육부장관이 정한다. <개정 2023.4.18.>

제15조의2 【장애인 평생학습도시】 ① 국가는 장애인의 평생교육 활성화를 위하여 특별자치시, 시·군 및 자치구를 대상으로 장애인 평생학습도시를 지정 및 지원할 수 있다.
② 제1항에 따른 장애인 평생학습도시 간의 연계·협력 및 정보교류의 증진을 위하여 전국장애인평생학습도시협의회를 둘 수 있다.
③ 제2항에 따른 전국장애인평생학습도시협의회의 구성·운영에 필요한 사항은 대통령령으로 정한다.
④ 제1항에 따른 장애인 평생학습도시의 지정 및 지원에 필요한 사항은 교육부장관이 정한다.
⑤ 국가는 장애인 평생학습도시의 활성화를 위하여 관계 중앙행정기관 및 유관기관 등이 참여하는 협의체를 구성·운영할 수 있으며, 협의체의 구성 및 운영에 필요한 사항은 대통령령으로 정한다.
[본조신설 2021.6.8.]

제16조 【경비보조 및 지원】 ① 국가 및 지방자치단체는 이 법과 다른 법령으로 정하는 바에 따라 다음 각 호의 어느 하나에 해당하는 평생교육진흥사업을 실시 또는 지원할 수 있다. <개정 2023.4.18.>

1. 평생교육기관의 설치·운영
2. 제24조에 따른 평생교육사의 양성 및 배치
3. 평생교육프로그램의 개발(온라인 기반의 평생교육프로그램의 개발을 포함한다)
4. 「초·중등교육법」 및 「고등교육법」에 따른 각급학교의 장의 평생교육과정의 운영
5. 제16조의2에 따른 평생교육이용권의 발급 등 국민의 평생교육의 참여에 따른 비용의 지원
6. 그 밖에 국민의 평생교육 참여를 촉진하기 위하여 수행하는 사업 등

② 지방자치단체의 장은 해당 지방자치단체의 조례로 정하는 바에 따라 주민을 위한 평생교육진흥사업을 실시하거나 지원할 수 있다. 이 경우 교육감 또는 지역교육장과 협의하여야 한다.

제16조의2【평생교육이용권의 발급 등】 ① 국가 및 지방자치단체는 모든 국민에게 평생교육의 기회를 제공할 수 있도록 신청을 받아 평생교육이용권을 발급할 수 있다.
② 교육부장관은 평생교육소외계층에게 우선적으로 평생교육이용권을 발급할 수 있도록 대통령령으로 신청자의 요건을 정할 수 있다.
③ 국가 및 지방자치단체는 평생교육이용권의 수급자 선정 및 수급자격 유지에 관한 사항을 확인하기 위하여 가족관계 증명·국세 및 지방세 등에 관한 자료 등 대통령령으로 정하는 자료의 제공을 당사자의 동의를 받아 관계 중앙행정기관의 장 또는 지방자치단체의 장에게 요청할 수 있다. 이 경우 요청을 받은 자는 특별한 사유가 없으면 이에 따라야 한다.
④ 국가 및 지방자치단체는 제3항에 따른 자료의 확인을 위하여 「사회보장기본법」 제37조에 따른 사회보장정보시스템을 연계하여 사용할 수 있다.
⑤ 지방자치단체는 평생교육이용권의 발급, 정보시스템의 구축·운영 등 평생교육이용권 업무의 효율적 수행을 위하여 대통령령으로 정하는 바에 따라 전담기관을 지정할 수 있다.
⑥ 그 밖에 평생교육이용권 발급에 필요한 사항은 대통령령으로 정한다.
[본조신설 2021.6.8.]

제16조의3【평생교육이용권의 사용 등】 ① 평생교육이용권을 발급받은 사람(이하 이 조에서 "이용자"라 한다)은 평생교육프로그램을 제공하는 자에게 평생교육이용권을 제시하고 평생교육을 제공받을 수 있다.
② 제1항에 따라 평생교육이용권을 제시받은 자는 정당한 사유 없이 평생교육프로그램의 제공을 거부할 수 없다.
③ 누구든지 평생교육이용권을 판매·대여하거나 부정한 방법으로 사용하여서는 아니 된다.
④ 국가 및 지방자치단체는 이용자가 평생교육이용권을 판매·대여하거나 부정한 방법으로 사용한 경우에는 그 평생교육이용권을 회수하거나 평생교육이용권 기재금액에 상당하는 금액의 전부 또는 일부를 환수할 수 있다.
⑤ 그 밖에 평생교육이용권의 사용, 회수 및 환수 등에 필요한 사항은 대통령령으로 정한다.
[본조신설 2021.6.8.]

제17조【지도 및 지원】 ① 국가 및 지방자치단체는 평생교육기관의 요청이 있는 때에는 그 기관의 평생교육활동을 지도 또는 지원할 수 있다.
② 국가 및 지방자치단체는 평생교육기관의 요청이 있는 때에는 그 기관에서 평생교육활동에 종사하는 자의 능력향상에 필요한 연수를 실시할 수 있다.

제18조【평생교육 통계조사 등】 ① 교육부장관 및 시·도지사는 평생교육의 실시 및 지원에 관한 현황 등 기초자료를 조사하고 이와 관련된 통계를 공개하여야 한다.
② 평생교육과 관련된 업무 담당자 및 평생교육기관 운영자 등은 제1항의 조사에 협조하여야 한다.
③ 교육부장관은 평생교육 통계조사의 정확성 제고 및 조사업무 경감을 위하여 관련 자료를 보유한 중앙행정기관의 장, 지방자치단체의 장 및 「공공기관의 운영에 관한 법률」에 따른 공공기관의 장 등 관계 기관의 장(이하 "관계 행정기관등의 장"이라 한다)에게 자료 간 연계를 요청할 수 있다. 이 경우 자료 간 연계를 요청받은 관계 행정기관등의 장은 특별한 사유가 없으면 이에 따라야 한다. <신설 2021.6.8.>
④ 교육부장관은 평생교육 통계조사에 의하여 수집된 자료를 이용하고자 하는 자에게 이를 제공할 수 있다. 이 경우 특정의 개인이나 법인 또는 단체를 식별할 수 없는 형태로 자

료를 제공하여야 한다. <신설 2021.6.8.>

⑤ 교육부장관은 평생교육 통계조사 등의 업무를 위하여 대통령령으로 정하는 바에 따라 국가평생교육통계센터를 지정하여 그 업무를 위탁할 수 있다. 이 경우 교육부장관은 위탁받은 업무 수행에 필요한 경비를 지원할 수 있다. <신설 2021.6.8.>

제3장 국가평생교육진흥원 등

제19조【국가평생교육진흥원】 ① 국가는 평생교육진흥과 관련된 업무를 지원하기 위하여 국가평생교육진흥원(이하 "진흥원"이라 한다)을 설립한다.

② 진흥원은 법인으로 한다.

③ 진흥원은 주된 사무소의 소재지에서 설립등기를 함으로써 성립한다.

④ 진흥원은 다음 각 호의 업무를 수행한다.

1. 평생교육진흥을 위한 지원 및 조사 업무
2. 진흥위원회가 심의하는 기본계획 수립의 지원

2의2. 평생교육진흥정책의 개발·발전을 위하여 필요한 연구

3. 평생교육프로그램 개발(온라인 기반의 평생교육프로그램의 개발을 포함한다)의 지원
4. 제24조에 따른 평생교육사를 포함한 평생교육 종사자의 양성·연수
5. 국내외 평생교육기관·단체 간 연계 및 협력체제의 구축
6. 제20조에 따른 시·도평생교육진흥원에 대한 지원 및 시·도평생교육진흥원과의 협력
7. 삭제 <2021.6.8.>
8. 「학점인정 등에 관한 법률」 및 「독학에 의한 학위취득에 관한 법률」에 따른 학점 또는 학력인정에 관한 사항
9. 제23조에 따른 학습계좌의 통합 관리·운영
10. 문해교육의 관리·운영에 관한 사항
11. 정보화 및 온라인 기반 관련 평생교육의 관리·운영에 관한 사항
12. 이 법 또는 다른 법령에 따라 위탁받은 업무
13. 그 밖에 진흥원의 목적수행을 위하여 필요한 사업

⑤ 진흥원의 정관에는 다음 각 호의 사항을 기재하여야 한다.

1. 목적
2. 명칭
3. 주된 사무소의 소재지
4. 사업에 관한 사항
5. 임원 및 직원에 관한 주요 사항
6. 이사회에 관한 사항
7. 재산 및 회계에 관한 사항
8. 정관의 변경에 관한 사항

⑥ 제5항에 따른 정관의 내용을 변경하고자 하는 때에는 교육부장관의 인가를 받아야 한다.

⑦ 국가는 예산의 범위 내에서 진흥원의 설립·운영에 필요한 경비를 출연할 수 있다.

⑧ 진흥원에 관하여 이 법에서 정하는 것을 제외하고는 「민법」 중 재단법인에 관한 규정을 준용한다.

제19조의2【국가장애인평생교육진흥센터】 ① 국가는 장애인의 평생교육진흥과 관련된 업무를 지원하기 위하여 국가장애인평생교육진흥센터(이하 "장애인평생교육진흥센터"라 한다)를 둔다.

② 장애인평생교육진흥센터는 다음 각 호의 업무를 수행한다.

1. 장애인 평생교육진흥을 위한 지원 및 조사 업무
2. 진흥위원회가 심의하는 기본계획에 관한 사항 중 장애인 평생교육진흥에 관한 사항
3. 장애 유형별 평생교육프로그램 개발의 지원
4. 장애인 평생교육 종사자의 양성·연수와 공무원의 장애인 의사소통 교육
5. 장애인 평생교육기관 간의 연계체제 구축
6. 발달장애인의 평생교육과정의 개발
7. 발달장애인의 의사소통 도구의 개발과 보급

8. 장애인 평생교육프로그램을 운영하는 각급학교와 평생교육기관 양성을 위한 지원
9. 장애 유형별 평생교육 교재·교구의 개발과 보급
10. 그 밖에 장애인평생교육진흥센터의 목적수행을 위하여 필요한 사업
③ 장애인평생교육진흥센터의 설립·운영에 필요한 사항은 대통령령으로 정한다.

제20조【시·도평생교육진흥원의 운영 등】 ① 시·도지사는 대통령령으로 정하는 바에 따라 시·도평생교육진흥원을 설치 또는 지정·운영하여야 한다. <개정 2023.4.18.>
② 시·도평생교육진흥원은 다음 각 호의 업무를 수행한다. <개정 2023.4.18.>
1. 해당 지역의 평생교육기회 및 정보의 제공
2. 평생교육 상담 및 컨설팅 지원
3. 평생교육프로그램 운영 및 지원
3의2. 장애인 대상 평생교육프로그램 운영 및 지원
4. 해당 지역의 평생교육기관간 연계체제 구축
5. 국가 및 시·군·구 간 협력·연계
6. 해당 지역의 평생교육 진흥을 위한 조사·연구
7. 시행계획 수립의 지원
8. 평생교육 관계자의 역량강화 지원
9. 그 밖에 평생교육진흥을 위하여 시·도지사가 필요하다고 인정하는 사항
③ 제1항에 따른 시·도평생교육진흥원 간의 연계·정보교류 및 사업의 공동 추진을 위하여 전국시·도평생교육진흥원협의회를 둘 수 있다. <신설 2023.4.18.>
④ 제3항에 따른 전국시·도평생교육진흥원협의회의 구성·운영에 필요한 사항은 대통령령으로 정한다. <신설 2023.4.18.>
[제목개정 2023.4.18.]

제20조의2【장애인평생교육시설 등의 설치】 ① 국가·지방자치단체 및 시·도교육감은 관할 구역 안의 장애인을 대상으로 평생교육프로그램 운영과 평생교육 기회를 제공하기 위하여 장애인평생교육시설을 설치 또는 지정·운영할 수 있다.
② 국가·지방자치단체 및 시·도교육감 외의 자가 제1항에 따른 장애인평생교육시설을 설치하고자 하는 때에는 대통령령으로 정하는 시설과 설비를 갖추어 교육감에게 등록하여야 한다.
③ 국가 및 지방자치단체는 장애인평생교육시설의 운영에 필요한 경비를 예산의 범위에서 지원할 수 있다.

제20조의3【노인평생교육시설 설치 등】 ① 국가·지방자치단체 및 시·도교육감은 관할 구역 안의 노인을 대상으로 평생교육프로그램 운영과 평생교육 기회를 제공하기 위하여 노인평생교육시설을 설치 또는 지정·운영할 수 있다.
② 평생교육기관은 노인의 평생교육 기회의 확대를 위하여 별도의 노인 평생교육과정을 설치·운영할 수 있다.
③ 지방자치단체는 노인평생교육시설의 운영에 필요한 경비를 예산의 범위에서 지원할 수 있다.
[본조신설 2023.4.18.]

제21조【시·군·구평생학습관 등의 설치·운영 등】 ① 시·도교육감 및 시장·군수·자치구의 구청장은 관할 구역 안의 주민을 대상으로 평생교육프로그램 운영과 평생교육 기회를 제공하기 위하여 평생학습관을 설치 또는 지정·운영하여야 한다. <개정 2023.4.18.>
② 시·도교육감 및 시장·군수·자치구의 구청장은 평생학습관에 대한 재정적 지원 등 해당 지방자치단체의 평생교육을 진흥하기 위하여 필요한 사업을 실시할 수 있다. <개정 2023.4.18.>
③ 평생학습관은 다음 각 호의 사업을 수행한다.
1. 평생교육프로그램의 개발·운영
1의2. 장애인 대상 평생교육프로그램의 개발·운영
2. 평생교육 상담
3. 평생교육 종사자에 대한 교육·훈련
4. 평생교육 관련 정보의 수집·제공

5. 제21조의3에 따른 읍·면·동 평생학습센터에 대한 운영 지원 및 관리
6. 그 밖에 평생교육 진흥을 위하여 필요하다고 인정되는 사업
④ 제1항 및 제2항에 따른 평생학습관의 설치·운영 등에 필요한 사항은 해당 지방자치단체의 조례로 정한다.

제21조의2【장애인 평생교육과정】 ①「유아교육법」 제2조 제2호에 따른 유치원 및「초·중등교육법」 제2조에 따른 학교의 장은 해당 학교의 교육환경을 고려하여「장애인복지법」 제2조에 따른 장애인의 계속교육을 위한 장애인 평생교육과정을 설치·운영할 수 있다.
② 평생교육기관은 장애인의 평생교육 기회의 확대를 위하여 별도의 장애인 평생교육과정을 설치·운영할 수 있다.
③ 진흥원은 장애인의 평생교육기회 확대 방안 및 장애인 평생교육프로그램을 개발하여야 한다.
④ 제20조에 따른 시·도 평생교육진흥원은 평생교육기관이 장애인 평생교육과정을 설치·운영할 수 있도록 지원하여야 한다.

제21조의3【읍·면·동 평생학습센터의 운영】 ① 시장·군수·자치구의 구청장은 읍·면·동별로 주민을 대상으로 하여 평생교육프로그램을 운영하고 상담을 제공하는 평생학습센터를 설치하거나 지정하여 운영할 수 있다.
② 제1항에 따른 읍·면·동 평생학습센터의 설치 또는 지정 및 운영에 관한 사항은 해당 지방자치단체의 조례로 정한다.

제21조의4【자발적 학습모임의 지원 등】 ① 지방자치단체는 지역사회 주민이 평생학습을 주된 목적으로 자발적으로 참여하는 모임(이하 "자발적 학습모임"이라 한다)의 활동을 지원할 수 있다.
② 지방자치단체는 자발적 학습모임이 창출한 성과를 활용하여 사회적 가치를 창출할 수 있도록 노력하여야 하고, 자발적 학습모임이 지역사회의 문제 해결에 참여할 수 있도록 지원하여야 한다.
[본조신설 2023.4.18.]

제22조【정보화 관련 평생교육의 진흥】 ① 국가 및 지방자치단체는 각급학교·민간단체·기업 등과 연계하여 교육의 정보화와 이와 관련된 평생교육과정의 개발을 위하여 노력하여야 한다.
② 국가 및 지방자치단체는 각급학교·평생교육기관 등이 필요한 인적자원을 활용할 수 있도록 하기 위하여 대통령령으로 정하는 바에 따라 강사에 관한 정보를 수집·제공하는 제도를 운영할 수 있다.

제23조【학습계좌】 ① 교육부장관은 국민의 평생교육을 촉진하고 인적자원의 개발·관리를 위하여 학습계좌(국민의 개인적 학습경험을 종합적으로 집중 관리하는 제도를 말한다)를 도입·운영할 수 있도록 노력하여야 한다.
② 교육부장관은 제1항의 학습계좌에서 관리할 학습과정을 대통령령으로 정하는 바에 따라 평가인정할 수 있다.
③ 교육부장관은 제2항에 따라 평가인정을 받은 학습과정의 이수결과를 학점이나 학력 또는 자격으로 인정할 수 있다. 이 경우 그 인정 절차 및 방식 등에 필요한 사항은 대통령령으로 정한다. <신설 2023.4.18.>
④ 교육부장관은 제2항에 따라 평가인정을 받은 학습과정을 설치·운영하는 평생교육기관이 다음 각 호의 어느 하나에 해당하면 그 평가인정을 취소할 수 있다. 다만, 제1호에 해당하는 경우에는 평가인정을 취소하여야 한다. <신설 2009.5.8., 2013.3.23., 2023.4.18.>
1. 거짓이나 그 밖의 부정한 방법으로 평가인정을 받은 경우
2. 제2항에 따라 평가인정 받은 내용을 위반하여 학습과정을 운영한 경우
3. 제2항에 따른 평가인정의 기준에 이르지 못하게 된 경우
⑤ 교육부장관은 제4항 제2호 및 제3호에 따라 평가인정을 취소하고자 할 경우에는 대통령령으로 정하는 기간과 절차에 따라 평생교육기관의 장에게 시정을 명하여야 한다. <신설 2009.5.8., 2013.3.23., 2023.4.18.>
⑥ 교육부장관은 제5항에 따라 시정명령을 하는 경우에는 평생교육기관의 장에게 시정명령을 받은 사실을 공표할 것을 명할 수 있다. <신설 2013.12.30., 2023.4.18.>

⑦ 교육부장관 및 지방자치단체의 장은 제16조의2에 따른 평생교육이용권으로 수강한 교육이력을 학습계좌를 통해 관리할 수 있다. <신설 2021.6.8., 2023.4.18.>
⑧ 교육부장관은 학습계좌의 운영을 위하여 필요한 경우에는 관계 행정기관등의 장에게 필요한 자료의 제공을 요청할 수 있다. 이 경우 자료의 제공을 요청받은 관계 행정기관등의 장은 특별한 사유가 없으면 이에 따라야 한다. <신설 2021.6.8., 2023.4.18.>

제4장 평생교육사

제24조 【평생교육사】 ① 교육부장관은 평생교육 전문인력을 양성하기 위하여 다음 각 호의 어느 하나에 해당하는 사람에게 평생교육사의 자격을 부여하며, 자격을 부여받은 사람에게는 자격증을 발급하여야 한다. <개정 2021.3.23.>
1. 「고등교육법」 제2조에 따른 학교(이하 "대학"이라 한다) 또는 이와 같은 수준 이상의 학력이 있다고 인정되는 기관에서 교육부령으로 정하는 평생교육 관련 교과목을 일정 학점 이상 이수하고 학위를 취득한 사람
2. 「학점인정 등에 관한 법률」 제3조 제1항에 따라 평가인정을 받은 학습과정을 운영하는 교육훈련기관(이하 "학점은행기관"이라 한다)에서 교육부령으로 정하는 평생교육 관련 교과목을 일정 학점 이상 이수하고 학위를 취득한 사람
3. 대학을 졸업한 사람 또는 이와 같은 수준 이상의 학력이 있다고 인정되는 사람으로서 대학 또는 이와 같은 수준 이상의 학력이 있다고 인정되는 기관, 제25조에 따른 평생교육사 양성기관, 학점은행기관에서 교육부령으로 정하는 평생교육 관련 교과목을 일정 학점 이상 이수한 사람
4. 그 밖에 대통령령으로 정하는 자격요건을 갖춘 사람

② 평생교육사는 평생교육의 기획·진행·분석·평가 및 교수업무를 수행한다.
③ 다음 각 호의 어느 하나에 해당하는 사람은 평생교육사가 될 수 없다. <개정 2021.3.23.>
1. 제24조의2에 따라 자격이 취소된 후 그 자격이 취소된 날부터 3년이 지나지 아니한 사람(제28조 제2항 제1호에 해당하여 자격이 취소된 경우는 제외한다)
2. 제28조 제2항 제1호부터 제5호까지의 어느 하나에 해당하는 사람

④ 평생교육사의 등급, 직무범위, 이수과정, 연수 및 자격증의 교부절차 등에 필요한 사항은 대통령령으로 정한다.
⑤ 제1항에 따라 발급받은 자격증은 다른 사람에게 빌려주거나 빌려서는 아니 되며, 이를 알선하여서도 아니 된다.
⑥ 교육부장관은 제1항에 따른 평생교육사의 자격증을 교부 또는 재교부 받으려는 사람에게 교육부령으로 정하는 바에 따라 수수료를 받을 수 있다.

제24조의2 【평생교육사의 자격취소】 교육부장관은 평생교육사가 다음 각 호의 어느 하나에 해당하는 경우에는 그 자격을 취소하여야 한다.
1. 거짓이나 그 밖의 부정한 방법으로 평생교육사의 자격을 취득한 경우
2. 다른 사람에게 평생교육사의 명의를 사용하게 하거나 자격증을 빌려준 경우
3. 제24조 제3항 제2호의 결격사유에 해당하게 된 경우

제25조 【평생교육사 양성기관】 ① 교육부장관은 평생교육사의 양성과 연수에 필요한 시설·교육과정·교원 등을 고려하여 대통령령으로 정하는 바에 따라 평생교육기관을 평생교육사 양성기관으로 지정할 수 있다.

제26조 【평생교육사의 배치 및 채용】 ① 평생교육기관에는 제24조 제1항에 따른 평생교육사를 배치하여야 한다.
② 「유아교육법」, 「초·중등교육법」 및 「고등교육법」에 따른 유치원 및 학교의 장은 평생교육프로그램을 운영함에 있어서 필요한 경우에 평생교육사를 채용할 수 있다.
③ 제20조에 따른 시·도 평생교육진흥원, 제20조의2에 따른 장애인평생교육시설 및 제21조에 따른 시·군·구 평생학습관에 평생교육사를 배치하여야 한다.
④ 제1항부터 제3항까지의 규정에 따른 평생교육사의 배치대상기관 및 배치기준은 대통령령으로 정한다.

제27조 【평생교육사 채용에 대한 경비보조】 국가 및 지방자치단체는 제26조 제2항에 따른 평생교육 프로그램 운영 및 평생교육사 채용에 사용되는 경비 등을 보조할 수 있다.

제5장 평생교육기관

제28조【평생교육기관의 설치자】 ① 평생교육기관의 설치자는 다양한 평생교육프로그램을 실시하여 지역사회 주민을 위한 평생교육에 기여하여야 한다.

② 다음 각 호의 어느 하나에 해당하는 자는 평생교육기관의 설치자가 될 수 없다. <개정 2021.3.23.>

1. 피성년후견인 또는 피한정후견인
2. 금고 이상의 실형을 선고받고 그 집행이 종료(집행이 종료된 것으로 보는 경우를 포함한다)되거나 집행이 면제된 날부터 3년이 지나지 아니한 자
3. 금고 이상의 형의 집행유예를 선고받고 그 유예기간 중에 있는 자
4. 법원의 판결 또는 다른 법률에 따라 자격이 정지 또는 상실된 자
5. 제42조에 따라 인가 또는 등록이 취소되거나 평생교육과정이 폐쇄된 후 3년이 지나지 아니한 자
6. 임원 중 제1호부터 제5호까지의 어느 하나에 해당하는 자가 있는 법인

③ 제2조 제2호 가목에 따른 평생교육기관의 설치자는 특별시·광역시·특별자치시·도·특별자치도(이하 "시·도"라 한다)의 조례로 정하는 바에 따라 평생교육시설의 운영과 관련하여 그 시설의 이용자에게 발생한 생명·신체상의 손해를 배상할 것을 내용으로 하는 보험가입 또는 공제사업에의 가입 등 필요한 안전조치를 하여야 한다.

④ 평생교육기관의 설치·운영자는 학습자의 보호를 위하여 다음 각 호의 어느 하나에 해당하는 경우에는 대통령령으로 정하는 바에 따라 학습비 반환 등의 조치를 하여야 한다.

1. 제42조에 따라 평생교육시설의 설치인가 또는 등록이 취소되거나 평생교육과정이 폐쇄 또는 운영정지된 경우
2. 평생교육기관의 설치·운영자가 교습을 할 수 없게 된 경우
3. 학습자가 본인의 의사로 학습을 포기한 경우
4. 그 밖에 학습자 보호를 위하여 대통령령으로 정하는 경우

⑤ 제31조 제2항에 따른 학력인정 평생교육시설의 설립 주체는 「사립학교법」에 따른 학교법인 또는 「공익법인의 설립·운영에 관한 법률」에 따른 재단법인으로 한다.

제28조의2【평생교육기관의 평가 및 인증】 ① 교육부장관은 평생교육기관의 신청에 따라 기관 및 교육과정의 운영을 평가하거나 인증할 수 있다.

② 교육부장관은 제1항에 따른 평가 또는 인증의 운영·관리에 관한 업무를 관련 전문기관에 위탁할 수 있다.

③ 교육부장관은 제2항에 따라 평가 또는 인증의 운영·관리를 위탁하였을 때에는 그에 드는 비용을 예산의 범위에서 지원할 수 있다.

④ 국가 또는 지방자치단체가 평생교육기관에 행정적 또는 재정적 지원을 하려는 경우에는 제1항에 따른 평가 또는 인증 결과를 활용할 수 있다.

⑤ 제1항부터 제4항까지에 따른 평가 또는 인증의 시행, 전문기관에의 위탁, 평가 또는 인증 결과의 활용 등에 필요한 사항은 대통령령으로 정한다.

[본조신설 2023.4.18.]

제29조【학교의 평생교육】 ① 「초·중등교육법」 및 「고등교육법」에 따른 각급학교의 장은 평생교육을 실시하는 경우 평생교육의 이념에 따라 교육과정과 방법을 수요자 관점으로 개발·시행하도록 하며, 학교를 중심으로 공동체 및 지역문화 개발에 노력하여야 한다. <개정 2021.3.23.>

② 각급학교의 장은 해당 학교의 교육여건을 고려하여 학생·학부모와 지역 주민의 요구에 부합하는 평생교육을 직접 실시하거나 지방자치단체 또는 민간에 위탁하여 실시할 수 있다. 다만, 영리를 목적으로 하는 법인 및 단체는 제외한다.

③ 제2항에 따른 학교의 평생교육을 실시하기 위하여 각급학교의 교실·도서관·체육관, 그 밖의 시설을 활용하여야 한다.

④ 제2항 및 제3항에 따라 학교의 장이 학교를 개방할 경우 개방시간 동안의 해당 시설의 관리·운영에 필요한 사항은 해당 지방자치단체의 조례로 정한다.

제30조【학교 부설 평생교육시설】 ① 각급학교의 장은 학생·학부모와 지역 주민을 대상으로 교양의 증진 또는 직업교육을 위한 평생교육시설을 설치·운영할 수 있다. 평생교육시설을

설치하는 경우 각급학교의 장은 관할청에 보고하여야 한다.
② 대학의 장은 대학생 또는 대학생 외의 사람을 대상으로 자격취득을 위한 직업교육과정 등 다양한 평생교육과정을 운영할 수 있다. <개정 2021.3.23.>
③ 각급학교의 시설은 다양한 평생교육을 실시하기에 편리한 형태의 구조와 설비를 갖추어야 한다.

제31조【학교형태의 평생교육시설】 ① 학교형태의 평생교육시설을 설치·운영하고자 하는 자는 대통령령으로 정하는 시설·설비를 갖추어 교육감에게 등록하여야 한다.
② 교육감은 제1항에 따른 학교형태의 평생교육시설 중 일정 기준 이상의 요건을 갖춘 평생교육시설에 대하여는 이를 고등학교졸업 이하의 학력이 인정되는 시설로 지정할 수 있다. 다만, 제6항에 따라 지방자치단체로부터 지원받은 보조금을 목적 외 사용, 부당집행하였을 경우에는 그 지정을 취소할 수 있다.
③ 제2항에 따른 학력인정 평생교육시설에는 「초·중등교육법」 제19조 제1항의 교원을 둘 수 있다. 이 경우 교원의 복무·국내연수와 재교육에 관하여는 국·공립학교의 교원에 관한 규정을 준용한다.
④ 「초·중등교육법」 제54조 제4항에 따라 전공과를 설치·운영하는 고등기술학교는 교육부장관의 인가를 받아 전문대학졸업자와 동등한 학력·학위가 인정되는 평생교육시설로 전환·운영할 수 있다. 이 경우 전공대학의 명칭을 사용할 수 있다.
⑤ 제2항에 따른 학력인정 평생교육시설의 지정 및 지정취소 기준·절차, 입학자격, 교원자격 등과 제4항에 따른 평생교육시설의 인가 기준·절차, 학사관리 등의 운영 방법 등에 필요한 사항은 대통령령으로 정한다.
⑥ 지방자치단체는 해당 지방자치단체의 조례로 정하는 바에 따라 예산의 범위 내에서 「초·중등교육법」 제2조의 학교에 준하여 제2항에 따른 학력인정 평생교육시설에 필요한 보조금을 교부하거나 그 밖의 지원을 할 수 있다.
⑦ 제2항 또는 제4항에 따라 학력인정 평생교육시설로 지정 또는 인가를 받은 자가 그 시설을 폐쇄하고자 하는 때에는 재학생 보호방안 등 대통령령으로 정하는 사항을 갖추어 교육부장관 또는 시·도교육감의 인가를 받아야 한다. <개정 2023.4.18.>
⑧ 제2항에 따른 학력인정 평생교육시설의 재산관리, 회계 및 교원 등의 신규채용에 관한 사항은 각각 「사립학교법」 제28조, 제29조 및 제53조의2 제10항을 준용하고, 장학지도 및 학생의 학교생활기록 관리는 각각 「초·중등교육법」 제7조 및 제25조 제1항을 준용하며, 보건·위생·학습환경 등에 관한 사항은 각각 「학교보건법」 제4조, 제9조, 제9조의2 및 제12조를 준용한다. 다만, 교비회계에 속하는 예산·결산 및 회계 업무는 교육부령으로 정하는 방식으로 처리하여야 한다. <신설 2015.3.27., 2023.4.18.>

제32조【사내대학형태의 평생교육시설】 ① 다음 각 호의 어느 하나에 해당하는 자는 교육부장관의 인가를 받아 전문대학 또는 대학졸업자와 동등한 학력·학위가 인정되는 평생교육시설을 설치·운영하거나 「고등교육법」 제2조에 따른 학교에 위탁하여 운영할 수 있다. <개정 2023.4.18.>
1. 대통령령으로 정하는 규모 이상의 사업장(공동으로 참여하는 사업장도 포함한다)의 경영자
2. 「산업입지 및 개발에 관한 법률」에 따라 설립된 산업단지 입주기업의 연합체(이하 "산업단지 기업연합체"라 한다). 이 경우 산업단지 기업연합체는 제1호에서 대통령령으로 정하는 규모 이상이어야 한다.
3. 「산업발전법」 제12조 제2항에 따라 구성된 산업부문별 인적자원개발협의체(이하 "산업별 협의체"라 한다). 이 경우 산업별 협의체는 제1호에서 대통령령으로 정하는 규모 이상이어야 한다.

② 제1항에 따른 사내대학형태의 평생교육시설은 다음 각 호의 어느 하나에 해당하는 사람을 대상으로 한다. <개정 2023.4.18.>
1. 해당 사업장 또는 산업단지 기업연합체에 속한 사업장에 고용된 종업원
2. 해당 사업장 또는 산업단지 기업연합체에 속한 사업장에서 일하는 다른 업체의 종업원
3. 해당 사업장 또는 산업단지 기업연합체에 속한 사업장과 하도급 관계에 있는 업체 또는 부품·재료 공급 등을 통하여 해당 사업장 또는 산업단지 기업연합체에 속한 사업장과 협력관계에 있는 업체의 종업원

4. 해당 사업장 또는 산업단지 기업연합체에 속한 사업장과 동종 업종 또는 관련 분야에 속하는 업체의 종업원
5. 산업별 협의체의 해당 업종 또는 관련 분야에 속하는 업체의 종업원

③ 제1항에 따른 사내대학형태의 평생교육시설에서의 교육에 필요한 비용은 제2항 각 호에 해당하는 사람을 고용한 고용주가 부담하는 것을 원칙으로 한다.

④ 제1항에 따른 사내대학형태의 평생교육시설의 설치기준·학점제등 운영에 필요한 사항은 대통령령으로 정한다.

⑤ 제1항에 따른 사내대학형태의 평생교육시설을 폐쇄하고자 하는 경우에는 재학생 보호방안 등 대통령령으로 정하는 사항을 갖추어 교육부장관에게 신고하여야 한다. <개정 2023. 4.18.>

제33조【원격대학형태의 평생교육시설】 ① 누구든지 정보통신매체를 이용하여 특정 또는 불특정 다수인에게 원격교육을 실시하거나 다양한 정보를 제공하는 등의 평생교육을 실시할 수 있다.

② 제1항에 따라 불특정 다수인을 대상으로 학습비를 받고 교육을 실시하고자 하는 경우(「학원의 설립·운영 및 과외교습에 관한 법률」 제2조의2 제1항 제1호의 학교교과교습학원에 해당하는 경우는 제외한다)에는 대통령령으로 정하는 바에 따라 교육감에게 신고하여야 한다. 이를 폐쇄하고자 하는 경우에는 그 사실을 교육감에게 통보하여야 한다.

③ 제1항에 따라 전문대학 또는 대학졸업자와 동등한 학력·학위가 인정되는 원격대학형태의 평생교육시설을 설치하고자 하는 경우에는 대통령령으로 정하는 바에 따라 교육부장관의 인가를 받아야 한다. 이를 폐쇄하고자 하는 경우에는 교육부장관에게 신고하여야 한다.

④ 교육부장관은 제3항에 따라 인가한 원격대학형태의 평생교육시설에 대하여는 평가를 실시하고 그 결과를 공개하여야 한다.

⑤ 제3항에 따른 원격대학형태의 평생교육시설의 설치기준, 학사관리 등 운영방법과 제4항에 따른 평가에 필요한 사항은 대통령령으로 정한다.

⑥ 제28조 제2항 각 호의 어느 하나에 해당하는 자는 원격대학형태의 평생교육시설의 설치자가 될 수 없다.

제34조【준용 규정】 제33조 제3항에 따른 원격대학형태의 평생교육시설을 설치·운영하는 자와 그 시설에 대하여는 「사립학교법」 제28조·제29조·제31조·제70조를 준용한다.

제35조【사업장 부설 평생교육시설】 ① 대통령령으로 정하는 규모 이상 사업장의 경영자는 해당 사업장의 고객 등을 대상으로 하는 평생교육시설을 설치·운영할 수 있다.

② 제1항에 따른 사업장 부설 평생교육시설을 설치하고자 하는 자는 대통령령으로 정하는 바에 따라 교육감에게 신고하여야 한다. 이를 폐쇄하고자 하는 경우에는 그 사실을 교육감에게 통보하여야 한다.

제36조【시민사회단체 부설 평생교육시설】 ① 시민사회단체는 상호 유기적인 협조체제를 구축하고 공공시설 및 민간시설 등 유휴시설을 활용하여 해당 시민사회단체의 목적에 부합하는 평생교육과정을 운영하도록 노력하여야 한다.

② 대통령령으로 정하는 시민사회단체는 일반 시민을 대상으로 하는 평생교육시설을 설치·운영할 수 있다.

③ 제2항에 따른 시민사회단체 부설 평생교육시설을 설치하고자 하는 자는 대통령령으로 정하는 바에 따라 교육감에게 신고하여야 한다. 이를 폐쇄하고자 하는 경우에는 그 사실을 교육감에게 통보하여야 한다.

제37조【언론기관 부설 평생교육시설】 ① 신문·방송 등 언론기관을 경영하는 자는 해당 언론매체를 통하여 다양한 평생교육프로그램을 방영하는 등 국민의 평생교육진흥에 기여하여야 한다.

② 대통령령으로 정하는 언론기관을 경영하는 자는 일반 국민을 대상으로 교양의 증진과 능력향상을 위한 평생교육시설을 설치·운영할 수 있다.

③ 제2항에 따른 언론기관 부설 평생교육시설을 설치하고자 하는 자는 대통령령으로 정하는 바에 따라 교육감에게 신고하여야 한다. 이를 폐쇄하고자 하는 경우에는 그 사실을 교육감에게 통보하여야 한다.

제38조【지식·인력개발 관련 평생교육시설】 ① 국가 및 지방자치단체는 지식정보의 제공과 교육훈련을 통한 인력개발을 주된 내용으로 하는 지식·인력개발사업을 진흥·육성하여야 한다.
② 제1항에 따른 지식·인력개발사업을 경영하는 자 중 대통령령으로 정하는 자는 평생교육시설을 설치·운영할 수 있다.
③ 제2항에 따른 지식·인력개발사업과 관련하여 평생교육시설을 설치하고자 하는 자는 대통령령으로 정하는 바에 따라 교육감에게 신고하여야 한다. 이를 폐쇄하고자 하는 경우에는 그 사실을 교육감에게 통보하여야 한다.

제38조의2【평생교육시설의 변경인가·변경등록 등】 ① 제31조부터 제33조까지, 제35조부터 제38조까지의 규정에 따라 평생교육시설 인가를 받거나 등록·신고를 한 자가 인가 또는 등록·신고한 사항을 변경하고자 하는 때에는 대통령령으로 정하는 바에 따라 변경인가를 받거나 변경등록·변경신고를 하여야 한다.
② 제1항에 따른 변경인가 및 변경등록·변경신고의 방법·절차 등에 필요한 사항은 교육부령으로 정한다.

제38조의3【신고 등의 처리절차】 ① 교육부장관은 제32조 제5항, 제33조 제3항 후단에 따른 신고를 받은 날부터 20일 이내에 신고수리 여부를 신고인에게 통지하여야 한다.
② 교육감은 제33조 제2항 전단, 제35조 제2항 전단, 제36조 제3항 전단, 제37조 제3항 전단 또는 제38조 제3항 전단에 따른 신고를 받은 날부터 10일 이내에 신고수리 여부를 신고인에게 통지하여야 한다. 제38조의2 제1항에 따라 제33조 제2항 전단, 제35조 제2항 전단, 제36조 제3항 전단, 제37조 제3항 전단 또는 제38조 제3항 전단에 따른 신고 사항에 관한 변경신고를 받은 경우에도 또한 같다.
③ 교육부장관 또는 교육감이 제1항 또는 제2항에서 정한 기간 내에 신고수리 여부 또는 민원 처리 관련 법령에 따른 처리기간의 연장 여부를 신고인에게 통지하지 아니하면 그 기간(민원 처리 관련 법령에 따라 처리기간이 연장 또는 재연장된 경우에는 해당 처리기간을 말한다)이 끝난 날의 다음 날에 신고를 수리한 것으로 본다.

제6장 문해교육

제39조【문해교육의 실시 등】 ① 국가 및 지방자치단체는 성인의 사회생활에 필요한 문자해득능력 등 기초능력을 높이기 위하여 노력하여야 한다.
② 교육감은 대통령령으로 정하는 바에 따라 관할 구역 안에 있는 초·중학교에 성인을 위한 문해교육 프로그램을 설치·운영하거나 지방자치단체·법인 등이 운영하는 문해교육 프로그램을 지정할 수 있다.
③ 국가 및 지방자치단체는 문해교육 프로그램을 위하여 대통령령으로 정하는 바에 따라 우선하여 재정적 지원을 할 수 있다.

제39조의2【문해교육센터 설치 등】 ① 국가는 문해교육의 활성화를 위하여 진흥원에 국가문해교육센터를 둔다.
② 시·도교육감 및 시·도지사는 시·도 문해교육센터를 설치하거나 지정·운영할 수 있다.
③ 국가문해교육센터 및 시·도문해교육센터의 구성, 기능 및 운영, 그 밖에 필요한 사항은 대통령령으로 정한다.

제40조【문해교육 프로그램의 교육과정 등】 제39조에 따라 설치 또는 지정된 문해교육 프로그램을 이수한 자에 대하여는 그에 상응하는 학력을 인정하되, 교육과정 편성 및 학력인정 절차 등에 필요한 사항은 대통령령으로 정한다.

제40조의2【문해교육종합정보시스템 구축·운영 등】 ① 교육부장관은 문해교육의 효율적 지원을 위하여 문해교육종합정보시스템을 구축·운영할 수 있다.
② 교육부장관은 문해교육종합정보시스템 운영업무를 국가문해교육센터에 위탁할 수 있다.
③ 제1항에 따른 문해교육정보시스템의 구축·운영과 제2항에 따른 문해교육정보시스템 운영업무의 위탁 등에 필요한 사항은 대통령령으로 정한다.

제7장 성인 진로교육 <신설 2023.6.13.>

제40조의3【성인 진로교육의 실시】 평생교육기관, 대학,「진로교육법」제15조에 따른 국가진로교육센터 및 같은 법 제16조에 따른 지역진로교육센터는 성인 진로교육을 실시할 수 있다.
[본조신설 2023.6.13.]

제8장 평생학습 결과의 관리·인정

제41조【학점, 학력 등의 인정】 ① 이 법에 따라 학력이 인정되는 평생교육과정 외에 이 법 또는 다른 법령의 규정에 따른 평생교육과정을 이수한 사람은「학점인정 등에 관한 법률」로 정하는 바에 따라 학점 또는 학력을 인정받을 수 있다. <개정 2021.3.23.>
② 다음 각 호의 어느 하나에 해당하는 사람은「학점인정 등에 관한 법률」로 정하는 바에 따라 그에 상응하는 학점 또는 학력을 인정받을 수 있다. <개정 2023.8.8.>
1. 각급학교 또는 평생교육시설에서 각종 교양과정 또는 자격취득에 필요한 과정을 이수한 사람
2. 산업체 등에서 일정한 교육을 받은 후 사내인정자격을 취득한 사람
3. 국가·지방자치단체·각급학교·산업체 또는 민간단체 등이 실시하는 능력측정검사를 통하여 자격을 인정받은 사람
4. 「무형유산의 보전 및 진흥에 관한 법률」에 따라 인정된 국가무형유산의 보유자와 그 전수교육을 받은 사람
5. 대통령령으로 정하는 시험에 합격한 사람

③ 각급학교 및 평생교육시설의 장은 학습자가 제31조에 따라 국내외의 각급학교·평생교육시설 및 평생교육기관으로부터 취득한 학점·학력 및 학위를 상호 인정할 수 있다.
[시행일 2024.5.17.]

독학학위제, 평생학습도시, 학점은행제

1. 독학학위제

① 「독학에 의한 학위취득에 관한 법률」에 의거하여 국가에서 실시하는 학위취득시험에 합격한 독학자(獨學者)에게 학사학위를 수여함으로써 평생교육의 이념을 구현하고 개인의 자아실현과 국가사회의 발전에 이바지하는 것을 목적으로 하는 제도이다. 독학학위제를 통해 대학교를 다니지 않아도 스스로 공부하여 학위를 취득할 수 있다. 또한 일과 학습의 병행이 가능하여 시간과 비용을 최소화할 수 있다. 언제나, 어디서나 학습이 가능한 평생학습시대의 자아실현을 위한 제도이다. 독학학위제는 고등학교 졸업 이상의 학력을 가진 사람이면 누구나 시험에 응시할 수 있다. 학위취득시험은 4개의 과정(교양과정, 전공기초과정, 전공심화과정, 학위취득종합시험)으로 이루어져 있으며 각 과정별 시험을 모두 거쳐 학위취득종합시험에 합격하면 학사학위를 취득할 수 있다.

② 학점은행제 학습구분 결정기준

첫째 단계	교양과정 인정시험으로 교양학점으로 인정 가능하다. 단, 일부 과목의 경우, 학점은행제 희망전공의 표준교육과정에 기초하여 전공필수 혹은 전공선택으로 인정 가능하다. 예 학점은행제 경영학(학사) 전공의 학습자가 [경영학개론] 과목 합격 시 전공필수와 교양 중 학습자가 원하는 학습구분으로 인정
둘째 단계	전공기초과정 인정 시험이다.
셋째 단계	전공심화과정 인정 시험이다.
넷째 단계	학위취득종합시험이다.

참고 둘째~넷째 단계에서는 희망 학위 및 전공의 표준교육과정을 기준으로 학습구분이 결정된다.

2. 평생학습도시

① 개인의 자아실현, 사회적 통합증진, 경제적 경쟁력을 제고하여 궁극적으로 개인의 삶의 질 제고와 도시 전체의 경쟁력 향상을 위해 언제, 어디서, 누구나 원하는 학습을 즐길 수 있는 학습공동체 건설을 도모하는 총체적 도시 재구조화(restructuring) 운동이다.

② 동시에 지역사회의 모든 교육자원을 기관관 연계, 지역사회간 연계, 국가간 연계시킴으로써 네트워킹 학습공동체를 형성하려는 지역 시민에 의한, 지역시민을 위한, 시민의 지역사회교육운동이다.

3. 학점은행제

학점은행제는 평생학습사회를 구현하기 위해 1998년부터 시행된 제도로 개인사정 등에 의해 고등교육의 기회를 놓친 사람들이 평가가 인정된 학습과목을 이수하거나 국가기술자격 취득, 독학학위제 단계별 시험합격 등을 통해 인정받아 학점은행제의 표준교육과정에 의하여 일정한 학점(학사 140, 전문학사 2년제 80, 3년제 120학점) 이상 취득하면 대학 또는 전문대학 졸업학력인정과 함께 학위를 받을 수 있는 제도이다.

원격교육(distance education)

교수자와 학습자가 직접 대면하지 않고 인쇄교재, 방송교재, 오디오나 비디오교재, 통신망 등을 매개로 하여 교수·학습 활동을 하는 형태의 교육이다. 원격교육은 시간적, 공간적 제약을 받지 않고 원하는 시간에 원하는 장소에서 학습할 수 있다. 컴퓨터나 인터넷이 본격적으로 활용되기 이전에는 인쇄교재나 방송을 통해 이루어졌다. 최근에는 인터넷이 발달되어 초창기의 원격교육이 갖고 있던 일방향성을 극복하고 양방향(two-way)의 상호작용이 가능하게 되었다. 다만 원격교육은 학습자들이 자기주도적으로 학습에 몰입하게 되므로 전통적인 면대면 교육에 비해 중도탈락률이 상대적으로 높은 단점이 있다.

기출문제

1. 다음 설명에 해당하는 평생교육제도는? 2020년 국가직 7급

> 학교 안팎에서 이루어지는 다양한 형태의 학습경험과 자격을 학점으로 인정하여, 일정 기준을 충족하면 대학졸업학력 또는 전문대학졸업학력을 인정하는 제도

① 독학학위제 ② 학점은행제
③ 평생학습계좌제 ④ 국가직무능력표준제

해설

학점은행제는 개인사정 등에 의해 고등교육의 기회를 놓친 사람들이 평가가 인정된 학습과목을 이수하거나 국가기술자격 취득, 독학학위제 단계별 시험합격 등을 통해 인정받아 학점은행제의 표준교육과정에 의하여 일정한 학점 이상 취득하면 대학 또는 전문대학 졸업학력인정과 함께 학위를 받을 수 있는 제도이다. **답 ②**

2. 다음에 해당하는 우리나라의 평생교육제도는? 2021년 국가직 9급

> • 국민의 학력·자격이수 결과에 대한 사회적 인정 및 활용기반을 확대하기 위한 제도이다.
> • 학교교육, 비형식교육 등 국민의 다양한 개인적 학습경험을 학습이력관리시스템으로 누적·관리한다.

① 학습휴가제 ② 학습계좌제
③ 시간제 등록제 ④ 평생교육 바우처

해설

학습계좌제는 「평생교육법」 제23조에 규정되어 있는 개인적 학습 경험을 종합적으로 집중 관리하는 제도이다. **답 ②**

秀 POINT 중요 개념

- □ 기능론
- □ 능력주의
- □ 대응이론
- □ 아비투스
- □ 언어사회화
- □ 자기충족적 예언
- □ 문화지체
- □ 준거집단
- □ 침묵의 문화
- □ 문제 제기식 교육
- □ 학력사회
- □ 기회균형선발제
- □ 차별의 원리
- □ 교육선발지수
- □ 기능문해
- □ 갈등론
- □ 재생산론
- □ 문화자본
- □ 헤게모니
- □ 집합형과 통합형
- □ 사회화
- □ 문화실조
- □ 학습사회
- □ 은행 저축식 교육
- □ 시험의 사회적 기능
- □ 교육평등관
- □ 교육복지우선지원제도
- □ 사회자본
- □ 순환교육
- □ 평생학습도시

찾아보기

찾아보기

인물편

ㅅ

ㅇ

ㅈ

ㅊ

ㅋ

ㅌ

ㅍ

ㅎ

내용편

ㄱ

ㄴ

ㄷ

ㅁ

ㅂ

ㅅ

ㅇ

ㅈ

ㅊ

ㅋ

ㅌ

ㅍ

ㅎ

기타

2025 대비 최신개정판

해커스공무원 이이수 교육학 기본서 | 1권

개정 5판 1쇄 발행 2024년 7월 1일

지은이	이이수
펴낸곳	해커스패스
펴낸이	해커스공무원 출판팀
주소	서울특별시 강남구 강남대로 428 해커스공무원
고객센터	1588-4055
교재 관련 문의	gosi@hackerspass.com 해커스공무원 사이트(gosi.Hackers.com) 교재 Q&A 게시판 카카오톡 플러스 친구 [해커스공무원 노량진캠퍼스]
학원 강의 및 동영상강의	gosi.Hackers.com
ISBN	1권: 979-11-7244-169-2 (14370) 세트: 979-11-7244-168-5 (14370)
Serial Number	05-01-01